하이패스

건축(산업)기사
실기 이론서

서울고시각

**Stand by
Strategy
Satisfaction**

새로운 출제경향에 맞춘 수험서의 완벽서

머리말
INTRO

　본 이론서에서는 건축기사 자격증을 취득하기 위해 치러야 하는 실기시험 5과목의 기본이론과 문제를 해결하는 데 필요한 핵심 내용을 다루고 있다. 이러한 이론 내용은 지난 26개년 동안의 기출문제를 분석하여 작성되었다. 건축기사 및 건축산업기사의 실기시험 준비는 관련 이론을 여러 번의 반복 회독을 거쳐 충분히 학습한 후 과년도의 기출문제를 풀어 학습한 이론이 어떻게 문제로 출제되는지를 연마하는 것이 반드시 필요하다. 또한 건축기사 시험의 특성상 일정한 비율의 기출문제를 동일하게 출제하는 경향이 있어 기출문제의 중요성은 좀 더 높아지고 있는 추세이다. 또한 건축산업기사 시험의 실기 과목은 '건축구조'가 포함되지 않으며 나머지 네 과목도 건축기사 실기의 출제범위와 약간 다르므로 이론 수업에서 말씀드리는 난이도에 맞춰 준비할 필요가 있다.

※ **건축기사의 실기시험 과목**
　　건축시공, 공정관리, 건축적산, 품질관리, 건축구조
※ **건축산업기사의 실기시험 과목**
　　건축시공, 공정관리, 건축적산, 품질관리

　이 교재의 특징은 다음과 같다.

> **첫째**, 수험생들이 효율적으로 학습하는 것을 최우선으로 하여 각 과목별로 최소한의 노력으로 최대한의 효과를 얻을 수 있도록 기출문제의 분석을 철저히 진행하였다.
> **둘째**, 각 단원별 문제에 대한 정답 해설을 꼭 필요한 부분만 설명하여 수험생들의 학습량을 최소화하는 데 중점을 두었다.
> **셋째**, 이론 강의에서의 단어-단어 암기법을 기초로 방대한 분량의 건축시공 내용을 암기하기 쉽도록 기술하여 동영상 강의와 병행하면 누구나 쉽게 이해하고 학습할 수 있도록 하였다.
> **넷째**, 최근 개정된 새 법령에 맞춰 과년도 문제를 출제 당시의 법령에 따른 풀이와 현재의 법령으로 풀이한 경우도 병행하여 기술하였다.

　마지막으로 건축기사 및 건축산업기사 실기 이론 교재의 발행에 많은 협조를 아끼지 않은 (주)서울고시각 및 에듀마켓 대표이사님 이하 임직원 여러분과 편집하신 분들께 깊은 감사를 드립니다.

저자 안남식

자격시험 정보
GUIDE

[1] 자격명
건축기사(Architectural Engineer)/건축산업기사(Architectural Industrial Engineer)

[2] 관련부처
국토교통부

[3] 시행기관
한국산업인력공단

[4] 자격시험 일정 및 수수료(건축기사/건축산업기사)
① 시험 일정

구분	실기원서접수 (휴일제외)	실기시험	합격자 발표
제1회	3.24.~3.27.	4.19.~5.9.	• 1차 6.5. • 2차 6.13.
제2회	6.23.~6.26.	7.19.~8.6.	• 1차 9.5. • 2차 9.12.
제3회	9.22.~9.25.	11.1.~11.21.	• 1차 12.5. • 2차 12.24.

※ 원서접수시간은 원서접수 첫날 10:00부터 마지막 날 18:00까지임
※ 시험 일정은 종목별, 지역별로 상이할 수 있음
　[접수 일정 전에 공지되는 해당 회별 수험자 안내(Q-Net 공지사항 게시) 참조 필수]

② 수수료 : [건축기사] 필기-19,400원 / 실기-22,600원
　　　　　 [건축산업기사] 필기-19,400원 / 실기-20,800원

[5] 취득방법
① 시행처 : 한국산업인력공단
② 관련학과 : [건축기사] 대학이나 전문대학의 건축, 건축공학, 건축설비, 실내건축 관련학과
　　　　　　 [건축산업기사] 대학이나 전문대학의 건축 관련학과
③ 시험과목
　• 필기 : 1. 건축계획, 2. 건축시공, 3. 건축구조, 4. 건축설비, 5. 건축관계법규
　• 실기 : 건축시공 실무
④ 검정방법
　• 필기 : 객관식 4지 택일형 과목당 20문항(과목당 30분)
　• 실기 : [건축기사] 필답형(3시간)
　　　　　[건축산업기사] 필답형(2시간 30분)

⑤ 합격기준
- 필기 : 100점을 만점으로 하여 과목당 40점 이상, 전과목 평균 60점 이상
- 실기 : 100점을 만점으로 하여 60점 이상

[6] 최근 6개년 종목별 검정현황

① 건축기사

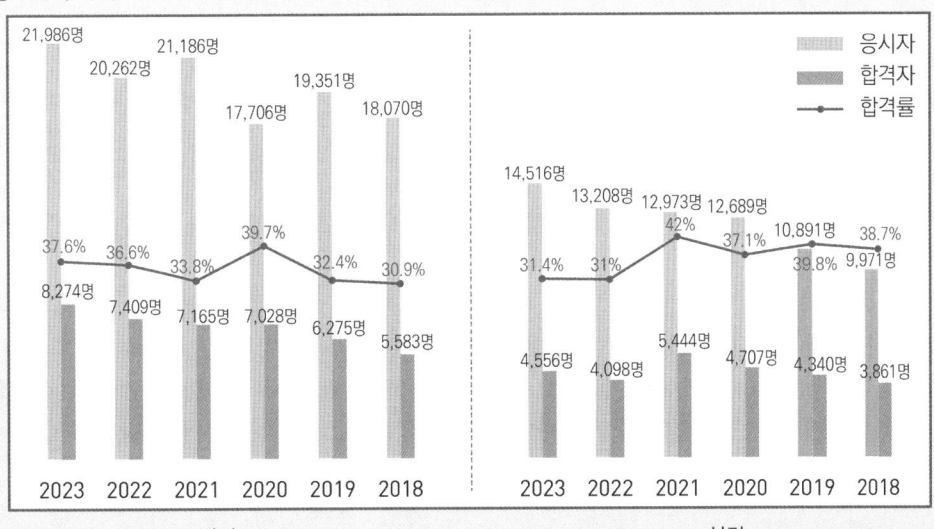

② 건축산업기사

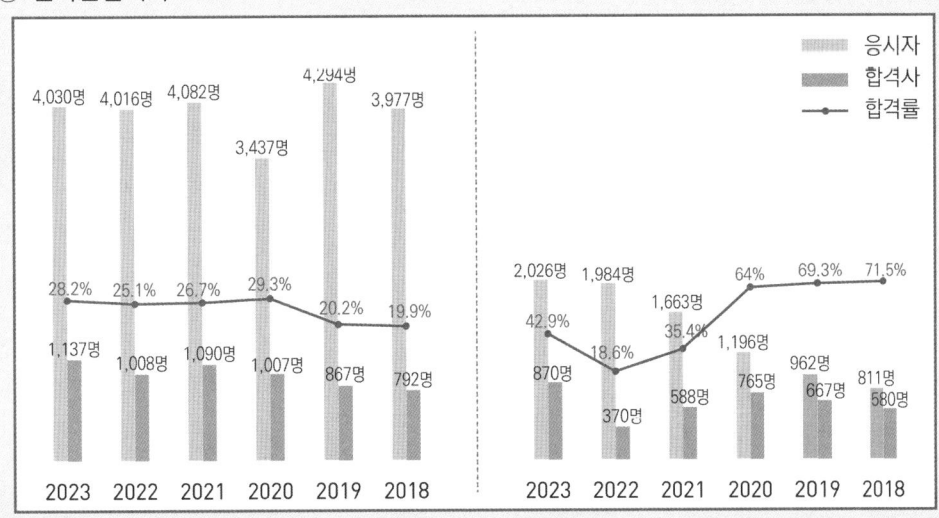

자격시험 정보
GUIDE

[7] 기본정보
① 개요
건축물의 계획 및 설계에서 시공에 이르기까지 전 과정에 관한 공학적 지식과 기술을 갖춘 기술인력으로 하여금 건축업무를 수행하게 함으로써 안전한 건축물 창조를 위하여 자격제도 제정

② 수행직무
건축시공에 관한 공학적 기술이론을 활용하여, 건축물 공사의 공정, 품질, 안전, 환경, 공무관리 등을 통해 건축 프로젝트를 전체적으로 관리하고 공종별 공사를 진행하며 시공에 필요한 기술적 지원을 하는 등의 업무 수행

③ 진로 및 전망
- 종합 또는 전문건설회사의 건설현장, 건축사사무소, 용역회사, 시공회사 등으로 진출할 수 있다.
- 신규 착공부지의 부족, 기업에 대한 정부의 강도 높은 부동산 제재로 투자위축 우려, 전세대란의 대책으로 인한 재건축사업의 부진 우려, 지방지역의 높은 주택보급률에 대한 부담 등 감소요인이 있으나, 최근 저금리추세가 지속, 신규 공동주택에 대한 매매수요가 증가요인으로 작용하여 건축(산업)기사 자격취득자에 대한 인력수요는 증가할 것이다.

출제경향과 수험대책
TREND & MEASURE

📑 출제경향

　건축기사 및 건축산업기사 실기시험은 필기시험과 유사하게 **일정한 비율의 기출문제를 문제은행식으로 동일하게 출제하는 경향이 있는 것이 특징**이고, 만점을 방지한다는 이유인지는 모르겠으나 지난 10년 동안 한 번도 출제되지 않았던 **새롭고 지엽적인 문제들도 5~8문제는 꼭 출제되고 있는 실정이다.**

　또한 개념을 전혀 모른다 해도 4개의 선택지 중에 정답을 고를 수 있는 필기시험과 다르게 **실기시험은 정의를 설명하거나 계산해서 푸는 주관식 시험**이므로 요행을 바라기 어렵고 오직 실력이 있는 사람만이 합격할 수 있는 꽤 까다로운 시험으로 볼 수 있다.

　다만, Q-Net에서 발표하는 건축기사/건축산업기사의 연도별 합격률이 30~40%인 점에서 알 수 있듯이 열심히 공부한 사람은 충분히 합격할 수 있도록 출제되고 있으니 최근 문제의 출제경향에 맞춰 준비할 필요가 있으며, 간혹 표준시방서와 건축구조기준에서 개정된 기준을 적용한 문제들도 출제되고 있으니 이에 대한 대비도 필요할 것으로 보인다.

📑 수험대책

　위의 출제경향에 맞춰 **단기 합격을 위한 학습법은 반복 학습이 최고**라고 단언할 수 있다. 지난 20여 년의 강의 경력을 토대로 기출문제를 정밀하게 분석해 보면 건축기사의 실기시험은 10개년의 과년도 기출문제만 충실하게 반복 학습할 경우 합격할 확률이 거의 100%에 가까울 것으로 확신하고 있다.

　그러나 건축산업기사의 실기시험은 작업형에서 필답형으로 문제 형식이 바뀐 것이 2021년이므로 이제 4개년의 과년도 기출문제만 있는 상태이므로 건축산업기사 4개년의 과년도 기출문제는 물론 건축기사의 기출문제(건축시공 위주)도 추가로 충실하게 반복 학습할 경우 모두 합격할 것으로 확신한다.

　그 이유는 출제경향에서도 밝혔듯 문제은행식으로 동일하게 출제되는 문제의 비중이 꽤 차지하므로 반복 학습을 하다 보면 이러한 문제들에 익숙해지며 자신감이 붙어 나머지 과목의 문제들도 수월하게 풀이할 수 있기 때문으로 생각된다.

　결론적으로 **이론서를 통해 전체적인 이론을 학습한 후 과년도 기출문제를 반복해서 풀어보고 문제들을 숙지하는 것이 단기 합격으로 가는 지름길**이라는 것은 자명할 것이다. 또한 신경향의 문제들이 일정한 비율로 출제되고 있으므로 합격의 가능성을 높이기 위해서는 건축시공을 제외한 나머지 과목들도 등한시하지 말고 끝까지 최선을 다해 반복 학습한다면 틀림없이 좋은 결과를 얻을 수 있을 것이다.

이 책의 구성과 특징
GUIDE

이 론 편

CHAPTER 01 총론

4. LCC(Life Cycle Cost)
(1) 정의
건축물의 초기 기획단계에서 계획, 설계, 시공, 유지관리, 철거의 단계까지 총체적인 과정에서 사용되는 비용을 말한다.

❶ 07②,③ · 10①,④ · 12④ · 16③ · 19④ · 20③ · 22① · 산22① · 산23③
용어 : LCC

5. 전산화
(1) CIC(Computer Integrated Construction)
컴퓨터를 통한 건설통합 System으로서 컴퓨터, 정보통신 및 자동화 조립기술을 토대로 건설생산에 기능, 인력들을 유기적으로 연계하여 각 건설업체의 업무를 각사의 특성에 맞게 최적화하는 개념

10②
용어 : CIC

(2) CALS(Continuous Acquisition & Life Cycle Support)
건설산업의 설계·입찰·시공·유지관리 등 전 과정에서 발생되는 정보를 발주청, 설계·시공업체 등 관련 주체가 초고속 정보통신망을 활용하여 정보를 실시간으로 교환, 공유하는 건설분야의 통합정보통신 시스템

❷ 용어 : CALS

❶ **출제연도와 회차 표기**
예) 07②,③ (건축기사 07년 2, 3회차 출제)
   산22① (건축산업기사 22년 1회차 출제)

❷ **포인트 용어 정리**

문 제 편

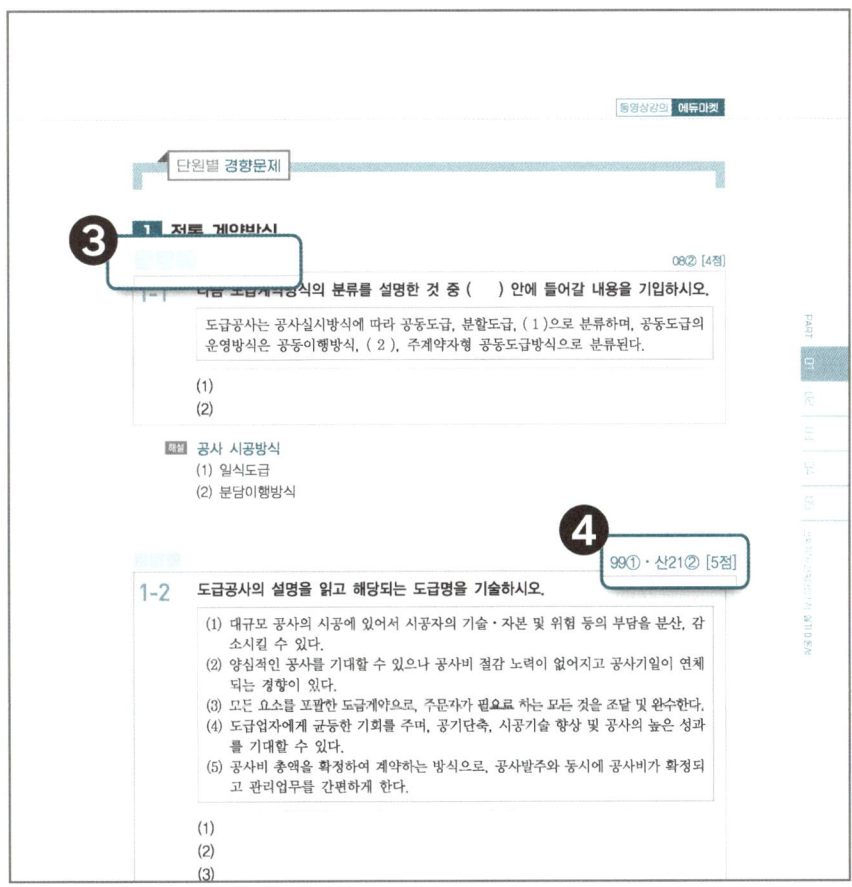

❸ 반복학습(3회독 제공)

❹ 출제연도와 회차 표기
  예 99① (건축기사 99년 1회차 출제)
    산21② (건축산업기사 21년 2회차 출제)

차례
CONTENTS

PART 01 건축시공

Chapter 01 총론 — 3
- 제1절 개요 — 3
- 제2절 관리기법 — 9
- 제3절 시공방식(공사실시방식)의 분류 — 22
- 제4절 입찰 및 계약 — 37
- 제5절 시공계획 및 관리 — 53
- 제6절 용어해설 — 56

Chapter 02 가설공사 — 60
- 제1절 개요 — 60
- 제2절 측량 — 62
- 제3절 가설건축물 — 63
- 제4절 기준점과 규준틀 — 64
- 제5절 비계 및 비계다리 — 66
- 제6절 안전설비 — 68
- 제7절 환경(비산먼지 발생대책) — 71
- 제8절 용어해설 — 71

Chapter 03 토공사 — 79
- 제1절 지반의 구성 및 흙의 성질 — 79
- 제2절 지반조사(지하탐사) — 87
- 제3절 토질시험 — 93
- 제4절 지반개량 — 103
- 제5절 터파기 — 114
- 제6절 토공사용 장비 — 142
- 제7절 용어해설 — 146

Chapter 04 지정공사 — 153
- 제1절 기초 — 153
- 제2절 지정 — 154
- 제3절 말뚝지정 — 155
- 제4절 깊은 기초 지정 — 163

Chapter 05	**철근콘크리트공사**		**176**
	제1절	철근공사	176
	제2절	거푸집 공사	196
	제3절	콘크리트 공사-재료	220
	제4절	콘크리트 공사-배합/성질	244
	제5절	콘크리트 공사-시공	271
	제6절	콘크리트 공사-종류	288
	제7절	용어해설	303

Chapter 06	**철골/PC/커튼월 공사**		**324**
	제1절	철골 공사	324
	제2절	PC(Pre-Cast) 공사	382
	제3절	커튼월 공사	385

Chapter 07	**조적공사**		**394**
	제1절	벽돌공사	394
	제2절	블록공사	412
	제3절	석공사	423
	제4절	타일공사	428
	제5절	용어해설	431

Chapter 08	**목공사**		**436**
	제1절	재류 및 목재의 특성	436
	제2절	제재와 가공	444
	제3절	접합	448
	제4절	목구조의 부재 및 수장	453

Chapter 09	**방수공사**		**459**
	제1절	일반사항 및 지하실 방수	459
	제2절	침투성 방수와 멤브레인 방수	464
	제3절	시트 방수 및 도막 방수	472
	제4절	멤브레인 방수의 영문 표시 기호 및 실(Seal)재 방수	477

차례 CONTENTS

Chapter 10 지붕, 창호 및 유리공사 — 482
제1절   지붕공사 — 482
제2절   창호공사 — 486
제3절   유리공사 — 495

Chapter 11 마감공사 — 502
제1절   미장공사 — 502
제2절   도장공사 — 515
제3절   합성수지 공사 — 522
제4절   기타공사 — 526

PART 02 공정관리

Chapter 01 총론 — 541
제1절   공정계획의 일반사항 — 541
제2절   공정표의 종류 — 541

Chapter 02 네트워크 공정표 — 547
제1절   네트워크 공정표 구성 — 547
제2절   네트워크 공정표 작성 연습 — 551
제3절   일정계산 — 555

Chapter 03 횡선식 공정표(Bar Chart) — 586
제1절   문제 유형 분석 — 586
제2절   유형별 문제풀이 — 587

Chapter 04 공기단축 — 595
제1절   일반사항 — 595
제2절   공기단축법 — 597

Chapter 05 공정관리 기법 — 624
제1절   자원배당 — 624
제2절   EVMS — 625

PART 03 건축적산

Chapter 01 총론 — 635
- 제1절 건축적산의 일반사항 — 635
- 제2절 수량산출 기준 — 638
- 제3절 길이·면적 산출방법 — 640

Chapter 02 가설공사 — 649
- 제1절 공통 가설공사 — 649
- 제2절 직접 가설공사 — 651

Chapter 03 토공사 — 655
- 제1절 터파기량 — 655
- 제2절 되메우기량 — 657
- 제3절 잔토처리량 — 659
- 제4절 건설기계 및 소운반 — 661

Chapter 04 철근콘크리트 공사 — 671
- 제1절 배합비에 따른 각 재료량 — 671
- 제2절 콘크리트량·거푸집량 — 673
- 제3절 철근량 — 681

Chapter 05 철골공사 — 698
- 제1절 일반사항 — 698
- 제2절 수량산출 — 698

Chapter 06 조적공사 — 703
- 제1절 벽돌공사 — 703
- 제2절 블록공사 — 705
- 제3절 타일공사 — 706

차례
CONTENTS

Chapter 07 **목공사**   **709**
- 제1절 일반사항   709
- 제2절 수량산출   709

Chapter 08 **기타공사**   **712**
- 제1절 방수공사   712
- 제2절 미장공사   712

Chapter 09 **종합적산**   **718**

PART 04 품질관리

Chapter 01 **품질관리**   **729**
- 제1절 시공기술 품질관리   729
- 제2절 통계적 품질관리(SQC ; Statistical Quality Control)   742
- 제3절 자재 품질관리   747

PART 05 건축구조

Chapter 01 **구조역학**   **767**
- 제1절 힘의 단위   767
- 제2절 정정구조물   768
- 제3절 응력과 변형도   796
- 제4절 구조물의 변위   817

| Chapter 02 | **철근콘크리트** | **824** |

제1절	용어 정의	824
제2절	재료	825
제3절	설계하중 및 하중조합	828
제4절	사용성 및 내구성	836
제5절	보의 휨 해석 및 설계	844
제6절	보의 전단	858
제7절	정착 및 이음	863
제8절	슬래브 설계	867
제9절	기둥 설계	872
제10절	기초 설계 및 벽체	877

| Chapter 03 | **철골구조** | **881** |

제1절	철골구조의 개요	881
제2절	접합	884
제3절	인장재	899
제4절	한계상태설계법에 의한 설계인장강도	900
제5절	압축재	901
제6절	보의 설계	902
제7절	접합부	904

건축기사 / 건축산업기사 실기

PART 1

건축시공

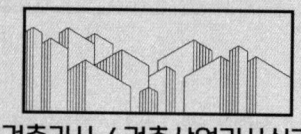

건축기사 / 건축산업기사실기

CHAPTER 01 총론

제1절 | 개요

1 개요

1. 건축시공의 정의 및 목적
건축시공은 건축물을 최저 공사비로 최단기간 내에 만드는 것으로, 건축시공을 결정하는 공사속도와 경제에 따른 효과를 비교하여 최대의 생산 결과를 제시하는 것이 건축시공의 목적이다.

2. 건축생산의 3S system
① 단순화(Simplification)
② 규격화(Standardization)
③ 전문화(Specialization)

> 99③ · 01③ · 07①
> 종류 : 건축시공의 현대화 방안에 있어서 건축생산의 3S System을 기술하시오.

3. 공사관계자
(1) 건축주(Owner)
   ① 공사 시행의 주체 또는 발주자
   ② 건설공사를 시공자에게 도급하는 자
(2) 감리자(Inspector)
   ① 계약서, 설계도서, 관련 법규대로 시공하는지를 감독
   ② 공사 중 발생되는 문제 지도, 조언
   ③ 발주자의 입장에서 감독 기능을 보완
(3) 시공자
   ① 발주자로부터 건설공사를 도급받은 건설업자(하도급업자 포함)
   ② 재료, 노무관리 및 건설공사 등 공사 일체를 책임지고 수행

(4) 건설사업 관리자

건설프로젝트의 전 과정에 CM 업무를 수행하는 자

> 📖 06②
> 용어 : 감리자

> 📖 산23③
> 역할 : 감리자

4. 건설노무자

   ① 직용 노무자
      ㉠ 원도급자에게 직접 고용되어 임금을 받는 노무자
      ㉡ 잡역부 등 미숙련 노무자가 많다.
   ② 정용 노무자
      ㉠ 직종별 전문업자 혹은 하도급업자에 상시 종속되어 있는 기능 노무자로 출역일수에 따라 임금을 받는다.
      ㉡ 기능공의 역할을 수행한다.
   ③ 임시고용 노무자 : 주로 단순노동력을 제공하는 날품노무자로서 보조노무자이고, 임금이 싸다.

> 📖 00①
> 고용형태로 분류한 건설노무자에 대한 설명이다. ( ) 안에 알맞은 용어를 쓰시오.
> ① 원도급자에게 직접 고용되어 임금을 받는 노무자로서 잡역부 등 미숙련자가 많다. (   )
> ② 직종별 전문업자 혹은 하도급업자에 상시 종속되어 있는 기능 노무자로서 출역일수에 따라 임금을 받는다. (   )
> ③ 날품노무자로서 보조노무자이고, 임금도 싸다. (   )

5. 도급자

   ① 원도급자

      건축주와 직접 도급계약을 체결한 자

   ② 하도급자

      건축주와 관계없이 원도급자와 도급공사 일부를 수행하기로 계약한 자

   ③ 재도급자

      건축주와 관계없이 원도급자와 도급공사 전부를 수행하기로 계약한 자

> 📖 98③ · 06②
> 다음 (   ) 안에 알맞은 용어를 쓰시오.
> 건설공사를 완성하고 그 대가를 받는 영업을 (①)이라 하고, 건축주와 직접 도급계약을 한 시공업자를 (②)업자라 하며, 이 도급공사의 전부를 건축주와는 관계없이 다른 시공자에게 도급 주어 시행하는 것을 (③)이라 하며, 부분적으로 분할하여 제3자에게 도급 주어 시행하는 것을 (④)이라 한다.

6. 건설프로젝트 진행순서

타당성 조사/분석 → 설계 → 구매/조달 → 시공 → 시운전 및 완공 → 인도/유지관리

> 📖 98⑤·05①·산21③
> 건설프로젝트 진행순서

2 기타사항

1. 건축물의 유지관리를 위한 정기적인 검사방법

건축물의 유지관리를 위해서는 정기적인 검사가 필요하며 검사방법에는 다음과 같은 세 가지가 있다.
① 초기점검
② 정기점검
③ 정밀점검

> 📖 06②
> 유지관리를 위한 정기검사

2. 건설산업의 환경분석

경영전략 수립을 위한 건설산업의 환경분석은 기회요소와 위협요소에 대한 표출작업이라 할 수 있다. 이를 대비하여 조사하여야 할 항목은 다음과 같다.
① 정부의 투자계획 및 제도
② 건설수요 예상물량
③ 자원공급 현황

> 📖 06②
> 건설산업의 환경분석

단원별 경향문제

99③ · 01① · 07① [3점]

1-1 건축시공의 현대화방안에 있어서 건축생산의 3S System을 기술하시오.

(1)
(2)
(3)

해설 건축생산의 3S System
(1) 단순화(Simplification)
(2) 규격화(Standardization)
(3) 전문화(Specialization)

98③ · 06② [3점]

1-2 다음 설명에 해당되는 용어를 쓰시오.

(1) 건축주와 직접계약을 체결한 자 (   )
(2) 건축물이 설계도서대로 시공되는지의 여부를 확인 및 감독하는 자 (   )
(3) 건설프로젝트의 전 과정에 CM 업무를 수행하는 자 (   )

해설 용어
(1) 원도급자
(2) 감리자
(3) 건설사업 관리자

1-3 다음 ( ) 안에 도급공사에 관계되는 용어를 쓰시오.

건설공사를 완성하고 그 대가를 받는 영업을 (①)라(이라) 하고, 건축주와 직접 도급계약을 한 시공업자를 (②)라(이라) 하며, 이 도급공사의 전부를 건축주와는 관계없이 다른 공사자에게 도급주어 시행하는 것을 (③)라(이라) 하고, 부분적으로 분할하여 제3자인 전문건설업자에게 도급주어 시행하는 것을 (④)라(이라) 하는데, 현 건설업법에서는 위의 설명 중 (⑤)는(은) 금지되어 있다.

①
②
③
④
⑤

해설 도급공사 용어
① 건설업
② 원도급자
③ 재도급
④ 하도급
⑤ 재도급

1-4 고용형태로 분류한 건설노무자에 대한 설명이다. ( ) 안에 알맞은 용어를 쓰시오.

(1) 원도급업자에게 직접 고용되어 임금을 받는 노무자로서 잡역부 등 미숙련자가 많다.
   (   )
(2) 직종별 전문업자 혹은 하도급업자에 상시 종속되어 있는 기능 노무자로서 출역일수에 따라 임금을 받는다. (   )
(3) 날품노무자로서 보조노무자이고, 임금도 싸다. (   )

해설 노무자
(1) 직용노무자
(2) 정용노무자
(3) 임시고용노무자

1-5
대형 건축물 프로젝트의 추진과정에서 순서에 맞게 빈칸을 채우시오.

(1) 프로젝트 착상 및 타당성 분석
(2) (   )
(3) 구매 및 조달
(4) (   )
(5) 시운전 및 완공
(6) (   )

해설 대형건축물 프로젝트 진행
(2) 설계(Design)
(4) 시공(Construction)
(6) 인도(Turn over) 및 유지관리

2-1
건축물의 유지관리를 위한 정기적인 검사방법을 3가지 쓰시오.

(1)
(2)
(3)

해설 유지관리 정기검사
(1) 초기점검
(2) 정기점검
(3) 정밀점검

2-2
경영전략 수립을 위한 건설산업의 환경분석은 기회요소와 위협요소에 대한 표출작업이라 할 수 있다. 이를 대비하여 조사하여야 할 항목을 3가지만 쓰시오.

(1)
(2)
(3)

해설 건설산업의 환경분석
(1) 정부의 투자계획 및 제도
(2) 건설수요 예상물량
(3) 자원공급 현황

제 2 절 | 관리기법

1. EC화(Engineering Construction)
(1) 정의
  ① 건설업의 고부가가치의 추구를 목적으로 함
  ② 종래의 단순시공에서 벗어나 설계, 엔지니어링, 프로젝트 전반 사항을 종합, 관리, 기획하는 업무영역의 확대를 의미함

(2) 특성
  ① 생산능력 확보
  ② 지식의 집약화, 고부가 가치화
  ③ 건설산업의 System화
  ④ 건설기술능력의 향상

(3) 종합건설제도(Genecon)
  ① General Construction의 약자로 프로젝트 발굴에서 기획, 설계, 시공 및 유지관리에 이르는 전 과정을 일괄 추진할 수 있는 능력을 갖춘 종합건설업체
  ② 종합적인 건설관리만 맡고 일반 시공업무는 하청업자에게 넘겨주어 공사를 진행

> 05② · 05③ · 07②
> 용어 : EC화

> 18④
> 용어 : 종합건설제도(Genecon)

2. VE(Value Engineering : 가치공학)
(1) 정의
공사에 요구되는 품질, 공기, 안전성 등의 기능을 충족시키는 체계적이고 과학적인 공사비 절감방안으로 공사 초기(설계단계)에 적용한다.

> 02② · 10④ · 15① · 산22③
> 용어 : VE

> 15①
> 적용단계

(2) 가치공식
VE는 각 공종의 기능을 철저히 분석해서 원가절감의 요소를 찾아내는 데 있으며 효과적인 VE는 Life Cycle Cost가 최저일 때이다.

$$Value(가치) = \frac{F}{C} = \frac{Function(기능)}{Cost(비용)}$$

> 98④ · 00② · 09② · 15④ · 22①
> 식 : VE 수법에서 물건 또는 서비스의 가치를 정의하는 식을 쓰시오.

(3) VE 가치의 향상방법 5가지

기능(F)	=	↗	↗	⇗	↘
비용(C)	↘	=	↘	↗	⇘

= : 일정, ⇗ : 대폭 향상, ⇘ : 대폭 축소

> 08①
> VE 가치의 향상방법 4가지

(4) 사고방식

① 고정관념 제거
② 기능 중심의 접근
③ 조직적 노력(Team Design)
④ 사용자 중심의 사고

> 98① · 11④ · 14④ · 20③
> 사고방식 : VE의 사고방식 4가지

(5) 기본추진절차

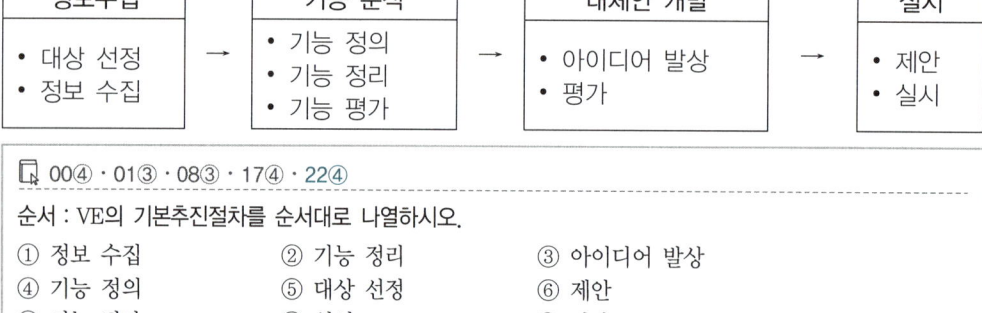

> 00④ · 01③ · 08③ · 17④ · 22④
> 순서 : VE의 기본추진절차를 순서대로 나열하시오.
> ① 정보 수집   ② 기능 정리   ③ 아이디어 발상
> ④ 기능 정의   ⑤ 대상 선정   ⑥ 제안
> ⑦ 기능 평가   ⑧ 실시   ⑨ 평가

3. 건설사업관리(Construction Management; CM)

(1) 정의

설계에서부터 각종 공사정보의 활용성 및 시공성을 고려하여 원가절감 및 공기단축을 꾀할 수 있는 설계와 시공의 통합 시스템을 말하는 것으로, 건설의 전 과정에 걸쳐 프로젝트를 보다 효율적이고 경제적으로 수행하기 위하여 각 부문의 전문가들로 구성된 통합된 관리기술을 건축주에게 서비스하는 것을 말한다.

> 98① · 02② · 06② · 07③ · 08③
> 용어 : CM

(2) 유형
　① CM의 비용과 관련된 계약방식
　　㉠ CM for Fee 방식 : 관리자가 발주자의 대행인으로서 관리업무만 수행하고 약정된 보수를 받는 방식
　　㉡ CM at Risk 방식 : 관리자가 직접 계약에 참여하여 이익을 추구하며 시공에 대한 책임을 지는 방식

> 04② · 07① · 10② · 19④
> 용어 : CM for Fee, CM at Risk

　② CM의 계약유형
　　㉠ ACM(Agency CM) : 설계단계부터 CM
　　㉡ XCM(eXtended CM) : 기획부터 CM
　　㉢ OCM(Owner CM) : 발주자 자체 CM
　　㉣ GMPCM(Guaranteed Maximum Price CM) : 계약 참여

> 07① · 산22③
> 용어 : CM의 계약유형

(3) 특성

장점	단점
① 설계자와 시공자의 통합관리로 조정 가능 ② 의사소통 개선, 마찰감소 ③ VE/단계적 발주로 원가절감 ④ 공기단축 가능, 품질향상	① 공사비 증가 위험 수반 ② 프로젝트의 성패가 상당부분 CM 관리자의 능력에 좌우됨 ③ 대리인형 CM인 경우 공사품질에 책임이 없어 문제 발생 시 책임소재 불명확

> 06①
> 특징 : CM의 장·단점

(4) 주요업무

Pre-Design (기획) 단계	① 사업의 타당성 검토 ② 현지상황 파악 ③ 사업수행의 구체적 계획수립	① 설계부터 공사관리까지 전반적인 지도·조언 관리업무 ② 부동산 관리업무 ③ 입찰 및 계약 관리업무 ④ 사업비 관리업무 ⑤ Genecon 관리업무 ⑥ 현장조직 관리업무 ⑦ 공정관리업무 ⑧ 품질관리, 안전관리업무
Design (설계) 단계	① 공사예산 분석 ② VE 기법의 도입 ③ 설계도면의 검토 및 대안공법의 검토	
Pre-Construction (발주) 단계	① 입찰자 자격심사 ② 입찰서 검토분석 ③ 시공자 선임	

Construction (시공) 단계	① 현장조직 편성 ② 공사계획 관리 ③ 설계도면, 시방서에 따른 공사 진행 검사 및 검토
Post-Construction (추가적 업무) 단계	① 분쟁(Claim)관리 ② 유지관리 ③ 하자보수관리

> 02①
> 종류 : CM의 단계적 역할

> 00① · 00③ · 03③
> 종류 : CM의 주요업무를 5가지

4. LCC(Life Cycle Cost)

(1) 정의

건축물의 초기 기획단계에서 계획, 설계, 시공, 유지관리, 철거의 단계까지 총체적인 과정에서 사용되는 비용을 말한다.

> 07②,③ · 10①,④ · 12④ · 16① · 19④ · 20③ · 22① · 산22① · 산23③
> 용어 : LCC

5. 전산화

(1) CIC(Computer Integrated Construction)

컴퓨터를 통한 건설통합 System으로서 컴퓨터, 정보통신 및 자동화 조립기술을 토대로 건설생산에 기능, 인력들을 유기적으로 연계하여 각 건설업체의 업무를 각사의 특성에 맞게 최적화하는 개념

> 10②
> 용어 : CIC

(2) CALS(Continuous Acquisition & Life Cycle Support)

건설산업의 설계·입찰·시공·유지관리 등 전 과정에서 발생되는 정보를 발주청, 설계·시공업체 등 관련 주체가 초고속 정보통신망을 활용하여 정보를 실시간으로 교환, 공유하는 건설분야의 통합정보통신 시스템

> 01③ · 05③ · 07② · 10①
> 용어 : CALS

(3) PMIS(Project Management Information System)

사업의 전 과정에서 건설 관련 주체 간 발생되는 각종 정보를 체계적·종합적으로 관리하여 최고 품질의 사업목적물을 건설하도록 지원하는 전산시스템

> 10④
> 용어 : PMIS

6. 기타

(1) 브레인스토밍(Brain Storming)
① 여러 사람이 모여 자유분방하게 이야기하면서 아이디어를 창출하는 기법
② 브레인스토밍의 4원칙
　㉠ 자유 발언 : 자유로운 분위기에서 편안한 마음으로 발언한다.
　㉡ 대량 발언 : 발언 내용의 질에 관계없이 많이 발언한다.
　㉢ 수정 발언 : 다른 사람의 발언을 수정하거나 덧붙여 설명해도 좋다.
　㉣ 비판 금지 : 다른 사람의 발언에 대해 좋고, 나쁨을 판단하지 않는다.

> 07①
> 종류 : 브레인스토밍 4원칙

(2) JIT(Just In Time)

즉시생산시스템으로 조립에 필요한 양만큼만 제조 생산하여 조달하는 시스템
① 공기단축 및 공사비 절감
② 현장 작업장 면적 감소
③ 노무인력 감소
④ 가설재 감소

> 07① · 산22③
> 용어 : JIT

1 Genecon과 VE

05② · 05③ · 07② [2점]

1-1 다음 설명이 가리키는 용어명을 쓰시오.

> 건설업의 고부가가치를 추구하기 위해 종래의 단순시공에서 벗어나 설계, 엔지니어링, 프로젝트 전반 사항을 종합, 관리, 기획하는 업무영역의 확대를 말한다.

해설 용어
EC화(Engineering Construction화)

18④ [3점]

1-2 종합건설제도(Genecon)에 관하여 간략히 설명하시오.

해설 종합건설업(제네콘)
General Construction의 약자로 프로젝트 발굴에서 기획, 설계, 시공 및 유지관리에 이르는 전 과정을 일괄 추진할 수 있는 능력을 갖춘 종합건설업체를 말한다. 종합적인 건설관리만 맡고 일반 시공업무는 하청업자에게 넘겨주어 공사를 진행한다.

15① [3점]

1-3 VE 기법의 정의와 효율적인 적용단계를 기술하시오.

(1) 정의 :
(2) 효율적인 적용단계 :

해설 VE 기법
(1) 정의 : 원가를 줄이면서 공사에 요구되는 품질, 공기, 안전성 등의 기능을 충족시키는 공사비 절감방안
(2) 효율적인 적용단계 : 공사의 초기설계 단계

98④·00②·09②·15④ [3점]

1-4
건축생산을 비롯한 공업생산의 원가관리 수법의 하나인 VE(Value Engineering) 수법에서 물건 또는 서비스의 가치를 정의하는 식을 기술하고 각 기호를 설명하시오.

해설 VE

$$\text{Value(가치)} = \frac{F}{C} = \frac{\text{Function(기능)}}{\text{Cost(비용)}}$$

08① [4점]

1-5
원가절감기법인 VE(Value Engineering)의 가치를 향상시키는 방법 4가지를 쓰시오.

(1)
(2)
(3)
(4)

해설 VE 가치의 향상방법
(1) 기능을 일정하게 하고 비용을 절감하는 방법
(2) 비용을 일정하게 하고 기능을 향상시키는 방법
(3) 비용을 절감하고 기능을 향상시키는 방법
(4) 기능을 조금 내리고 비용을 많이 절감하는 방법

98①·11④·14④·20③ [4점]

1-6
VE(가치공학)의 사고방식 4가지를 기술하시오.

(1)
(2)
(3)
(4)

해설 VE의 사고방식
(1) 고정관념의 제거
(2) 기능 중심의 접근
(3) 조직적 노력
(4) 사용자 중심의 사고

07② · 13② [4점]

1-7 가치공학(Value Engineering)의 기본추진절차 4단계를 순서대로 기술하시오.

해설 가치공학의 기본추진절차
정보 수집 → 기능 분석 → 대체안 개발 → 실시

00④ · 01③ · 08③ · 17④ [4점]

1-8 아래 〈보기〉에서 가치공학(Value Engineering)의 기본추진절차를 번호 순서대로 나열하시오.

① 정보 수집　　② 기능 정리　　③ 아이디어 발상
④ 기능 정의　　⑤ 대상 선정　　⑥ 제안
⑦ 기능 평가　　⑧ 실시　　　　⑨ 평가

( ) → ( ) → ( ) → ( ) → ( ) → ( ) → ( ) → ( ) → ( )

해설 가치공학의 기본 추진절차
⑤ → ① → ④ → ② → ⑦ → ③ → ⑨ → ⑥ → ⑧

2 건설사업관리(CM)

02② [3점]

2-1 다음 설명이 가리키는 용어명을 쓰시오.

(1) 설계에서부터 각종 공사정보의 활용성 및 시공성을 고려하여 원가절감 및 공기단축을 꾀할 수 있는 설계와 시공의 통합 시스템은? (　　　　　)
(2) 발주자가 요구하는 성능, 품질을 보장하면서 가장 낮은 공사비로 공사를 수행하기 위한 수단을 찾고자 하는 체계적이고 과학적인 공사방법은? (　　　　　)
(3) 건설업체의 공사수행능력을 기술적 능력, 재무능력, 조직 및 공사능력 등 비가격 요인을 검토하여 가장 효율적으로 공사를 수행할 수 있는 업체에 입찰참가자격을 부여하는 제도는? (　　　　　)

해설 용어
(1) 건설사업관리(CM)
(2) VE 기법
(3) 입찰자격 사전심사제도(PQ제도)

08③ [4점]

2-2 다음 설명이 가리키는 용어를 쓰시오.

(1) 건설업체의 공사 수행능력을 기술적 능력, 재무능력, 조직 및 공사능력 등 비가격적 요인을 검토하여 가장 효율적으로 공사를 수행할 수 있는 업체에 입찰참가자격을 부여하는 제도는? (   )
(2) 설계에서부터 각종 공사정보의 활용성을 고려하여 원가절감 및 공기단축을 꾀할 수 있는 설계와 시공의 통합 시스템은? (   )

해설 용어
(1) PQ(Pre-Qualification) : 입찰 참가자격 사전심사제도
(2) CM(Construction Management)

04② · 07① · 10② · 19④ [4점]

2-3 다음의 공사관리 계약방식에 대하여 기술하시오.

(1) CM for Fee 방식 :
(2) CM at Risk 방식 :

해설 공사관리 계약방식
(1) CM for Fee : 관리자가 발주자의 대행인으로서 관리업무만 수행하고 약정된 보수를 받는 방식
(2) CM at Risk : 관리자가 직접 계약에 참여하여 이익을 추구하며 시공에 대한 책임을 지는 방식

07① [4점]

2-4 CM 계약유형에 따른 분류 4가지를 쓰시오.

(1)
(2)
(3)
(4)

해설 CM 계약의 유형
(1) ACM(Ageny CM)
(2) XCM(Extended CM)
(3) OCM(Owner CM)
(4) GMPCM(Guaranteed Maximum Price CM)

06① [4점]

2-5
CM 계약의 장점과 단점을 각각 2가지씩 기술하시오.

(1) 장점 : ①
　　　　　②
(2) 단점 : ①
　　　　　②

해설 CM 계약의 장단점
(1) 장점
　　① 설계자와 시공자의 통합관리로 조정 가능, 의사소통 개선, 마찰감소
　　② VE/단계적 발주로 원가절감, 공기단축 가능
(2) 단점
　　① 프로젝트의 성패가 상당 부분 CM 관리자의 능력에 좌우됨
　　② 대리인형 CM인 경우 공사품질에 책임이 없어 문제 발생 시 책임소재 불명확

00① · 00③ · 03③ [5점]

2-6
사업관리(CM)란 건설의 전 과정에 걸쳐 프로젝트를 보다 효율적이고 경제적으로 수행하기 위하여 각 부문의 전문가들로 구성된 통합된 관리기술을 건축주에게 서비스하는 것을 말하는데, 그 주요업무 5가지를 기술하시오.

(1)
(2)
(3)
(4)
(5)

해설 CM의 주요업무
(1) 사업관리 일반
(2) 입찰 및 계약관리
(3) 사업비관리
(4) 공정관리
(5) 품질관리, 안전관리

2-7
다음은 건설사업관리(CM)의 단계적 역할을 설명한 것이다. 해당 단계를 〈보기〉에서 골라 기호로 나열하시오.

① Design 단계	② Pre-Construction 단계
③ Pre-Design 단계	④ Post-Construction 단계
⑤ Construction 단계	

(1) 비용의 분석 및 VE 기법의 도입, 대안공법의 검토단계 ( )
(2) 설계도면, 시방서에 따른 공사 진행 검사 및 검토단계 ( )
(3) 사업의 타당성 검토 및 사업수행의 구체적 계획수립단계 ( )

해설 CM의 단계적 업무
(1) ①
(2) ⑤
(3) ③

3 EC, CALS, LCC, CIC

3-1
다음 설명하는 용어를 〈보기〉에서 골라 번호를 쓰시오.

| ① CIC | ② EC | ③ CALS | ④ VE | ⑤ PMIS | ⑥ LCC |

(1) 건설산업의 설계·입찰·시공·유지관리 등 전 과정에서 발생하는 정보를 발주청, 설계·시공업체 등 관련 주체가 정보통신망을 활용하여 교환·공유하는 시스템이다. ( )
(2) 종래의 단순시공에서 벗어나 고부가가치를 추구하기 위해 사업발굴에서 유지관리에 이르기까지 사업(Project) 전반에 대한 업무영역의 확대를 말한다. ( )
(3) 건물의 기획에서부터 계획·설계·시공·유지관리·철거의 단계까지 총체적인 과정에서 사용되는 비용을 말한다. ( )

해설 용어
(1) ③
(2) ②
(3) ⑥

3-2 Life Cycle Cost(LCC)에 대해 간단히 설명하시오.

07②,③ · 12④,① · 16① · 19④ · 20③ [3점]

[해설] LCC

건축물의 초기 기획단계에서 설계, 시공, 유지관리, 해체에 이르는 건축물의 전 생애에 소요되는 비용

3-3 다음 용어를 설명하시오.

10④ · 12④ [3점]

(1) LCC(Life Cycle Cost) :
(2) VE(Value Engineering) :
(3) Task Force 조직 :

[해설] 용어

(1) LCC(Life Cycle Cost) : 건축물의 초기 기획단계에서 계획, 설계, 시공, 유지관리, 철거의 단계까지 총체적인 과정에서 사용되는 비용
(2) VE(Value Engineering) : 공사에 요구되는 품질, 공기, 안전성 등의 기능을 충족시키는 체계적이고 과학적인 공사비 절감방안
(3) Task Force 조직 : 긴급공사, 중요공사에서 전문가들이 모여 사업수행 기간 동안만 한시적으로 운영하는 건설관리 조직을 말함

3-4 CIC(Computer Integrated Construction)를 설명하시오.

10② [3점]

[해설] CIC

컴퓨터를 통한 건설통합 System으로서 컴퓨터, 정보통신 및 자동화 조립기술을 토대로 건설생산에 기능, 인력들을 유기적으로 연계하여 각 건설업체의 업무를 각사의 특성에 맞게 최적화하는 개념

3-5 건설사업통합전산망 CALS(Computer Aided acquisition and Logistic Support)에 관하여 기술하시오.

01③ · 05③ · 10① [4점]

[해설] CALS

건설산업의 설계·입찰·시공·유지관리 등 전 과정에서 발생되는 정보를 발주청, 설계·시공업체 등 관련 주체가 초고속 정보통신망을 활용하여 정보를 실시간으로 교환, 공유하는 건설분야의 통합정보통신 시스템

3-6 PMIS(Project Management Information System)에 대해 기술하시오.

해설 PMIS
사업의 전 과정에서 건설 관련 주체 간 발생되는 **각종 정보를 체계적·종합적으로 관리하여** 최고 품질의 사업목적물을 건설하도록 **지원하는 전산시스템**

3-7 브레인스토밍의 4원칙을 기술하시오.

(1)
(2)
(3)
(4)

해설 브레인스토밍의 4원칙
(1) 자유 발언 : 자유로운 분위기에서 편안한 마음으로 발언한다.
(2) 대량 발언 : 발언 내용의 질에 관계없이 많이 발언한다.
(3) 수정 발언 : 다른 사람의 발언을 수정하거나 덧붙여 설명해도 좋다.
(4) 비판 금지 : 다른 사람의 발언에 대해 좋고, 나쁨을 판단하지 않는다.

3-8 Just in Time에 대해 기술하시오.

해설 Just in Time
즉시생산시스템으로 조립에 필요한 양만큼만 제조 생산하여 조달하는 시스템
(1) 공기단축 및 공사비 절감
(2) 현장 작업장 면적 감소
(3) 노무인력 감소
(4) 가설재 감소

제 3 절 | 시공방식(공사실시방식)의 분류

> 08②
> 종류 : 공사실시방식의 분류

1 전통계약방식

1. 공사실시방식에 따른 분류

(1) 직영공사

① 정의 : 건축주가 직접 공사에 관한 계획을 세우고 재료 구입, 노무자 고용, 시공 기계, 가설재 등을 확보하여 공사를 시행하는 것을 말한다.

② 특성

장점	단점
① 양질의 공사 가능 ② 임기응변 처리 가능	① 공사비 증가 ② 규모 커지면 시공관리 곤란

(2) 일식도급
  ① 정의 : 대상공사 전부를 도급자에게 맡겨 현장 시공업무 일체를 일괄하여 시행하는 것으로 가장 일반적인 형태이며, 총도급이라고도 불린다.
  ② 특성

장점	단점
① 공사의 책임 한계 명확 ② 계약, 감독이 간단	① 하도급 단계가 많을수록 공사 조잡 우려 ② 공사비 증대 우려

(3) 분할도급
  ① 정의 : 재료와 노무를 구분하여 도급하거나 대상공사를 공정 또는 기능별로 구분하여 도급하는 방법
  ② 종류별 특성
    ㉠ 공구별 분할도급
      도급업자에게 균등한 기회를 주며, 공기단축·시공기술 향상 및 공사의 높은 성과를 기대할 수 있음
    ㉡ 공정별 분할도급
      ⓐ 공사의 순서별로 분할(토공사, 구체공사, 마무리 공사 등)
      ⓑ 공정별로 예산이 확보되었을 때 편리
    ㉢ 전문공종별 분할도급
      ⓐ 설비나 전기공사를 건축공사와 분리 계약
      ⓑ 전문성 높은 양질의 공사 기대
      ⓒ 공사의 전체적 통제 관리 곤란
    ㉣ 직종별, 공종별 분할도급
      ⓐ 전문직종별 또는 각 공종별로 발주
      ⓑ 건축주의 의도를 절서히 반영시키고자 할 때

> 99①
> 용어 : 공구별 분할도급

(4) 공동도급(Joint Venture)
  ① 정의 : 대규모 공사에 대하여 시공자의 기술, 자본 및 위험의 부담을 감소시킬 목적으로 여러 개의 건설회사가 공동출자기업을 조직하여 한 회사의 입장에서 공사를 수급, 시공하는 방식

> 99① · 산21③
> 용어 : 공동도급

② 특성

장점	단점
① 위험의 분산 ② 융자력 증대 ③ 공사이행의 확실성 보장 ④ 공사 도급 경쟁의 완화수단	① 업체 간 책임소재가 불분명 ② 단일회사 운영 시보다 경비가 증대 ③ 각 회사의 경영방식 차이에서 오는 능률저하 우려 ④ 사무관리, 현장관리의 혼란 우려

> 98⑤ · 09④ · 11④ · 18④ · 산21③ · 산22①
> 장단점 : 공동도급

③ 종류
  ㉠ 공동이행방식 : 완전한 형태의 공동도급방식
  ㉡ 분담이행방식 : 공구분할이 쉬운 공사에 주로 적용
  ㉢ 주계약자형 공동도급방식 : 공사비율이 가장 큰 업체가 주계약자가 됨

> 08② · 산23③
> 용어/종류 : 공동도급의 운영방식

④ Paper Joint : 서류상으로는 공동도급 형태를 보이지만 실제로는 한 회사가 공사를 주도적으로 진행하고 다른 회사는 하도급 형태로 이루어지거나 단순한 이익배당에만 관여하는 일종의 위장 공동도급

> 00④ · 07③ · 13② · 23④
> 용어 : 페이퍼 조인트

2. 공사비 지불방식에 따른 분류

(1) 정액 도급
  ① 정의 : 공사비 총액을 확정하여 계약하는 방식으로 공사관리업무가 간편하고, 도급업자는 공사원가를 절감하려는 노력을 할 수 있으나 공사변경에 따른 도급액의 증감이 곤란하다.

> 99① · 산22①
> 용어 : 정액도급

② 특성

장점	단점
① 공사관리 업무가 간편 ② 총액 확정으로 자금, 공사계획 수립이 명확	① 공사변경에 따른 도급금액의 증감이 곤란하므로 설계변경이 많은 공사에는 부적당 ② 공사비가 적을 경우 부실공사 우려

> 산22②
> 장단점 : 정액도급

(2) 단가 도급(Unit Price Contract)
① 정의 : 공사금액을 구성하는 물량 또는 단위공사에 대한 단가만을 확정하고 공사가 완료되면 실시 수량의 확정에 따라 청산하는 방식이다.
② 특성

장점	단점
① 공사의 신속한 착공 ② 설계변경으로 인한 수량증감의 계산이 용이	① 공사비 예측의 어려움 및 공사비 증대 우려 ② 자재, 노무비 절감의욕의 저하

> 산21① · 산22②
> 장단점 : 단가 도급

> 산21②
> 정의/장점 : 단가 도급

(3) 실비정산 보수 가산식 도급(Cost Plus Fee Contract)
① 정의 : 건축주와 시공자가 공사실비를 확인 정산하고 정해진 보수율에 따라 시공자에게 보수를 지급하는 도급방식이다.

> 99① · 07③ · 18② · 산22② · 산22③ · 23④
> 용어 : 실비정산 보수 가산식 도급

② 특성

장점	단점
① 양심적 시공 기대 ② 공사품질 향상	① 공사기간 연장의 우려 ② 공사비 증대 우려

> 산22② · 산22③
> 장단점 : 실비정산 보수 가산식 도급

③ 종류

구분	내용
① 실비 정액 보수가산식 　총공사비 = A+F 　(A : 실비, F : 정액보수)	실비가 얼마나 소요될 것인지 상관없이 미리 계약한 일정액의 수수료를 보수로 지급하는 것이다.
② 실비 비율 보수가산식 　총공사비 = A+Af 　(f : 비율)	공사의 진척에 따라 공사에 사용된 실비와 함께 보수로 사용된 실비에 미리 계약된 비율을 곱한 금액을 시공자에게 지급하는 방법이다.

③ 실비한정 비율 보수가산식 　　총공사비 = A′ + A′f 　　(A′ : 한정된 실비)	실비비율 보수가산식의 일종이나 시공자는 제한된 금액 이내에서 공사를 완성하여야 한다.
④ 실비 준동률 보수가산식 　　㉠ 비율보수인 경우 　　　총공사비 = A + A′f 　　㉡ 정액보수인 경우 　　　총공사비 = A + (F − A′f) 　　　(f′ : 준동률 보수)	실비를 미리 금액에 따라 여러 단계로 구분한 뒤, 지급 공사비는 각 단계 금액 증감에 따라 비율보수 또는 정액보수를 적용한다.

> 📖 98① · 00⑤ · 03③
> 실비정산 보수 가산식 도급의 종류

> 📖 11②
> 기호표시 : 실비정산 보수 가산식 도급 총공사비 수식

> 📖 09② · 13①
> 계산문제 : 실비한정 비율보수 가산식 도급의 총 공사금액 계산하기

> 📖 23④
> 용어 : 실비정산 비율보수 가산식

2 업무 범위에 따른 계약방식

1. 일괄수주방식(Turn Key Contract, Design-Build Contract)

(1) 정의

건설업자가 대상계획의 기업, 금융, 토지조달, 설계, 시공, 기계·기구 설치 등 주문자가 필요로 하는 모든 것을 조달하여 주문자에게 인도하는, 모든 요소를 포괄한 도급계약방식이다.

> 📖 99① · 산21②
> 용어 : Turn Key 도급계약제도

(2) 특성

장점	단점
① 책임시공으로 책임 한계 명확 ② 설계와 시공의 의사소통 개선 ③ 공기단축 및 공사비 절감	① 건축주의 의도 반영이 불충분 ② 최저낙찰 시 공사의 질 저하 우려 ③ 대규모 회사에 유리하고, 중소기업은 불리함

> 11① · 12②
> 특징 : Turn Key Base의 장·단점을 각각 3가지씩

2. 파트너링 방식(Partnering, Partnering Agreement)

(1) 정의

발주자가 직접 설계와 시공에 참여하여 발주자, 설계자, 시공자와 프로젝트 관련자들이 하나의 팀으로 조직하여 파트너와 함께 공사를 완성하는 방식

> 08③ · 16①,④ · 산21②
> 용어 : Partnering agreement 방식 계약제도

3. 민간자본 유치방식

(1) 정의

민간자본(Social Overhead Capital ; SOC)에 의한 공공시설물의 건설을 촉진하는 방안으로 투자자는 건설된 공공시설물을 일정기간 경영함으로써 투자비를 회수하는 시공방식이다.

(2) 종류

① BOT : 사회간접시설의 확충을 위해 민간이 자금조달과 공사를 완성하여 투자액의 회수를 위해 일정기간 운영하고 시설물과 운영권을 발주 측에 이전하는 방식이다.

> 00④ · 03② · 04① · 07② · 08③ · 10④ · 11② · 14①,④ · 16①,④ · 17① · 19② · 21① · 21④ · 산21③ · 산23②
> 용어 : BOT

② BOO : 사회간접시설의 확충을 위해 민간이 자금조달과 공사를 위하여 시설물의 운영과 함께 소유권도 민간에 이전되는 방식이다.

> 08① · 10④ · 19② · 산21②
> 용어 : BOO

③ BTO : 사회간접시설의 확충을 위해 민간이 자금조달과 공사를 완성하여 소유권을 공공부분에 먼저 이양하고, 약정기간 동안 그 시설물을 운영하여 투자금액을 회수하는 방식이다.

> 07② · 08① · 10④ · 15④ · 19② · 산21③ · 산23②
> 용어 : BTO

④ BTL : 민간이 자금조달을 하여 시설을 준공한 후 소유권을 정부에 이전하되, 정부의 시설임대료를 통해 투자비를 회수하는 방식

> 13④ · 17②,④
>
> 용어 : BTL

4. 패스트트랙(fast track) 공법

(1) 정의

　설계 완료 후 시공을 하는 일반적인 공사와 달리, 설계를 1단계로 하고 공사를 진행하면서 2단계 설계를 병렬로 진행하는 방식

(2) 특징

　같은 시간대에 1단계 설계 → 1단계 시공 및 2단계 설계 → 2단계 시공 및 3단계 설계 → 2단계 시공과 같은 방식으로 실시설계와 시공을 동시에 진행하게 됨

> 23①
>
> 용어 : 패스트트랙

단원별 경향문제

1 전통 계약방식

1-1 다음 도급계약방식의 분류를 설명한 것 중 ( ) 안에 들어갈 내용을 기입하시오.

> 도급공사는 공사실시방식에 따라 공동도급, 분할도급, (1)으로 분류하며, 공동도급의 운영방식은 공동이행방식, (2), 주계약자형 공동도급방식으로 분류된다.

(1)
(2)

[해설] 공사 시공방식
(1) 일식도급
(2) 분담이행방식

1-2 도급공사의 설명을 읽고 해당되는 도급명을 기술하시오.

> (1) 대규모 공사의 시공에 있어서 시공자의 기술·자본 및 위험 등의 부담을 분산, 감소시킬 수 있다.
> (2) 양심적인 공사를 기대할 수 있으나 공사비 절감 노력이 없어지고 공사기일이 연체되는 경향이 있다.
> (3) 모든 요소를 포괄한 도급계약으로, 주문자가 필요로 하는 모든 것을 조달 및 완수한다.
> (4) 도급업자에게 균등한 기회를 주며, 공기단축, 시공기술 향상 및 공사의 높은 성과를 기대할 수 있다.
> (5) 공사비 총액을 확정하여 계약하는 방식으로, 공사발주와 동시에 공사비가 확정되고 관리업무를 간편하게 한다.

(1)
(2)
(3)
(4)
(5)

[해설] 도급계약의 종류
(1) 공동도급 (2) 실비정산 보수가산식 도급
(3) 턴키도급 (4) 공구별 분할도급
(5) 정액도급

98⑤ [4점]

1-3 공동도급의 장점과 단점을 각각 2개씩 기술하시오.

(1) 장점
　①
　②
(2) 단점
　①
　②

해설 공동도급의 특징
(1) 장점
　① 위험의 분산
　② 융자력 증대
(2) 단점
　① 업체 간 책임소재가 불분명
　② 단일회사 운영 시보다 경비가 증대

09④·11④·18④ [4점]

1-4 도급계약 중 공동도급(Joint Venture) 방식의 장점 4가지를 기술하시오.

(1)
(2)
(3)
(4)

해설 공동도급의 장점
(1) 위험의 분산
(2) 융자력 증대
(3) 공사이행의 확실성 보장
(4) 공사 도급 경쟁의 완화수단

1-5 공동도급의 종류 3가지를 기술하시오.
(1)
(2)
(3)

해설 **공동도급의 종류**
(1) 공동이행방식
(2) 분담이행방식
(3) 주계약자형 공동도급

1-6 컨소시엄(Consortium)공사에 있어서 페이퍼 조인트(Paper Joint)에 관하여 기술하시오.

해설 **페이퍼 조인트**
서류상으로는 공동도급 형태를 보이지만 실제로는 **한 회사가 공사를 주도적으로 진행**하고 다른 회사는 하도급 형태로 이루어지거나 단순한 이익배당에만 관여하는 **일종의 위장 공동도급**이다.

1-7 공사 계약 방식 중 단가 도급의 장·단점을 2가지씩 기술하시오.
(1) 장점
  ①
  ②
(2) 단점
  ①
  ②

해설 **단가 도급의 장·단점**
(1) 장점
  ① 공사의 신속한 착공
  ② 설계변경으로 인한 수량증감의 계산이 용이
(2) 단점
  ① 공사비 예측의 어려움 및 공사비 증대 우려
  ② 자재, 노무비 절감의욕의 저하

산21② [4점]

1-8 단가 도급의 정의와 장점 2가지를 기술하시오.

(1) 정의 :
(2) 장점 :

해설 (1) 정의 : 공사금액을 구성하는 물량 또는 단위공사에 대한 단가만을 확정하고 공사가 완료되면 실시 수량의 확정에 따라 청산하는 방식이다.
(2) 장점
① 공사의 신속한 착공이 가능
② 설계변경으로 인한 수량증감의 계산이 용이

2 공사비 지불방식

07③ · 산21② [4점]

2-1 다음 용어를 설명하시오.

(1) 성능발주방식 :
(2) CM :
(3) LCC :
(4) 실비정산 보수 가산도급 :

해설 용어
(1) 성능발주방식 : 발주자는 설계에서 시공까지 건물의 요구성능만을 제시하고 시공자가 재료나 시공방법을 선택하여 요구성능을 실현하는 방식
(2) CM : 건설의 전 과정에 걸쳐 프로젝트를 보다 효율적이고 경제적으로 수행하기 위하여 각 부문의 전문가들로 구성된 통합된 관리기술을 건축주에게 서비스하는 것
(3) LCC : 건축물의 초기 기획단계에서 계획, 설계, 시공, 유지관리, 철거의 단계까지 총체적인 과정에서 사용되는 비용
(4) 실비정산 보수 가산도급 : 건축주와 시공자가 **공사실비를 확인 정산하고 정해진 보수율**에 따라 시공자에게 보수를 지급하는 도급방식

18② [3점]

2-2 건축주와 시공자가 공사실비를 확인 정산하고 정해진 보수율에 따라 시공자에게 보수를 지급하는 도급방식의 명칭을 기술하시오.

해설 용어
실비정산 보수 가산식 도급

98①·00⑤·03③ [4점]

2-3 공사비 지불방식에 따른 도급방식 중 실비정산 보수 가산도급에서 공사비 산정방식의 종류 4가지를 기술하시오.

(1)
(2)
(3)
(4)

해설 실비정산 보수 가산식 도급방식
(1) 실비 정액 보수 가산식
(2) 실비 비율 보수 가산식
(3) 실비한정 비율 보수 가산식
(4) 실비 준동률 보수 가산식

11② [3점]

2-4 아래에 표기된 실비정산 보수 가산방식의 종류를 보기에 주어진 기호를 사용하여 적절히 표기하시오.

A : 공사실비   A' : 한정된 실비   f : 비율   F : 정액보수

(1) 실비비율보수가산식 :
(2) 실비한정비율보수가산식 :
(3) 실비정액보수가산식 :

해설 실비정산보수가산식 도급
(1) $A + A \times f$
(2) $A' + A' \times f$
(3) $A + F$

09② · 13① [3점]

2-5 건축주와 시공자 간에 아래와 같은 조건으로 실비한정률보수가산식을 적용한 시공계약을 체결하였다. 공사완료 후 실제 소요공사비를 상호 확인한 결과 90,000,000원이었다. 이때 건축주가 시공자에게 지불해야 하는 총 공사금액은 얼마인지 계산하시오.

[계약조건]
가. 한정된 실비 : 100,000,000원
나. 보수비율 : 5%

해설 총 공사금액
(1) 실비한정비율보수가산식(A′+A′f)으로 계산(A′ : 한정실비, f : 보수비율)
(2) 실제 소요공사비 < 한정실비일 경우는 실제 소요공사비를 사용하여 총 공사금액을 계산한다.
(3) 총 공사금액 = 90,000,000 + 90,000,000 × 0.05
            = 94,500,000
∴ 총 공사금액 : 94,500,000원

3 업무 범위에 따른 계약방식

11① · 12① [3점]

3-1 설계시공 일괄계약(Design-Build Contract)의 장점 3가지를 쓰시오.
(1)
(2)
(3)

해설 설계시공 일괄계약(T/K)
(1) 설계와 시공의 의사소통 개선
(2) 책임시공으로 책임 한계 명확
(3) 공기단축 및 공사비 절감

08③ · 16①,④ · 산21② [4점]

3-2 파트너링 방식 계약제도에 관하여 설명하시오.

해설 파트너링 방식 계약제도
발주자가 직접 설계와 시공에 참여하여 발주자, 설계자, 시공자와 프로젝트 관련자들이 하나의 팀으로 조직하여 파트너와 함께 공사를 완성하는 방식이다.

08① · 10④ · 19② · 산21② [4점]

3-3 다음 설명이 의미하는 계약방식의 명칭을 기술하시오.

(1) 사회간접시설의 확충을 위해 민간이 자금조달과 공사를 완성하여 투자액의 회수를 위해 일정기간 운영하고 시설물과 운영권을 발주 측에 이전하는 방식
(2) 사회간접시설의 확충을 위해 민간이 자금조달과 공사를 완성하여 소유권을 공공부분에 먼저 이양하고, 약정기간 동안 그 시설물을 운영하여 투자금액을 회수하는 방식
(3) 사회간접시설의 확충을 위해 민간이 자금조달과 공사를 위하여 시설물의 운영과 함께 소유권도 민간에 이전되는 방식
(4) 발주자는 설계에서 시공까지 건물의 요구성능만을 제시하고 시공자가 재료나 시공방법을 선택하여 시공하는 방식

해설 계약방식의 용어
(1) BOT(Build-Operate-Transfer) 방식
(2) BTO(Build-Transfer-Operate) 방식
(3) BOO(Build-Operate-Own) 방식
(4) 성능발주방식

07② [3점]

3-4 BOT 방식과 BTO 방식을 비교하여 설명하시오.

해설 BOT 방식과 BTO 방식
① BOT : 사회간접시설의 확충을 위해 민간이 자금조달과 공사를 완성하여 투자액의 회수를 위해 일정기간 운영하고 시설물과 운영권을 발주 측에 이전하는 방식
② BTO : 사회간접시설의 확충을 위해 민간이 자금조달과 공사를 완성하여 소유권을 공공부분에 먼저 이양하고, 약정기간 동안 그 시설물을 운영하여 투자금액을 회수하는 방식

00④ · 03② · 04① · 11② · 14①④ · 16①④ · 17① · 21① [3점]

3-5 BOT(Build-Operate-Transfer contract) 방식을 설명하시오.

해설 BOT
사회간접시설의 확충을 위해 민간이 자금조달과 공사를 완성하여 투자액의 회수를 위해 일정기간 운영하고 시설물과 운영권을 발주 측에 이전하는 방식

11② [5점]

3-6 BOT(Build-Operate-Transfer contract) 방식을 설명하고 이와 유사한 방식을 3가지 쓰시오.

(1) BOT 방식 :
(2) 유사한 방식 :

해설 BOT 방식
(1) 사회간접시설의 확충을 위해 민간이 자금조달과 공사를 완성하여 투자액의 회수를 위해 일정기간 운영하고 시설물과 운영권을 발주 측에 이전하는 방식
(2) BTO 방식, BOO 방식, BTL 방식

07② · 08① · 10④ · 15④ [3점]

3-7 BTO(Build-Transfer-Operate) 방식을 설명하시오.

해설 BTO(Build-Transfer-Operate)
사회간접시설의 확충을 위해 민간이 자금조달과 공사를 완성하여 소유권을 공공부분에 먼저 이양하고, 약정기간 동안 그 시설물을 운영하여 투자금액을 회수하는 방식

13④ · 17②,④ [2점]

3-8 민간이 자금조달을 하여 시설을 준공한 후 소유권을 정부에 이전하되, 정부의 시설임대료를 통해 투자비를 회수하는 민간투자사업 계약방식의 명칭을 쓰시오.

해설 BTL

제 4 절 | 입찰 및 계약

1 입찰

1. 입찰의 종류

(1) 특명입찰

① 정의 : 건축주가 해당 공사에 가장 적합한 1개의 도급업자와 단독으로 입찰하는 방식(수의계약) 또는 재입찰 후에도 낙찰자가 없을 때 최저 입찰자 순으로 교섭하여 계약을 체결하는 방식이다.

> 05② · 05③ · 10② · 11④ · 18② · 22① · 산23①
> 용어 : 특명입찰(수의계약)

② 특성

장점	단점
① 양질의 시공 기대 ② 공사의 기밀 유지	① 공사비 결정의 불투명성 ② 공사비 증대 우려

> 05② · 05③ · 13④ · 17②
> 특징 : 특명입찰의 장·단점을 각각 2가지

(2) 공개경쟁입찰

① 정의 : 일정한 자격을 가진 모든 업체가 입찰에 참여하며, 건설회사가 제시한 공사조건 중 건축주가 가장 좋은 조건을 제시한 건설회사와 공사계약을 체결하는 방식이다.

> 10② · 11④ · 18② · 산21② · 22① · 산23① · 산23②
> 용어 : 공개경쟁입찰

② 특성

장점	단점
① 균등한 기회 부여 ② 공사비 절감 ③ 담합의 우려가 적음	① 과다경쟁 ② 부적격자 낙찰 우려

> 10② · 11④ · 산21② · 산22① · 산23②
> 특징 : 공개경쟁입찰의 장·단점 2가지씩

(3) 지명경쟁입찰
　① 정의 : 해당 공사에 적합하다고 인정되는 다수의 도급업자를 선정하여 입찰시키는 방식이다.

> 10② · 11④ · 18② · 산21② · 22① · 산23①
> 용어 : 지명경쟁입찰

　② 특성

장점	단점
① 부적격자 사전 배제 ② 시공상 신뢰도 향상	① 담합 우려 ② 공사비 상승 우려

2. 입찰의 순서

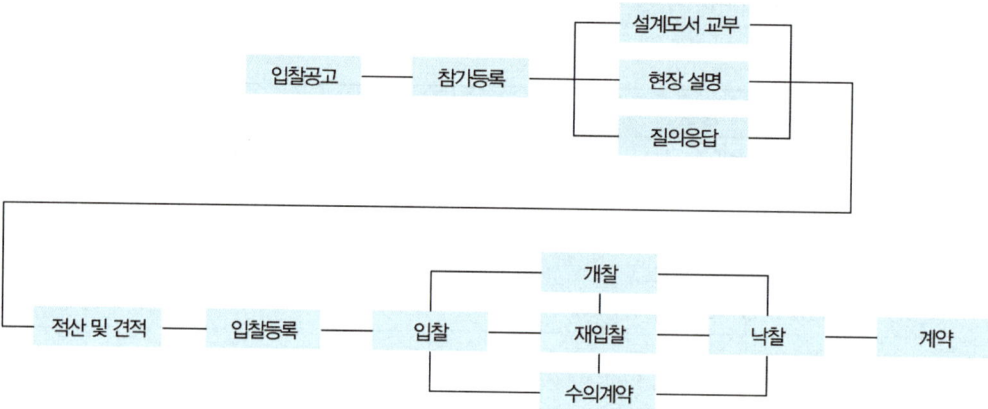

> 08① · 17② · 산21① · 산23②
> 순서 : 공개경쟁입찰의 순서를 쓰시오.

(1) 설계도서의 내용
　① 설계도면
　② 시방서
　③ 현장설명서
　④ 질의응답서
　⑤ 공사내역서(공사비 1억 이상 추정 공사)

(2) 현장 설명 시 필요사항
　① 대지조건(교통, 용수 등)
　② 현장조건(지하 매설물 등)
　③ 도급자 결정방법
　④ 공사비 지불방법
　⑤ 그 지역의 노무, 식량, 자재 수급 여건

> 99②
> 종류 : 입찰과정에서 현장 설명 시 필요사항 4가지

(3) 입찰방법
   ① 우편입찰 : 소정의 입찰서식을 이용하여 작성된 입찰서류를 특수우편·등기우편을 이용하여 조달청의 입찰담당자에게 입찰서 제출 마감일 이전에 도착시켜 입찰에 응하는 방법을 말한다.
   ② 전자입찰 : 현장설명장소에 방문할 필요없이 internet 등 Web 환경을 이용하는 입찰
   ③ 상시입찰 : 입찰 개시 3일 전부터 입찰서를 투입할 수 있음

   > 05②
   > 용어 : 우편입찰제도

3. 입찰제도의 합리화/개선 방안

(1) 성능발주방식
   발주자는 설계에서 시공까지 건물의 요구성능만을 제시하고 시공자가 재료나 시공방법을 선택하여 요구성능을 실현하는 방식이다.

   > 98① · 07③ · 08① · 10④ · 산21②
   > 용어 : 성능발주방식

(2) 대안입찰
   처음 설계된 내용보다 기본방침의 변경없이 공사비를 낮추면서 동등 이상의 기능과 효과를 갖는 방안을 시공자가 제시할 경우 이를 검토하여 채택하는 입찰방식이다.

   > 06② · 11① · 15②
   > 용어 : 대안입찰제도

(3) 부대입찰
   하도급업체의 보호/육성 차원에서 입찰자에게 하도급자의 계약서를 입찰서에 첨부하도록 하는 입찰방식

   > 11①
   > 용어 : 부대입찰

(4) 사전자격심사제(PQ ; Pre-Qualification)
   ① 정의 : 건설업체의 공사수행능력을 기술적 능력, 재무능력, 조직 및 공사능력 등 비가격 요인을 검토하여 가장 효율적으로 공사를 수행할 수 있는 업체에 입찰참가자격을 부여하는 제도이다.

> 02② · 08③ · 산23③
> 용어 : PQ

② 특성

장점	단점
① 부실시공 방지 ② 부적격업체 사전 배제 ③ 입찰자 감소로 입찰 시 소요시간과 비용 감소	① 자유경쟁 원리에 위배 ② 대기업에 유리한 제도 ③ 평가의 공정성 확보 문제 ④ 신규참여 업체에 장벽으로 간주 ⑤ PQ 통과 후 담합 우려

> 02② · 10① · 산23①
> 특징 : PQ의 장점/단점 3가지씩

(5) 선기술 후가격분리제도(TES ; Two Envelope System)

공사 입찰 시 기술제안서와 가격제안서를 따로 받아 기술능력 우위업체와 예정가격 내에서 협상하거나 경쟁시켜 낙찰하는 방식

> 07④
> 용어 : TES

(6) 기술개발보상제도

공공공사에서 신기술, 신공법을 적용하여 공사비의 절감, 공기단축의 효과를 가져온 경우 계약금액을 감액하지 못하도록 하는 제도

> 05③
> 용어 : 기술개발보상제도

(7) 건설보증제도

공사계약자와 발주자 간 공사계약사항의 실행을 보증회사(제3자)가 일정 수수료를 받고 보증해 주는 것

> 05③
> 용어 : 건설보증제도

(8) 표준공기제도

발주기관이 설계와 시공에 필요한 공사기일을 표준화하여 무리한 공기단축과 부실시공을 방지하기 위한 방안

> 05③
> 용어 : 표준공기제도

4. 낙찰자 선정방법

(1) 최저가 낙찰제

입찰자가 제시한 공사금액 중 가장 낮은 금액으로 결정되는 방식으로, Dumping에 의한 부실공사의 원인을 제공할 수 있다.

(2) 제한적 최저가 낙찰제

공사예정가의 확정비율(90%) 이상의 금액 중 가장 낮은 금액을 공사가격(낙찰가)으로 결정하는 방식이다.

(3) 적격심사 낙찰제도

공사예정가 이하의 최저가격 입찰자 순으로 계약이행능력 심사 후 낙찰자를 결정하는 방식이다.

(4) 부찰제

예정가의 85% 이상, 100% 이내의 응찰가에 대한 평균 금액 위로 가장 가까운 금액을 낙찰가로 한다.

(5) 종합 심사낙찰제

입찰제 개선과 시공품질의 제고, 적정 공사비 확보를 정착시키기 위하여 가격과 공사수행능력 및 사회책임의 점수를 합산하여 높은 점수의 입찰자가 계약을 낙찰하는 제도

> 06②
> 종류 : 낙찰자 선정방식 4가지

> 21① · 23①
> 용어 : 종합 심사낙찰제, 적격낙찰제도

5. 계약체결

(1) 도급계약서의 명시사항

① 공사내용
② 도급금액
③ 공사기간(착수~준공)
④ 공사비의 지불 방법과 지불 시기
⑤ 건물의 인도시기 및 검사일
⑥ 설계변경과 공사 중지 시의 손해부담방법
⑦ 채무 불이행/천재지변의 손해배상

> 98④ · 00①
> 종류 : 계약체결 시 포함되어야 할 계약 내용 4가지

(2) 계약변경의 요인
　① 설계도면이나 시방서의 하자
　② 발주자의 계약사항 변경
　③ 상이한 현장조건
　④ 공사의 원래 의도와 모순된 계약서 및 도서 내용

> 99① · 03③
> 종류 : 공사의 수행 중 계약변경의 요인 3가지

6. 건설계약 제도상 사용되는 보증금

(1) 입찰보증금
　낙찰자가 부적격 판정으로 탈락하는 경우 발주자의 손실을 보증하는 비용
(2) 계약보증금
　계약대로 공사를 이행할 것을 보증하는 비용
(3) 하자보증급
　준공 후 시공자가 하자보수의 책임을 보증하는 비용

> 03② · 06②
> 건설계약 제도상 사용되는 보증금 종류

7. 공사분쟁 또는 클레임(Claim)

(1) 정의
　계약서류 조항 간의 문제점이나 계약서류와 현장조건 또는 시공조건의 차이점에 의해 발생되는 문제점에 대해 발주자나 시공자가 이의를 제기하여 발생하는 것을 말한다.

(2) 발생요인
　① 계약에 없는 추가작업 요구
　② 공사지연(공기지연)
　③ 현장 공사조건의 변경
　④ 무리한 공기단축 요구
　⑤ 계약서의 내용과 다른 작업 범위의 확대

> 05①
> 종류 : 클레임 발생원인

(3) 해결방안
　① 협상(Negotiation) : 상호 협의를 통한 1차적인 분쟁 해결방법
　② 조정(Mediation) : 제3자의 조정에 의한 분쟁 해결방법
　③ 중재(Adjudication) : 중재위원회의 판결에 의한 분쟁 해결방법
　④ 소송(Litigation) : 재판에 의한 최종적인 분쟁 해결방법

> 02② · 05③ · 산23②
> 종류 : 계약분쟁 해결방안 3가지

8. 시방서
(1) 정의

설계도면만으로는 나타낼 수 없는 부분에 대하여 기재한 공사 설명 문서를 말한다.

(2) 종류

> 98③ · 07①
> 종류 : 시방서

① 표준 : 모든 공사의 공통적인 사항을 건설교통부가 제정하는 시방서
② 특기 : 표준시방서에 기재되지 않은 특수재료, 특수공법 등을 설계자가 작성(해당 공사의 특수사항을 기재함)
③ 일반 : 공사기일 등 공사 전반에 걸친 비기술적인 사항을 규정
④ 공사 : 특정 공사별 건설공사 시공에 필요한 사항을 규정
⑤ 안내 : 공사시방서를 작성하는 데 안내 및 지침이 되는 시방서
⑥ 기술 : 건축물의 요구품질, 시공방법 등을 지시한 시방서

> 00⑤ · 04③
> 용어 : 기술시방

⑦ 성능 : 목적하는 최종결과와 성능만을 규정한 시방서

> 00⑤ · 04③
> 용어 : 성능시방

(3) 설계도면과 시방서 상에 상이점이 발생한 경우의 우선순위
① 설계도면과 공사시방서에 상이할 때 : 공사시방서
② 표준시방서와 전문시방서에 상이할 때 : 전문시방서
③ 기본도면(1/100, 1/200 축척)과 상세도면(1/30, 1/50 축척)에 상이할 때 : 상세도면
④ 우선순위 : 공사시방서 〉 설계도면 〉 전문시방서 〉 표준시방서 〉 공사 산출내역서

> 01② · 23②
> 설계도면과 시방서 상에 상이점이 발생한 경우의 우선순위

단원별 경향문제

1 입찰

11④ · 18② · 산21② [3점]

1-1 다음의 입찰방법을 간단히 설명하시오.

(1) 공개경쟁입찰 :
(2) 지명경쟁입찰 :
(3) 특명입찰 :

해설 용어
(1) 일정한 자격을 가진 모든 업체가 입찰하는 방식
(2) 해당 공사에 적합하다고 인정되는 다수의 도급업자를 선정하여 입찰시키는 방식, 부적격자의 사전제거로 공사의 신뢰성 확보 가능, 담합의 우려가 있음
(3) 해당 공사에 가장 적합한 1개의 도급업자와 단독으로 입찰하는 방식(수의계약), 공사의 기밀 유지, 공사비 상승 우려

05② · 05③ · 13④ · 17② [4점]

1-2 특명입찰(수의계약)의 장단점을 2가지씩 쓰시오.

(1) 장점
   ①
   ②
(2) 단점
   ①
   ②

해설 특명입찰(수의계약)의 장단점
(1) 장점
   ① 양질의 시공 기대
   ② 공사의 기밀 유지
(2) 단점
   ① 공사비 결정의 불투명성
   ② 공사비 증대 우려

08① · 17② · 산21① [4점]

1-3 공개 경쟁입찰의 과정을 보기에서 기호로 골라 순서대로 나열하시오.

① 현장설명 ② 견적 ③ 입찰 ④ 계약
⑤ 낙찰 ⑥ 입찰등록 ⑦ 입찰공고

(　) → (　) → (　) → (　) → (　) → (　) → (　)

해설 공개경쟁입찰 순서
⑦ → ① → ② → ⑥ → ③ → ⑤ → ④

99② [4점]

1-4 입찰과정에서 현장 설명 시 필요한 사항 4가지를 기술하시오.

(1)
(2)
(3)
(4)

해설 입찰 현장 설명 시 필요사항
(1) 대지조건(교통, 용수 등)
(2) 현장조건(지하 매설물 등)
(3) 도급자 결정방법
(4) 공사비 지불방법

05② [2점]

1-5 우편입찰제도에 관하여 기술하시오.

해설 우편입찰제도
소정의 입찰서식을 이용하여 작성된 입찰서류를 **특수우편·등기우편을 이용**하여 조달청의 입찰담당자에게 입찰서 제출 마감일 이전에 도착시켜 입찰에 응하는 방법을 말한다.

1-6 다음 용어를 간단히 설명하시오.

(1) 성능발주 :
(2) 콘스트럭션 매니지먼트(Construction Management) :

해설 시공용어
(1) 발주자는 설계에서 시공까지 건물의 요구성능만을 제시하고 시공자가 재료나 시공방법을 선택하여 요구성능을 실현하는 방식이다.
(2) 건설의 전 과정에 걸쳐 프로젝트를 보다 효율적이고 경제적으로 수행하기 위하여 각 부문의 전문가들로 구성된 통합된 관리기술을 건축주에게 서비스하는 것을 말한다.

1-7 대안입찰제도에 대하여 설명하시오.

해설 대안입찰제도
처음 설계된 내용보다 기본방침의 변경없이 공사비를 낮추면서 동등 이상의 기능과 효과를 갖는 방안을 시공자가 제시할 경우 이를 검토하여 채택하는 입찰방식

1-8 다음 용어를 간단히 설명하시오.

(1) 부대입찰제도 :
(2) 대안입찰제도 :

해설 용어
(1) 하도급업체의 보호/육성 차원에서 입찰자에게 하도급자의 계약서를 입찰서에 첨부하도록 하는 입찰방식
(2) 처음 설계된 내용보다 기본방침의 변경없이 공사비를 낮추면서 동등 이상의 기능과 효과를 갖는 방안을 시공자가 제시할 경우 이를 검토하여 채택하는 입찰방식

1-9 PQ(Pre Qualification)제도의 장점 3가지를 기술하시오.

(1)
(2)
(3)

해설 PQ제도의 장점
(1) 부실시공을 방지
(2) 부적격업체 사전 배제
(3) 입찰자 감소로 입찰 시 소요시간과 비용 감소

1-10 건설공사 입찰과정에서 실시하는 PQ제도의 장점과 단점을 각각 3가지씩 쓰시오.

(1) 장점
 ①
 ②
 ③
(2) 단점
 ①
 ②
 ③

해설 PQ제도
(1) 장점
 ① 부실시공 방지
 ② 부적격업체 사전 배제
 ③ 입찰자 감소로 입찰 시 소요시간과 비용 감소
(2) 단점
 ① 자유경쟁 원리에 위배
 ② 대기업에 유리한 제도
 ③ 평가의 공정성 확보 문제
 ④ 신규참여 업체에 장벽으로 간주
 ⑤ PQ 통과 후 담합 우려

07④ [4점]

1-11 TES(Two Envelope System : 선기술 후가격 협상제도)에 대하여 설명하시오.

해설 TES(선기술 후가격 협상제도)
공사 입찰 시 기술제안서와 가격제안서를 따로 받아 기술능력 우위업체와 예정가격 내에서 협상하거나 경쟁시켜 낙찰하는 방식

05② · 05③ · 07② [5점]

1-12 다음 설명을 읽고 그 설명이 뜻하는 용어를 기재하시오.

(1) 공공공사에서 신기술, 신공법을 적용하여 공사비의 절감, 공기단축의 효과를 가져온 경우 계약금액을 감액하지 못하도록 하는 제도 (　　　　)
(2) 공사계약자와 발주자 간 공사계약사항의 실행을 보증회사(제3자)가 일정 수수료를 받고 보증해 주는 것 (　　　　)
(3) 발주기관이 설계와 시공에 필요한 공사기일을 표준화하여 무리한 공기단축과 부실시공을 방지하기 위한 방안 (　　　　)
(4) 재입찰 후에도 낙찰자가 없을 때 최저 입찰자 순으로 교섭하여 계약을 체결하는 것 (　　　　)
(5) 건설업의 고부가가치를 추구하기 위해 종래의 단순시공에서 벗어나 설계, 엔지니어링, Project 전반 사항을 종합·관리·기획하는 업무영역의 확대를 뜻하는 용어 (　　　　)

해설 용어
(1) 기술개발보상제도
(2) 건설보증제도
(3) 표준공기제도
(4) 수의계약
(5) EC화(Engineering Construction화)

06② [4점]

1-13 입찰제도 중 낙찰자 선정방식의 종류 4가지를 기술하시오.

(1)
(2)
(3)
(4)

해설 낙찰자 선정방식
(1) 최저가 낙찰제
(2) 제한적 최저가 낙찰제
(3) 적격심사 낙찰제도
(4) 부찰제

21① [2점]

1-14 종합 심사낙찰제도에 대해 간단히 설명하시오.

해설 입찰제 개선과 시공품질의 제고, 적정 공사비 확보를 정착시키기 위하여 **가격과 공사수행 능력 및 사회책임의 점수를 합산**하여 높은 점수의 입찰자가 계약을 낙찰하는 제도

산21② [6점]

1-15 공개경쟁입찰과 지명경쟁입찰의 차이점과 공개경쟁입찰의 장점 2가지를 기술하시오.

(1)
(2)

해설 (1) 차이점 : 공개경쟁입찰은 일정한 자격을 가진 모든 업체가 입찰하는 방식이고, 지명경쟁 입찰은 해당 공사에 적합하다고 인정되는 **다수의 도급업자를 선정하여 입찰시키는** 방식이다.
(2) 공개경쟁입찰 장점
① 균등한 기회 부여
② 공사비 절감
③ 담합의 우려가 적음

2 계약 & 클레임

98④ · 00① [4점]

2-1 건축주와 도급자 당사자 간 계약체결 시 포함되어야 할 계약 내용에 대하여 4가지를 기술하시오.

(1)
(2)
(3)
(4)

해설 건축주와 도급자 간의 계약 내용
(1) 도급금액
(2) 공사기간(착수~준공)
(3) 건물의 인도시기 및 검사일
(4) 설계변경과 공사 중지 시의 손해부담방법

99① · 03③ [3점]

2-2 공사의 수행 중에 발생할 수 있는 "계약변경의 요인" 3가지를 쓰시오.

(1)
(2)
(3)

해설 계약변경 요인
(1) 발주자의 계약사항 변경
(2) 설계도면이나 시방서의 하자
(3) 상이한 현장조건

03② · 06② [3점]

2-3 현행 건설계약 제도상 자주 사용되는 보증금의 종류 3가지를 기술하시오.

(1)
(2)
(3)

해설 계약상 보증금의 종류
(1) 입찰보증금
(2) 계약보증금
(3) 하자보증급

05① [4점]

2-4 계약서류 조항 간의 문제점이나 계약서류와 현장조건 또는 시공조건의 차이점에 의해 발생되는 문제점에 대해 발주자나 시공자가 이의를 제기하여 발생하는 클레임의 유형 4가지를 쓰시오.

(1)
(2)
(3)
(4)

해설 클레임의 종류
(1) 공사지연(공기지연)
(2) 현장 공사조건의 변경
(3) 무리한 공기단축 요구
(4) 계약서의 내용과 다른 작업 범위의 확대

02② · 05③ [3점]

2-5 건설공사에서 계약분쟁의 해결방법 3가지를 기술하시오.

(1)
(2)
(3)

해설 계약분쟁 해결방법
(1) 상호 협의에 의한 해결
(2) 조정 및 중재에 의한 해결
(3) 재판에 의한 해결(소송)

98③ · 07① [4점]

2-6 다음 설명이 의미하는 시방서명을 기술하시오.

(1) 공사기일 등 공사 전반에 걸친 비기술적인 사항을 규정한 시방서 (   )
(2) 모든 공사의 공통적인 사항을 건설교통부가 제정한 시방서 (   )
(3) 특정 공사별 건설공사 시공에 필요한 사항을 규정한 시방서 (   )
(4) 공사시방서를 작성하는 데 안내 및 지침이 되는 시방서 (   )

해설 시방서의 종류
(1) 일반시방서   (2) 표준시방서
(3) 공사시방서   (4) 안내시방서

2-7 다음 용어를 설명하시오.

00⑤ · 04③ [4점]

(1) 기술시방서(Descriptive Specification) :
(2) 성능시방서(Performance Specification) :

해설 용어설명
(1) 건축물의 요구품질, 시공방법 등을 지시한 시방서
(2) 목적하는 최종결과와 성능만을 규정한 시방서

2-8 다음 예와 같이 설계도면과 시방서 상에 상이점이 발생한 경우 어느 것이 우선하는가를 기술하시오.

01② [3점]

(1) 설계도면과 공사시방서에 상이할 때
(2) 표준시방서와 전문시방서에 상이할 때
(3) 도면 중에서 기본도면(1/100, 1/200 축척)과 상세도면(1/30, 1/50 축척)에 상이할 때

(1)
(2)
(3)

해설 시방서와 도면의 우선순위
(1) 공사시방서
(2) 전문시방서
(3) 상세도면

제 5 절 | 시공계획 및 관리

1. 시공계획

(1) 시공계획 또는 공사계획
  ① 정의 : 건축물을 설계도면 및 시방서에 따라 정해진 공사기간 내에 최소의 비용으로 안전하게 시공할 수 있는 조건과 방법을 세우는 것이다.
  ② 공사계획의 순서
     ㉠ 현장원 편성
     ㉡ 공정표 작성
     ㉢ 실행 예산의 편성
     ㉣ 하도급자의 선정
     ㉤ 가설준비물의 결정
     ㉥ 재료의 선정
     ㉦ 재해 방지

  > 98① · 99⑤ · 01①
  > 순서 : 공사계획의 순서

(2) 시공계획서 중 친환경관리계획
  ① 작업장 및 작업장 주변의 환경관리계획
  ② 산업부산물 재활용계획
  ③ 건설폐기물 저감 및 재활용계획
  ④ 온실가스 배출저감계획
  ⑤ 천연자원 사용저감계획

  > 18④ · 20⑤
  > 종류 : 시공계획서 중 친환경관리계획

(3) 건설조직
  ① 직계식 조직(Line Organization)
     ㉠ 정의 : 건설사업에서 전통적으로 사용되어 온 방식으로 사업 성격이 분명하고 단순한 조직형태이다.
     ㉡ 특성

장점	단점
① 설계와 시공의 각 업무가 분절되어도 서로 큰 영향을 미치지 않은 경우에 적합 ② 각자 책임 권한이 분명 ③ 운영상 경비 감소	① CM 등이 적용되는 대규모, 고도 기능, 복잡한 프로젝트에 부적합 ② 관료적인 조직이 되기 쉬움

Chapter 01 · 총론

> 06③
> 용어 : 직계식 조직

② 기능식 조직(Functional Organization)
　　㉠ 정의 : 업무를 기능 중심으로 나누어 각각의 전문적인 책임자가 작업을 지시하는 조직형태이다.
　　㉡ 특성

장점	단점
① 전문화로 업무능률 향상 ② 직능별 업무 할당 ③ 전문적 지도·감독 기능	① 지휘명령 계통의 혼란 우려 ② 권한 다툼 및 책임 전가 ③ 업무조정의 어려움

③ 전담반 조직(Task Force 조직)
　　㉠ 사업의 성격이 구체적이고 분명하지만 그 내용이 복잡한 경우 각 분야의 전문가들이 모여서 사업수행 기간 동안만 운영되는 한시적 조직이다.
　　㉡ 긴급공사·중요공사나 일정한 기간 내에 완수해야 하는 경우 또는 상호 의존적 기능을 요하는 경우 효과적인 역할을 한다.

> 10④
> 용어 : Task Force 조직

2. 공사관리

(1) 시공관리
　① 정의 : 시공계획에 따른 실제 시공을 기능상으로 관리하는 것이다.
　② 목표
　　㉠ 공정관리 : 공기단축
　　㉡ 원가관리 : 비용절감
　　㉢ 품질관리 : 양질의 공사

> 01① · 04① · 산23①
> 시공관리 3대 목표

(2) 공정관리
　① 정의 : 지정된 공사기간 내에 공사예산에 맞추어 정밀도가 높은 양질의 시공을 위한 관리를 말한다.
　② 분류체계
　　㉠ 작업분류체계 : 작업의 공종별 분류(WBS; Work Breakdown Structure)
　　㉡ 조직분류체계 : 관리조직별 분류(OBS; Organization Breakdown Structure)
　　㉢ 원가분류체계 : 공사비 내역별 분류(CBS; Cost Breakdown Structure)

> 05② · 12②
> 종류 : 분류체계(Breakdown Structure)

> 17① · 22①
> 용어 : WBS

(3) 원가관리
  ① 정의 : 주어진 예산과 일정을 토대로 품질, 원가, 공기 등의 목표를 위하여 공사에 필요한 자원의 소요비용을 효율적으로 관리하고 통제하는 것이다.
  ② 원가관리 요소
    ㉠ 원가산정 : 건설공사의 소요비용 예측
    ㉡ 원가계획 : 원가절감을 위한 실행계획 수정
    ㉢ 원가통제 : 계획된 일정에 따른 원가흐름 통제
    ㉣ 원가회계 : 자금의 수입과 지출을 계정으로 정리

(4) 품질관리
  ① 정의 : 수요자의 요구에 알맞은 품질의 제품을 경제적으로 만들기 위해 체계적으로 관리하는 것이다.
  ② 구조재료가 갖추어야 할 조건 3가지
    ㉠ 소요강도 충족
    ㉡ 내구성이 클 것
    ㉢ 변형이 적을 것

> 02③
> 구조재료가 갖추어야 할 조건 3가지

(5) 공사 보고 주기
  일보 → 주보 → 순보(10일) → 월보 → 분기보(3개월) → 연보

> 98③
> 용어 : 공사 보고 주기 순서

제 6 절 | 용어해설

(1) 종합건설제도(제네콘, Gene-con)

General Construction의 약자로 프로젝트 발굴에서 기획, 설계, 시공 및 유지관리에 이르는 전 과정을 일괄 추진할 수 있는 능력을 갖춘 종합건설업체를 말한다. 종합적인 건설관리만 맡고 일반 시공업무는 하청업자에게 넘겨주어 공사를 진행한다.

> 18④
> 용어 : Gene-Con(제네콘)

(2) 덤핑(Dumping)

건설공사에 공사원가보다 현저히 낮은 금액으로 도급을 맡는 것으로서 부실공사의 원인이 된다.

(3) 담합(Conference)

입찰시 경쟁자 간에 미리 낙찰자를 사전모의하여 협정하는 불공정 행위

(4) 실행 예산

공사목적물을 계약된 공기 내에 완성하기 위하여, 공사손익을 사전에 예시하고 이익계획을 정확히 하여 합리적이고 경제적인 현장운영 및 공사수행을 도모하도록 사전에 작성되는 예산

> 99②
> 용어 : 실행 예산

단원별 경향문제

1 시공계획 또는 공사계획

98① · 99⑤ · 01②

1-1 공사계획의 일반적인 순서를 〈보기〉에서 골라 쓰시오.

(1) 공정표 작성 (2) 하도급자의 선정 (3) 재료선정 (4) 현장원 편성
(5) 실행예산 편성 (6) 가설준비물 결정 (7) 재해 방지

( ) → ( ) → ( ) → ( ) → ( ) → ( ) → ( )

해설 공사계획 순서

(4) → (1) → (5) → (2) → (6) → (3) → (7)

18④ · 20⑤ [4점]

1-2 시공계획서의 내용 중 친환경 관리계획과 관련된 내용 4가지를 기술하시오.

(1)   (2)
(3)   (4)

해설 시공계획서 중 친환경관리계획

(1) 작업장 및 작업장 주변의 환경관리계획
(2) 산업부산물 재활용계획
(3) 건설폐기물 저감 및 재활용계획
(4) 온실가스 배출 저감 계획
(5) 천연자원 사용 저감 계획

06③ [3점]

1-3 다음이 설명하는 건설관리조직의 명칭을 쓰시오.

건설사업에서 전통적으로 사용되어 온 것으로, 사업성격이 분명하고 단순하며 각 업무가 분절되어도 서로 큰 영향을 미치지 않은 경우에 적합하지만 CM 등이 적용되는 대규모 공사에서는 부적합하고 자칫 관료적이 되기 쉬운 건설관리조직

해설 건설조직

직계식 조직

2 공사관리

2-1 시공관리의 3대 목표를 기술하시오.

(1)
(2)
(3)

해설 시공관리의 3대 목표
(1) 공정관리
(2) 원가관리
(3) 품질관리

2-2 공사내용의 분류방법에서 목적에 따른 분류체계(Breakdown Structure)의 종류 3가지를 기술하시오.

(1)
(2)
(3)

해설 분류체계(Breakdown Structure)의 종류
(1) 작업분류체계(WBS; Work Breakdown Structure)
(2) 조직분류체계(OBS; Organization Breakdown Structure)
(3) 원가분류체계(CBS; Cost Breakdown Structure)

2-3 통합공정관리 용어 중 WBS(Work Breakdown Structure)의 정의를 기술하시오.

해설 WBS의 정의
프로젝트의 모든 작업 내용을 공종별로 분류한 작업 분류체계

02③ [3점]

2-4 건설재료 중에서 구조재료가 갖추어야 할 조건 3가지를 기술하시오.

(1)
(2)
(3)

해설 구조재료의 조건
(1) 소요강도 충족
(2) 내구성이 클 것
(3) 변형이 적을 것

98③ [3점]

2-5 건설공사 현장의 보고(報告) 중 주기가 짧은 것부터 긴 것을 〈보기〉에서 골라 번호를 순서대로 나열하시오.

(1) 순보   (2) 분기보   (3) 일보   (4) 월보   (5) 주보

( ) → ( ) → ( ) → ( ) → ( )

해설 현장의 보고 주기
(3) → (5) → (1) → (4) → (2)

99② [2점]

2-6 공사목적물을 계약된 공기 내에 완성하기 위하여, 공사손익을 사전에 예시하고 이익계획을 정확히 하여 합리적이고 경제적인 현장운영 및 공사수행을 도모하도록 사전에 작성되는 예산을 무엇이라 하는가?

해설 용어
실행예산

CHAPTER 02 가설공사

제1절 | 개요

1. 가설공사의 일반사항
(1) 정의

    가설공사는 건축공사 기간 중 임시로 설치하여 공사를 완성할 목적으로 쓰이는 제반시설 및 수단의 총칭으로, 공사가 완료되면 해체, 철거, 정리한다.

(2) 가설공사의 유의사항
    ① 시공 용이성
    ② 안전성, 효율성
    ③ 경제성, 전용성

> 03③
> 가설설비계획 입안 시 유의점

(3) 가설건축물 축조신고
    ① 신고대상 : 공사에 필요한 규모의 범위 안에서의 공사용 가설건축물
    ② 구비서류
        ㉠ 가설건물축조 신고서
        ㉡ 토지주의 사용허가서
        ㉢ 가설건축물 배치도/평면도
        ㉣ 건축허가서

> 16①
> 가설건축물의 축조신고 시 구비서류 3가지

2. 공통가설공사와 직접가설공사
(1) 공통가설공사(간접가설공사)
    ① 가설진입로, 가설울타리(Fence), 가설건물(현장 사무실, 숙소, 초소, 기자재 창고)
    ② 공사용 동력용수, 급·배수설비, 기계, 전기설비
    ③ 운반설비 : 재료의 반입·운반·보관, 현장 내의 운반, 기자재반송, 잔물처리

> 00④
> 공통가설(간접가설)과 직접가설 항목 구분

(2) 직접가설공사
　① 규준틀·비계
　② 양중·하역설비
　③ 안전설비(낙하물 방지망, 방호선반)
　④ 줄쳐보기 및 먹매김
　⑤ 콘크리트 양생

> 00②
> 공통가설(간접가설)과 직접가설 항목 구분

(3) 가설공사의 유의사항
　① 가설 경사로는 견고한 구조로 해야 하고, 경사는 30° 이하로 한다. 경사가 15°를 초과할 때는 미끄러지지 않는 구조로 한다.
　② 수직갱에 가설된 통로길이가 15m 이상일 때는 10m 이내마다 계단참을 설치하고, 건설공사에 사용되는 높이 8m 이상인 비계다리에는 7m 이내마다 계단참을 설치한다.

> 산21②·산21③
> 유의사항 : 가설공사

(4) 가설 출입구 설치 시 고려사항
　① 대지 내에 진입이 용이하고 자재 야적이 유리할 것
　② 도로에 설치된 전주, 가로수 등이 출입에 지장을 주지 않을 것
　③ 인접도로의 차량 흐름에 영향을 적게 줄 것
　④ 전면 도로 폭에 따른 진입 각도 확인

> 23②
> 고려사항 : 가설 출입구

(5) 공사표지판의 기재사항
　① 공사명
　② 시공자
　③ 현장대리인
　④ 공사개요
　⑤ 공사 기간

> 산23①
> 기재사항 : 공사표지판

제 2 절 | 측량

1. 평판측량

(1) 사용기구

평판, 앨리데이드(Alidade), 구심기, 다림추, 자침기, 삼각대, 폴(Pole)

> 산22③
> 수평과 수직의 측정기구

(2) 평판의 설치

① 정치 : 앨리데이드의 수준기를 이용하여 평판이 수평이 되도록 한다.
② 치심 : 구심기와 다림추를 이용하여 평판의 측점을 표시하는 위치가 지상측점과 일치하도록 한다.
③ 정위 : 앨리데이드와 자침기를 이용하여 평판이 일정한 방향과 방위를 유지하도록 한다.

2. 레벨측량(고저측량)

(1) 정의

지반면의 각 지점 간의 고저차를 측정하여 기준점(Bench Mark)으로부터 높이를 파악하는 것을 말하며, 현장에서 많이 사용한다.

(2) 측량법

미지점 표고(H) = 기지점 표고(h) + [후시(Back Sight)−전시(Fore Sight)]

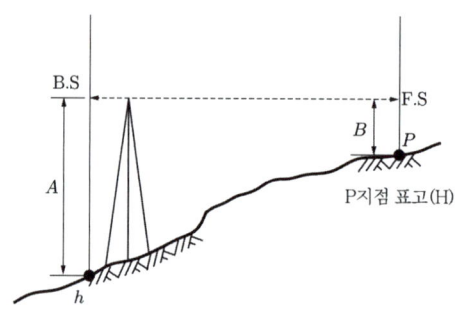

(3) 사용기구

레벨, 스태프(staff)

> 06③
> 평판측량과 레벨측량의 사용기구

제 3 절 | 가설건축물

(1) 현장사무실
  ① 최소면적 : 3.3m²/인
(2) 시멘트 창고의 관리
  ① 마루 높이는 지면에서 30cm 이상 높여 방습처리를 한다.
  ② 창은 채광용으로만 두고 방습을 위해 환기창은 두지 않는다.
  ③ 반입구와 반출구는 별도로 두고 먼저 반입한 시멘트를 먼저 사용한다.
  ④ 시멘트의 쌓기 높이는 13포 이하로 한다. (단, 장기간 저장 시는 7포 이하)
  ⑤ 창고 주위에 배수도랑을 설치한다.

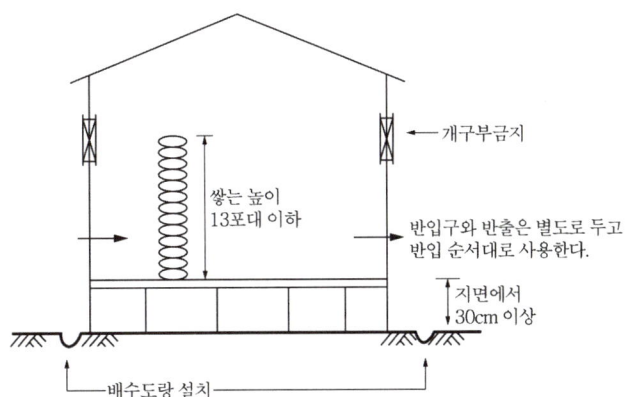

📖 08② · 13①

시멘트 창고의 관리방법 4가지

제 4 절 | 기준점과 규준틀

1. 기준점(Bench mark)

(1) 정의

건축물 시공 시 기준위치를 정하는 원점으로 공사 중 높이의 기준을 정하고자 설치하는 것으로서 이동, 변형이 없게 견고히 설치해야 한다.

> 04③ · 07③ · 10① · 13④ · 14① · 16④ · 18① · 21① · 산21③ · 산22① · 22②
> 용어 : 기준점

(2) 주의사항

① 이동의 염려가 없는 곳에 설치한다.
② 2개소 이상 설치한다.
③ 지면에서 0.5~1.0m 높이로 바라보기 좋고, 공사에 지장이 없는 곳에 설치한다.
④ 착공과 동시에 설치하고 완공 시까지 존치시킨다.

> 04③ · 07③ · 11② · 17① · 18① · 21④ · 산21③ · 22② · 산23①
> 주의사항 : 기준점 설치 시

2. 수평규준틀과 세로규준틀

(1) 수평규준틀

① 설치목적
    ㉠ 건물의 각부 위치를 정확히 표시
    ㉡ 건물이나 터파기의 높이, 너비, 길이 등을 정확하게 결정

> 12① · 15② · 산22③
> 설치목적 : 수평규준틀

② 기입사항
    ㉠ 터파기의 상부 폭, 하부 폭
    ㉡ 잡석지정 폭
    ㉢ 기초판·주각 폭
    ㉣ 건물의 각부 위치

(2) 세로규준틀

① 설치
    ㉠ 벽의 모서리 등 기준이 될 수 있는 곳
    ㉡ 벽이 긴 경우 중앙부, 기타 요소에 설치한다.

② 기재사항
　㉠ 줄눈위치
　㉡ 쌓기 높이와 단수
　㉢ 앵커볼트, 매립철물의 위치
　㉣ 창문틀 위치

> 15① · 16④ · 22② · 산22③
>
> 세로규준틀의 위치와 기재사항

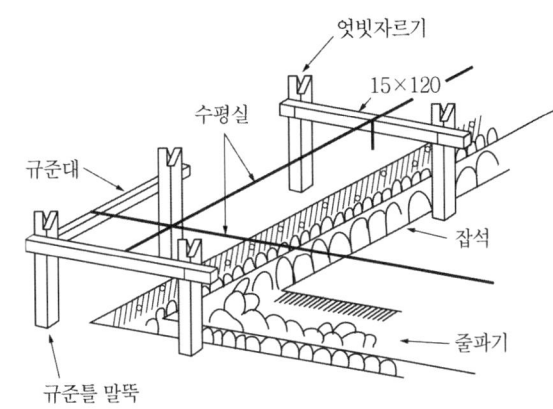

∥ 수평 규준틀 ∥

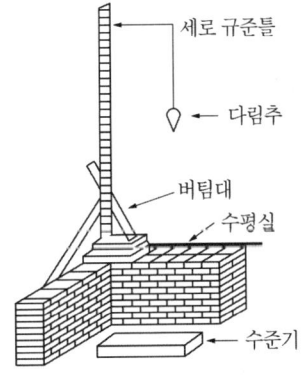

∥ 세로 규준틀 ∥

제 5 절 │ 비계 및 비계다리

1. 비계/비계다리

(1) 비계의 종류

재료별	형태	지지방식
① 통나무 ② 단관파이프 ③ 틀비계	① 외줄비계 ② 겹비계 ③ 쌍줄비계	① 지주비계 ② 달비계 ③ 말비계

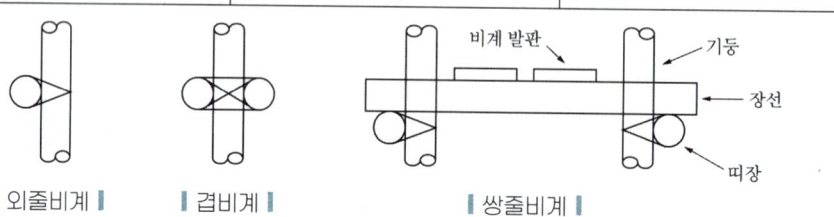

│ 외줄비계 │　│ 겹비계 │　│ 쌍줄비계 │

① 강관비계 : 강관으로 현장에서 조립하여 설치하는 비계
② 달비계 : 와이어로프로 옥상에서 매달아서 외부 작업용으로 사용하는 비계
③ 말비계 : 실내에서만 사용하는 비계
④ 시스템비계 : 수직재, 수평재, 가새로 조립해서 사용하는 비계

> 산21① · 산22③
> 용어 : 비계의 종류별 명칭

(2) 통나무 비계와 비교한 강관 파이프 비계의 장점
① 조립 해체가 용이하다.
② 사용횟수가 많다.
③ 강도가 커서 고층 건축시공에 유리하다.
④ 작업장이 미관상 좋다.

> 산21②
> 장점 : 통나무 비계와 비교한 강관 파이프 비계의 장점

2. 비계의 시공

구분	강관(Pipe) 비계	
	단관비계	틀비계
1. 비계의 기둥 간격	• 31m 넘는 밑부분 2본 이상 • 도리 방향 : 1.5~1.8m • 보 방향 : 0.9~1.5m	(부축틀 설치) • 도리방향 4m 이하 • 높이 10m마다 설치
2. 띠장, 장선간격	1.5m 이내	−
3. 하부 고정(기둥 하단)	베이스 플레이트	베이스 플레이트
4. 세로틀과 벽체와의 연결 간격	수직 : 5m 내외 수평 : 5m 이하	수직 : 6m 수평 : 8m
5. 결속선 및 결속재	• 커플러(Coupler) • 커플링(Coupling) • 클램프(Clamp) : 자재형 클램프, 고정형 클램프	끼움재, 나사못, Pin
비고	• 조립 해체가 용이 • 사용횟수가 많음 • 강도가 커서 고층 건축시공에 유리 • 작업장이 미관상 좋음	틀비계 설치 최고높이 : 45m 이하

※ 통나무비계 : 띠장은 최하부에서는 높이 3m 이하로 설치하고 그 위는 1.5m 내외로 설치하는 수평부재를 말한다. 기둥과 띠장의 이음은 모두 겹친 이음을 하는 것이 원칙이다.

98② · 08① · 17④ · 산22③
치수 : 강관틀비계의 세로틀은 수직방향 (　)m, 수평방향 (　)m 내외의 간격으로 건축물의 구조체에 긴결해야 하며 높이는 원칙적으로 (　)m를 초과할 수 없다.

00③ · 07① · 15① · 21②
종류 : 강관비계를 수직, 수평 및 경사방향으로 이음고정하는 부속철물

15①
용어 : 베이스 플레이트

3. 비계의 해체

(1) 해체 및 철거는 시공의 역순으로 진행하여야 한다.
(2) 해체 착수 전에 비계에 결함이 발생했을 경우에는 정상적인 상태로 복구한 후에 해체하여야 한다.
(3) 해체는 규칙적이고 계획적으로 진행되어야 하며, 수평부재부터 차례로 해체하여야 한다.
(4) 해체 및 철거 시 균열 및 흔들림이 존재한다면 균열과 흔들림을 조치한 후 해체한다.
(5) 모든 분리된 부재와 이음재는 비계로부터 떨어뜨리지 말고 내려야 하며, 아직 분해되지 않은 비계 부분은 안정성이 유지되도록 작업하여야 한다.
(6) 해체된 부재들은 비계 위에 적재해서는 안 되며, 해체된 부재들은 지정된 위치에 보관하여야 한다.

> 산23③
> 주의사항 : 비계의 해체

제 6 절 | 안전설비

1. 안전설비의 종류

(1) 수직형 추락 방지망
  엘리베이터 등의 작업 위치 6m 이내에 설치

(2) 낙하물 방지망
  ① 설치 높이는 10m 이내, 3개층마다 설치
  ② 비계 외측으로 2m 이상 내밀고, 벽체와 비계는 틈이 없도록 안전망 설치

  > 산22①
  > 수치 : 낙하물 방지망

(3) 방호시트
  고속도로나 경사지에서 낙석이나 붕괴에 대비하여 덮어 놓은 시트

(4) 방호선반
  ① 비계의 내외측, 주 출입구 및 리프트 출입구 상부 등에 설치하는 낙하방지 안전시설
  ② 1.5cm 이상의 판재나 동등 이상 자재 사용

  > 10① · 13④ · 21①
  > 용어 : 방호선반

(5) 안전 난간
　① 개구부 등 추락위험이 있는 곳
　② 상부난간대, 중간난간대, 발끝막이판, 난간기둥
(6) 수평개구부 보호덮개
　① 12mm 이상의 합판과 45×45mm 이상의 각재 사용

> 00① · 00② · 산21② · 산21③ · 산22② · 산23②
> 종류 : 안전설비/추락 재해 방지시설

2. 안전 장구의 용도
(1) 안전모
　높은 곳에서 떨어지는 물체나 도구 등의 위험이 있는 경우
(2) 방진마스크
　비산 물질이 많이 발생하는 경우
(3) 방화복
　용접 등 불꽃이 날리는 경우
(4) 안전대
　2m 이상의 고소작업을 하는 경우
(5) 절연복
　전기 감전의 우려가 있는 경우
(6) 방열복
　고열 작업이나 화재에서 화상과 열중증을 방지하기 위하여 사용하는 보호구
(7) 안전화
　중량물이 떨어지거나 끼임 사고 발생 시 발과 발등을 보호하는 보호구
(8) 보안면
　용접 시 불꽃이나 물체가 흩날릴 위험이 있는 작업에 착용하는 보호장구

> 산21① · 산23① · 산23②
> 용어 : 안전 장구의 종류별 용도

3. 안전 장구의 안전계수

(1) 달기 와이어로프 및 달기 강선의 안전계수
    10 이상
(2) 달기 체인 및 달기훅의 안전계수
    5 이상
(3) 달기 강대와 달비계의 하부 및 상부 지점의 안전계수
    ① 강재의 경우 : 2.5 이상
    ② 목재의 경우 : 5 이상

> 📱 산23②
> 수치 : 안전 장구의 안전계수

4. 곤돌라형 달비계에 사용 금지된 와이어로프

(1) 이음매가 있는 것
(2) 이음매가 있는 와이어로프의 한 꼬임에서 끊어진 소선의 수가 10% 이상인 와이어로프
(3) 지름의 감소가 공칭지름의 7%를 초과하는 꼬인 와이어로프
(4) 꼬임이 있는 것

> 📱 산23③
> 기준 : 곤돌라형 달비계에 사용 금지된 와이어로프

5. 가설통로 중 경사로

(1) 경사로 설치 시 경사각은 30도 이하이어야 함
(2) 경사가 15도를 초과하는 경우 미끄러지지 않는 구조로 함
(3) 건설공사에 사용하는 높이 8m 이상인 비계다리에는 7m마다 경사로의 꺾임 부분에는 계단참을 설치하여야 함

> 📱 산23③
> 수치 : 가설통로 중 경사로

제 7 절 | 환경(비산먼지 발생대책)

1. 야적 시 비산먼지 발생대책
① 야적 물질을 1일 이상 보관 시 방진 덮개로 덮을 것
② 1.8m 이상의 높이로 방진벽을 설치할 것
③ 비산먼지의 발생을 억제하기 위한 살수시설을 설치할 것

> 17① · 21④
> 종류 : 비산먼지 발생대책

2. 건축물 내 작업
① 바닥 청소, 내화피복, 벽체 연마, 절단, 분사식 도장 작업 등은 해당 측에 방진막 설치
② 철 구조물의 분사에 의한 도장 시 방진막 설치

제 8 절 | 용어해설

(1) 방호선반
비계의 내외측, 주 출입구 및 리프트 출입구 상부 등에 설치하는 낙하방지 안전시설
(2) 비계
공사용 통로나 작업용 발판을 위하여 구조물의 외부에 조립, 설치되는 구조물

> 10① · 13④
> 용어 : 방호선반

단원별 경향문제

1 가설공사 일반사항, 측량 및 가설건축물

1-1 가설설비계획의 입안 시 유의해야 할 사항 3가지를 기술하시오.　03③ [3점]

(1)
(2)
(3)

[해설] 가설설비계획 입안 시 유의점
(1) 시공 용이성
(2) 안전성, 효율성
(3) 경제성, 전용성

1-2 가설건축물의 축조신고 시 구비서류 3가지를 기술하시오.　16① [3점]

(1)
(2)
(3)

[해설] 가설물 축조신고서류
(1) 가설건물축조 신고서　　　(2) 토지주의 사용허가서
(3) 가설건축물 배치도/평면도　(4) 건축허가서

1-3 다음 〈보기〉에서 직접가설비와 간접가설비를 구분하여 기호로 쓰시오.　00④ [4점]

① 양중·하역설비　② 숙소　　　　　③ 급·배수 설비　④ 운반설비
⑤ 현장사무소　　⑥ 공사용 전기설비　⑦ 안전설비　　　⑧ 기자재 창고

(1) 직접가설비 :
(2) 간접가설비 :

[해설] 가설공사 항목
(1) 직접가설비 : ①, ⑦
(2) 간접가설비 : ②, ③, ④, ⑤, ⑥, ⑧

00② [4점]

1-4 가설공사 항목 중 공통가설과 직접가설 항목을 〈보기〉에서 골라 기호로 쓰시오.

① 가설건물　　② 규준틀　　③ 용수설비　　④ 공사용 동력
⑤ 방호선반　　⑥ 먹매김　　⑦ 운반　　⑧ 콘크리트 양생

(1) 공통가설 :
(2) 직접가설 :

해설 가설공사 항목
(1) 공통가설 : ①, ③, ④, ⑦
(2) 직접가설 : ②, ⑤, ⑥, ⑧

06③ [4점]

1-5 평판측량과 레벨측량의 기구를 〈보기〉에서 각각 골라 기호를 쓰시오.

① 앨리데이드　　② 평판　　③ 구심기　　④ 다림추
⑤ 자침기　　⑥ 레벨　　⑦ 스태프(Staff)

(1) 평판측량 :
(2) 레벨측량 :

해설 측량기구
(1) 평판측량 : ①, ②, ③, ④, ⑤
(2) 레벨측량 : ⑥, ⑦

08② · 13① [4점]

1-6 시멘트 창고에 시멘트 저장 시 저장 및 관리방법 4가지를 기술하시오.

(1)
(2)
(3)
(4)

해설 시멘트 창고 관리방법
(1) 마루 높이는 지면에서 **30cm 이상 높여 방습처리**를 한다.
(2) 창은 채광용으로만 두고 방습을 위해 **환기창은 두지 않는다.**
(3) 반입구와 반출구는 별도로 두고 **먼저 반입한 시멘트를 먼저 사용**한다.
(4) 창고 주위에 **배수도랑을 설치**하고 쌓기 높이는 **13포 이하**로 한다.

산21② [4점]

1-7 다음은 가설공사에 대한 내용이다. ( ) 안에 적당한 수치를 기입하시오.

(1) 가설 경사로는 견고한 구조로 해야 하고, 경사는 ( )도 이하로 한다. 경사가 ( )도를 초과할 때는 미끄러지지 않는 구조로 한다.
(2) 수직갱에 가설된 통로길이가 15m 이상일 때는 ( )m 이내마다 계단참을 설치하고, 건설공사에 사용되는 높이 8m 이상인 비계다리에는 ( )m 이내마다 계단참을 설치한다.

해설 (1) 가설 경사로는 견고한 구조로 해야 하고, 경사는 (30)도 이하로 한다. 경사가 (15)도를 초과할 때는 미끄러지지 않는 구조로 한다.
(2) 수직갱에 가설된 통로길이가 15m 이상일 때는 (10)m 이내마다 계단참을 설치하고, 건설공사에 사용되는 높이 8m 이상인 비계다리에는 (7)m 이내마다 계단참을 설치한다.

2 직접가설공사(기준점, 규준틀, 비계)

04③ · 07③ · 11①,② · 13④ · 14① · 16④ · 17① · 18① [5점]

2-1 기준점(Bench Mark)의 정의 및 설치 시 주의사항을 3가지 쓰시오.

(1) 정의 :
(2) 주의사항 :
  ①
  ②
  ③

해설 기준점(Bench Mark)
(1) 정의 : 건축물 시공 시 기준위치를 정하는 원점으로 공사 중 **높이의 기준**을 정하고자 설치하는 것
(2) 주의사항
  ① 이동의 염려가 없는 곳에 설치한다.
  ② 2개소 이상 설치한다.
  ③ 지면에서 0.5~1.0m 높이로 바라보기 좋고, 공사에 지장이 없는 곳에 설치한다.
  ④ 착공과 동시에 설치하고 완공 시까지 존치시킨다.

12① · 15② [5점]

2-2 가설공사 시 수평규준틀의 설치목적 2가지를 기술하시오.

(1)
(2)

해설 수평규준틀 설치 목적
(1) 건물의 각부 위치를 정확히 표시
(2) 건물이나 터파기의 높이, 너비, 길이 등을 정확하게 결정

15① · 16④ [3점]

2-3 조적공사에서 시공 시 기준이 되는 세로규준틀의 설치위치 1개소와 규준틀에 기재하는 사항 2가지를 기술하시오.

(1) 설치위치 :
(2) 기재사항 :

해설 세로규준틀
(1) 설치위치 : 벽 모서리, 벽이 긴 경우는 중간부
(2) 기재사항 : 줄눈위치, 쌓기 높이, 쌓기 단수, 앵커볼트 위치, 창문틀 위치

98② · 08① [4점]

2-4 다음 설명을 읽고 ( ) 안에 들어갈 적당한 부재 명칭을 기술하시오.

(1) 단관비계에서 (①)은 도리방향으로 1.5~1.8m, 보 방향으로 0.9~1.5m 정도 벌려서 세우고 최고높이가 31m를 넘으면 두 개를 합쳐서 세워야 한다. 통나무 비계에서 (②)은 최하부에서는 높이 3m 이하로 설치하고 그 위는 1.5m 내외로 설치하는 수평부재를 말한다. ①과 ②의 이음은 모두 겹친 이음을 하는 것이 원칙이다.
(2) 단관비계나 통나무비계에서 (③)의 간격은 1.5m 이내로 배치하고 ①과 ②에 결속한다. 강관틀비계에서 (④)는 도리방향으로 세로틀에 설치하고, 보통은 수평방향으로 14~15m 간격으로 설치되며, ①에 모두 결속되어야 한다.

①
②
③
④

해설 비계 구성
① 기둥 ② 띠장 ③ 장선 ④ 가새

98② · 08① · 17④ [3점]

2-5 강관틀비계의 설치에 관한 다음 설명 중 ( ) 안에 적합한 숫자를 적으시오.

> 세로틀은 수직방향 (가)m, 수평방향 (나)m 내외의 간격으로 건축물의 구조체에 견고하게 긴결해야 하며, 높이는 원칙적으로 (다)m를 초과할 수 없다.

가.
나.
다.

해설 비계 연결대
가. 6
나. 8
다. 45

00③ · 07① [3점]

2-6 강관비계를 수직, 수평 및 경사방향으로 연결 또는 이음 고정시킬 때 사용하는 부속철물의 명칭 3가지를 기술하시오.

(1)
(2)
(3)

해설 강관비계 이음고정 부속철물
(1) 커플러(Coupler)
(2) 커플링(Coupling)
(3) 클램프(Clamp)

15① [3점]

2-7 가설공사에서 사용하는 강관 파이프 비계의 연결철물 중 클램프의 종류와 기둥 하단과 지반 사이에 설치하는 철물을 기술하시오.

(1) 클램프의 종류 :
(2) 기둥 하단과 지반 사이에 설치하는 철물 :

해설 강관 파이프 비계 철물
(1) 클램프의 종류 : 자재형 클램프, 고정형 클램프
(2) 기둥 하단과 지반 사이에 설치하는 철물 : 베이스 플레이트

산21① [4점]

2-8 다음 설명에 해당하는 비계의 명칭을 기술하시오.

(1) 강관으로 현장에서 조립하여 설치하는 비계 (　　　)
(2) 와이어로프로 옥상에서 매달아서 외부 작업용으로 사용하는 비계 (　　　)
(3) 실내에서만 사용하는 비계 (　　　)
(4) 수직재, 수평재, 가새로 조립해서 사용하는 비계 (　　　)

해설 (1) 강관비계
(2) 달비계
(3) 말비계
(4) 시스템비계

산21② [4점]

2-9 통나무 비계에 비해 강관 파이프 비계의 장점 4가지를 기술하시오.

(1)
(2)
(3)
(4)

해설 (1) 조립 해체가 용이하다.
(2) 사용횟수가 많다.
(3) 강도가 커서 고층 건축시공에 유리하다.
(4) 작업장이 미관상 좋다.

3 안전설비 및 환경

00①,② · 산21② · 산21③ [3점]

3-1 가설공사 시 추락이나 낙하방지를 위한 안전설비의 종류 3가지를 기술하시오.

(1)
(2)
(3)

해설 낙하방지를 위한 안전설비
(1) 추락 방호망
(2) 안전 난간
(3) 개구부 수평 보호덮개
(4) 수직형 추락 방지망

10① · 13④ · 21① [4점]

3-2 다음 용어의 정의를 간략히 설명하시오.

(1) 기준점 :
(2) 방호선반 :

해설 용어
(1) 기준점 : 건축물 시공 시 기준위치를 정하는 원점으로 공사 중 **높이의 기준**을 정하고자 설치하는 것
(2) 방호선반 : 비계의 내외측, 주 출입구 및 리프트 출입구 상부 등에 설치하는 **낙하방지 안전시설**

17① [3점]

3-3 비산먼지 발생 억제를 위한 방진시설을 설치할 때 야적(분체상 물질을 야적하는 경우에 한함) 시 조치사항 3가지를 기술하시오.

(1)
(2)
(3)

해설 비산먼지 방지대책
(1) 야적 물질을 1일 이상 보관 시 방진 덮개로 덮을 것
(2) 1.8m 이상의 높이로 방진벽을 설치할 것
(3) 비산먼지의 발생을 억제하기 위한 살수시설을 설치할 것

산21① [5점]

3-4 다음은 안전 장구에 대한 설명이다. 설명에 해당하는 적당한 용어를 보기에서 골라 기입하시오.

〈보기〉

안전화, 안전모, 방진마스크, 방열복, 안전대, 보안경, 절연복, 방화복

(1) 높은 곳에서 떨어지는 물체나 도구 등의 위험이 있는 경우 (   )
(2) 비산 물질이 많이 발생하는 경우 (   )
(3) 용접 등 불꽃이 날리는 경우 (   )
(4) 2m 이상의 고소작업을 하는 경우 (   )
(5) 전기 감전의 우려가 있는 경우 (   )

해설 (1) 안전모   (2) 방진마스크   (3) 방화복
(4) 안전대   (5) 절연복

CHAPTER 03 토공사

제1절 | 지반의 구성 및 흙의 성질

1. 지반의 구성

(1) 지반

지반은 구성 토립자의 크기에 따라 다음과 같이 분류한다.

토질				암석	
콜로이드		모래		자갈	바위
점토	실트	고운 모래	굵은 모래		

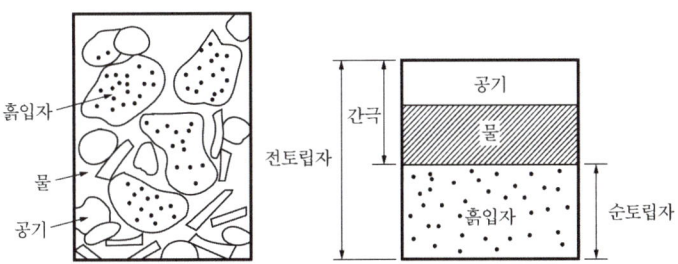

(2) 지하수

① 간극수 : 토립자 사이의 간극 내에 있는 지하수
② 지하수
 ㉠ 자유수 : 지하수위를 가지고 있으며 수량에 따라 지하수위가 높고 낮아지는 지하수
 ㉡ 피압수 : 지반의 불투수층 사이에서 정수압에 비하여 높은 압력을 갖는 지하수

📱 01③ · 03③
용어 : 피압수

2. 흙의 성질

(1) 전단강도

기초의 극한지지력을 파악할 수 있는 흙의 가장 중요한 역학적 성질로서 전단력에 대한 쿨롱의 법칙은 다음과 같다.

$$\tau = C + \sigma \tan\phi$$

여기서, τ : 전단강도
　　　　C : 흙의 점착력
　　　　$\tan\phi$: 흙의 마찰계수
　　　　ϕ : 내부마찰각
　　　　σ : 전단면에 따라 작용하는 수직응력

> 99② · 08② · 15①
> 공식 : 흙의 전단강도 식과 기호

> 98① · 06③
> 공식 : 흙의 전단강도 (　) 넣기

① 점토 : $\tau ≒ C (∵ \phi = 0)$
② 모래 : $\tau ≒ \sigma \tan\phi (∵ C = 0)$

(2) 용어

① 압밀(침하) : 점토지반에서 외력에 의해 흙의 간극수가 빠져나가면서 흙이 수축되는 현상
② 예민비 : 점토지반의 자연시료는 어느 정도의 강도가 있으나 이것의 함수율을 변화시키지 않고 이기면 약해지는 성질이 있다. 이러한 흙의 이김에 의해서 약해지는 정도를 표시하는 것으로, 함수율 변화가 없는 상태에서의 이긴 시료에 대한 자연시료의 강도의 비를 말함
③ 간극수압 : 지반의 토립자 사이의 수압으로 배수공법 및 탈수공법의 선택기준이 되며 피에조미터(Piezometer)로 측정한다.
④ 액상화 : 느슨하고 포화된 모래층이 충격을 받으면, 지반의 수축으로 간극수압이 발생하여 전단강도가 감소하고 지중수가 상승하여 일시적으로 지내력이 감소되는 현상

> 01③ · 03① · 07③ · 12① · 15② · 18② · 19④ · 22② · 23①
> 용어 : 예민비, 압밀의 정의

(3) 공식

1. 간극비	$\dfrac{\text{간극(물+공기)의 부피(용적)}}{\text{순토립자의 부피(용적)}}$
2. 함수비	$\dfrac{\text{물의 중량}}{\text{순토립자의 중량}}$
3. 함수율	$\dfrac{\text{물의 중량}}{\text{전체 토립자(흙+물)의 중량}} \times 100(\%)$
4. 포화도	$\dfrac{\text{물의 부피(용적)}}{\text{간극의 부피(용적)}} \times 100(\%)$
5. 예민비	$\dfrac{\text{자연시료의 강도}}{\text{이긴시료의 강도}}$ ※ 모래는 예민비가 작고(≒1) 점토는 크다.

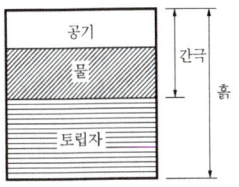

📖 11④
용어 : 간극비, 함수비, 포화도

📖 00①,② · 03① · 22②
공식 : 간극비, 함수비, 포화도 계산식

📖 92② · 17②
계산식 : 자연시료의 강도가 8MPa, 이긴 시료의 강도가 5MPa일 때 예민비를 계산하시오.

(4) 흙의 함수량 변화상태

고체상태(전건상태) , 반고체상태(바삭바삭하고 끈기가 없는 상태) → 소성상태(끈기가 있고 반죽이 가능한 상태) → 액체상태(질컥한 액성상태 유동성이 있는 상태)

수축한계   소성한계   액성한계

① 수축한계 : 반고체상태에서 고체상태로 옮겨지는 경계의 함수비
② 소성한계 : 소성상태에서 반고체상태로 옮겨지는 경계의 함수비
③ 액성한계 : 액성상태에서 소성상태로 옮겨지는 함수비

📖 08③
순서 : 흙의 함수량 변화 단계

📖 11① · 15② · 21①
용어 : 소성한계, 액성한계

단원별 경향문제

1 토질 관련 용어 및 예민비

01③ · 03③ · 12① [4점]

1-1 토질과 관련된 다음 용어를 설명하시오.

(1) 압밀침하 :
(2) 피압수 :

해설 용어
(1) 점토지반에서 외력에 의해 흙의 간극수가 빠져나가면서 흙이 수축되는 현상
(2) 지반의 불투수층 사이에서 정수압에 비하여 높은 압력을 갖는 지하수

99② · 08② · 15① [4점]

1-2 흙의 전단강도 공식을 쓰고 기호의 뜻을 쓰시오.

(1) 식 :
(2) 기호 :

해설 흙의 전단강도
$\tau = C + \sigma \tan\phi$
C : 흙의 점착력
σ : 전단면에 따라 작용하는 수직응력
$\tan\phi$: 흙의 마찰계수
ϕ : 내부마찰각(°)

03① · 12① [2점]

1-3 점토지반의 자연시료는 어느 정도의 강도가 있으나 이것의 함수율을 변화시키지 않고 이기면 약해지는 성질이 있다. 이러한 흙의 이김에 의해서 약해지는 정도를 표시하는 용어를 기술하시오.

해설 용어
예민비

1-4 흙의 성질 중 예민비의 식과 용어를 기재하시오.

해설 예민비

(1) 식 : $\dfrac{\text{자연시료의 강도}}{\text{이긴 시료의 강도}}$

(2) 용어 : 함수율 변화가 없는 상태에서의 이긴 시료에 대한 자연시료의 강도의 비

1-5 다음 용어를 설명하시오.

(1) 예민비 :
(2) 압밀 :

해설 용어 설명

(1) 예민비 : 함수율 변화가 없는 상태에서의 이긴 시료에 대한 자연시료의 강도의 비
(2) 압밀 : 점토지반에서 외력에 의해 흙의 간극수가 빠져나가면서 흙이 수축되는 현상

1-6 자연시료의 강도가 8MPa, 이긴 시료의 강도가 5MPa일 때 예민비를 계산하시오.

계산과정 :

해설 예민비 계산

$\dfrac{\text{자연시료의 강도}}{\text{이긴 시료의 강도}} = \dfrac{8}{5} = 1.6$

2 간극비, 함수비, 함수율, 포화도, 한계점

2-1 흙은 흙입자, 물, 공기로 구성되며, 도식화하면 다음 그림과 같다. 그림에 주어진 기호로 아래의 각종 용어를 표기하시오.

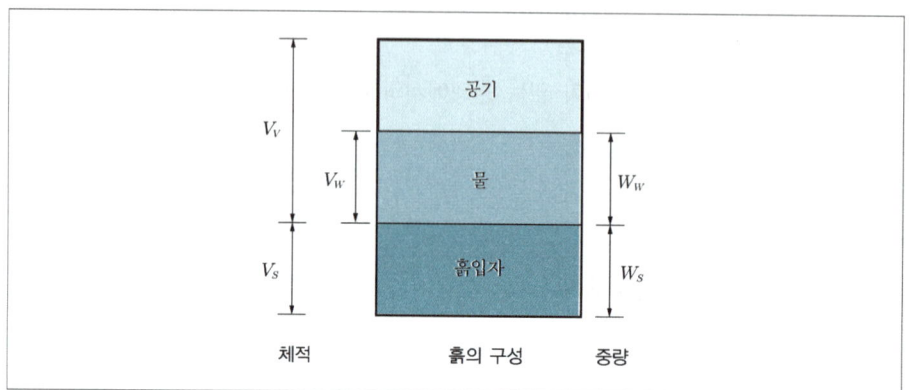

(1) 간극비 :
(2) 함수비 :
(3) 포화도 :

해설 간극비, 함수비, 포화도

(1) 간극비 $= \dfrac{\text{간극의 부피}}{\text{흙입자의 부피}} = \dfrac{V_v}{V_s}$

(2) 함수비 $= \dfrac{\text{물의 중량}}{\text{흙입자의 중량}} \times 100(\%) = \dfrac{W_w}{W_s} \times 100(\%)$

(3) 포화도 $= \dfrac{\text{물의 부피}}{\text{간극의 부피}} \times 100(\%) = \dfrac{V_w}{V_v} \times 100(\%)$

00①,② · 03① [4점]

2-2 다음 토질과 관계하는 자료를 참조하여 간극비와 함수율을 계산하시오.

- 토립자만의 용적=2m³
- 순토립자만의 중량=4ton
- 물만의 용적=0.5m³
- 물만의 중량=0.5ton
- 공기만의 용적=0.5m³
- 전체 흙의 용적=3m³
- 전체 흙의 중량=4.5ton

(1) 간극비 :
(2) 함수율 :

해설 토질의 성질

(1) 간극비 : $\dfrac{간극(물+공기)의\ 부피(용적)}{순토립자의\ 부피(용적)} = \dfrac{0.5+0.5}{2} = 0.5$

(2) 함수율 : $\dfrac{물의\ 중량}{전체토립자(흙+물)의\ 중량} \times 100(\%) = \dfrac{0.5}{4.5} \times 100 = 11.11\%$

00①,② · 03① [6점]

2-3 점토의 흐트러뜨리지 않은 공시체의 밀도시험과 함수비시험을 시행한 결과 아래 표와 같은 시험결과를 얻었다. 이 결과를 근거로 함수비, 간극비, 포화도를 계산하시오.

시험의 종류	시험결과
토립자 밀도	토립자의 체적 : 11.06cm³
함수비	흙과 용기의 중량 : 92.58g
	건조한 흙과 용기의 중량 : 78.95g
	용기의 중량 : 49.32g
습윤밀도	흙의 체적 : 26.22cm³

(1) 함수비 :
(2) 간극비 :
(3) 포화도 :

해설 토질의 성질

- 순토립자의 중량 = 78.95 − 49.32 = 29.63g
- 물만의 중량 = 92.58 − 78.95 = 13.63g
- 물만의 부피 = 13.63g × 1cm³/g = 13.63cm³

(1) 함수비 = $\dfrac{13.63}{29.63} \times 100 = 46.0\%$

(2) 간극비 = $\dfrac{26.22 - 11.06}{11.06} = 1.37$

(3) 포화도 = $\dfrac{13.63}{26.22 - 11.06} \times 100 = 89.91\%$

2-4 흙은 일반적으로 물을 포함하고 있으며 그 함수량의 변화에 따라 아래와 같이 그 성질이 변화한다. (　) 안에 경계의 함수비를 나타내는 알맞은 용어를 기입하시오.

08③ [2점]

> 전건상태 – (　①　) – 소성상태 – (　②　) – 질컥한 액성의 상태

①
②

해설 흙의 함수 상태
① 소성한계
② 액성한계

2-5 흙의 함수량 변화와 관련하여 (　) 안에 적절한 단어를 채우시오.

11① · 15② · 21① [2점]

> 흙이 소성상태에서 반고체 상태로 옮겨지는 경계의 함수비를 (　①　)라 하고, 액성상태에서 소성상태로 옮겨지는 함수비를 (　②　)라고 한다.

①
②

해설 용어
① 소성한계
② 액성한계

제 2 절 | 지반조사(지하탐사)

1. 지반조사의 절차
(1) 절차
① 사전조사 : 예비지식(문헌 등의 참조)으로 지반의 개략적 현황을 파악한다.
② 예비조사 : 본조사의 기본자료가 되며 설계자에게 건물의 배치, 지반지지층, 기초구조 등의 윤곽을 결정할 수 있는 자료를 제공한다.
③ 본조사 : 지반의 물리적·역학적 성질을 종합적으로 조사한다.
④ 추가조사 : 본조사의 보완 또는 재조사의 필요시 실시한다.

> 07 ②
> 순서 : 지반조사의 절차

2. 지하탐사법
(1) 터파보기
직경 60~90cm, 깊이 1.5~3m, 간격 5~10m로 구멍을 천공하여 얕은 지층의 토질, 지하수위를 파악하는 방법이다.

(2) 짚어보기(탐사간)
철봉(탐사간)을 인력으로 꽂아 손짐작으로 얕은 지층의 견고성을 파악하는 방법이다.

(3) 물리적 탐사
전기저항식, 탄성파식, 강제 진동식 등이 있으며 지반의 구성층은 파악할 수 있으나 지반의 역학적 성질 판별은 어렵다.

> 01 ②
> 종류 : 지하탐사법 고르기

3. 보링
(1) 정의
지반을 뚫고 시료를 채취하여 지층의 상황을 판단하는 지반조사법으로 지중의 토질분포, 토층의 구성, 주상도를 개략적으로 파악할 수 있다.

> 11 ④
> 용어 : 보링

(2) 목적
    ① 지반의 샘플링 추출
    ② 지층의 토질 분석
    ③ 지하수위 파악
    ④ 각 토질의 깊이 파악
    ⑤ 지층의 구성상태 파악
    ⑥ 주상도 작성

    > 18①
    > 목적 : 보링

(3) 종류
    ① 오거식(Auger) : 연약 점토층에서 깊이 10m 정도의 오거를 회전시키면서 지중에 압입, 굴착하고 여러 번 오거를 인발하여 교란 시료를 채취하는 방법이다.
    ② 수세식 : 물을 주입하여 흙과 물을 같이 배출시켜 침전된 상태로 지층의 토질을 판별하는 방법으로 연약한 토사에 적당하다.
    ③ 충격식 : 충격날을 낙하시키고 그 낙하충격에 의해 파쇄된 토사를 퍼내어 지층 상태를 판단하는 방법으로 비교적 경질지층을 깊이 뚫는 방법이다.
    ④ 회전식 : 비트(Bit)를 회전시켜 굴진하는 방법으로 토사를 분쇄하지 않고 지층의 변화를 연속적으로 비교적 정확히 알고자 할 때 사용하는 방식이지만, 사질토에서는 채택이 어렵다.

    > 98⑤ · 04① · 10④
    > 종류 : 지반조사 방법의 적절한 지반조사 대상

    > 09② · 10② · 11② · 12④ · 16①
    > 종류 : Boring 시험의 종류 3가지

    > 09② · 10② · 11② · 14④ · 13② · 16④ · 21④ · 22④ · 23① · 23②
    > 용어 : 수세식, 충격식, 회전식, 오거식

    > 02② · 03① · 06② · 07②,③
    > 적용토질 : 수세식, 충격식, 회전식

(4) 구성 자재
    ① Rod(지지 연결대)
    ② Casing(토공벽 보호 철판)
    ③ Bit(굴삭 날)
    ④ Core Tube(시료 채취기)

4. 샘플링(Sampling)

(1) 정의

보링에 의해 시료를 채취하는 방법

(2) 종류

① 신월(Thin Wall) 샘플링

: 연한 점토질의 시료 채취에 알맞은 얇은 살로된 샘플러를 사용한다.

② 콤포지트(Composite) 샘플링

: 굳은 진흙, 약간 단단한 모래 채취에 알맞은 살이 두꺼운 샘플러를 사용한다.

③ 불교란(Undisturbed) 샘플링

: 전체 깊이에 대한 불교란 시료를 채취할 수 있는 거의 완전한 토질시험이다.

03① · 10④ · 19④

종류 : 샘플링

1 지반조사 및 지하탐사법

07② [2점]

1-1 큰 부류의 지반조사 방법을 열거한 다음 항목의 빈칸에 알맞은 용어를 기입하시오.

(1)
(2)
(3) 본조사
(4)

[해설] 지반조사의 절차
(1) 사전조사   (2) 예비조사   (4) 추가조사

01② [3점]

1-2 다음 지반조사의 방법 중 지하탐사법에 의한 것을 모두 고르시오.

(1) 터파보기   (2) 철관 박아넣기   (3) 베인테스트   (4) 탐사간   (5) 시료채취
(6) 대개시료채취   (7) 관입시험   (8) 하중시험   (9) 물리적 탐사법

[해설] 지하탐사법
(1) (4) (9)

2 보링과 샘플링

18① [3점]

2-1 지반조사에서 보링의 목적 3가지를 기술하시오.

(1)
(2)
(3)

[해설] 보링의 목적
(1) 지반의 샘플링 추출
(2) 지층의 토질 분석
(3) 지하수위 파악
(4) 각 토질의 깊이 파악

09②・10②・11②,④・12④・16① [3점]

2-2 지반조사 시 실시하는 보링(Boring)의 종류 3가지를 기술하시오.

(1)
(2)
(3)

해설 지반조사 시 보링의 종류
(1) 오거 보링 (2) 충격식 보링 (3) 회전식 보링

02②・03①・06②・07②・07③・09②・10②・11②・11④・13②・16④ [3점]

2-3 다음의 지반조사법 중 보링에 대한 설명이다. 알맞은 용어를 쓰시오.

(1) 비교적 연약한 토사에 수압을 이용하여 탐사하는 방식 (　　　　)
(2) 경질층을 깊이 파는데 이용되는 방식 (　　　　)
(3) 지층의 변화를 연속적으로 비교적 정확히 알고자 할 때 사용하는 방식 (　　　　)

해설 보링의 종류
(1) 수세식 보링(Wash Boring)
(2) 충격식 보링(Percussion Boring)
(3) 회전식 보링(Rotary Boring)

14② [4점]

2-4 다음은 지반조사법 중 보링에 대한 설명이다. 알맞은 용어를 쓰시오.

(1) 경질층에 사용하며, 충격날을 낙하시키고 그 낙하충격에 의해 파쇄된 토사를 퍼내어 지층 상태를 판단하는 방법
(2) 충격날을 회전시켜 천공하고, 지층의 변화를 연속적으로 파악하고자 할 때 사용하는 방법
(3) 오거를 회전시키면서 지중에 압입, 굴착하고 여러 번 오거를 인발하여 교란 시료를 채취하는 방법
(4) 비교적 연질층에 사용하며, 수압을 이용하여 천공하면서 흙과 물을 동시에 배출시키는 방법

(1)　　　　　　　　　　　(2)
(3)　　　　　　　　　　　(4)

해설 보링공법
(1) 충격식 (2) 회전식 (3) 오거식 (4) 수세식

11②,④ [5점]

2-5 지반조사 방법 중 보링(Boring)의 정의와 종류 4가지를 쓰시오.

(1) 정의 :
(2) 종류
　①
　②
　③
　④

해설 보링
(1) 지반을 천공하고, 토질의 시료를 채취하여 지층상황을 판단하는 방법
(2) 종류
　① 오거식
　② 수세식
　③ 충격식
　④ 회전식

98⑤ · 04① · 10④ · 19④ [4점]

2-6 다음 시험에 관계되는 시험을 〈보기〉에서 골라 그 번호를 기술하시오.

〈보기〉
① 신월 샘플링(Thin Wall Sampling)　② 베인시험(Vane Test)
③ 표준관입시험　　　　　　　　　　④ 정량분석시험

(1) 진흙의 점착력 :
(2) 지내력 :
(3) 연한 점토질의 시료채취 :
(4) 염분 :

해설 관련된 시험방법
(1) ②
(2) ③
(3) ①
(4) ④

제3절 | 토질시험

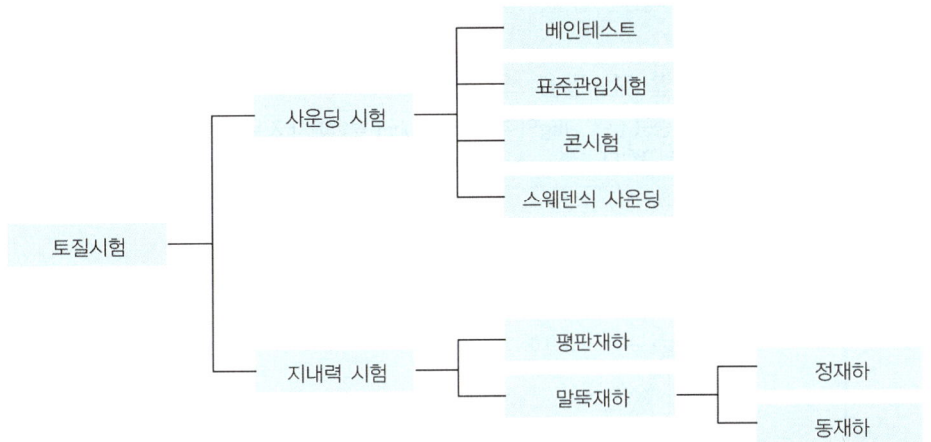

1. 사운딩 시험

(1) 정의

Rod의 끝에 설치한 저항체를 지반에 관입, 회전, 인발 등의 저항으로 지반의 경연(강하고 약함)을 파악하는 지반조사법이다.

(2) 특성

① 기동성·간편성이 좋다.
② 기능 및 시험의 정밀도는 떨어진다.

> 00① · 19① · 21④
> 용어, 종류 : 사운딩을 간략히 설명하고, 탐사방법을 3가지 쓰시오.

(3) 종류

① 베인테스트(Vane Test) : 보링 구멍을 이용하여 +자형의 날개를 지반에 박고 회전력에 의하여 지반의 점착력을 판별하는 지반조사시험

> 09④ · 17④
> 용어 : 베인테스트

② 표준관입시험(Standard Penetration Test) : Rod 선단에 샘플러를 부착하고, Rod 상단에 추를 낙하시켜 30cm 관입시키는 데 필요한 타격횟수(N) 값으로 지반의 밀도를 파악하는 현장시험

  ㉠ 추의 무게 : 63.5kg
  ㉡ 낙하고 : 76cm
  ㉢ 사질토 시험으로 적당하다.

> 10①
> 용어 : 표준관입시험

> 01②
> 수치 : (   ) 안에 알맞은 말을 쓰시오.
> 표준관입시험용 샘플러를 중량 (   )kg의 추로 (   )cm 높이에서 자유낙하시켜 충격에 (   )cm 관입시키는데 요하는 타격횟수를 구한다.

> 01②
> 순서 : 표준관입시험 순서를 3단계

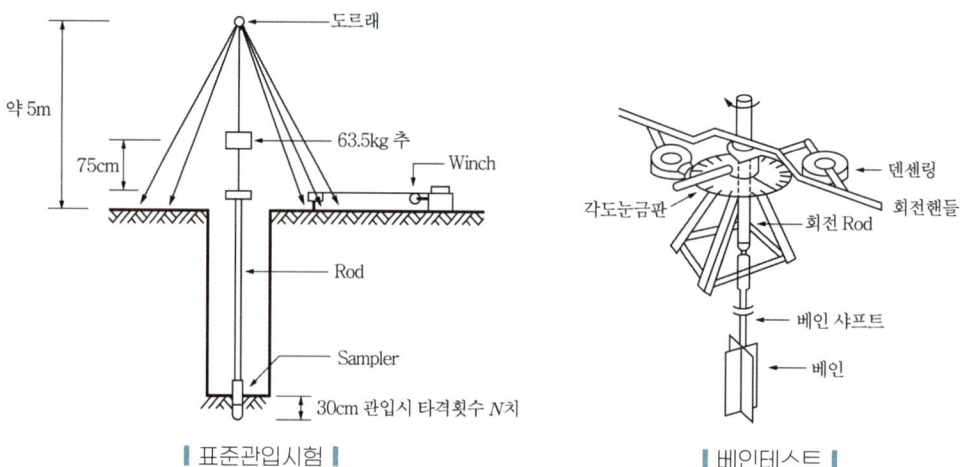

| 표준관입시험 | | 베인테스트 |

③ Cone 관입시험 : 원추형 Cone을 지반에 압입할 때의 관입저항으로 토질의 강연, 다짐상태 또는 토층구성을 판정한다.

④ 스웨덴식 사운딩 : 스웨덴식 시험기를 사용하여 하중을 5, 15, 20, 50, 75, 100kg으로 점차적으로 증가시켜 그 관입량을 계측하고, 100kg에서 멈춘 이후는 핸들로 회전시켜 반회전에 따른 관입량을 계측하여 판정한다.

(4) N값에 따른 지반밀도

	N값	0~4	4~10	10~30	30~50	50 이상
사질토	상태	대단히 연함	연함	중간	밀실	대단히 밀실
	상대밀도	0.2 이하	0.2~0.4	0.4~0.6	0.6~0.8	0.8 이상
점토	N값	2 이하	2~4	4~8	8~15	15~30
	상태	대단히 연함	연함	중간	굳음	대단히 밀실

> 16①
> 수치 : 모래의 상대밀도

> **참고** 다르시의 법칙(Darcy's Law)
> 다공성 매질을 통과하는 유체의 흐름에 대한 경험식으로, 지반의 투수계수를 파악하는 데 사용된다.

📖 98⑤ · 04① · 10④

연결 : 다음의 토질에 있어 적당한 토질시험법을 골라 짝을 지으시오.
① 굳은 진흙에 있어서 시료 채취　　② 사질토의 밀도 측정
③ 점토질의 점착력 파악　　　　　　④ 투수계수 파악
(가) Darcy's Law
(나) Vane Test
(다) Composite Sampling
(라) Penetration Test

2. 지내력 시험

(1) 정의
지반면에 직접 하중을 가하여 기초지반의 지지력을 추정하는 시험을 말한다.

(2) 종류
① 평판재하시험

순서	내용
① 예정기초 저면에서 실시	기초 밑면까지 터파기 한다.
② 재하판 설치	45×45cm(≒0.2m²)
③ 재하	① 매회 1ton 이하 ② 예정 파괴 하중의 1/5 이하 ③ 2시간에 0.1mm 비율 이하 침하 시 정지상태로 간주
④ 단기허용지내력 계산 $\left(\dfrac{P \cdots \text{재하 중량}}{A \cdots \text{재하판 면적}}\right)$	① 총 침하량이 2cm 도달했을 때 재하 중량 ② 침하곡선이 항복상태를 보였을 때 재하 중량(작은값 선택)
⑤ 장기허용지내력	단기허용지내력 × $\dfrac{1}{2}$

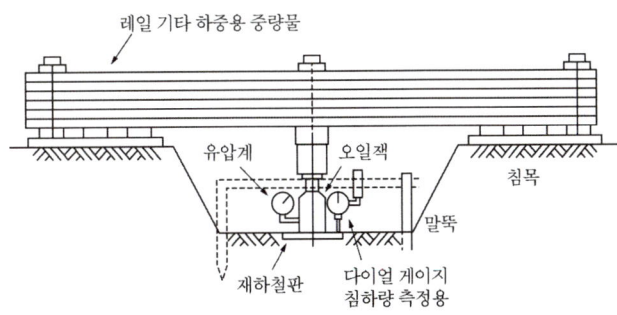

| 반력을 이용한 재하방법 |

> 07③ · 19④

용어 : 지내력시험

> 04① · 07①,③ · 12④ · 15②

종류 : 지내력 시험

> 00⑤ · 10②

수치 : ( )에 적당한 사항을 채우시오.
① 시험은 예정 ( )에서 행한다.
② 하중시험용 재하판은 정방형 혹은 원형의 면적 ( )의 것을 표준으로 하고, 보통 ( )각의 것이 사용된다.
③ 매회 재하는 ( ) 또는 예상파괴 하중의 ( )로 하고, 각 재하에 의한 침하가 멈출 때까지의 침하량을 측정한다.

> 99③ · 00②

계산식 : 지반의 지내력 시험결과는 다음과 같다. 장기허용지내력을 구하시오.
① 재하판의 크기 : 45cm×45cm
② 침하량이 2cm에 도달했을 때의 하중 : 14t
③ 하중-침하곡선에서 항복상태를 보일 때의 하중 : 12ton

② 말뚝재하시험
  ㉠ 정재하시험 : 일정한 하중을 가해 변위량을 측정하여 말뚝의 지지력을 결정하는 방법
  ㉡ 동재하시험 : 움직이는 하중을 가해 말뚝 몸체에 발생하는 응력, 변형 및 가속도를 측정하여 말뚝의 지지력을 결정하는 방법

3. 지반의 허용지내력도(단위 : kN/m^2)

지반의 종류	장기	단기
경암반	4,000	장기값의 1.5배
연암반	2,000	
자갈	300	
자갈+모래	200	
모래+점토	150	
모래 또는 점토	100	

> 04①

순서 : 지내력이 큰 순서

> 10② · 14④ · 23④

수치 : 단기/장기허용지내력

단원별 경향문제

1 사운딩시험(베인테스트, 표준관입시험, 콘시험, 스웨덴식 사운딩)

00① · 19① [6점]

1-1 토공사의 지반조사에서 사운딩 시험의 정의를 설명하고 종류 3가지를 기술하시오.

(1) 사운딩 시험
(2) 종류
　　①
　　②
　　③

해설 **사운딩 시험의 정의 및 종류**
(1) 사운딩 시험 : Rod의 끝에 설치한 저항체를 지반에 관입, 회전, 인발 등의 저항으로 지반의 경연(강하고 약함)을 파악하는 지반조사법
(2) 종류
　① 베인테스트
　② 표준관입시험
　③ 콘 관입시험
　④ 스웨덴식 사운딩

09④ · 17④ [4점]

1-2 다음에서 설명하는 용어를 기술하시오.

(1) 보링 구멍을 이용하여 +자형의 날개를 지반에 박고 회전력에 의하여 지반의 점착력을 판별하는 지반조사시험 (　　　　　)
(2) 블로운 아스팔트에 광물성, 동식물성 유지나 광물질 분말 등을 혼합하여 유동성을 부여한 것 (　　　　　)

해설 **용어 설명**
(1) 베인 테스트(Vane Test)
(2) 아스팔트 컴파운드

1-3 표준관입시험에 대하여 설명하시오.

해설 표준관입시험
Rod 선단에 샘플러를 부착하고, Rod 상단에 63.5kg의 추를 76cm 높이에서 낙하시켜 30cm 관입시키는 데 필요한 타격횟수(N) 값으로 지반의 밀도를 파악하는 현장시험으로, 사질토에 적당하다.

1-4 표준관입시험 순서를 3단계로 나누어 간략하게 쓰시오.

(1)
(2)
(3)

해설 표준관입시험 순서
(1) Rod 선단에 샘플러를 부착한다.
(2) Rod 상단에 63.5kg의 추를 76cm 높이에서 자유낙하시킨다.
(3) 샘플러를 30cm 관입시키는 데 필요한 타격횟수(N) 값으로 지반의 밀도를 파악

1-5 표준관입시험 결과 관입량 30cm에 달하는 데 필요한 타격횟수 N값이 다음과 같을 때 해당하는 모래의 상대밀도를 (   )에 기입하시오.

N값	모래의 상대밀도
0 ~ 4	(①)
4 ~ 10	(②)
10 ~ 30	(③)
50 이상	(④)

①
②
③
④

해설 N값에 따른 지반밀도
① 0.2 이하(대단히 연함)   ② 0.2~0.4(연함)
③ 0.4~0.6(중간)   ④ 0.8 이상(대단히 밀실)

98⑤ · 04① · 10④ · 19④ [4점]

1-6 다음 시험에 관계되는 시험을 〈보기〉에서 골라 그 번호를 기술하시오.

〈보기〉
① 신월 샘플링(Thin Wall Sampling)　② 베인시험(Vane Test)
③ 표준관입시험　④ 정량분석시험

(1) 진흙의 점착력 :
(2) 지내력 :
(3) 연한 점토질의 시료채취 :
(4) 염분 :

해설 관련된 시험방법
(1) ②
(2) ③
(3) ①
(4) ④

98⑤ · 04① · 10④ [4점]

1-7 다음에 알맞은 토질시험법을 〈보기〉에서 골라 번호로 쓰시오.

〈보기〉
① Darcy's law　② Vane test
③ Composite sampling　④ Standard penetration test

(1) 굳은 진흙에 있어서 시료 채취 (　)
(2) 사질토의 밀도 측정　　　　 (　)
(3) 점토질의 점착력 파악　　　 (　)
(4) 투수계수 파악　　　　　　 (　)

해설 토질시험
(1) ③
(2) ④
(3) ②
(4) ①

Chapter 03 · 토공사

2 지내력시험(평판재하, 말뚝재하)

07③ · 19④ [4점]

2-1 토질과 관련된 다음 용어를 설명하시오.

(1) 예민비 :
(2) 지내력시험 :
(3) 지내력시험의 종류 :

해설 용어
(1) 예민비 : 함수율 변화가 없는 상태에서의 이긴 시료에 대한 자연시료의 강도의 비
(2) 지내력시험 : 지반면에 직접 하중을 가하여 기초지반의 지지력을 추정하는 시험
(3) 지내력시험의 종류 : 평판재하시험, 말뚝재하시험

04① · 07①,③ · 12④ · 15② [2점]

2-2 지내력 시험방법 2가지를 쓰시오.

(1)
(2)

해설 지내력 시험방법
(1) 평판재하시험
(2) 말뚝재하시험

00⑤ · 10② [3점]

2-3 다음은 지내력시험(재하시험)에 대한 설명이다. (   ) 안에 적당한 용어나 숫자를 기입하시오.

(1) 시험은 예정 (   )에서 행한다.
(2) 하중시험용 재하판은 정방형 혹은 원형의 면적(   )의 것을 표준으로 하고, 보통 (   )각의 것이 사용된다.
(3) 매회 재하는 (   ) 또는 예상파괴 하중의 (   )로 하고, 각 재하에 의한 침하가 멈출 때까지의 침하량을 측정한다.

해설 지내력시험(재하시험)
(1) 기초 저면
(2) $0.2m^2$, 45cm
(3) 1ton 이하, 1/5 이하

2-4 지내력 시험결과가 다음과 같을 때 단기 및 장기허용지내력을 계산하시오.

① 재하판의 크기 : 45cm×45cm
② 침하량이 2cm에 도달했을 때의 하중 : 12ton
③ 침하량이 2cm 도달 전 하중 - 침하곡선에서 항복상태를 보일 때의 하중 : 14ton

(1) 단기허용지내력 :
(2) 장기허용지내력 :

해설 허용지내력 계산

(1) 단기허용지내력
  ① 재하판 면적 $A = 0.45 \times 0.45 = 0.2025\text{m}^2$
  ② 단기허용지내력 $= \dfrac{12}{0.2025} = 59.26 \text{t/m}^2$

(2) 장기허용지내력 $= 59.26 \times \dfrac{1}{2} = 29.63 \text{t/m}^2$

2-5 어느 건축현장의 지반조사를 위하여 지내력시험을 실시하였더니, 하중과 침하량의 관계가 다음 표와 같이 조사되었다. 이때, 하중침하량 곡선도를 작도하고, 시험대상 지반의 장기허용지내력을 구하시오. (단, 재하판의 면적은 0.2m²이다)

하중	2	4	6	8	10	12	14	16	18
침하량(cm)	0.3	0.6	0.9	1.2	1.5	1.8	2.0	2.2	2.3

해설 장기허용지내력 계산

(1) 총침하량 2cm였을 때 하중값과 항복상태(그래프의 직선의 기울기가 변하는 지점)의 하중값을 비교하여 작은값을 하중으로 사용한다.

(2) 단기허용지내력 $= \dfrac{12}{0.2} = 60 \text{t/m}^2$

(3) 장기허용지내력 $= 60 \times \dfrac{1}{2} = 30 \text{t/m}^2$

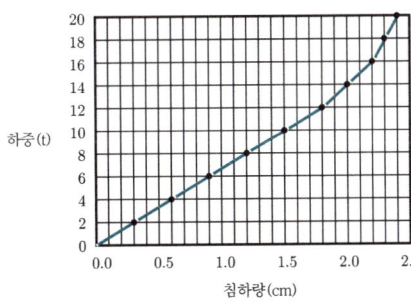

2-6

04① [3점]

다음 〈보기〉의 지반 중에서 지내력이 큰 것부터 순서를 기호로 쓰시오.

―――― 〈보기〉 ――――
(1) 자갈   (2) 자갈, 모래 반 섞임   (3) 경암반
(4) 모래 섞인 진흙   (5) 연암반   (6) 진흙

( ) → ( ) → ( ) → ( ) → ( ) → ( )

해설 지내력 순서

(3) → (5) → (1) → (2) → (4) → (6)

2-7

10② · 14④ [5점]

지반의 허용지내력과 관련된 내용이다. ( )에 알맞은 숫자를 채우시오.

(1) 장기허용지내력도
 ① 경암반 : ( )kN/m^2
 ② 연암반 : ( )kN/m^2
 ③ 자갈과 모래의 혼합물 : ( )kN/m^2
 ④ 모래 : ( )kN/m^2
(2) 단기허용지내력도＝장기허용 지내력도×( )배

해설 (1) 장기허용지내력도
 ① 경암반 : 4,000kN/m^2
 ② 연암반 : 2,000kN/m^2
 ③ 자갈과 모래의 혼합물 : 200kN/m^2
 ④ 모래 : 100kN/m^2
(2) 단기허용지내력도＝장기허용지내력도×1.5배

제4절 | 지반개량

1. 연약지반과 부동침하

(1) 연약지반
  ① 정의 : 지내력이 작거나, 예민비가 크거나, 액상화 현상의 우려가 있는 지반
  ② 부동침하 방지대책
    ㉠ 상부
      - 건물의 경량화 및 중량 분배를 고려한다.
      - 건물의 강성을 높이며 평면의 평균길이를 짧게 한다.
      - 이웃하는 건물과의 거리를 멀게 한다.
    ㉡ 기초구조물(하부)
      - 기초를 경질지반에 지지시킨다.
      - 마찰말뚝을 사용한다.
      - 복합기초를 사용한다.
      - 지하실을 설치한다.

> 02① · 06②
> 종류 : 건물의 부동침하를 방지하기 위한 대책을 각각 2가지씩 쓰시오.
> (1) 기초구조물에 대한 대책 :
> (2) 상부구조물에 대한 대책 :

> 06② · 12② · 15① · 17② · 20① · 23②
> 종류 : 기초구조물에 대한 부동침하 방지대책

(2) 부동침하의 원인
  ① 지반이 연약한 경우
  ② 연약층이 두께가 상이한 경우
  ③ 이질지정을 하였을 경우
  ④ 일부지정을 하였을 경우
  ⑤ 건물이 이질지층에 걸쳐 있을 경우
  ⑥ 건물이 낭떠러지에 접근되어 있을 경우
  ⑦ 부주의한 일부 증축을 하였을 경우
  ⑧ 지하수위가 변경되었을 경우
  ⑨ 지하에 매설물이나 구멍이 있을 경우
  ⑩ 지반이 메운땅일 경우

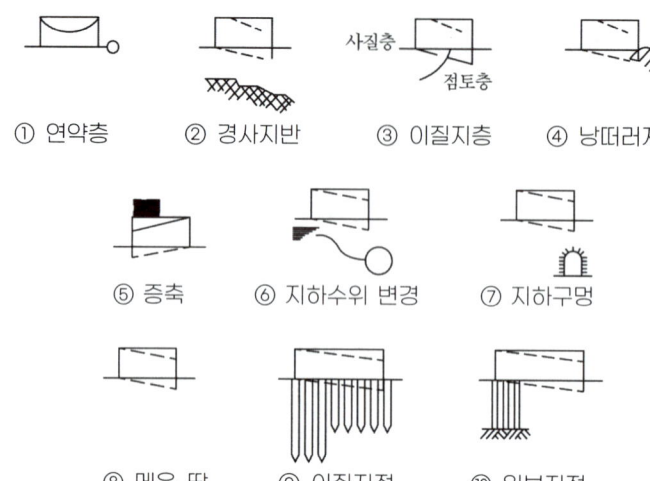

① 연약층　② 경사지반　③ 이질지층　④ 낭떠러지
⑤ 증축　⑥ 지하수위 변경　⑦ 지하구멍
⑧ 메운 땅　⑨ 이질지정　⑩ 일부지정

2. 지반개량

(1) 일반사항

① 목적
　㉠ 지반의 지지력 강화
　㉡ 터파기 시 안정성 확보
　㉢ 기초의 부동침하 방지

② 공법 종류
　㉠ 치환 : 연약층의 흙을 양질의 흙으로 교체하는 공법
　㉡ 탈수 : 흙 속의 간극수를 제거하여 지반을 개량하는 공법
　㉢ 다짐 : 흙 속의 공기를 제거하여 지반을 개량하는 공법, 사질지반에서 외력에 의해 공극이 제거되어 흙이 압축되는 현상
　㉣ 주입 : 간극에 모르타르, 콘크리트, 약품 등을 넣어 개량하는 공법
　㉤ 동결 : 지반에 파이프를 박고 액체질소나 프레온가스를 주입하여 지하수를 동결시켜 차단하는 공법
　㉥ 재하(압밀) : 구조물에 상당하는 무게를 미리 연약지반 위에 일정기간 방치하여 압밀하는 공법

③ 점토지반과 모래지반의 지반개량공법

점토지반	모래지반
① 치환공법 ② 재하(압밀)공법 ③ 탈수공법 ④ 전기침투공법 ⑤ 침투압공법	① 다짐 말뚝공법 ② 다짐 모래 말뚝공법 ③ 진동다짐 압입공법 ④ 전기충격법 ⑤ 약액주입공법

> 00① · 04① · 05② · 11① · 19④ · 23②
> 종류 : 지반개량의 목적과 공법을 3개씩

> 04③ · 23①
> 용어 : 치환, 동결, 재하(압밀), 다짐

(2) 점성토 지반개량공법
  ① 치환 : 연약점토층을 사질토로 치환하여 지지력을 증가하는 공법
  ② 재하(압밀) : 구조물에 상당하는 무게를 미리 연약지반 위에 일정기간 방치하여 압밀하는 공법
  ③ 탈수
    ㉠ 샌드드레인 : 점토지반에 적용하는 지반 개량공법으로 모래 말뚝을 형성하여 지반의 간극수를 모래를 통해 제거하는 탈수공법
    ㉡ 페이퍼드레인 : 점토지반에 모래 대신 합성수지로 된 카드 보드를 삽입하여 지반 내의 간극수를 제거하는 탈수공법
    ㉢ 생석회 : 생석회의 수분 흡수 시 체적이 2배로 팽창하는데, 지반에 석회를 넣어 탈수 및 지반압밀을 증진시키는 점토지반 개량공법
  ④ 전기침투 : 간극수 (+)극에서 (−)극으로 흐르는 전기침투현상에 의하여 (−)극에 모인 물을 배수시켜 전단저항과 지지력을 향상시키는 공법
  ⑤ 침투압공법 : 점토층에 반투막 중공원통을 넣고 그 안에 농도가 큰 용액을 넣어서 점토분의 수분을 빨아내는 방법

> 99① · 04② · 08① · 13②
> 종류 : 연약지반의 지반개량공법 중 탈수공법 4가지

> 99⑤ · 07① · 10① · 12② · 12④ · 14④ · 16① · 17④ · 21① · 21②
> 용어 : 샌드드레인

> 08③ · 09②
> 목적 : 샌드드레인 공법의 목적과 방법

> 10④
> 용어 : 페이퍼 드레인

> 10③
> 용어 : 생석회 공법

(3) 사질토 지반개량 공법

① 다짐 말뚝공법 : RC, PC 말뚝을 땅속에 박아서 말뚝의 체적만큼 흙을 다짐하여 압축하는 공법
② 다짐 모래 말뚝공법 : 충격, 진동타입에 의하여 지반에 모래를 압입하여 모래말뚝을 만드는 공법
③ 진동다짐 압입공법 : 수평으로 진동하는 Vibro Float로 살수와 진동을 동시에 일으켜 지중 공극을 모래나 자갈로 채우는 방법
   ㉠ 바이브로 플로테이션(Vibro Flotation) 공법
   ㉡ 바이브로 컴포저(Vibro Compozer) 공법
   ㉢ 바이브로 컴팩션(Vibro Compaction) 공법
④ 폭파다짐 : 인공지진, 다이너마이트 발파로 느슨한 사질지반을 다지는 공법
⑤ 전기충격 : 지반을 포화상태로 한 후 지중에 삽입한 방전 전극에 고압전류를 일으켜 생긴 충격에 의해 다지는 공법
⑥ 약액주입 : 지반 속에 응결제를 주입하여 지반을 고결시키는 공법(Cement Grout, Asphalt 사용)
⑦ 동결공법 : 동결판을 땅속에 박고 액체질소 같은 냉각제를 흐르게 하여 주위 흙을 동결시키는 공법

> 05①
> 종류 : 지반다짐 공법 2가지

> 98⑤ · 99⑤ · 01③ · 06③
> 종류 : 진동다짐 압입공법의 종류를 3가지

3. 배수 공법

(1) 정의

터파기 공사를 효율적으로 하기 위해 지반 속의 지하수위를 낮춰 지반의 안정성을 확보한다.

(2) 종류

① 강제배수
   ㉠ 웰 포인트 공법 : 약 20cm의 Well Point라는 특수파이프를 상호 2m 내외 간격으로 관입하여 모래를 투입한 후 진동다짐하여 탈수통로를 형성시켜서 탈수하는 공법으로 사질지반에 사용한다.
   ㉡ 진공깊은 우물공법(Vacuum Deep Well)
      • 깊은 우물(Deep Well) 공법에 진공펌프를 설치한 공법이다.
      • 깊은 터파기 또는 침수량이 많을 때 적용하지만 비용이 많이 소요된다.

② 중력배수
　㉠ 집수정 공법(Pit 또는 Sump) : 스며 나온 물을 수채통에 모아 펌프로 배수하는 공법으로 점토지반에 사용한다.
　㉡ 깊은 우물공법(Deep Well) : 지름 30cm 정도의 케이싱을 박아 깊은 우물을 만들어 고인 물을 펌프로 배수하는 공법

99⑤ · 07① · 21①
용어 : 웰포인트 공법

01③ · 07④ · 13④
종류 : 사질토와 점성토의 대표적인 탈수공법 1가지

③ 배수판(드레인 보드)
영구 배수공법의 일종으로 롤 형태의 보드를 옹벽 뒤에 부착하여 시공하는 배수 자재로 쇄석 대신 사용하는 것

23④
용어 : 배수판(드레인 보드)

단원별 경향문제

1 부동침하

02① [4점]

1-1 건물의 부동침하를 방지하기 위한 기초구조물과 상부구조물에 대한 대책을 각각 2가지씩 기술하시오.

(1) 기초구조물에 대한 대책
①
②
(2) 상부구조물에 대한 대책
①
②

해설 부동침하 방지대책
(1) 기초구조물에 대한 대책
① 기초를 경질지반에 지지시킨다.
② 마찰말뚝을 사용한다.
③ 복합기초를 사용한다.
④ 지하실을 설치한다.
(2) 상부구조물에 대한 대책
① 건물의 경량화 및 중량 분배를 고려한다.
② 건물의 강성을 높이며 평면의 평균길이를 짧게 한다.

06② · 12④ · 15① · 17② [4점]

1-2 기초구조물의 부동침하 방지대책 4가지를 기술하시오.

(1)
(2)
(3)
(4)

해설 기초구조물의 부동침하 방지대책
(1) 기초를 경질지반에 지지시킨다.
(2) 마찰말뚝을 사용한다.
(3) 복합기초를 사용한다.
(4) 지하실을 설치한다.

2 지반개량(점토지반, 모래지반)

00① [4점]

2-1 지방개량의 목적과 지반개량의 공법을 각각 3가지씩 기술하시오.

(1) 지반개량의 목적
　　①
　　②
　　③
(2) 지반개량의 공법
　　①
　　②
　　③

[해설] 지반개량공법
(1) 지반개량의 목적
　　① 지반의 지지력 강화
　　② 터파기 시 안정성 확보
　　③ 기초의 부동침하 방지
(2) 지반개량의 공법
　　① 치환법
　　② 탈수법
　　③ 다짐법
　　④ 주입법

19④ [3점]

2-2 연약지반 개량공법 3가지를 기술하시오.

(1)
(2)
(3)

[해설] (1) 치환법
　　(2) 다짐법
　　(3) 탈수법
　　(4) 주입법

04③ [3점]

2-3 지반개량공법에 대한 설명이다. (   ) 안에 알맞은 용어를 기재하시오.

연약층의 흙을 양질의 흙으로 교체하는 방법을 (가)공법이라고 하며, 지반에 파이프를 박고 액체질소나 프레온가스를 주입하여 지하수를 동결시켜 차단하는 것을 (나)공법이라고 한다. 또한, 구조물에 상당하는 무게를 미리 연약지반 위에 일정기간 방치하여 압밀하는 것을 (다)공법이라고 한다.

가.   나.   다.

해설 지반개량공법
가. 치환
나. 동결
다. 재하(압밀)

99① · 04② · 08① · 13② [4점]

2-4 지반개량공법 중 탈수공법의 종류 4가지를 기술하시오.

(1)
(2)
(3)
(4)

해설 지반개량공법 중 탈수공법
(1) 샌드 드레인 공법
(2) 페이퍼 드레인 공법
(3) 생석회 공법
(4) 웰포인트 공법(사질지반에 사용)

11① · 16② [5점]

2-5 점토지반 개량공법 중 2가지를 제시하고 그중 1개를 선택하여 간략히 설명하시오.

(1)
(2)

해설 점토지반 개량공법
(1) 샌드드레인 : **점토지반에 적용**하는 지반 개량공법으로 모래 말뚝을 형성하여 지반의 간극수를 모래를 통해 제거하는 **일종의 탈수공법**
(2) 페이퍼 드레인 공법 : 점토지반에 모래 대신 **합성수지로 된 카드 보드를 삽입**하여 지반 내의 간극수를 제거하는 탈수공법

08③・09②・10①・12②・14④・16①・17④ [4점]

2-6 샌드드레인 공법의 목적을 설명하고 방법을 기술하시오.

(1) 목적 :
(2) 방법
　①
　②
　③

해설 샌드드레인 공법
(1) 목적 : 연약 점토층의 간극수를 제거하여 지반을 개량하는 탈수공법
(2) 방법
　① 지름 40~60cm 정도의 철관을 적당한 간격으로 박는다.
　② 철관 속에 모래를 다져 넣어 모래말뚝을 형성한다.
　③ 지표면에 성토하중을 가하여 암밀함으로써 모래말뚝을 통해서 간극수를 제거한다.

05① [2점]

2-7 연약지반의 지내력을 강화시키기 위하여 지반개량을 실시하는데, 지반개량의 공법 중에서 다짐공법의 종류 2가지를 기술하시오.

(1)
(2)

해설 지반개량공법 중 다짐공법
(1) 바이브로 플로테이션 공법
(2) 다짐 모래 말뚝공법

98⑤・99⑤・01③・06③ [3점]

2-8 지반개량공법에서 진동다짐 압입공법의 종류를 나열하시오.

(1)
(2)
(3)

해설 진동다짐 압입공법
(1) 바이브로 플로테이션(Vibro Flotation) 공법
(2) 바이브로 컴포저(Vibro Compozer) 공법
(3) 바이브로 컴팩션(Vibro Compaction) 공법

2-9
지반개량공법 중 탈수법에서, 다음 토질에 적당한 대표적 공법을 각각 1가지씩 기술하시오.

(1) 사질토 :
(2) 점성토 :

해설 지반의 종류별 탈수공법
(1) 사질토 : 웰포인트(Well Point) 공법
(2) 점성토 : 샌드드레인(Sand Drain) 공법

2-10
다음 지반탈수공법의 명칭을 기술하시오.

(1) 점토지반의 대표적인 탈수공법으로서 지반 지름 40~60cm의 구멍을 뚫고 모래를 넣은 후, 성토 및 기타 하중을 가하여 점토질 지반을 압밀함으로써 탈수하는 공법을 무슨 공법이라고 하는가? (   )
(2) 사질지반의 대표적인 탈수공법으로서 직경 약 20cm 특수파이프를 상호 2m 내외 간격으로 관입하여 모래를 투입한 후 진동다짐하여 탈수통로를 형성시켜서 탈수하는 공법을 무슨 공법이라고 하는가? (   )

해설 탈수공법
(1) 샌드드레인(Sand Drain) 공법
(2) 웰포인트(Well Point) 공법

2-11
사질지반과 점토지반에서 사용하는 대표적인 탈수 및 배수공법에 대해서 각각 1가지씩 기술하시오.

(1) 사질지반 :
(2) 점토지반 :

해설 지반개량공법
(1) 사질지반
   ① 탈수 : 팩드레인 공법
   ② 배수 : 웰포인트 공법
(2) 점토지반
   ① 탈수 : 샌드드레인 공법
   ② 배수 : 집수정 공법

2-12 탈수공법 중 다음 공법에 대하여 기술하시오.

10③ [2점]

(1) 페이퍼 드레인(Paper Drain) 공법 :

(2) 생석회 말뚝(Chemico Pile) 공법 :

해설 탈수공법
(1) 페이퍼 드레인(Paper Drain) 공법 : 점토지반에 모래 대신 **합성수지로 된 카드 보드를 삽입**하여 지반 내의 간극수를 제거하는 탈수공법
(2) 생석회 말뚝(Chemico Pile)공법 : 모래 대신 **석회를 넣어 탈수 및 지반압밀을 증진**시키는 점토지반 개량공법

제 5 절 | 터파기

1. 터파기의 일반사항

(1) 정의
① 지표면에서부터 순차적으로 굴착하는 방법으로서, 흙의 휴식각을 이용한 경사파기와 방축널공사를 병행한 수직파기가 있다.
② 휴식각 : 흙입자 간의 응집력이나 부착력이 없다고 가정했을 때 마찰력만으로 중력에 대해 정지하는 흙의 사면각도이다.

> 12④
> 용어 : 휴식각

(2) 단면 계획
① 흙파기각(경사각) : 휴식각의 2배 이내

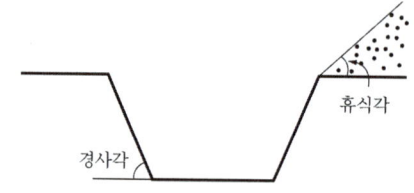

> 98② · 01①
> 용어 : 흙의 휴식각이란 흙입자 간의 부착력, ( )을 무시한 때, 즉 ( )만으로 ( )에 대하여 정지하는 흙의 사면각도이다.

(3) 굴착에 의한 토량이 증가하는 순서
터파기를 하면 흙의 부피(토량)는 종류에 따라 증가하는 비율이 모두 다르며, 흙의 종류별 부피증가율을 정리하면 다음과 같다.

흙의 종류	부피증가율(%)
암석(경암, 연암)	30~90
자갈 + 점토	35
자갈 + 모래 + 점토	30%
점토	25
모래	15~20
자갈	5~15

> 98② · 99⑤
> 순서 : 굴착에 의한 토량이 증가하는 순서

(4) 터파기와 흙막이의 종류별 공법

터파기	흙막이	
	일반 흙막이 공법	구조체 흙막이 공법
• Open cut 공법 　(수직터파기, 경사터파기) • 트렌치컷 공법 • 아일랜드컷 공법	• 어미말뚝식 • 당겨매기식 • 버팀대설치 공법 • 어스앵커 공법	• SPS 공법 • Top-down(역타설 공법) • SCW 공법 • 영구 버팀대 • 지하연속벽 공법 • 잠함(개방잠함, 용기잠함) • 우물통 공법

> 03②
> 종류 : 흙막이의 형식 4가지

> 13④
> 종류 : 자체가 지하구조물이면서 흙막이 및 버팀대 역할

2. 흙막이

(1) 구성 부재

① 어미말뚝 : H형강이 주로 사용된다.

② 널

　㉠ 목재(높이 : 4m까지)
　　• 널말뚝 두께는 길이의 1/60 또는 5cm 이상
　　• 널말뚝 너비는 두께의 3배 또는 25cm 이하

　㉡ 철근콘크리트재
　　• Pre-Cast 콘크리트 널말뚝
　　• 너비 40~50cm, 두께 5~15cm

　㉢ 철재(Steel Sheet Pile)
　　• 깊은 터파기 또는 송출량이 많은 곳에 사용
　　• 종류

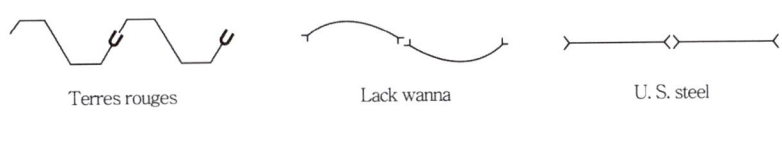

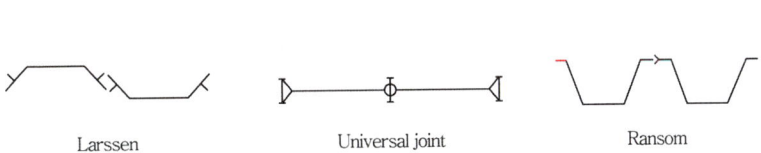

> 99① · 99② · 01①
>
> 종류 : 철제 널말뚝 4가지

(2) 흙막이에 작용하는 토압

① 버팀대의 반력 : 버팀대와 띠장이 토압에 대항하여 작용하는 힘
② 주동토압 : 옹벽 또는 흙막이의 뒷면에 작용하는 토압
③ 수동토압 : 버팀대의 반력과 같은 방향으로 작용하는 토압
④ 흙막이의 구조적 안전조건 : 반력 + 수동토압 > 주동토압

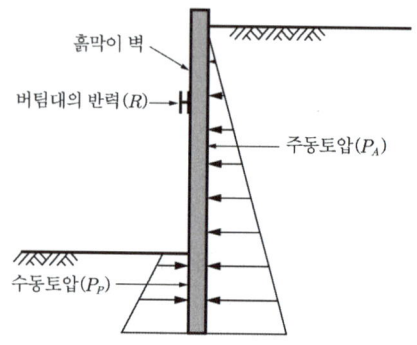

| 수평버팀대에 작용하는 응력 |

> 00② · 09① · 16① · 22①
>
> 종류 : 수평버팀대식 흙막이에 작용하는 응력이 아래의 그림과 같을 때 ( ) 안에 알맞은 말을 보기에서 골라 기호로 쓰시오.
>
>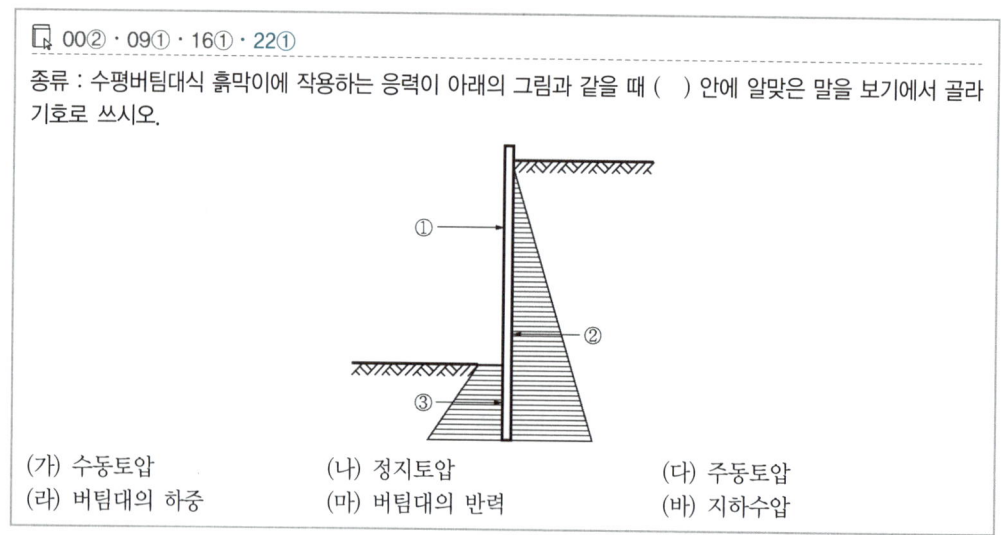
>
> (가) 수동토압   (나) 정지토압   (다) 주동토압
> (라) 버팀대의 하중 (마) 버팀대의 반력 (바) 지하수압

(3) 흙막이 붕괴
    ① 히빙
        ㉠ 정의 : 점토 지반에서 흙막이벽 양쪽의 토압차로 때문에 흙막이 뒷부분의 흙이 터파기하는 공사장으로 밀려 올라와 볼록하게 솟아오르는 현상
        ㉡ 대책
            • 흙막이 벽을 깊게 타입
            • 이중 흙막이널 설치
            • 흙막이 벽 상부의 과적하중 제거

    ┌───
    │ 12④ · 19②
    │ 종류 : 지반 침하 원인
    └───

    ┌───
    │ 00② · 00③ · 05① · 08② · 10② · 12④ · 13④ · 19④ · 21④
    │ 용어와 도해 : 히빙
    └───

    ┌───
    │ 13② · 17①
    │ 종류 : 히빙 대책
    └───

    ② 보일링
        ㉠ 정의 : 모래 지반에서 흙막이 벽을 설치하고 기초파기할 때의 흙막이벽 뒷면수위가 높아서 지하수가 흙막이 벽을 돌아서 모래와 같이 솟아오르는 현상 또는 사질토 속을 상승하는 물의 침투압에 의해 모래가 입자 사이의 평형을 잃고 액상화되는 현상
        ㉡ 대책
            • 흙막이 벽을 깊게 타입
            • 배수공법으로 지하수위를 낮춤

    ┌───
    │ 00② · 00③ · 05① · 08② · 10② · 12④ · 13④
    │ 용어 : 보일링
    └───

    ┌───
    │ 01② · 09② · 13②
    │ 종류 : 보일링 대책
    └───

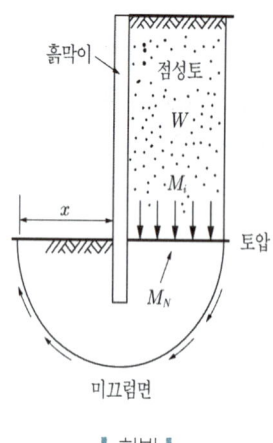
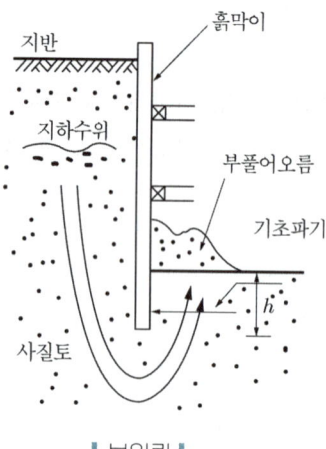

| 히빙 | 보일링 |

③ 파이핑
  ㉠ 정의 : 흙막이 벽의 부실공사로 인해 흙막이 벽의 뚫린 구멍 또는 이음새를 통하여 물이 공사장 내부바닥으로 스며드는 현상
  ㉡ 대책
   • 방축널의 수밀재 시공
   • 배수공법으로 지하수위를 낮춤

> 00② · 00③ · 05① · 08② · 10② · 12④ · 13④
> 용어 : 파이핑

■ 인접 건물의 주위 지반이 침하할 수 있는 원인
  (1) 히빙(Heaving)
  (2) 보일링(Boiling)
  (3) 파이핑(Piping)
  (4) 뒤채움 불량에 의한 침하
  (5) 널말뚝의 저면타입 깊이를 작게 했을 경우

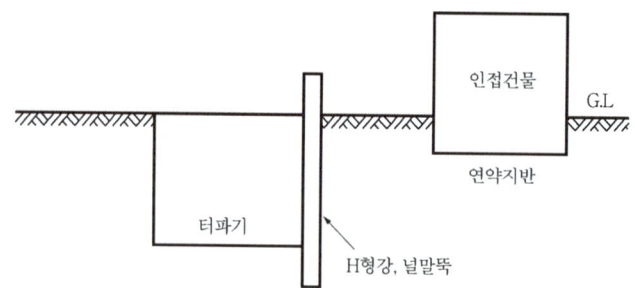

> 98② · 12④ · 19②
> 인접 건물의 주위 지반이 침하할 수 있는 원인 5가지

3. 터파기 공법

(1) 버팀대(Strut) 공법

① 빗 버팀대

   ㉠ 정의
- 줄파기와 규준 띠장을 설치하고 그 사이에 널말뚝을 박은 후 중앙부와 주변의 흙을 차례로 파낸다.
- 넓고 얕은 기초파기 시 이용한다.

   ㉡ 순서
줄파기 → 규준대 설치 → 널말뚝 박기 → 1단계 흙파기 → 띠장 설치 → 2단계 흙파기 → 버팀대 설치

② 수평 버팀대

   ㉠ 정의
- 중앙부의 흙을 파고 중간 지주말뚝을 관입하고 띠장, 버팀대를 댄 후 휴식각에 따라 낮은 흙을 굴착한다.
- 좁고 깊은 기초파기 시 이용한다.
- Heaving, Boiling 현상이 발생할 수 있다.

   ㉡ 순서
줄파기 → 규준대 설치 → 널말뚝 박기 → 흙파기 → 받침기둥 박기 → 띠장 및 버팀대 설치 → 중앙부 굴착 → 주변부 굴착

(2) 트렌치 컷(Trench cut) 공법

① 정의 : 구조물 위치 전체를 동시에 파내지 않고 측벽이나 주열선 부분만을 먼저 파내고 그 부분의 기초와 지하구조체를 축조한 다음 중앙부의 나머지 부분을 파내어 지하구조물을 완성하는 공법이다.

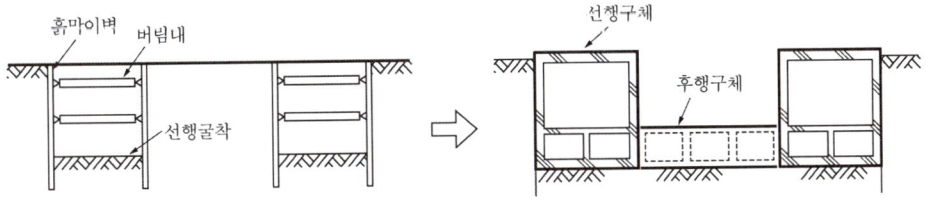

13② · 21①
용어 : 트렌치 컷

② 특성
　㉠ 장점
　　• Heaving의 최소화
　　• 주변의 토압 변위를 최소화
　　• 연약지반에서도 채택 가능
　㉡ 단점
　　• 공기지연
　　• 널말뚝 소요 공비 증대
③ 순서
　흙막이 설치 → 주변부 굴착 → 주변부 기초구조물 축조 → 버팀대 설치 → 중앙부 굴착 → 지하구조물 완성

> 05② · 09②
> 순서 : 트렌치 컷 공법

(3) 아일랜드 컷(Island Cut) 공법
① 정의 : 중앙부의 흙을 먼저 파고, 그 부분에 기초 또는 지하구조체를 축조한 후, 이것을 지점으로 하여 흙막이 버팀대를 경사지게 또는 수평으로 가설하여 널말뚝 부근의 흙을 마저 파내는 공법이다.

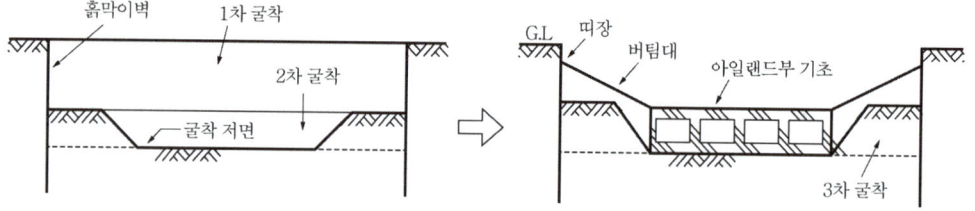

> 12④ · 13② · 17② · 21①
> 용어 : 아일랜드 공법

② 특성
　㉠ 장점
　　• 넓은 대지 전체에 건축물의 건축이 가능
　　• Heaving, Boiling 방지
　㉡ 단점
　　• 연약지반의 경우에는 깊은 굴착 불리
　　• 굴착 및 지하구조체 공사를 2회에 걸쳐서 하므로 공기 지연

③ 순서

흙막이 설치 → 중앙부 굴착 → 중앙부 기초구조물 축조 → 버팀대 설치 → 주변부 굴착 → 지하구조물 완성

> 05② · 09② · 18①
> 순서 : 아일랜드식 터파기 공법

(4) 어스앵커(Earth Anchor) 공법
① 정의 : 흙막이 배면을 천공하여 긴장재와 모르타르를 주입하여 경화시킨 후 긴장재에 인장력을 작용시켜 인발력(마찰력)으로 흙막이 배면의 토압을 지지하게 하는 방식

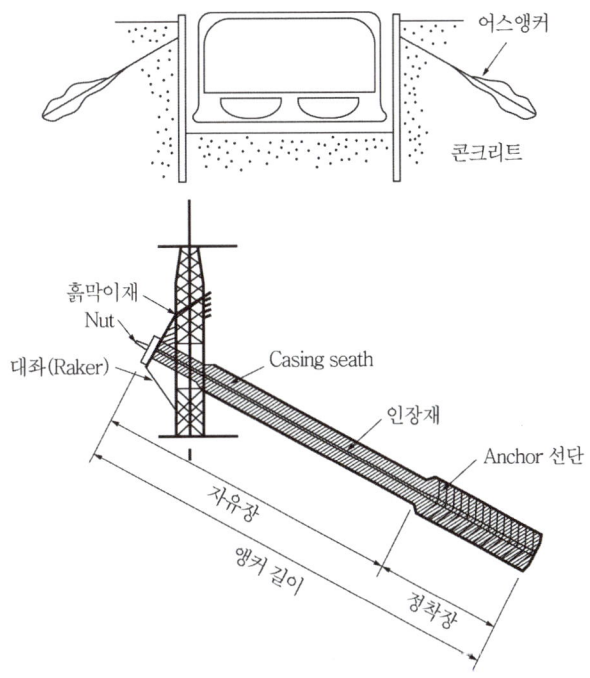

> 98⑤ · 12④ · 19①
> 용어 : 어스앵커 공법

② 특성
  ㉠ 버팀대가 불필요하여 깊은 굴착 시 경제적이다.
  ㉡ 넓은 작업장 확보가 가능하다.
  ㉢ 부분굴착이 가능하여 공구분할이 용이하다.
  ㉣ 공기단축이 가능하다.

> 11④ · 17②
> 특징 : 어스앵커 공법 특징 4가지

③ 순서

Earth Anchor 시공순서	케이블 매입순서
① 엄지말뚝(어미말뚝) 박기 ② 흙파기 ③ 흙막이 벽판(토류판) 설치 ④ 어스 드릴로 구멍 천공(보링) ⑤ PC 케이블 삽입 후 앵커 그라우팅 ⑥ 띠장 설치 ⑦ 앵커 긴장 및 정착(인장시험)	① 굴착(천공) ② PC강선 삽입 ③ 1차 그라우팅(정착장) ④ 양생 ⑤ PC강선 인발 및 인장정착 ⑥ 2차 그라우팅(자유장)

📖 99② · 03③
순서 : 토류벽을 이용한 수직터파기(어스앵커) 공법

(5) **지하연속벽(슬러리월, Slurry Wall)**

① 정의 : 특수 굴착기와 공벽붕괴 방지용 벤토나이트 안정액(이수액)을 이용하여 지반을 굴착하고, 여기에 철근망을 삽입하여 세우고 콘크리트를 타설하여 연속적으로 지중연속벽을 형성하는 공법

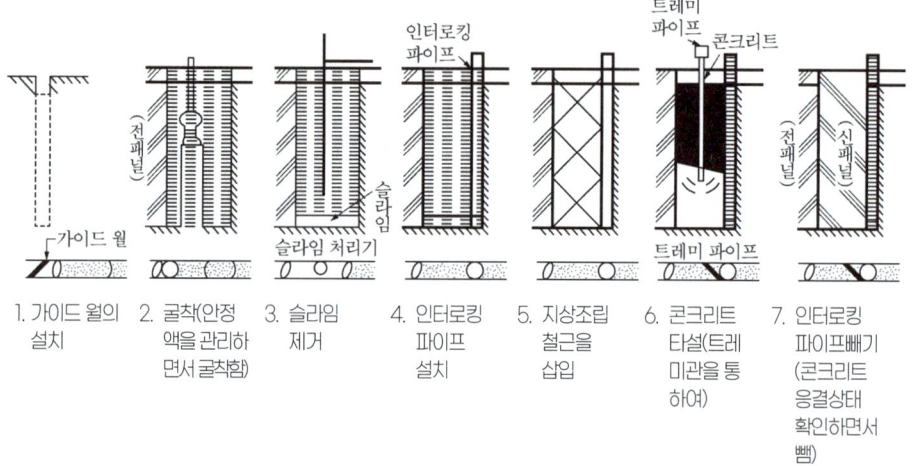

1. 가이드 월의 설치
2. 굴착(안정액을 관리하면서 굴착함)
3. 슬라임 제거
4. 인터로킹 파이프 설치
5. 지상조립 철근을 삽입
6. 콘크리트 타설(트레미관을 통하여)
7. 인터로킹 파이프빼기(콘크리트 응결상태 확인하면서 뺌)

📖 01② · 03②
용어 : 물, 이수 중의 콘크리트 치기를 할 때 보통 안지름 25cm 이상으로 하고 관선단이 항상 채워진 콘크리트 중에 묻히도록 하여 콘크리트 타설을 용이하게 하기 위한 관을 무엇이라 하는가?

📖 16④ · 19②
괄호 넣기 : 슬러리월 설명

② 특성
  ㉠ 장점
    • 소음/진동이 적다.
    • 벽체 강성이 높아 인접 건물 근접시공이 가능하여 도심지 공사에 적합하다.
    • 신속한 시공이 가능하다.
    • 차수성이 크다.
  ㉡ 단점
    • 고가의 장비소요에 따른 시공비 상승이 우려된다.
    • 고도의 기술과 경험이 필요하다.
    • Slime 처리 미흡 시 침하가 우려된다.

> 98① · 00② · 10② · 14④
> 특징 : 지중연속벽 공법의 장점 4가지

③ 가이드월(Guide Wall)
  ㉠ 정의 : 슬러리 월 시공 시 굴착작업에 앞서 굴착구 양측에 설치하는 것으로 굴착기계의 진입을 유도하는 가설벽
  ㉡ 역할
    • 굴착구 인접지반의 붕괴 방지
    • 높이, 수직도 등의 기준선의 역할
    • 정확한 콘크리트 타설을 위한 지지대 역할

> 03② · 15②
> 목적 : 슬러리월 공법에 대하여 서술하고 Guide Wall의 설치 목적 2가지

> 03③
> 용이 : 기이드월

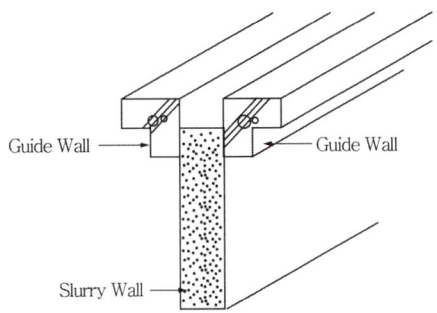

④ 벤토나이트 안정액
  ㉠ 정의 : 비중이 큰 안정액으로 팽창성을 가지고 있어서 지반을 굴착할 때 벽의 붕괴를 방지하며 이수액이라고도 한다.
  ㉡ 역할
    • 굴착공 내의 붕괴 방지
    • 지하수 유입 방지(차수 역할)
    • 굴착 부분의 마찰 저항을 감소시킴

  📖 99⑤ · 02③ · 10④ · 23① · 23④
  목적 : 제자리콘크리트 말뚝을 제작하기 위하여 지반에 구멍을 판 후 벤토나이트 용액을 넣어주는 목적 3가지

(6) 역타설(톱다운, Top Down) 공법
  ① 정의 및 시공순서 : 공기단축을 위해 기존 토공 방법과는 달리 건물 본체의 바닥 및 보를 먼저 축조한 후, 이에 흙막이 벽에 걸리는 토압을 부담시키며, 지하구조를 상부에서 하부로 축조하며 동시에 지상 작업도 병행하는 공법이다.

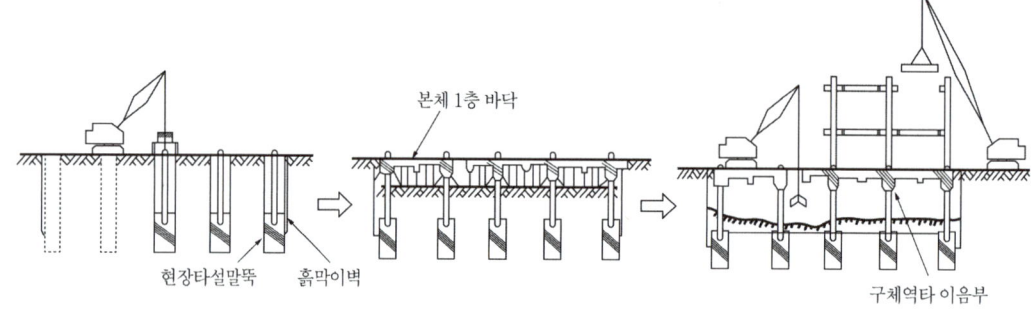

| 가설지주 세움 | 1층 바닥 콘크리트공사 | 터파기 · 지상 철골공사 |

  ② 특성
    ㉠ 장점
      • 지하와 지상을 동시에 작업할 수 있어서 공기단축에 효과적이다.(전천후 작업)
      • 1층 바닥을 먼저 축조한 후 그곳을 작업바닥으로 유효하게 이용할 수 있으므로 대지에 여유가 없는 경우에 유리하고, 우기 시에도 공사가 가능하다.
      • 소음 및 진동이 적어 도심지 공사에 적합하다.
      • 부정형인 평면 형상이라도 굴착이 가능하다.
      • 방축널로서 강성이 높게 되므로 주변 지반에 대한 악영향력이 적다.

  📖 98③ · 00② · 01② · 02① · 06③ · 09② · 11① · 16② · 17④ · 19② · 21② · 22②
  특징 : 역타설공법의 장점 4가지

  📖 06② · 12② · 17②
  특징 : 협소해도 가능한 이유

ⓒ 단점
- 정밀한 시공계획이 필요하다.
- 지하공사 시 환기 및 전기시설이 필수적이다.
- 공사비 증가가 우려된다.
- 수직부재와 수평부재의 이음부가 취약하다.

③ 공기단축 가능 이유
㉠ 지하와 지상의 구조물을 동시에 작업
㉡ 1층 바닥판이 먼저 축조되어 우천 시에도 작업 가능
㉢ 터파기와 구조체 작업이 병행

> 05①
> 종류 : 톱다운 공법이 공기단축이 가능한 이유

(7) 영구 구조물 스트러트 공법(SPS ; Strut as Permanent System)
① 정의
㉠ Top Down 공법의 문제점인 지하공사 시 조명 및 환기 부족을 개선하여 개발된 공법으로 근래에 시공빈도가 가장 높은 공법이다.
㉡ Top Down 공법에서 가설 Strut(버팀대) 공법의 성능을 개선하여 흙막이 지지 Strut을 가설재로 사용하지 않고 영구 철골구조물로 활용하는 공법

> 15①
> 용어 : SPS ; Strut as Permanent System

② 특징
㉠ 가설재(버팀재)의 감소
㉡ 채광, 환기 등이 양호함
㉢ 지하/지상의 동시 작업으로 공기단축
㉣ 굴착작업이 용이함

> 05① · 12① · 14②
> 특징 : SPS 공법 특징 4가지

(8) SCW(Soil Cement Wall) 공법
　① 정의 : 지반을 오거 등으로 굴착하고 시멘트액과 H형강, 강관 등을 넣어 차수성 있는 벽을 축조하여 지중 연속벽체를 만드는 공법이다.
　② 특성
　　㉠ 인접건물에 근접시공이 가능하다.
　　㉡ 소음, 진동이 적다.
　　㉢ 형상, 치수가 자유롭다.
　　㉣ 차수성이 크다.
　　㉤ 흙막이 벽보다 강성이 크다.

> 03③
> 특징 : SCW 공법의 특징 5가지

(9) 언더피닝(Under Pinning)
　① 정의 : 기존 건축물 가까이에서 신축공사를 할 때 기존 건축물의 침하를 방지하기 위해 지반과 기초를 보강하는 공법이다.

> 03② · 07① · 08③ · 14② · 18④ · 19④
> 용어 : 기존 건축물 가까이 신축공사를 할 때 기존 건물의 지반과 기초를 보강하는 공법의 명칭은?

　② 언더피닝의 적용
　　㉠ 터파기 시 인접 건물의 침하를 방지하고자 할 때
　　㉡ 기존 건축물의 기초를 보강하고자 할 때
　　㉢ 경사진 건물을 바로잡고자 할 때

> 18① · 22④
> 종류 : 언더피닝 해야 하는 경우 2가지

　③ 공법종류
　　㉠ 2중 널말뚝 공법 : 인접 건물과의 사이에 거리가 있을 때 흙막이 널말뚝의 외측에 2중으로 널말뚝을 박아 흙과 물의 이동을 막는 공법이다.
　　㉡ 현장타설 콘크리트말뚝 공법 : 인접 건물의 기둥, 벽(또는 목조)의 토대 밑에 우물 모양의 구멍을 파고 현장타설 콘크리트말뚝을 설치하는 공법이다.
　　㉢ 강재말뚝 공법 : 현장타설 콘크리트말뚝 공법 대신에 강제말뚝을 지지층까지 박고 기초 또는 기둥을 이 말뚝 위에서 잭(Jack)에 의해 지지시키는 공법이다.
　　㉣ 모르타르 및 약액주입 공법 : 사질토인 널말뚝 외부에 모르타르 또는 약액을 주입하여 지반을 고결시키는 공법이다.

> 03② · 07① · 08③ · 10① · 11④ · 14② · 15① · 18④ · 19④
> 종류 : 언더피닝 공법의 종류 4가지

4. 부상 방지

(1) 정의

지하구조물은 지하수위에서 구조물 밑면까지의 깊이만큼 부력을 받으며 건물의 자중이 부력보다 적으면 건물이 부상하게 된다.

(2) 대책

① 건물의 자중 증가(상·하부 정원, 지하 2중 슬래브 설치)
② 락-앵커(Rock Anchor)를 사용하여 정착
③ 배수공법을 이용한 지하수위 저하
④ 지하수를 채운 이중 지하실의 설치

> 04③ · 09② · 12① · 14① · 20① · 22④ · 23① · 23②
> 종류 : 건물부상 방지대책 4가지

단원별 경향문제

1 터파기와 흙막이의 일반사항

98② · 01① · 12④ [3점]

1-1 다음 ( ) 안에 알맞은 용어를 〈보기〉에서 골라 기호를 쓰시오.

〈보기〉
① 압축력   ② 마찰력   ③ 중력   ④ 응집력   ⑤ 지내력

흙의 휴식각이란 흙입자 간의 부착력, (가)을 무시할 때, 즉 (나)만으로서 (다)에 대하여 정지하는 흙의 사면각도이다.

가.
나.
다.

해설 흙의 휴식각 정의
가. ④
나. ②
다. ③

98② · 99⑤ [4점]

1-2 다음 〈보기〉의 토질 중에서 굴착에 의한 토량이 가장 크게 증가하는 것부터 순서대로 그 번호를 쓰시오.

〈보기〉
① 점토   ② 점토, 모래, 자갈의 혼합토
③ 모래 또는 자갈   ④ 암석

( ) → ( ) → ( ) → ( )

해설 굴착 시 토량 증가 순서
④ → ② → ① → ③
- 경암 : 70~90%
- 연암 : 30~60%
- 자갈+점토 : 35%
- 점토+자갈+모래 : 30%
- 점토 : 20~45%
- 모래 : 15~20%
- 자갈 : 5~15%

03② [4점]

1-3 흙막이는 토질, 지하수, 기초깊이 등에 따라 그 공법을 달리하는데, 흙막이의 형식 4가지를 기술하시오.

(1)
(2)
(3)
(4)

해설 흙막이 형식
(1) 버팀대설치 공법
(2) 지하연속벽 공법
(3) 역타설 공법
(4) SPS 공법

13④ [3점]

1-4 흙막이 공법 중 그 자체가 지하구조물이면서 흙막이 및 버팀대 역할을 하는 공법을 보기에서 모두 골라 그 번호를 기술하시오.

① 지반정착(Earth Anchor) 공법　② 개방잠함(Open Caisson) 공법
③ 수평버팀대 공법　　　　　　　④ 강제널말뚝(Sheet Pile) 공법
⑤ 우물통(Well) 공법　　　　　　⑥ 용기잠함(Pneumatic Caisson) 공법

해설 자체가 지하구조물 및 흙막이
②, ⑤, ⑥

99① · 99② · 01① [4점]

1-5 철재널말뚝의 종류 4가지를 기술하시오.

(1)　　　　　　　　　　　(2)
(3)　　　　　　　　　　　(4)

해설 철재 널말뚝의 종류
(1) 테레즈(Terres Rouges)식
(2) 라르센(Larssen)식
(3) 랜섬(Ransom)식
(4) 래크완나(Lack Wanna)식

00② · 09① · 16① [3점]

1-6
수평버팀대식 흙막이에 작용하는 응력이 그림과 같을 때 각 번호에 해당되는 용어를 보기에서 골라 기호로 쓰시오.

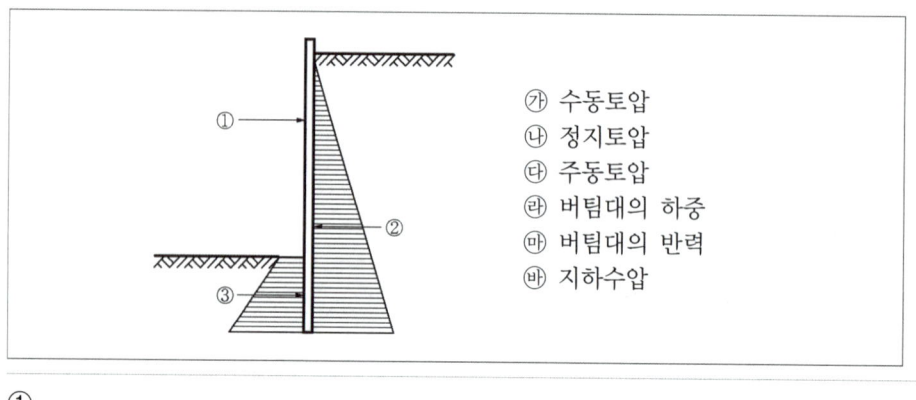

㉮ 수동토압
㉯ 정지토압
㉰ 주동토압
㉱ 버팀대의 하중
㉲ 버팀대의 반력
㉳ 지하수압

①
②
③

해설 흙막이 작용 토압
① – ㉲
② – ㉰
③ – ㉮

00② · 00③ · 05① · 08② · 10② · 12① · 12④ · 13④ [3점]

1-7
다음 흙막이벽 공사에서 발생되는 현상의 용어를 기술하시오.

(1) 시트 파일 등의 흙막이벽 좌측과 우측의 토압차로써 흙막이 일부의 흙이 재하하중 등의 영향으로 기초파기하는 공사장 안으로 흙막이벽 밑을 돌아서 미끄러져 올라오는 현상 (   )
(2) 모래질 지반에서 흙막이 벽을 설치하고 기초파기할 때의 흙막이벽 뒷면 수위가 높아서 지하수가 흙막이 벽을 돌아서 지하수가 모래와 같이 솟아오르는 현상 (   )
(3) 흙막이 벽의 부실공사로 인해 흙막이 벽의 뚫린 구멍 또는 이음새를 통하여 물이 공사장 내부바닥으로 스며드는 현상 (   )

해설 흙막이 붕괴현상
(1) 히빙 현상
(2) 보일링 현상
(3) 파이핑 현상

10② · 12①,④ · 19④ [2점]

1-8 히빙 파괴에 대해 간략히 쓰고 간단한 도식으로 표현하시오.

(1) 히빙 파괴 :
(2) 도해

해설 히빙파괴
(1) **점토 지반**에서 흙막이벽 양쪽의 **토압차로** 때문에 흙막이 뒷부분의 흙이 터파기하는 공사장으로 밀려 올라와 **볼록하게 솟아오르는 현상**
(2) 도해

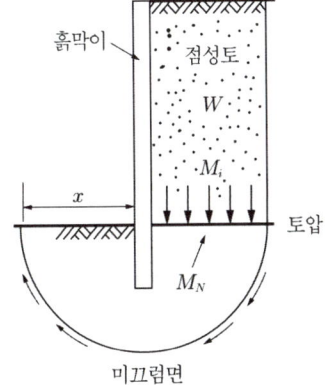

17① [3점]

1-9 흙막이 벽에 발생하는 히빙파괴 방지대책을 3가지 쓰시오.

(1)
(2)
(3)

해설 히빙파괴 방지대책
① 흙막이 벽을 깊게 타입
② 이중 흙막이널 설치
③ 흙막이 벽 상부의 과적하중 제거

08② · 12①,④ [4점]

1-10 다음에 설명한 용어를 써 넣으시오.

> 흙막이 벽을 이용하여 지하수위 이하의 사질토 지반을 굴착하는 경우에 생기는 현상으로 사질토 속을 상승하는 물의 침투압에 의해 모래가 입자 사이의 평형을 잃고 액상화 되는 현상으로 인하여 하부 흙이 솟아오르는 현상

해설 보일링(Boiling) 현상

01② · 09② · 13② [3점]

1-11 굴착지반 안전성 검토에서 보일링(Boiling)과 히빙(Heaving) 파괴의 대책 3가지를 쓰시오.

(1)   (2)   (3)

해설 보일링과 히빙파괴의 방지대책
(1) 흙막이 벽을 깊게 타입
(2) 이중 흙막이널 설치
(3) 배수공법으로 지하수위를 낮춤

98② · 12④ · 19② [5점]

1-12 아래의 그림과 같이 터파기를 했을 경우, 인접 건물의 주위 지반이 침하할 수 있는 원인 5가지를 기술하시오. (단, 일반적으로 인접하는 건물보다 깊게 파는 경우)

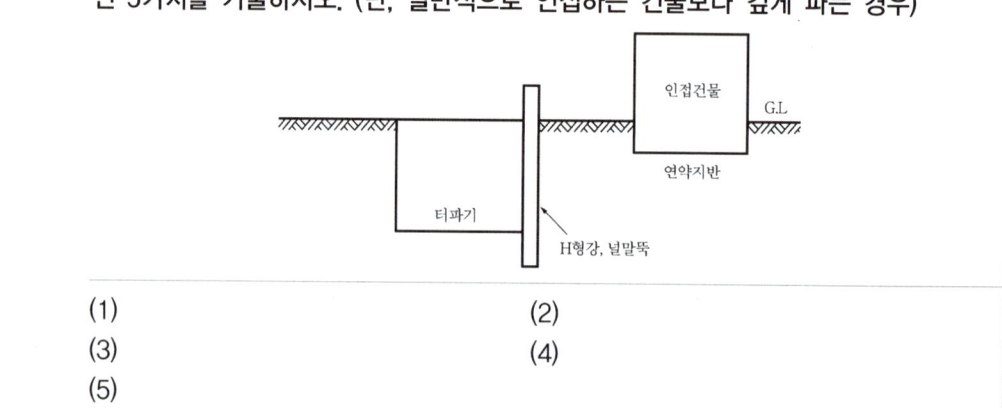

(1)   (2)
(3)   (4)
(5)

해설 인접 건물의 주위 지반이 침하할 수 있는 원인
(1) 히빙(Heaving)
(2) 보일링(Boiling)
(3) 파이핑(Piping)
(4) 뒤채움 불량에 의한 침하
(5) 널말뚝의 저면타입 깊이를 작게 했을 경우

2 터파기와 흙막이(트랜치컷, 아일랜드, 어스앵커)

2-1 다음 설명에 해당하는 흙파기공법의 명칭을 기술하시오.

(1) 구조물 위치 전체를 동시에 파내지 않고 측벽이나 주열선 부분만을 먼저 파내고 그 부분의 기초와 지하구조체를 축조한 다음 중앙부의 나머지 부분을 파내어 지하구조물을 완성하는 공법 (　　　　　　　　)

(2) 중앙부의 흙을 먼저 파고, 그 부분에 기초 또는 지하구조체를 축조한 후, 이것을 지점으로 하여 흙막이 버팀대를 경사지게 또는 수평으로 가설하여 널말뚝 부근의 흙을 마저 파내는 공법 (　　　　　　　　)

해설 (1) 트랜치 컷 공법
(2) 아일랜드 공법

2-2 다음 흙파기 공법의 시공순서를 쓰시오.

(1) 아일랜드 컷 공법 : 흙막이 설치 – (①) – (②) – (③) – (④) – 지하구조물 완성
(2) 트렌치 컷 공법 : 흙막이 설치 – (①) – (②) – (③) – (④) – 지하구조물 완성

(1) ①
　　②
　　③
　　④
(2) ①
　　②
　　③
　　④

해설 흙파기 공법의 시공순서
(1) ① 중앙부 굴착
　　② 중앙부 기초구조물 축조
　　③ 버팀대 설치
　　④ 주변부 굴착
(2) ① 주변부 굴착
　　② 주변부 기초구조물 축조
　　③ 버팀대 설치
　　④ 중앙부 굴착

05② · 09② · 18① [4점]

2-3 아일랜드식 터파기 공법의 시공순서에서 번호에 들어갈 내용을 기입하시오.

> 흙막이 설치 – (가)– (나) – (다) – (라) – 지하구조물 완성

가.
나.
다.
라.

해설 아일랜드 터파기 순서
가. 중앙부 굴착
나. 중앙부 기초구조물 축조
다. 버팀대 설치
라. 주변부 굴착

98⑤ · 12④ · 17② · 19① [3점]

2-4 어스앵커 공법에 대하여 설명하시오.

해설 어스앵커 공법
흙막이 배면을 천공하여 긴장재와 모르타르를 주입하여 경화시킨 후 긴장재에 인장력을 작용시켜 인발력(마찰력)으로 흙막이 배면의 토압을 지지하게 하는 방식

11④ · 17② [4점]

2-5 흙막이 공사에 사용하는 어스앵커 공법의 특징을 4가지 쓰시오.

(1)
(2)
(3)
(4)

해설 어스앵커 공법의 특징
(1) 버팀대가 불필요하여 깊은 굴착 시 경제적이다.
(2) 넓은 작업장 확보가 가능하다.
(3) 부분굴착이 가능하여 공구분할이 용이하다.
(4) 공기단축이 가능하다.

99② · 03③ [4점]

2-6 토류벽을 이용한 수직터파기 공법의 순서를 〈보기〉에서 골라 번호를 쓰시오.

〈보기〉
① 앵커용 보링   ② 엄지말뚝 박기   ③ 인장시험
④ 띠장 설치   ⑤ 앵커 그라우팅   ⑥ 흙막이 벽판 설치

( ) → ( ) → ( ) → ( ) → ( ) → ( )

해설 토류벽을 이용한 수직터파기 공법의 순서
② → ⑥ → ① → ⑤ → ④ → ③

3 터파기와 흙막이(슬러리월, 역타설 공법)

16④ · 19② [3점]

3-1 다음은 슬러리월(Slurry Wall) 공법에 관한 설명이다. ( ) 안에 알맞은 용어를 기술하시오.

특수 굴착기와 공벽붕괴 방지용 (①)을(를) 이용, 지반을 굴착하고 여기에 (②)을(를) 삽입하여 세우고 (③)을(를) 타설하여 연속적으로 벽체를 형성하는 공법이다. 타 흙막이벽에 비하여 차수효과가 우수하며 도심지 공사에 적합한 저소음, 저진동 공법이다.

①
②
③

해설 슬러리월 공법
① 벤토나이트 안정액
② 철근망
③ 콘크리트

98① · 00② · 10② · 14④ [4점]

3-2 주열식 지하연속벽 공법의 특징 4가지를 기술하시오.

(1)
(2)
(3)
(4)

해설 주열식 지하연속벽 공법의 특징
(1) 소음/진동이 적다.
(2) 벽체 강성이 높아 인접 건물 근접시공이 가능하여 **도심지 공사에 적합**하다.
(3) 신속한 시공이 가능하다.
(4) 차수성이 크다.

03② [4점]

3-3 슬러리 월(Slurry Wall) 공법에 대하여 설명하고, Guide Wall의 설치 목적 2가지를 기술하시오.

(1) 슬러리 월 공법 :
(2) Guide Wall의 설치 목적
　　①
　　②

해설 지하연속벽(슬러리 월) 공법
(1) 슬러리 월 공법 : 특수 굴착기와 **공벽붕괴 방지용 벤토나이트 이수액**을 이용하여 지반을 굴착하고, 여기에 **철근망을 삽입**하여 세우고 **콘크리트를 타설**하여 연속적으로 지중연속벽을 형성하는 공법
(2) Guide Wall 설치 목적
　① 굴착구 인접지반의 붕괴 방지
　② 높이, 수직도 등의 기준선의 역할
　③ 정확한 콘크리트 타설을 위한 지지대 역할

3-4 슬러리월 공법에서 가이드 월(Guide Wall)을 스케치하고 설치 목적 2가지를 쓰시오.

(1) 스케치 :
(2) 설치 목적
   ①
   ②

[해설] 슬러리 월 공법

(1) 스케치

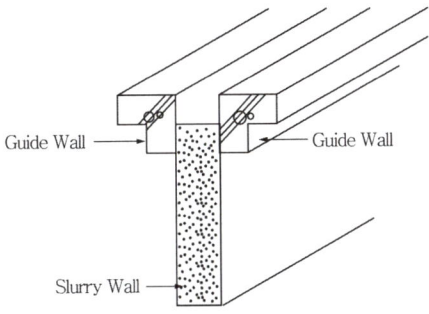

(2) Guide Wall 설치 목적
   ① 굴착구 인접지반의 붕괴 방지
   ② 높이, 수직도 등의 기준선의 역할
   ③ 정확한 콘크리트 타설을 위한 지지대 역할

3-5 다음에서 설명하는 건축 관련 용어를 ( ) 안에 기재하시오.

(1) 지하연속벽(Slurry Wall) 시공 시 굴착작업에 앞서 굴착구 양측에 설치하는 것으로 굴착구 인접지반의 붕괴를 방지하고 굴착기계의 진입을 유도하는 가설벽은? ( )
(2) 수중콘크리트 타설에 이용되는 상단부의 머리부분에 구멍을 가진 수밀성이 있는 관은? ( )
(3) 철근의 단면을 산소-아세틸렌 불꽃 등을 사용하여 가열하고, 기계적 압력을 가하여 맞댐이음하는 것은? ( )
(4) 불투수성 피막을 형성하여 방수하는 공사를 총칭하며 아스팔트방수층, 시트방수 및 도막방수가 여기에 해당된다. 이를 나타내는 용어는? ( )

[해설] 용어
(1) 가이드월(Guide Wall)
(2) 트레미관(Tremie pipe)
(3) 가스압접
(4) 멤브레인(Membrane) 방수 공법

99⑤ · 02③ · 10④ [4점]

3-6 슬러리 월(Slurry Wall) 공사에서 사용되는 벤토나이트 용액의 사용목적에 대하여 2가지를 기술하시오.

(1)
(2)

해설 벤토나이트 용액의 사용 목적
(1) 굴착공 내의 붕괴 방지
(2) 지하수 유입 방지(차수역할)
(3) 굴착 부분의 마찰 저항을 감소시킴

10④ [2점]

3-7 흙막이공사의 지하연속벽(Slurry Wall) 공법에 사용되는 안정액의 기능 2가지만 쓰시오.

(1)
(2)

해설 벤토나이트 용액의 사용 목적
(1) 굴착공 내의 붕괴 방지
(2) 지하수 유입장치(차수역할)
(3) 굴착 부분의 마찰 저항을 감소시킴

98③ · 00② · 01② · 02① · 06③ · 09② · 11① · 16② · 17④ · 19② · 21② [4점]

3-8 흙막이 공사에서 역타설공법(Top-Down Method)의 장점 4가지를 기술하시오.

(1)
(2)
(3)
(4)

해설 역타설공법의 장점
(1) 지상과 지하의 동시작업으로 공기가 단축된다.
(2) 1층 바닥판이 먼저 시공되어 우기 시에도 공사가 가능하다.
(3) 소음 및 진동이 적어 도심지 공사에 적합하다.
(4) 부정형인 평면 형상이라도 굴착이 가능하다.

06② · 12② · 17② · 20⑤ [4점]

3-9 톱다운 공법은 지상이 협소한 대지 등 작업공간이 부족함에도 공간을 활용하여 작업이 가능한 이유를 기술하시오.

해설 톱다운 공법
1층 바닥판을 선시공하여 흙막이 벽을 지지하고 이 바닥판을 작업장으로 활용하므로 협소한 대지에서도 효율적인 공간 활용이 가능하다.

05① [3점]

3-10 기존의 공법은 기초를 축조하여 상부로 시공해 나가는 공법이지만, 톱다운 공법(Top-down Method)은 지하구조물의 시공순서를 지상에서부터 시작하여 점차 깊은 지하로 진행하여 완성하는 공법으로서 여러 장점을 갖고 있다. 이 장점 중 기상변화의 영향이 적어 공기단축을 꾀할 수 있는데 그 이유를 설명하시오.

해설 톱-다운 공법
1층 바닥 슬래브가 선시공되어, 슬래브 밑에서 굴토공사를 진행하므로 동절기 및 우천시에도 시공이 가능하기 때문이다.

4 터파기와 흙막이(SPS, SCW 공법, 언더피닝 공법)

15① [2점]

4-1 흙막이 지지 Strut을 가설재로 사용하지 않고 영구 철골구조물로 활용하는 공법을 기술하시오.

해설 SPS 공법 또는 영구버팀대(Strut as Permanent System)

05① · 12① · 14② [4점]

4-2 SPS(Strut as Permanent System) 공법의 특징 4가지를 기술하시오.

(1)   (2)
(3)   (4)

해설 SPS 공법 특징
(1) 가설재(버팀재)의 감소
(2) 채광, 환기 등이 양호함
(3) 지하/지상의 동시 작업으로 공기단축
(4) 굴착작업이 용이함

03③ [5점]

4-3 SCW(Soil Cement Wall) 공법의 특징 5가지를 기술하시오.

(1)
(2)
(3)
(4)
(5)

해설 SCW 공법의 특징
(1) 인접건물에 근접시공이 가능하다.
(2) 소음, 진동이 적다.
(3) 형상, 치수가 자유롭다.
(4) 차수성이 크다.
(5) 흙막이 벽보다 강성이 크다.

03② · 07① · 08③ · 14② · 18④ · 19④ [4점]

4-4 언더피닝(Underpinning)을 실시하는 이유(목적)를 기술하고, 언더피닝 공법의 종류 2가지를 기술하시오.

(1) 공법의 목적 :
(2) 공법의 종류
 ①
 ②
 ③

해설 언더피닝 공법
(1) 기존 건축물 가까이에서 신축공사를 할 때 기존 건축물의 침하를 방지하기 위해 지반과 기초를 보강하는 공법
(2) 언더피닝 공법의 종류
 ① 2중 널말뚝 공법
 ② 현장타설 콘크리트말뚝 공법
 ③ 모르타르 및 약액주입 공법

18① [4점]

4-5 언더피닝을 해야 하는 경우 2가지를 쓰시오.

(1)
(2)

해설 언더피닝의 적용
(1) 터파기 시 인접 건물의 침하를 방지하고자 할 때
(2) 기존 건축물의 기초를 보강하고자 할 때
(3) 경사진 건물을 바로잡고자 할 때

10① · 11④ · 15① [4점]

4-6 지하구조물 축조 시 인접구조물의 피해를 막기 위해 실시하는 언더피닝(Under Pinning)공법의 종류 4가지를 기술하시오.

(1)
(2)
(3)
(4)

해설
(1) 2중 널말뚝 공법
(2) 현장타설 콘크리트말뚝 공법
(3) 강재말뚝 공법
(4) 모르타르 및 약액주입 공법

04③ · 09② · 12① · 14① · 20① [4점]

4-7 지하구조물은 지하수위에서 구조물 밑면까지의 깊이만큼 부력을 받아 건물이 부상하게 되는데, 이러한 부상에 대한 방지대책 4가지를 기술하시오.

(1)
(2)
(3)
(4)

해설 건물의 부상 방지대책
(1) 건물의 자중 증가
(2) 락-앵커(Rock Anchor)를 사용하여 정착
(3) 배수공법을 이용한 지하수위 저하
(4) 지하수를 채운 이중 지하실의 설치

제 6 절 | 토공사용 장비

1. 일반사항
(1) 토공장비 선정 시 고려사항
    ① 지반종류와 상태
    ② 장비의 작업능력
    ③ 공사기간
    ④ 굴토의 처리 방안

> 📱 03② · 17②
> 종류 : 장비선정 시 고려사항 4가지

2. 계측관리
(1) 정의
    구조물 설계도서, 거동 예측자료 및 현장 계측자료를 비교·검토하여 시공 중 안전대책 및 위험예측 시 보강대책을 수립할 수 있게 정량적 수치 자료를 제공하는 것을 말한다.

(2) 계측기의 종류

응력(Stress) 계측기	변위(Strain) 계측기

① 토압계(Soil Pressure Gauge)
② 유압식 토압계
   (Earth Pressure Meter)
③ 응력 측정계(Strain Gauge)
   : Strut 변형 측정
	① Piezo Meter(간극수압 측정)
	② Water Level Meter(지하수위 측정)
	③ Level And Staff(지표면 침하 측정)
	④ Transit(수평이동 측정)
	⑤ Inclino Meter(지중 수평변위 측정)
	⑥ Load Cell(하중, 측압 측정)
	⑦ Tilt Meter(인접건물의 기울기 측정)
	⑧ Extension Meter(지중 수직변위 측정)

> 📱 06③ · 12② · 14④ · 17①
> 종류 : 계측기 종류

> 📱 99④ · 04② · 05① · 08② · 09① · 11② · 14① · 17②
> 용어 : 측정기별 용도

> 📱 01② · 04③ · 14④ · 15④
> 연결 : 지하 토공사 중 계측관리

(3) 계측기의 설치 위치

① Tilt Meter : 주변건물, 옹벽, 지반
② Level And Staff : 흙막이 배면, 인접구조물 주변
③ Water Level Meter : 흙막이 배면 지반
④ Piezo Meter : 흙막이 내면 연약지반
⑤ Strain Gauge(변형률계) : 어미말뚝, 띠장, 스트럿
⑥ Load Cell(하중계) : 띠장, 어스앵커
⑦ Inclino Meter(경사계) : 흙막이 벽 중앙
⑧ Soil Pressure Gauge(토압계) : 흙막이 배면

위치 : 계측기 설치

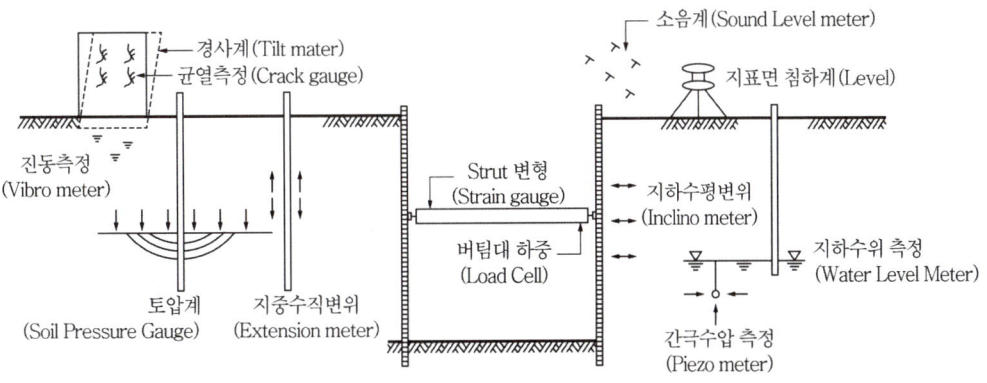

| 토공사 시 계측관리 |

13①
설치위치 : 토압계, 하중계, 경사계, 변형률계

3. 토공사용 건설장비

(1) 굴착 장비

① 파워셔블(Power Shovel) : 기계가 서 있는 위치보다 높은 곳의 굴착에 적당하다.
② 드래그 라인(Drag Line) : 넓은 면적을 팔 수 있으나 주로 긁어모으는 용도이다.
③ 드래그 셔블 또는 백호우(Back Hoe) : 기계가 서 있는 지반보다 낮은 곳의 굴착에 좋고 굴착력도 크다.
④ 클램 셀(Clamshell) : 지하연속벽, 케이슨 기초와 같은 연약지반의 좁은 곳의 수직 굴착(수중굴착)에 사용한다.
⑤ 트렌처(Trencher) : 일정한 폭의 구덩이를 연속으로 판다.

> 00④ · 18②
> 굴착 장비별 용도

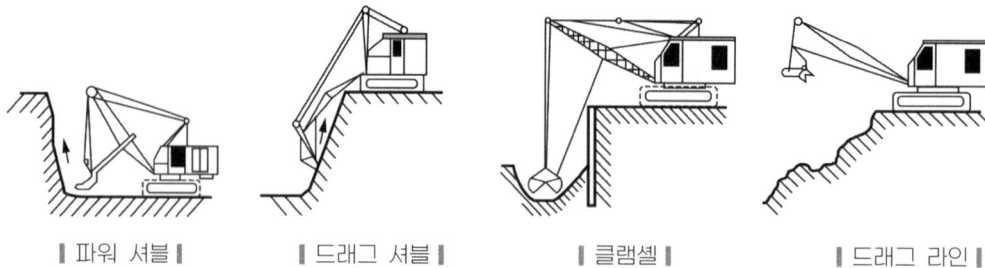

| 파워 셔블 |　| 드래그 셔블 |　| 클램셀 |　| 드래그 라인 |

(2) 정지·배토 장비
   ① 불도저(Dozer) : 운반 거리 50~60m 정도의 배토, 운반용
   ② 그레이더(Grader) : 정지작업, 도로정리 등에 사용
   ③ 스크레이퍼(Scraper) : 최대 150m 거리의 중장거리 배토, 정지, 운반용 기계

   > 10④
   > 종류 : 정지 장비 종류 및 특성용도

(3) 다짐 장비
   ① 롤러
      ㉠ 로드 롤러(Road Roller)
      ㉡ 타이어 롤러(Tire Roller)
      ㉢ 탬핑 롤러(Tamping Roller)
      ㉣ 진동 롤러(Vibrating Roller)
   ② 다짐기계
      ㉠ 충격식 다지기(Rammer)
      ㉡ 진동식 다지기(Plate Compactor)

   > 00②
   > 특징 : 줄기초 공사에 있어서 되메우기 흙의 다짐에 적합한 장비

(4) 운반 장비
    ① 트랙터
    ② 덤프트럭
    ③ 자주식 스크레이퍼
    ④ 트럭 에지데이터

    > 01②
    > 종류 : 운반공사에 사용되는 자주식 장비 3가지

(5) 크레인에 부착할 수 있는 장비
    ① 파일드라이버
    ② 드래글라인
    ③ 클램 쉘
    ④ 파워셔블
    ⑤ 드래그 셔블

    > 98④
    > 종류 : 크레인에 부착할 수 있는 장비 3가지

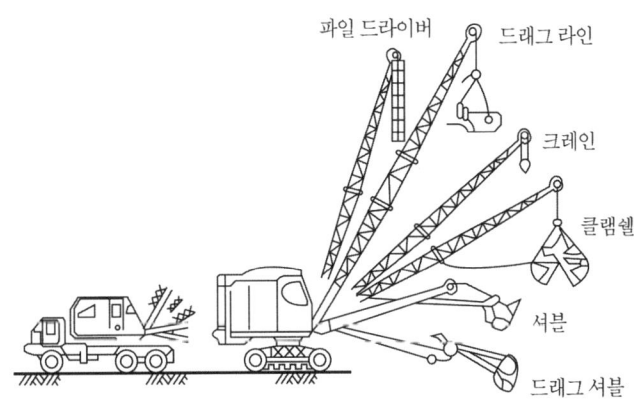

제7절 | 용어해설

1. **굴착안정액**
   굴착구의 붕괴를 방지하며 안정액의 순환 시 굴착 토사를 굴착공 바닥으로부터 굴착구 외부로 배출하기 위해 사용하는 벤토나이트, 점토 등의 현탁액

2. **귀잡이**
   모서리 띠장의 보강용으로 45° 내외의 각도로 설치되는 수평부재

3. **그라운드 앵커(Ground Anchor)**
   선단부를 양질지반에 정착시켜, 이를 반력으로 하여 흙막이벽 등의 구조물을 지지하는 인장재

4. **슬라임**
   굴착구멍 하부의 침전물

5. **재하시험**
   지지력이나 내력의 확인을 위해 하중을 가력하는 원위치시험

> 단원별 경향문제

1 계측관리

03② · 17② [4점]

1-1 토공장비를 선정할 때 고려해야 할 유의사항 4가지를 기술하시오.

(1)
(2)
(3)
(4)

해설 토공장비 선정 시 고려사항
(1) 지반종류와 상태
(2) 장비의 작업능력
(3) 공사기간
(4) 굴토의 처리 방안

01② · 04③ · 14④ · 17① [6점]

1-2 다음 계측기의 종류에 해당하는 용도를 골라 번호를 기술하시오.

종류	용도
(1) Piezometer	① 하중 측정
(2) Inclinometer	② 인접건물의 기울기도 측정
(3) Load cell	③ Strut 변형 측정
(4) Extension meter	④ 지중 수평 변위 측정
(5) Strain gauge	⑤ 지중 수직 변위 측정
(6) Tilt meter	⑥ 간극수압의 변화 측정

(1)
(2)
(3)
(4)
(5)
(6)

해설 계측기의 종류별 용도
(1) ⑥   (2) ④
(3) ①   (4) ⑤
(5) ③   (6) ②

Chapter 03 · 토공사   147

06③ · 12② · 18① [3점]

1-3 토공사에 사용하는 흙막이 계측기기 3가지를 기술하시오.

(1)
(2)
(3)

해설 토공사 계측기기

(1) Piezometer : 간극수압의 변화 측정
(2) Inclino Meter : 지중 수평 변위 측정
(3) Load Cell : 하중, 토압 측정
(4) Extension Meter : 지중 수직 변위 측정
(5) Strain Gauge : Strut 변형 측정
(6) Tilt Meter : 인접건물의 기울기 측정

01② · 04③ · 13① · 15④ [4점]

1-4 지하 토공사 중 계측관리와 관련된 항목을 골라 번호를 쓰시오.

① Strain Gauge　　　　② 경사계(Inclino Meter)
③ Water Level Meter　　④ Level and Staff

(1) 지표면 침하 측정 (　　　)
(2) 지중 흙막이벽 수평변위 측정 (　　　)
(3) 지하수위 측정 (　　　)
(4) 응력 측정(엄지말뚝, 띠장에 작용하는 응력 측정) (　　　)

해설 토공사 계측기기

(1) ④
(2) ②
(3) ③
(4) ①

99④ · 04② · 05① · 08② · 09① · 11② · 14① · 17② [4점]

1-5 다음 측정기별 용도를 기술하시오.

(1) Washington Meter :
(2) Piezometer :
(3) Earth Pressure Meter :
(4) Dispenser :

해설 측정기기의 용도
(1) Washington Meter : 콘크리트의 공기량 측정
(2) Piezometer : 지반 내의 간극수압 측정
(3) Earth Pressure Meter : 토압 측정
(4) Dispenser : AE제의 부피 측정

21② [4점]

1-6 흙막이 구조물의 계측기 종류에 적합한 설치 위치를 한 가지씩 기술하시오.

(1) 토압계 :
(2) 하중계 :
(3) 변형률계 :
(4) 경사계 :

해설 계측기기 용도
(1) 토압계 – 흙막이 배면
(2) 하중계 – 띠장, 어스앵커
(3) 변형률계 – 띠장, 스트럿
(4) 경사계 – 흙막이벽 중앙

2 토공사용 장비

2-1 연관있는 것끼리 줄로 연결하시오.

(1) 드래그 셔블(백호우) ·   · ① 기계보다 높은 곳을 판다.
(2) 클램쉘 ·   · ② 기계보다 낮은 곳을 판다.
(3) 파워셔블 ·   · ③ 일정한 폭의 구덩이를 연속으로 판다.
(4) 드래그 라인 ·   · ④ 낮은 곳의 흙을 좁고, 깊게 판다
                            (지하연속벽 공사에 사용).
(5) 트렌처 ·   · ⑤ 지반보다 낮은 연질의 흙을 긁어모으거나 판다.

해설 토공사 장비
(1) - ②   (2) - ④
(3) - ①   (4) - ⑤
(5) - ③

2-2 다음은 토공사에 사용되는 장비의 설명이다. 각 설명에 해당하는 장비명을 기술하시오.

(1) 장비가 서 있는 곳보다 높은 곳의 굴착에 사용되는 굴착 장비 (   )
(2) 지하연속벽, 케이슨 기초와 같은 연약지반의 좁은 곳의 수직 굴착(수중굴착)에 사용되는 장비 (   )

해설 터파기 장비
(1) 파워셔블(Power Shovel)
(2) 클램 쉘(Clam Shell)

2-3 토공사용 기계중 정지용 기계장비의 종류 3가지를 기술하고, 특성 및 용도에 대해 간단히 설명하시오.

(1)
(2)
(3)

해설 정지 장비
(1) 불도저(Bulldozer) : 운반거리 50~60m 정도의 배토, 운반용
(2) 그레이더(Grader) : 정지작업, 도로정리 등에 사용
(3) 스크레이퍼(Scraper) : 최대 150m 거리의 중장거리 배토, 정지, 운반용 기계

00② [3점]

2-4 아래의 단면도와 같이 줄기초 공사에 있어서 되메우기 흙의 다짐에 적합한 기계장비를 〈보기〉에서 모두 골라 기호로 쓰시오.

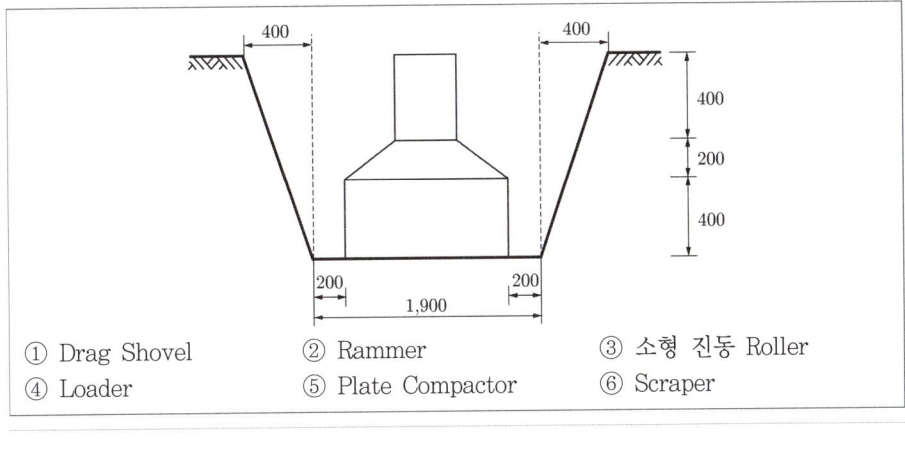

① Drag Shovel ② Rammer ③ 소형 진동 Roller
④ Loader ⑤ Plate Compactor ⑥ Scraper

해설 다짐 장비
②, ③, ⑤

01② [3점]

2-5 운반공사에 사용되는 자주식 장비 3가지를 기술하시오.

(1)
(2)
(3)

해설 운반공사 시 자주식 장비
(1) 트랙터
(2) 덤프트럭
(3) 자주식 스크레이퍼
(4) 트럭 에지데이터

98④

2-6 건설장비 중 크레인에 부착할 수 있는 장비에 대하여 3가지를 기술하시오.

(1)
(2)
(3)

해설 크레인에 부착할 수 있는 장비
(1) 드래그라인
(2) 클램쉘
(3) 파워셔블
(4) 드래그 셔블

CHAPTER 04 지정공사

제1절 | 기초

1. 정의
① 기초 : 상부구조의 하중을 지반에 안전하게 전달시키는 건축물의 최하부 구조 부분을 말한다.
② 지정 : 기초의 밑면을 보강하거나 지반의 지지력을 보강하기 위한 부분을 말한다.

> 06② · 12④ · 13② · 19①
> 용어 : 기초와 지정

2. 종류
① 독립기초 : 하나의 기초판이 하나의 기둥을 지지
② 복합기초 : 2개 이상의 기둥을 하나의 기초에 연결하여 지지하는 기초방식

> 00①
> 용어 : 복합기초

③ 연속기초(줄기초) : 연속된 기초판이 내력벽 또는 여러 개의 기둥을 지지
④ 온통기초 : 건축물의 최하층 바닥을 기초판으로 사용
⑤ Floating Foundation : 연약지반에서 지표면 아래의 터파기 중량과 건축물 중량이 균형을 이루도록 만든 기초

> 06①
> 용어 : Floating Foundation

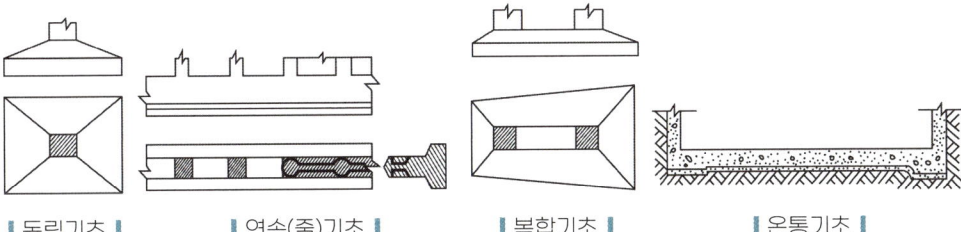

| 독립기초 | 연속(줄)기초 | 복합기초 | 온통기초 |

제2절 | 지정

1. 정의

기초의 밑면을 보강하거나 지반의 지지력을 보강하기 위한 부분

2. 종류

① 말뚝지정
- ㉠ 나무말뚝
- ㉡ 기성콘크리트 말뚝
- ㉢ 제자리 콘크리트 말뚝
- ㉣ 강재말뚝
- ㉤ 강관충전 콘크리트 말뚝(CFT)

② 깊은 기초
- ㉠ 우물통 기초
- ㉡ 잠함
  - 개방잠함
  - 용기잠함

3. 말뚝

① 지지말뚝 : 연약지반을 관통하여 굳은 지반에 도달시켜 말뚝 선단의 지지력에 의하는 말뚝

② 마찰말뚝 : 연약층이 깊어 굳은 층에 지지할 수 없을 때 말뚝과 지반의 마찰력에 의해 지지하는 말뚝

99⑤
종류 : 지정말뚝의 종류 3가지

99⑤
용어 : 지지말뚝, 마찰말뚝

제 3 절 | 말뚝지정

1. 개요

(1) 선택기준

① 동일 건물에서는 다른 종류의 말뚝을 혼용하지 않고 동일한 말뚝을 사용하는 것이 좋다.

② 시험말뚝은 기초 면적이 1,500m² 까지는 2개, 3,000m² 까지는 3개로 한다.

> 98② · 05③
> 수치 : 시험말뚝 박기 (　　) 넣기

(2) 말뚝의 간격

① 말뚝 재질에 따른 말뚝의 중심간격(Pitch)의 최소값은 다음과 같다.
　㉠ 나무말뚝 : 말뚝지름의 2.5배 이상, 60cm 이상
　㉡ 기성 콘크리트 말뚝 : **말뚝지름의 2.5배 이상, 75cm 이상**
　㉢ 제자리 콘크리트 말뚝 : **말뚝지름의 2.0배 이상, 지름＋100cm 이상**
　㉣ 강재말뚝 : **말뚝지름의 2.0배 이상, 75cm 이상**

② 말뚝 중심으로부터 기초판 끝까지의 거리(연단 거리)는 Pitch 값의 1/2 이상으로 한다.

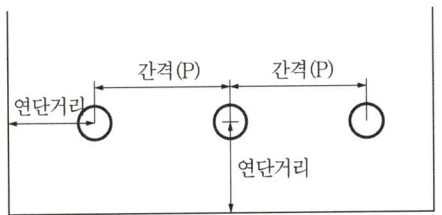

> 13① · 16①
> 수치 : **기성콘크리트말뚝의 중심간격**

(3) 말뚝박기 요령

① 말뚝의 위치는 정확히 수직으로 박는다.
② 말뚝박기는 중단하지 않고 최종까지 계속해서 박는다.
③ 관입이 잘 안 되어도 소정 위치까지 박는 것을 원칙으로 한다.
④ 5회 타격에 총관입량이 6mm 이하인 경우 말뚝은 박히는 데 거부현상이 있는 것으로 본다.
⑤ 말뚝은 그 지지력이 증가되도록 주위 말뚝을 먼저 박고 점차 중앙부의 말뚝을 박는 순서로 계획한다.

> 98④
> 순서 : 무리말뚝의 시공순서

(4) 무리말뚝의 시공순서

표토 걷어내기 → 수평규준틀 설치 → 말뚝 중심 잡기 → 가장자리 말뚝 박기 → 중앙부 말뚝 박기 → 말뚝 머리 정리

> 📖 03②
> 순서 : 무리말뚝의 시공순서

2. 기성콘크리트 말뚝

(1) 종류
① RC 말뚝 : 원심력을 이용해 공장 제작하는 중공형 말뚝
② PC 말뚝 : 프리스트레스를 도입해 설계강도를 증가시킨 말뚝
③ PHC 말뚝 : 고강도 프리스트레스트 콘크리트 말뚝으로 고온고압증기 양생을 사용하여 만든 고강도 콘크리트에 프리스트레스를 적용시켜 제작한 말뚝

> 📖 06①
> 생산 과정 : PHC 말뚝

(2) 표시형식
① 말뚝 종류 – 직경(mm) – 길이(m)   예 PHC – A · 450 – 12
② RC : 일반콘크리트, PC : 프리스트레스트 콘크리트, PHC : 고강도 프리스트레스트 콘크리트

> 📖 00②
> 표기법 : 기성말뚝재에 표시되는 다음의 표기가 의미하는 바를 쓰시오.
> PHC – A · 450 – 12
>   ①   ②   ③

(3) 말뚝의 소음·진동 공법
① 타격(관입) 공법 : 드롭 해머, 디젤 해머, 스팀 해머로 타격 관입하는 공법
② 진동 공법 : 진동으로 말뚝을 관입하는 공법, 예 Vibro Flotation 공법

■ 디젤해머 특징
　① 장점
　　㉠ 큰 타격력으로 시공능률이 우수하다.
　　㉡ 말뚝 두부의 타격으로 인한 손상이 적다.
　　㉢ 장비의 조립·해체가 용이하다.
　② 단점
　　㉠ 해머의 낙하높이 조절이 어렵다.
　　㉡ 소음, 진동이 크다.
　　㉢ 연약지반에서는 시공능률이 떨어진다.

> 📖 14②
> 특징 : 디젤해머의 장단점

(4) 말뚝의 무소음·무진동 공법
　① 프리보링(Pre-Boring) 공법 : 말뚝 구멍을 먼저 굴착 후 말뚝을 매입하거나 타입, 압입을 병용하는 공법
　※ 프리보링 공법의 작업순서
　　어스오거 드릴로 구멍 굴착 → 소정의 지지층 확인 → 시멘트액 주입 → 기성콘크리트 말뚝 삽입 → 기성콘크리트 말뚝 경타 → 소정의 지지력 확보

> 06①
> 작업순서 : 프리보링 공법

　② 압입공법 : 유압 Jack을 이용하여 회전 압입·진동 압입 등으로 말뚝에 압력을 가하여 매입하는 방법
　③ 중굴공법 : 말뚝의 가운데 빈 부분을 이용하여 굴착하고, 말뚝을 매입하는 방법
　④ 수사식 공법(Water Jet) : 물을 고속 분사하여 지반을 무르게 하고 타입, 압입하여 말뚝을 매입하는 공법

> 00② · 01① · 02③ · 04③ · 10② · 15①
> 종류 : 기성콘크리트 말뚝의 사용이 가능한 무소음, 무진동 공법 4가지

(5) 말뚝의 이음 방법
　① 충전식　　　　　② 볼트식
　③ 용접식　　　　　④ 장부식

> 98① · 98② · 00⑤ · 01② · 03①
> 종류 : 기성콘크리트 말뚝의 이음 방법 3가지

> 03①
> 종류 : 기성콘크리트 말뚝 이음의 종류

(6) 말뚝 선단부 형상

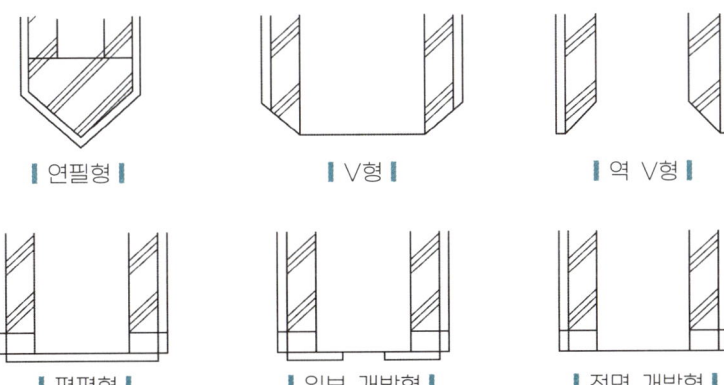

| 연필형 |　| V형 |　| 역 V형 |
| 편평형 |　| 일부 개방형 |　| 전면 개방형 |

> 03①
> 종류 : 말뚝 선단부 형태

3. 제자리 콘크리트 말뚝

(1) 일반사항

① 적용 : 암반이 지하 깊이 있고 말뚝박기의 길이가 너무 길 때 사용
② 특징
　㉠ 장점
　　• 재료의 운송비를 절약할 수 있다.
　　• 소음이 없다.
　㉡ 단점
　　• 기성 콘크리트 말뚝보다 압축강도가 작다.
　　• 완성된 상태를 확인할 수 없다.
③ 종류
　㉠ 관입공법 : 심플렉스, 레이몬드, 프랭키, 컴프레솔, 페데스탈
　㉡ 굴착공법 : 어스 드릴(칼웰드, Carlweld), 베노토, 역순환 공법, 이코스 공법
　㉢ Prepacked 공법 : CIP, PIP, MIP

> 04① · 05② · 09② · 16④
> 종류 : 제자리 콘크리트 말뚝

> 04① · 05②
> 종류 : 공법의 분류
> (1) 제자리 콘크리트 말뚝 공법
> (2) 지반개량 공법

④ 벤토나이트액의 사용목적
　　㉠ 굴착공(구멍) 내의 붕괴 방지
　　㉡ 지하수 유입 방지
　　㉢ 굴착 부분의 마찰저항 감소 목적

> 99⑤ · 02③ · 10④
> 벤토나이트액의 사용목적

(2) 관입공법
① 심플렉스 파일(Simplex) : 굳은 지반에 철관을 쳐서 박아넣고 그 속에 콘크리트를 부어 넣고 중추로 다짐하여 외관을 뽑아내는 공법
② 레이몬드 파일(Raymond) : 얇은 철판의 외관에 심대(Core)를 넣고 박아 심대를 뽑고 콘크리트를 넣은 후 다짐을 실시하여 외관이 땅속에 남은 유곽 파일을 말한다.
③ 프랭키 파일(Franky) : 심대 끝에 주철제 원추형의 마개 달린 외관을 2~2.6ton의 추로 내려쳐 마개와 외관을 지중에 박고 소정의 깊이에 도달하면, 내부의 마개와 추로 다져 구근을 만들면서 외관만을 빼내며 콘크리트 말뚝을 형성한다.
④ 컴프레솔 파일(Compressol) : 끝이 뾰족한 추로 천공하고, 속에 넣은 콘크리트를 끝이 둥근 추로 다진 후에 평면 추로 다짐하여 콘크리트 말뚝을 만드는 공법
⑤ 페데스탈 파일(Pedestal) : 외관과 내관의 2중관을 소정 위치까지 관입한 다음 내관을 빼내고 외관 내에 콘크리트를 타설한 후 내관을 넣어 다지면서 외관을 천천히 뽑아 올리며, 콘크리트 구근형 말뚝을 형성한다.

> 06③
> 용어 : 제자리 콘크리트 말뚝의 관입공법

> 98② · 02② · 06②
> 순서 : 페데스탈 말뚝의 시공 4단계

(3) 굴착공법
① 어스 드릴(Earth Drill) 또는 칼웰드(Carlweld) 공법
㉠ 정의 : 회전식 Drilling Bucket에 의해 지중에 필요 깊이까지 굴착하고, 그 굴착공에 철근을 삽입하여 콘크리트를 타설하여 말뚝을 조성하는 공법

> 03③
> 용어 : 어스드릴

㉡ 장단점

장점	단점
① 공사비 저렴 ② 소음·진동이 작음	① 경질지반 굴착 곤란 ② Slime 제거 곤란

② 베노토(Benoto) 공법
㉠ 정의 : 특수 고안된 Casing Tube를 좌회전과 우회전 운동의 반복에 의해 요동시키면서 지반의 마찰저항을 감소시켜 유압잭으로 압입하면서 공벽 파괴를 방지하고 Hammer Grab으로 굴착 후 철근을 삽입하고 콘크리트를 충전하면서 Casing Tube를 빼내면서 말뚝을 조성하는 공법

> 98③ · 03③ · 09②
> 용어 : 베노토 공법

ⓒ 특성

장점	단점
① 시공정밀도 우수 ② 밀실한 콘크리트 타설 가능	① 공사비 고가 ② 시공속도 느림

ⓒ 시공순서

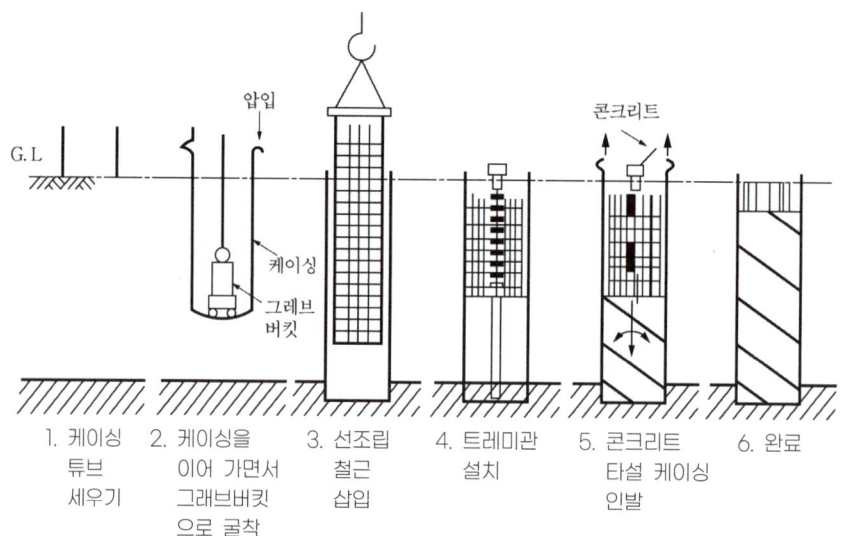

1. 케이싱 튜브 세우기
2. 케이싱을 이어 가면서 그래브버킷으로 굴착
3. 선조립 철근 삽입
4. 트레미관 설치
5. 콘크리트 타설 케이싱 인발
6. 완료

> 00① · 00④
> 순서 : 베노토 공법의 시공순서를 〈보기〉에서 골라 쓰시오.
> (　　) → 굴착 → (　　) → (　　) → 콘크리트 타설 → (　　)

③ 역순환(Reverse Circulation Drill, RCD)공법
  ㉠ 정의 : 특수비트의 회전으로 굴삭된 토사를 Drill Rod 내의 물과 함께 공외로 배출하여 침전지에 토사를 침전시킨 후 물을 다시 공 내에 환류시키면서 굴착한 후 철근망을 삽입하고 트레미관에 의해 콘크리트를 타설하면서 말뚝을 조성하는 공법이다. 또한, 굴착구멍의 붕괴를 방지하기 위하여 물을 채우는 대표적인 공법으로, 지하수위보다 2m 이상 높게 물을 채워서 20kN/m^2 이상의 정수압을 유지해야 한다.
  ㉡ 특성

장점	단점
① 대구경, 깊은 심도의 공사 가능 ② 시공속도 빠르며, 수중공사 가능	① 공벽붕괴 우려 ② 피압수 상승 시 굴착 곤란

> 03③
> 정의 : 역순환(RCD) 공법

(4) 프리팩트 파일(Prepacked Pile)
① CIP(Cast-in-Place Pile)
어스 오거로 굴착 후 철근을 넣고 모르타르 주입용 pipe를 설치한 다음 자갈을 다져 넣고 모르타르를 주입하여 지지말뚝으로 만든다.
② PIP(Packed-in-Place Pile)
지중에 스크루 오거를 삽입하여 소정의 깊이까지 굴착 후 흙과 오거를 뽑아 올리면서 오거 중심부에 있는 선단을 통하여 모르타르나 콘크리트를 주입하여 말뚝을 만드는 공법이다.
③ MIP(Mixed-in-Place Pile)
로터리 드릴(Rotary Drill) 선단에 윙 커터(Wing Cutter)를 장치하여 흙을 뒤섞으며 지중을 굴착한 다음, 파이프 선단으로 모르타르를 분출시켜 흙과 모르타르를 혼합시켜 소일 콘크리트 말뚝을 만든다.

> 09① · 16①
> 종류 : 프리팩트 콘크리트 말뚝의 종류 3가지

> 99③ · 03①
> 순서 : CIP 공법의 시공순서

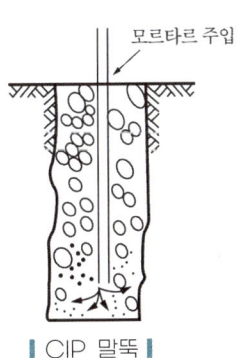
| CIP 말뚝 |

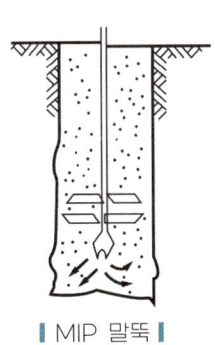
| MIP 말뚝 |

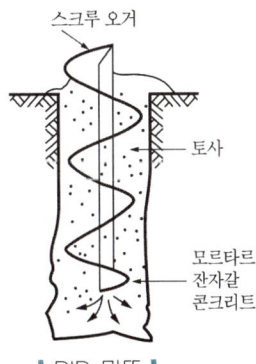
| PIP 말뚝 |

4. 강재말뚝

(1) 종류

　　① 강관말뚝

　　② H형강 말뚝

(2) 특징

　　① 경량이고 강하지만 고가이다.

　　② 용접 등으로 이을 수 있어 길이조정이 용이하다.

　　③ 관입성이 양호하며 말뚝 상부의 파손이 거의 없다.

　　④ 부식의 우려가 있다.

(3) 부식 방지책

　　① 판 두께를 증가시키는 방법

　　② 방청도료로 도포하는 방법

> 01①
> 특징 : 강관말뚝 지정의 특징 3가지

> 01③ · 05③
> 강재말뚝의 부식 방지법

제 4 절 | 깊은 기초 지정

1. 개방잠함

(1) 정의

건축물의 지하층을 미리 지상에서 축조하여 이를 지중에 내려 앉히며, 지하실의 내부 중앙부분을 둘레 부분보다 먼저 파서 균일한 침하를 유도하는 것으로서 그 특성은 다음과 같다.

① 잠함의 외부벽이 흙막이의 역할을 하므로 공기단축이 가능하다.
② 인접지반의 이완이 방지되고 말뚝박기를 하지 않으므로 소음이 발생하지 않는다.
③ 건물 내부에서 작업하므로 기후의 영향을 적게 받는다.
④ 시공순서
　　㉠ 지하구조체 지상 구축
　　㉡ 하부 중앙 흙 파내기
　　㉢ 중앙부 기초 구축
　　㉣ 주변(외곽부) 기초 구축

> 08①
> 개방잠함의 시공순서

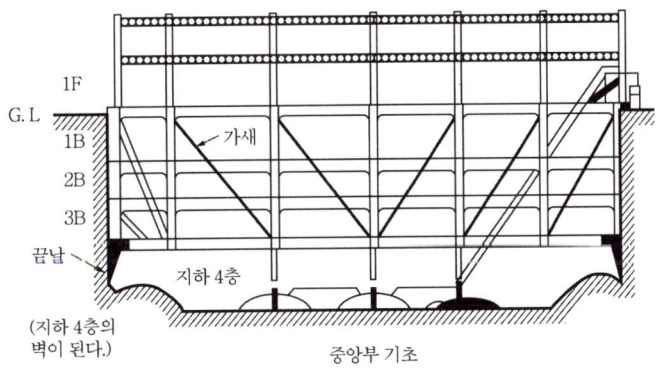

2. 용기잠함

지하수가 많거나 토사의 유입이 심할 때 잠함 속에 0.3MPa 이하의 압축공기를 넣어 물·토사의 유입을 방지하며 시공한다. 단, 수심 30m 이상에서는 적용이 어렵다.

단원별 경향문제

1 기초와 지정의 일반사항

1-1 아래 용어의 정의를 간략히 설명하시오.

(1) 기초 :
(2) 지정 :

해설 기초와 지정의 차이점
(1) 기초 : 상부구조의 하중을 지반에 안전하게 전달시키는 **건축물의 최하부 구조 부분**
(2) 지정 : 기초의 밑면을 보강하거나 **지반의 지지력을 보강**하기 위한 부분

1-2 다음 설명에 해당하는 기초의 용어를 기술하시오.

기초의 종류 중 2개 이상의 기둥을 하나의 기초에 연결하여 지지하는 기초방식

해설 복합기초

1-3 기초공사 시 Floating Foundation에 관하여 설명하시오.

해설 Floating Foundation
연약지반에서 지표면 아래의 터파기 중량과 건축물 중량이 균형을 이루도록 만든 기초

1-4 지정 및 기초공사에서 지정말뚝의 종류 3가지를 기술하시오.

(1)   (2)   (3)

해설 지정말뚝(말뚝지정)의 종류
(1) 나무말뚝   (2) 기성콘크리트 말뚝
(3) 제자리콘크리트 말뚝   (4) 강재말뚝

1-5 다음 설명에 해당하는 말뚝의 용어를 기술하시오.

(1) 연약층이 깊어 굳은 층에 지지할 수 없을 때 말뚝과 지반의 마찰력에 의하는 말뚝은?
( )
(2) 연약지반을 관통하여 굳은 지반에 도달시켜 말뚝 선단의 지지력에 의하는 말뚝은?
( )

해설 용어 설명
(1) 마찰말뚝
(2) 지지말뚝

2 기성콘크리트말뚝

2-1 기성콘크리트 말뚝 지정공사의 시험말뚝 박기에 대한 다음 설명 중 ( ) 안에 적합한 숫자를 기입하시오.

(1) 타격회수 (①)회에 총관입량이 (②)mm 이하인 경우의 말뚝은 박히는 데 거부현상을 일으킨 것으로 본다.
(2) 기초면적이 (③)m² 까지는 2개의 단일시험말뚝을 설치하고, (④)m² 까지는 3개의 단일시험말뚝을 설치한다.

(1) ①   (2) ③
    ②   ④

해설 말뚝박기 시험
(1) ① 5, ② 6
(2) ③ 1,500, ④ 3,000

2-2 다음 ( ) 안에 알맞은 숫자를 기입하시오.

기성콘크리트말뚝을 타설할 때 그 중심간격은 말뚝머리지름의 (①)배 이상 또한 (②)mm 이상으로 한다.

①   ②

해설 기성콘크리트말뚝의 중심간격
① 2.5   ② 750

98④ [2점]

2-3 다음 ( ) 안에 알맞은 단어를 기입하시오.

무리말뚝에 있어서 말뚝박기는 지지력이 증가하도록 (①)을 먼저 박고 점차 (②)을 박는 순서로 진행된다.
①
②

해설 무리말뚝의 시공순서
① 주변
② 중앙

03② [4점]

2-4 무리말뚝 기초공사에 관한 사항이다. 일반적인 시공순서를 〈보기〉에서 골라 기호로 쓰시오.

가. 수평규준틀	나. 중앙부 말뚝 박기
다. 가장자리 말뚝 박기	라. 말뚝 중심 잡기
마. 표토 걷어내기	바. 말뚝 머리 정리

( ) → ( ) → ( ) → ( ) → ( ) → ( )

해설 무리말뚝의 시공순서
마 → 가 → 라 → 다 → 나 → 바

06① [2점]

2-5 PHC 파일을 만드는 과정에서 (1) 양생을 하고, (2)을 적용시켜 만든다. ( ) 안에 알맞은 말을 기입하시오.

(1)
(2)

해설 PHC 생산방식
(1) 고온고압증기
(2) 프리스트레스방식

2-6

기성 말뚝재에 표시되는 다음의 표기가 의미하는 바를 쓰시오.

PHC − A · 450 − 12
(1)　　　　(2)　　(3)

(1)
(2)
(3)

해설 기성콘크리트 말뚝의 표기법
(1) 프리스트레스트 방식의 고강도 콘크리트 말뚝
(2) 말뚝지름 450mm
(3) 말뚝길이 12m

2-7

기성말뚝 타격공법 중 주로 사용되는 디젤해머(Diesel Hammer)의 장점과 단점 3가지를 기술하시오.

(1) 장점 ①
　　　　②
　　　　③
(2) 단점 ①
　　　　②
　　　　③

해설 디젤해머 특징
(1) 장점
　① 큰 타격력으로 시공능률이 우수하다.
　② 말뚝 두부의 타격으로 인한 손상이 적다.
　③ 장비의 조립·해체가 용이하다.
(2) 단점
　① 해머의 낙하높이 조절이 어렵다.
　② 소음, 진동이 크다.
　③ 연약지반에서는 시공능률이 떨어진다.

10② [3점]

2-8 말뚝의 시공방법 중 무소음·무진동 공법 3가지를 기술하고 간단히 설명하시오.

(1)
(2)
(3)

해설 기성콘크리트 말뚝의 무소음·무진동 공법
(1) 프리보링(Pre-Boring) 공법 : 말뚝 구멍을 먼저 굴착 후 말뚝을 매입하거나 타입, 압입을 병용하는 공법
(2) 압입공법 : 유압 Jack을 이용하여 회전 압입·진동 압입 등으로 말뚝에 압력을 가하여 매입하는 방법
(3) 중굴공법 : 말뚝의 가운데 빈 부분을 이용하여 굴착하고, 말뚝을 매입하는 방법
(4) 수사식 공법(Water Jet) : 물을 고속 분사하여 지반을 무르게 하고 타입, 압입하여 말뚝을 매입하는 공법

00② · 01① · 02③ · 04③ [4점]

2-9 기성콘크리트 말뚝을 기초로 사용하고자 할 때, 도심지에서 사용할 수 있는 무소음, 무진동 공법을 〈보기〉에서 모두 골라 기호로 쓰시오.

〈보기〉
(1) Steam Hammer 공법   (2) 압입(회전압입) 공법
(3) Vibro Flotation 공법   (4) 중공굴착(중굴) 공법
(5) Pre Boring 공법   (6) Diesel Hammer 공법
(7) 수사법(Water Jet)

해설 말뚝의 무소음·무진동 공법
(2), (4), (5), (7)
[참고] (1), (3), (6)은 말뚝의 소음·진동 공법

00② · 01① · 02③ · 04③ · 15① [4점]

2-10 기성콘크리트 말뚝을 사용한 기초공사에 사용 가능한 무소음·무진동 공법 4가지를 쓰시오.

(1)
(2)
(3)
(4)

해설 기성콘크리트 말뚝의 무소음·무진동 공법
(1) 프리보링(Pre-Boring) 공법
(2) 압입공법
(3) 중굴공법
(4) 수사식 공법(Water Jet)

06① [3점]

2-11 프리보링 공법 작업순서를 〈보기〉에서 골라 기호로 쓰시오.

〈보기〉
① 어스오거 드릴로 구멍 굴착   ② 소정의 지지층 확인
③ 기성콘크리트 말뚝 경타   ④ 시멘트액 주입
⑤ 기성콘크리트 말뚝 삽입   ⑥ 소정의 지지력 확보

( ) → ( ) → ( ) → ( ) → ( ) → ( )

해설 프리보링 작업순서
① → ② → ④ → ⑤ → ③ → ⑥

98① · 98② · 00⑤ · 01② [3점]

2-12 기성콘크리트 말뚝의 이음 방법 3가지를 기술하시오.

(1)
(2)
(3)

해설 기성콘크리트 말뚝의 이음방법
(1) 충전식 이음   (2) 볼트식 이음
(3) 용접식 이음   (4) 장부식 이음

03① [4점]

2-13
기초에 사용되는 압입공법에서 채용되는 말뚝은 단부형태에 따라 구분되며, 말뚝길이가 지지지반까지 이르지 못할 경우 이어서 사용하게 되는데 이음 방법도 구분된다. 이들의 종류를 각각 2가지씩 나열하시오.

(1) 선단부 형상의 종류
　①
　②
(2) 말뚝이음의 종류
　①
　②

해설 기성콘크리트 말뚝
(1) 선단부 형상의 종류
　① 연필형
　② 편평형
(2) 말뚝이음의 종류
　① 볼트식 이음
　② 용접식 이음

3 제자리 콘크리트말뚝

04① · 05② · 09② · 16④ [3점]

3-1
제자리 콘크리트 말뚝공법 5가지를 기술하시오.

(1)
(2)
(3)
(4)
(5)

해설 제자리 콘크리트 말뚝공법
(1) 심플렉스 파일(Simplex pile)
(2) 레이몬드 파일(Raymond pile)
(3) 프랭키 파일(Franky pile)
(4) 컴프레솔 파일(Compressol pile)
(5) 페데스탈 파일(Pedestal pile)

3-2
〈보기〉에 열거한 공법들을 아래 분류에 따라 골라 번호를 쓰시오.

―― 〈보기〉 ――
① 칼웰드 공법   ② 샌드드레인 공법
③ 베노토 공법   ④ 동결 공법
⑤ 그라우팅 공법 ⑥ 이코스 공법

(1) 제자리 콘크리트 말뚝 공법 :
(2) 지반개량 공법 :

해설 제자리 말뚝/지반개량 공법의 구분
(1) 제자리 콘크리트 말뚝 공법 : ①, ③, ⑥
(2) 지반개량 공법 : ②, ④, ⑤

3-3
제자리 콘크리트 말뚝을 제작하기 위하여 지반에 구멍을 판 후 벤토나이트 용액을 넣어주는 목적 3가지를 기술하시오.

(1)
(2)
(3)

해설 벤토나이트 용액의 사용목적
(1) 굴착공(구멍) 내의 붕괴 방지   (2) 지하수 유입 방지
(3) 굴착 부분의 마찰저항 감소 목적

3-4
다음에 설명하는 현장타설 콘크리트 말뚝의 종류를 기술하시오.

(1) 끝이 뾰족한 추로 천공하고, 속에 넣은 콘크리트를 끝이 둥근 추로 다진 후에 평면 추로 다짐하여 콘크리트 말뚝을 만드는 공법 (   )
(2) 철관을 쳐서 박아넣고 그 속에 콘크리트를 부어 넣고 중추로 다짐하여 외관을 뽑아내는 공법 (   )
(3) 외관에 심대(Core)를 넣고 박아 심대를 뽑고 콘크리트를 넣은 후 다짐을 실시하여 외관이 땅속에 남은 유각 파일 (   )

해설 현장타설 콘크리트 말뚝의 관입공법
(1) 컴프레솔 말뚝(Compressol Pile)   (2) 심플렉스 말뚝(Simplex Pile)
(3) 레이몬드 말뚝(Raymond Pile)

3-5 페데스탈 말뚝의 시공순서를 〈보기〉에서 골라 순서대로 나열하시오.

〈보기〉
(1) 내관을 빼낸다.
(2) 외관 내에 콘크리트를 넣는다.
(3) 내관을 넣어 콘크리트를 다지며 외관을 서서히 빼 올리며 콘크리트를 구근형으로 다진다.
(4) 외관과 내관의 2중관을 동시에 소정 위치까지 박는다.

( ) → ( ) → ( ) → ( )

해설 페데스탈 말뚝 순서
(4) → (1) → (2) → (3)

3-6 베노토 공법(Benoto Method)에 대하여 설명하시오.

해설 베노토 공법(Benoto Method)
특수 고안된 Casing Tube를 좌회전과 우회전 운동의 반복에 의해 요동시키면서 지반의 마찰저항을 감소시켜 유압잭으로 압입하면서 공벽 파괴를 방지하고 Hammer Grab으로 굴착 후 철근을 삽입하고 콘크리트를 충전하면서 Casing Tube를 빼내면서 말뚝을 조성하는 공법

3-7 제자리 콘크리트 말뚝의 기계굴삭 공법 중에서 베노토 공법(Benoto Method)의 시공순서이다. 다음 〈보기〉를 보고 ( ) 안에 적합한 공정명을 고르시오.

〈보기〉
① 트레미(Tremie)관 삽입
② 철근망 조립
③ 레미콘 주문
④ 케이싱 튜브(Casing Tube) 인발
⑤ 철근망 넣기
⑥ 케이싱 튜브(Casing Tube) 세우기

( ) → 굴착 → ( ) → ( ) → 콘크리트 타설 → ( )

해설 베노토 공법
(⑥) → 굴착 → (⑤) → (①) → 콘크리트 타설 → (④)

00① · 04② [3점]

3-8
대구경 제자리 말뚝을 시공하는 공법 중 베노토 공법의 시공순서 5단계를 순서대로 기술하시오.

(1)
(2)
(3)
(4)
(5)

해설 베노토 공법의 시공순서
(1) 케이싱 튜브를 세우고 굴착
(2) 철근망 넣기
(3) 트레미관 삽입
(4) 콘크리트 타설
(5) 케이싱 튜브 인발

09② [3점]

3-9
제자리 콘크리트 말뚝에 관한 공법의 명칭을 기술하시오.

(1) 회전식 Drilling Bucket에 의해 지중에 필요 깊이까지 굴착하고, 그 굴착공에 철근을 삽입하여 콘크리트를 타설하여 말뚝을 조성하는 공법 (   )
(2) 특수비트의 회전으로 굴삭된 토사를 Drill Rod 내의 물과 함께 공외로 배출하여 침전지에 토사를 침전시킨 후 물을 다시 공 내에 환류시키면서 굴착한 후 철근망을 삽입하고 트레미관에 의해 콘크리트를 타설하면서 말뚝을 조성하는 공법 (   )
(3) 특수 고안된 Casing Tube를 좌회전과 우회전 운동의 반복에 의해 요동시키면서 지반의 마찰저항을 감소시켜 유압잭으로 압입하면서 공벽 파괴를 방지하고 Hammer Grab으로 굴착 후 철근을 삽입하고 콘크리트를 충전하면서 Casing Tube를 빼내면서 말뚝을 조성하는 공법 (   )

해설 제자리 콘크리트 말뚝의 굴착공법
(1) 어스드릴 공법
(2) 리버스 서큘레이션 공법
(3) 베노토 공법

3-10 ( ) 안에 알맞은 용어나 숫자를 기재하시오.

제자리 콘크리트 말뚝공법 중 굴착구멍의 붕괴를 방지하기 위하여 물을 채우는 대표적인 공법은 (1)공법이며, 이 공법은 지하수위보다 (2)m 이상 높게 물을 채워서 (3)kN/m² 이상의 정수압을 유지해야 한다.

(1)
(2)
(3)

해설 R.C.D 공법
(1) 리버스 서큘레이션(Reverse Circulation Drill 공법)
(2) 2
(3) 20

3-11 프리팩트 콘크리트 말뚝의 종류 3가지를 기술하시오.

(1)
(2)
(3)

해설 프리팩트 콘크리트 말뚝의 종류
(1) CIP 파일
(2) PIP 파일
(3) MIP 파일

3-12 CIP 공법으로 콘크리트 말뚝 지정을 실시할 경우 시공순서를 기호로 쓰시오.

(1) 자갈 다져 넣기 (2) 모르타르 주입
(3) 철근 주입 (4) 모르타르 주입용 Pipe 설치

( ) → ( ) → ( ) → ( )

해설 CIP 공법의 시공순서
(3) → (4) → (1) → (2)

4 강재말뚝 및 기타 지정

01① [3점]

4-1 강관말뚝 지정의 특징 3가지를 기술하시오.

(1)
(2)
(3)

해설 강관말뚝 지정의 특징
(1) 경량이고 강하지만 고가이다.
(2) 용접 등으로 이을 수 있어 길이조정이 용이하다.
(3) 관입성이 양호하며 말뚝 상부의 파손이 거의 없다.
(4) 부식의 우려가 있다.

01③·05③ [2점]

4-2 강재말뚝의 부식을 방지하기 위한 방법 2가지를 기술하시오.

(1)
(2)

해설 강재말뚝의 부식 방지법
(1) 판 두께를 증가시키는 방법
(2) 방청도료로 도포하는 방법

08① [3점]

4-3 개방잠함 기초의 시공순서를 보기에서 골라 순서대로 나열하시오.

(1) 주변 기초 구축   (2) 지하구조체 지상 구축
(3) 중앙부 기초 구축   (4) 하부 중앙 흙 파내기

(   ) → (   ) → (   ) → (   )

해설 개방잠함의 시공순서
(2) → (4) → (3) → (1)

CHAPTER 05 철근콘크리트공사

제1절 | 철근공사

1. 철근의 종류 및 시험

(1) 형태

① 원형철근 : 철근의 지름을 ϕ로 표시한다.

② 이형철근
   ㉠ 철근의 지름을 D로 표시한다.
   ㉡ 콘크리트와의 부착력 증대를 위해 표면에 리브와 마디를 설치해서 만든 철근

> 18①
> 용어 : 이형철근

③ PS 긴장재
   ㉠ PC 강봉(Prestressing Steel Bar)
   ㉡ PC 강선(Prestressing Wire)
   ㉢ PC 강연선(Prestressing Wire Stand)
   ㉣ 피아노선(Piano Wire) : 철근 강도의 5배인 고강도 철선

> 05① · 10② · 16①
> 종류 : PS 콘크리트 긴장재 종류 3가지

④ 용접철망
   ㉠ 철선을 간격 15cm 정도로 직교시키고 교차점은 용접한다.
   ㉡ 넓은 바닥판, 도로포장에 이용한다.

(2) 용도

① 인장철근
   콘크리트가 인장력을 받는 곳에 설치한 철근으로, 인장력에 약한 콘크리트의 단점을 보완하기 위하여 사용된 철근

② 수축 · 온도철근
   콘크리트의 건조수축, 온도변화 등에 의해 발생하는 콘크리트 수축균열을 줄이기 위해 사용되는 철근

> 09① · 15②
> 용어 : 온도조절 철근

> 11④ · 20⑤
> 목적 : 온도철근 배근

③ 조립용 철근
   철근의 조립에서 정확한 철근의 간격, 피복두께 등의 위치 확보를 위하여 쓰이는 보조적인 철근
④ 배력근
   슬래브에서 응력분포나 균열방지를 위해 주근과 직각방향으로 배근되는 철근

> 18①
> 용어 : 배력근

⑤ 띠철근
   주철근의 좌굴방지 및 위치 확보, 수평력에 대한 전단보강의 역할을 하는 철근

> 09① · 11④
> 기둥에서 띠철근의 역할

(3) 철근의 시험
   ① 인장강도
   ② 휨강도
   ③ 항복강도

> 12①
> 종류 : 철근시험

2. 철근의 가공

(1) 일반사항
   ① 종류
      ㉠ 절단
      ㉡ 구부리기
         ⓐ 중간부 구부리기(Bent)
         ⓑ 단부 구부리기(Hook)
   ② 공구
      ㉠ 구부리기용 : 후커(Hooker), 바벤더(Bar-bender)
      ㉡ 철근 절단용 : 모루, 용접기, 쇠톱
      ㉢ 철선 절단용 : 와이어 클리퍼(Wire Clipper)

> 01② · 09④ · 13①
> 용어 : 와이어 클리퍼

(2) Hook(단부 구부림)
  ① 설치 장소
    ㉠ 원형철근의 말단부는 부착력을 높이기 위해 원칙적으로 훅(Hook)을 둔다.
    ㉡ 이형철근의 말단부는 다음의 경우에는 훅을 두어야 한다.
      ⓐ 기둥 및 보의 단부 철근
      ⓑ 굴뚝 철근, 늑근(stirrup) 및 띠철근
      ⓒ 시공이음부

> 05③ · 13②
> 종류 : Hook 설치해야 하는 경우 3가지

3. 철근의 정착

구분	정착 위치
기둥의 주근	기초
큰 보의 주근	기둥
작은 보의 주근	큰 보
직교하는 단부 보 하부에 기둥이 없을 때	보 상호 간
바닥 철근	보 또는 벽체
벽 철근	기둥, 보 또는 바닥판
지중보의 주근	기초 또는 기둥
기초의 주근	기둥

> 06② · 산23③
> 위치 : 정착 위치

(2) 주의사항
  ① 부재 중심을 넘겨 정착
  ② 정착길이에 가장 끝부분의 Hook의 길이는 포함되지 않음

4. 철근의 이음

(1) 일반사항

① 종류
- ㉠ 겹침이음(결속선 이음) : 철선으로 결속하여 콘크리트와의 부착력에 의한 이음
- ㉡ 용접이음 : 아크나 전기로 용접
- ㉢ 가스압접이음 : 가열, 가압하는 일종의 용접이음
- ㉣ 기계적이음(슬리브 이음) : 슬리브나 나사를 이용한 이음

> 99④ · 02③ · 05③ · 13① · 16① · 20④
> 종류 : 철근 이음방법 4가지

> 99④ · 05③ · 02③
> 종류 : 철근 이음방법 ( )넣기

② 이음 위치
- ㉠ 이음의 위치는 가급적 응력이 적게 발생하는 곳으로 한다.
- ㉡ 동일 장소에 이음이 철근수의 1/2 이상이 집중되지 않도록 한다.
- ㉢ 기둥은 기둥높이의 2/3 이하에서, 보는 압축을 받는 곳에서 잇는 것이 좋다.
- ㉣ D35를 초과하는 철근은 겹침이음을 하지 않는다.
- ㉤ 상호 엇갈리게 이음한다.

> 99③ · 산21① · 산22③
> 주의사항 : 이음 위치 선정 시

(2) 겹침이음의 주의사항
① 이음길이는 갈고리 중심간 길이로 한다.
② 겹침 철근의 직경(d)이 다를 경우에는 작은 쪽 철근 직경을 기준으로 한다.
③ D35 이상의 철근은 겹침이음을 하지 않는다.

(3) 가스압접(용접이음)

① 특징
- ㉠ 장점
  - ⓐ 콘크리트 타설 시 시공성 확보
  - ⓑ 강재량 절약
  - ⓒ 이음 부위의 강도 확보 가능

> 99②
> 특징 : 용접이음의 장점

ⓛ 단점
  ⓐ 공정상, 작업상 복잡화
  ⓑ 용접 부위의 검사 곤란
  ⓒ 숙련공에 대한 의존도가 높다.

> 03③
> 용어 : 가스압접

② 가스압접으로 이음을 할 수 없는 경우
  ㉠ 철근의 지름 차이가 6mm를 초과하는 경우
  ㉡ 철근의 재질이 서로 다른 경우
  ㉢ 항복점 강도가 서로 다른 경우

> 02② · 09① · 13② · 17④
> 가스압접으로 이음을 할 수 없는 경우

(4) 기계적(Sleeve) 이음의 특징
  ① 전기나 Gas를 사용하지 않으므로 화재 염려가 적다.
  ② 기후에 관계없이 시공할 수 있다.
  ③ 별도의 철근 마무리 작업이 필요 없다.
  ④ 이음 속도가 빠르다.
  ⑤ 철근 규격이 다르면 채택이 어렵다.

5. 철근의 간격 및 조립

(1) 철근의 간격
  ① 철근의 간격 유지의 목적
    ㉠ 콘크리트의 유동성 확보
    ㉡ 재료분리 방지
    ㉢ 소요강도 유지 및 확보
    ㉣ 철근의 부착력 확보

> 03① · 07② · 10① · 12② · 13④ · 14① · 22②
> 목적 : 철근의 간격 유지

② 철근의 최소 순간격
  ㉠ 25mm 이상
  ㉡ 1.0d 이상(d : 주철근 지름)
  ㉢ 4/3G 이상(G : 굵은 골재 크기)
  위의 세 가지 중 큰 값으로 한다.

> 09④ · 16② · 23②
> 수치 : 철근의 간격 (   )넣기

> 04③ · 07③
> 수치 : 보철근 배근 가능 개수

(2) 간격재(스페이서, Spacer)
   ① 정의 : 구조 부재에 배근되는 철근 사이의 간격을 벌리기 위하거나, 거푸집에 밀착되는 것을 방지(철근의 피복두께 유지)하기 위한 간격재
   ② 간격재의 종류
      ㉠ 모르타르 재료의 간격재
      ㉡ 철판을 절곡시킨 간격재
      ㉢ 철근을 조립한 간격재

> 99① · 21①
> 용어 : 스페이서

> 00①
> 종류 : 철근의 간격재

(3) 조립순서
   ① RC조
      기초 → 기둥 → 벽 → 보 → 슬래브 → 계단

> 98⑤ · 99② · 18②
> 순서 : 일반 철근의 조립

   ② SRC
      기초 → 기둥 → 보 → 벽 → 슬래브 → 계단
   ③ 기초철근
      ㉠ 거푸집 위치 먹줄치기
      ㉡ 철근간격 표시
      ㉢ 직교 철근 배근
      ㉣ 대각 철근 배근
      ㉤ 스페이서 설치
      ㉥ 기둥 주근 설치
      ㉦ 대근 감기

> 00② · 05③
> 순서 : 기초철근의 조립

(4) 철근 선조립(Pre-fab) 공법
  ① 정의
    기둥, 보, 바닥, 벽체 등 부재별로 공장 또는 현장작업에서 철근 또는 연강선재를 기계적 이음이나 전기저항 용접하여 유닛화된 철근 조립부재와 구조용 용접철망 및 철근 격자망을 현장에서 크레인 등을 이용, 조립하는 공법을 말한다.
  ② 특징
    ㉠ 철근의 피복이 정확하여 시공정밀도가 높다.
    ㉡ 굵은 철근의 사용이 가능하다.
    ㉢ 콘크리트의 연속타설이 가능하여 공기를 단축할 수 있다.
    ㉣ 재료량 및 노무량을 줄일 수 있다.

> 14②
> 특징 : 철근선조립공법의 장점 3가지

6. 철근의 방청

(1) 부식의 필수 3요소
  ① 물
  ② 공기
  ③ 염분

> 98③ · 99③ · 06③
> 종류 : 철근 부식의 필수 3요소

(2) 철근 부식의 원인
  ① 중성화(CO_2, Cl^-)
  ② 염분의 과다사용
  ③ 전기로 인한 부식
  ④ 건조수축 균열
  ⑤ 얇은 피복두께

> 99①
> 종류 : 철근 부식원인 5가지

(3) 철근의 부식 방지책
  ① 철근에 아연도금, 에폭시 코팅
  ② 콘크리트에 방청제 혼입
  ③ 물시멘트가 작은 콘크리트를 사용
  ④ 충분한 피복두께
  ⑤ 염분 허용량($0.3kg/m^3$ 이하) 준수

- 98③·99③·01③·03①,②·05①·06③·09①·13①·18④·22④

종류 : 철근의 부식 방지책

7. 콘크리트 피복두께

(1) 정의

콘크리트 외면에서부터 첫 번째 나오는 철근의 표면까지의 거리

- 01②·10②·산21③

용어 : 피복두께

(2) 목적

① 내구성 확보(중성화 방지)
② 내화성 확보
③ 시공성 확보
④ 콘크리트와 철근의 부착력 증대

- 02②·06②·08①·10②·산21③·산23①

목적 : 피복두께 이유 4가지

(3) 최소 피복두께

수중에서 타설하는 콘크리트			100mm
흙에 접하여 콘크리트를 친 후 영구히 흙에 묻혀 있거나 수중에 있는 콘크리트			75mm
흙에 접하거나 옥외의 공기에 직접 노출되는 콘크리트		D19 이상 철근	50mm
		D16 이하 철근/철선	40mm
옥외의 공기나 흙에 직접 접하지 않는 콘크리트	슬래브, 벽체, 장선	D35 초과 철근	40mm
		D35 이하 철근	20mm
	보, 기둥*		40mm
	쉘, 절판부재		20mm

* 콘크리트의 설계기준강도 f_{ck}가 40MPa 이상인 경우 규정된 값에서 10mm를 저감시킬 수 있음

- 산23②

수치 : 최소 피복두께

(4) 도해

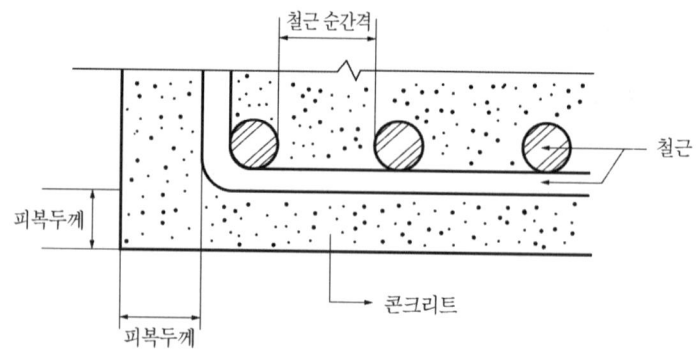

∥ 철근 순간격과 피복두께 ∥

> 04③ · 07③ · 13②
> 계산 : 보폭의 최솟값 구하기

단원별 경향문제

1 철근의 종류, 시험 및 가공

18① [4점]

1-1 다음 철근콘크리트 관련 용어의 정의를 기술하시오.

(1) 이형철근 :
(2) 배력근 :

해설 용어 – 이형철근, 배력근
(1) 이형철근 : 콘크리트와의 부착력 증대를 위해 표면에 리브와 마디를 설치해서 만든 철근
(2) 배력근 : 슬래브에서 응력분포나 균열방지를 위해 주근과 직각방향으로 배근되는 철근

05① · 10② · 16① [3점]

1-2 프리스트레스트 콘크리트에 이용되는 긴장재의 종류 3가지를 기술하시오.

(1)
(2)
(3)

해설 긴장재 종류
(1) PC 강봉
(2) PC 강선
(3) PC 강연선

09① · 15② [2점]

1-3 온도조절 철근의 정의를 간단히 기술하시오.

해설 온도조절 철근
콘크리트의 건조수축, 온도변화 등에 의해 발생하는 콘크리트 수축균열을 줄이기 위해 사용되는 철근

11④ · 20⑤ [2점]

1-4 온도조절 철근의 배근 목적을 기술하시오.

해설 온도조절 철근
콘크리트의 건조수축, 온도변화 등에 의해 발생하는 콘크리트 수축균열을 줄이기 위해 사용되는 철근

09① · 11④ [2점]

1-5 철근콘크리트 기둥에서 띠철근의 역할 2가지를 기술하시오.

(1)
(2)

해설 기둥에서 띠철근의 역할
(1) 주철근의 좌굴방지   (2) 주철근의 위치 확보   (3) 수평력에 대한 전단보강

12① [2점]

1-6 현장에서 반입된 철근은 시험편을 채취한 후 시험을 하여야 하는데, 그 시험의 종류 2가지를 기술하시오.

(1)
(2)

해설 (1) 인장강도 시험   (2) 휨강도 시험   (3) 항복강도 시험

05③ [3점]

1-7 철근의 단부에 갈고리(Hook)를 설치해야 하는 경우 3가지를 기술하시오.

(1)
(2)
(3)

해설 철근 단부에 갈고리(Hook)를 설치하는 경우
(1) 원형철근
(2) 이형철근의 기둥 및 보의 단부 철근
(3) 이형철근의 굴뚝 철근, 늑근(stirrup) 및 띠철근

1-8 철근의 단부에 갈고리(Hook)를 만들어야 하는 철근을 모두 골라 번호를 기술하시오.

① 원형철근 ② 스터럽
③ 띠철근 ④ 지중보의 돌출부 부분의 철근
⑤ 굴뚝의 철근

13② [3점]

해설 ①, ②, ③, ⑤

2 철근의 정착 및 이음

2-1 기둥의 주근은 (가), 큰 보의 주근은 (나), 작은 보 주근은 (다), 직교하는 단부 보 하부에 기둥이 없을 때 보 상호 간에, 바닥철근은 보 또는 (라)에 정착한다. ( ) 안에 알맞은 용어를 〈보기〉에서 골라 기술하시오.

〈보기〉
① 벽체   ② 기초
③ 큰 보 ④ 기둥
⑤ 지붕

(가)
(나)
(다)
(라)

06② [4점]

해설 철근의 정착위치
(1) 기초 (2) 기둥 (3) 큰 보 (4) 벽체

2-2 철근콘크리트 공사에서 철근의 이음 방법 4가지를 기술하시오.

(1)   (2)
(3)   (4)

99④ · 02③ · 05③ · 13① · 16① · 20④ [4점]

해설 철근의 이음 방법
(1) 겹침이음 (2) 용접이음 (3) 가스압접이음 (4) 기계적이음

99④ · 02③ · 05③ [3점]

2-3
철근의 이음방법에는 콘크리트와 부착력에 의한 (가) 외에 (나) 또는 연결재를 사용한 (다)이 있다.

가.
나.
다.

해설 철근의 이음
가. 겹침이음
나. 용접이음
다. 기계적 이음

99③ · 산21① [3점]

2-4
철근공사에 있어 이음 위치의 선정 시 주의할 사항 3가지를 기술하시오.

(1)
(2)
(3)

해설 철근의 이음 위치 선정
(1) 이음의 위치는 가급적 응력이 적게 발생하는 곳으로 한다.
(2) 동일 장소에 이음이 철근수의 1/2 이상이 집중되지 않도록 한다.
(3) 기둥은 기둥높이의 2/3 이하에서, 보는 압축을 받는 곳에서 잇는 것이 좋다.
(4) D35를 초과하는 철근은 겹침이음을 하지 않는다.
(5) 상호 엇갈리게 이음한다.

99② [3점]

2-5
철근공사 시 이음을 겹침이음으로 하지 않고 용접이음으로 한 경우 장점 3가지를 기술하시오.

(1)
(2)
(3)

해설 용접이음의 장점
(1) 콘크리트 타설 시 시공성 확보
(2) 강재량 절약
(3) 이음 부위의 강도 확보 가능

02② · 09① · 13② · 17④ [3점]

2-6 철근콘크리트 공사에서 철근이음을 하는 방법으로 가스압접이 있는데, 가스압접으로 이음을 할 수 없는 경우를 3가지 쓰시오.

(1)
(2)
(3)

해설 가스압접으로 이음을 할 수 없는 경우
(1) 철근의 지름 차이가 6mm를 초과하는 경우
(2) 철근의 재질이 서로 다른 경우
(3) 항복점 강도가 서로 다른 경우

3 철근의 간격 및 조립

03① · 07② · 10① · 12② · 13④ · 14① [3점]

3-1 철근콘크리트공사를 하면서 철근간격을 일정하게 유지하는 이유 3가지를 기술하시오.

(1)
(2)
(3)

해설 철근 간격 유지 목적
(1) 콘크리트의 유동성 확보   (2) 재료분리 방지
(3) 소요의 강도 유지 및 확보   (4) 철근의 부착력 확보

09④ · 16② [3점]

3-2 다음은 건축공사 표준시방서에 따른 철근의 순간격 기준에 관한 내용이다. ( ) 안에 알맞은 숫자를 기술하시오.

> 철근과 철근의 순간격은 굵은 골재 최대치수 (가)배 이상, (나)mm 이상, 이형철근 공칭직경의 (다)배 이상으로 한다.

가.
나.
다.

해설 철근과 철근의 순간격 기준
가. $\dfrac{4}{3}$ 나. 25   다. 1.5

04③ · 07③ · 13② [3점]

3-3 다음 그림과 같은 철근콘크리트 T형보에서 하부의 주근 철근이 1단으로 배근될 때 배근 가능한 개수를 구하시오. (단, 보의 피복두께는 30mm이고, 늑근은 D10-@200이며, 주근은 D16을 이용하고, 사용 콘크리트의 굵은 골재의 최대치수는 20mm이며, 이음정착은 고려하지 않는 것으로 한다.)

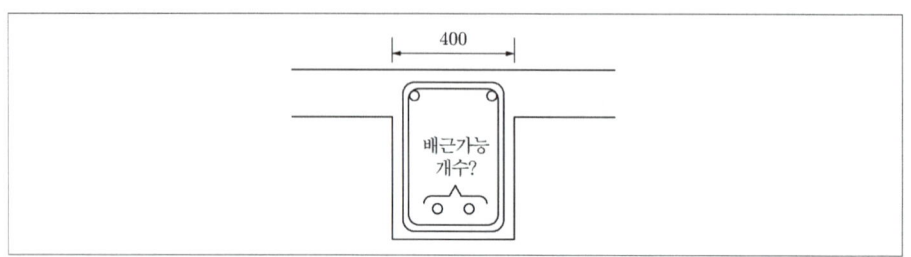

해설 철근의 개수 계산

(1) 철근의 최소간격

① 25mm 이상 ② 1.0D 이상 ③ $\frac{4}{3}$G 이상 중 가장 큰 값

① 25mm 이상
② 1.0×16=16mm
③ $\frac{4}{3}$×20=26.67mm

∴ 철근의 간격 26.67mm

(2) 철근의 개수(n)

① 400-(30×2+10×2)=320
② 320=16×n+(n-1)×26.67

∴ n=8.12 → 8개

99① · 21① [4점]

3-4 다음 용어를 간단히 설명하시오.

(1) 스페이서(Spacer) :
(2) 온도조절 철근 :

해설 용어-철근

(1) 구조 부재에 배근되는 철근 사이의 간격을 벌리기 위하거나, 거푸집에 밀착되는 것을 방지하기 위한 간격재
(2) 콘크리트의 건조수축, 온도변화 등에 의해 발생하는 콘크리트 수축균열을 줄이기 위해 사용되는 철근

00① [3점]

3-5 철근콘크리트 공사에서 철근의 간격재(Spacer)의 종류 3가지를 기술하시오.

(1)
(2)
(3)

해설 철근 간격재 종류
(1) 모르타르 재료의 간격재
(2) 철판을 절곡시킨 간격재
(3) 철근을 조립한 간격재

98⑤ · 99② · 18② [4점]

3-6 일반적인 철근콘크리트 건물의 철근 조립순서를 〈보기〉에서 골라 순서대로 기술하시오.

〈보기〉
① 기둥철근   ② 기초철근
③ 보철근   ④ 바닥철근
⑤ 계단철근   ⑥ 벽철근

조립순서 : (　) → (　) → (　) → (　) → (　) → (　)

해설 철근 조립순서
② → ① → ⑥ → ③ → ④ → ⑤

00② · 05③ [3점]

3-7 철근콘크리트 구조에서 기초철근의 조립순서를 기호로 나열하시오.

(1) 직교 철근 배근   (2) 거푸집 위치 먹줄치기
(3) 대각선 철근 배근   (4) 철근간격 표시
(5) 기둥 주근 설치   (6) 스페이서 설치

조립순서 : (　) → (　) → (　) → (　) → (　) → (　)

해설 기초철근의 조립순서
(2) → (4) → (1) → (3) → (6) → (5)

14② [3점]

3-8 철근공사에서 철근선조립공법의 시공적 측면에서의 장점 4가지를 기술하시오.

(1)
(2)
(3)
(4)

해설 철근선조립공법의 장점
(1) 철근의 피복이 정확하여 시공정밀도가 높다.
(2) 굵은 철근의 사용이 가능하다.
(3) 콘크리트의 연속타설이 가능하여 공기를 단축할 수 있다.
(4) 재료량 및 노무량을 줄일 수 있다.

4 철근의 방청 및 콘크리트 피복두께

99① [5점]

4-1 철근콘크리트 구조물에 균열이 발생하고 철근이 녹스는 원인 5가지를 기술하시오.

(1)
(2)
(3)
(4)
(5)

해설 철근 부식의 원인
(1) 중성화(CO_2, Cl^-)
(2) 염분의 과다사용
(3) 전기로 인한 부식
(4) 건조수축 균열
(5) 얇은 피복두께

98③·99③·01③·03①·05①·06③·09①

4-2 콘크리트 내부의 철근이 부식되기 위해 필요한 3요소는 무엇이며, 이에 대한 대책은 이들 3요소를 억제하거나 콘크리트 중으로의 침투를 막으면 된다. 이를 위한 방법 3가지는 무엇인가?

(1) 강재 피해의 요소
①
②
③

(2) 피해 방지대책
①
②
③

[해설] 철근의 부식 방지책
(1) ① 물 ② 공기 ③ 염분
(2) ① 철근에 아연도금, 에폭시 코팅
② 콘크리트에 방청제 혼입
③ 물시멘트가 작은 콘크리트를 사용
④ 충분한 피복두께
⑤ 염분 허용량(0.3kg/m³ 이하) 준수

98③·99③·01③·03①,②·05①·06③·09①·18④ [4점]

4-3 콘크리트 배합 시 잔골재를 세척 해사로 사용했을 때 콘크리트의 염화물 함량을 측정한 결과 염소이온량이 0.3~0.6kg/m³이었다. 이때 철근콘크리트의 철근부식 방지에 따른 유효한 대책 4가지를 기술하시오.

(1)
(2)
(3)
(4)

[해설] 철근의 부식 방지책
(1) 철근에 아연도금, 에폭시 코팅
(2) 콘크리트에 방청제 혼입
(3) 물시멘트가 작은 콘크리트를 사용
(4) 충분한 피복두께
(5) 염분 허용량(0.3kg/m³ 이하) 준수

98③·99③·01③·03①,②·05①·06③·09①·13① [4점]

4-4 콘크리트 내 철근의 내구성에 영향을 주는 위험인자를 억제할 수 있는 방법 4가지를 기술하시오.

(1)
(2)
(3)
(4)

해설 철근의 부식 방지책
(1) 철근에 아연도금, 에폭시 코팅
(2) 콘크리트에 방청제 혼입
(3) 물시멘트가 작은 콘크리트를 사용
(4) 충분한 피복두께
(5) 염분 허용량(0.3kg/m³ 이하) 준수

10② [4점]

4-5 피복두께의 정의와 유지목적을 기술하시오.

(1) 정의 :
(2) 유지목적
  ①
  ②
  ③
  ④

해설 피복두께
(1) 콘크리트 외면에서부터 첫 번째 나오는 철근의 표면까지의 거리
(2) ① 내구성 확보(중성화 방지)
    ② 내화성 확보
    ③ 시공성 확보
    ④ 콘크리트와 철근의 부착력 증대

02② · 06② · 08① [3점]

4-6 철근콘크리트조 건축물에서 철근에 대한 콘크리트의 피복두께를 유지하여야 하는 주요 이유 3가지를 기술하시오.

(1)
(2)
(3)

해설 피복두께 유지목적
(1) 내구성 확보(중성화 방지)
(2) 내화성 확보
(3) 시공성 확보
(4) 콘크리트와 철근의 부착력 증대

제2절 | 거푸집 공사

1. 거푸집의 구성

(1) 일반사항

① 요구성능(시공상 주의사항)
  ㉠ 안정성 : 외력에 충분히 견딜 수 있는 강성을 확보해야 한다.
  ㉡ 정밀성 : 형상, 치수가 정확하고, 처짐·뒤틀림 등의 변형이 없어야 한다.
  ㉢ 시공성 : 조립, 해체가 용이해야 한다.
  ㉣ 수밀성 : 시멘트풀이 새지 않게 수밀해야 한다.
  ㉤ 경제성 : 소요 자재가 절약되고, 반복 사용이 가능해야 한다.

> 06② · 07②
> 성능 : 거푸집이 갖추어야 할 구비조건 5가지

② 거푸집에서 시멘트 페이스트 누출 시 조치
  시멘트를 사용해 넝마, 천 등으로 누출 부위를 메운 후 판자, 철판 등으로 보강한다.

> 06③
> 시멘트 페이스트 누출 시 조치

(2) 재료

① 구성재료
  ㉠ 널
  ㉡ 띠장, 장선
  ㉢ 멍에
  ㉣ 동바리(지주) : 멍에 등의 하중을 지반 또는 바닥판에 전달하는 받침 기둥

> 22①
> 용어 : 동바리

  ㉤ 잭 서포트(Jack Support) : 건축물 상판 구조물에 작용하는 과다한 하중이나 진동으로 인한 균열 또는 붕괴를 방지하기 위해 보나 슬래브 밑에 수직으로 설치해 하중을 지지하는 동바리

> 15④ · 22①
> 용어 : 잭 서포트

② 부속재료
　㉠ 격리재(Separator, 세퍼레이터) : 벽거푸집이 오므라지는 것을 방지하고 간격을 일정하게 유지하여 격리와 긴장재 역할을 하는 것을 말한다.

> 01③ · 07① · 09④ · 11② · 13① · 17④ · 18④

용어 : 세퍼레이터

　㉡ 긴장재(Form tie) : 콘크리트를 부어넣을 때 거푸집의 간격을 유지하며 벌어지는 것을 막는 것으로 철재 널에서는 플랫 타이(Flat tie)를 사용한다.

> 09④ · 11② · 13① · 17④ · 18④ · 산23③

용어 : 폼타이

　㉢ 간격재(Spacer, 스페이서) : 슬래브에 배근되는 철근이 거푸집에 밀착하는 것을 방지하기 위해 또는 철근의 피복두께를 유지하기 위해 벽이나 바닥 철근에 대어주는 것으로 다음과 같은 종류가 있다.
　　ⓐ 철판재
　　ⓑ 철근재
　　ⓒ 파이프재(PVC재)

> 09④ · 11② · 13① · 17④ · 18④ · 산23③

용어 : 스페이서

> 00①

종류 : 철근의 간격재 종류 3가지

> 13②

용도 : 스페이서

　㉣ 박리제(Form Oil) : 중유, 파라핀, 합성수지 등을 사용하여 거푸집의 탈형과 청소를 용이하게 만들기 위해 합판 거푸집 표면에 미리 바르는 것을 말한다.

> 01③ · 07① · 11② · 17④ · 산23③

용어 : 박리제

　㉤ 인서트(Insert) : 콘크리트에 달대와 같은 설치물을 고정하기 위하여 매입하는 철물이다.

> 09④ · 13① · 18④

용어 : 인서트

ⓗ 와이어 클리퍼(Wire Clipper) : 콘크리트가 경화한 후 거푸집 긴장철선을 절단하는 절단기이다.

09④ · 13①
용어 : 와이어 클리퍼

ⓢ 컬럼밴드(Column Band) : 기둥 거푸집의 고정 및 측압 버팀용으로 사용되는 것으로 주로 합판 거푸집에서 사용된다.

11② · 17④
용어 : 컬럼밴브

---

(3) 합판 거푸집과 비교한 알루미늄 거푸집의 특징
① 골조 품질 : 골조의 수직, 수평의 정밀도가 우수하며 면처리(견출) 작업이 감소함
② 해체 : 거푸집 해체 시 소음이 저감되며, 해체작업의 안정성이 향상됨

21①
특징 : 알루미늄 거푸집

---

2. 거푸집 설계

(1) 거푸집 설계 시 고려사항
① 개요
  ㉠ 연직하중, 수평하중, 콘크리트 측압 등에 대해 고려한다.
  ㉡ 강도뿐만 아니라 변형에 대해서도 고려한다.
② 부재별 고려하중
  ㉠ 보, 슬래브 밑면 : 생콘크리트 중량, 작업하중, 충격하중
  ㉡ 벽, 기둥, 보 옆 : 생콘크리트 중량, 생콘크리트 측압

03①
종류 : 거푸집 설계 시 고려하중

(2) 측압
　① 콘크리트 헤드(Concrete Head)
　　수직거푸집에서 타설된 **콘크리트 윗면으로부터 최대측압이 발생하는 면까지의 수직거리**

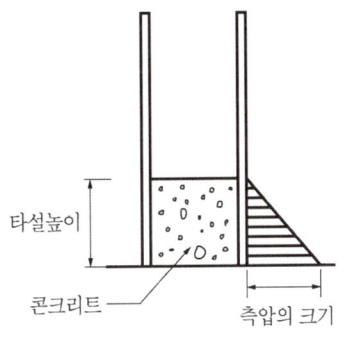

| 콘크리트 타설 시작 | 하부는 콘크리트가 경화 시작 |

> 01③ · 07④ · 09① · 11④ · 15① · 16① · 23②
> 용어 : 콘크리트 헤드

　② 측압에 영향을 주는 요소
　　㉠ 콘크리트 반죽의 슬럼프
　　㉡ 콘크리트 타설 속도
　　㉢ 콘크리트 타설 높이
　　㉣ 시멘트량
　　㉤ 사용 철근량
　　㉥ 진동기의 사용 여부

> 98⑤ · 06① · 07① · 10① · 12② · 15④ · 17④ · 산21③
> 종류 : 측압에 영향을 주는 요소

　③ 증가요인
　　㉠ 사용철근·철골량이 적을수록
　　㉡ 온도가 낮을수록 습도가 높을수록
　　㉢ 분말도가 작을수록
　　㉣ 거푸집 강성이 클수록
　　㉤ 슬럼프가 크고 배합이 부배합일수록(컨시스턴시가 클수록)
　　㉥ 벽두께가 두꺼울수록
　　㉦ 부어 넣기 속도가 빠를수록
　　㉧ 시공연도가 좋을수록
　　㉨ 다지기가 충분할수록(진동기 사용 시 30% 증가)

Chapter 05 · 철근콘크리트공사　199

ㅊ 투수성이 작을수록
ㅋ 부재의 크기가 클수록

> 📱 98⑤ · 06① · 07① · 10① · 산21① · 산23②
> 종류 : 측압의 증가 원인

3. 거푸집 시공 및 조립

(1) 구조부위별 조립순서

기초 → 기둥 → 내력벽 → 계단 → 큰 보 → 작은 보 → 바닥 → 외벽

> 📱 05③
> 순서 : 일반 거푸집 조립(구조부위별)

(2) RC조 1개층의 조립순서
① 기초 및 기초보 옆 거푸집
② 기초판, 기초보 철근배근
③ 기둥 철근 기초에 정착
④ 기초판 및 기초보 콘크리트 타설
⑤ 기둥 철근 배근
⑥ 벽 내부 거푸집 및 기둥 거푸집
⑦ 벽 철근 배근
⑧ 보 및 바닥판 거푸집
⑨ 보 및 바닥판 철근 배근
⑩ 벽외부 거푸집
⑪ 콘크리트 타설(기둥+벽+보+슬래브)

> 📱 04③
> 순서 : RC조 1개층 시공

4. 거푸집 존치기간

(1) 수직재

기초, 보 옆, 기둥 및 벽 거푸집 널
① 콘크리트 압축강도 5MPa 이상일 때
② 평균기온 10℃ 이상일 때는 아래 표와 같다(2021년 2월 개정)

시멘트의 종류 평균기온	조강 포틀랜드 시멘트	보통 포틀랜드 시멘트 고로슬래그시멘트 특급 포틀랜드포졸란시멘트 A종 플라이애시시멘트 A종	고로슬래그시멘트 1급 포틀랜드포졸란시멘트 B종 플라이애시시멘트 B종
20℃ 이상	2	4	5
20℃ 미만 10℃ 이상	3	6	8

(2) 수평재(바닥판 밑, 지붕판 밑, 보 밑 거푸집 널 및 받침기둥)
   ① 설계기준강도의 2/3 이상 콘크리트 압축강도가 얻어질 때
   ② 또한 최소 콘크리트 압축강도 14MPa 이상

> 98④·04①·07②·09①·09②·12②·15①·17①·18①·19①·산21②·산21③·산22①·23②
> 수치 : 거푸집 존치기간

(3) 영향을 미치는 요인
   ① 부재의 종류, 위치
   ② 콘크리트의 강도
   ③ 시멘트의 종류
   ④ 평균온도(기온)

> 98④·04①·07②·09①,②
> 종류 : 존치기간 영향요소

5. 거푸집 종류
(1) 특수거푸집 종류

벽체 전용	바닥전용	벽체·바닥전용
① 갱(Gang) 폼 ② 클라이밍(Climbing) 폼 ③ 대형 패널폼 ④ 셔터링 폼	플라잉 폼/테이블 폼	터널 폼
이동거푸집	**무지주 공법**	**바닥판식**
① 슬라이딩/슬립 폼 ② 트레블링 폼	① 보우 빔 ② 페코 빔	① 데크플레이트 ② 하프슬래브 ③ 워플 폼

> 10②·산21③·산22③·23④
> 종류 : 벽체 전용 거푸집의 종류

(2) 벽체 전용 거푸집

시공이 빠르고 이음이 없는 수밀한 콘크리트 구조물을 완성할 수 있는 벽체 전용 System 거푸집

① 갱(Gang) 폼
   ㉠ 정의
      ⓐ 거푸집을 사용할 때마다 작은 부재의 조립, 분해를 반복하지 않고 대형화, 단순화하여 한 번에 설치하고 해체하는 거푸집 시스템이다.
      ⓑ 주로 벽체 전용 거푸집으로 사용한다.

   99④ · 01③ · 07①
   용어 : 갱폼

   ㉡ 특성

장점	단점
① 조립과 해체가 불필요하여 비용 절감 ② 가설비, 노무비의 절약 ③ 이음새가 발생하지 않아 마감에 유리	① 대형 양중장비 필요 ② 초기 투자비 과다

   00④ · 01③ · 03② · 09① · 10② · 11④ · 13① · 15① · 19② · 산22② · 산23①
   특징 : 갱폼

② 클라이밍(Climbing) 폼
   ㉠ 정의
      ⓐ 벽체용 거푸집으로서 거푸집과 벽체 마감공사를 위한 비계틀을 일체로 조립하여 한꺼번에 인양시켜 실시하는 공법이다.
      ⓑ 수직적으로 반복되거나 높이가 높은 건축물 또는 구조물에 적용된다.
   ㉡ 특성
      ⓐ 비계설치 불필요
      ⓑ 콘크리트면의 품질 양호
      ⓒ 인력절감 및 시공속도 빠름
      ⓓ 초기 투자비 증대

   02① · 05②
   특징 : 클라이밍 폼 장점 3가지

(3) 바닥전용 거푸집
　① 플라잉(Flying) 폼 또는 테이블(Table) 폼
　　㉠ 정의
　　　ⓐ 거푸집판, 장선, 멍에, 서포트 등을 일체로 제작하여 수평/수직 이동이 가능한 바닥용 거푸집 공법이다.
　　　ⓑ 반복 모듈을 가진 수직재 및 수평재에 적용된다.

99④·05③·19④
용어 : 플라잉 폼/테이블 폼

　　㉡ 특성
　　　ⓐ 조립분해 과정의 생략(설치기간 단축)
　　　ⓑ 거푸집의 처짐량이 적고 외력에 대한 안정성이 높음
　　　ⓒ 재료의 전용률이 큼
　　　ⓓ 넓은 구획의 수평이동이 용이함
　　　ⓔ 초기 투자비 증대

02①·04④·05②
특징 : 플라잉 폼/테이블 폼

---

(4) 벽과 바닥전용 거푸집
　① 터널(Tunnel) 폼
　　㉠ 정의
　　　ⓐ 대형 형틀로 벽과 바닥의 콘크리트 타설을 일체화하기 위한 ㄱ자 또는 ㄷ자형의 기성재 거푸집으로 한 번에 설치·해체할 수 있도록 한 거푸집
　　　ⓑ 1개 실내의 거푸집이 일체로 제작한 것을 트윈 셸(Twin Shell), 2개 이상의 소각으로 세작한 것을 모노셸(Mono Shell)이라고 한다.
　　㉡ 특성
　　　ⓐ 병원, 호텔과 같이 같은 크기가 반복되는 구조에 적용
　　　ⓑ 거푸집 일체성
　　　ⓒ 조립해체 공정감소와 공사비 절감
　　　ⓓ 인양 장비 필요

01②·04①·08②·10①·11①·12④·14④·16②·18②
용어 : 터널 폼

(5) 이동 거푸집
  ① 슬라이딩(Sliding) 폼
    ⊙ 정의
      ⓐ 유닛 거푸집을 설치하여 요크(York)로 거푸집을 끌어올리면서 연속해서 콘크리트를 타설 가능한 수직활동 거푸집
      ⓑ 원형 철판거푸집을 요크(Yoke)로 서서히 끌어올리는 공법으로 사일로(Silo), 굴뚝 등 단면형상의 변화가 없는 구조물에 사용한다.
    ⊙ 특성
      ⓐ 조립·해체가 없어 공기 1/3 단축
      ⓑ 연속성 확보
      ⓒ 내외비계 발판이 필요 없음

  ┌─────────────────────────────────────
  │ 09①,③ · 14④ · 16② · 18① · 22② · 22④
  ├─────────────────────────────────────
  │ 용어 : 슬라이딩 폼
  └─────────────────────────────────────

  ② 슬립 폼
    ⊙ 정의
      ⓐ 연속으로 콘크리트를 타설하기 위한 수직활동 거푸집
      ⓑ 급수탑, 전망탑 등 단면의 형상이 변화하는 구조물의 시공에 사용한다.

  ┌─────────────────────────────────────
  │ 15② · 18④
  ├─────────────────────────────────────
  │ 용어 : 슬립 폼
  └─────────────────────────────────────

  ③ 트래블링(Traveling) 폼
    ⊙ 정의
      ⓐ 한 구간의 콘크리트를 타설한 후 거푸집을 낮추고 다음에 콘크리트를 타설하는 구간까지 구조물을 따라 거푸집을 이동시키는 거푸집 공법이다.
      ⓑ 수평 이동이 가능한 system 거푸집 공법
    ⊙ 특성
      ⓐ 최대한의 거푸집 전용 가능
      ⓑ 시공정밀도의 향상
      ⓒ 공기단축 가능 및 공사비 절감

  ┌─────────────────────────────────────
  │ 15② · 18①,④ · 22④
  ├─────────────────────────────────────
  │ 용어 : 트래블링 폼
  └─────────────────────────────────────

  ┌─────────────────────────────────────
  │ 99④ · 10②
  ├─────────────────────────────────────
  │ 용어 : 이동거푸집
  └─────────────────────────────────────

(6) 무지주 공법
　① 정의
　　거푸집 공사 시 층고가 높거나 경량 건축물일 때 상판 거푸집을 지지하는 받침기둥 없이 보를 걸어서 거푸집을 지지하는 방식
　② 종류
　　㉠ 보우 빔(Bow Beam) : 수평조절 불가능
　　㉡ 페코 빔(Pecco Beam) : 길이조절 가능(신축 가능)

> 01①
> 종류 : 무지주 공법의 종류

> 04① · 08② · 11① · 12④
> 용어 : 페코 빔

(7) 바닥판식
　① 워플(Waffle) 폼
　　㉠ 정의 : 무량판 구조에서 2방향 장선 바닥판구조가 가능하도록 된 특수상자 모양의 기성재 거푸집
　　㉡ 특성
　　　ⓐ 거푸집 조립에 소요되는 시간 단축
　　　ⓑ 초기 투자비 증대

> 01③ · 04① · 06① · 07① · 08② · 11① · 12④ · 14④ · 18① · 22② · 22④
> 용어 : 워플 폼

> **Tip 무량판 구조**
> RC조 구조방식에서 보를 사용치 않고 바닥슬래브를 직접 기둥에 지지시키는 구조방식

> 01②
> 용어 : 무량판구조

　② 데크 플레이트(Deck Plate)
　　㉠ 정의 : 아연도 철판을 절곡 제작하여 거푸집으로 사용하여 콘크리트 타설 후 사용 철판을 바닥하부 마감재로 사용하는 공법이다.
　　㉡ 특성
　　　ⓐ 바닥판과 보의 일체성 증대
　　　ⓑ 작업 시 안전성 강화 및 동바리 수량 감소로 원가절감이 가능
　　　ⓒ 비계설치 필요

> 13② · 18① · 22④
>
> 용어 : 데크 플레이트(Deck Plate)

  ⓒ 종류
    ⓐ 구조데크플레이트 : 하중에 무관하고 거푸집 대용으로 사용하거나 콘크리트와 일체가 되게 사용하는 것
    ⓑ 합성데크플레이트 : 압축응력을 콘크리트가 부담하고 인장응력은 철근 대신 여러 가지 형상으로 만들어진 데크 플레이트가 부담하는 것
    ⓒ 복합데크플레이트 : 거푸집 대용 플레이트와 슬라브 철근 주근을 공장에서 조립하고 현장에서 배력근만 설치하고 콘크리트를 타설하는 것

> 산23③
>
> 종류 : 데크 플레이트(Deck Plate)

③ V.H(Vertical Horizontal) 분리 타설
  ㉠ 정의 : 수직부재(벽, 기둥)의 콘크리트를 먼저 타설하고 수평부재(보, 슬래브)의 콘크리트를 분리하여 나중에 타설하는 공법
  ㉡ 특성
    ⓐ 공기단축
    ⓑ 인건비 절감
    ⓒ Slab 거푸집 불필요
    ⓓ 공인된 구조설계기준 미흡

> 05② · 11②
>
> 용어 : V.H 분리 타설

단원별 경향문제

1 거푸집의 구성과 설계

06② · 07② [5점]

1-1 콘크리트 공사 중 거푸집 짜기 시공상 주의사항에 대하여 5가지를 기술하시오.

(1)
(2)
(3)
(4)
(5)

해설 거푸집 짜기의 요구성능과 시공상 주의사항
(1) 안정성 : 외력에 충분히 견딜 수 있는 **강성을 확보**해야 한다.
(2) 정밀성 : **형상, 치수가 정확**하고, 처짐·뒤틀림 등의 변형이 없어야 한다.
(3) 시공성 : **조립, 해체가 용이**해야 한다.
(4) 수밀성 : 시멘트풀이 새지 않게 **수밀**해야 한다.
(5) 경제성 : 소요 자재가 절약되고, **반복 사용이 가능**해야 한다.

06③ [2점]

1-2 거푸집에서 시멘트 페이스트의 누출을 발견하였을 때 현장에서 취할 수 있는 조치를 기술하시오.

해설 시멘트 페이스트 누출 시 조치
시멘트를 사용해 넝마, 천 등으로 **누출 부위를 메운** 후 판자, 철판 등으로 보강한다.

15④ [4점]

1-3 잭 서포트(Jack Support)의 정의에 대하여 기술하시오.

해설 잭 서포트(Jack Support)
건축물 상판 구조물에 작용하는 과다한 하중이나 진동으로 인한 균열 또는 붕괴를 방지하기 위해 **보나 슬래브 밑에 수직으로 설치**해 하중을 지지하는 동바리

1-4 다음은 거푸집공사에 관계되는 용어설명이다. 알맞은 용어를 쓰시오.

(1) 슬래브에 배근되는 철근이 거푸집에 밀착하는 것을 방지하기 위한 간격재
    (   )
(2) 벽거푸집이 오므라지는 것을 방지하고 간격을 유지하기 위한 격리재
    (   )
(3) 거푸집 긴장철선을 콘크리트 경화 후 절단하는 절단기
    (   )
(4) 콘크리트에 달대와 같은 설치물을 고정하기 위하여 매입하는 철물
    (   )
(5) 거푸집의 간격을 유지하며 벌어지는 것을 막는 긴장재
    (   )

해설 용어
(1) 스페이서(Spacer, 간격재)
(2) 세퍼레이터(Separator, 격리재)
(3) 와이어 클리퍼(Wire clipper)
(4) 인서트(Insert)
(5) 폼타이(Form tie, 긴장재)

1-5 다음 설명이 의미하는 거푸집 관련 용어를 쓰시오.

(1) 철근의 피복두께를 유지하기 위해 벽이나 바닥 철근에 대어주는 것
    (   )
(2) 벽 거푸집 간격을 일정하게 유지하여 격리와 긴장재 역할을 하는 것
    (   )
(3) 기둥 거푸집의 고정 및 측압 버팀용으로 주로 합판 거푸집에서 사용되는 것
    (   )
(4) 거푸집의 탈형과 청소를 용이하게 만들기 위해 합판 거푸집 표면에 미리 바르는 것
    (   )

해설 용어
(1) 스페이서(Spacer, 간격재)
(2) 세퍼레이터(Separator, 격리재)
(3) 컬럼밴드(Column Band)
(4) 박리제(Form Oil)

1-6 다음 설명하는 내용을 아래의 〈보기〉에서 골라 쓰시오.

〈보기〉
① 박리제 ② 격리재
③ Gang Form ④ Pecco Beam
⑤ 콘크리트 헤드

(1) 사용할 때마다 작은 부재의 조립, 분해를 반복하지 않고 대형화·단순화하여 한 번에 설치하고 해체하는 거푸집 시스템 (　)
(2) 거푸집을 쉽게 떼어낼 수 있도록 거푸집 면에 칠하는 약제 (　)
(3) 거푸집 간격을 유지하기 위해 사용하는 것 (　)
(4) 타설된 콘크리트 윗면으로부터 최대 측압 면까지의 거리 (　)
(5) 신축이 가능한 무지주 공법 (　)

해설 용어
(1) ③
(2) ①
(3) ②
(4) ⑤
(5) ④

1-7 다음의 거푸집을 계산할 때 고려하여야 할 것을 〈보기〉에서 모두 골라 번호를 쓰시오.

〈보기〉
① 적재하중 ② 생콘크리트 중량
③ 작업하중 ④ 안전하중
⑤ 충격하중 ⑥ 생콘크리트 측압력
⑦ 고정하중

(1) 보, 슬래브 밑면 :
(2) 벽, 기둥, 보 옆 :

해설 거푸집 고려하중
(1) ②, ③, ⑤
(2) ②, ⑥

01③ · 07③ · 09① · 11④ · 15① · 16① [3점]

1-8 콘크리트 헤드(Concrete Head)에 대해 설명하시오.

해설 콘크리트 헤드
수직거푸집에서 타설된 콘크리트 윗면으로부터 최대측압이 발생하는 면까지의 수직거리

98⑤ · 06① · 07① · 10① · 12② · 15④ · 17④ · 산21① [4점]

1-9 거푸집 측압에 영향을 주는 요소를 4가지 적으시오.

(1)
(2)
(3)
(4)

해설 거푸집 측압에 영향을 주는 요소
(1) 콘크리트 반죽의 슬럼프   (2) 콘크리트 타설 속도
(3) 콘크리트 타설 높이   (4) 시멘트량
(5) 사용 철근량   (6) 진동기의 사용 여부

98⑤ · 06① · 07① · 10① [4점]

1-10 다음 (   ) 안에 알맞은 말을 〈보기〉에서 골라 번호를 쓰시오.

〈보기〉
① 높을   ② 낮음   ③ 빠를   ④ 늦을   ⑤ 두꺼울
⑥ 얇을   ⑦ 클   ⑧ 작을

생콘크리트의 측압은 슬럼프가 (가)수록, 벽두께가 (나)수록, 부어 넣기 속도가 (다)수록 대기습도가 (라)수록 크다.

(가)
(나)
(다)
(라)

해설 콘크리트 측압
(가) ⑦
(나) ⑤
(다) ③
(라) ①

1-11
알루미늄 거푸집을 합판 거푸집과 비교하여 골조 품질과 거푸집 해체 시 소음 발생에 대해 비교하여 설명하시오.

(1) 골조 품질
(2) 해체

[해설]
(1) 골조 품질 : 골조의 수직, 수평의 정밀도가 우수하며 면처리(견출) 작업이 감소함
(2) 해체 : 거푸집 해체 시 소음이 저감되며, 해체작업의 안정성이 향상됨

2 거푸집의 시공과 존치기간

2-1
철근콘크리트 공사에서 형틀(거푸집) 가공조립은 정밀하고 견고하게 완성되어야 설계도 형상에 의하여 콘크리트 구조체를 형성할 수 있다. 〈보기〉의 구조부위별 형틀(거푸집)조립작업 순서를 맞게 그 기호순으로 나열하시오.

〈보기〉
| 가. 보받이 내력벽 | 나. 외벽 | 다. 기둥 |
| 라. 큰 보 | 마. 바닥 | 바. 작은 보 |

( ) → ( ) → ( ) → ( ) → ( ) → ( )

[해설] 거푸집 설치 순서
다 → 가 → 라 → 바 → 마 → 나

2-2
RC조 지상 1층 건축물의 골조공사에 관한 사항이다. 시공순서를 〈보기〉에서 골라 그 기호를 쓰시오.

〈보기〉
가. 기둥 철근 기초에 정착
나. 보 및 바닥판 철근 배근
다. 기둥 철근 배근
라. 벽 내부 거푸집 및 기둥 거푸집 설치
마. 콘크리트 치기
바. 벽 철근 배근
사. 기초판, 기초보 철근 배근
아. 보 및 바닥판 거푸집 설치
자. 기초판 및 기초보 콘크리트 치기
차. 기초 및 기초보 옆 거푸집 설치
카. 벽외부 거푸집 설치

( ) → ( ) → ( ) → ( ) → ( ) → ( ) → ( ) → ( ) → ( ) → ( ) → ( )

[해설] 차 → 사 → 가 → 자 → 다 → 라 → 바 → 아 → 나 → 카 → 마

2-3 거푸집 존치기간에 대한 설명 중 ( ) 안에 알맞은 말을 쓰시오.

98④ · 04① · 07② · 09①,② · 12②

> 기초, 보옆, 기둥 및 벽의 거푸집널 존치기간은 콘크리트의 압축강도가 (가)N/mm² 이상에 도달한 것이 확인될 때까지이고, 받침기둥의 존치기간은 슬래브 밑 및 보 밑 모두 설계기준강도의 (나)이상의 콘크리트 압축강도가 얻어진 것이 확인될 때까지이며, 계산결과에 관계없이 받침기둥 해체 시의 콘크리트의 압축강도는 (다)N/mm² 이상이어야 한다.

가.
나.
다.

해설 거푸집 존치기간
가. 5
나. 2/3
다. 14

2-4 다음 ( ) 안에 적합한 숫자를 쓰시오.

98④ · 04① · 07② · 09①,② · 15①

> 기초, 보 옆, 기둥 및 벽의 거푸집 널의 존치기간은 콘크리트의 압축강도가 최소 (가)MPa 이상에 도달한 것이 확인될 때까지로 한다. 다만, 거푸집널 존치기간 중의 평균기온이 20℃ 미만 10℃ 이상인 경우에 보통 포틀랜드시멘트를 사용한 콘크리트는 그 재령이 최소 (나)일 이상 경과하면 압축강도 시험을 하지 않고도 거푸집을 떼어낼 수 있다.

가.
나.

해설 거푸집공사
가. 5
나. 6

2-5

건축공사표준시방서에 거푸집널 존치기간 중 평균기온이 10℃ 이상인 경우에 콘크리트의 압축강도 시험을 하지 않고 거푸집을 떼어낼 수 있는 콘크리트의 재령(일)을 나타낸 표이다. 빈칸에 알맞은 숫자를 표기하시오.

평균기온 \ 시멘트의 종류	조강 포틀랜드 시멘트	보통포틀랜드 시멘트 고로슬래그 시멘트 특급	고로슬래그 시멘트 1급 포졸란 시멘트 B급
20℃ 이상	①	③	5일
20℃ 미만 10℃ 이상	②	6	④

[해설] 콘크리트별 재령일

평균기온 \ 시멘트의 종류	조강 포틀랜드 시멘트	보통포틀랜드 시멘트 고로슬래그 시멘트 특급	고로슬래그 시멘트 1급 포졸란 시멘트 B급
20℃ 이상	2	4	5
20℃ 미만 10℃ 이상	3	6	8

2-6

콘크리트의 압축강도를 시험하지 않을 경우 수직거푸집의 존치기간을 쓰시오. (재령에 의한 경우)

[해설] 수직거푸집의 존치기간
(1) 설계기준강도의 2/3 이상
(2) 또한 최소 콘크리트 압축강도 14MPa 이상

2-7

거푸집 존치기간에 영향을 미치는 것을 4가지 쓰시오.

(1)
(2)
(3)
(4)

[해설] 거푸집 존치기간에 영향을 미치는 요인
(1) 부재의 종류, 위치 (2) 콘크리트의 강도
(3) 시멘트의 종류 (4) 평균온도(기온)

3 거푸집의 종류별 특징

10②[4점]

3-1 시공이 빠르고 이음이 없는 수밀한 콘크리트 구조물을 완성할 수 있는 벽체 전용 System 거푸집의 종류를 4가지 쓰시오.

(1)
(2)
(3)
(4)

해설 벽체 전용 거푸집
(1) 갱폼(Gang Form)
(2) 클라이밍폼(Climbing Form)
(3) 대형 패널폼
(4) 셔터링폼

00④・01③・03②・09①・10②・11④・13①・15①・19② [4점]

3-2 갱폼의 장단점을 2가지씩 기술하시오.

(1) 장점
①
②
(2) 단점
①
②

해설 갱폼의 장단점
(1) 장점
① 조립과 해체가 불필요하여 **비용 절감**
② 가설설비가 불필요하므로 가설비, 노무비의 절약
③ 이음새가 발생하지 않아 마감에 유리
(2) 단점
① 대형 양중장비 필요
② 초기 투자비 과다

99④·05③·19④ [2점]

3-3
사용할 때마다 작은 부재의 조립, 분해를 반복하지 않고 대형화·단순화하여 한 번에 설치하고 해체하는 거푸집을 총칭하여 시스템거푸집이라고 한다. 이 시스템거푸집 중 거푸집판, 멍에, 서포트 등을 일체로 제작하여 수평, 수직방향으로 이동하는 바닥 전용 거푸집을 무엇이라고 부르는가?

해설 용어
플라잉 폼(Flying Form) 혹은 테이블 폼(Table Form)

02①·04④·05② [3점]

3-4
시스템 거푸집 중에서 플라잉 폼(Flying Form)의 장점을 3가지 쓰시오.

(1)
(2)
(3)

해설 플라잉 폼의 장점
(1) 조립분해 과정의 생략(설치기간 단축)
(2) 거푸집의 처짐량이 적고 외력에 대한 안정성이 높음
(3) 재료의 **전용률**이 큼
(4) 넓은 구획의 수평이동이 용이함

01②·04①·08②·10①·11①·12④·14④·16②·18② [3점]

3-5
대형 System 거푸집 중 터널 폼(Tunnel Form)을 설명하시오.

해설 터널 폼
대형 형틀로 **벽과 바닥의 콘크리트 타설을 일체화**하기 위한 ㄱ자 또는 ㄷ자 형의 기성재 거푸집으로 한 번에 설치·해체할 수 있도록 한 거푸집

3-6 거푸집의 종류 중 슬라이딩 폼에 관하여 간략히 설명하시오.

해설 슬라이딩 폼(Sliding Form)
슬라이딩 폼 : 유닛 거푸집을 설치하여 요크(York)로 거푸집을 끌어올리면서 연속해서 콘크리트를 타설 가능한 수직활동 거푸집. Silo, 굴뚝 등 단면형상의 변화가 없는 구조물에 사용

3-7 다음에 설명된 공법의 명칭을 쓰시오.

(1) 사용할 때마다 창문 부재의 조립, 분해를 반복하지 않고 대형화·단순화하여 한 번에 설치하고 해체하는 거푸집 시스템 (　　　　　　　)
(2) 벽체용 거푸집으로 거푸집과 벽체 마감공사를 위한 비계틀을 일체로 조립하여 한꺼번에 인양시켜 실시하는 공법 (　　　　　　　)
(3) 바닥에 콘크리트를 타설하기 위한 거푸집으로서 거푸집판, 장선, 멍에, 서포트 등을 일체로 제작하여 부재화한 거푸집공법 (　　　　　　　)
(4) 수평적 또는 수직적으로 반복된 구조물을 시공이음이 없이 균일한 형상으로 시공하기 위하여 거푸집을 연속적으로 이동시키면서 콘크리트를 타설하여 구조물을 시공하는 거푸집공법 (　　　　　　　)

해설 거푸집의 종류
(1) 갱폼
(2) 클라이밍 폼
(3) 테이블 폼
(4) 이동 거푸집

3-8 다음 거푸집을 간단히 설명하시오.

(1) 슬립폼 :
(2) 트래블링폼 :

해설 용어 설명
(1) 슬립폼 : 연속으로 콘크리트를 타설하기 위한 수직 거푸집 공법으로 **급수탑, 전망탑** 등 단면의 형상이 변화하는 구조물의 시공에 사용
(2) 트래블링폼 : 수평 이동이 가능한 system 거푸집 공법

01① [4점]

3-9
무지주 공법의 수평지지보에 대하여 간단히 기술하고, 수평지지보의 종류를 2가지 쓰시오.

(1) 수평지지보 :
(2) 종류 ①
         ②

해설 무지주 공법
(1) 수평지지보 : 받침기둥 없이 보를 걸어서 거푸집을 지지하는 방식
(2) 종류 ① 보우 빔(Bow beam) : 수평조절 불가능
        ② 페코 빔(Pecco beam) : 길이조절 가능

04① · 08② · 11① · 12④ [3점]

3-10
다음 설명이 의미하는 용어를 기술하시오.

(1) 신축이 가능한 무지주공법의 수평지지보
(2) 무량판 구조에서 2방향 장선 바닥판구조가 가능하도록 된 특수상자 모양의 기성재 거푸집
(3) 한 구획 전체의 벽판과 바닥판을 ㄱ자형 또는 ㄷ자형으로 짜는 거푸집

(1)
(2)
(3)

해설 용어
(1) 페코 빔(Pecco Beam)
(2) 워플 폼(Wattle Form)
(3) 터널 폼(Tunnel Form)

18① [4점]

3-11 다음에 설명된 공법의 명칭을 쓰시오.

(1) 무량판 구조에서 2방향 장선 바닥판 구조가 가능하도록 된 특수상자 모양의 기성재 거푸집
(2) 시스템거푸집으로 한 구간 콘크리트 타설 후 다음 구간으로 수평 이동이 가능한 거푸집 공법
(3) 유닛 거푸집을 설치하여 요크로 거푸집을 끌어 올리면서 연속해서 콘크리트를 타설 가능한 수직활동 거푸집
(4) 아연도 철판을 절곡 제작하여 거푸집으로 사용하여 콘크리트 타설 후 사용철판을 바닥하부 마감재로 사용하는 공법

(1)
(2)
(3)
(4)

해설 거푸집 종류
(1) 워플 폼
(2) 트래블링 폼
(3) 슬라이딩 폼
(4) 데크 플레이트

01② [3점]

3-12 다음 설명에 해당하는 용어를 쓰시오.

(1) RC조 구조방식에서 보를 사용치 않고 바닥슬래브를 직접 기둥에 지지시키는 구조방식을 무엇이라고 하는가? (   )
(2) 대형 형틀로서 슬래브와 벽체의 콘크리트 타설을 일체화하기 위한 것으로 Twin Shell Form과 Mono Shell Form으로 구성되는 형틀은? (   )
(3) 콘크리트 표면에서 제일 외측에 가까운 철근의 표면까지의 치수를 말하며 RC조의 내화성·내구성을 결정하는 중요한 요소는? (   )

해설 용어 정리
(1) 무량판구조
(2) 터널 폼(Tunnel form)
(3) 피복두께

3-13 다음 설명에 해당하는 용어를 쓰시오.

① 바닥(Slab) 콘크리트 타설을 위한 슬래브 하부 거푸집판이다.
② 아연도 철판을 절곡하여 제작하며 별도의 해체작업이 필요 없다.
③ 작업 시 안전성 강화 및 동바리 수량 감소로 원가절감이 가능하다.

해설 데크 플레이트

3-14 콘크리트 구조체 공사의 VH(Vertical Horizontal) 타설공법에 관하여 기술하시오.

해설 VH(Vertical Horizontal) 분리 타설
수직부재(벽, 기둥)의 콘크리트를 먼저 타설하고 수평부재(보, 슬래브)의 콘크리트를 분리하여 나중에 타설하는 공법

제 3 절 | 콘크리트 공사-재료

1. 재료

(1) 시멘트

① 시멘트의 종류

포틀랜드 시멘트	혼합시멘트	특수시멘트
① 보통 포틀랜드 ② 중용열 포틀랜드 ③ 조강 포틀랜드 ④ 저열 포틀랜드 ⑤ 내황산염 포틀랜드	① 고로슬래그 ② 플라이애시 ③ 포졸란(실리카)	① 알루미나 시멘트 ② 팽창 시멘트 ③ 초조강 시멘트

> 08① · 10④ · 14④ · 17② · 22④ · 산23①
> 종류 : 포틀랜드 시멘트 종류 5가지

> 03③
> 종류 : 혼합시멘트 종류 3가지

② 시멘트의 성분(주요화합물)
  ㉠ 3CaO·SiO₂(규산 삼석회 : C₃S)
    ⓐ 조기강도에 관여한다.
    ⓑ 조기강도가 크고 장기강도는 낮다.
  ㉡ 2CaO·SiO₂(규산 이석회 : C₂S)
    ⓐ 장기강도에 관여한다.
    ⓑ 장기강도가 크고 조기강도는 낮다.
  ㉢ 3CaO·Al₂O₃(알루민산 삼석회 : C₃A)
    헛응결에 관여하며 가장 안 좋은 성분이다.
  ㉣ 4CaO·Al₂O₃·Fe₂O₃(알루민산철 사석회 : C₄AF)

> 12① · 16④
> 종류 : 시멘트 화합물(성분)

③ 시멘트의 종류별 특성

> 11①
> 종류 : 시멘트의 종류 및 특징연결

  ㉠ 중용열 시멘트
    ⓐ 내식성이 좋으며 발열량 및 수축률이 작다.
    ⓑ 대단면 구조재, 방사선 차단물에 사용한다.

ⓛ 조강 시멘트
  ⓐ 조기강도가 크고, 수화 발열량이 많다.
  ⓑ 저온에서 강도의 저하율이 낮다.
  ⓒ 긴급공사나 한중 콘크리트 공사에 사용한다.
ⓒ 고로슬래그 시멘트
  ⓐ 비중이 낮다(약 2.9).
  ⓑ 응결시간이 길며 단기강도가 부족하다.
  ⓒ 수화열이 적으며 수축 균열이 적다.
  ⓓ 대단면 공사, 해안 공사, 지중 구조물 등에 사용한다.
ⓔ 플라이애시 시멘트 : 타고 남은 석탄의 재를 모아 제조한 시멘트
  ⓐ 시공연도가 좋아지므로 단위수량을 감소시킬 수 있다.
  ⓑ 단위수량이 감소시킬 수 있으므로 수화열이 적고 건조수축이 적다.
  ⓒ 초기강도는 다소 떨어지나 장기강도는 증가한다.
  ⓓ 수밀성이 좋다.
  ⓔ 해수에 대한 내화학성이 크다.

> 96③ · 00③ · 16④ · 산21③
> 용어/특징 : 플라이애시

ⓜ 포졸란(실리카) 시멘트
  ⓐ 워커빌리티 증진
  ⓑ 블리딩 감소, 재료분리 감소
  ⓒ 수밀성 증진
  ⓓ 초기강도 감소, 장기강도 증가
  ⓔ 단위수량 증가 우려
ⓗ 알루미나 시멘트
  ⓐ 조기강도는 크나 장기강도는 적다.
  ⓑ 수화열량이 크다.
  ⓒ 긴급공사, 해안공사, 동절기공사에 사용된다.
ⓢ 폴리머 시멘트
  ⓐ 강도가 높다.
  ⓑ 내열성이 약하고 경화 시 건조수축이 작다.
  ⓒ 동결융해 저항성, 내후성이 우수하다.
  ⓓ 내약품성이 우수하다.
ⓞ 백색 시멘트
  ⓐ 석탄 대신 중유를 원료로 쓰며, 제조 시 산화철분이 섞이지 않도록 주의한다.
  ⓑ 미장재, 인조석 원료로 사용된다.

④ 시멘트의 시험 및 경화
  ㉠ 시멘트의 풍화
    ⓐ 시멘트가 대기 중에서 수분을 흡수하여 수화작용으로 수산화석회($Ca(OH)_2$)가 생기고, 공기 중 이산화탄소(CO_2)를 흡수하여 탄산석회($CaCO_3$)를 생기게 하는 작용
    ⓑ Cement + H_2O = $Ca[OH]_2$
    ⓒ $Ca[OH]_2$ + CO_2 → $CaCO_3$ + H_2O

> 10④
> 용어 : 시멘트 풍화작용 (　　) 넣기

  ㉡ 시멘트의 재료시험 방법
    ⓐ 분말도 시험 : 표준체를 사용한 체가름 시험, 브레인법
    ⓑ 강도 시험 : 슈미트해머 압축강도시험
    ⓒ 비중 시험 : 르샤델리에 비중병
    ⓓ 안정도 시험 : 오토 클레이브(Auto Clave) 팽창도 시험
    ⓔ 응결 시험 : 길모어 바늘

> 98① · 02②
> 종류 : 시멘트의 재료시험 방법

> 08③ · 11④ · 17④ · 산22② · 22④
> 종류 : 분말도 시험방법 종류 2가지

> 00④ · 02③ · 03②
> 종류 : 시멘트 시험기구

  ㉢ 시멘트의 응결/경화
    ⓐ 용어
      • 응결 : 시멘트의 유동성이 없어지는 현상
      • 경화 : 시멘트의 강도가 발현되기 시작하는 현상
    ⓑ 응결
      • 헛응결(False set) : 시멘트에 물을 혼합한 후 10~20분 정도 지나면 응결이 되었다가 다시 묽어지는데 이후 순조롭게 경화되는 현상
      • 본응결

> 03① · 11④ · 17①
> 용어 : 헛응결

ⓒ 시멘트의 응결시간에 영향을 미치는 요소
- 알루민산 삼석회(C_3A)의 성분이 많을수록 응결이 빠르다.
- 온도가 높을수록 습도가 낮을수록 응결이 빠르다.
- 시멘트의 분말도가 클수록 응결이 빠르다.
- 경화 촉진제를 사용하면 응결이 빠르다.

> 05① · 18④
> 종목 : 시멘트 응결시간에 영향을 주는 요소

(2) 골재
1) 종류와 요구성능
① 종류
  ㉠ 크기
    ⓐ 잔골재 : No.4(5mm)체를 모두 통과하는 것
    ⓑ 굵은골재 : No.4(5mm)체에 모두 남는 것
  ㉡ 중량 : 비중의 크고 작음으로 결정
    ⓐ 경량 : 2.0 이하
    ⓑ 보통 : 2.65 정도
    ⓒ 중량 : 2.7 이상
      - 용도 : 방사선 차폐
      - 종류 : 중정석, 자철광

> 01② · 10② · 13①
> 종류 : 중량골재의 용도 및 종류 2가지

② 골재의 요구성능
  ㉠ 입도와 입형이 좋을 것
  ㉡ 불순물을 포함하지 않은 것
  ㉢ 소요강도를 충족할 것
  ㉣ 물리적/화학적으로 안정할 것

> 99⑤ · 16① · 산22③
> 성능 : 골재의 요구품질 4가지

③ 불순물에 의한 피해
  ㉠ 유기불순물 : 콘크리트 강도 및 내구성 저하
  ㉡ 염화물 : 중성화 및 철근 부식(제한 : 콘크리트 체적의 $0.3kg/m^3$ 이하)
  ㉢ 점토 덩어리 : 부착력 저하와 균열
  ㉣ 당분 : 응결지연

> 99① · 01① · 06③
> 종류 : 대표 불순물의 피해 현상

> 99②
> 수치 : 염분의 허용량 규정

2) 성질 및 품질

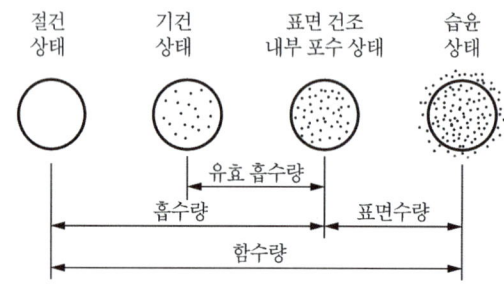

① 함수율
  ㉠ 함수량 : 골재의 습윤상태의 중량과 절건상태의 중량의 차, 또는 골재의 표면 및 내부에 있는 물의 전 중량

> 98② · 99② · 05① · 19④ · 22② · 산22③
> 용어 : 함수량

  ㉡ 함수율 : 절대건조 상태의 골재 중량에 대한 함수량의 백분율
  ㉢ 흡수량 : 골재의 표면건조 내부포수상태의 중량과 절건상태의 중량의 차, 또는 표면건조 내부 포화상태의 골재 중에 포함되는 물의 양

> 98② · 99② · 05① · 09④ · 13④ · 19④ · 22② · 산22③
> 용어 : 흡수량

  ㉣ 흡수율 : 절건상태의 골재 중량에 대한 흡수량의 백분율
  ㉤ 유효흡수량 : 흡수량과 기건상태의 골재 내에 함유된 수량과의 차

> 99② · 09① · 12② · 산22③
> 용어 : 유효흡수량

  ㉥ 유효흡수율 : 기건상태의 골재 중량에 대한 유효흡수량의 백분율
  ㉦ 표면수량 : 함수량과 표면건조 내부 포수 상태의 골재 내에 함유된 수량의 차(함수량-흡수량) 또는 골재 표면에 묻어 있는 수량으로 표면건조 포화상태에 대한 시료 중량의 백분율

> 98② · 99② · 09④ · 13④ · 산22③
> 용어 : 표면수량

◎ 표면수율 : 표면건조 내부 포수상태의 골재중량에 대한 표면수량의 백분율

㉝ 절대건조상태(절건상태) : 골재를 건조기 내에서 온도 110℃ 이내로 24시간 이상 건조시킨 상태

99② · 04④ · 13④
용어 : 절대건조상태

㉞ 기건상태 : 골재 내부에 약간의 수분이 있는 대기 중의 건조상태

99② · 09④ · 13④
용어 : 기건상태

㉟ 습윤상태 : 골재의 내부는 이미 물이 채워져 있고, 표면에도 물이 묻어 있는 상태

09④ · 13④
용어 : 습윤상태

② 잔골재율
  ㉠ 정의 : 잔골재의 부피를 전체 골재(잔골재와 굵은 골재)의 부피로 나눈 것의 백분율
  ㉡ 산정식 : $\dfrac{\text{잔골재의 용적}}{\text{잔골재의 용적} + \text{굵은골재의 용적}} \times 100$

11①
용어 : 잔골재율

③ 조립률(FM ; Fineness Modulus)
  ㉠ 골재의 입도를 체가름 시험을 통해 수치로 표현한 것으로 골재의 대략적인 크기를 알 수 있음

07① · 09② · 11① · 15② · 21②
용어 : 조립률

  ㉡ 사용체 - 80mm, 40mm, 20mm, 10mm, No.4, No.8, No.16, No.30, No.50, No.100
  ㉢ 산정식 : $FM = \dfrac{\text{각 체에 남는 양(\%)의 누계의 합}}{100}$

(3) 혼화재료

1) 구분

	혼화제	혼화재
배합 시 부피	무시	고려
성분	화학물질	광물질
사용량	소량	다량
대표재료	AE제	플라이애시
정의	시멘트 중량의 5% 미만으로서 약품적 성질만 가진 재료	시멘트 중량의 5% 이상으로서 시멘트 성질을 개량하는 재료

> 07③ · 13② · 산22①
> 용어 : 혼화제, 혼화재

2) 혼화제와 혼화재

① 혼화제

  ㉠ 종류

    ⓐ 표면활성제 : 공기 연행제(AE제), 분산제
    ⓑ 응결 경화 촉진제 : 시멘트와 물과의 화학반응을 촉진시키는 혼화제로 염화칼슘, 규산소다, 염화제이철, 염화마그네슘 등이 있음
    ⓒ 응결 경화 지연제 : 시멘트와 물과의 화학반응이 늦어지게 지연시키는 혼화제
    ⓓ 발포제 : 콘크리트의 단위용적중량의 경감 혹은 단열성을 높이는 목적으로 안정된 기포를 물리적인 수법으로 도입시키는 혼화제로 알루미늄, 아연의 분말 등이 있다.
    ⓔ 방동제 : 염화칼슘, 식염(다량 사용하면 강도의 저하와 급결의 우려가 있다)
    ⓕ 감수제 : 소정의 컨시스턴시를 얻는 데 필요한 단위수량을 감소시키고, 콘크리트의 시공연도(Workability) 등을 향상시키기 위하여 사용하는 혼화재료로 표준형, 지연형 및 촉진형의 3종류가 있다.
    ⓖ 유동화제 : 미리 비벼 놓은 콘크리트에 첨가하거나, 콘크리트 비빔 시 섞어 사용함으로써 그 유동성을 증대시키는 것을 주목적으로 하는 혼화재료이다.
    ⓗ 방청제 : 콘크리트 내부의 철근이 콘크리트에 혼입되는 염화물에 의해 부식되는 것을 억제하기 위해 사용되는 혼화제

> 99① · 99⑤ · 01③ · 07③ · 13② · 산22② · 산22③ · 산23①
> 종류 : 혼화제 종류

> 99② · 05①
> 용어 : 응결 경화 촉진제

> 08① · 12④
> 용어 : 방청제, 발포제

> 99② · 05①
> 용어 : 응결 경화 지연제

ⓒ AE제 : 콘크리트 내부에 미세한 독립된 기포를 발생시켜 콘크리트의 작업성 및 동결융해 저항성능을 향상시키기 위해 이용되는 혼화제

> 99① · 05① · 08① · 12④
> 용어 : AE제

ⓐ 특징
- 시공연도 증진
- 내구성 증진
- 동결융해 저항성 증진
- 단위수량 감소
- 재료분리 감소
- 수밀성 증가
- 발열량 감소

> 산21② · 산23②
> 특징 : AE제 사용 시 장점 4가지

ⓑ 용도
- AE 콘크리트 : 내구성 향상
- 쇄석 콘크리트 : 시공연도 증진
- 한중 콘크리트 : 동결 융해 저항성 증진

> 00④ · 12② · 17①
> 목적 : AE제 사용 목적 3가지

ⓒ 콘크리트 배합의 공기(Air)

ⓐ 종류
- 엔트랩트 에어(Entrapped Air, 자연적 공기) : 콘크리트를 배합할 때 자연적으로 함입되는 공기로서 배합되는 콘크리트량의 1~2% 정도가 함입된다.
- 엔트레인드 에어(Entrained Air, 인위적 공기) : 시공연도 증진을 위하여 공기 연행제 등의 혼화제를 사용하여 인위적으로 발생시킨 공기로서 배합되는 콘크리트량의 3~5% 정도가 생성된다.

ⓑ 영향
- 공기량 1% 증가 시 압축강도 4% 정도 감소
- 온도가 높을수록 감소
- 진동을 주면 감소

> 98⑤ · 01③ · 06② · 07① · 08③ · 12② · 17②
> 용어 : 엔트랩트 에어

> 98⑤ · 01③ · 06② · 07① · 17②,④
> 용어 : 엔트레인드 에어

ⓒ 레디믹스트 콘크리트의 공기량
- 보통콘크리트 : 4.5%
- 경량콘크리트 : 5%
- 허용오차 : ±1.5%

> 05②
> 수치 : 레디믹스트 콘크리트의 공기량

② 혼화재
  ㉠ 종류
    ⓐ 고로슬래그, 플라이애시, 포졸란, 실리카 퓸
    ⓑ 착색제 : 빨강-제2산화철, 노랑-크롬산 바륨, 파랑-군청, 갈색-이산화망간, 검정-카본블랙, 초록-산화크롬

> 13① · 16②
> 연결 : 착색제

  ㉡ 포졸란
    ⓐ 포졸란 반응의 정의
      - 포졸란 물질은 자체적으로는 물과 반응하여 경화하는 성질을 가지고 있지 않다.
      - 상온에서 수산화칼슘($Ca[OH]_2$)과 반응하여 수경성을 가지고 Silicate 성분을 생성하는 반응

ⓑ 특징
- 워커빌리티 증진
- 블리딩, 재료분리 감소
- 수밀성 증진
- 해수의 화학적 저항성 증대
- 초기강도 감소, 장기강도 증가
- 발열량 감소
- 건조수축 감소

> 99⑤ · 01③ · 04② · 07③ · 13②
> 종류 : 혼화재

> 09④
> 목적 : 포졸란 사용목적

> 96③
> 용어 : 포졸란 반응

ⓒ 실리카 퓸
ⓐ 정의 : 전기로에서 금속규소나 규소철을 생산하는 과정 중 부산물로 생성되는 매우 미세한 입자를 말한다.
ⓑ 특징
- 시멘트 입자의 사이에 분산되어 보다 치밀하게 되어 고강도 및 투수성이 작은 콘크리트를 만들 수 있다.
- 수화 초기 발열의 저감
- 포졸란 반응에 따른 알칼리 골재반응의 저감

> 13④ · 16①
> 용어 : 실리카 퓸

단원별 경향문제

1 시멘트

08① · 10④ · 14④ · 17② [5점]

1-1 KSF 5201 규정에서 정한 포틀랜드 시멘트의 종류를 5가지 쓰시오.

(1)
(2)
(3)
(4)
(5)

> **해설** 포틀랜드 시멘트 종류
> (1) 보통 포틀랜드 시멘트
> (2) 중용열 포틀랜드 시멘트
> (3) 조강 포틀랜드 시멘트
> (4) 저열 포틀랜드 시멘트
> (5) 내황산염 포틀랜드 시멘트

12① · 16④ [5점]

1-2 시멘트 주요화합물 4가지를 기술하고, 그중 28일 이후 장기강도에 관여하는 화합물을 기술하시오.

(1) 주요화합물
  ①
  ②
  ③
  ④
(2) 콘크리트의 28일 이후의 장기강도에 관여하는 화합물

> **해설** (1) 주요화합물
> ① $3CaO \cdot SiO_2$(규산 삼석회 : C_3S)
> ② $2CaO \cdot SiO_2$(규산 이석회 : C_2S)
> ③ $3CaO \cdot Al_2O_3$(알루민산 삼석회 : C_3A)
> ④ $4CaO \cdot Al_2O_3 \cdot Fe_2O_3$(알루민산철 사석회 : C_4AF)
> (2) 장기강도에 관여하는 화합물 : $2CaO \cdot SiO_2$(규산 이석회 : C_2S)

03③ [3점]

1-3 혼합시멘트의 종류에 대한 명칭 3가지를 쓰시오.

(1)
(2)
(3)

해설 혼합시멘트의 종류
(1) 고로슬래그 시멘트
(2) 플라이애시 시멘트
(3) 포졸란(실리카) 시멘트

00③ · 16④ [6점]

1-4 혼합시멘트 중 플라이애시 시멘트의 특징을 3가지 쓰시오.

(1)
(2)
(3)

해설 플라이애시 시멘트의 특징
(1) 시공연도가 좋아지므로 단위수량을 감소시킬 수 있다.
(2) 단위수량이 감소시킬 수 있으므로 수화열이 적고 건조수축이 적다.
(3) 초기강도는 다소 떨어지나 장기강도는 증가한다.
(4) 수밀성이 좋다.
(5) 해수에 대한 내화학성이 크다.

04② · 09② [4점]

1-5 보통시멘트콘크리트와 비교하여 폴리머 시멘트 콘크리트의 특성 4가지를 기술하시오.

(1)
(2)
(3)
(4)

해설 폴리머 시멘트 콘크리트의 특성
(1) 강도가 높다.
(2) 내열성이 약하고 경화 시 건조수축이 작다.
(3) 동결융해 저항성, 내후성이 우수하다.
(4) 내약품성이 우수하다.

11① [3점]

1-6 다음 설명에 해당하는 시멘트 종류를 고르시오.

보기 : 조강 시멘트, 중용열 시멘트, 내황산염 시멘트, 실리카 시멘트, 백색 시멘트, 콜로이드 시멘트, 고로슬래그 시멘트
(1) ① 특성 : 조기강도가 크고 수화열이 많으며 저온에서 강도의 저하율이 낮다.
    ② 용도 : 긴급공사, 한중공사
(2) ① 특성 : 석탄 대신 중유를 원료로 쓰며, 제조 시 산화철분이 섞이지 않도록 주의해야 한다.
    ② 용도 : 미장재, 인조석 원료
(3) ① 특성 : 내식성이 좋으며 발열량 및 수축률이 작다.
    ② 용도 : 대단면 구조재, 방사선 차단물

(1)
(2)
(3)

해설 용어
(1) 조강 시멘트
(2) 백색 시멘트
(3) 중용열 시멘트

10④ [3점]

1-7 다음은 시멘트의 풍화작용에 대한 설명이다. ( ) 안에 알맞은 말을 각각 써넣으시오.

시멘트가 대기 중에서 수분을 흡수하여 수화작용으로 (1)가 생기고, 공기 중 (2)를 흡수하여 (3)를 생기게 하는 작용

(1)
(2)
(3)

해설 시멘트 풍화작용
(1) $Ca(OH)_2$: 수산화석회
(2) CO_2 : 이산화탄소
(3) $CaCO_3$: 탄산석회

98① · 02② · 17④ [4점]

1-8 시멘트의 재료시험 방법에 대해 4가지 쓰시오.

(1)
(2)
(3)
(4)

해설 시멘트 재료시험 방법
(1) 분말도 시험   (2) 강도 시험
(3) 비중 시험   (4) 오토클레이브 팽창도 시험

00④ · 02③ · 03② [5점]

1-9 다음 주어진 내용과 〈보기〉 중 상호 연결성이 높은 것을 찾아 기호로 쓰시오.

〈보기〉
① 오토 클레이브   ② 길모어
③ 슈미트해머   ④ 르샤틀리에
⑤ 표준체

(1) 응결 시험 (   )
(2) 안정도 시험 (   )
(3) 강도 시험 (   )
(4) 비중 시험 (   )
(5) 분말도 시험 (   )

해설 시험장비
(1) ②   (2) ①   (3) ③
(4) ④   (5) ⑤

08③ · 11④ · 17④ [4점]

1-10 시멘트 분말도 시험법을 2가지 쓰시오.

(1)
(2)

해설 분말도 시험
(1) 체가름 시험
(2) 브레인법

03① · 11④ · 17① [3점]

1-11 철근콘크리트 공사에서의 헛응결(False Set)에 대하여 기술하시오.

해설 헛응결(False Set)
시멘트에 물을 혼합한 후 10~20분 정도 지나면 응결이 되었다가 다시 묽어지는데 이후 순조롭게 경화되는 현상

05① · 18④ [3점]

1-12 시멘트의 응결시간에 영향을 주는 요소 3가지를 기술하시오.

(1)
(2)
(3)

해설 시멘트 응결시간에 미치는 요소
(1) 알루민산 삼석회(C_3A)의 성분이 많을수록 응결이 빠르다.
(2) 온도가 높을수록 습도가 낮을수록 응결이 빠르다.
(3) 시멘트의 분말도가 클수록 응결이 빠르다.
(4) 경화 촉진제를 사용하면 응결이 빠르다.

2 골재

01② · 10② · 13① [3점]

2-1 중량콘크리트의 용도와 대표적으로 사용되는 골재 2가지를 기술하시오.

(1) 용도 :
(2) 사용골재 :

해설 중량콘크리트
(1) 용도 : 방사선 차폐
(2) 사용골재 : 중정석, 자철광

99⑤ · 16① [4점]

2-2 콘크리트용 골재가 갖추어야 할 조건 4가지를 기술하시오.

(1)
(2)
(3)
(4)

해설 콘크리트용 골재의 요구품질
(1) 입도와 입형이 좋을 것
(2) 불순물을 포함하지 않은 것
(3) 소요강도를 충족할 것
(4) 물리적/화학적으로 안정할 것

99① · 01① · 06③ [4점]

2-3 콘크리트의 제조과정에서 다음의 성분이 과량 함유된 경우 우려되는 대표적 피해 현상을 쓰시오.

(1) 유기불순물 :
(2) 염화물 :
(3) 점토 덩어리 :
(4) 당분 :

해설 콘크리트 불순물
(1) 유기불순물 : 콘크리트 강도 및 내구성 저하
(2) 염화물 : 중성화 및 철근 부식
(3) 점토 덩어리 : 부착력저히와 균열
(4) 당분 : 응결지연

2-4 골재의 함수상태에 따른 용어를 쓰시오.

(1) 절건상태 :
(2) 기건상태 :
(3) 습윤상태 :
(4) 흡수량 :
(5) 표면수량 :

해설
(1) 절건상태 : 골재를 온도 110℃ 이내로 24시간 이상 건조시킨 상태
(2) 기건상태 : 골재 내부에 약간의 수분이 있는 대기 중의 건조상태
(3) 습윤상태 : 골재의 내부는 이미 물이 채워져 있고, 표면에도 물이 묻어 있는 상태
(4) 흡수량 : 표면건조 내부 포화상태의 골재 중에 포함되는 물의 양
(5) 표면수량 : 골재 표면에 묻어 있는 수량으로 **표면건조 포화상태에 대한 시료 중량의 백분율**

2-5 다음 골재 함수량에 관한 설명에서 관련되는 것을 연결하시오.

(1) 기건상태 ·　　　　· (가) 골재 내부에 약간의 수분이 있는 대기 중의 건조상태
(2) 흡수량 ·　　　　· (나) 습윤상태의 골재 표면에 물의 양
(3) 절건상태 ·　　　　· (다) 골재의 표면 및 내부에 있는 물의 전 중량
(4) 함수량 ·　　　　· (라) 표면건조 내부 포화상태의 골재 중에 포함되는 물의 양
(5) 표면수량 ·　　　　· (마) 건조기 내에서 온도 110℃ 이내로 24시간 이상 건조시킨 상태
(6) 유효흡수량 ·　　　　· (바) 흡수량과 기건상태의 골재 내에 함유된 수량과의 차

해설 골재의 함수량
(1)-(가)　(2)-(라)　(3)-(마)　(4)-(다)　(5)-(나)　(6)-(바)

2-6 콘크리트의 유효흡수량에 대해 기술하시오.

해설 콘크리트의 유효흡수량
골재의 흡수량과 기건상태의 골재 내에 함유된 수량과의 차

98② · 99② · 05① · 19④ [2점]

2-7 골재의 흡수량과 함수량에 대해 기술하시오.

(1) 흡수량 :
(2) 함수량 :

해설 골재의 함수상태
(1) 흡수량 : 골재의 **표면건조 내부포수상태의 중량과 절건상태의 중량의 차**, 또는 표면건조 내부 포화상태의 골재 중에 포함되는 물의 양
(2) 함수량 : 골재의 습윤상태의 중량과 절건상태의 중량의 차, 또는 골재의 표면 및 내부에 있는 물의 전 중량

98② · 99② [3점]

2-8 다음 용어에 대해 기술하시오.

(1) 골재의 흡수량 :
(2) 골재의 함수량 :
(3) 골재의 표면수량 :

해설 골재의 함수량
(1) 표면건조 내부 포화상태의 골재 중에 포함되는 물의 양
(2) 골재의 표면 및 내부에 있는 물의 전 중량
(3) 골재 표면에 묻어 있는 수량으로 **표면건조 포화상태에 대한 시료 중량의 백분율**

09② · 15② · 21② [4점]

2-9 다음 콘크리트 공사에서 사용되는 다음 용어의 정의를 간략히 설명하시오.

(1) 슬럼프 플로(Slump Flow) :
(2) 조립률 :

해설 용어
(1) 슬럼프 플로 : 슬럼프시험을 하여 콘크리트 반죽이 옆으로 퍼진 정도를 지름으로 측정한 것으로 워커빌리티가 좋은 유동화콘크리트의 시험방법의 일종
(2) 조립률 : 골재의 입도를 체가름 시험을 통해 수치로 표현한 것으로 골재의 대략적인 크기를 알 수 있음

Chapter 05 · 철근콘크리트공사 237

11① [4점]

2-10 다음 용어를 간단히 설명하시오.

(1) 잔골재율(S/A) :
(2) 조립률(FM) :

해설 용어
(1) 잔골재의 부피를 전체 골재(잔골재와 굵은 골재)의 부피로 나눈 것의 백분율
   ※ 잔골재율 $= \dfrac{\text{잔골재 용적}}{\text{전체 골재 용적}} \times 100(\%)$
(2) 골재의 입도를 체가름 시험을 통해 수치로 표현한 것으로 골재의 대략적인 크기를 알 수 있음
   ※ $FM = \dfrac{\text{각 체에 남는 누계}(\%)\text{의 합계}}{100}$

3 혼화재료(혼화제/혼화재)

07③·13② [6점]

3-1 콘크리트용 혼화재(混和材)와 혼화제(混和劑)를 간략히 설명하고 종류를 2가지씩 쓰시오.

(1) 혼화제
  ① 정의 :
  ② 종류 :
(2) 혼화재
  ① 정의 :
  ② 종류 :

해설 혼화재료
(1) 혼화제
  ① 정의 : 시멘트 중량의 **5% 미만** 사용하는 액체의 혼화재료로 콘크리트의 성질을 개선하며, 배합설계 시 혼화제의 부피는 **무시한다**.
  ② 종류 : AE제, 유동화제, 경화촉진제, 응결지연제, 방청제, 방동제, 방수제, 고성능 감수제
(2) 혼화재
  ① 정의 : 시멘트 중량의 **5% 이상** 사용하는 고체의 혼화재료로 콘크리트의 성질을 개선하며, 배합설계 시 혼화재의 부피는 **계산에 포함한다**.
  ② 종류 : 플라이애시, 고로슬래그, 실리카 퓸, 착색제, 팽창제

99⑤ · 01③ · 07③ [4점]

3-2 콘크리트의 혼합재료는 혼화재와 혼화제로 구분할 수 있다. 다음 혼화제 및 혼화재의 종류를 3가지 쓰시오.

(1) 혼화제
　①
　②
　③
(2) 혼화재
　①
　②
　③

해설 혼화제와 혼화재의 종류
(1) 혼화제 : AE제, 유동화제, 경화촉진제, 응결지연제, 방청제, 방동제, 방수제, 고성능 감수
(2) 혼화재 : 플라이애시, 고로슬래그, 실리카 품, 착색제, 팽창제

08① · 12④ [3점]

3-3 다음은 혼화제의 종류에 대한 설명이다. 아래의 설명이 뜻하는 혼화제의 명칭을 각각 기술하시오.

(1) 콘크리트 내부에 미세한 독립된 기포를 발생시켜 콘크리트의 작업성 및 동결융해 저항성능을 향상시키기 위해 이용되는 혼화제
(2) 콘크리트 내부의 철근이 콘크리트에 혼입되는 염화물에 의해 부식되는 것을 억제하기 위해 사용되는 혼화제
(3) 콘크리트의 단위용적중량의 경감 혹은 단열성을 높이는 목적으로 안정된 기포를 물리적인 수법으로 도입시키는 혼화제

(1)
(2)
(3)

해설 혼화제
(1) AE제
(2) 방청제
(3) 발포제

99⑤·01③·04②·07③ [3점]

3-4 다음은 혼화재의 종류에 대한 설명이다. 아래 설명이 뜻하는 혼화재의 명칭을 각각 기술하시오.

(1) 공기 연행제로서 미세한 기포를 고르게 분포시킨다. (   )
(2) 시멘트와 물과의 화학반응을 촉진시킨다. (   )
(3) 시멘트와 물과의 화학반응이 늦어지게 한다. (   )

해설 혼화재료
(1) AE제   (2) 응결 경화 촉진제   (3) 응결 경화 지연제

00④·12②·17①·산21② [3점]

3-5 AE제의 사용목적을 3가지 쓰시오.

(1)
(2)
(3)

해설 AE제의 사용 목적
(1) 시공연도 증진
(2) 내구성 증진
(3) 동결융해 저항성 증대
(4) 단위수량 감소

07① [6점]

3-6 다음 용어에 대하여 기술하시오.

(1) 엔트랩트 에어(Entrapped Air) :
(2) 엔트레인드 에어(Entrained Air) :
(3) 조립률 :

해설 용어
(1) 콘크리트를 배합할 때 **자연적으로 함입되는 공기**로서 배합되는 콘크리트량의 1~2% 정도가 함입된다.
(2) 시공연도 증진을 위하여 공기 연행제 등의 **혼화제를 사용하여 인위적으로 발생시킨 공기**로서 배합되는 콘크리트량의 3~5% 정도가 생성된다.
(3) **골재의 입도를 체가름 시험을 통해 수치로 표현**한 것으로 골재의 대략적인 크기를 알 수 있음

98⑤ · 01③ [6점]

3-7 다음 용어에 대해 기술하시오.

(1) 엔트랩트 에어(Entrapped Air) :
(2) 엔트레인드 에어(Entrained Air) :
(3) 모세관 공극(Capillary Cavity) :

해설 용어설명
(1) 엔트랩트 에어 : 콘크리트를 배합할 때 **자연적으로 함입되는 공기**로서 배합되는 콘크리트량의 1~2% 정도가 함입된다.
(2) 엔트레인드 에어 : 시공연도 증진을 위하여 공기 연행제 등의 **혼화제를 사용하여 인위적으로 발생시킨 공기**로서 배합되는 콘크리트량의 3~5% 정도가 생성된다.
(3) 모세관 공극 : 콘크리트 내의 재료들 입자 사이에 물이 **모세관현상이 발생한 뒤 모세관 수가 증발하여 생긴 공극**

06② · 07① · 17②,④ [4점]

3-8 다음 용어에 대해 설명하시오.

(1) 엔트랩트 에어(Entrapped Air) :
(2) 엔트레인드 에어(Entrained Air) :

해설 용어 설명
(1) 엔트랩트 에어 : 콘크리트를 배합할 때 **자연적으로 함입되는 공기**로서 배합되는 콘크리트량의 1~2% 정도가 함입된다.
(2) 엔트레인드 에어 : 시공연도 증진을 위하여 공기 연행제 등의 **혼화제를 사용하여 인위적으로 발생시킨 공기**로서 배합되는 콘크리트량의 3~5% 정도가 생성된다.

05② [3점]

3-9 KS F 4009 규정에 의하면 레디믹스트 콘크리트의 공기량은 보통 콘크리트의 경우 (가)%이며, 경량 콘크리트의 경우 (나)%로 하되 공기량의 허용오차는 ±(다)%로 한다. 〈보기〉에서 정답을 고르시오..

> 0.5, 1.0, 1.5, 2.0, 2.5, 3.0, 3.5, 4.0, 4.5, 5.0, 5.5, 6.0, 6.5, 7.0

(가)
(나)
(다)

해설 공기량
(1) 보통콘크리트 : 4.5
(2) 경량콘크리트 : 5
(3) 허용오차 : ±1.5

04② [4점]

3-10
다음은 경화 콘크리트 내부의 공극의 종류를 나타낸 것이다. 크기가 작은 것부터 큰 것의 순서를 번호로 나열하시오.

① 엔트랩트 에어　　　② 모세관 공극
③ 겔공극　　　　　　④ 엔트레인드 에어

(　) → (　) → (　) → (　)

해설 콘크리트 내부의 공극 크기
① → ④ → ② → ③

13① · 16② [4점]

3-11
각 색깔에 맞는 콘크리트용 착색제를 보기에서 찾아 번호로 나열하시오.

〈보기〉
① 카본블랙　　② 군청　　③ 크롬산 바륨
④ 산화크롬　　⑤ 제2산화철　　⑥ 이산화망간

(1) 초록색 – (　)
(2) 빨간색 – (　)
(3) 노란색 – (　)
(4) 갈색 – (　)

해설 (1) 초록색 : 산화크롬　　(2) 빨간색 : 제2산화철
(3) 노란색 : 크롬산 바륨　　(4) 갈색 : 이산화망간

04② [3점]

3-12
콘크리트 제조 시에 최근에는 수화열 저감, 워커빌리티의 증대, 장기강도 발현, 수밀성 증대 등 다양한 장점을 얻고자 혼화재를 사용한다. 대표적인 혼화재 3가지를 기술하시오.

(1)
(2)
(3)

해설 혼화재의 종류
(1) 고로슬래그　　(2) 플라이애시
(3) 포졸란　　　　(4) 실리카 흄

09④ [4점]

3-13 포졸란의 사용목적 4가지를 쓰시오.

(1)
(2)
(3)
(4)

해설 포졸란의 사용목적
(1) 워커빌리티 증진
(2) 블리딩, 재료분리 감소
(3) 수밀성 증진
(4) 해수의 화학적 저항성 증대

13④ · 16① [2점]

3-14 전기로에서 금속규소나 규소철을 생산하는 과정 중 부산물로 생성되는 매우 미세한 입자로서 고강도 콘크리트 제조 시 사용되는 포졸란계 혼화재의 명칭을 기술하시오.

해설 실리카 품

제 4 절 | 콘크리트 공사-배합/성질

1. 배합

(1) 종류와 순서

1) 종류

① 중량 배합 : 콘크리트 1m³ 제조에 필요한 재료의 양을 중량(kg)으로 표시한 배합
② 절대 용적배합 : 콘크리트 1m³ 제조에 필요한 재료의 양을 절대 용적으로 표시한 배합
③ 표준계량 용적배합 : 콘크리트 1m³ 제조에 필요한 재료의 양을 표준 계량용적(m³)으로 표시한 배합으로, 시멘트는 1,500kg/m³으로 한다.
④ 현장계량 용적배합 : 콘크리트 1m³ 제조에 필요한 재료의 양을 시멘트는 포대수로, 골재는 현장 계량에 의한 용적(1m³)으로 표시한 배합

> 98① · 99⑤
> 종류 : 배합

2) 순서

① 소요강도 결정
② 배합강도 결정
③ 시멘트강도 결정
④ 물시멘트비 결정
⑤ 슬럼프값 결정
⑥ 굵은 골재 최대치수 결정
⑦ 잔골재율 결정
⑧ 단위수량의 결정
⑨ 시방배합 산출 및 조정
⑩ 현장 배합의 결정

> 04① · 06③ · 08②
> 순서 : 배합설계

3) 굵은 골재의 공칭 최대치수

다음 값을 초과할 수 없음

① 거푸집 양 측면 사이의 최소 거리의 1/5
② 슬래브 두께의 1/3
③ 개별 철근, 다발철근, 긴장재 또는 덕트 사이 최소 순간격의 3/4

> 산23①
> 기준 : 굵은 골재의 공칭 최대치수

4) 콘크리트의 종류별 굵은 골재의 공칭 최대치수

　다음 값을 초과할 수 없음

　① 일반 콘크리트 : 20mm 또는 25mm

　② 단면이 큰 부재일 때 : 40mm

　③ 무근콘크리트 : 40mm 또는 부재 최소 치수의 1/4 초과 금지

> 산23②
> 콘크리트의 종류 : 굵은 골재의 공칭 최대치수

(2) 결정요소 사항

1) 물시멘트비

　① 정의 : 콘크리트 또는 모르타르 속에 포함된 물과 시멘트의 중량비

　② 결정요소

　　㉠ 강도 : 물시멘트비가 낮을수록 강도는 증가함

　　㉡ 내구성

　　㉢ 수밀성

　　㉣ 균열저항성

　③ 증가 시(가수) 피해

　　㉠ 콘크리트의 강도저하

　　㉡ 재료분리 현상 유발

　　㉢ 건조수축으로 인한 균열 발생

　　㉣ 내구성 및 수밀성의 저하

　　㉤ 응결 지연

　　㉥ 크리프 증대

> 06③
> 종류 : 물시멘트비가 클 때 문제점 4가지

> 02① · 03① · 14② · 16④
> 종류 : 현장 가수로 인한 문제점 4가지

2) 슬럼프시험

　① 기구 : 슬럼프콘, 수밀성 평판, 다짐막대, 계측기기

> 99①
> 종류 : 슬럼프 시험에 사용되는 기구 4가지

　② 슬럼프시험 순서

　　㉠ 수밀평판을 수평으로 설치한다.

　　㉡ 슬럼프 콘을 중앙에 놓는다.

ⓒ 콘크리트 체적의 1/3만큼 콘크리트 채운다.
ⓔ 다짐막대로 25회씩 다진다.
ⓗ 위의 ⓒ항과 ⓔ항의 작업을 2회 되풀이하고 윗면을 고른다.
ⓢ 위의 과정을 종료할 때까지의 시간은 3분 이내로 하며, 슬럼프 콘을 조용히 들어 올린다.
ⓞ 시료의 높이를 0.5cm 단위로 측정하여 30cm에서 뺀 값이 슬럼프값이다.

> 00① · 산23③
> 순서 : 슬럼프시험

③ 슬럼프값
  ㉠ 콘크리트의 시공연도 측정의 기준
  ㉡ 표준 슬럼프값(mm)

구분	철근콘크리트	무근콘크리트
일반적인 경우	80~180	50~180
단면이 큰 경우	60~150	50~150

3) 슬럼프 저하(손실)
① 정의 : 시간의 경과에 따른 콘크리트 반죽질기의 감소현상을 말하며, 콘크리트 혼합물의 수화작용이나 수분의 증발 등으로 혼합수가 감소하여 발생한다.

> 02②
> 정의 : 슬럼프 저하(손실)

② 요인
  ㉠ 잉여수의 증발
  ㉡ 배합의 운반시간이 긴 경우
  ㉢ 타설 시간이 긴 경우
  ㉣ 펌프 압송거리가 클 때
  ㉤ 서중 콘크리트일 때

> 18② · 산23③
> 종류 : 슬럼프 저하(손실) 요인

4) 슬럼프 플로(Flow)
　① 정의
　　㉠ 슬럼프시험을 하여 콘크리트 반죽이 옆으로 퍼진 정도를 지름으로 측정한 것
　　㉡ 유동화콘크리트의 시공연도를 측정할 때 사용한다.

> 09② · 15② · 21②
> 용어 : 슬럼프 플로

(3) 계량 장비
 1) 콘크리트
　① Mixing Plant : 비빔 설비
　② 배쳐 플랜트(Batcher Plant) : 콘크리트 배합 시 사용되는 물, 시멘트, 골재 등을 자동 중량 계량하여 배합하는 콘크리트 배합 기계설비
 2) 재료
　① 디스펜서(Dispenser) : AE제의 부피 측정
　② 워싱턴 미터(Washington Meter) : 공기량 측정
　③ 이넌데이터(Inundater) : 모래의 부피 계량
　④ 워세크리터(Wacecreter) : 물시멘트비를 일정하게 유지시키면서 골재를 계량하는 장치

> 01② · 11② · 14① · 17②
> 용어 : 디스펜서

> 11② · 14① · 17②
> 용어 : 워싱턴 미터

> 07③
> 용어 : 이넌데이터, 입세크리터

2. 콘크리트의 성질
(1) 굳지 않은 콘크리트의 성질
 1) 용어
　① 시공연도(Workability, 워커빌리티, 시공성) : 반죽질기에 따른 작업의 난이 정도 및 재료의 분리에 저항하는 정도

> 99④ · 02③ · 06② · 21① · 산21① · 산21②
> 용어 : 시공연도(워커빌리티)

　② 반죽질기(Consistency, 컨시스턴시)
　　㉠ 수량의 다소에 따른 반죽의 되고 진 정도(콘크리트 유동성의 정도)
　　㉡ 시멘트 페이스트(Cement Paste)의 농도를 결정한다.

> 99④ · 02③ · 06② · 09① · 21① · 산21①
> 용어 : 반죽질기(유동성)/컨시스턴시

③ 성형성(Plasticity)
  ㉠ 거푸집 등의 형상에 순응하여 채우기 쉽고, 분리가 일어나지 않는 성질
  ㉡ 구조체에 타설된 콘크리트가 거푸집에 잘 채워질 수 있는지의 난이 정도를 나타낸다.

> 99④ · 02③ · 06② · 산21①
> 용어 : 성형성

④ 마감성(Finishability) : 도로포장 등에서 골재의 최대치수에 따른 표면정리의 난이 정도를 나타낸다.

> 99④ · 02③ · 06② · 산21①
> 용어 : 마감성

⑤ 압송성(Pumpability) : 펌프시공 콘크리트의 경우 펌프에 콘크리트가 잘 밀려가는지의 정도를 표현한다.

⑥ 다짐성(Compactability) : 콘크리트 다짐 시 묽기 등의 영향에 따른 다짐의 효율성을 나타낸다.

⑦ 안정성(Stability)

⑧ 가동성(Mobility)

> 99④
> 용어 : 다짐성, 안전성, 가동성

2) 시공연도(Workability)
  ① 영향을 미치는 요인

재료	시공
① 단위시멘트량 ② 단위수량 ③ 잔골재율 ④ 혼화재료 ⑤ 굵은 골재 최대치수	① 운반거리 ② 운반높이 ③ 타설량 ④ 타설시간

> 98④ · 99④ · 01①
> 종류 : 시공연도에 영향을 미치는 요인

② 시험항목
   ㉠ 슬럼프시험
   ㉡ 플로 시험
   ㉢ 비비 시험
   ㉣ 낙하 시험
   ㉤ 구관입 시험

> 17④ · 19① · 산21②
> 종류 : 시공연도(반죽질기) 시험방법

3) 재료분리
   ① 정의 : 콘크리트 배합 재료의 비중차에 의해 타설된 콘크리트 내 재료들이 고르게 배합되지 않고 분리되는 현상
   ② 원인
      ㉠ 굵은 골재의 최대치수가 지나치게 큰 경우
      ㉡ 단위수량이 너무 큰 경우
      ㉢ 단위골재량이 너무 큰 경우
      ㉣ 입자가 거친 잔골재를 사용한 경우
   ③ 대책
      ㉠ 단위수량을 감소시킨다.
      ㉡ 잔골재율을 크게 한다.
      ㉢ AE제, 플라이애시 등 혼화재를 적정량 사용한다.
      ㉣ 콘크리트의 성형성(Plasticity)을 증대시킨다.

> 07①
> 종류 : 재료분리의 원인 및 대책

   ④ 블리딩 : 아직 굳지 않은 시멘트 풀, 모르타르 및 콘크리트에서 물이 윗면에 스며 오르는 일종의 물의 재료분리 현상

> 99④ · 12④ · 14④ · 18④
> 용어 : 블리딩

   ⑤ 레이턴스
      ㉠ 콘크리트를 타설한 후 블리딩에 의한 물이 증발함에 따라 그 표면에 발생하는 백색의 미세한 물질
      ㉡ 부착력 감소(이어붓기 시, 마감 공사 시)

> 07③ · 10② · 14④ · 20①
> 용어 : 레이턴스

⑥ 모세관공극 : 콘크리트 내의 재료들 입자 사이에 물이 모세관현상이 발생한 뒤 모세관수가 증발하여 생긴 공극

> 10②
> 용어 : 모세관공극

4) 균열
① 종류
㉠ 건조수축(Plastic Shrinkage Crack, 소성수축균열)
ⓐ 콘크리트 타설 후 블리딩의 발생속도보다 표면의 증발속도가 빠른 경우 표면수축에 의해 발생되는 불규칙한 방향의 균열로, 주로 외기에 노출된 슬래브에서 많이 발생한다.
ⓑ 발생원인 : 분말도가 큰 시멘트, 흡수율이 큰 골재, 높은 단위수량일 때

> 14① · 22②
> 용어/발생원인 : 소성수축균열

㉡ 침강(침하)균열
ⓐ 타설된 콘크리트가 내부에서 가라앉는 속도 차이에 의해 발생되는 균열
ⓑ 발생원인
• 슬럼프가 큰 경우
• 수밀하지 못한 거푸집 사용 시
• 불충분한 다짐

> 03①
> 용어 : 침강균열

② 균열의 원인
㉠ 재료상의 원인
ⓐ 시멘트의 과다사용(시멘트 수화열에 의한 균열)
ⓑ 콘크리트의 건조수축
ⓒ 알칼리골재반응
ⓓ 골재에 포함된 염화물
ⓔ 콘크리트의 중성화
ⓕ W/C의 과다

> 99① · 산22①
> 종류 : 콘크리트 균열의 원인 재료상, 시공상 결함

> 99④
> 종류 : 타설 후 재료에 의한 균열 원인 3가지

  ⓒ 시공상의 원인
    ⓐ 비빔 불량
    ⓑ 급속 타설
    ⓒ 경화 전 진동, 충격을 가한 경우
    ⓓ 양생 불량(급격한 건조수축 균열)
    ⓔ 거푸집의 조기 제거
  ⓒ 레미콘에 의한 원인
    ⓐ 물의 과다사용
    ⓑ 장기간 운반에 따른 재료분리

> 03①
> 종류 : 레미콘 균열 원인

③ 균열의 대책
  ㉠ 슬럼프값을 내린다.
  ㉡ 재료분리가 생기지 않도록 한다.
  ㉢ 시멘트 사용량을 줄인다.
  ㉣ 골재는 둥근 입형을 사용한다.
  ㉤ 잔골재율을 적게 한다.
④ 콘크리트 균열보수 및 보강법
  ㉠ 균열보수 공법
    ⓐ 표면처리법
     • 0.2mm 이하의 성지된 균열에 적용
     • 폴리머시멘트나 Mortar로 도막을 형성하여 보수하는 방법
    ⓑ 주입공법 : 천공 후 주입 파이프를 적당한 간격으로 설치하여 낮은 점성의 에폭시 수지를 주입하는 공법

> 01② · 02① · 03① · 06① · 10① · 16④ · 22④
> 용어 : 표면처리법, 주입공법

    ⓒ 충전공법 : U, V자 커팅 후 실링재, 에폭시, 폴리머시멘트, 모르타르 등을 충전
  ㉡ 보수재료 요구성능
    ⓐ 부착력이 우수할 것
    ⓑ 적합한 점도와 완전주입이 가능한 충진성을 갖출 것
    ⓒ 경화 시 수축이 없을 것
    ⓓ 내후성

> 06②
> 종류 : 균열보수 재료의 요구성능

　　　ⓒ 균열보강 공법
　　　　ⓐ 앵커접합공법 : 균열 부위에 강재앵커(꺾쇠모양)를 이용하여 보강하는 방법
　　　　ⓑ 강판접착공법 : 균열 부위에 강판을 붙이고 기존 콘크리트와 볼트로 체결하는 방법
　　　　ⓒ 탄소섬유판 부착공법 : 탄소섬유판을 에폭시 수지 등을 이용 균열면에 부착하여 보강하는 공법
　　　　ⓓ 단면증가공법 : 구조체의 단면을 증가시켜 보강하는 공법

> 01② · 02① · 03① · 06① · 10① · 12① · 17① · 20③
> 종류 : 콘크리트의 균열보강 방법

(2) 경화 콘크리트의 성질
 1) 강도
　　① 종류
　　　㉠ 압축강도
　　　㉡ 인장강도
　　　㉢ 휨강도
　　　㉣ 전단강도
　　② 시험(압축강도)
　　　㉠ 120m^3마다, 매일, 공구별, 층별 1회
　　　㉡ 공시체(지름 15cm, 높이 30cm)
　　　㉢ 24시간 뒤 탈형, 20±3℃ 수중양생

> 08③
> 시험 : 콘크리트 강도시험 (　　)넣기

　　　　ⓐ 최대강도 이후에 완만한 변형 파괴
　　　　ⓑ 최대강도 이후에 급격한 변형 파괴
　　　　ⓒ 탄성에서 소성으로 변하면서 최대강도 이후에 압축 파괴

> 99① · 04② · 06①
> 종류 : 압축시험에서 대표적인 파괴 양상

③ 비파괴시험
  ㉠ 슈미트해머법(반발경도법)
    ⓐ 슈미트해머를 사용하여 Concrete 표면의 타격 시 반발의 정도로 강도를 추정한다.
    ⓑ 보정방법
      • 타격 각도 보정
      • 콘크리트 재령 보정
      • 압축응력에 따른 보정
      • 건조상태에 따른 보정

> 98④ · 99⑤ · 04③ · 10②
> 종류 : 슈미트해머 보정방법

  ㉡ 인발법
    ⓐ Concrete에 묻힌 Bolt 중에서 강도를 측정한다.
    ⓑ Pre-Anchor법, Post-Anchor법이 있고, P.S Concrete에 사용한다.
  ㉢ 공진법 : 물체 간 고유 진동주기를 이용하여 동적 측정치로 강도를 측정한다.
  ㉣ 초음파법(음속법) : 초음파의 통과 속도에 의해 강도를 측정한다.
  ㉤ 복합법 : 반발경도법+음속법을 병행해서 강도를 추정하며 가장 믿을 만하고 뛰어난 방법이다.

> 98② · 01① · 02① · 04① · 15④ · 21①
> 종류 : 비파괴 검사법

④ 크리프
  ㉠ 정의 : 하중의 증가없이 일정한 하중을 계속적으로 가하면 시간의 흐름에 따라 증기되는 콘크리트의 소성변형을 뜻하며 콘크리트 구조물의 처짐 증대, 균열 확대, Prestress의 감소를 유발한다.

> 98③ · 09② · 11①,② · 15④ · 22① · 23④
> 용어 : 크리프

  ㉡ 크리프가 커지는 요인
    ⓐ 재하 개시 재령이 짧을수록
    ⓑ 재하응력이 클수록
    ⓒ 부재치수가 작을수록
    ⓓ 온도가 높을수록 습도가 낮을수록
    ⓔ W/C가 클수록
    ⓕ 단위시멘트량이 많을수록

> 11①
> 종류 : 크리프가 커지는 요인

2) 콘크리트의 내구성 저하
   ① 중성화와 알칼리골재 반응
      ㉠ 중성화
         ⓐ 정의 및 반응식 : 탄산화라고도 하며, 공기 중의 탄산가스의 작용을 받아 콘크리트 중의 수산화칼슘이 서서히 탄산칼슘으로 되어 콘크리트의 알칼리성이 상실되는 현상
         $Ca(OH)_2 + CO_2 \rightarrow CaCO_3 + H_2O$

> 00① · 00④ · 01① · 03① · 05③ · 07② · 11① · 산22③
> 정의 및 반응식 : 중성화

         ⓑ 증상 : 콘크리트 중성화에 따른 철근의 부식은 철근의 체적을 팽창(2.5배)시켜 콘크리트의 균열이 촉진되어 내구성이 저하(강도 저하)된다.
         ⓒ 원인 : CO_2, Cl^-, 유기불순물
         ⓓ 대책
            • 피복두께의 증가
            • 물시멘트비를 낮춤
            • 밀실한 콘크리트 타설(CO_2 침입방지)
            • 유기불순물 함유 골재 사용 금지

> 00③
> 종류 : 탄산가스가 콘크리트에 미치는 영향

> 00②
> 종류 : 중성화 저감대책

      ㉡ 알칼리골재반응(Alkali Aggregate Reaction)
         ⓐ 정의 : 시멘트 내의 알칼리 성분과 골재의 실리카 성분이 화학반응을 일으켜 콘크리트가 팽창하여 균열을 발생시키는 현상

> 99④ · 00① · 01② · 04③ · 08③ · 10① · 15④ · 17④ · 산22②
> 용어 : 알칼리골재반응

         ⓑ 대책
            • 저알칼리 시멘트(고로 시멘트, Fly Ash 등) 사용
            • 비반응성 골재의 사용

- 알칼리골재 반응을 촉진하는 수분의 흡수 방지
- 염분 사용 금지

00① · 06② · 10① · 10④ · 12② · 12④ · 13② · 15④ · 19② · 21④ · 산22②

종류 : 알칼리 골재반응 대책

---

② 염해와 동결융해
  ㉠ 염해
    ⓐ 정의 : 콘크리트 중에 염화물이 존재하여 강재(철근이나 PC강재 등)가 부식함으로써 콘크리트 구조물에 손상을 끼치는 현상

00④

용어 : 염해

  ⓑ 영향
    - 철근 부식 증대
    - 콘크리트의 중성화 촉진
    - 균열 및 건조수축 증가
  ⓒ 대책
    - 콘크리트 중의 염소 이온량을 적게 한다(잔골재 중량의 0.04% 이하, 콘크리트 내 0.3kg/m^3 이하)
    - 철근의 피복두께를 충분히 확보한다.
    - 양질의 방청제를 사용한다.
    - 밀실한 콘크리트를 타설한다.
    - 물시멘트비를 작게 한다.

99②

규정 : 콘크리트 내의 염소 이온량

  ㉡ 동결융해
    ⓐ 원인
      - 콘크리트 중의 자유수가 동결하여 부피가 팽창(9%)하여 균열이 발생된다.
      - 초기 양생 불량 : 콘크리트의 초기 동해에 대한 저항성은 일반적으로 압축강도 4MPa 이상이면 동해를 받지 않는다.
    ⓑ 영향 : 콘크리트의 강도, 내구성, 수밀성이 현저히 저하된다.
    ⓒ 대책
      - AE제(4~6%)를 사용한다.
      - W/C비와 단위수량을 작게 한다.
      - 흡수율이 작은 골재를 사용한다.

단원별 경향문제

1 배합

98① · 99⑤ [3점]

1-1 콘크리트의 배합표시법 종류를 3가지 쓰시오.

(1)
(2)
(3)

해설 콘크리트 배합표시법
(1) 중량 배합
(2) 절대 용적 배합
(3) 표준계량 용적배합

04① · 06③ · 08② [4점]

1-2 콘크리트의 표준배합설계 순서를 〈보기〉에서 골라 번호로 쓰시오.

〈보기〉
① 슬럼프값의 결정　　② 시방배합의 산출 및 조정
③ 배합강도의 결정　　④ 물시멘트비의 산정
⑤ 잔골재율의 결정　　⑥ 소요강도의 결정
⑦ 굵은 골재 최대치수의 결정　⑧ 현장배합의 결정
⑨ 시멘트 강도의 결정　⑩ 단위수량의 결정

( ) → ( ) → ( ) → ( ) → ( ) → ( ) → ( ) → ( ) → ( ) → ( )

해설 배합설계 순서
⑥ → ③ → ⑨ → ④ → ① → ⑦ → ⑤ → ⑩ → ② → ⑧

06③ [4점]

1-3 콘크리트의 물시멘트비가 클 때 예상되는 결점을 4가지 쓰시오.

(1)
(2)
(3)
(4)

해설 물시멘트가 클 때
(1) 콘크리트의 강도저하
(2) 재료분리 현상 유발
(3) 건조수축으로 인한 균열 발생
(4) 내구성 및 수밀성의 저하

02① · 03① · 14② · 16④ [3점]

1-4 콘크리트 타설 시 현장 가수로 인한 문제점을 3가지 쓰시오.

(1)
(2)
(3)

해설 현장 가수로 인한 피해
(1) 콘크리트의 강도저하
(2) 재료분리 현상 유발
(3) 건조수축으로 인한 균열 발생
(4) 내구성 및 수밀성의 저하

99① [4점]

1-5 슬럼프 시험에 사용되는 기구를 4가지 쓰시오.

(1)
(2)
(3)
(4)

해설 슬럼프 시험 기구
(1) 슬럼프콘   (2) 수밀성 평판
(3) 다짐막대   (4) 계측기기

1-6 다음은 콘크리트의 슬럼프 테스트 순서이다. 빈칸을 완성하시오.

(1) 수밀평판을 수평으로 설치한다.
(2) ①
(3) ②
(4) ③
(5) 위의 ②항과 ③항의 작업을 2회 되풀이하고 윗면을 고른다.
(6) 슬럼프 콘을 조용히 들어 올린다.
(7) ④

해설 슬럼프시험
① 슬럼프 콘을 중앙에 놓는다.
② 콘크리트 체적의 1/3만큼 콘크리트 채운다.
③ 다짐막대로 25회씩 다진다.
④ 시료의 높이를 측정하여 30cm에서 뺀 값이 슬럼프값이다.

1-7 다음 글을 읽고 ( ) 안에 들어갈 적당한 수치를 기입하시오.

시방서에서 규정한 철근콘크리트 슬럼프값의 표준은 일반적인 경우 (가)mm이며, 단면이 큰 경우는 (나)mm이다. AE제의 공기량 기준은 (다)% 정도이다.

(가)
(나)
(다)

해설 콘크리트 슬럼프 및 AE공기량
(1) 80~180   (2) 60~150   (3) 4~6

1-8 콘크리트 슬럼프 손실에 대해서 간단히 기술하시오.

해설 슬럼프 손실
시간의 경과에 따른 콘크리트 반죽질기의 감소현상을 말하며, 콘크리트 혼합물의 수화작용이나 수분의 증발 등으로 혼합수가 감소하여 발생한다.

18② [4점]

1-9 콘크리트 배합의 슬럼프 손실이 발생하는 원인 2가지를 기술하시오.

(1)
(2)

해설 슬럼프 손실 요인
(1) 잉여수의 증발
(2) 배합의 운반시간이 긴 경우
(3) 타설 시간이 긴 경우
(4) 펌프 압송거리가 클 때
(5) 서중 콘크리트일 때

02③ [4점]

1-10 다음 콘크리트 배합설계 시에 가장 관련이 있는 것을 1가지 골라 번호로 쓰시오.

① 단위수량 혹은 시멘트량　　② 굵은 골재의 최대치수
③ 잔골재율 혹은 단위 굵은 골재량　　④ AE제의 양
⑤ 물시멘트비

(1) 콘크리트의 반죽질기 조정 (　　　)
(2) 콘크리트의 점도 및 재료 분리조정 (　　　)
(3) 콘크리트의 강도 고려 (　　　)
(4) 콘크리트의 내구성 고려 (　　　)

해설 배합설계
(1) 콘크리트의 반죽질기 조정 : ① 단위수량 혹은 시멘트량
(2) 콘크리트의 점도 및 재료 분리조정 : ③ 잔골재율 혹은 단위 굵은 골재량
(3) 콘크리트의 강도 고려 : ⑤ 물시멘트비
(4) 콘크리트의 내구성 고려 : ④ AE제의 양

2 굳지 않은 콘크리트

06③ [4점]

2-1 굳지 않는 콘크리트의 성질을 4가지 쓰시오.

(1)
(2)
(3)
(4)

해설 굳지 않는 콘크리트 성질
(1) 시공연도(워커빌리티)
(2) 반죽질기(유동성)
(3) 성형성
(4) 마감성
(5) 압송성

99④ · 02③ · 06② · 21① · 산21① · 산21② [4점]

2-2 콘크리트 공사 시 다음 설명이 뜻하는 용어를 쓰시오.

(1) 수량에 의해 변화하는 콘크리트 유동성의 정도 (　　　　)
(2) 작업의 난이도 정도 및 재료분리에 저항하는 정도 (　　　　)
(3) 마감성의 난이를 표시하는 성질 (　　　　)
(4) 거푸집 등의 형상에 순응하여 채우기 쉽고, 분리가 일어나지 않는 성질
(　　　　)

해설 용어
(1) 반죽질기(Consistency)
(2) 시공연도(Workability)
(3) 마감성(Finishability)
(4) 성형성(Plasticity)

06③ [6점]

2-3 다음 중 서로 연관이 있는 것끼리 연결하시오.

㉠ 워커빌리티 · · ⓐ 다짐성
㉡ 컨시스턴시 · · ⓑ 안정성
㉢ 스테빌리티 · · ⓒ 성형성
㉣ 컴펙터빌리티 · · ⓓ 시공성
㉤ 모빌리티 · · ⓔ 가동성
㉥ 플라스티시티 · · ⓕ 유동성

해설 굳지 않는 콘크리트 성질
㉠ – ⓓ
㉡ – ⓕ
㉢ – ⓑ
㉣ – ⓐ
㉤ – ⓔ
㉥ – ⓒ

07③ [4점]

2-4 콘크리트 공사에서 다음 설명에 알맞은 용어를 〈보기〉에서 골라 번호로 쓰시오.

〈보기〉
① 디스펜서   ② 이넌데이터   ③ 쇼트 크리트
④ 컨시스턴시   ⑤ 워세크리터   ⑥ 레이턴스

(1) 물·시멘트비를 일정하게 유지시키면서 골재를 계량하는 장치 (   )
(2) 모래의 용적계량 장치 (   )
(3) 모르타르를 압축공기로 분사하여 바르는 콘크리트 시공방법 (   )
(4) 콘크리트를 부어 넣은 후 블리딩수의 증발에 따라 그 표면에 나오는 미세한 물질
    (   )

해설 용어
(1) ⑤ 워세크리터
(2) ② 이넌데이터
(3) ③ 쇼트 크리트
(4) ⑥ 레이턴스

2-5 다음 용어를 설명하시오.

(1) 레이턴스(Laitance) :
(2) 콜드 조인트(Cold Joint) :
(3) 모세관 공극(Capillary Cavity) :
(4) 크리프(Creep) :

해설 용어
(1) 콘크리트를 타설한 후 블리딩에 의한 물이 증발함에 따라 그 표면에 발생하는 **백색의 미세한 물질**
(2) 콘크리트 시공과정 중 휴식시간 등으로 응결하기 시작한 콘크리트에 새로운 콘크리트를 이어칠 때 일체화가 저해되는 생기는 줄눈
(3) 모세관 공극 : 콘크리트 내의 재료들 입자 사이에 물이 모세관현상이 발생한 뒤 모세관 수가 증발하여 생긴 공극
(4) 하중의 증가 없이 일정한 하중(고정하중 등)이 지속될 때 나타나는 소성 변형

2-6 콘크리트의 시공연도(Workability)에 영향을 미치는 요인을 4가지 쓰시오.

(1)   (2)
(3)   (4)

해설 시공연도에 영향을 주는 요인
(1) 단위시멘트량
(2) 단위수량
(3) 잔골재율
(4) 혼화재료

2-7 반죽질기를 확인하는 방법(시공연도를 측정하는 시험방법) 4가지를 쓰시오.

(1)   (2)
(3)   (4)

해설 반죽질기 확인방법
(1) 슬럼프시험   (2) 플로시험
(3) 비비시험   (4) 낙하시험
(5) 구관입시험

07① [4점]

2-8 콘크리트의 재료분리의 원인 및 대책에 대하여 각각 3가지 쓰시오.

(1) 원인
 ①
 ②
 ③
(2) 대책
 ①
 ②
 ③

해설 재료분리의 원인과 대책
(1) 원인 : ① 굵은 골재의 최대치수가 지나치게 큰 경우
 ② 단위수량이 너무 큰 경우
 ③ 단위골재량이 너무 많은 경우
(2) 대책 : ① 단위수량을 감소시킨다.
 ② 잔골재율을 크게 한다.
 ③ AE제, 플라이애시 등 혼화재의 적정량 사용

14② [3점]

2-9 콘크리트 공사에서 소성수축균열(Plastic Shrinkage Crack)에 대하여 기술하시오.

해설 용어 – 소성수축 균열
콘크리트 타설 후 블리딩의 발생속도보다 표면의 증발속도가 빠른 경우 표면 수축에 의해 발생되는 불규칙한 방향의 균열로, 주로 외기에 노출된 슬래브에서 많이 발생한다.

03① [6점]

2-10 콘크리트 작업 시 발생되는 다음의 균열에 대해 설명하시오.

(1) 침강균열 :
(2) 레미콘에 의해 생길 수 있는 균열 원인
 ①
 ②

해설 콘크리트 균열
(1) 타설된 콘크리트가 내부에서 가라앉는 속도 차이에 의해 발생되는 균열
(2) ① 물의 과다사용
 ② 장기간 운반에 따른 재료분리

99① [6점]

2-11 콘크리트 균열의 원인을 재료상·시공상의 결함으로 구분하여 3가지씩 기술하시오.

(1) 재료상의 원인
   ①
   ②
   ③
(2) 시공상의 원인
   ①
   ②
   ③

해설 콘크리트 균열의 원인
(1) 재료상의 원인
   ① 시멘트의 과다사용(시멘트 수화열에 의한 균열)
   ② 콘크리트의 건조수축
   ③ 알칼리 골재반응
(2) 시공상의 원인
   ① 비빔 불량, 급속 타설
   ② 경화 전 진동, 충격을 가한 경우
   ③ 양생 불량(급격한 건조수축 균열)

01②・02①・03①・06①・10①・16④ [4점]

2-12 다음 콘크리트의 균열보수법에 대하여 설명하시오.

(1) 표면처리법 :
(2) 주입공법 :

해설 콘크리트 균열보수법
(1) 표면처리법 : 보통 폭이 0.2mm 이하의 미세한 균열에 폴리머시멘트나 Mortar로 도막을 형성하여 보수하는 방법
(2) 주입공법 : 천공 후 주입 파이프를 적당한 간격으로 설치하여 낮은 점성의 에폭시 수지를 주입하는 공법

06② [3점]

2-13 구조적인 균열에 대한 보수재료가 갖추어야 하는 요구조건 3가지를 기술하시오.

(1)
(2)
(3)

해설 구조적 균열에 대한 보수재료 요건
(1) 부착력이 우수할 것
(2) 적합한 점도와 완전주입이 가능한 충진성을 갖출 것
(3) 경화 시 수축이 없을 것

01②·02①·03①·06①·10①·12①·17①·20③ [3점]

2-14 콘크리트 구조물의 균열발생 시 보강방법 3가지를 기술하시오.

(1)
(2)
(3)

해설 콘크리트 균열보강법
(1) 앵커접합공법　　　　　　(2) 강판접착공법
(3) 탄소섬유판 부착공법　　　(4) 단면증가공법

3 경화 콘크리트

08③ [3점]

3-1 다음 설명을 읽고 (　) 안에 들어갈 알맞은 말을 쓰시오.

> 건축표준 시방서에 의한 레디믹스트 콘크리트의 강도는 (가)회 시험결과에 의하여 검사 로트(lot)의 합격 여부가 결정되며, 시험횟수는 1일 1회 이상 또는 (나)m^3마다 1회로 규정되어 있기 때문에 보통은 1검사 로트는 (다)m^3가 된다.

(가)
(나)
(다)

해설 콘크리트 강도시험
(가) 3　　　(나) 120　　　(다) 360

99①·04②·06① [3점]

3-2 콘크리트의 압축시험에서 대표적인 파괴 양상을 쓰시오.

(1) 저강도 :
(2) 일반강도 :
(3) 고강도 :

해설 콘크리트 파괴 현상
(1) 최대강도 이후에 완만한 변형 파괴
(2) 탄성에서 소성으로 변하면서 최대강도 이후에 압축 파괴
(3) 최대강도 이후에 급격한 변형 파괴

98②·01①·02①·04①·15④·21① [4점]

3-3 콘크리트 구조물의 압축강도를 추정하고 내구성 진단, 균열의 위치, 철근의 위치 등을 파악하는데 있어서 구조체를 파괴하지 않고 비파괴적인 방법으로 측정하는 검사방법을 4가지 쓰시오.

(1)
(2)
(3)
(4)

해설 콘크리트 비파괴 검사법
(1) 슈미트해머법(반발경도법)
(2) 인발법
(3) 공진법
(4) 초음파법

98④·99⑤·04③·10② [3점]

3-4 콘크리트의 압축강도를 조사하기 위해 슈미트해머를 사용할 때 반발경도를 조사한 후 추정강도를 계산할 때 실시하는 보정 방안 3가지를 쓰시오.

(1)
(2)
(3)

해설 슈미트해머 보정 방안
(1) 타격 각도 보정   (2) 콘크리트 재령 보정
(3) 압축응력에 따른 보정 (4) 건조상태에 따른 보정

98③·09②·10②·11①,②·15④ [3점]

3-5 콘크리트의 크리프(Creep) 현상에 대하여 기술하시오.

해설 용어
하중의 증가없이 일정한 하중을 계속적으로 가하면 **시간의 흐름에 따라 증가되는 콘크리트의 소성변형**을 뜻하며 콘크리트 구조물의 처짐 증대, 균열 확대, Prestress의 감소를 유발한다.

11① [5점]

3-6 경화된 콘크리트의 크리프 현상에 대한 설명이다. 맞으면 ○, 틀리면 ×로 표시하시오.

(1) 재하기간 중 습도가 클수록 크리프는 커진다. (　)
(2) 재하 개시 재령이 짧을수록 크리프는 커진다. (　)
(3) 재하응력이 클수록 크리프는 커진다. (　)
(4) 시멘트 페이스트량이 적을수록 커진다. (　)
(5) 부재치수가 작을수록 크리프는 커진다. (　)

해설 (1) ×
(2) ○
(3) ○
(4) ×
(5) ○

07②·11①

3-7 콘크리트의 중성화의 정의와 반응식을 쓰시오.

(1) 정의 :
(2) 반응식 :

해설 콘크리트 중성화
(1) 정의 : 탄산화라고도 하며, 공기 중의 탄산가스의 작용을 받아 콘크리트 중의 **수산화칼슘**이 서서히 탄산칼슘으로 되어 콘크리트의 알칼리성이 상실되는 현상
(2) 반응식 : $Ca(OH)_2 + CO_2 \rightarrow CaCO_3 + H_2O$

00①,④ · 01① · 03① · 05③ · 07②

3-8
경화한 콘크리트는 시멘트의 수화생성물로서 수산화석회를 유리하여 강알칼리성을 나타내고 수산화석회는 시간의 경과와 함께 콘크리트의 표면으로부터 공기 중의 탄산가스 영향을 받아서 서서히 탄산석회로 변화하여 알칼리성을 소실하는 현상을 무엇이라 하는가?

해설 용어
콘크리트의 중성화(탄산화) 현상

00③ [3점]

3-9
우리나라에 유입되고 있는 중국에서 발생한 다량의 탄산가스(CO_2)가 철근콘크리트 구조물에 미치는 영향을 3가지 쓰시오.

(1)
(2)
(3)

해설 탄산가스(CO_2)가 철근구조물에 미치는 영향
(1) 강도 저하
(2) 내구성 저하
(3) 철근 부식

00② [4점]

3-10
콘크리트의 중성화에 대한 저감대책 4가지를 쓰시오.

(1)
(2)
(3)
(4)

해설 콘크리트 중성화 저감대책
(1) 피복두께의 증가
(2) 물시멘트비를 낮춤
(3) 밀실한 콘크리트 타설
(4) 유기불순물 함유 골재 사용 금지

99④・00①・01②・04③・08③・10①・15④・17④ [4점]

3-11 다음 콘크리트 공사에 관한 용어에 대하여 기술하시오.

(1) 알칼리 골재 반응 :
(2) 콘크리트의 중성화 :

[해설] 용어
(1) 알칼리 골재 반응 : 시멘트 내의 알칼리 성분과 골재의 실리카 성분이 화학반응을 일으켜 콘크리트가 팽창하여 균열을 발생시키는 현상
(2) 콘크리트의 중성화 : 탄산화라고도 하며, 공기 중의 탄산가스의 작용을 받아 콘크리트 중의 수산화칼슘이 서서히 탄산칼슘으로 되어 콘크리트의 알칼리성이 상실되는 현상

00①・06②・10①,④・12④・13②・15④・19②

3-12 콘크리트의 알칼리 골재반응을 방지하기 위한 대책을 3가지만 쓰시오.

(1)
(2)
(3)

[해설] 알칼리 골재반응의 방지대책
(1) 저알칼리 시멘트(고로 시멘트, Fly Ash 등) 사용
(2) 비반응성 골재의 사용
(3) 알칼리 골재 반응을 촉진하는 수분의 흡수 방지

04③・08③・10①・17④

3-13 다음의 콘크리트 용어에 대해 간단히 설명하시오.

(1) 알칼리 골재반응 :
(2) 엔트랩트 에어(Entrapped Air) ;
(3) 배쳐 플랜트(Batcher Plant) :

[해설] 용어
(1) 시멘트 내의 알칼리 성분과 골재의 실리카 성분이 화학반응을 일으켜 콘크리트가 팽창하여 균열을 발생시키는 현상
(2) 콘크리트를 배합할 때 자연적으로 함입되는 공기로서 배합되는 콘크리트량의 1~2% 정도가 함입된다.
(3) 콘크리트 배합 시 사용되는 물, 시멘트, 골재 등을 자동 중량 계량하여 배합하는 콘크리트 배합 기계설비

00④ [4점]

3-14 다음 콘크리트에 대한 용어에 대해 기술하시오.

(1) 염해 :
(2) 중성화 :

[해설] 용어
(1) 염해 : 콘크리트 중에 염화물이 존재하여 **강재(철근이나 PC강재 등)가 부식함으로써** 콘크리트 구조물에 손상이 끼치는 현상
(2) 중성화 : 탄산화라고도 하며, 공기 중의 탄산가스의 작용을 받아 콘크리트 중의 **수산화칼슘이 서서히 탄산칼슘으로 되어 콘크리트의 알칼리성이 상실되는 현상**

99② [4점]

3-15 콘크리트 내의 Cl^-에 대한 규정에 대하여 2가지 기술하시오.

(1)
(2)

[해설] Cl^-에 대한 규정
(1) 잔골재 중량의 0.04% 이하
(2) 콘크리트 내 0.3kg/m³ 이하

제 5 절 | 콘크리트 공사-시공

1. 시공

(1) 계량/비빔/운반

1) 일반사항

계량	비빔	운반
① 배쳐 플랜트 ② 배칭 플랜트 ③ 믹싱 플랜트	① 손비빔 ② 기계비빔 ① 다시 비빔 ② 되비빔	① 손차 ② 슈트 ③ 타워 ④ 콘크리트 펌프 ⑤ 콘크리트 플레이스 붐(CPB)

① 배쳐 플랜트(Batcher Plant) : 콘크리트 배합 시 사용되는 물, 시멘트, 골재 등을 자동 중량 계량하여 배합하는 콘크리트 배합 기계설비

> 08③ · 17④
> 용어 : 배쳐 플랜트

② 다시 비빔 : 응결이 시작되지 않은 콘크리트에 재료 분리가 발생한 경우에 다시 비벼 쓰는 것

③ 되비빔 : 콘크리트가 응결하기 시작한 것을 다시 비비는 것

> 99② · 03③ · 09① · 10④
> 용어 : 다시 비빔, 되비빔

2) 운반

① 펌프

　㉠ 압송방식

　　ⓐ 스퀴즈식(대형) : 튜브 속의 콘크리트를 짜내는 방식
　　ⓑ 피스톤 압송식(중형) : 피스톤으로 압송하는 방식
　　ⓒ 압축 공기식(소형) : 압축공기의 압력에 의한 방식

> 02②
> 종류 : 압송방식

　㉡ 특징

장점	단점
① 공기단축 ② 공사비 절감 ③ 운반성능 향상	① 압송거리의 한계 ② 압송 시 슬럼프 저하 ③ 압송관의 폐색(막힘) 현상 우려

> 99②
> 특징 : 펌프공법의 장단점 3가지씩

(2) 타설 및 이어붓기
 1) 타설
    ① 방법
       ㉠ 수평으로
       ㉡ 높이는 낮게
       ㉢ 일체성 확보(줄눈 발생 억제)
    ② 주의사항
       ㉠ 재료분리
       ㉡ 가수(加水)
       ㉢ 콜드 조인트(Cold Joint)
       ㉣ 레이턴스(Laitance) 및 블리딩(Bleeding)

> 90④
> 주의사항 : 이어붓기 시 주의사항 4가지

    ③ 콘크리트 공사 시 현장 타설까지의 진행순서
       비빔시간 → 적재시간 → 주행시간 → 대기시간 → 타설시간

> 06①
> 진행순서 : 레미콘 공장에서 타설까지

    ④ 이어붓기
       ㉠ 위치
          ⓐ 구조물의 강도에 영향이 적은 곳에 둔다.
          ⓑ 이음 길이가 짧게 되는 위치에 둔다.
          ⓒ 수평부재에서는 수직으로, 수직부재에서는 수평으로 이어 붓는다.
          ⓓ 이음부 처리는 이물질 제거 후 물축임을 한다.
          ⓔ 이음 위치는 대체로 단면이 작은 곳에 두고 응력에 직각으로 한다.

> 99②
> 시공법 : 시공줄눈 이음면 처리방법

       ㉡ 면처리
          ⓐ 레이턴스 제거
          ⓑ 이물질 제거
          ⓒ 습윤처리

⑤ 부재별
  ㉠ 보, 바닥슬래브 및 지붕슬래브의 수직 타설이음부는 스팬의 중앙부근에 주근과 수직으로 설치한다. 다만, 캔틸레버로 내민보나 바닥판은 이어붓지 않는다.
  ㉡ 바닥판은 그 간사이의 중앙부에 작은보가 있을 때에는 작은보 너비의 2배 정도 떨어진 곳에 둔다.
  ㉢ 기둥 및 벽의 수평 타설이음부는 바닥슬래브(지붕슬래브), 보의 하단에 설치하거나 바닥슬래브, 보, 기초부의 상단에 설치한다.
  ㉣ 기둥은 기초판, 연결보 또는 바닥판 위에서 수평으로 한다.
  ㉤ 벽은 개구부 등 끊기 좋고 또한 이음자리 막기와 떼어내기에 편리한 곳에 수직 또는 수평으로 한다.
  ㉥ 아치의 이음은 아치축에 직각으로 설치한다.

> 03② · 08①
> 위치 : 이어붓기 부재별

⑥ 제한시간

온도	비빔에서 타설 완료	이어붓기 시
25℃ 이상	90분 이내	120분(2시간) 이내
25℃ 미만	120분 이내	150분(2.5시간) 이내

> 19④ · 23①
> 수치 : 이어붓기 시간

(3) 줄눈
 1) 줄눈의 종류
  ① 기능성 줄눈
   ㉠ 시공줄눈(Construction Joint)
    ⓐ 정의 : 콘크리트를 한 번에 타설하지 못하고 이어붓기로 인해 발생하는 줄눈
    ⓑ 설치 위치
     • 구조물의 강도에 영향이 없는 곳
     • 전단력이 작은 곳
     • 압축력의 방향과 직각으로 구획
    ⓒ 무근콘크리트 이음새의 전단력 보강방법
     • 촉 또는 홈(Key Joint)을 둔다.
     • 석재를 삽입하여 보강한다.
     • 강재 또는 철근으로 적절히 보강한다.

> 📖 98③ · 07③ · 산21③ · 산23③
>
> 용어 : 시공줄눈

> 📖 06①
>
> 종류 : 콘크리트 줄눈 4가지

> 📖 98③ · 02①
>
> 종류 : 콘크리트 붓기 이음새 전단력 보강방법

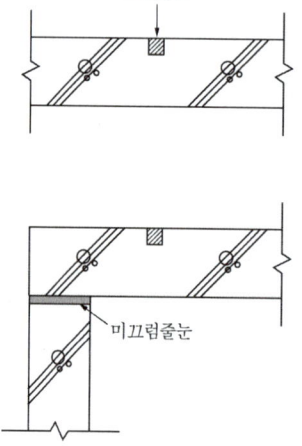 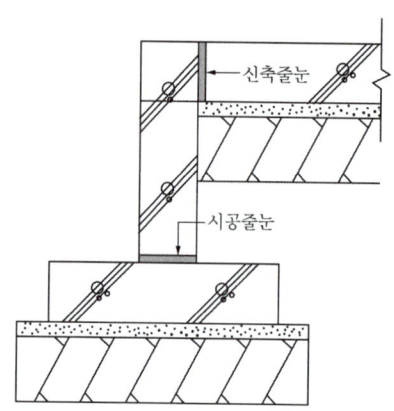

　ⓒ 신축줄눈
　　ⓐ 정의 : Expansion Joint
　　　온도변화에 따른 팽창, 수축 혹은 부동침하, 진동 등에 의해 균열이 예상되는 곳에 설치하는 줄눈
　　ⓑ 설치 위치
　　　• 하중 배분이 다른 곳
　　　• 기존 건축물의 증축 경계부위
　　　• 건축물 길이 50~60m마다

> 📖 98③ · 02① · 03② · 07③ · 18② · 산21③ · 23④
>
> 용어 : 신축줄눈

　ⓒ 조절줄눈 : Control Joint
　　ⓐ 콘크리트 경화 시 수축에 의한 균열을 방지하고 슬래브에서 발생하는 수평 움직임을 조절하기 위하여 설치한다.
　　ⓑ 벽과 슬래브가 외기에 접하는 부분 등 균열이 예상되는 위치에 약한 부분을 인위적으로 줄눈을 만들어 다른 부분의 균열을 억제하는 역할을 하는 줄눈

> 98③·02①·07③·11②·15②·17④·18②·19①·산21③·23②
> 용어 : 조절줄눈

  ⓔ 줄눈대 : Delay Joint
    ⓐ 콘크리트의 건조수축에 의한 균열을 감소시키기 위해 **구조물의 일정 부위를 남겨놓고 콘크리트를 타설한 후 초기 건조수축이 완료되면 나머지 부분을 타설할 목적**으로 설치하는 줄눈
    ⓑ 장 span의 구조물(100m가 넘는)에 Expansion Joint를 설치하지 않고, 건조수축을 감소시킬 목적으로 설치하는 Joint

> 02①·16②
> 용어 : 줄눈대

  ⓜ 슬라이딩 조인트(Sliding Joint)
    보와 기둥 사이에 미끄러지는 곳에 설치하는 줄눈

> 06①·13④·18①
> 도해 : 줄눈명칭 그림연결

② Cold Joint
  ㉠ 정의 : 콘크리트 타설 작업 중 휴식시간 등으로 경화가 완료된 콘크리트에 새로운 **콘크리트를 이어서 타설할 때, 일체가 되지 않아 생기는 줄눈**

> 98③·99④·02①·07①,③·10②·12④·14①·17④·18②,④·산21③·22④·산23③
> 용어 : 콜드조인트

  ㉡ 원인
    ⓐ 타설 시 응결부터 종결까지의 시간 초과
    ⓑ 장기간 운반 및 대기 재료 분리된 콘크리트 사용 시
    ⓒ 구조물의 수화열 발생
    ⓓ 분말도가 높은 시멘트사용 시
  ㉢ 영향
    ⓐ 일체화 저하로 강도저하
    ⓑ 경화 시 균열발생
    ⓒ 철근부식 촉진 및 부착력 저하
    ⓓ 전단력 저하
  ㉣ 대책
    ⓐ 타설시간 준수
    ⓑ 이어 붓기 시간 준수
    ⓒ 응결지연제 사용

> 00②
> 종류 : 콜드조인트 영향 및 방지대책

(4) 다짐 및 양생
 1) 다짐
    ① 목적
       ㉠ 콘크리트의 밀실한 충전
       ㉡ 소요강도, 수밀성, 내구성 확보
       ㉢ 재료분리, 콘크리트 표면의 곰보 방지
    ② 종류
       ㉠ 막대식 진동기 - 콘크리트에 꽂아서 사용하여 진동에 의하여 콘크리트를 액상화 시켜 다짐효과가 크다.
       ㉡ 거푸집 진동기 - 거푸집을 진동시키는 것으로 얇은 벽이나 공장제작 콘크리트에서 사용된다.
       ㉢ 표면 진동기 - 타설된 콘크리트 위를 다짐하는 용도로 사용한다.

> 98③ · 01② · 01③ · 04①
> 종류 : 콘크리트 다짐

> 09① · 06③
> 용어 : 막대식, 거푸집, 표면 진동기

    ③ 진동기 사용 시 주의사항
       ㉠ 수직으로 사용한다.
       ㉡ 간격은 진동이 중복되지 않도록 50cm 이하로 한다.
       ㉢ 콘크리트에 구멍이 남지 않도록 서서히 뺀다.
       ㉣ 굳기 시작한 콘크리트에는 사용을 금지한다.
       ㉤ 철근에 직접 닿지 않도록 한다.

> 99① · 99⑤ · 05② · 06③ · 08②
> 종류 : 진동기 사용 시 주의사항

    ④ 다짐효과 : 빈배합 된비빔 → 빈배합 묽은 비빔 → 부배합 묽은 비빔

> 99④
> 순서 : 진동기 효과 순서

⑤ 과다사용 시 피해
  ㉠ 공기량 감소
  ㉡ 재료분리 발생
  ㉢ 블리딩 발생

> 12①
> 괄호넣기 : 진동기 과다사용 시 피해

2) 양생(보양)
  ① 정의 : 콘크리트를 타설 후 수화작용을 충분히 발휘시키면서 외력에 의한 균열발생을 예방하고 오손, 변형, 파손 등으로부터 콘크리트를 보호하는 것

> 06②
> 용어 : 양생

  ② 종류
    ㉠ 습윤 양생 : 살수 또는 수중보양 조치
    ㉡ 전기 양생 : 콘크리트 중에 전기·저항열을 이용하여 보온
    ㉢ 증기 양생 : 거푸집을 빨리 제거하고 단시일에 소요강도를 내기 위해서 고온, 고압 증기로 보양하는 것. PC 제품에 이용
    ㉣ 피막 양생 : 포장 콘크리트 등의 보양에 이용 피막제 뿌림
    ㉤ Pre-Cooling : 물, 골재 등을 미리 차갑게 하여 수화열을 내린다.
    ㉥ Pipe-Cooling : 콘크리트 속에 미리 Pipe를 배관하고 냉각수를 유통시켜 내부 열을 감소시킨다.
    ㉦ 단열 보온 : 주로 외부면에 단열재 등으로 보온 유지
    ㉧ 가열 보온 : 구조물 내부 또는 구조물 자체 내에서 온도를 높여 경화를 촉진

> 98③ · 02③
> 종류 : 양생 방법

  ③ 주의사항
    ㉠ 3일간 보행금지, 7일간 이상 습윤 양생
    ㉡ 직사광선, 풍, 우, 설에 대해 노출면을 보호
    ㉢ 콘크리트가 충분히 경화될 때까지 충격 및 하중을 금지
    ㉣ 5℃ 이상의 온도 유지

단원별 경향문제

1 계량/비빔/운반

99②·03③·09①·10④ [4점]

1-1 다음 두 용어를 구분지어 설명하시오.

(1) 다시 비빔(Remixing) :
(2) 되비빔(Retempering) :

해설 비빔
(1) 다시 비빔 : 응결이 시작되지 않은 콘크리트에 재료 분리가 발생한 경우에 다시 비벼 쓰는 것
(2) 되비빔 : 콘크리트가 응결하기 시작한 것을 다시 비비는 것

99②

1-2 콘크리트 펌프공법의 장단점을 각각 3가지씩 기록하시오.

(1) 장점
①
②
③
(2) 단점
①
②
③

해설 펌프 공법의 장단점
(1) 장점
① 공기 단축
② 공사비 절감
③ 운반성능 향상
(2) 단점
① 압송거리의 한계
② 압송 시 슬럼프 저하
③ 압송관의 폐색(막힘) 현상 우려

1-3 콘크리트 펌프의 압송방식 2가지를 쓰시오.

(1)
(2)

해설 콘크리트 펌프의 압송방식
(1) 스퀴즈식(대형)
(2) 피스톤 압송식(중형)
(3) 압축 공기식(소형)

2 타설 및 이어 붓기

2-1 콘크리트 공사 시에 레미콘 공장에서 현장타설까지의 진행순서를 〈보기〉에서 골라 쓰시오.

① 비빔시간   ② 대기시간   ③ 주행시간   ④ 타설시간   ⑤ 적재시간

( ) → ( ) → ( ) → ( ) → ( )

해설 레미콘 타설 진행
① → ⑤ → ③ → ② → ④

2-2 콘크리트 타실 시 시공 Joint 처리방법이다. ( ) 안에 알맞은 말을 쓰시오.

(1) 이음면은 (   )
(2) 수평부재에서는 (   )
(3) 수직부재에서는 (   )
(4) 이음부 처리는 (   )

해설 시공 Joint
(1) 길이가 짧게
(2) 수직으로
(3) 수평으로
(4) 이물질 제거 후 물축임을 한다.

03② · 08① [3점]

2-3 다음 ( ) 안에 적당한 말을 써 넣으시오.

콘크리트 타설이음부의 위치는 구조부재의 내력에의 영향이 가장 작은 곳에 정하도록 하며 다음을 표준으로 한다.
(1) 보, 바닥슬래브 및 지붕슬래브의 수직 타설이음부는 스팬의 (①)부근에 주근과 직각방향으로 설치한다.
(2) 기둥 및 벽의 수평 타설이음부는 바닥슬래브(지붕슬래브), 보의 (②)에 설치하거나 바닥슬래브, 보, 기초부의 (③)에 설치한다.

①
②
③

해설 콘크리트 이어 붓기
① 중앙
② 하단
③ 상단

03② · 08① [3점]

2-4 철근콘크리트 부재의 이어치기는 수직, 수평, 직각의 형태로 구분된다. 주어진 부재의 이어치기를 이들 3형태에 맞게 번호로 답하시오.

| ① 보 | ② 기둥 | ③ 슬래브 | ④ 벽 | ⑤ 아치 |

(1) 수직
(2) 수평
(3) 축에 직각

해설 콘크리트 이어 붓기
(1) ①, ③, ④
(2) ②, ④
(3) ⑤

19④ [4점]

2-5 콘크리트 시공 시 이어 붓기를 하는 경우, 콘크리트의 비빔에서 타설 후 이어 붓기까지의 제한시간은 외기온도가 25℃ 미만에서는 (가)분 이내, 25℃ 이상에서는 (나)분 이내로 타설을 완료하여야 한다.

(가)   (나)

해설 (가) 150   (나) 120

3 줄눈

98③ · 02① · 07③ · 18② [4점]

3-1 콘크리트의 각종 Joint에 대하여 설명하시오.

(1) Cold Joint :
(2) Construction Joint :
(3) Control Joint :
(4) Expansion Joint :

해설 콘크리트의 각종 Joint
(1) Cold Joint : 콘크리트 타설작업 중 휴식시간 등으로 경화가 완료된 콘크리트에 새로운 콘크리트를 이어서 타설할 때, 일체가 되지 않아 생기는 줄눈
(2) Construction Joint : 콘크리트를 한 번에 타설하지 못하고 **이어붓기로 인해 발생하는 줄눈**
(3) Control Joint : 벽과 슬래브가 외기에 접하는 부분 등 균열이 예상되는 위치에 약한 부분을 인위적으로 줄눈을 만들어 다른 부분의 균열을 억제하는 역할을 하는 줄눈
(4) Expansion Joint : 온도변화에 따른 **팽창, 수축 혹은 부동침하**, 진동 등에 의해 **균열이 예상되는 곳에 설치하는 줄눈**

98③ · 02① [3점]

3-2 무근콘크리트의 붓기 이음새에 전단력을 보강하기 위한 방법을 3가지만 쓰시오.

(1)
(2)
(3)

해설 무근콘크리트의 이음새 보강방법
(1) 이어 붓기 이음새에 촉 또는 홈(Keyed Joint)을 둔다.
(2) 석재를 삽입하여 보강한다.
(3) 강재 또는 철근으로 적절히 보강한다.

11② · 15② · 17④ · 19① [3점]

3-3 다음에 설명하는 콘크리트의 줄눈 명칭을 쓰시오.

> 지반 등 안정된 위치에 있는 바닥판이 수축에 의하여 표면에 균열이 생길 수 있는데 이러한 방지하기 위해 설치하는 줄눈

해설 용어
조절줄눈(Control Joint)

02① · 16② [3점]

3-4 콘크리트의 건조수축에 의한 균열을 감소시키기 위해 구조물의 일정 부위를 남겨놓고 콘크리트를 타설한 후 초기 건조수축이 완료되면 나머지 부분을 타설할 목적으로 설치하는 줄눈의 명칭을 기술하시오.

해설 용어 - 줄눈
Delay Joint(줄눈대)

02① · 07③ [4점]

3-5 다음 콘크리트 줄눈의 종류를 쓰시오.

(1) 콘크리트 작업관계로 경화된 콘크리트에 새로 콘크리트를 타설할 경우 발생하는 Joint (　　　　　　　　)
(2) 온도변화에 따른 팽창·수축 혹은 부동침하·진동 등에 의해 균열이 예상되는 위치에 설치하는 Joint (　　　　　　　　)
(3) 균열을 전체 벽면 중의 일정한 곳에만 일어나도록 유도하는 Joint
 (　　　　　　　　)
(4) 장 span의 구조물(100m가 넘는)에 Expansion Joint를 설치하지 않고, 건조수축을 감소시킬 목적으로 설치하는 Joint (　　　　　　　　)

해설 줄눈의 종류
(1) 콜드 조인트(Cold Joint)
(2) 신축줄눈(Expansion Joint)
(3) 조절줄눈(Control Joint)
(4) Delay Joint(수축대 설치)

06① · 13④ · 18① [4점]

3-6 다음 그림을 보고 줄눈 이름을 쓰시오.

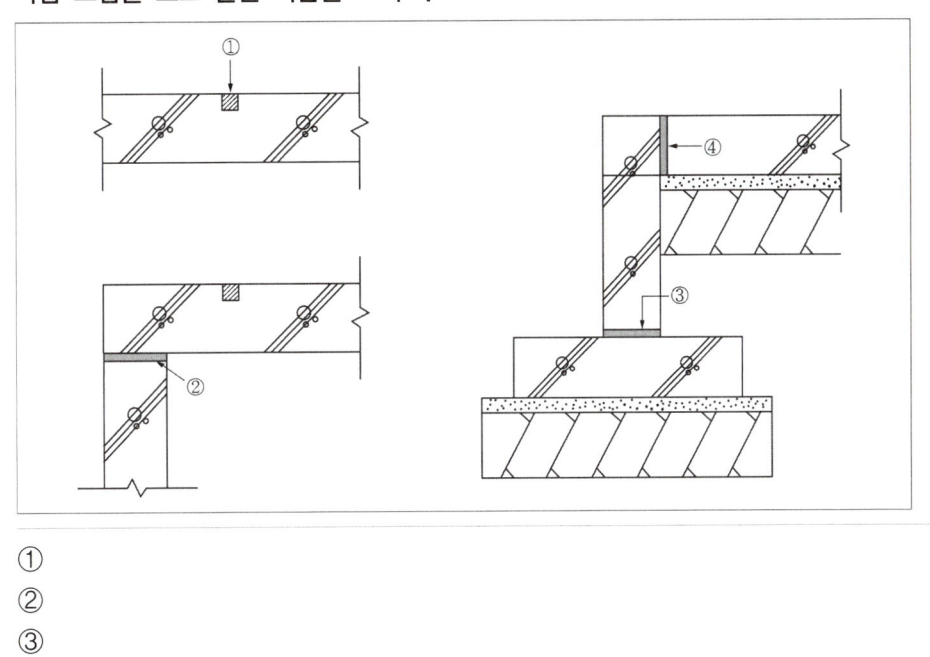

①
②
③
④

해설 줄눈명칭
① 조절줄눈(Control Joint)
② 미끄럼줄눈(Sliding Joint)
③ 시공줄눈(Construction Joint)
④ 신축줄눈(Expansion Joint)

99④ · 07① · 10② · 12④ · 14① [2점]

3-7 콘크리트 시공과정 중 휴식시간 등으로 응결하기 시작한 콘크리트에 새로운 콘크리트를 이어칠 때 일체화가 저해되는 생기는 줄눈은?

해설 용어
콜드 조인트(Cold Joint)

00② [5점]

3-8 콜드 조인트(Cold Joint)가 구조물(건물)에 미치는 영향을 간단히 쓰고 방지대책을 쓰시오.

(1) 영향 :
(2) 방지대책
   ①
   ②
   ③

해설 콜드 조인트
(1) 영향 : 일체화 저하로 강도저하, 경화 시 균열발생, 철근부식 촉진 및 부착력 저하, 전단력 저하의 우려가 있다.
(2) 방지대책
   ① 타설시간 준수
   ② 이어붓기 시간 준수
   ③ 응결지연제 사용

07① · 07③ · 10② · 12④ · 17④ · 18④

3-9 다음 용어를 간단히 설명하시오.

(1) 콜드 조인트(Cold Joint) :
(2) 블리딩(Bleeding) :

해설 용어
(1) 콜드 조인트(Cold Joint) : 콘크리트 타설작업 중 휴식시간 등으로 경화가 완료된 콘크리트에 새로운 **콘크리트를 이어서 타설할 때, 일체가 되지 않아 생기는 줄눈**
(2) 블리딩(Bleeding) : 아직 굳지 않은 시멘트 풀, 모르타르 및 콘크리트에서 **물이 윗면에 스며 오르는 일종의 물의 재료분리 현상**

4 다짐/양생

98③·01②,③·04① [3점]

3-10 굳지 않은 콘크리트의 다지기 방법 3가지를 쓰시오.

(1)
(2)
(3)

해설 굳지 않은 콘크리트의 다지기 방법
(1) 콘크리트 내부 진동다짐   (2) 거푸집 두드림   (3) 콘크리트 표면 다짐

99①·06③ [3점]

3-11 다음 설명에 적합한 진동기의 명칭을 쓰시오.

(1) 콘크리트에 꽂아서 사용하여 진동에 의하여 콘크리트를 액상화시켜 다짐효과가 크다.
     (   )
(2) 거푸집을 진동시키는 것으로 얇은 벽이나 공장제작 콘크리트에서 사용된다.
     (   )
(3) 타설된 콘크리트 위를 다짐하는 용도로 사용한다. (   )

해설 진동기의 종류
(1) 막대식 진동기   (2) 거푸집 진동기   (3) 표면진동기

99①,⑤·05②·06③·08② [4점]

3-12 건축 신축현장에 콘크리트를 타설할 때 진동다짐기의 사용에 있어서 주의할 점을 4가지 쓰시오.

(1)
(2)
(3)
(4)

해설 진동다짐기 사용 시 주의점
(1) 수직으로 사용한다.
(2) 삽입 간격은 50cm로 한다.
(3) 공극이 남지 않도록 서서히 뺀다.
(4) 굳기 시작한 콘크리트에는 사용하지 않는다.

99④ [3점]

3-13 다음 〈보기〉 중 꽂이식 진동기의 효과가 가장 잘 발휘될 수 있는 것부터 순서대로 번호를 쓰시오.

〈보기〉
① 빈배합 묽은 비빔   ② 부배합 묽은 비빔   ③ 빈배합 된 비빔

(　) → (　) → (　)

[해설] 진동기 사용 효과
③ → ① → ②

99①,⑤ · 05② · 06③ · 08② · 12① [2점]

3-14 다음은 진동기를 과도 사용할 경우이다. (　) 안에 알맞은 용어를 쓰시오.

진동기를 과도 사용할 경우에는 (1)현상을 일으키고, AE콘크리트에서는 (2)이 많이 감소된다.

(1)
(2)

[해설] 진동기 과도 사용 시
(1) 재료분리
(2) 공기량

06② [2점]

3-15 콘크리트를 타설 후 수화작용을 충분히 발휘시키면서 외력에 의한 균열발생을 예방하고 오손, 변형, 파손 등으로부터 콘크리트를 보호하는 것은?

[해설] 용어
양생(Curing)

98③·02③ [4점]

3-16 콘크리트 시공에 적용될 수 있는 보양 방법의 종류 4가지를 기술하시오.

(1)
(2)
(3)
(4)

해설 콘크리트 보양
(1) 습윤양생
(2) 전기양생
(3) 증기양생
(4) 피막양생

제 6 절 | 콘크리트 공사-종류

1. 종류
(1) 기후/환경에 따른 분류
 1) 서중콘크리트
    ① 정의 : 일 평균기온이 25℃를 초과하는 경우, 또는 일 최고기온이 30℃를 초과하는 경우에 타설하는 콘크리트

    > 02③ · 05② · 08③ · 21② · 산21② · 산23①
    > 용어 : 서중콘크리트

    ② 특징 : 콘크리트는 비빈 후 즉시 타설하여야 하며, 지연형 감수제를 사용하는 등의 일반적인 대책을 강구한 경우라도 1.5시간 이내에 타설하여야 한다. 이때 콘크리트를 타설할 때의 콘크리트의 온도는 35℃ 이하이어야 한다.

    > 21②
    > 특징 : 서중콘크리트

    ③ 문제점/대책

문제점	대책
① 단위수량의 증가로 인한 내수성·수밀성 저하 ② 슬럼프 저하 발생으로 충전성 불량, 표면마감 불량 발생 ③ 초기발열 증대에 따른 온도균열 발생 ④ 장기강도 저하 ⑤ 초기의 급격한 수분증발로 초기 건조수축균열 발생	① AE제 감수제의 사용 ② 사용재료의 온도 상승 방지 ③ 중용열 시멘트의 사용 ④ 운반·타설시간의 단축방안 강구

    > 04③ · 06① · 10④
    > 종류 : 서중콘크리트 품질의 문제점

    > 08① · 12②
    > 종류 : 서중콘크리트 대책

 2) 한중콘크리트
    ① 정의 : 일 평균기온이 4℃ 이하에서 시공되는 콘크리트

    > 02③ · 05③ · 08③
    > 용어 : 한중콘크리트

② 재료가열 및 대책
  ㉠ 물결합재비(물시멘트비, W/C)는 60% 이하로 유지
  ㉡ 재료가열

작업 중 기온	가열 재료
-3℃ ~ 0℃	물 또는 골재, 보온
-3℃ 이하	물, 골재 가열

  ㉢ AE제 사용
  ㉣ 초기강도 5MPa 발현 시까지 보온 양생(단열보온, 가열보온, 피복보온)
  ㉤ 조강 포틀랜드 시멘트 사용

07② · 10④ · 11② · 16② · 산22② · 23④ · 산23① · 산23② · 산23③
수치 : 한중콘크리트 (   ) 넣기

04② · 08② · 14① · 19②
종류 : 한중콘크리트 대책

③ 한중콘크리트의 양생방법
  ㉠ 피복양생 : 시트 등을 이용하여 콘크리트의 표면온도를 저하시키지 않는 양생
  ㉡ 가열양생 : 양생기간 중 어떤 열원을 이용하여 콘크리트를 가열하는 양생
  ㉢ 현장봉함양생 : 콘크리트 공시체를 봉투 등을 이용하여 대기와 차단하는 양생
  ㉣ 단열양생 : 단열성이 높은 재료로 콘크리트 주위를 감싸 시멘트의 수화열을 이용하여 보온하는 양생

04③ · 산22③ · 산23③
종류 : 한중콘크리트 양생방법

④ 한중콘크리트 초기 양생 시 주의사항
  ㉠ 압축강도가 5MPa이 될 때까지 보온양생
  ㉡ 양생 종료 12시간 전부터 살수 금지
  ㉢ 초기 보호양생 종료 시 급속한 온도 저하 방지
  ㉣ 방풍막이용 천막은 적설하중을 고려하여 견고하게 설치

21①
주의사항 : 한중콘크리트의 초기 양생

⑤ 적산온도
  ㉠ 콘크리트 초기 경화 정도를 파악하는 지표로, 한중 콘크리트에서는 초기강도 발현이 늦어지므로 적산온도를 이용하여 거푸집의 해체 시기, 콘크리트 양생기간 등을 검토한다.
  ㉡ 비빈 후부터 양생온도(℃)와 경과시간의 곱의 합
  ㉢ 양생온도가 달라져도 그 적산온도가 같으면 콘크리트의 강도는 비슷하다고 본다.

> 10③
> 용어 : 적산온도

(2) 재료
 1) AE콘크리트
  ① 정의 : 콘크리트에 AE제(공기 연행제 : Air Entrained Agent)를 함입시켜 시공연도를 개량한 것이다.
  ② 사용목적 및 특징
    ㉠ 단위수량 감소
    ㉡ 동결융해 저항성 증가
    ㉢ 워커빌리티 증진
    ㉣ 재료분리 감소
    ㉤ 수밀성 증가
    ㉥ 강도 감소

> 90②
> 특징 : AE 특징 6가지

> 00④
> 목적 : AE제 사용 목적 3가지

 2) 경량콘크리트
  ① 정의
    ㉠ 기건 비중 2.0 이하, 단위 중량 1.4~2.0t/m^3
    ㉡ 건축물을 경량화하고 열을 차단하는 데 유리하다.
  ② 재료
    ㉠ 주재료 : 보통 포틀랜드 시멘트, 경량 골재
    ㉡ 혼화재료 : AE제, 발포제

> 01②
> 종류 : 경량콘크리트 제조 재료(주재료, 혼화재료)

③ 특징
  ㉠ 장점
    ⓐ 자중이 적어 콘크리트 운반, 부어 넣기 노력이 절감된다.
    ⓑ 내화성이 크고 열전도율이 적으며 방음효과가 크다.
  ㉡ 단점
    ⓐ 시공이 번거롭고 재료 처리가 필요하다.
    ⓑ 강도가 작고, 건조수축이 크며 다공질이다.
④ 종류
  ㉠ 보통 경량콘크리트 : 보통 포틀랜드 시멘트에 경량 골재를 쓴 것이다.
  ㉡ 기포 콘크리트 : 콘크리트 중에 무수한 기포를 함유하게 한 것으로 절연재료로 적당하며, 열전도율이 보통 콘크리트의 1/10 정도로 건조수축이 대단히 크다.
  ㉢ 서모콘(Thermo-Con) : 자갈, 모래 등의 골재를 사용하지 않고 시멘트와 물 그리고 발포제를 배합하여 만든 일종의 경량콘크리트로서 물·시멘트비는 43% 이하로 한다.

> 02① · 10① · 17①
> 용어 : 서모콘

3) 중량 콘크리트(차폐용 콘크리트)
  ① 정의 : 중량골재를 사용하여 방사선을 차폐할 목적으로 만든 중량콘크리트

  > 10① · 19④
  > 용어 : 차폐용 콘크리트

  ② 재료
    ㉠ 보통 포틀랜드 시멘트, 혼합 시멘트
    ㉡ 철광석, 중정식, 자철광, 철편 등 비중(3.0~4.0) 큰 골재사용

4) 폴리머 콘크리트
  ① 정의 : 시멘트 대신 Polymer(유기고분자 중합체)를 사용함으로써 시멘트가 갖는 늦은 경화, 작은 인장강도, 큰 건조수축, 약한 내약품성을 개선할 목적으로 만든 콘크리트이다.
  ② 특징
    ㉠ 단기에 고강도를 발현하고, 완전한 수밀성을 갖는다.
    ㉡ 내열성/내화성이 약하고 경화 시 건조수축이 작다.
    ㉢ 고강도, 다양한 용도, 경량성, 내구성, 속경성의 경제성을 갖는다.
    ㉣ 동결융해 저항성, 내후성이 우수하다.
    ㉤ 내약품성이 우수하다.
    ㉥ 단위 체적당 단가가 비싸다.

> 09② · 16②
> 특징 : 폴리머 콘크리트

5) 유동화 콘크리트
   ① 정의 : 유동화제를 투입함으로써 종래의 반죽 정도의 단위수량으로 높은 슬럼프의 묽은 반죽 콘크리트를 만든 콘크리트

   > 02③ · 05③ · 08③
   > 용어 : 유동화 콘크리트

   ② 특징
      ㉠ 낮은 물시멘트비의 고강도, 고품질의 콘크리트를 얻을 수 있다.
      ㉡ 반죽질기가 크더라도 재료분리에 대한 저항성이 크다.
      ㉢ 품질 개선과 시공성 개선
      ㉣ 다량 사용해도 이상 응결 지연, 경화불량, 과잉공기 연행성이 없다.
   ③ 종류
      ㉠ 공장 첨가 유동화 콘크리트 : 레미콘 공장에서 유동화제를 첨가시켜 비빔
      ㉡ 공장첨가, 현장 유동화 콘크리트 : 레미콘 공장에서 유동화제를 첨가하고, 현장에서 비빔
      ㉢ 현장 첨가 유동화 콘크리트 : 현장에서 유동화제를 첨가하여 비빔

   > 99① · 02③ · 07① · 11①
   > 종류 : 유동화 콘크리트 제조방법

6) 섬유보강 콘크리트
   ① 정의 : 콘크리트의 휨강도, 전단강도, 인장강도, 균열저항성, 인성 등을 개선하기 위하여 단섬유상 재료를 균등히 분산시켜 제조한 콘크리트
   ② 섬유종류
      ㉠ 합성섬유
      ㉡ 강섬유
      ㉢ 유리섬유
      ㉣ 석면섬유

   > 02③ · 03③ · 18②
   > 종류 : 섬유보강재

   ③ 특징
      ㉠ 방식성, 내구성 우수
      ㉡ 온도철근이 불필요하며, 수축균열이 적다.
      ㉢ 내충격성이 크다.

ⓐ 연성, 인성이 크다.
ⓑ 강도가 크다.

7) ALC(Autoclaved Lightweight Concrete)
① 제조방법 : 발포제(알루미늄분말)에 의해 콘크리트 내부에 많은 기포를 생성시켜 중량을 가볍게 한 기포콘크리트로 고온, 고압에서 양생함

> 20③ · 23①
> 방법 : ALC 제조

> 20① · 20③ · 23①
> 재료 : ALC

③ 특징
  ㉠ 경량성
  ㉡ 내화성이 우수하다.
  ㉢ 단열, 차음성능이 우수하다.
  ㉣ 흡수성이 크다.

> 98④ · 00③
> 특징 : ALC

④ ALC 패널의 설치공법
  ㉠ 수직철근 보강 공법
  ㉡ 슬라이드(Slide) 공법
  ㉢ 볼트조임 공법
  ㉣ 커버플레이트 공법

> 01② · 02① · 05③ · 11④
> 종류 : ALC 패널의 설치공법

8) 수밀콘크리트
① 정의 : 배합과 물-결합재비, 골재량 등을 조절하여 수밀성을 대폭 높인 콘크리트
② 배합 : 콘크리트의 소요의 품질이 얻어지는 범위 내에서 단위수량 및 물-결합재비는 되도록 작게하고, 단위 굵은 골재량은 되도록 크게한다.
③ 콘크리트의 소요 슬럼프는 되도록 작게 하여 180mm를 넘지 않도록 하며, 콘크리트 타설이 용이할 때에는 120mm 이하로 한다.
④ 물-결합재비는 50% 이하를 표준으로 한다.

> 산21②
> 특징 : 수밀콘크리트

9) 저탄소콘크리트
　① 정의 : 탄소 배출량을 줄이는 시멘트로 만든 콘크리트
　② 사용되는 혼화재 : 플라이애시, 고로슬래그

> 산23③
> 특징 : 저탄소콘크리트

(3) 공법

1) 레디믹스트 콘크리트
　① 정의 : 콘크리트 제조설비를 갖춘 공장에서 제조하며, 굳지 않은 상태로 운반되어 현장에서 타설되는 콘크리트

> 07② · 산23①
> 용어 : 레디믹스트 콘크리트

　② 표시 : 굵은 골재 최대치수 – 호칭강도 – 슬럼프값　예 25mm-21MPa-120mm

> 08② · 15④ · 19④ · 22④ · 23① · 산23③
> 수치 : 레디믹스트 콘크리트 표시 방법

　③ 특징
　　㉠ 장점
　　　ⓐ 협소한 장소에서 대량의 콘크리트를 얻을 수 있다.
　　　ⓑ 공사추진이 정확하고 기일 연장 등이 없다.
　　　ⓒ 품질이 균등하다.
　　㉡ 단점
　　　ⓐ 현장과 제조자의 충분한 협의가 필요하다.
　　　ⓑ 운반차 출입경로, 짐부리기 설비가 필요하다.
　　　ⓒ 운반 중 재료분리, 시간경과의 우려가 많다.
　④ 종류
　　㉠ 센트럴 믹스트 콘크리트(Central mixed concrete) : 믹싱 플랜트의 고정믹서에서 비빔이 완료된 콘크리트를 현장으로 운반한다.
　　㉡ 슈링크 믹스트 콘크리트(Shrink mixed concrete) : 믹싱 플랜트 고정믹서에서 어느 정도 비빈 콘크리트를 트럭믹서에 실어 운반 도중 완전히 비비는 콘크리트
　　㉢ 트랜싯 믹스트 콘크리트(Transit mixed concrete) : 트럭믹서에 모든 재료가 공급되어 운반 도중에 비벼지는 콘크리트

> 08① · 09② · 16① · 산23②
> 용어 : 슈링크 믹스트, 센트럴 믹스트, 트랜싯 믹스트

⑤ 시험 및 확인 사항
  ㉠ 슬럼프 시험 : 슬럼프값 측정
  ㉡ 공기량 시험 : 공기량 4~5%, ±1.5%
  ㉢ 염화물 함유량
  ㉣ 제조시간

> 98② · 01③ · 04②,③ · 10④ · 14② · 22① · 23①
> 종류 : 현장의 품질검사 항목

⑥ KS 규정에 따른 레디믹스트콘크리트의 배합기준
  콘크리트 배합 시 보통골재는 표면건조내부포수상태의 중량, 인공경량골재는 절대건조상태의 중량을 기준으로 한다. 물-결합재비는 혼화재를 사용한 경우로 $\dfrac{물}{시멘트+혼화재}$ 으로 중량의 백분율로 계산하여 기입

> 23②
> 배합기준 : 레디믹스트콘크리트

2) 제치장(제물치장) 콘크리트(Exposed Concrete)
  ① 정의 : 콘크리트면에 미장 등을 하지 않고, 직접 노출시켜 마무리한 콘크리트

> 00③ · 03① · 05① · 08② · 15④
> 용어 : 제치장 콘크리트

② 목적
  ㉠ 마감공사 생략에 따른 공기 단축
  ㉡ 마감재 미사용에 다른 재료 절감
  ㉢ 경량화 및 단순미 구현
  ㉣ 마감면을 고강도·고품질의 콘크리트로 활용

> 02① · 05②
> 목적 : 제치장 콘크리트 시공목적

3) 매스(Mass) 콘크리트
  ① 정의 : 부재 단면의 치수가 80cm 이상이고, 콘크리트 내외부 온도차가 25℃ 이상으로 예상되는 콘크리트이다.

> 00③ · 02③ · 03① · 05①,③ · 08②,③ · 15④ · 21② · 산21② · 산22② · 산23①
> 용어 : 매스 콘크리트

② 냉각대책(수화열 저감 대책/온도균열 방지대책)
  ㉠ Pre-Cooling : 콘크리트 재료의 일부 또는 전부를 미리 냉각하여 콘크리트의 온도를 낮추는 방법(사용재료 : 얼음, 액체 질소)
  ㉡ Pipe-Cooling : 콘크리트 타설 전 파이프를 설치하여 파이프 내에 찬 공기 또는 냉각수를 순환시켜 콘크리트의 온도를 낮추는 방법
  ㉢ 단위시멘트량 감소
  ㉣ 중용열 시멘트 사용
  ㉤ 응결지연제 사용

> 09④ · 12① · 13① · 14④ · 18② · 19① · 21② · 산22③
> 대책 : 매스 콘크리트 수화열 저감 대책/온도균열 방지대책

> 09④ · 19② · 23④
> 용어 : 프리 쿨링, 파이프 쿨링

4) 진공(Vaccum) 콘크리트
  ① 정의 : 콘크리트 타설 후 매트, 진공펌프 등을 이용하여 콘크리트 속에 있는 잉여수 및 기포 등을 제거하고 다짐하여 강도 및 내구성을 개선한 콘크리트

> 00③ · 02① · 10① · 17①
> 용어 : 진공콘크리트

  ② 특징
    ㉠ 조기강도, 내구성, 내마모성이 커진다.
    ㉡ 건조수축이 적게 되므로 콘크리트 기성재 제조에 이용된다.
    ㉢ 진공 처리로 인하여 물·시멘트비가 적게 되며 표면의 공기구멍이 작게 된다.

5) 압입 공법(압입 채움 공법)
  PC 제품이나 내진보강벽 등 폐쇄공간의 콘크리트를 타설하기 위해 콘크리트 펌프 등의 압송기계에 연결된 배관을 구조체 하부의 거푸집에 설치된 압입부에 직접 연결해서 유동성 있는 콘크리트를 타설하는 공법

> 00③ · 02① · 10①
> 용어 : 압입 공법

6) 숏크리트
    ① 정의 : 압축공기를 이용해 모르타르를 분사하여 시공하는 것으로 뿜칠 콘크리트라고도 한다.
    ② 종류
        ㉠ 건나이트(Gunite)
        ㉡ 본닥터(Bonductor)
        ㉢ 제트크리트(Jetcrete)

> 01① · 04①
> 종류 : 숏크리트

   ③ 특징
        ㉠ 거푸집이 불필요하고 곡면 시공이 가능하다.
        ㉡ 얇은 벽 바름에 유리하다.
        ㉢ 외관이 거칠고 리바운딩이 되기 쉽다.
        ㉣ 균열이 발생한다.
        ㉤ 다공질
        ㉥ 건조수축 발생

> 09① · 11④ · 14② · 19① · 23④
> 정의/특징 : 숏크리트

7) 프리플레이스트(프리팩트) 콘크리트
    ① 정의 : 거푸집 내에 미리 굵은 골재를 채워 넣고 그 공극 사이에 특수 모르타르를 압력으로 주입하는 콘크리트이다.

> 02① · 06① · 10① · 17① · 산21② · 산22②
> 용어 : 프리플레이스트(프리팩트) 콘크리트

   ② 특성
        ㉠ 수밀성, 내구성, 부착력이 크다.
        ㉡ 재료의 분리수축이 보통 콘크리트의 1/2 정도이다.

8) 고강도 콘크리트
    ① 정의 : 콘크리트의 설계기준강도가 40MPa 이상, 경량콘크리트는 27MPa 이상인 콘크리트를 말한다.

> 00③ · 03① · 05① · 08② · 15④ · 산22①
> 용어 : 고강도 콘크리트

② 특징
　　㉠ 강도증진
　　㉡ 부재의 경량화
　　㉢ 내구성 증진
③ 고성능 콘크리트
　　㉠ 고강도 콘크리트
　　㉡ 고유동성 콘크리트
　　㉢ 고내구성 콘크리트

> 99③ · 02③
> 종류 : 고성능 콘크리트

④ 고강도 콘크리트의 폭렬현상
　　㉠ 정의 : 화재 시 고열로 인하여 콘크리트 내부에서 생성된 수증기의 압력이 증가하게 되고 이 압력이 콘크리트의 인장강도보다 크게 되면 폭음과 함께 콘크리트가 떨어져 나가는 현상
　　㉡ 방지대책
　　　　ⓐ 내화 도료 또는 내화 모르타르 시공
　　　　ⓑ 표층부 메탈라스 시공
　　　　ⓒ 흡수율이 낮고 내화성이 있는 골재 사용
　　　　ⓓ 방화 시스템(스프링쿨러) 설치

> 14① · 17④ · 18① · 19① · 21② · 23①
> 용어/방지대책 : 고강도 콘크리트의 폭렬현상

9) 프리스트레스트 콘크리트(Prestressed Concrete)
① 정의
　　㉠ 프리스트레스트 콘크리트 : 콘크리트의 인장응력이 생기는 부분에 미리 압축력을 주어 콘크리트의 인장강도를 증가시켜 휨저항을 크게 한 콘크리트
　　㉡ 프리스트레스트 : 상시하중, 지진하중 등의 하중에 의한 응력을 상쇄하도록 미리 계획적으로 도입된 콘크리트의 응력

> 06① · 09① · 산21② · 산22②
> 용어 : 프리스트레스트 콘크리트

② 특징
　㉠ 장점
　　ⓐ 내구성과 복원성이 크다.
　　ⓑ 구조물에 대한 적응성과 안정성이 크다.
　　ⓒ 적은 단면으로 큰 응력에 견딜 수 있으므로 구조물의 자중을 감소시킬 수 있고 장경간의 횡가재로도 적당하다.
　㉡ 단점
　　ⓐ 고강도의 강재나 각종 보조재료 및 그라우팅(Grouting) 비용 등이 소요되어 단가가 비싸다.
　　ⓑ 강성이 적어 하중에 의한 처짐 및 충격에 의한 진동이 크다.
　　ⓒ 제작에 고도의 기술과 세심한 주의를 요한다.
③ 긴장재의 종류
　㉠ PC 강선(Pre-stressing Wire)
　㉡ PC 강연선(Pre-stressing Wire Stand) : 강선을 꼬아 만든 선
　㉢ PC 강봉(Pre-stressing Steel Bar)
　㉣ 피아노선

📖 08③
용어 : 긴장재

📖 05① · 10② · 16①
종류 : 프리스트레스트 긴장재

---

④ 프리텐션(Pre-tension)
　㉠ 정의 : 긴장재에 인장력을 먼저 작용시킨 후 콘크리트를 타설하고 경화 후 단부에서 인장력을 풀어주는 방식
　　　PC 강재 긴장 → 콘크리트 타설 → 콘크리트 경화 후 인장력 풀어줌

📖 00① · 05① · 09② · 12② · 17② · 18④
용어 : 프리텐션

　㉡ 시공순서
　　ⓐ 거푸집 설치
　　ⓑ 강현재 설치
　　ⓒ 긴장 후 정착
　　ⓓ 콘크리트 타설
　　ⓔ 양생
　　ⓕ Stress 부여

> 98③ · 00⑤ · 04③ · 07③
>
> 시공순서 : 프리텐션 공법

  ⓒ 종류
    ⓐ 롱라인 법(Long Line Method)
    ⓑ 단독형틀법(Individual Mold Method)
    ⓓ 프리포스트 병용법(Pre-Post-Tensioning)

⑤ 포스트 텐션(Post-tension)
  ㉠ 정의 : 쉬스(덕트)를 설치하고 콘크리트를 타설하고 경화시킨 뒤 쉬스 구멍에 긴장재를 삽입하여 긴장시키고 단부에 정착시키는 방식
    쉬스 설치 → 콘크리트 타설 → PC 강재 삽입, 긴장, 고정 → 단부에 정착

> 00① · 05① · 08② · 12② · 13④ · 17② · 18④
>
> 용어 : 포스트텐션

  ㉡ 시공순서
    ⓐ 거푸집 설치
    ⓑ Sheath관 설치 : PC 강재의 배치구멍을 만들기 위하여 콘크리트를 부어 넣기 전에 미리 배치된 튜브(관)
    ⓒ 콘크리트 타설
    ⓓ 양생
    ⓔ 쉬스(Sheath)관 내 긴장재 삽입
    ⓕ 긴장 후 정착
    ⓖ 그라우팅 : 강현재와 콘크리트의 부착을 위해 쉬스 구멍에 시멘트 페이스트를 채워 넣는 작업으로 배합은 유동성, 팽창성 및 압축강도를 고려하여 W/C는 50% 이하로 한다.
    ⓗ 양생 후 Stress 부여

> 98③ · 00⑤ · 04③ · 05② · 07③ · 08③
>
> 순서 : 포스트텐션 공법

> 00⑤ · 04③ · 07③ · 14④
>
> 순서 : 프리텐션, 포스트텐션 공법의 시공순서 차이점

> 13④
>
> 용어 : 쉬스관

> 09②
>
> 용어 : 그라우팅

⑥ 정착구(Anchorage)
    ㉠ 쐐기식(Wedge system)
    ㉡ 나사식(Screw system)
    ㉢ 루프식(Loop system)

> 00⑤ · 04③
> 종류 : 프리스트레스트 정착구 접착공법

2. 강관 충진 콘크리트(CFT; Concrete Filled Tube)

(1) 정의
① 원형 또는 사각형인 강관의 기둥 내부에 고강도 콘크리트를 충전하여 만든 구조로, 충진강관 콘크리트라고도 한다.
② 강관을 기둥의 거푸집으로 하며, 강관 내부에 콘크리트를 채운 합성구조로서 좌굴방지·내진성 향상·기둥단면 축소·휨강성 증대 등의 효과가 있으므로, 초고층 건물의 기둥구조물에 유리하다.

> 12① · 16① · 17④ · 21④
> 용어 : CFT

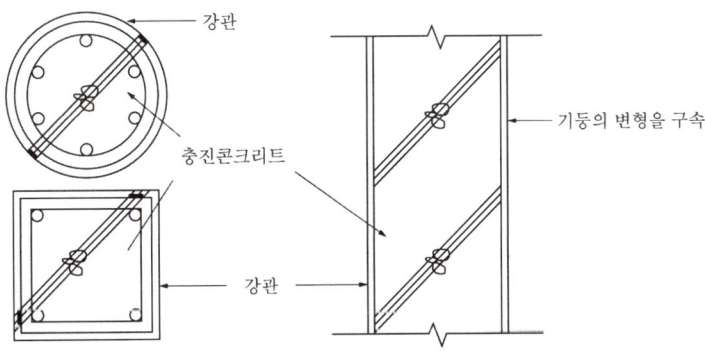

(2) 특징
① 휨강성 증대
② 거푸집이 필요하지 않아 공사비가 감소함
③ 내진성/내화성 향상
④ 기둥 단면 축소
⑤ 고품질 콘크리트를 사용해야 함(단점)
⑥ 콘크리트 시공 확인 어려움(단점)

> 12① · 16①
> 특징 : CFT 장단점 2가지씩

3. 매입형 합성기둥

철골 구조물 주위에 철근 배근을 하고 이 철골과 철근을 감싸는 콘크리트가 타설되어 일체가 되도록 한 구조물로 초고층 구조물 하층부의 복합구조로 많이 채택되는 구조

> 📄 23②
> 용어 : 매입형 합성기둥

4. 필로티 구조의 전이보(Transfer Girder)

다세대주택의 필로티 구조에서 전이보(Transfer Girder)의 1층 구조와 2층 구조가 상이한 이유는 건축계획상 상부층의 기둥이나 벽체가 하부로 연속적으로 내려가지 못하기 때문에 이들을 춤이 큰 보에 지지시켜 상부의 하중을 다른 하부의 기둥이나 벽체에 전이시키기 때문이다.

> 📄 23②
> 이유 : 전이보의 1층 구조와 2층 구조

제7절 | 용어해설

1. 가스압접이음
철근의 단면을 산소-아세틸렌 불꽃 등을 사용하여 가열하고, 기계적 압력을 가하여 용접한 맞댐이음

2. 강연선(Strand)
프리스트레스트 콘크리트의 보강에 사용되는 강재로 여러 가닥의 강선으로 꼬여진 것

3. 골재의 실적률
용기에 가득 찬 골재의 절대용적을 그 용기의 용적으로 나눈 백분율

4. 골재의 절대건조밀도
절건상태의 골재질량을 표면건조 내부 포수상태의 골재용적으로 나눈 값

5. 골재의 최대치수
골재가 질량으로 90% 이상 통과하는 체 중에서 가장 작은 체의 공칭치수로 나타내는 굵은 골재의 크기

6. 헌치(Haunch)
보의 응력은 일반적으로 기둥과 접합부 부근에서 크게 되어 단부의 응력에 맞는 단면으로 보 전체를 설계하면 현저하게 비경제적이기 때문에 단부에만 단면적을 크게 하여 보강한 것

7. 솟음(camber)
보, 슬래브 및 트러스 등의 수평부재가 하중에 의한 처짐을 고려하여 상향으로 들어 올리는 것 또는 들어 올린 크기

8. 토핑 콘크리트(덧침 콘크리트)
하부의 PC 부재 위에 타설하는 현장타설콘크리트

9. 물-결합재비
시멘트, 고로슬래그 미분말, 플라이애시, 실리카 품 등 결합재를 사용한 모르타르나 콘크리트에서 물과 결합재의 중량비

10. 물시멘트비
모르타르나 콘크리트에서 물과 시멘트의 중량비

1 서중/한중 콘크리트

05② [4점]

1-1 서중 콘크리트로서 시공해야 할 시기를 일률적으로 정하기는 곤란하나 하루 기온을 중심으로 건축공사 표준시방서에서 정하고 있는 일반적인 기준에 대하여 설명하시오.

해설 기온 중심의 표준시방서 기준
일 평균기온이 25℃를 초과하는 경우, 또는 일 최고기온이 30℃를 초과하는 경우에 타설하는 콘크리트

04③ · 06① · 10④ [5점]

1-2 하절기 콘크리트 시공 시 발생하는 문제점으로써 콘크리트 품질 및 시공면에 미치는 영향에 대해 5가지를 쓰시오.

(1)
(2)
(3)
(4)
(5)

해설 서중 콘크리트
(1) 단위수량의 증가로 인한 내수성·수밀성 저하
(2) 슬럼프 저하 발생으로 충전성 불량, 표면마감 불량 발생
(3) 초기발열 증대에 따른 **온도균열** 발생
(4) 장기강도 저하
(5) 초기의 급격한 수분증발로 초기 **건조수축균열** 발생

08① · 12② [3점]

1-3 하절기 콘크리트에서 발생할 수 있는 문제점에 대한 대책 중 관계되는 것을 보기에서 모두 골라 기호로 쓰시오.

〈보기〉
(1) AE제 감수제의 사용   (2) 사용재료의 온도 상승 방지
(3) 중용열 시멘트의 사용   (4) 운반·타설시간의 단축방안 강구
(5) 응결촉진제의 사용   (6) 단위시멘트량의 증가

해설 서중 콘크리트 대책
서중콘크리트는 여름철의 높은 온도로 인해 **재료의 온도상승이나 수화열의 대책이 필요**하다.
(1), (2), (3), (4)

21② · 산21② [4점]

1-4 다음 ( ) 안에 적당한 용어와 수치를 기재하시오.

높은 외부기온으로 인하여 콘크리트의 슬럼프 또는 슬럼프 플로 저하나 수분의 급격한 증발 등의 우려가 있을 경우에 시공되며 하루평균기온이 25℃를 초과하는 경우를 (가)콘크리트로 시공하며, 콘크리트는 비빈 후 즉시 타설하여야 하며, 지연형 감수제를 사용하는 등의 일반적인 대책을 강구한 경우라도 (나)시간 이내에 타설하여야 한다. 이때 콘크리트를 타설할 때의 콘크리트의 온도는 (다)℃ 이하이어야 한다.

가.   나.   다.

해설 가. 서중   나. 1.5   다. 35

07② · 10④ · 11② [3점]

1-5 한중 콘크리트의 특성에 대해 ( ) 안에 알맞은 내용을 쓰시오.

한중 콘크리트의 특징은 일평균기온 (1)℃ 이하의 기상조건에서 사용하는 콘크리트로, W/C는 원칙적으로 (2)% 이하이어야 하며, (3)를 사용해야 한다.

(1)
(2)
(3)

해설 한중 콘크리트
(1) 4℃   (2) 60%   (3) AE제

04② · 08② · 14① [3점]

1-6 한중 콘크리트의 문제점에 대한 대책을 보기에서 골라 기호를 쓰시오.

〈보기〉
(1) AE제 사용　　　　　　　(2) 응결지연제 사용
(3) 보온양생　　　　　　　　(4) 물시멘트비를 60% 이하로 유지
(5) 중용열 시멘트 사용　　　(6) Pre-cooling 방법 사용

해설 한중 콘크리트 대책
(1), (3), (4)

19② [3점]

1-7 한중 콘크리트 동결 저하 방지대책 2가지를 기술하시오.

(1)
(2)

해설 (1) AE제 사용
(2) 압축강도 5MPa 발현 시까지 보온 양생
(3) W/C 60% 이하로 유지
(4) 콘크리트의 소요성능이 얻어지는 범위 내에서 단위수량은 가능한 한 적게 함

04③ [3점]

1-8 한중 콘크리트의 보온 양생 방법을 3가지 쓰시오.

(1)
(2)
(3)

해설 한중 콘크리트의 보온 양생 방법
(1) 단열 보온양생
(2) 가열 보온양생
(3) 피복 보온양생

1-9 한중기 콘크리트에 관한 내용 중 ( ) 안을 적당히 채우시오.

(1) 한중 콘크리트는 초기강도 ( )MPa까지는 보양을 실시한다.
(2) 한중 콘크리트는 물시멘트비(W/C)는 ( )% 이하로 한다.

해설 용어
(1) 5   (2) 60

1-10 다음 ( ) 안에 공통으로 들어가는 알맞은 용어를 쓰시오.

(1) 한중 콘크리트에서는 초기강도 발현이 늦어지므로 ( )를 이용하여 거푸집의 해체 시기, 콘크리트 양생기간 등을 검토한다.
(2) 양생온도가 달라져도 그 ( )가 같으면 콘크리트의 강도는 비슷하다고 본다.

해설 용어
적산온도

1-11 콘크리트에 대한 아래의 설명에 적합한 용어를 〈보기〉에서 골라 기호로 쓰시오.

〈보기〉
① 한중 Concrete   ② 서중 Concrete
③ 유동화 Concrete   ④ Mass Concrete
⑤ Prestressed Concrete ⑥ Prepacked Concrete
⑦ 중량 Concrete   ⑧ 섬유보강 Concrete

(1) 수화반응이 지연되어 응결 및 강도발현이 지연되기 때문에 부어 넣기 전에 충분한 대책수립이 필요하다. ( )
(2) 수화열이 내부에 축적되어 콘크리트 온도가 상승되고 균열발생이 우려된다. ( )
(3) Slump Loss가 증대되고 동일 Slump를 얻기 위해 단위수량이 증가한다. ( )

해설 콘크리트 종류
(1) ① 한중 Concrete   (2) ④ Mass Concrete   (3) ② 서중 Concrete

02③·05③·08③ [4점]

1-12 다음은 콘크리트의 문제점을 설명한 것이다. 해당 콘크리트를 보기에서 골라 기호로 쓰시오.

〈보기〉
① 서중 콘크리트 ② 한중 콘크리트
③ 유동화 콘크리트 ④ 매스 콘크리트
⑤ 진공 콘크리트 ⑥ 프리플레이스트(프리팩트) 콘크리트

(1) 수화반응이 지연되어 콘크리트의 응결 및 강도발현이 늦어진다. (　　)
(2) 슬럼프 로스가 증대하고, 슬럼프가 저하하며 동일 슬럼프를 얻기 위해 단위 수량이 증가한다. (　　)
(3) 슬럼프의 경시변화가 보통 콘크리트보다 커서 여름에는 30분, 겨울에는 1시간 정도에서 베이스 콘크리트의 슬럼프로 되돌아오는 경우도 있다. (　　)
(4) 수화열이 내부에 축적되어 콘크리트 온도가 상승하고 균열이 발생하기 쉽다. (　　)

해설 콘크리트 종류
(1) ② 한중 콘크리트
(2) ① 서중 콘크리트
(3) ③ 유동화 콘크리트
(4) ④ 매스(Mass) 콘크리트

21① [3점]

1-13 한중콘크리트 초기 양생 시 주의사항 3가지를 기술하시오.

(1)
(2)
(3)

해설 (1) 압축강도가 5MPa이 될 때까지 보온양생
(2) 양생 종료 12시간 전부터 살수 금지
(3) 초기 보호양생 종료 시 급속한 온도 저하 방지
(4) 방풍막이용 천막은 적설하중을 고려하여 견고하게 설치

2 경량/차폐/섬유보강/폴리머/유동화 콘크리트 및 레미콘

01② [2점]

2-1 경량콘크리트를 제조하기 위한 재료에 대하여 기술하시오.

(1) 주재료 :
(2) 혼화재료 :

해설 경량콘크리트 재료
(1) 주재료 : 보통 포틀랜드 시멘트, 경량 골재
(2) 혼화재료 : AE제, 발포제

19④ [4점]

2-2 다음 용어를 설명하시오.

(1) 코너비드 :
(2) 차폐용 콘크리트 :

해설 용어
(1) 코너비드 : 벽, 기둥의 모서리에 대어 미장바름을 보호하는 철물
(2) 차폐용 콘크리트 : 방사선을 차폐할 목적으로 만든 중량콘크리트

02③ · 03③ [3점]

2-3 다음 ( ) 안에 알맞은 말을 쓰시오.

콘크리트의 휨강도, 전단강도, 인장강도, 균열저항성, 인성 등을 개선하기 위하여 단섬유상 재료를 균등히 분산시켜 제조한 콘크리트를 (   )콘크리트라 하며, 사용되는 섬유질 재료는 합성섬유, (   )섬유, (   )섬유 등이 있다.

해설 섬유보강 콘크리트의 정의/재료
섬유보강, 강, 유리

02③ · 03③ · 18② [3점]

2-4 섬유보강 콘크리트에 사용되는 섬유의 종류 3가지를 기술하시오.

(1)
(2)
(3)

해설 섬유 종류
(1) 합성섬유
(2) 강섬유
(3) 유리섬유

09② · 16② [4점]

2-5 보통시멘트콘크리트와 비교하여 폴리머시멘트콘크리트의 특성 4가지를 기술하시오.

(1)
(2)
(3)
(4)

해설 폴리머 콘크리트의 특성
(1) 강도가 높다.
(2) 내열성이 약하고 경화 시 건조수축이 작다.
(3) 동결융해 저항성, 내후성이 우수하다.
(4) 내약품성이 우수하다.

99① · 02③ · 07① · 11① [3점]

2-6 유동화 콘크리트의 제조방법을 3가지 쓰시오.

(1)
(2)
(3)

해설 유동화 콘크리트 제조법
(1) 공장첨가 유동화 : 레미콘 공장에서 유동화제를 첨가시켜 비빔
(2) 공장첨가, 현장유동화 : 레미콘 공장에서 유동화제를 첨가하고, 현장에서 비빔
(3) 현장첨가 유동화 : 현장에서 유동화제를 첨가하여 비빔

20③ [4점]

2-7 ALC(Autoclaved Lightweight Concrete, 경량 기포콘크리트) 제조 시 주재료와 기포 제조방법을 기술하시오.

(1) 주재료 :
(2) 기포 제조방법 :

해설 ALC(경량 기포콘크리트) 제조
(1) 주재료 : 발포제, 석회질, 규산질
(2) 기포 제조방법 : 발포제(알루미늄분말)를 넣고 고온, 고압에서 양생함

20① [4점]

2-8 ALC(Autoclaved Lightweight Concrete, 경량 기포콘크리트) 제조 시 필요한 재료 2가지를 기술하시오.

(1)
(2)

해설 ALC 제조 시 필요한 재료
(1) 발포제
(2) 석회질
(3) 규산질

98④ · 00③ [4점]

2-9 ALC(Autoclaved Lightweight Concrete)의 건축재료로서의 특징을 4가지 쓰시오.

(1)
(2)
(3)
(4)

해설 건축재료의 ALC의 특징
(1) 경량성
(2) 내화성이 우수하다.
(3) 단열, 차음성능이 우수하다.
(4) 흡수성이 크다.

01② · 02① · 05③ · 11④ [3점]

2-10 ALC(Autoclaved Lightweight Concrete) 패널의 설치공법 4가지를 기술하시오.

(1)
(2)
(3)
(4)

해설 ALC 패널의 설치공법
(1) 수직철근 보강 공법
(2) 슬라이드(Slide) 공법
(3) 볼트조임 공법
(4) 커버플레이트 공법

07② [2점]

2-11 레디믹스트 콘크리트에 대해 설명하시오.

해설 레디믹스트 콘크리트
콘크리트 제조설비를 갖춘 공장에서 제조하며, 굳지 않은 상태로 운반되어 현장에서 타설되는 콘크리트

08② · 15④ · 19④ · 22④ · 23① [3점]

2-12 Remicon(20-30-150)은 Ready Mixed Concrete의 규격에 대한 수치이다. 3가지 수치가 무엇을 의미하는지 기술하시오.

(1) 20 :
(2) 30 :
(3) 150 :

해설 레미콘 규격
(1) 굵은 골재 최대치수(20mm)
(2) 콘크리트 호칭강도(30MPa)
(3) 슬럼프값(150mm)

08① · 09② · 16① [4점]

2-13 다음 용어에 대해 설명하시오.

(1) AE 감수제 :
(2) Shrink Mixed Concrete :

[해설] 용어 설명
(1) AE 감수제 : AE(Air Entraining Agent)제의 성능과 더불어 감수효과를 증대시킨 혼화제
(2) Shrink mixed Concrete : 믹싱 플랜트 고정믹서에서 어느 정도 비빈 콘크리트를 트럭믹서에 실어 운반 도중 완전히 비비는 콘크리트

08① [3점]

2-14 다음은 레미콘 비비기와 운반방식에 따른 종류의 설명이다. 보기에서 명칭을 골라 번호로 쓰시오.

〈보기〉
① 센트럴 믹스트 콘크리트   ② 트린싯 믹스트 콘크리트
③ 슈링크 믹스트 콘크리트

(1) 트럭믹서에 모든 재료가 공급되어 운반 도중에 비벼지는 것 (   )
(2) 믹싱 플랜트 고정믹서에서 어느 정도 비빈 것을 트럭믹서에 실어 운반 도중 완전히 비비는 것 (   )
(3) 믹싱 플랜트 고정믹서로 비빔이 완료된 것을 에지테이터 트럭으로 운반하는 것 (   )

[해설] 레디믹스트 콘크리트
(1) ②
(2) ③
(3) ①

98② · 01③ · 04②,③ · 10④ · 14② [4점]

2-15 레디믹스트 콘크리트가 현장에 도착했을 때 검사사항을 3가지만 쓰시오.

(1)
(2)
(3)

[해설] 레디믹스트 콘크리트의 현장검사
(1) 슬럼프 시험   (2) 공기량 시험   (3) 압축강도 공시체 제작

산21② [4점]

2-16 다음은 수밀콘크리트에 대한 설명이다. ( ) 안에 적당한 단어나 숫자를 기재하시오.

(1) 배합은 콘크리트의 소요의 품질이 얻어지는 범위 내에서 단위수량 및 물-결합재비는 되도록 ( )하고, 단위 굵은 골재량은 되도록 ( )한다.
(2) 콘크리트의 소요 슬럼프는 되도록 작게 하여 ( )mm를 넘지 않도록 하며, 콘크리트 타설이 용이할 때는 120mm 이하로 한다.
(3) 물-결합재비는 ( ) 이하를 표준으로 한다.

해설
(1) 배합은 콘크리트의 소요의 품질이 얻어지는 범위 내에서 단위수량 및 물-결합재비는 되도록 (작게)하고, 단위 굵은 골재량은 되도록 (크게)한다.
(2) 콘크리트의 소요 슬럼프는 되도록 작게 하여 (180)mm를 넘지 않도록 하며, 콘크리트 타설이 용이할 때는 120mm 이하로 한다.
(3) 물-결합재비는 (50%) 이하를 표준으로 한다.

3 제치장/매스/진공/프리플레이스트(프리팩트)/고성능 콘크리트 및 숏크리트

02① · 05② [4점]

3-1 제물치장 콘크리트(Exposed Concrete)의 시공목적을 4가지 쓰시오.

(1)
(2)
(3)
(4)

해설 제물치장 콘크리트의 시공목적
(1) 마감공사 생략에 따른 공기 단축
(2) 마감재 미사용에 다른 재료 절감
(3) 경량화 및 단순미 구현
(4) 마감면을 고강도 · 고품질의 콘크리트로 활용

3-2 다음 설명이 뜻하는 콘크리트의 명칭을 써넣으시오.

(1) 콘크리트면에 미장 등을 하지 않고, 직접 노출시켜 마무리한 콘크리트
  (   )
(2) 부재 단면치수가 80cm 이상, 콘크리트 내외부 온도차가 25℃ 이상으로 예상되는 콘크리트 (   )
(3) 콘크리트 설계기준 강도가 일반 콘크리트의 경우 40MPa 이상이고, 경량콘크리트의 경우 27MPa 이상인 콘크리트 (   )

[해설] 콘크리트 종류
(1) 제물치장콘크리트(Exposed Concrete)
(2) 매스콘크리트(Mass Concrete)
(3) 고강도콘크리트(High Strength Concrete)

3-3 매스콘크리트의 온도균열의 방지대책을 〈보기〉에서 골라 기호로 쓰시오.

〈보기〉
① 응결촉진제 사용   ② 중용열 시멘트 사용
③ Pre-cooling   ④ 단위시멘트량 감소
⑤ 잔골재율 증가   ⑥ 물시멘트비 증가

[해설] 매스콘크리트 온도균열의 기본대책
②, ③, ④

3-4 매스콘크리트의 수화열 저감 대책 3가지를 기술하시오.

(1)
(2)
(3)

[해설]
(1) 단위시멘트량 저감
(2) Pre-cooling, Pipe-cooling의 적용
(3) 중용열 시멘트 사용

19① · 21② [3점]

3-5 콘크리트 응결 경화 시 콘크리트의 온도가 상승 후 냉각하면서 발생하는 온도균열의 방지대책 3가지를 기술하시오.

(1)
(2)
(3)

해설 (1) 수화열이 적은 중용열 시멘트 사용
(2) 단위시멘트량 저감
(3) Pre-cooling, Pipe-cooling 적용
(4) 응결지연제 사용

09④ · 19② [4점]

3-6 Pre-cooling 방법과 Pipe-cooling 방법에 대해 설명하시오.

(1) Pre-cooling :
(2) Pipe-cooling :

해설 콘크리트 냉각공법
(1) Pre-Cooling : 콘크리트 재료의 일부 또는 전부를 미리 냉각하여 콘크리트의 온도를 낮추는 방법
(2) Pipe-Cooling : 콘크리트 타설 전 파이프를 설치하여 파이프 내에 찬 공기 또는 냉각수를 순환시켜 콘크리트의 온도를 낮추는 방법

02① · 10① · 17① [3점]

3-7 다음 설명에 해당하는 콘크리트의 종류를 쓰시오.

(1) 콘크리트 제작 시 골재는 전혀 사용하지 않고 물, 시멘트, 발포제만으로 만든 경량 콘크리트 (   )
(2) 콘크리트 타설 후 진공 펌프 등을 이용하여 콘크리트 속에 있는 잉여수 및 기포 등을 제거하고 다짐하여 강도 및 내구성을 개선한 콘크리트 (   )
(3) 거푸집 안에 미리 굵은 골재를 채워 넣은 후 그 공극 속으로 특수한 모르타르를 주입하여 만든 콘크리트 (   )

해설 콘크리트 종류
(1) 서모콘(Thermo-con)
(2) 진공 콘크리트
(3) 프리플레이스트(프리팩트) 콘크리트

00③·02①·10① [4점]

3-8 다음에 설명된 공법의 명칭을 기록하시오.

(1) 콘크리트 타설 직후에 매트, 진공펌프 등을 이용해 콘크리트 내부의 수분 중 수화작용에 필요한 최소량을 제외한 수분을 제거하여 밀실한 콘크리트를 시공하는 방법
(2) PC 제품이나 내진보강벽 등 폐쇄공간의 콘크리트를 타설하기 위해 콘크리트 펌프 등의 압송기계에 연결된 배관을 구조체 하부의 거푸집에 설치된 압입부에 직접 연결해서 유동성 있는 콘크리트를 타설하는 공법

(1)
(2)

해설 용어
(1) 진공 콘크리트 공법(Vaccum Concrete 공법)
(2) 압입 공법(압입채움 공법)

09①·11④·14②·19① [4점]

3-9 숏크리트(Shotcrete) 공법의 정의를 기술하고, 그에 대한 장·단점 2가지씩을 기술하시오.

(1) 정의 :
(2) 장점
   ①
   ②
(3) 단점
   ①
   ②

해설 숏크리트의 정의 및 장단점
(1) 숏크리트 : 압축공기를 이용해 모르타르를 분사하여 시공하는 것으로 뿜칠 콘크리트라고도 한다.
(2) 장점
   ① 거푸집이 불필요하고 곡면 시공이 가능하다.
   ② 얇은 벽 바름에 유리하다.
(3) 단점
   ① 외관이 거칠고 리바운딩이 되기 쉽다.
   ② 균열이 발생한다.

01① · 04① [3점]

3-10 숏크리트(Shotcrete)에 대하여 간단히 기술하고, 종류 3가지를 기술하시오.

(1) 숏크리트 :
(2) 종류
  ①
  ②
  ③

해설 숏크리트
(1) 숏크리트 : 압축공기를 이용해 모르타르를 분사하여 시공하는 것으로 뿜칠 콘크리트라고도 한다.
(2) 종류
  ① 건나이트
  ② 본닥터
  ③ 제트크리트

99③ · 02③ [3점]

3-11 고성능 콘크리트(High Performance Concrete)는 물리적 특성으로 구분하여 3가지 종류로서 고성능 콘크리트를 구분할 수 있다. 다음 고성능 콘크리트의 특성에 따른 3가지로 구분된 콘크리트 명칭을 쓰시오.

(1)
(2)
(3)

해설 고성능 콘크리트
(1) 고강도 콘크리트 (2) 고내구성 콘크리트 (3) 고유동성 콘크리트

14① · 17④ · 18① [3점]

3-12 고강도 콘크리트의 폭렬현상에 대하여 기술하시오.

해설 콘크리트 폭렬현상
화재 시 고열로 인하여 콘크리트 내부에서 생성된 **수증기의 압력이 증가**하게 되고 이 압력이 콘크리트의 인장강도보다 크게 되면 폭음과 함께 콘크리트가 떨어져 나가는 현상

19① · 21② [3점]

3-13
콘크리트 구조물의 화재 시 급격한 고열 현상에 의하여 발생하는 폭렬현상 방지대책 2가지를 기술하시오.

(1)
(2)

해설 폭렬현상 방지대책
(1) 내화 도료 또는 내화 모르타르 시공
(2) 표층부 메탈라스 시공
(3) 흡수율이 낮고 내화성이 있는 골재 사용

4 프리스트레스트 콘크리트와 CFT

06① · 09① · 산21② [2점]

4-1
콘크리트의 인장응력이 생기는 부분에 미리 압축력을 주어 콘크리트의 인장강도를 증가시켜 휨저항을 크게 한 콘크리트의 명칭은?

해설 콘크리트 종류
프리스트레스트 콘크리트(Prestressed Concrete)

05① · 10② · 16① [3점]

4-2
프리스트레스트 콘크리트에 이용되는 긴장재의 종류 3가지를 기술하시오.

(1)
(2)
(3)

해설 PS 콘크리트 강선
(1) PC 강선
(2) PC 강연선
(3) PC 강봉

00① · 05① · 12② · 17② [4점]

4-3 프리스트레스트 콘크리트의 포스트텐션과 프리텐션을 간략히 설명하시오.

(1) 프리텐션 공법 :
(2) 포스트텐션 공법 :

해설 프리스트레스트 콘크리트
(1) 프리텐션 방식 : 긴장재에 **인장력을 먼저 작용시킨 후 콘크리트를 타설**하고 경화 후 단부에서 인장력을 풀어주는 방식
  PC 강재 긴장 → 콘크리트 타설 → 콘크리트 경화 후 인장력 풀어줌
(2) 포스트텐션 방식 : 쉬스(덕트)를 설치하고 **콘크리트를 타설**하고 경화시킨 뒤 쉬스 구멍에 긴장재를 삽입하여 긴장시키고 단부에 정착시키는 방식
  쉬스 설치 → 콘크리트 타설 → PC 강재 삽입, 긴장, 고정 → 단부에 정착

98③ · 00⑤ · 04③ · 07③ · 14④ [4점]

4-4 Pre-Stressed Concrete에서 Pre-Tension 공법과 Post-Tension 공법의 차이점을 시공순서를 바탕으로 쓰시오.

(1) Pre-Tension 공법 :
(2) Post-Tension 공법 :

해설 프리스트레스트콘크리트
(1) PC 강재 긴장 → 콘크리트 타설 → 콘크리트 경화 후 인장력 풀어줌
  프리텐션 방식 : 긴장재에 **인장력을 먼저 작용시킨 후 콘크리트를 타설**하고 경화 후 단부에서 인장력을 풀어주는 방식
(2) 쉬스 설치 → 콘크리트 타설 → PC 강재 삽입, 긴장, 고정 → 단부에 정착
  포스트텐션 방식 : 쉬스(덕트)를 설치하고 **콘크리트를 타설**하고 경화시킨 뒤 쉬스 구멍에 긴장재를 삽입하여 긴장시키고 단부에 정착시키는 방식

08③ [4점]

4-5 ( ) 안에 알맞은 용어를 쓰시오.

(1) 프리스트레스트 콘크리트에 사용되는 강재(강선, 강연선, 강봉)를 ( )라고 한다.
(2) 포스트텐션 공법은 ( ) 설치 후-콘크리트 타설-콘크리트 경화 후 강재를 삽입하여 긴장, 정착 후 그라우팅하여 완성시키는 방법이다.

해설 프리스트레스
(1) 긴장재
(2) 쉬스(Sheath)관

09② · 18④ [6점]

4-6 프리스트레스트 콘크리트에서 다음 항에 대해서 간단하게 기술하시오.

(1) 프리텐션(pre-tension) 방식 :
(2) 포스트텐션(post-tension) 방식 :
(3) 그라우팅(grouting) :

해설 용어
(1) 프리텐션(Pre-tention) 방식 : 긴장재에 인장력을 먼저 작용시킨 후 콘크리트를 타설하고 경화 후 단부에서 인장력을 풀어주는 방식
(2) 포스트텐션(Post-tension) 방식 : 쉬스(덕트)를 설치하고 콘크리트를 타설하고 경화시킨 뒤 쉬스 구멍에 긴장재를 삽입하여 긴장시키고 단부에 정착시키는 방식
(3) 그라우팅(Grouting) : 강현재와 콘크리트의 부착을 위해 쉬스 구멍에 시멘트 페이스트를 채워 넣는 작업으로 배합은 유동성, 팽창성 및 압축강도를 고려하여 W/C는 50% 이하로 한다.

13④ [4점]

4-7 프리스트레스트 콘크리트에 관한 다음 설명 중 ( ) 안에 알맞은 용어를 기술하시오.

콘크리트에 프리스트레스를 가하기 위하여 사용되는 강재로 강선, 철근, 강연선 등을 총칭하는 것을 긴장재라 하며, (①)방식에 있어서 PC 강재의 배치구멍을 만들기 위하여 콘크리트를 부어 넣기 전에 미리 배치된 튜브(관)를 (②)(이)라 한다.

① ②

해설 프리스트레스트 콘크리트
① 포스트텐션　② 쉬스

98③ · 00⑤ · 04③ · 07③ [4점]

4-8 PC에 있어서, 프리스트레스를 주는 방법에는 프리텐션 공법과 포스트텐션공법이 있다. 부재의 제작과정을 각 공법에 따라 순서대로 기호로 쓰시오.

A : 프리스트레싱 포스를 콘크리트에 전달　　B : 콘크리트 타설
C : PS 강재의 긴장　　　　　　　　　　　　D : 부재 내 강재의 쉬스관 설치
E : PS 강재와 콘크리트의 부착

(1) 프리텐션 공법 :
(2) 포스트텐션 공법 :

해설 프리스트레스트 콘크리트
(1) 프리텐션 공법 : C-B-E-A　　(2) 포스트텐션 공법 : D-B-C-E-A

4-9
Pre-stressed Concrete 중 Post-tension 공법의 시공순서를 〈보기〉에서 골라 번호를 쓰시오.

〈보기〉
① 쉬스(Sheath) 설치 ② 강현재 고정
③ 강현재 삽입 ④ 강현재 긴장
⑤ 콘크리트 타설 ⑥ 그라우팅
⑦ 콘크리트 경화 ⑧ 거푸집 조립

( ) → ( ) → ( ) → ( ) → ( ) → ( ) → ( ) → ( )

해설 프리스트레스트 콘크리트 순서
⑧ → ① → ⑤ → ⑦ → ③ → ④ → ② → ⑥

4-10
다음 설명에 알맞은 용어를 쓰시오.

(1) 상시하중, 지진하중 등의 하중에 의한 응력을 상쇄하도록 미리 계획적으로 도입된 콘크리트의 응력
(2) 프리캐스트 부재의 콘크리트 치기를 수평위치에서 부어 넣고 경사지게 세워 탈형하는 공법
(3) 주로 수량에 의하여 좌우되는 아직 굳지 않은 콘크리트의 반죽질기

(1) (2) (3)

해설 용어
(1) 프리스트레스트(Pre-stress)
(2) Tilt-up 공법
(3) 반죽질기(Consistency, 컨시스턴시)

4-11
프리스트레스트 콘크리트의 정착구(定着具; Anchorage)의 대표적인 정착공법 3가지를 기술하시오.

(1) (2) (3)

해설 프리스트레스트 정착공법
(1) 쐐기식(Wedge System) 정착방식
(2) 나사식(Screw System) 정착방식
(3) 루프식(Loop System) 정착방식

08① · 12① · 16① · 17④ [3점]

4-12 콘크리트 충진 강관(CFT) 구조의 정의를 간단히 설명하고 장점과 단점을 각각 2가지씩 기술하시오.

(1) 정의 :
(2) 장점 : ①
　　　　　②
　　단점 : ①
　　　　　②

해설 CFT(Concrete Filled Tube) : 콘크리트 충전강관 구조
(1) 정의 : 원형 또는 사각형인 강관의 기둥 내부에 고강도 콘크리트를 충전하여 만든 구조로, 주로 초고층 건물의 기둥구조물에 사용한다.
(2) 장점
① 휨강성 증대
② 거푸집이 필요하지 않아 공사비가 감소함
(3) 단점
① 고품질 콘크리트를 사용해야 함
② 콘크리트 시공 확인이 어려움

산21② [4점]

4-13 다음은 콘크리트에 대한 설명이다. (　)에 맞는 콘크리트를 기재하시오.

(1) 일평균 기온이 25℃ 이상일 때 시공되는 콘크리트 (　　　　　)
(2) 단면이 80cm 이상이고 내부 열이 높은 콘크리트 (　　　　　)
(3) PS 강재를 이용하여 콘크리트의 인장능력을 키운 콘크리트 (　　　　　)
(4) 거푸집에 골재와 철근을 미리 넣고 트레미관을 이용하여 모르타를 주입하여 만드는 콘크리트 (　　　　　)

해설 (1) 서중 콘크리트
(2) 매스 콘크리트
(3) 프리스트레스트 콘크리트
(4) 프리플레이스트(프리팩트) 콘크리트

CHAPTER 06 철골/PC/커튼월 공사

제1절 | 철골 공사

1. 일반사항

(1) 형강

1) 종류

H, I, L, ㄷ, Z, T

> 99③
> 종류 : 형강의 종류

2) 표시법

형태 - 높이(H) × 폭(B) × t_w × t_f

> 11① · 19②
> 표시법 : 형강의 표시방법

(2) 강판

1) 종류

① 박판(얇은 판) : 두께 3.2mm 미만
② 후판(두꺼운 판) : 두께 3.2mm 이상

(3) 접합철물

1) 리벳

① 둥근머리 리벳(가장 많이 사용)
② 민머리 리벳
③ 평머리 리벳

> 04①
> 종류 : 리벳의 종류

2) 일반볼트

가조립용

3) 고력볼트(고장력볼트)
    ① 종류
        ㉠ 볼트축 전단형(Torque Shear, T/S) 고력볼트
        ㉡ 너트축 전단형 고력볼트
        ㉢ 고장력 그립 볼트
        ㉣ 지압형 볼트

    > 02③ · 04③ · 10②
    > 종류 : 고력볼트의 종류

    ② T/S 고력볼트의 체결 순서
        ㉠ 핀테일에 내측 소켓을 끼우고 렌치를 살짝 걸어 너트에 외측 소켓이 맞춰지도록 함
        ㉡ 렌치의 스위치를 켜 외측 소켓이 회전하며 볼트를 체결
        ㉢ 핀테일이 절단되었을 때 외측 소켓이 너트로부터 분리되도록 렌치를 잡아당김
        ㉣ 팁 레버를 잡아당겨 내측 소켓에 들어있는 핀테일을 제거

    > 12① · 19②
    > 순서 : T/S형 볼트 체결 순서

2. 공장작업

(1) 순서

공작도/원척도 작성 → 본뜨기(형판뜨기) → 변형 바로잡기 → 금매김(마크표시) → 절단 및 가공 → 구멍 뚫기 → 가조립 → 본조립 → 검사 → 녹막이칠(도장) → 운반(현장반입)

> 02② · 04①
> 순서 : 공장작업

(2) 원척도

정밀시공을 위하여 설계도 및 시방서에 따라 철물제작소에서 각부 상세 및 재의 길이 등을 원척(축척 1 : 1도면)으로 그린 그림

(3) 절단
    ① 전단 절단 : 시범머신, 플레이트 시어링기
    ② 가스 절단 : 화염으로 강재를 녹여 자르는 방법
    ③ 톱 절단 : 정교한 처리가 필요할 때 사용

    > 98④ · 99⑤ · 06① · 12② · 15② · 20⑤
    > 종류 : 절단방법

(4) 구멍뚫기
 1) 크기

종류	구멍 직경	공칭축 직경(d)
고장력볼트	d+2.0 d+3.0	d<27 d≧27
볼트	d+0.5	
앵커볼트	d+5.0	

 2) 가심질(Reaming)
   ① 허용 편심거리 1.5mm 이하일 때에는 리머(Reamer)로 구멍을 가심질한다.
   ② 3장 이상 겹칠 때 구멍지름보다 1.5mm 작게 뚫고 Reaming한다.
   ※ 리머 : 펀치 또는 드릴로 뚫은 구멍의 지름을 정확하고 보기 좋게 가다듬는 공구

   > 98② · 00③ · 01②
   > 용어 : 리머

(5) 가조립
   각 부재는 1~2개의 볼트 또는 핀으로 가조립하고, 드리프트 핀(Drift pin)으로 부재를 당겨 구멍을 일치시킨다.

   > 98② · 00③ · 06②
   > 용어 : 드리프트 핀

(6) 본조립
   1) 리벳 접합
   2) 고력볼트 접합
   3) 용접 접합

(7) 녹막이칠
 1) 방청도료/방법
   ① 광명단(방청페인트)
   ② 징크로 메이트(Zinchro Mate)
   ③ 징크 더스트(Zinc Dust)
   ④ 아연도금
   ⑤ 시멘트 모르타르, 콘크리트 도포
   ⑥ 미네랄 스프릿(Mineral Spirit)
   ⑦ 전기 방식법
   ⑧ 아연 분말
   ⑨ 알루미늄 도료

> 12④ · 16④ · 산21①
> 종류 : 방청도료

2) 녹막이칠 금지부분
   ① 고력볼트 접합부의 마찰면
   ② 콘크리트에 매입되는 부분
   ③ 조립에 의하여 맞닿는 면
   ④ 현장 용접하는 부분(용접부에서 100mm 이내)
   ⑤ 밀착 또는 회전시키기 위한 기계 깎기 마무리면
   ⑥ 폐쇄형 단면을 한 부재의 밀폐된 면

   > 98①,④ · 99① · 01③ · 03③ · 06③ · 14① · 18④ · 19④ · 22① · 산22① · 산22②
   > 종류 : 녹막이칠하지 않는 부분

3) 녹막이칠 도장작업별 점검사항
   ① 표면처리 : 표면조도(조색) 확인
   ② 하도 : 도막상태 확인
   ③ 중도/상도 : 미스트코트 작업 여부
   ④ 현장 마감 : 오염물 제거 여부

   > 산23③
   > 점검사항 : 녹막이칠

3. 현장작업

(1) 순서

 1) 순서

   기초콘크리트 타설 → 앵커 볼트 설치(정착) → 기초 상부 고름질 → 철골 세우기 → 가조립 → 변형 바로잡기 → 본조립 → 현장 리벳치기 → 접합부 검사 → 도장

   > 98⑤ · 00⑤ · 07②,③ · 11① · 13② · 15① · 23②
   > 순서 : 철골 세우기 작업(주각부 시공순서)

 2) 앵커볼트 매입(설치)공법
   ① 고정 매입공법
      ㉠ 앵커 볼트를 미리 완전히 고정한 후 콘크리트 타설
      ㉡ 대규모, 중요공사, 시공의 정밀도 필요한 공사에 적용
   ② 가동 매입공법
      ㉠ 스티로폼, 깔때기 등을 콘크리트 타설 전에 설치한 후 시공
      ㉡ 경미한 공사에 적용

③ 나중 매입공법
  ㉠ 구조물의 이동조립 가능
  ㉡ 앵커 볼트 자리를 남겨두고 콘크리트 타설
  ㉢ 위치 수정은 자유로우나 그라우팅(Grouting) 처리에 주의

> 99①,③ · 00③ · 02② · 10④ · 17② · 21② · 산23①
> 종류 : 앵커볼트 매입공법

3) 기초상부 고름질
  ① 정의 : 기초상부 고름질이란 베이스플레이트를 콘크리트 주각에 완전 수평으로 밀착시키기 위해 콘크리트 주각 상부 표면에 30~50mm 두께로 모르타르를 펴 바르는 것을 말한다.
  ② 무수축 모르타르
   ㉠ 베이스플레이트의 접착에 사용되는 충전재
   ㉡ 두께 30mm 이상, 50mm 이내
   ㉢ 크기 200mm 각형 또는 직경 200mm 이상
   ㉣ 철골 설치 전 3일 이상 양생

> 05③ · 12② · 23①
> 용어 : 주각부 고름질 충전재 명칭

  ③ 기초상부 고름질 공법
   ㉠ 전면 바름 공법
    ⓐ 기둥 저면의 주위에서 3cm 이상 넓게 지정된 높이로 수평되게 된 바름
    ⓑ 1 : 2 모르타르로 펴 바르고 경화 후 세우기를 함
   ㉡ 나중채워넣기 중심바름 공법
    ⓐ 기둥 저면의 중심부만 지정 높이만큼 수평으로 된 바름
    ⓑ 1:1 모르타르로 바르고 기둥을 세운 후 사방에서 모르타르를 다져 놓는 방법
   ㉢ 나중채워넣기 십자바름 공법 : 기둥 저면에서 대각선방향 +자형으로 지정 높이만큼 수평으로 모르타르를 바르고 기둥을 세운 후 그 주위에 1 : 1 모르타르를 다져 넣는 방법
   ㉣ 나중채워넣기 공법 : 베이스 플레이트 중앙에 구멍을 낼 수 있을 때 채용되는 방법으로 세우기에 있어 기초 위에 플레이트 네 모서리에 와셔 등 철판 괴임을 써서 높이 조절을 하고 기둥을 세운 후 1 : 1 모르타르를 베이스 플레이트의 중앙부 구멍에 다져 넣는 방법

> 99② · 00③,⑤ · 03③ · 05③ · 07③ · 11②
> 종류 : 주각부 고름질 방법

4) 주각부 설치공법

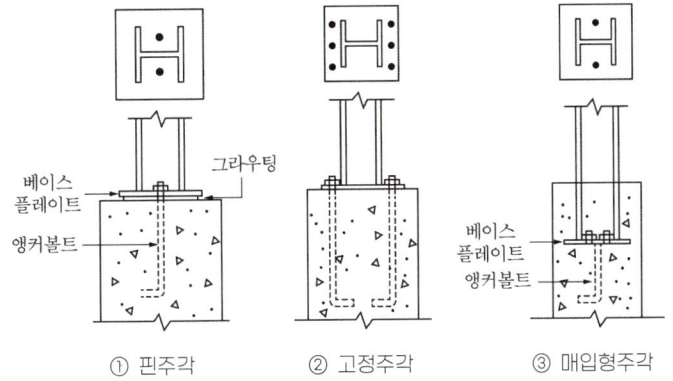

① 핀주각　　② 고정주각　　③ 매입형주각

> 18①
> 연결 : 주각부 설치공법

■ 현장시공을 위한 철골 시공도에 삽입해야 할 중요한 사항 2가지
　① 부재의 형상 및 치수
　② 용접 및 고력볼트 접합부의 형상 및 치수

> 03②
> 중요 사항 : 철골 시공도

5) 주각부 명칭

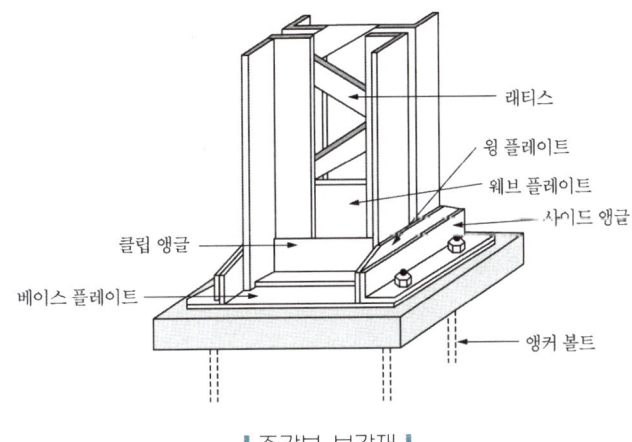

| 주각부 보강재 |

> 00⑤ · 04②
> 명칭 : 주각부

(2) 세우기용 장비

> 99① · 00④ · 18④
> ─────────────────────────────────
> 종류 : 철골 세우기 장비

1) 가이데릭(Guy Derrick)
   ① Boom의 회전 360°
   ② 붐의 길이가 마스터(주축)보다 짧다.

2) 스티프레그데릭(Stiff Leg Derrick)
   ① Boom의 회전 270°
   ② 붐의 길이가 마스터의 길이보다 길다.
   ③ 낮고 긴 평면 유리

3) 트럭 크레인(Truck Crane)
   ① 트럭에 설치된 크레인
   ② 기동성이 좋다.

4) 진폴(Gin Pole)
   ① 소규모
   ② 가장 간단한 장비

> 06②
> ─────────────────────────────────
> 용어 : 진폴

5) 타워크레인(Tower Crane)
   ① 정의 : 타워 위에 크레인을 설치한 것으로 가장 광범위하게 사용된다.
   ② 종류
      ㉠ 설치방식
         ⓐ 고정식 : 기초면에 base 고정
         ⓑ 주행식 : base 밑에 차량 장착
      ㉡ 상승
         ⓐ Crane Climbing(Climbing 방식)
         ⓑ Mast Climbing(Telescoping 방식)
      ㉢ Jib 형식
         ⓐ 러핑 크레인(Luffing Crane) : 경사 Jib을 사용하며 수평과 수직 이동이 가능한 대형 크레인
            • 현장이 협소한 경우
            • 주변 건물에 방해되어 회전이 불가능한 경우
            • 크레인의 일부가 타 대지를 침범하게 되는 경우

ⓑ T형 크레인 : 수평 Jib을 사용하며 수평으로만 이동

> 14①
> 경우 : Luffing Crane 사용

(3) 내화공법
 1) 정의
    화재 발생 시 강재의 온도상승 및 강도저하를 방지하기 위하여 불연성 재료로 강재를 피복하는 방법
 2) 습식공법
    화재 발생 시 내화성능을 높이기 위하여 강재 주위에 물과 함께 사용되는 재료로 피복하는 공법

> 18②
> 정의 : 습식공법

① 타설공법
   ㉠ 콘크리트를 타설하여 일정 두께 이상을 확보하는 공법
   ㉡ Concrete, 경량 Concrete를 타설
② 조적공법
   ㉠ 벽돌, 블록 등을 쌓아 피복하는 공법
   ㉡ 벽돌, Concrete 블록, 경량 Concrete 블록, 돌
③ 미장공법
   ㉠ 모르타르를 발라 피복두께를 확보하는 공법
   ㉡ 철망 모르타르, 철망 펄라이트 모르타르
④ 뿜칠공법
   ㉠ 뿜칠로 피복두께를 확보하는 공법
   ㉡ 뿜칠 모르타르, 뿜칠 플라스터

> 98⑤ · 05② · 08③ · 09② · 14① · 18② · 19② · 산21① · 21④ · 산22② · 22④ · 산22③ · 산23②
> 종류 : 내화피복 습식공법

 3) 건식공법
    화재 발생 시 내화성능을 높이기 위하여 강재 주위에 물을 사용하지 않고 다른 재료로 피복하는 공법
    ① 성형판 붙임공법 : ALC판, 석고보드, 석면 시멘트판, PC, Concrete판
    ② 멤브레인 공법 : 암면

> 산21②
> 종류 : 내화 피복공법 중 건식 공법

4) 합성공법
   ① 이중공법 : 다른 공법으로 2번 시공
   ② 이종공법 : 2개의 공법을 절반씩 나누어 각기 사용
5) 도장공법
   팽창성 내화도료

> 98④ · 99④,⑤ · 00④ · 03② · 06① · 11① · 12① · 15④ · 16② · 21②
> 종류 : 내화피복 공법

> 98④ · 12① · 14② · 17②
> 종류 : 내화피복 공법의 재료

4. 접합

> 01①
> 종류 : 접합방법

(1) 리벳접합

1) 사용공구
   ① 조리벳터
   ② 뉴머틱 해머 : 현장 리벳치기용 공구
   ③ 리벳 홀더 : 리벳치기 공구의 일종으로 불에 달군 리벳을 판금의 구멍에 넣고 그 머리를 누르면서 받쳐주는 공구
   ④ 스냅
      ※ 따내기 공구 : 치핑해머, 리벳커터, 드릴링

> 98② · 00③ · 06②
> 용어 : 뉴머틱해머

> 01②
> 용어 : 리벳 홀더

2) 용어
   ① 피치(Pitch) : 게이지 라인상에서 인접하는 리벳/볼트의 중심 간 간격

최소피치	최대피치	
	인장재	압축재
2.5d	12d, 30t 이하	8d, 15t 이하

   ② 연단거리 : 리벳/볼트 구멍에서 부재 끝단까지 거리
   ③ 게이지 라인(Gauge Line) : 응력방향으로 체결된 리벳/볼트의 중심을 연결하는 선

④ 게이지(Gauge) : 게이지 라인과 게이지 라인과의 거리(리벳/볼트 중심 사이를 연결하는 선 사이의 거리)
⑤ 클리어런스(Clearance) : 리벳과 수직재 면과의 거리
⑥ 그립(Grip) : 리벳으로 접하는 부재의 총두께(그립의 길이는 5d 이하)

> 98② · 00③ · 11① · 23①
> 용어 : 피치, 게이지라인, 게이지

3) 특징

장점	단점
① 접합부 응력이 확실 ② 전단 접합 ③ 결함부 발견 용이	① 재해 위험 ② 소음이 발생 ③ 용접에 비하여 강재 소모량 증가

(2) 고력볼트 접합

1) 일반사항

① 고력볼트 접합 : 철골구조에서 **마찰력으로 응력을 전달**하는 접합방법

> 07②
> 용어 : 고장력볼트 접합

② 사용공구(고력볼트 조임기구)
  ㉠ 임팩트 렌치(Impact Wrench)
  ㉡ 토크 렌치(Torque Wrench)

> 06②
> 용어 : 임팩트 렌치

> 05①
> 종류 : 고력볼트 조임기구

③ 특징
  ㉠ 접합부의 강성 증대
  ㉡ 불량 부분의 수정 용이
  ㉢ 공사 기간을 단축시켜 경제적인 시공이 가능
  ㉣ 소음이 적음
  ㉤ 강재량 증가
  ㉥ 현장 시공 설비가 간편함

> 99①,④,⑤ · 03② · 07③ · 12② · 산21③ · 산22③
> 특징 : 고장력 볼트 장점

④ 볼트종류
　㉠ 볼트축 전단형(Torque Shear ; T/S) 고력볼트 : 볼트의 장력 관리를 손쉽게 하기 위해 개발된 Torque Control 볼트로, 본조임 시 전용 조임기를 사용하여 볼트의 핀테일이 파단될 때까지 조임 시공하는 볼트
　㉡ 너트축 전단형 고력볼트 : 2겹의 특수너트를 이용한 것으로 일정한 조임 토크치에서 너트(Nut)가 절단되는 방식
　㉢ 고장력 그립 볼트 : 일반 고장력볼트를 개량한 것으로 조임이 확실한 방식
　㉣ 지압형 볼트 : 직경보다 약간 작은 볼트구멍에 끼워 너트를 강하게 조이는 방식

> 02③ · 04③ · 10②
> 종류 : 고력볼트

> 19① · 22②
> 용어 : 볼트축 전단형 고력볼트

2) 부위별 명칭과 조립
　① T/S 고력볼트의 부위별 명칭

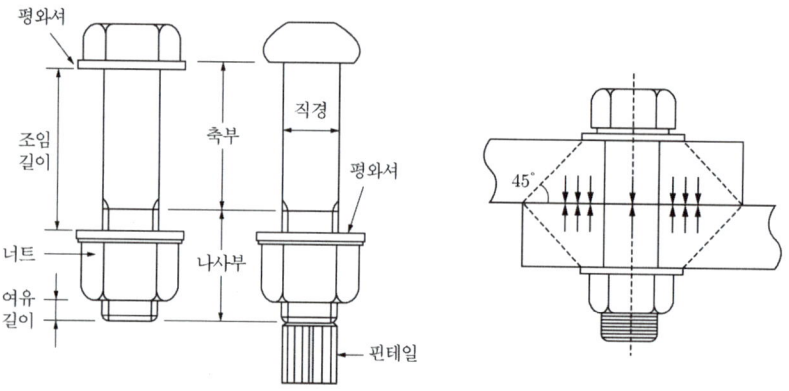

> 17②
> 용어 : T/S 고력볼트의 부위별 명칭

　② 조립
　　㉠ 볼트길이
　　　ⓐ 볼트 길이는 조임길이에 아래 길이를 합한 길이
　　　ⓑ 조임길이는 접합하는 판두께

ⓛ 접합부 마찰면 처리
  ⓐ 기름, 오물 등은 청소하여 제거
  ⓑ 들뜬 녹은 와이어 브러시로 제거
  ⓒ 밀스케일 제거
  ⓓ 표면 거칠기 확보
  ⓔ 틈새 발생 : 필러 끼움

> 16④
> 처리방법 : 고력볼트 접합부 마찰면

ⓒ 조임시공법의 확인
  ⓐ 토크관리법에 의한 확인 : 축력계를 이용하여 볼트 장력 평균값이 규정값에 만족하고 각각의 측정값은 평균값의 ±15% 이내임을 확인
  ⓑ 너트 회전법에 의한 경우 : 실제 접합부에 상응하는 적절한 두께의 철판을 조임작업에 이용하는 볼트 5개 이상 조임하여 거의 같은 회전량이 생기는 것을 확인

ⓓ 볼트장력
  ⓐ 표준볼트장력 : 현장시공의 기준값으로 설계볼트장력에 10%를 할증한 값
  ⓑ 설계볼트장력 : 설계 시 허용전단력을 구하기 위한 장력
  ⓒ 볼트장력 표시 : F10T에서 10은 인장강도가 10tonf/cm^2, 1kN/mm^2 또는 1,000MPa이라는 것을 의미함

> 10④ · 13① · 23②
> 용어 : 표준볼트장력/설계볼트장력

> 07③
> 용어 : 볼트장력의 표시

ⓜ 조임 후 검사
  ⓐ 토크 관리법으로 검사하는 경우 시험에서 얻어진 평균토크 값의 ±10% 이내의 것
  ⓑ 너트 회전법은 1차 조임 후 너트의 회전량이 120°±30°의 범위 이내
  ⓒ 조임검사를 행하는 볼트의 수 : 전체 Bolt 수의 10% 이상 혹은 Bolt 군에 1개 이상

> 05①
> 검사 : 고력볼트 조임검사를 행하는 볼트 수

② 너트풀림 방지법
  ㉠ 이중 너트를 사용한다.
  ㉡ 스프링 와셔(Spring Washer)를 사용한다.
  ㉢ 너트를 용접한다.
  ㉣ 콘크리트에 묻는다.

> 97④ · 99③
> 종류 : 너트풀림 방지법 3가지

3) 철골 보-기둥 접합부

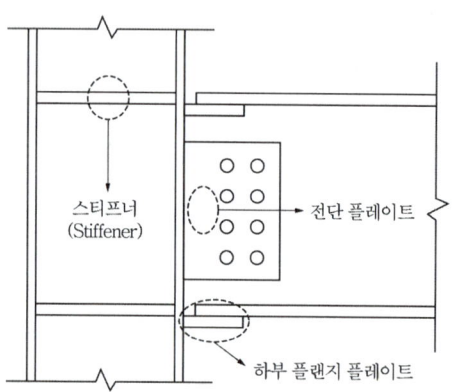

> 09① · 12② · 22①
> 명칭 : 각 부위의 명칭

(3) 용접 접합
 1) 일반사항
  ① 특징

장점	단점
① 강재량의 절약(경제적) ② 접합부의 일체성과 수밀성 확보 ③ 철골의 중량 감소 ④ 무소음/무진동	① 숙련공이 필요 ② 용접내부 시공검사 곤란 ③ 용접열에 의한 결함, 변형 발생

> 96① · 12② · 14① · 산21② · 산22①
> 특징 : 용접의 장점

② 용접접합의 종류
  ㉠ 가스 압접 : 접합하는 두 부재에 2.5~3kg/mm²의 압력을 가하면서 1,200~1,300℃의 열을 가하여 접합하는 용접
  ㉡ 가스용접 : 가스 불꽃의 열을 이용하여 접합하는 것으로 구조용으로는 사용되지 않음
  ㉢ 전기저항 압접(Flush Butt) : 전류를 통한 금속의 강압하여 맞대면 전기저항에 의해 접촉부가 용융상태로 되어 용접함
  ㉣ 아크(Arc)용접
    ⓐ 용접봉과 모재 사이에 전류를 통하면 이때 전류가 발생하는 열을 이용하여 용접봉을 녹여서 모재에 융합되는 접합방식
    ⓑ 공장에서는 직류를 사용하고, 현장에서는 주로 교류를 사용함
    ⓒ 전류의 종류에 따른 아크용접의 특징

직류 아크용접	교류 아크용접
① 작업 용이	① 비용 저렴
② 공장 용접	② 현장 용접
③ 전류 안정적	③ 고장이 적음

99③ · 01③ · 04①
특징 : 직류아크용접, 교류아크용접

  ㉤ 일렉트로 슬래그 용접 : 용융슬래그 속에 용접봉을 연속으로 공급하며, 용접봉과 용융 금속 내부에 흐르는 전류에 의한 전기 저항발열로써 전극을 용접시키는 방법
  ㉥ 서브 머지드 아크 용접 : 용접부 표면에 미세한 입상의 플럭스를 공급하고 플럭스 내부에서 피복하지 않은 용접봉을 사용하는 용접
  ㉦ 피복아크 용접 : 피복재를 유착시킨 용접봉을 사용한 수동용접으로 가장 많이 사용되는 방법
  ㉧ 가스 실드 아크 용접 : 가스로서 아크를 보호하며 진행하는 용접

산23②
정의 : 용접의 종류

③ 용접봉
  ㉠ 구성
    ⓐ 심선 : 특수금속
    ⓑ 피복재(Flux) : 용접봉을 감싸는 피복재로써 금속화물, 탄산염, 셀룰로오스, 탈산재 등으로 구성

ⓛ 피복재 역할
ⓐ 용제역할로서 접합부를 깨끗하게 한다.
ⓑ 접합 시 산화물이 생기는 것을 방지한다.
ⓒ 조성제로 접합이 잘 되게 한다.
ⓓ 슬래그를 제거한다.
ⓔ 냉각응고 속도를 낮춘다.

> 99③ · 06① · 12④
> 종류 : 용접용 피복재의 역할

④ 용접자세
㉠ FOHV
ⓐ Flat Position : 하향자세
ⓑ Over Position : 상향자세
ⓒ Horizontal Position : 수평자세
ⓓ Vertical Position : 수직자세

> 00①
> 기호 : 용접자세 표현기호

2) 그루브 용접(Butt Weld)
① 정의 : 용접하는 두 부재 사이를 트이게 홈(groove)을 만들고 그 사이에 용착금속을 채워 두 부재를 결합하는 용접 접합방식
② 도해

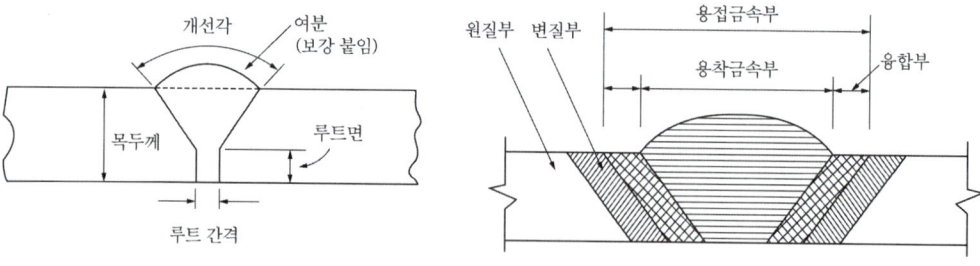

> 08③
> 용어 : 그루브 용접

> 00③ · 08②
> 명칭 : 그루브 용접의 각부 모양의 명칭

③ 개선형태(단면)

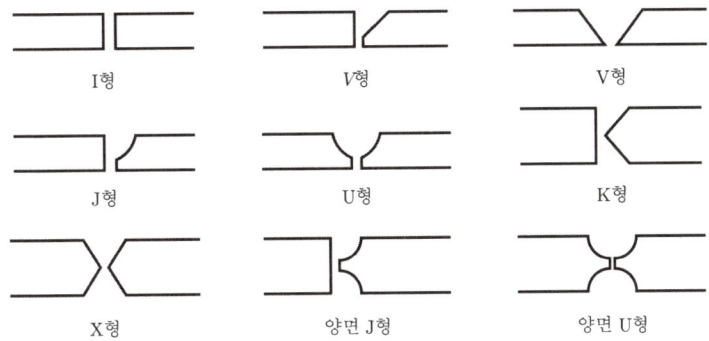

3) 필릿 용접(Fillet Weld)
   ① 도해

   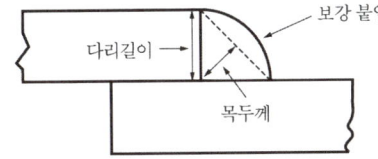

   ② 시공
      ㉠ 부등변 필릿 용접이면 짧은 변 길이를 필릿사이즈로 한다.
      ㉡ 유효목두께는 필릿사이즈의 0.7배이다.
      ㉢ 유효용접길이는 실제 용접길이에서 필릿사이즈의 2배를 감한 것으로 한다.
      ㉣ 유효단면적은 유효용접길이 및 유효목두께의 곱으로 한다.
   ③ 모양에 따른 명칭

> 98② · 00③ · 00④
> 명칭 : 용접모양에 따른 그림 명칭

4) 용접기호

도시	판독
(150-150, 50, 50-150, 13)	• 반대편 단속 필릿 용접 • 단속용접 길이 : 50mm • 단속용접 간격 : 150mm • 용접 사이즈 : 13mm
(60°, 16, 2, 16, 2, 60°)	• 지시방향 그루브 용접 • V형 : 홈용접 • 홈깊이 : 16mm • 루트간격 : 2mm • 홈각도 : 60°
(50, 200, 50, 9, 6, 9, 50-200, 6)	• 엇모 필릿용접 • 전면각장 : 6mm • 후면각장 : 9mm • 용접길이 : 50mm • 피치 : 200mm

> 98② · 04③ · 15④
> 기호 : 필릿용접

> 02① · 18① · 21② · 산23②
> 기호 : 그루브 용접

5) 용접결함과 검사
   ① 용접 시기별 검사항목

시기	검사항목
용접 전	트임새 모양, 모아 대기법, 구속법, 홈의 각도, 간격 치수, 청소 상태, 부재의 밀착
용접 중	전류, 용접봉, 운봉, 아크전압, 용접속도, 밑면 따내기
용접 후	외관판단, 비파괴검사, 절단검사, 균열, 언더컷 유무, 필렛의 크기 등이 있으나, 절단검사는 될 수 있는 대로 피한다.

> 13①
> 종류 : 용접부의 검사항목

📱 11② · 13④ · 16④ · 22④

종류 : 용접검사 작업 전, 중과 후의 종류 구분하기

■ 비파괴검사의 종류 : 방사선 투과검사, 초음파 탐상법, 자기분말 탐상법, 침투 탐상법

📱 99④ · 03① · 06② · 08① · 11① · 14① · 17④ · 산21③ · 산22②

종류 : 용접부의 비파괴시험 방법

② 용접 결함
   ㉠ 원인
      ⓐ 용접 시 전류의 높낮이가 고르기 못할 경우
      ⓑ 용접속도가 일정치 못하고, 기능이 미숙할 때
      ⓒ 용접부의 개선 정밀도, 청소상태가 나쁠 때
   ㉡ 종류

📱 98④,⑤ · 08② · 10② · 12④ · 13④ · 14④ · 15④ · 산21② · 산21③ · 산22③

종류 : 용접결함의 종류

ⓐ 크랙(Crack) : 과대전류로 인해 용착금속과 모재에 생기는 균열로서 용접결함의 대표적인 결함

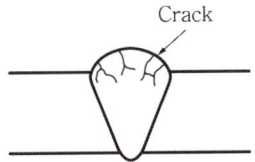

ⓑ 블로홀(Blow Hole) : 용융금속이 응고할 때 방출되었어야 할 가스가 남아서 생기는 용접부의 빈자리

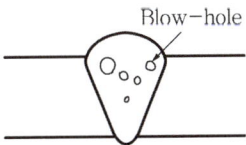

📱 05③ · 09① · 19① · 산21①

용어 : 블로홀

ⓒ 슬래그(Slag) 감싸들기 : 용접봉의 피복재 용해물인 회분이 용착금속 내에 혼합된 것
- 원인 : 용접 중에 발생하는 슬래그가 용접부 안으로 들어간 경우나 용접부의 청소 상태가 불량한 경우
- 대책 : 용접 중 혼입된 슬래그를 제거하고 용접하거나 용접부위의 청소를 확실히 한다.

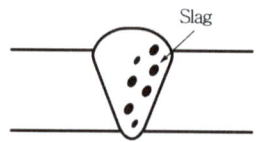

> 05③·09①·19①·산21①·22②
> 용어 : 슬래그 감싸들기

> 15②·22②
> 원인/대책 : 슬래그 감싸들기

ⓓ 크레이터(Crater) : 용접 시 과대전류로 인해 Bead 끝에 항아리 모양처럼 오목하게 파인 현상

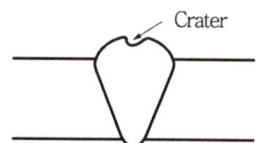

ⓔ 언더컷(Undercut) : 과대 전류 혹은 용입 불량으로 용접상부에 모재가 녹아 용착금속이 채워지지 않고 홈으로 남게 되는 현상

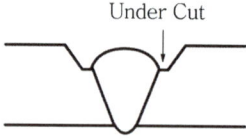

> 05③·09①·19①·21②·산21①·산23③
> 용어 : 언더컷

> 10②·17①
> 종류 : 과대 전류에 의한 결함

ⓕ 피트(Pit) : 작은 구멍이 용접부 표면에 생기는 현상

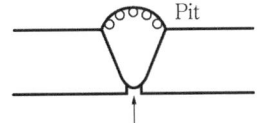

ⓖ 용입불량 : 용입 깊이가 불량하거나, 모재와의 융합이 불량한 것

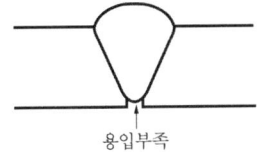

ⓗ 피시아이(Fish Eye) : Blow Hole 및 혼입된 Slag가 모여서 둥근 은색반점이 생기는 결함현상

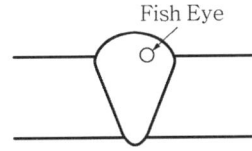

ⓘ 오버랩(Overlap) : 용접금속과 모재가 융합되지 않고 단순히 겹쳐지는 것

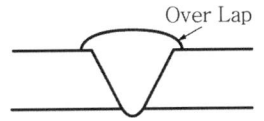

> 05③ · 09① · 산21① · 21② · 산23③
> 용어 : 오버랩

③ 철골공사의 용어
  ㉠ 기둥축소 변위(Columm Shortening, 컬럼 쇼트닝)
    ⓐ 정의 : 철골조 건축의 축조 시 내부와 외부의 기둥구조가 다르거나 사용한 재료의 재질 및 응력의 차이로 인한 신축량이 발생한다.
    ⓑ 원인
      • 기둥의 축소변위 발생
      • 구조재의 변형에 따른 조립 불량
      • 창호재의 변형에 따른 조립 불량
      • 하중이 차이 나는 경우

> 10④ · 15① · 19② · 23②
> 정의/원인 : 기둥축소(컬럼 쇼트닝)

ⓒ 비드(Bead) : 용접 결과로 생기는 용착부
ⓒ 플럭스(Flux) : 자동 용접 시 용접봉의 피복재 역할을 하는 분말상 재료
ⓔ 스캘럽(Scallop) : 철골부재 용접 시 이음 및 접합부위의 용접선이 교차되어 재용접된 부위가 열영향을 받아 취약해지는 것을 방지하기 위하여 모재에 부채꼴 모양의 모따기를 한 것

> 02① · 02② · 08③ · 11④ · 14① · 15④ · 16② · 19④ · 22② · 22④ · 23④ · 산23①
> 용어 : 스캘럽

ⓜ 엔드탭(End Tab) : 용접 결함이 생기기 쉬운 용접 비드의 시작 부분이나 끝부분에 설치하는 보조 강판

> 02① · 02② · 08③ · 11④ · 15④ · 16② · 19④ · 21④ · 22②
> 용어 : 엔드탭

ⓗ 뒷댐재(Back Strip) : 한 면 그루브용접 시 용융금속의 녹아 떨어지는 것을 방지하기 위해 루트 하부에 받치는 금속판

> 02① · 02② · 08③ · 11④ · 14① · 19① · 22④
> 용어 : 뒷댐재

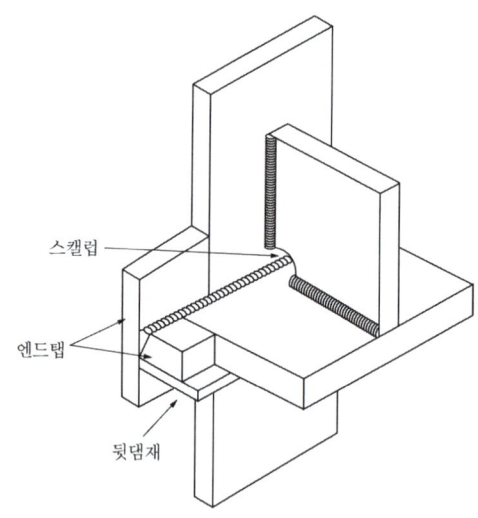

ⓢ 가우징(Gouging) : 양쪽 용접을 하는 경우 충분한 용입을 얻기 위하여 배면 용접 전에 용접 금속부분이 나타날 때까지 홈을 파는 것

ⓞ 메탈터치(Metal Touch) : 철골 기둥의 이음부를 가공하여 상하부 기둥 밀착을 좋게 하여 축력의 50%까지 하부기둥의 밀착면에 직접 전달하기 위한 이음 방법

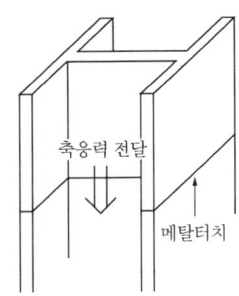

02① · 08③ · 12① · 15④ · 21②
용어 : 메탈터치

12① · 21②
도해 : 메탈터치

ⓩ 밀시트(Mill Sheet)
  ⓐ 정의 : 철강제품의 품질보증을 위해 공인시험기관에서 발급하는 제조업체의 품질보증서
  ⓑ 밀시트(강재 시험성적서)의 내역
    • 규격 : 길이, 두께, 크기 및 형상, 단위중량
    • 시험기준 : 시방서, KS
    • 화학 성분 : 철, 황, 규소, 납, 탄소 등의 구성비
    • 재료의 역학적 시험 내용 : 각종 강도 표시

19① · 산23①
용어 : 밀시트

19④ · 22②
내역 : 밀시트(강재 시험성적서)

ⓒ 전단연결재(Shear Connector) : 쉬어 커넥터라고도 하며 철골보와 콘크리트 바닥판을 일체화시켜 전단력을 전달하는 연결재

16④ · 17① · 21① · 산22① · 23②
용어 : 전단연결재(Shear Connector), 스터드 볼트

㉠ 거싯 플레이트(Gusset Plate) : 철골구조의 접합부위에 사용하는 각 부재의 연결판

16④ · 22①
용어 : 거싯 플레이트

ⓒ 데크 플레이트(Deck Plate) : 아연도 철판을 절곡 제작하여 거푸집으로 사용하여 콘크리트 타설 후 사용철판을 바닥하부 마감재로 사용하는 공법

> 16④ · 21① · 산22③
> 용어 : 데크 플레이트

ⓓ 허니콤보(Honeycom Beam) : 보의 웨브 주위를 육각형 단면 등으로 잘라 어긋난 재용접을 함으로써 보의 춤을 높인 형태이다.

5. 경량철골

(1) 경량철골 공사

1) 재료

경량 형강은 1.6~4mm 두께로 여러 종류가 있으나 그중에서도 립(Lip)이 달린 ㄷ자 형강(Lip Channel)이 많이 쓰인다.

2) 장점
① 강재량에 비해 단면효율이 크다.
② 성형가공이 용이하다.

3) 단점
① 국부좌굴 및 뒤틀림이 생기기 쉽다.
② 부식이 약하여 방청도료를 사용해야 한다.

> 98④ · 99⑤ · 산23①
> 특징 : 경량철골의 장단점

4) 경량철골 칸막이 공사의 시공순서

바탕처리 → 벽체틀 설치 → 단열재 설치 → 석고보드 설치 → 마감

> 21①
> 시공순서 : 경량철골 칸막이 공사

(2) 강관 파이프 구조

1) 특성
① 장점
㉠ 경량이며 외관이 미려하다.
㉡ 폐쇄 단면이므로 어느 방향에 대해서도 강도가 균일하다.
㉢ 국부좌굴, 횡좌굴에 유리하다.
㉣ 살두께를 작게 하면서도 휨강성이 크다.

> 00⑤
> 특징 : 파이프 구조의 장점

② 단점
　㉠ 접합부의 절단 가공이 어렵다.
　㉡ 접합부 강성저하가 우려된다.

2) 절단면 단부의 밀폐방법
① 관 끝을 압착하여 용접·밀폐시키는 방법
② 가열하여 구형으로 가공
③ 스피닝(Spinning)에 의한 방법
④ 원판, 반구형 판을 용접

> 01② · 04① · 04③ · 08① · 15②
> 종류 : 파이프 구조의 밀폐방법

6. 철골철근콘크리트 구조

(1) 정의
철골 구조물 주위에 철근 배근을 하고 그 위에 콘크리트가 타설되어 일체가 되도록 한 구조물로 초고층 구조물 하층부의 복합구조로 많이 채택되는 구조

> 19①
> 용어 : 철골철근콘크리트 구조

(2) 특성
① 단면에 비해 강성이 크고 인성이 있어 내진성능이 좋음
② 콘크리트가 강재를 덮어 내화, 내구적
③ 기둥의 면적을 줄일 수 있어 고층, 초고층 건축물에 적용

1 일반사항/공장작업

1-1 다음 〈보기〉 중 철골구조에 이용되는 일반적인 형강명을 모두 골라 기호로 쓰시오.

〈보기〉
① B형강　② C형강　③ E형강
④ H형강　⑤ I형강　⑥ K형강
⑦ L형강　⑧ N형강　⑨ T형강
⑩ Z형강

해설 형강의 종류
②, ④, ⑤, ⑦, ⑨, ⑩

1-2 다음 형강을 단면 형상의 표시방법으로 표시하시오.

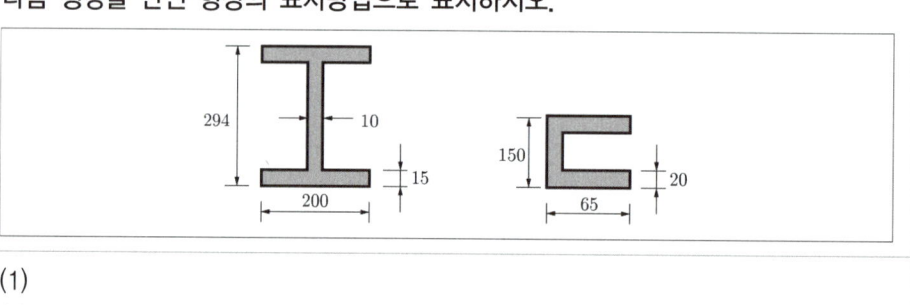

(1)
(2)

해설 형강표시법
높이-폭-웨브두께-플랜지두께의 순으로 나타낸다.
(1) H-294×200×10×15
(2) C-150×65×20

04① [3점]

1-3 철골공사의 접합에 이용되는 머리모양에 따른 리벳의 종류를 3가지 쓰시오.

(1)
(2)
(3)

[해설] 리벳머리 종류
(1) 둥근머리 리벳
(2) 민머리 리벳
(3) 평머리 리벳

02③ · 04③ · 10② [4점]

1-4 철골공사 시 각 부재의 접합을 위해 사용되는 고장력볼트 중 특수형의 볼트 종류 4가지를 기술하시오.

(1)   (2)
(3)   (4)

[해설] 고장력볼트의 종류
(1) 볼트축 전단형(Torque Shear) 고력볼트
(2) 너트축 전단형 고력볼트
(3) 고장력 그립 볼트
(4) 지압형 볼트

12① · 19② [3점]

1-5 다음 보기를 이용하여 TS(Torque Shear)형 고력볼트의 시공순서를 번호대로 나열하시오.

① 팁 레버를 잡아당겨 내측 소켓에 들어있는 핀테일을 제거
② 렌치의 스위치를 켜 외측 소켓이 회전하며 볼트를 체결
③ 핀테일이 절단되었을 때 외측 소켓이 너트로부터 분리되도록 렌치를 잡아당김
④ 핀테일에 내측 소켓을 끼우고 렌치를 살짝 걸어 너트에 외측 소켓이 맞춰지도록 함

(   ) → (   ) → (   ) → (   )

[해설] TS형 고력볼트의 시공순서
④ → ② → ③ → ①

02② [4점]

1-6 철골공사의 공장가공 순서를 아래의 〈보기〉를 참고로 하여 순서대로 나열하시오.

〈보기〉
① 구멍뚫기　　② 가조립　　③ 본뜨기
④ 본조립　　　⑤ 녹막이칠　⑥ 변형 바로잡기
⑦ 원척도 작성　⑧ 검사　　　⑨ 절단 및 가공
⑩ 운반(현장반입)　⑪ 금매김

( ) → ( ) → ( ) → ( ) → ( ) → ( ) → ( ) → ( ) → ( )
→ ( ) → ( )

해설 철골 공사 가공순서
⑦ → ③ → ⑥ → ⑪ → ⑨ → ① → ② → ④ → ⑧ → ⑤ → ⑩

04① [4점]

1-7 철골공사에 있어서 공작제작 작업과정을 순서대로 쓰시오.

공작도 작성 − (1) − 형판뜨기 − (2) − 마크표시 − (3) − (4) − 가조립 − (5) − 도장

(1)
(2)
(3)
(4)
(5)

해설 철골 공장 작업순서
(1) 원척도 작성
(2) 변형 바로잡기
(3) 절단 및 가공
(4) 구멍뚫기
(5) 본조립 및 검사

98④ · 99⑤ · 06① · 12② · 15② · 20⑤ [3점]

1-8 철골공사의 절단가공에서 절단방법의 종류 3가지를 기술하시오.

(1)
(2)
(3)

해설 철골 절단법
(1) 전단 절단
(2) 가스 절단
(3) 톱 절단

12④ · 16④ [2점]

1-9 철골공사의 도장공사에 쓰이는 철골 방청 도장재료 2가지를 기술하시오.

(1)
(2)

해설 방청 도료
(1) 징크로메이트
(2) 광명단
(3) 아연도금

산21① [4점]

1-10 아래 보기 중 철골 공사에서 사용하는 방청도료를 전부 고르시오.

〈보기〉
① 아크릴 ② 아연 분말
③ 광명단 ④ 프라이머
⑤ 알루미늄 도료 ⑥ 페놀 수지

해설 ②, ③, ⑤

98①,④・99①・01③・03③・06③・14①・18④・19④ [4점]

1-11 철골공사에서 녹막이 칠을 하지 않는 부분 4개를 기술하시오.

(1)
(2)
(3)
(4)

해설 녹막이 칠을 하지 않는 부분
(1) 고력볼트 접합부의 마찰면
(2) 콘크리트에 매입되는 부분
(3) 조립에 의해 맞닿는 면
(4) 현장 용접하는 부분

2 현장작업

98⑤・00⑤・07②・07③・11① [3점]

2-1 철골 주각부 현장 시공순서를 번호대로 나열하시오.

① 철골 세우기　　② 기초콘크리트 타설　　③ 변형 바로잡기
④ 앵커볼트 정착　　⑤ 기초 상부 고름질　　⑥ 가조립
⑦ 철골 도장

( ) → ( ) → ( ) → ( ) → ( ) → ( ) → ( )

해설 현장 철골세우기 순서
② → ④ → ⑤ → ① → ⑥ → ③ → ⑦

98⑤・00⑤・07②・07③・11① [4점]

2-2 철골 세우기 공사의 시공순서를 〈보기〉에서 골라 쓰시오.

〈보기〉

① 세우기　　　② 현장 리벳치기　　③ 리벳검사
④ 앵커볼트 매입　⑤ 볼트 가조임　　　⑥ 볼트 본조임
⑦ 변형 바로 잡기

( ) → ( ) → ( ) → ( ) → ( ) → ( ) → ( )

해설 철골 세우기 순서
④ → ① → ⑤ → ⑦ → ⑥ → ② → ③

2-3 철골 주각부의 현장 시공 순서에 맞게 번호를 나열하시오.

① 기초 상부 고름질 ② 가조립 ③ 변형 바로잡기
④ 앵커 볼트 설치 ⑤ 철골 세우기 ⑥ 철골 도장

( ) → ( ) → ( ) → ( ) → ( ) → ( )

해설 ④ - ① - ⑤ - ② - ③ - ⑥

2-4 철골공사의 기초 Anchor Bolt는 구조물 전체의 집중하중을 지탱하는 중요한 부분이다. 이 Anchor Bolt 매입공법의 종류 3가지를 쓰시오.

(1)
(2)
(3)

해설 앵커볼트 매입공법
(1) 고정 매입공법
(2) 가동 매입공법
(3) 나중 매입공법

2-5 철골공사에서 베이스 플레이트(Base Plate)의 시공 시 사용되는 충전재의 명칭을 기술하시오.

해설 주각부 충전재 명칭
무수축 모르타르

2-6 다음 ( ) 안에 적당한 공법을 쓰시오.

철골공사에서 앵커볼트를 매입하는 공법은 (1) 매입공법과 (2) 매입공법이 있으며, 기초상부의 고름방법은 (3), (4), (5), (6)이 있다.

(1)
(2)
(3)
(4)
(5)
(6)

해설 앵커볼트 매입공법과 기초상부 고름질
(1) 고정
(2) 가동 또는 나중
(3) 전면 바름 공법
(4) 나중채워넣기 중심바름 공법
(5) 나중채워넣기 십자바름 공법
(6) 나중채워넣기 공법

2-7 철골 세우기에서의 기초상부 고름질의 방법을 3가지를 기술하시오.

(1)
(2)
(3)

해설 주각부상부 고름질 방법
(1) 전면 바름 공법
(2) 나중채워넣기 중심바름 공법
(3) 나중채워넣기 십자바름 공법
(4) 나중채워넣기 공법

2-8

철골공사의 주각부 공법은 고정 주각 공법, 핀 주각 공법, 매립형 주각 공법 3가지로 구분된다. 아래 그림에 알맞은 공법을 기술하시오.

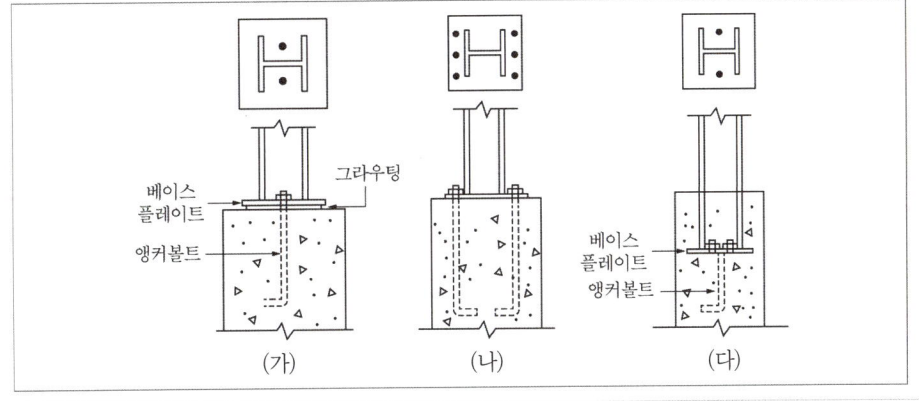

(1)
(2)
(3)

해설 주각부 설치 공법
(1) 핀주각 공법
(2) 고정 주각 공법
(3) 매립형 주각 공법

2-9

철골공사의 공장제작이 완료된 후에 현장 세우기를 하여야 하는데 현장시공을 위한 철골 시공도에 삽입해야 할 중요한 사항을 2가지 기록하시오.

(1)
(2)

해설 철골시공도 기입내용
(1) 부재의 형상 및 치수
(2) 용접 및 고력볼트 접합부의 형상 및 치수

00⑤ · 04② [4점]

2-10 다음 각부의 명칭을 〈보기〉에서 골라 번호를 쓰시오.

〈보기〉

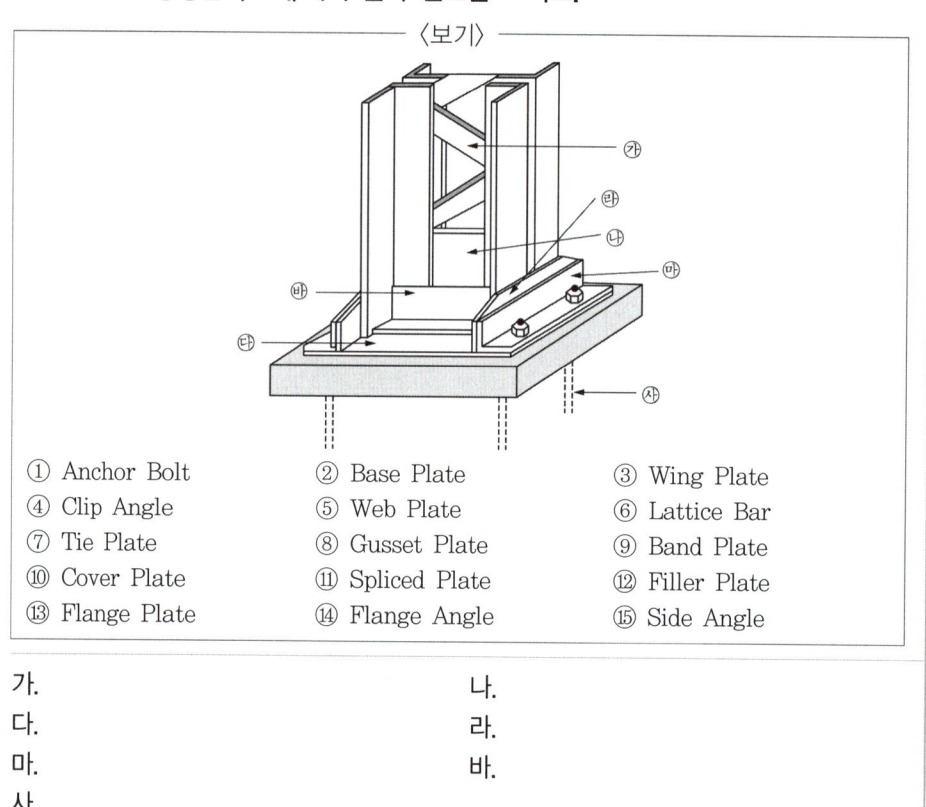

① Anchor Bolt   ② Base Plate   ③ Wing Plate
④ Clip Angle   ⑤ Web Plate   ⑥ Lattice Bar
⑦ Tie Plate   ⑧ Gusset Plate   ⑨ Band Plate
⑩ Cover Plate   ⑪ Spliced Plate   ⑫ Filler Plate
⑬ Flange Plate   ⑭ Flange Angle   ⑮ Side Angle

가.   나.
다.   라.
마.   바.
사.

해설 철골 주각부 명칭
가 – ⑥, 나 – ⑤, 다 – ②, 라 – ③, 마 – ⑮, 바 – ④, 사 – ①

99① · 00④ · 18④ [3점]

2-11 철골 공사 시 사용되는 철골 세우기 장비 3가지를 기술하시오.

(1)
(2)
(3)

해설 철골 세우기 장비
(1) 가이데릭
(2) 스티프레그데릭
(3) 진폴
(4) 타워크레인

14① [4점]

2-12 건설공사에 사용되는 타워크레인의 종류로는 T형 타워크레인(T-Tower Crane)과 러핑 크레인(Luffing Crane)이 있는데, 이 중 러핑 크레인을 사용하는 경우 2가지를 기술하시오.

(1)
(2)

해설 Luffing Crane 사용 이유
(1) 주변 건물에 방해되어 회전이 불가능한 경우
(2) 크레인의 일부가 타 대지를 침범하게 되는 경우

98④·12① [6점]

2-13 철골의 내화피복공법의 종류를 6가지 쓰고, 각각에 사용되는 재료를 하나씩 쓰시오.

	공법	재료
(1)		
(2)		
(3)		
(4)		
(5)		
(6)		

(1)   (2)
(3)   (4)
(5)   (6)

해설 내화피복공법의 종류와 재료

	공법	재료
(1)	타설공법	콘크리트
(2)	조적공법	벽돌
(3)	미장공법	철망모르타르
(4)	도장공법	방화페인트
(5)	성형판 붙임공법	ALC판
(6)	멤브레인 공법	암면

98①,④·99④,⑤·00④·03②·06①·11①·15④·산21① [4점]

2-14 철골조 내화피복의 시공공법 중 습식공법의 종류 4가지를 들고 설명하시오.

(1)
(2)
(3)
(4)

해설 내화피복공법
(1) 타설공법 : 콘크리트를 타설하여 일정 두께 이상을 확보하는 공법
(2) 조적공법 : 벽돌, 블록 등을 쌓아 피복하는 공법
(3) 미장공법 : 모르타르를 발라 피복두께를 확보하는 공법
(4) 뿜칠공법 : 뿜칠로 피복두께를 확보하는 공법

12①·14②·17② [4점]

2-15 철골공사에서 내화피복 공법의 종류에 따른 재료를 각각 2가지씩 기술하시오.

공법	재료	
타설공법		
조적공법		
미장공법		

• 타설공법 :   ,
• 조적공법 :   ,
• 미장공법 :   ,

해설 내화공법

공법	재료	
타설공법	콘크리트	경량콘크리트
조적공법	벽돌	콘크리트 블록
미장공법	철망 모르타르	철망 펄라이트 모르타르

98⑤ · 05② · 08③ · 09② · 11① · 14① · 16② · 18② · 19② [4점]

2-16 철골 내화피복 공법 중 습식공법을 설명하시오, 습식공법의 3가지 종류와 사용재료 3개를 쓰시오.

(1)
(2)

[해설] 철골 내화피복 습식공법
(1) 습식공법 : 화재 발생 시 내화성능을 높이기 위하여 강재 주위에 물과 함께 사용되는 재료로 피복하는 공법
(2) 공법의 종류와 재료
① 타설공법 : 콘크리트, 경량 콘크리트
② 조적공법 : 벽돌, 콘크리트 블록
③ 미장공법 : 철망 모르타르, 철망 펄라이트 모르타르
④ 뿜칠공법 : 뿜칠 모르타르, 뿜칠 플라스터

산21② [3점]

2-17 다음 보기를 보고 철골조 내화 피복공법 중 건식 공법을 고르시오.

〈보기〉
타설공법, 조적공법, 성형판 붙임공법, 합성공법, 세라믹 울 공법, 내화도료 공법

[해설] 성형판 붙임공법

3 고력볼트 접합

01① [3점]

3-1 철골부재의 접합방법 3가지를 쓰시오.

(1)
(2)
(3)

[해설] 철골부재의 접합방법
(1) 리벳 접합   (2) 고력볼트 접합   (3) 용접 접합

98② · 00③ [4점]

3-2 A항과 관계있는 것을 B항에서 골라 쓰시오.

〈A항〉
(1) 게이지 라인(Gauge Line) (   )
(2) 드리프트 핀(Drift Pin) (   )
(3) 리머(Reamer) (   )
(4) 뉴매틱 해머(Pneumatic Hammer) (   )

〈B항〉
① 현장 리벳치기용 공구
② 리벳구멍 중심을 맞추는 공구
③ 구멍 주위 가심질 공구
④ 한 열의 리벳 중심을 통하는 선

해설 용어별 설명
(1) ④
(2) ②
(3) ③
(4) ①

12② [4점]

3-3 철골공사 중 용접접합과 고장력볼트 접합의 장점을 각각 2가지씩 기술하시오.

(1) 용접접합
　①
　②
(2) 고장력볼트 접합
　①
　②

해설 (1) 용접접합
　　① 강재량의 절약(경제적)
　　② 접합부의 일체성과 수밀성 확보
(2) 고장력볼트 접합
　　① 접합부의 강성 증대
　　② 불량 부분의 수정 용이

99①,④,⑤ · 03② · 07③ · 12② [4점]

3-4 철골공사에서 고장력 볼트조임의 장점을 4가지 쓰시오.

(1)
(2)
(3)
(4)

해설 고장력볼트 조임의 장점
(1) 접합부의 강성 증대
(2) 불량 부분의 수정 용이
(3) 공사 기간을 단축시켜 경제적인 시공이 가능
(4) 소음이 적음
(5) 현장 시공 설비가 간편함

06② [4점]

3-5 다음 관계있는 것을 〈보기〉에서 번호를 골라 쓰시오.

─────〈보기〉─────
① 고장력볼트   ② 구멍맞추기
③ 세우기   ④ 현장리벳치기

(1) 뉴매틱 해머 : (   )
(2) 진폴 : (   )
(3) 드리프트핀 : (   )
(4) 임팩트렌치 : (   )

해설 기계·기구명
(1) ④   (2) ③   (3) ②   (4) ①

01② [5점]

3-6 다음에서 설명하는 공구 및 기구를 쓰시오.

(1) 펀치 또는 드릴로 뚫은 구멍의 지름을 정확하고 보기 좋게 가다듬는 공구
(2) 리벳치기 공구의 일종으로 불에 달군 리벳을 판금의 구멍에 넣고 그 머리를 누르면서 받쳐주는 공구
(3) AE제의 계량장치
(4) 거푸집 긴장철선을 콘크리트 경화 후 절단하는 절단기
(5) 종방향의 미세한 변형량을 시계형으로 확대시켜 정확한 침하량을 측정하는 기구로서 지내력 시험에 이용되는 기구

(1)
(2)
(3)
(4)
(5)

해설 각종 공구 및 기구
(1) 리머
(2) 리벳홀더
(3) 디스펜서
(4) 와이어 클리퍼
(5) 다이얼 게이지

11① [3점]

3-7 강구조 볼트접합과 관련하여 용어를 쓰시오.

(1) 볼트 중심 사이의 간격 (　　　　)
(2) 볼트 중심 사이를 연결하는 선 (　　　　)
(3) 볼트 중심 사이를 연결하는 선 사이의 거리 (　　　　)

해설 용어
(1) 피치(Pitch)
(2) 게이지라인(Gauge Line)
(3) 게이지(Gauge)

07②

3-8 다음 설명하는 용어를 쓰시오.

철골구조 접합방법에서 마찰력으로 응력을 전달하는 접합방법 (   )

[해설] 용어
고장력 볼트 접합

02③ · 04③ · 10② [4점]

3-9 철골공사에서 고력볼트 접합의 종류에 대한 설명이다. (   ) 안에 알맞은 용어를 쓰시오.

(1) Torque Control 볼트로서 일정한 조임 토크치에서 볼트축이 절단 (   )
(2) 2겹의 특수너트를 이용한 것으로 일정한 조임 토크치에서 너트(Nut)가 절단
    (   )
(3) 일반 고장력볼트를 개량한 것으로 조임이 확실한 방식 (   )
(4) 직경보다 약간 작은 볼트구멍에 끼워 너트를 강하게 조이는 방식 (   )

[해설] 고력볼트 종류
(1) 볼트축 전단형 고력 Bolt
(2) 너트 전단형 고력 Bolt
(3) Grip형 고력 Bolt
(4) 지압형 고력 Bolt

19① [3점]

3-10 다음 설명에 맞는 볼트를 기술하시오.

철골부재의 접합에 사용되는 고장력볼트 중 볼트의 장력 관리를 손쉽게 하기 위해 개발된 것으로 본조임 시 전용 조임기를 사용하여 볼트의 핀테일이 파단될 때까지 조임시공하는 볼트

[해설] 볼트축 전단형(Torque Shear) 고력볼트

3-11 T/S 고력볼트의 부위별 명칭을 기술하시오.

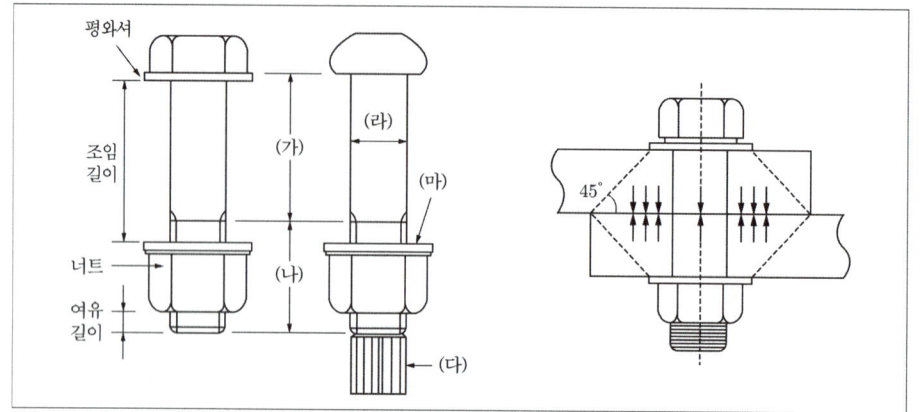

가.
나.
다.
라.
마.

해설 T/S 고력볼트의 부위별 명칭
가. 축부
나. 나사부
다. 핀테일
라. 직경
마. 평와셔

3-12 고력볼트의 마찰접합에서는 마찰력 확보를 위해 마찰면을 처리해야 한다. 이러한 고력볼트 접합부의 마찰면 처리 방법 3가지를 기술하시오.

(1)
(2)
(3)

해설 고력볼트 마찰면
① 기름, 오물 등은 청소하여 제거
② 들뜬 녹은 와이어 브러시로 제거
③ 밀스케일 제거
④ 틈새 발생 시 필러 끼움

05①

3-13
철골공사에서 고장력 볼트 조임에 쓰는 기기 2가지와 일반적으로 각 볼트군에 대하여 조임검사를 행하는 표준볼트의 수에 대해 기술하시오.

(1) 조임기기
　　①
　　②
(2) 조임검사를 행하는 볼트의 수 :

해설 고장력 볼트 조임
(1) 임팩트렌치, 토크렌치
(2) 전체 Bolt 수의 10% 이상 혹은 Bolt 군에 1개 이상

09② · 10④ · 13① [2점]

3-14
철골공사에서 긴장재에 활용되는 표준볼트장력을 설계볼트장력과 비교하여 설명하시오.

해설 용어/비교
설계볼트장력은 고장력볼트의 설계 시 허용전단력을 구하기 위한 기준값으로 사용되며, 표준볼트장력은 설계볼트장력에 10%를 할증한 값으로 현장시공의 기준값으로 사용된다.

07③ [2점]

3-15
고력볼트 F10T에서 10이 가리키는 의미를 쓰시오.

해설 고력볼트 표시
인장강도가 $10 tonf/cm^2$, $1kN/mm^2$ 또는 $1,000 MPa$임

09① · 12② · 22① [3점]

3-16
다음 그림은 철골 보-기둥 접합부의 개략적인 그림이다. 각 번호에 해당하는 구성재의 명칭을 쓰시오.

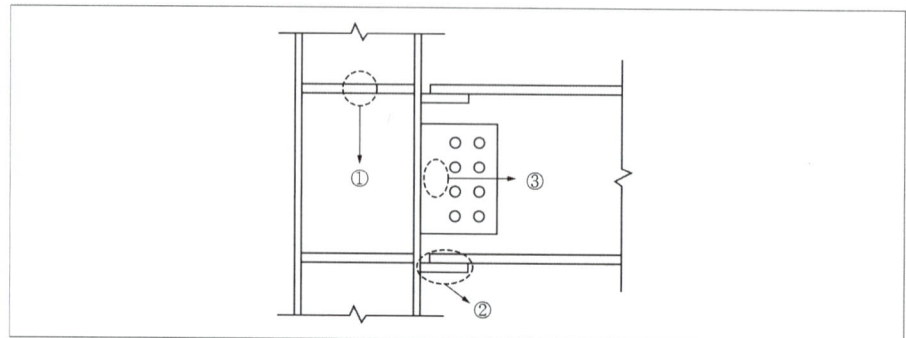

①
②
③

해설 철골 보-기둥 접합부의 명칭
① 스티프너(Stiffener)
② 하부 플랜지 플레이트
③ 전단 플레이트

4 용접

14① · 산21② [4점]

4-1
철골공사 접합방법 중 용접의 장점 4가지를 기술하시오.

(1)
(2)
(3)
(4)

해설 용접접합의 장점
(1) 강재량의 절약(경제적)
(2) 접합부의 일체성과 수밀성 확보
(3) 철골의 중량 감소
(4) 무소음/무진동

99③·01③·04① [4점]

4-2 철골재 아크용접에 대한 설명 중 직류와 교류를 사용할 경우의 특징을 〈보기〉에서 골라 번호로 쓰시오.

〈보기〉
① 고장이 적다.　　　　② 일하기 쉽다.
③ 가격이 싸다.　　　　④ 공장용접에 많이 쓰인다.
⑤ 현장용접에 많이 쓰인다.

(1) 직류 아크용접 :
(2) 교류 아크용접 :

해설 아크용접
(1) 직류 아크 용접 : ②, ④
(2) 교류 아크 용접 : ①, ③, ⑤

99③·06①·12④ [4점]

4-3 철골공사의 용접작업에서 아크용접의 경우 용접봉의 피복재는 금속산화물, 탄산염, 셀룰로오스, 탈산제 등을 심선에 도포한 것이다. 용접봉 피복재의 역할 4가지를 기술하시오.

(1)
(2)
(3)
(4)

해설 아크용접 피복재의 역할
(1) 용제역할로서 **접합부를 깨끗하게** 한다.
(2) 접합 시 **산화물이 생기는 것을 방지**한다.
(3) 조성제로 **접합이 잘 되게** 한다.
(4) 슬래그를 제거한다.
(5) 냉각응고 속도를 낮춘다.

00① [4점]

4-4 용접자세 표현기호가 의미하는 방향은?
(1) F : (2) H :
(3) V : (4) O :

해설 용접자세 표현기호
(1) F : 하향자세 용접   (2) H : 수평자세 용접
(3) V : 수직자세 용접   (4) O : 상향자세 용접

08③ [4점]

4-5 다음 설명에 해당되는 답을 기재하시오.
(1) 용접하는 두 부재 사이를 트이게 홈(groove)을 만들고 그 사이에 용착금속을 채워 두 부재를 결합하는 용접 접합방식 (　　　　)
(2) 필릿용접에서 유효용접길이는 실제 용접길이에서 필릿사이즈의 몇 배를 감한 것으로 하는가? (　　　)

해설 용접
(1) 그루브 용접   (2) 2배

00③ [4점]

4-6 다음 그루브 용접의 각 부 모양에 대한 명칭을 쓰시오.

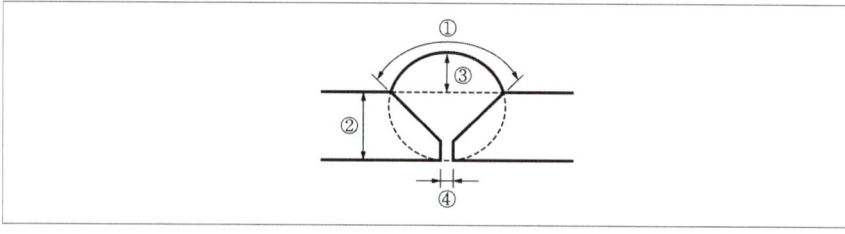

①
②
③
④

해설 맞댄 용접 용어
① 개선각   ② 목두께
③ 보강살 두께   ④ 루트 간격

4-7 철골용접 시 용접부에 대한 다음 도식을 보충 설명하시오.

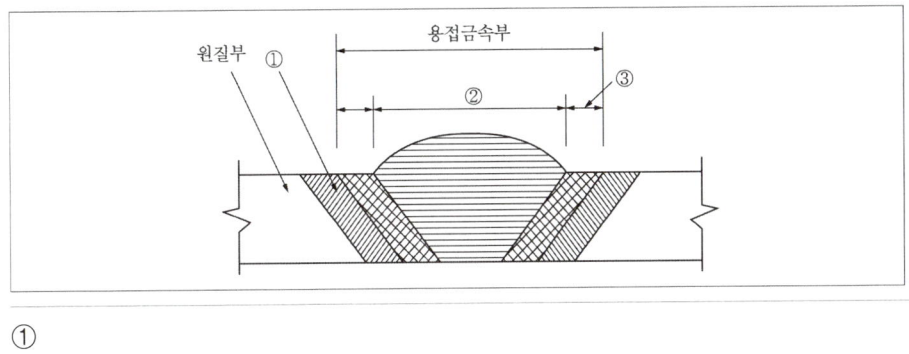

①
②
③

해설 용접부위 명칭
① 변질부
② 용착금속부
③ 융합부

4-8 그루브용접에 대해 주어진 [조건]에 따라 용접기호를 표시하시오.

〈조건〉
① 개선각 : 45° ② 화살표 방향 용접
③ 현장용접   ④ 간격 3mm

해설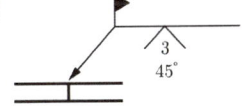

02① [4점]

4-9 다음의 용접기호로써 알 수 있는 사항을 4가지 쓰시오.

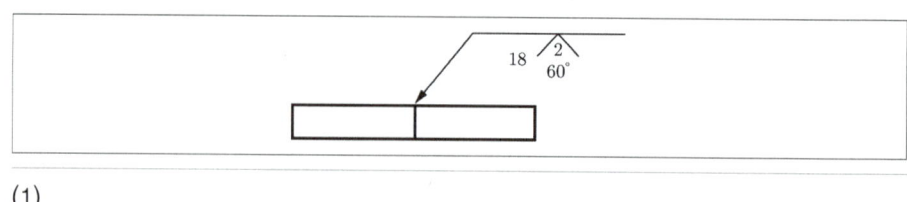

(1)
(2)
(3)
(4)

해설 용접기호
(1) V형 맞댄 용접이다.
(2) 개선각 : 화살표 쪽 60°
(3) 홈깊이(개선깊이) : 18mm
(4) 루트 간격 : 2mm

98② · 04③ [4점]

4-10 다음의 용접기호로써 알 수 있는 사항을 4가지 쓰시오.

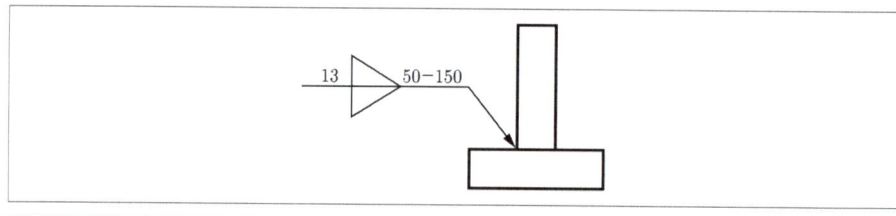

(1)
(2)
(3)
(4)

해설 (1) 병렬 단속 필릿용접이다.
(2) 필릿사이즈는 13mm이다.
(3) 용접길이는 50mm이다.
(4) 용접 간격은 150mm이다.

4-11 아래 용접기호에 따라 시공된 상태의 상세도를 그리고 용접기호에 맞는 치수와 단위를 기입하시오.

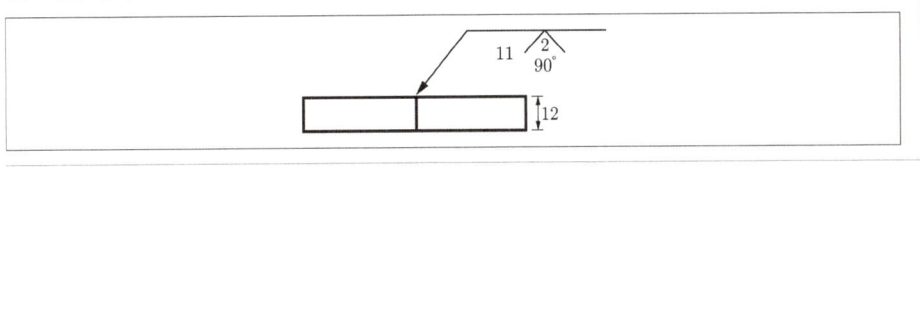

해설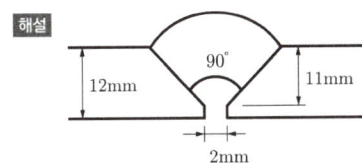

4-12 다음 보기는 용접부의 검사항목이다. 보기에서 골라 알맞은 공정에 해당 번호를 기입하시오.

〈보기〉
① 트임새 모양   ② 전류   ③ 침투수압
④ 운봉   ⑤ 노아대기법   ⑥ 외관판단
⑦ 구속   ⑧ 용접봉   ⑨ 초음파검사
⑩ 절단검사

(1) 용접 착수 전 :
(2) 용접 작업 중 :
(3) 용접 완료 후 :

해설 용접 검사
(1) 용접 착수 전 : ①, ⑤, ⑦
(2) 용접 작업 중 : ②, ④, ⑧
(3) 용접 완료 후 : ③, ⑥, ⑨, ⑩

98② · 00③ · 00④ [3점]

4-13 다음 철골구조에서 용접모양에 따른 명칭을 쓰시오.

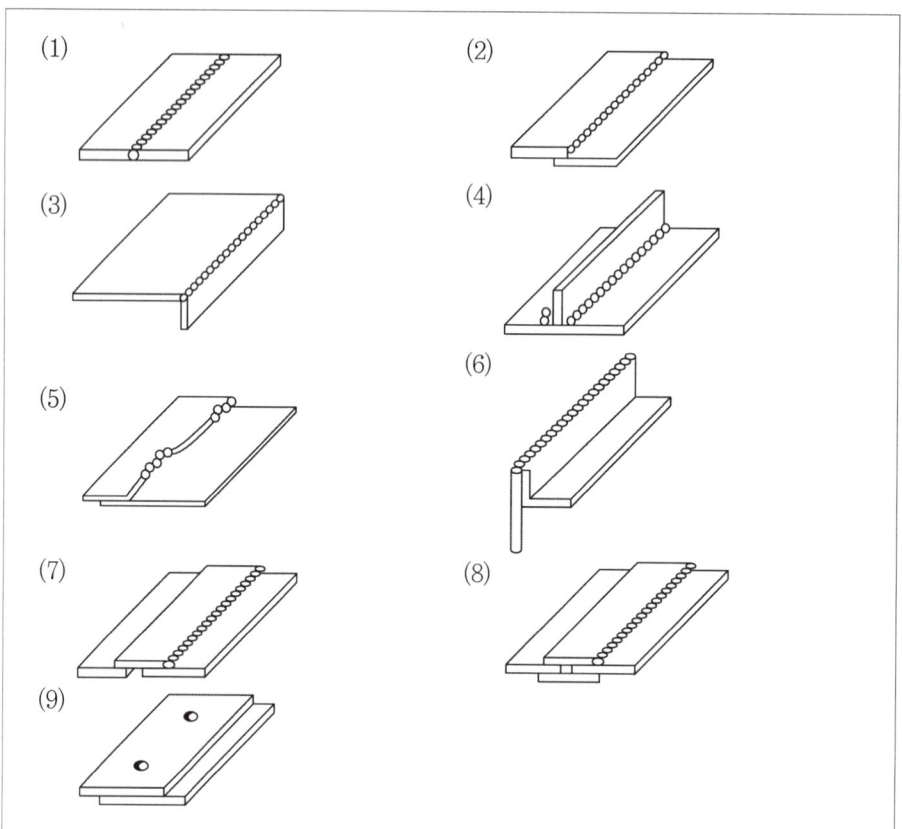

(1)
(2)
(3)
(4)
(5)
(6)
(7)
(8)
(9)

해설 용접 종류
(1) 그루브 용접
(2) 겹침 필릿용접
(3) 모서리 필릿용접
(4) T자 용접(T자 양면필릿)
(5) 단속 필릿용접
(6) 갓용접
(7) 덧판용접
(8) 양면 덧판용접
(9) 산지용접

13④ · 16④ [3점]

4-14 다음 〈보기〉의 용접부 검사항목을 용접 착수 전, 작업 중, 완료 후의 검사작업으로 구분하여 번호로 기술하시오.

〈보기〉
① 홈의 각도, 간격 치수 ② 아크전압 ③ 용접속도
④ 청소 상태 ⑤ 균열, 언더컷 유무 ⑥ 필렛의 크기
⑦ 부재의 밀착 ⑧ 밑면 따내기

(1) 용접 착수 전 검사 (　　　　　　)
(2) 용접 작업 중 검사 (　　　　　　)
(3) 용접 완료 후 검사 (　　　　　　)

해설 (1) ①, ④, ⑦　　(2) ②, ③, ⑧　　(3) ⑤, ⑥

03① · 06② · 08① · 11① · 14① · 17④ · 산21① [3점]

4-15 용접부위 비파괴시험 방법 3가지를 쓰시오.

(1)
(2)
(3)

해설 용접부위 비파괴시험
(1) 방사선 투과법　　(2) 초음파 탐상법　　(3) 자기분말 탐상법

98④ · 98⑤ · 08② · 12④ · 13④ · 14④ · 15④ · 산21② [3점]

4-16 철골 용접접합에서 발생하는 결함항목을 4가지를 기술하시오.

(1)
(2)
(3)
(4)

해설 용접결함
(1) 크랙(Crack)　　　　　　(2) 블로홀(Blow Hole)
(3) 슬래그 감싸들기　　　　(4) 크레이터(Crater)
(5) 언더컷(Undercut)　　　 (6) 오버랩(Overlap)

05③ · 09① · 19① [4점]

4-17 다음의 설명에 해당되는 용접결함의 용어를 기술하시오.

(1) 용접금속과 모재가 융합되지 않고 단순히 겹쳐지는 것 (　　　　)
(2) 용접상부에 모재가 녹아 용착금속이 채워지지 않고 홈으로 남게 된 부분
　　(　　　　)
(3) 용접봉의 피복재 용해물인 회분이 용착금속 내에 혼합된 것 (　　　　)
(4) 용융금속이 응고할 때 방출되었어야 할 가스가 남아서 생기는 용접부의 빈자리
　　(　　　　)

해설 용어
(1) 오버랩
(2) 언더컷
(3) 슬래그 감싸들기
(4) 블로홀

15② [4점]

4-18 용접접합 중 슬래그 감싸들기의 이유 및 방지책을 2가지씩 쓰시오.

(1) 원인
　　①
　　②
(2) 대책
　　①
　　②

해설 용접 결함(슬래그 감싸들기)
(1) 원인
　　① 용접 중에 발생하는 슬래그가 용접부 안으로 들어간 경우
　　② 용접부의 청소상태가 불량한 경우
(2) 대책
　　① 용접 중 혼입된 슬래그를 제거하고 용접한다.
　　② 용접부위의 청소를 확실히 한다.

10② · 17① [3점]

4-19 보기에 주어진 철골구조의 용접 공사에서의 용접 결함 종류 중 원인이 과대전류인 결함을 모두 골라 기호로 적으시오.

〈보기〉
① 슬래그 감싸들기   ② 언더컷
③ 오버랩   ④ 블로홀
⑤ 크랙   ⑥ 피트
⑦ 용입 부족   ⑧ 크레이터
⑨ 피시아이

해설 과대전류가 원인인 용접 결함
②, ⑤, ⑧

10④ · 15① · 19② [4점]

4-20 기둥축소(Column Shortening) 현상의 원인과 그에 따른 영향 3가지를 기술하시오.

(1) 원인 :
(2) 기둥축소에 따른 영향 3가지
    ①
    ②
    ③

해설 기둥축소(컬럼 쇼트닝)의 원인과 영향
(1) 원인 : 철골조 건축의 축조 시 내부와 외부의 기둥구조가 다르거나 사용한 재료의 재질 및 응력의 차이로 인한 신축량이 발생한다.
(2) 기둥축소에 따른 영향 3가지
    ① 기둥의 축소변위 발생
    ② 구조재의 변형에 따른 조립 불량
    ③ 창호재의 변형에 따른 조립 불량

4-21 그림과 같은 철골조 용접부위 상세에서 ①, ②, ③의 명칭을 쓰시오.

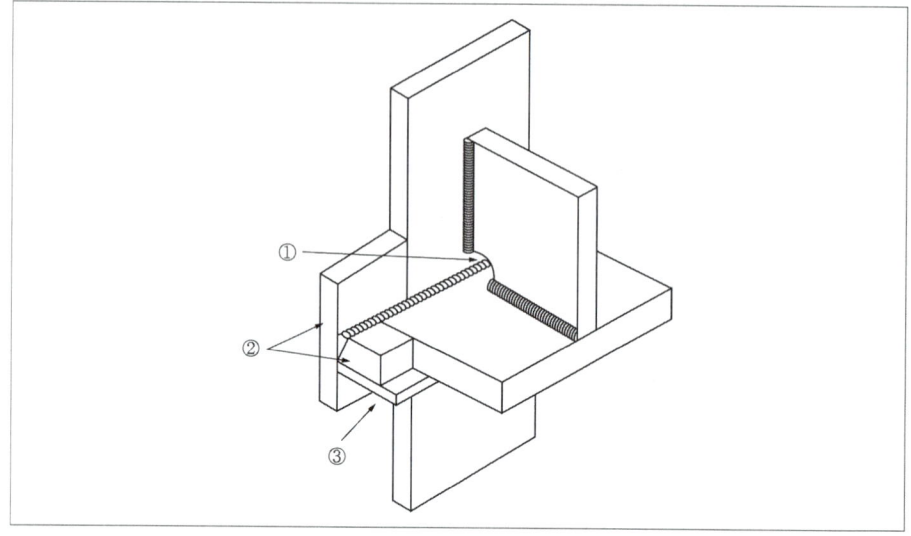

①
②
③

해설 용어
① 스캘럽(Scallop : 곡선 모따기)
② 엔드탭(End Tap, 단부의 보조강판)
③ 뒷댐재(Back Strip, 하부의 보조강판)

4-22 다음 설명에 해당하는 철골공사의 용어를 기술하시오.

(1) 철골부재 용접 시 이음 및 접합부위의 용접선이 교차되어 재용접된 부위가 열영향을 받아 취약해지는 것을 방지하기 위하여 모재에 부채꼴 모양의 모따기를 한 것
( )
(2) 철골 기둥의 이음부를 가공하여 상하부 기둥 밀착을 좋게 하여 축력의 50%까지 하부기둥의 밀착면에 직접 전달하기 위한 이음 방법 ( )
(3) 용접 결함이 생기기 쉬운 용접 비드의 시작 부분이나 끝부분에 설치하는 보조 강판
( )

해설 용어
(1) 스캘럽(Scallop)　　(2) 메탈 터치(Metal touch)　　(3) 엔드 탭(End tab)

4-23 강구조에서 메탈터치(Metal Touch)에 대한 개념을 간략하게 그림을 그려서 정의를 설명하시오.

해설 철골 기둥의 이음부를 가공하여 상하부 기둥 밀착을 좋게 하여 **축력의 50%까지 하부기둥의 밀착면에 직접 전달**하기 위한 이음 방법

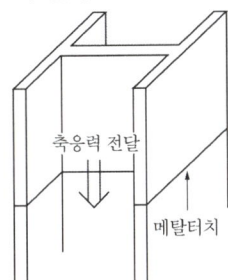

4-24 다음 용어를 설명하시오.

(1) 스캘럽(Scallop) :

(2) 뒷댐재(Back strip) :

해설 용어
(1) 철골부재 용접 시 이음 및 접합부위의 용접선이 교차되어 재용접된 부위가 열영향을 받아 취약해지는 것을 방지하기 위하여 **모재에 부채꼴 모양의 모따기를 한 것**
(2) 한 면 그루브용접 시 **용융금속의 녹아 떨어지는 것을 방지**하기 위해 루트 하부에 받치는 금속판

4-25 다음 철골 공사에서 사용되는 용어를 간단히 설명하시오.

(1) 밀시트 :

(2) 뒷댐재 :

[해설] (1) 밀시트 : 철강제품의 품질보증을 위해 공인시험기관에서 발급하는 제조업체의 품질보증서
(2) 뒷댐재 : 한 면 그루브용접 시 용융금속의 녹아 떨어지는 것을 방지하기 위해 루트 하부에 받치는 금속판

4-26 밀시트(강재 시험성적서)로 확인할 수 있는 사항을 1가지를 기술하시오.

[해설] 밀시트(강재 시험성적서)의 내역
(1) 규격 : 길이, 두께, 크기 및 형상, 단위중량
(2) 시험기준 : 시방서, KS
(3) 화학 성분 : 철, 황, 규소, 납, 탄소 등의 구성비
(4) 재료의 역학적 시험 내용 : 각종 강도 표시

4-27 다음 용어를 설명하시오.

(1) 전단연결재(Shear Connector) :
(2) 거싯 플레이트(Gusset Plate) :
(3) 데크 플레이트(Deck Plate) :

[해설] 용어 설명
(1) 쉬어 커넥터라고도 하며 철골보와 콘크리트 바닥판을 일체화시켜 전단력을 전달하는 연결재
(2) 철골구조의 접합부위에 사용하는 각 부재의 연결판
(3) 아연도 철판을 절곡 제작하여 거푸집으로 사용하여 콘크리트 타설 후 사용철판을 바닥 하부 마감재로 사용하는 공법

4-28 용접 시 발생하는 결함들 중 아래 결함을 그림으로 그리시오.

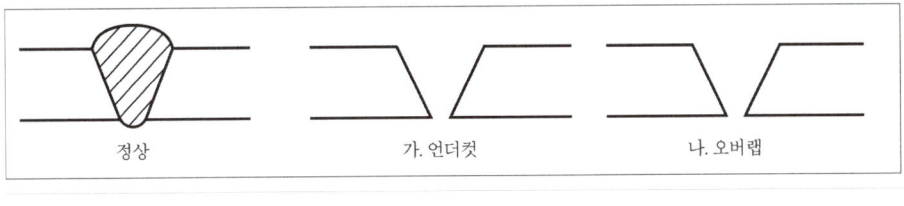

해설 (1) 언더컷   (2) 오버랩

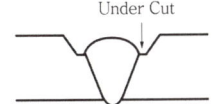 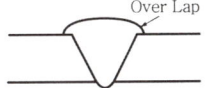

4-29 철골 공사에서 용접 시 발생하는 용접 결함에 대한 그림을 보고 각 그림에 해당하는 용어를 골라 기입하시오.

〈보기〉

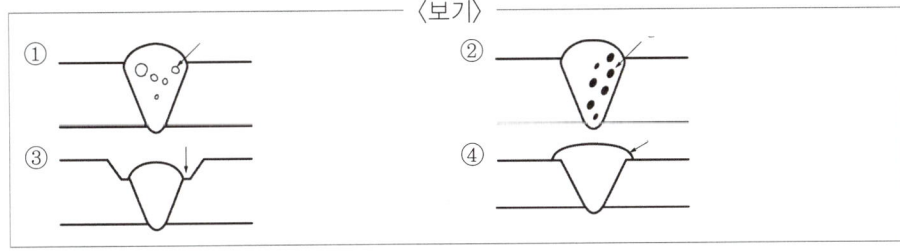

(1) 언더컷 (   )
(2) 블로우 홀 (   )
(3) 오버랩 (   )
(4) 슬래그 혼입 (   )

해설 (1) 언더컷 - ③
(2) 블로우 홀 - ①
(3) 오버랩 - ④
(4) 슬래그 혼입 - ②

5 경량 및 기타 철골구조

5-1 강재를 이용한 구조물로 가정하여, 경량형 강재의 장단점에 대하여 각 2가지씩 쓰시오.

98④ · 99⑤ [4점]

(1) 장점
   ①
   ②
(2) 단점
   ①
   ②

해설 경량 형강재의 장단점
(1) 장점
   ① 강재량에 비해 단면효율이 크다.
   ② 성형가공기 용이하다.
(2) 단점
   ① 국부좌굴 및 뒤틀림이 생기기 쉽다.
   ② 부식이 약하여 방청도료를 사용해야 한다.

5-2 파이프 구조를 이용한 건축물의 장점에 대하여 4가지만 쓰시오.

00⑤ [4점]

(1)
(2)
(3)
(4)

해설 파이프구조 건축물의 장점
(1) 경량이며 외관이 경쾌하고 미려하다.
(2) 폐쇄 단면이므로 어느 방향에 대해서도 강도가 균일하다.
(3) 국부좌굴, 횡좌굴에 유리하다.
(4) 살두께를 작게 하면서도 휨강성이 크다.

01②·04①·04③·08①·15② [3점]

5-3 파이프 구조에서 파이프 절단면 단부는 녹막이를 고려하여 밀폐하여야 하는데, 이때 실시하는 밀폐방법에 대하여 3가지만 쓰시오.

(1)
(2)
(3)

해설 파이프 단부 밀폐방법
(1) 관 끝을 압착하여 용접·밀폐시키는 방법
(2) 가열하여 구형으로 가공
(3) 원판, 반구형 판을 용접

19① [3점]

5-4 철골 구조물 주위에 철근 배근을 하고 그 위에 콘크리트가 타설되어 일체가 되도록 한 구조물로 초고층 구조물 하층부의 복합구조로 많이 채택되는 구조의 용어를 기술하시오.

해설 철골철근콘크리트구조

21① [3점]

5-5 경량철골 칸막이 공사에서 시공순서에 맞게 작업의 용어를 보기에서 골라 순시대로 나열하시오.

〈보기〉
벽체틀 설치, 단열재 설치, 바탕 처리, 석고보드 설치, 마감

( ) → ( ) → ( ) → ( ) → ( )

해설 바탕처리 → 벽체틀 설치 → 단열재 설치 → 석고보드 설치 → 마감

제 2 절 | PC(Pre-Cast) 공사

1. PC 공사
(1) 특징
 1) 장점
    ① 공기단축 : 동절기 시공 가능
    ② 품질향상 : 양질의 공장 생산품 사용
    ③ 시공용이 : 규격화 표준화된 제품 사용
    ④ 원가절감 : 공기단축 및 공장 대량생산으로 원가의 절감, 가설비용 절감
 2) 단점
    ① 접합부위의 강도 부족
    ② 운반 거리상의 제약
    ③ 현장에서의 양중 문제 별도 고려
    ④ 다양성 부족
(2) 생산방식
    ① Open System : 특정 건물에만 적용되는 것이 아니고 일반 건축물을 구성하는 각 부품을 표준화하여 여러 형태의 건축물에 사용되도록 생산하는 방식
    ② Closed System : 부품을 주문 생산하는 방식으로서 대형구조물이나 특수구조물에 적합한 PC 생산방식

> 16①
> 용어 : Closed System

2. 조립식 공법

(1) 대형 패널

창호 등이 설치된 건축물의 대형판을 아파트 등의 구조체에 이용하는 방법

(2) 박스식 공법

건축물의 1실 또는 2실 등의 구조체를 박스형으로 지상에서 제작한 후 이를 인양 조립하는 공법

(3) 틸트 업(Tilt-Up) 공법

프리캐스트 부재의 콘크리트 치기를 수평위치에서 부어 넣고 경사지게 세워 탈형하는 공법

(4) 리프트슬래브(Lift-Slab) 공법

지상에서 여러 층의 슬래브를 제작한 후 이를 순차적으로 들어올려 구조체를 축조하는 공법

(5) 커튼월

창문틀 등을 건축물의 벽판에 설치하는 구조체에 붙여 대어 이용하는 방법

00④ · 03③ · 07②
종류 : 조립식 공법

09①
용어 : 틸트업

단원별 경향문제

16① [2점]

1-1 주문공급방식으로서 대형구조물이나 특수구조물에 적합한 PC(Precast Concrete) 생산방식의 명칭을 쓰시오.

해설 용어 정리
Closed System

00④ · 03③ · 07② [5점]

1-2 다음은 조립식 공법에 대한 설명이다. 설명에 해당하는 용어를 쓰시오.
(1) 창호 등이 설치된 건축물의 대형판을 아파트 등의 구조체에 이용하는 방법
(　　　　　)
(2) 건축물의 1실 혹은 2실 등의 구조체를 박스형으로 지상에서 제작한 후 이를 인양조립하는 방법 (　　　　　)
(3) 지상의 평면에서 벽판 및 구조체를 제작한 후 이를 일으켜서 건축물을 구축하는 공법
(　　　　　)
(4) 지상에서 여러 층의 슬래브를 제작한 후 이를 순차적으로 들어올려 구조체를 축조하는 공법 (　　　　　)
(5) 창문틀 등을 건축물의 벽판에 설치한 후 구조체에 붙여 대어 이용하는 방법
(　　　　　)

해설 조립식 공법
(1) 대형 패널 공법
(2) 박스식 공법
(3) 틸트업(Tilt-up) 공법
(4) 리프트 슬래브(Lift slab)공법
(5) 커튼월 공법

제 3 절 | 커튼월 공사

1. 일반사항

(1) 요구성능
① 내진, 내풍압, 내구, 내화성
② 방수, 수밀성
③ 기밀, 차음성
④ 층간변위에 대한 추종성

(2) 분류

구조방식	조립	외관	재료
① 패널 ② 샛기둥 ③ 커버	① Stick Wall ② Window Wall ③ Unit Wall	① Mullion Type ② Spandrel Type ③ Grid Type ④ Sheath Type	① 금속제 ② PC ③ ALC 패널 ④ GPC ⑤ 성형판

> 05① · 09④ · 12② · 16①
> 종류 : 커튼월 공법(구조방식)

(3) 종류

① Stick Wall
  ㉠ 구성부재를 현장에서 조립·연결하여 창틀이 구성되는 형식으로, Knock Down System이라고도 하며 Glazing은 현장에서 실시
  ㉡ 현장안전과 품질관리에 부담이 있지만, 현장 적응력이 우수하여 공기조절이 가능

② Window Wall
  ㉠ 창호 주변이 패널로 구성됨으로써 창호의 구조가 패널트러스에 연결됨
  ㉡ 패널트러스를 스틸트러스에 연결할 수 있으므로 재료의 사용효율이 높아 비교적 경제적인 시스템 구성이 가능함

③ Unit Wall
  ㉠ 건축모듈을 기준으로 하여 취급이 가능한 크기로 나누며 구성 부재 모두가 공장에서 조립된 프리패브형식으로 대부분 Glazing을 포함
  ㉡ 시공속도나 품질관리의 업체의존도가 높아 현장상황에 융통성을 발휘하기가 어려움

> 09④ · 11① · 12② · 13④ · 16① · 17① · 산23②
> 종류 : 커튼월 공법(조립방식)

④ 샛기둥(Mullion Type) : 수직기둥을 노출시키고, 그 사이에 유리창이나, 스팬드럴 패널을 끼우는 방식
⑤ 스팬드럴(Spandrel Type) : 수평선을 강조하는 창과 스팬드럴의 조합으로 제조하는 방식
⑥ 격자형(Grid Type) : 수직, 수평의 격자형 외관 표현방식
⑦ 피복형(Sheath Type) : 구조체를 외부에 노출시키지 않고 패널로 은폐시키며 새시는 패널 안에서 끼워지는 방식

> 08② · 17②
> 용어 : 스팬드럴 방식

> 02① · 11① · 13②
> 종류 : 커튼월 공법(외관형식)

2. 부착

(1) 패스너(Fastener)
  ① 정의 : 구조체와 Curtain Wall의 긴결 및 시공오차를 조절하기 위한 연결철물로서 긴결방식에 따라 세 가지로 구분된다.
  ② 긴결방식(접합방식)
    ㉠ Sliding 방식(슬라이드 방식) : Curtain Wall 하부에 장치되는 Fastener는 고정하고 상부에 설치하는 Fastener는 Sliding 되도록 한 방식
    ㉡ Rocking 방식(회전 방식) : Curtain Wall의 상부와 하부의 중심부에 1점씩 Pin으로 지지하고 다른 지점은 Sliding 방식의 Fastener로 지지하는 방식
    ㉢ Fixed 방식(고정 방식) : Curtain Wall의 상하부 Fastener를 용접으로 고정하는 방식

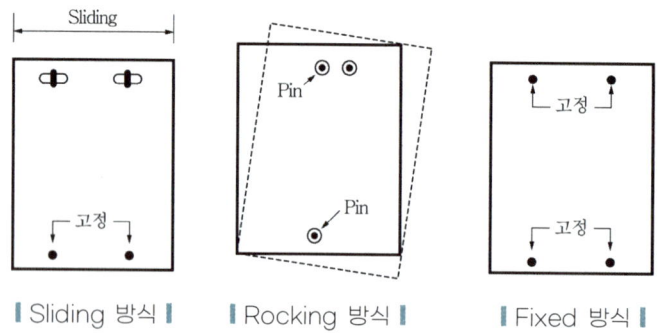

| Sliding 방식 | Rocking 방식 | Fixed 방식 |

> 04① · 04② · 09① · 11① · 14④ · 23①
> 종류 : 패스너 긴결방식

3. 비처리방식

(1) 정의
커튼월의 접합부 누수방지를 위한 방법으로 정밀한 시공을 통해 접합부의 구조적 안전과 기밀성 및 방수성을 확보하는 접합부 처리방식

(2) 종류
① Closed joint system : 커튼월과 접하는 부분을 Seal재로 완전히 밀폐시켜 틈이 없도록 비처리하는 방식
② Open joint system : 벽의 외측면과 내측면 사이에 공간을 두어 옥외의 기압과 같은 기압을 유지하여 배수함으로써 비처리하는 방식

> 13② · 19②
> 용어 : Open/Closed joint system

(3) 누수방지대책
① 스크류 고정부위/알루미늄 바 접합부위의 실런트 시공
② 외부 조인트 설치 시 물의 이동으로 인한 누수 차단 철저히 시공
③ 클로즈드 조인트 설치 시 이음새 없이 시공
④ 멀리온과 패널의 이음매 처리 철저

> 19①
> 대책 : 누수대책

4. 커튼월의 시험

(1) 종류
① 풍동시험(Wind Tunnel Test)
건물준공 후 문제점을 사전에 파악하고 설계에 반영하기 위해 건물주변 600m 반경 내 실물 축척 모형을 만들어 10~50년간의 최대풍속을 가하여 실시하는 시험

> 99② · 99④ · 02①
> 용어 : 풍동시험

② 실물대 모형시험(Mock Up Test)
풍동시험을 근거로 3개의 실물모형을 만들어 건축예정지의 최악조건으로 시험하며 재료품질, 구조계산치 등을 수정할 목적으로 행하는 실물대 모형시험

> 99② · 99④ · 02① · 11②
> 용어 : 실물대 시험

(2) 품질검사
① 예비시험 : 본 시험에 앞서 설계풍압력의 50%를 일정시간(30초) 동안 가압한 후, 시험체의 이상 유무를 관찰하여 계속 시험이 가능한지를 판단하기 위해 예비시험을 실시
② 기밀시험 : 시속 40km, 7.8kgf/m^{2}에서의 공기누출량을 측정함
③ 정압수밀시험 : 설계풍압력의 20% 압력하에서 3.4L/min·m^{2}의 유량을 15분 동안 살수하여 시험체의 바깥으로 누수가 발생하지 않았는지 관찰함
④ 동압수밀시험 : 규정된 압력의 상한값까지 1분 동안 정압으로 예비 가압하여 시험체의 이상 유무를 확인하고, 시험체 전면에 4L/min·m^{2}의 유량을 균등히 살수하면서 정해진 압력에 따라 맥동압을 10분 동안 가한 상태에서 누수가 발생하지 않았는지 관찰함
⑤ 내풍압시험 : 설계풍압력의 100%를 단계별로 증감하여 구조재의 변위 및 시험체의 파손 유무를 확인함
⑥ 층간변위시험 : 실험체 각 부위의 변형 정도를 측정하고, 변형파괴 유무를 관찰함

> 04① · 08① · 11② · 13④ · 16② · 18④ · 19① · 21① · 산21③
> 종류 : 커튼월 성능 시험 항목

■ ALC 패널 설치 공법
① 수직철근보강 공법 : 패널 간의 접합부에 접합철물을 통해 수직보강 철근을 배근하고 모르타르를 충전함으로써 패널의 상·하부를 고정시키는 수직벽 패널 설치방법
② 슬라이드 공법 : 패널 간의 수직줄눈 공동부에 패널하부는 보강철근을 배근하고 모르타르를 충전하여 고정시키고, 상부는 접합철물을 설치하여 패널상단이 면내 수평방향으로 슬라이드되도록 하는 수직벽 패널 설치 방법
③ 볼트조임 공법 : 패널 장변방향의 양단에 구멍을 뚫고, 이를 관통하는 볼트로 설치하는 수직 또는 수평벽 패널의 설치방법
④ 커버플레이트 공법 : 패널의 양단부를 커버플레이트와 볼트를 이용하여 설치하는 수평벽 패널 설치방법
⑤ 타이플레이트 공법 : 패널의 측면을 타이플레이트로 구조체에 설치하는 수직 또는 수평벽 패널 설치방법

> 01② · 02① · 05③ · 11④
> 종류 : ALC 패널 설치공법 4가지

단원별 경향문제

05① [3점]

1-1 커튼월 공사를 주프레임의 구조를 기준으로 크게 3가지로 분류할 수 있는데 그 3가지의 커튼월을 기술하시오.

(1)
(2)
(3)

해설 커튼월 분류
(1) 패널방식   (2) 샛기둥방식   (3) 커버방식

09④ · 12② · 16① [4점]

1-2 커튼월(Curtain Wall) 방식을 다음의 분류에 따라 각각 2가지씩 기술하시오.

(1) 구조형식에 의한 분류 2가지 (,   )
(2) 조립방식에 의한 분류 2가지 (,   )

해설 커튼월 종류
(1) 구조형식에 의한 분류 : 샛기둥방식, 패널방식, 커버방식
(2) 조립방식에 의한 분류 : Stick Wall 방식, Window Wall 방식, Unit Wall 방식

11① · 13④ · 17① [3점]

1-3 커튼월 조립방식에 의한 분류에서 각 설명에 해당하는 방식을 번호로 쓰시오.

─── 〈조립방식〉 ───
① Stick Wall 방식   ② Unit Wall 방식   ③ Window Wall 방식

(1) 구성 부재 모두가 공장에서 조립된 프리패브(Pre-Fab) 형식으로 현장상황에 융통성을 발휘하기가 어렵고, 창호와 유리, 패널의 일괄발주 방식임 (   )
(2) 구성 부재를 현장에서 조립·연결하여 창틀이 구성되는 형식으로 유리는 현장에서 주로 끼운다. 현장 적응력이 우수하여 공기조절이 가능한 방식 (   )
(3) 창호와 유리, 패널의 개별발주 방식으로 창호 주변이 패널로 구성됨으로써 창호의 구조가 패널 트러스에 연결할 수 있어서 비교적 경제적인 시스템 구성이 가능한 방식 (   )

해설 (1) ②   (2) ①   (3) ③

02① · 11① [4점]

1-4 다음은 커튼월 공법의 외관형태별 분류방식에 대한 설명이다. 〈보기〉에서 그 명칭을 골라 번호를 쓰시오.

〈보기〉
① 격자방식   ② 샛기둥 방식
③ 피복방식   ④ 스팬드럴 방식

(1) 수평선을 강조하는 창과 스팬드럴 조합으로 이루어지는 방식 (   )
(2) 수직기둥을 노출시키고, 그 사이에 유리창이나, 스팬드럴 패널을 끼우는 방식 (   )
(3) 수직, 수평의 격자형 외관을 보여주는 방식 (   )
(4) 구조체를 외부에 노출시키지 않고 패널로 은폐시키며 새시는 패널 안에서 끼워지는 방식 (   )

해설 커튼월의 종류
(1) ④
(2) ②
(3) ①
(4) ③

13②

1-5 커튼월의 외관 형태에 따른 타입 4가지를 쓰시오.

(1)
(2)
(3)
(4)

해설 (1) 멀리온   (2) 스팬드럴   (3) 그리드   (4) 시스형

08② · 17② [4점]

1-6 다음의 용어를 설명하시오.

스팬드럴(spandrel) 방식 :

해설 용어
수평선을 강조하는 창과 스팬드럴의 조합으로 제조하는 방식

04①,② · 09① · 11① · 14④ [3점]

1-7 Fastener는 커튼월을 구조체에 긴결시키는 부품을 말하는데, 외력에 대응할 수 있는 강도를 가져야 하며 설치가 용이하고 내구성, 내화성 및 층간변위에 대한 추종성이 있어야 한다. 커튼월 공사에서 구조체의 층간변위, 커튼월의 열팽창 등을 해결하는 Fastener의 긴결방식 3가지를 기술하시오.

(1)
(2)
(3)

해설 Fastener 긴결방식
(1) 슬라이드 방식　　　(2) 회전 방식　　　(3) 고정 방식

13② · 19② [4점]

1-8 커튼월 공사 시 누수방지대책과 관련된 다음 용어의 정의를 기술하시오.

(1) Closed Joint :
(2) Open Joint :

해설 커튼월 공사의 누수방지대책
(1) Closed Joint : 커튼월과 접하는 부분을 Seal재로 완전히 밀폐시켜 틈이 없도록 비처리하는 방식
(2) Open Joint : 벽의 외측면과 내측면 사이에 공간을 두어 옥외의 기압과 같은 기압을 유지하여 배수함으로써 비처리하는 방식

19① [4점]

1-9 커튼월 알루미늄 바 설치 시 누수방지에 대한 시공적 측면의 대책 4가지를 기술하시오.

(1)
(2)
(3)
(4)

해설 커튼월의 알루미늄 바 - 누수방지 대책
(1) 스크류 고정부위/알루미늄 바 접합부위의 실런트 시공
(2) 오픈 조인트 설치 시 물의 이동으로 인한 누수 차단 철저히 시공
(3) 클로즈드 조인트 설치 시 이음새 없이 시공
(4) 멀리온과 패널의 이음매 처리 철저

1-10 Wind Tunnel Test(풍동시험)과 Mock-up Test(외벽성능시험)에 관하여 기술하시오.

(1) Wind Tunnel Test(풍동시험)
(2) Mock-up Test(외벽성능시험)

해설 풍동시험과 외벽성능시험
(1) Wind tunnel Test(풍동시험) : 건물준공 후 문제점을 사전에 파악하고 설계에 반영하기 위해 건물주변 600m 반경 내 실물 축척 모형을 만들어 10~50년간의 최대풍속을 가하여 실시하는 시험
(2) Mock-up Test(외벽성능시험) : 풍동시험을 근거로 3개의 실물모형을 만들어 건축예정지의 최악조건으로 시험하며 재료품질, 구조계산치 등을 수정할 목적으로 행하는 **실물대 모형시험**

1-11 구조물을 신축하기 전에 실시하는 Mock-up Test의 정의와 시험항목을 3가지만 쓰시오.

(1) 정의 :
(2) 시험항목 :

해설 (1) 풍동시험을 근거로 3개의 실물모형을 만들어 건축예정지의 최악조건으로 시험하며 재료품질, 구조계산치 등을 수정할 목적으로 행하는 **실물대 모형시험**
(2) 기밀시험, 정압/동압수밀시험, 내풍압시험, 층간변위시험

1-12 커튼월(Curtain Wall)의 실물모형실험(Mock-up Test)에 성능시험의 시험종목을 4가지만 쓰시오.

(1)
(2)
(3)
(4)

해설 (1) 기밀시험
(2) 정압/동압수밀시험
(3) 내풍압시험
(4) 층간변위시험

04① · 08① · 11② · 16② [4점]

1-13 커튼월의 성능시험 관련 실물모형시험(Mock-up Test)에서 성능시험의 시험종목 4가지를 기술하시오.

(1)
(2)
(3)
(4)

해설 커튼월 성능시험의 시험종목
(1) 기밀시험
(2) 정압/동압수밀시험
(3) 내풍압시험
(4) 층간변위시험

01② · 02① · 05③ · 11④ [4점]

1-14 ALC(Autoclaved Lightweight Concrete) 패널의 설치공법 4가지를 기술하시오.

(1)
(2)
(3)
(4)

해설 ALC 패널 설치공법
(1) 수직철근보강 공법
(2) 볼트조임 공법
(3) 슬라이드 공법
(4) 커버플레이트 공법

CHAPTER 07 조적공사

제1절 | 벽돌공사

1. 벽돌과 모르타르

(1) 크기

구분		길이	너비	두께
표준형	치수(mm)	190	90	57
재래형	치수(mm)	210	100	60
내화벽돌	치수(mm)	230	114	65

■ 조적조의 줄눈 두께는 가로·세로 10mm가 표준

(2) 마름질

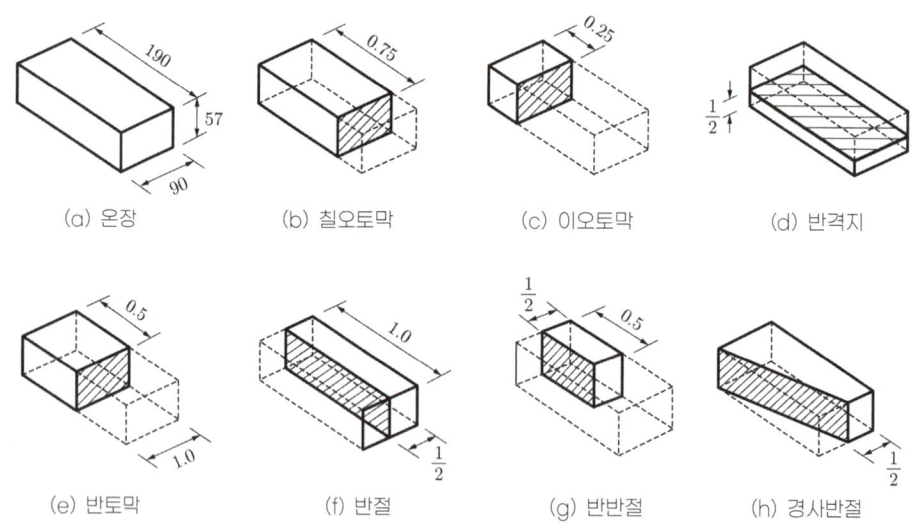

(a) 온장　(b) 칠오토막　(c) 이오토막　(d) 반격지

(e) 반토막　(f) 반절　(g) 반반절　(h) 경사반절

98④ · 00② · 00④
명칭 : 벽돌 마름질의 그림과 명칭

(3) 모르타르
　① 조적(쌓기)용 – 1 : 3 ~ 1 : 5
　② 아치용 – 1 : 2
　③ 치장용 – 1 : 1

> 99④
> 종류 : 모르타르 용적배합비

2. 줄눈과 벽두께

(1) 일반줄눈
　① 막힌줄눈 : 세로 줄눈의 상하가 단속되는 형태
　② 통줄눈 : 세로 줄눈의 상하가 연속되는 형태
　③ 두께 : 가로·세로 각 10mm

(2) 치장줄눈

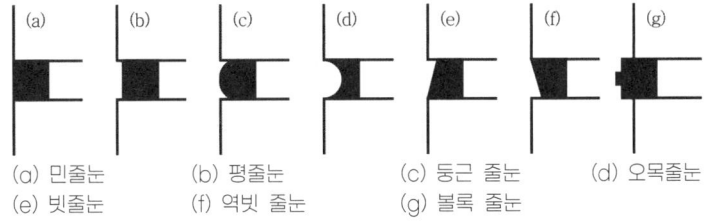

(a) 민줄눈　(b) 평줄눈　(c) 둥근 줄눈　(d) 오목줄눈
(e) 빗줄눈　(f) 역빗 줄눈　(g) 볼록 줄눈

┃치장 줄눈의 종류┃

(3) 조절줄눈

불균등한 상부하중으로 인하여 벽체의 균열이 예상되는 다음의 곳에는 조절줄눈(Control Joint)을 설치하여야 한다.
　① 벽 높이가 변하는 곳
　② 벽 두께가 변하는 곳
　③ 콘크리트 기둥과의 접합부
　④ 내력벽과 비내력벽과의 접합부

> 05③
> 위치 : 조절줄눈

(4) 벽두께
　① B로 표시
　② 1B=길이 방향 크기, 0.5B=마구리 방향 크기
　③ 1B=0.5B+줄눈+0.5B
　④ 2.5B=1.0B+줄눈+1.0B+줄눈+0.5B

3. 쌓기 순서

(1) 순서

벽돌면(접착면) 청소 → 물축이기 → 재료 건비빔 → 세로규준틀 설치 → 규준 쌓기 → 수평실 치기 → 중간부 쌓기 → 줄눈 누름 → 줄눈 파기 → 치장 줄눈 → 보양

> 98⑤ · 02② · 03③ · 04② · 05② · 08①
> 순서 : 벽돌쌓기

(2) 물축이기

① 시멘트 벽돌 : 쌓으면서 물축이기
② 붉은 벽돌 : 전면을 습윤
③ 시멘트 블록 : 모르타르 접합부만 습윤
④ 내화 벽돌 : 건조상태(물축임을 하지 않음)

(3) 세로규준틀

① 설치위치 : 건물의 모서리, 벽의 끝부분

> 98③ · 15①
> 위치 : 세로규준틀 설치

② 기입사항 : 개구부 치수, 쌓기 높이, 쌓기 단수(켜수), 앵커볼트의 위치, 테두리보/인방보의 위치 등

> 98① · 15① · 16④
> 종류 : 세로규준틀 기입내용

4. 쌓기법

(1) 형태법

① 길이 쌓기 : 벽돌을 길게 나누어 놓아 길이면이 내보이도록 쌓는 것
② 마구리 쌓기 : 벽돌의 마구리면이 내보이도록 쌓는 것
③ 옆세워 쌓기 : 마구리면이 내보이도록 벽돌 벽면을 수직으로 세워 쌓는 것
④ 길이세워 쌓기 : 길이면이 내보이도록 벽돌 벽면을 수직으로 세워 쌓는 것

> 98③ · 01① · 04①
> 명칭 : 벽의 형태별 쌓기 그림

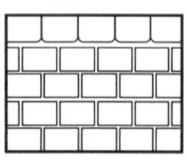
(a) 마구리 쌓기

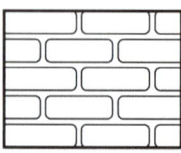
(b) 길이 쌓기

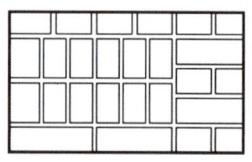
(c) 옆세워 쌓기

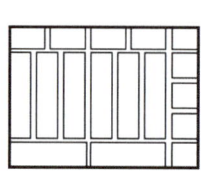
(d) 길이세워 쌓기

(2) 나라별 쌓기법
 1) 영식 쌓기
   ① 한 켜는 길이쌓기, 다음 켜는 마구리쌓기를 반복하는 방식으로 통줄눈이 거의 생기지 않는다.
   ② 마구리켜의 벽끝에는 이오토막 또는 반절을 사용한다.
   ③ 벽돌쌓기 중 가장 튼튼한 쌓기법이다.
 2) 화란식 쌓기
   ① 영식 쌓기와 같은 방법이며 길이켜의 벽끝에는 칠오토막을 사용한다.
   ② 벽돌쌓기 중 가장 일반적인 쌓기법이다.
 3) 불식 쌓기
   ① 길이와 마구리면이 한 켜에서 번갈아 나오게 쌓는다.
   ② 통줄눈이 많이 생겨 덜 튼튼하지만 외관이 좋다.
 4) 미식 쌓기
   ① 뒷면은 영식 쌓기로 하고, 표면은 치장 벽돌쌓기로 한다.
   ② 치장 벽돌은 5켜 정도는 길이 쌓기로 하고, 다음 한 켜는 마구리 쌓기로 한다.

> 99③ · 08③
> 종류 : 벽돌의 나라별 쌓기법

> 08② · 17①
> 용어 : 영식 쌓기

(3) 부위별 쌓기
 1) 공간쌓기(Cavity wall bond)
   ① 목적 : 방습, 단열(보온), 결로방지
   ② 공간은 3~6cm두 보통 0.5B 이내로 한다.
   ③ 벽의 연결은 벽돌, 철물, 철선, 철망 등으로 상호 60cm 정도의 간격으로 긴결한다. (벽면적 $0.4m^2$마다 1개소 긴결)
   ④ 주벽체는 외벽이며 안벽은 보통 0.5B 쌓기로 한다.

> 03① · 08③
> 목적 : 공간쌓기

 2) 내쌓기(corbel)
   ① 한 켜당 1/8B 또는 두 켜당 1/4B, 내미는 정도는 2B까지이다.
   ② 마구리쌓기가 유리하다.
   ③ 엇모쌓기 : 담 또는 처마 부분에 내쌓기를 할 때 45° 각도로 모서리가 면에 나오도록 쌓는 방법

> 21①
> 용어 : 엇모쌓기

3) 창대쌓기
   ① 창 밑에 돌 또는 벽돌을 15° 정도 경사지게 옆세워 쌓는 방법
   ② 창대쌓기의 길이는 1.5B 또는 벽두께 이하로 하며 방수처리에 주의한다.

   > 11②
   > 용어 : 창대쌓기

4) 영롱쌓기
   상부 하중을 지지하지 않는 벽돌벽 등에 장식적으로 구멍을 내어 쌓는 방법

   > 11② · 21①
   > 용어 : 영롱쌓기

5) 아치쌓기
   ① 개구부 상단에서 상부하중을 옆벽면으로 분산시키기 위한 쌓기법으로 부재의 하부에서 인장력이 생기지 않도록 해야 한다.
   ② 아치의 종류
      ㉠ 본아치 : 아치벽돌을 주문 제작하여 쓰는 아치
      ㉡ 막만든아치 : 보통벽돌을 쐐기 모양으로 다듬어 쓰는 아치
      ㉢ 거친아치 : 보통 벽돌을 써서 줄눈을 쐐기 모양으로 하는 아치
      ㉣ 층두리아치 : 아치너비가 클 때에 아치를 겹으로 둘러 튼 아치
   ③ 인방보(Lintel)는 좌우 벽면으로 20~40cm 정도가 물려야 한다.

   > 99④
   > 종류 : 형태별 아치의 종류

   > 00① · 01② · 04①
   > 용어 : 본아치, 막만든아치, 거친아치, 층두리아치

6) 치장벽돌쌓기
   ① 하중을 견디지 않는 외관을 중시하는 쌓기
   ② 치장면의 청소방법
      ㉠ 물 씻기 청소(물세척)
      ㉡ 주걱, 솔, 헝겊닦기
      ㉢ 염산 등 희석액 사용(청소 후 물 씻기)

   > 00③
   > 방법 : 치장벽돌쌓기에서 치장면의 청소방법

(4) 벽돌 쌓기(시방서)
 1) 벽돌 쌓기 방법과 높이
    ① 벽돌 쌓기 : 줄눈은 10mm로 하고, 도면 또는 공사시방서에서 정한 바가 없을 때는 영식이나 화란식 쌓기법으로 시공한다.
    ② 벽돌 쌓기 높이 : 1.2m가 표준이며, 최대 쌓기 높이는 1.5m로 한다.
 2) 보강
    벽돌벽이 블록벽과 서로 직각으로 만날 때에는 연결철물을 만들어 블록 3단마다 보강철물로 보강을 한다.

> 21② · 산21② · 산22②
> 높이/보강 : 벽돌 쌓기

5. 한중 시공
(1) 주의사항
  ① 건조상태를 유지할 것
  ② 4℃ 이하는 물과 모래를 가열하여 모르타르 온도를 4~40℃로 유지
  ③ 벽돌 표면온도는 -7℃ 이하가 되지 않도록 유지

> 03②
> 주의사항 : 한중시공 시 주의사항 (   )넣기

(2) 보양
  ① 0 ~ 4℃ : 내후성 강한 덮개
  ② -4 ~ 0℃ : 내후성 강한 덮개(24시간)
  ③ -7 ~ -4℃ : 보온덮개, 방한시설로 24시간 보호
  ④ -7℃ 이하 : 울타리, 보조열원, 적외선 발열램프로 동결온도 이상 유지

6. 창문틀 세우기
(1) 세우기
  ① 먼저세우기
     ㉠ 창문틀 옆의 벽돌을 쌓기 전에 창문틀을 먼저 정확한 위치에 견고히 세워 쌓는 것
     ㉡ 시공상의 어려움은 따르나 방수처리 효율면에서는 유리하다.
  ② 나중세우기
     ㉠ 가창문틀을 세워서 벽돌을 쌓은 후에 본창문틀을 나중에 끼워대는 것
     ㉡ 강재 창호 설치 시 응용된다.

(2) 창문틀의 개구부 보강방법

① 창문틀 상·하 가로틀에 뿔을 길게 연장하여 옆벽에 물려서 보강한다.

② 창문틀 중간에 60cm 간격으로 꺾쇠나 볼트, 대못으로 고정한다.

③ 긴결철물을 이용하여 옆벽에 물려 쌓기하고 사춤을 철저히 한다.

> 98③ · 02③
>
> 종류 : 목재/문틀의 보강방법

7. 하자

(1) 균열

1) 계획·설계상 원인

① 평면, 입면의 불균형

② 문꼴 크기의 불합리 및 불균형 배치

③ 기초의 부동침하

④ 불균형 또는 큰 집중하중, 횡력 및 충격

⑤ 벽돌벽체의 강도 부족

2) 시공상 원인

① 재료의 신축성

② 모르타르 사춤 부족

③ 벽돌 및 모르타르의 강도 부족

④ 이질재와의 접합부 시공

> 98①
>
> 원인 : 벽돌벽 균열의 원인 설계상, 시공상

(2) 백화현상

① 정의

모르타르 중의 석회성분이 벽체에 침투된 빗물에 용해되어 건물의 표면에 올라와 공기 중 CO_2 가스와 결합하여 탄산석회를 생성하여 조적 벽면에 백색 물질이 도는 현상

㉠ $CaO + H_2O \rightarrow Ca(OH)_2$

㉡ $Ca(OH)_2 + CO_2 \rightarrow CaCO_3 + H_2O$

> 08① · 10④ · 11② · 15④ · 19④ · 21④ · 산23①
>
> 용어 : 백화현상

② 대책
  ㉠ 줄눈을 밀실하게 사춤
  ㉡ 벽면에 파라핀 도료 등을 발라 방수 처리
  ㉢ 파라펫과 같은 비막이 설치
  ㉣ 흡수율 낮은 벽돌 사용

> 08① · 11② · 13④ · 15④ · 19④ · 21② · 21④ · 산23① · 산23②
> 대책 : 백화현상 방지

1 일반사항

98④ · 00② · 00④ [6점]

1-1 다음 벽돌 구조에서 벽돌의 마름질 토막의 명칭을 쓰시오.

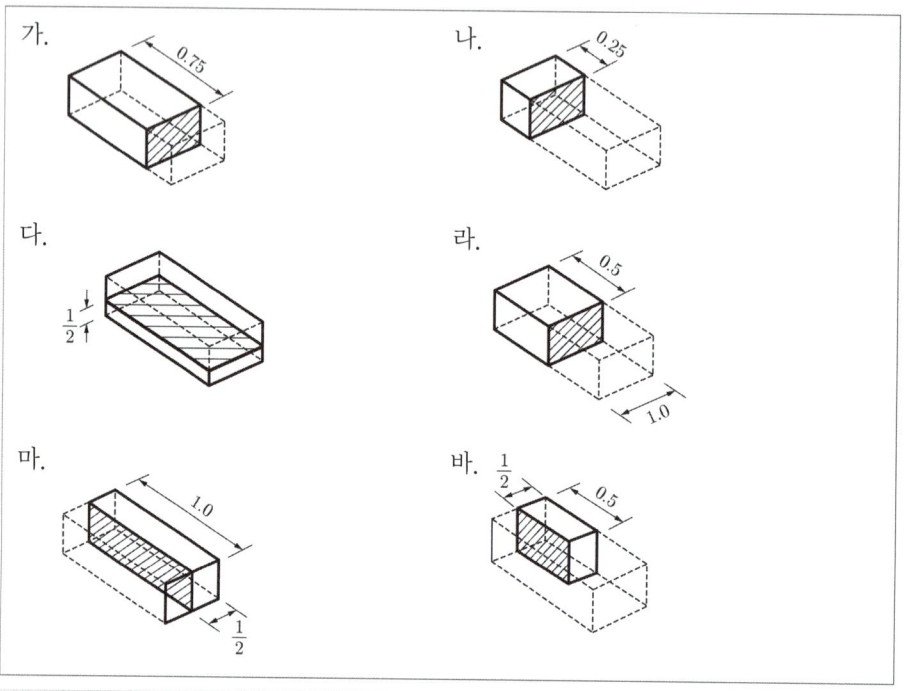

가.
나.
다.
라.
마.
바.

해설 벽돌의 마름질 토막의 명칭
　가. 칠오토막
　나. 이오토막
　다. 반격지(가로반절)
　라. 반토막
　마. 반절
　바. 반반절

99④ [3점]

1-2 벽돌 공사에서의 사용용도와 서로 연관 있는 모르타르 용적배합비를 고르시오.

용도	모르타르 용접 배합비
㉠ 조적용	ⓐ 1 : 3~1 : 5
㉡ 아치용	ⓑ 1 : 1
㉢ 치장용	ⓒ 1 : 2

㉠

㉡

㉢

해설 모르타르 용적 배합비
㉠ : ⓐ ㉡ : ⓒ ㉢ : ⓑ

05③ [3점]

1-3 조적조 벽체의 시공에서 Control Joint를 두어야 하는 위치를 〈보기〉에서 모두 골라 기호로 쓰시오.

― 〈보기〉 ―

① 최상부 테두리보
② 벽의 높이가 변하는 곳
③ 창문의 창대를 하부벽
④ 콘크리트 기둥과 접하는 곳
⑤ 벽의 두께가 변하는 곳
⑥ 모든 문 개구부의 인방상부벽의 중앙

해설 조적조 벽체 조절줄눈의 위치
②, ④, ⑤

1-4

세로규준틀이 설치되어 있는 벽돌조 건축물의 벽돌쌓기 순서를 〈보기〉에서 골라 번호로 쓰시오.

〈보기〉
① 규준 쌓기　　② 벽돌에 물 축이기
③ 보양　　　　　④ 벽돌 나누기
⑤ 재료 건비빔　　⑥ 벽돌면 청소
⑦ 줄눈파기　　　⑧ 중간부 쌓기
⑨ 치장줄눈　　　⑩ 줄눈누름

( ) → ( ) → ( ) → ( ) → ( ) → ( ) → ( ) → ( ) → ( ) → ( )

해설 벽돌쌓기 순서

⑥ → ② → ⑤ → ④ → ① → ⑧ → ⑩ → ⑦ → ⑨ → ③

1-5

일반적인 벽돌 및 블록쌓기 순서를 〈보기〉에서 골라 번호로 쓰시오.

〈보기〉
① 중간부 쌓기　② 접착면 청소　③ 보양　④ 줄눈파기
⑤ 물축이기　　　⑥ 규준쌓기　　⑦ 치장줄눈

( ) → ( ) → ( ) → ( ) → ( ) → ( ) → ( )

해설 조적쌓기 순서

② → ⑤ → ⑥ → ① → ④ → ⑦ → ③

1-6

조적재 쌓기 시공 시 기준이 되는 세로규준틀의 설치위치에 대하여 2가지만 쓰시오.

(1)
(2)

해설 세로 규준틀의 설치위치

(1) 건물의 모서리
(2) 벽의 끝부분

1-7 세로 규준틀에 기입해야 할 사항을 4가지 쓰시오.

(1)   (2)
(3)   (4)

[해설] 세로 규준틀 기입사항
(1) 개구부 치수
(2) 쌓기 단수 및 높이
(3) 앵커, 매입철물의 위치
(4) 테두리보, 인방보의 위치

2 쌓기법

2-1 다음 벽돌쌓기면에서 보이는 모양에 따라 붙여지는 쌓기명을 쓰시오.

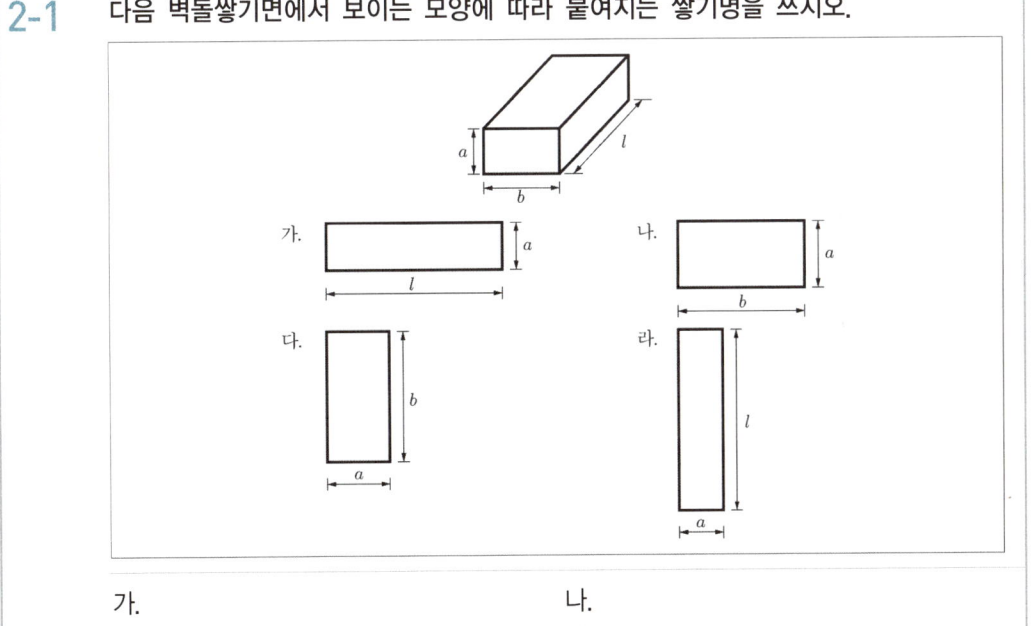

가.   나.
다.   라.

[해설] 벽돌쌓기
가. 길이 쌓기
나. 마구리 쌓기
다. 옆세워 쌓기
라. 길이세워 쌓기

99③·08③ [4점]

2-2 조적공사 중 벽돌쌓기 방법에서 사용되는 국가명칭이 들어간 벽돌쌓기 방법을 4가지 적으시오.

(1)
(2)
(3)
(4)

해설 나라별 쌓기법
(1) 영식 쌓기
(2) 화란식 쌓기
(3) 불식 쌓기
(4) 미식 쌓기

99③·08③ [3점]

2-3 다음과 같이 5단으로 된 벽돌벽이 있다. 비어 있는 란에 주어진 벽돌쌓기 방식에 따라 벽돌표시를 직접 그리고 사용된 벽돌기호를 〈보기〉에서 골라 벽돌 안에 직접 표시하시오.

〈보기〉
길이(A)   칠오토막(B)   마구리(C)   이오토막(D)

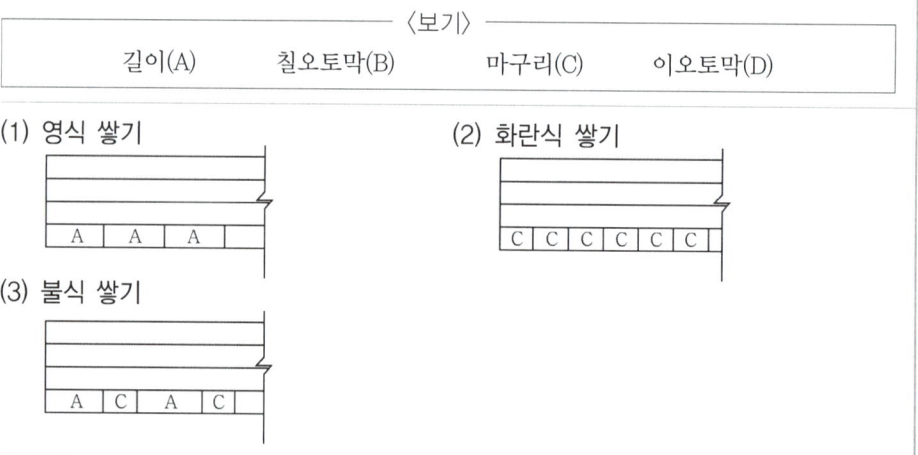

해설 벽돌쌓기 방식

(1) 영식 쌓기

C	D	C	C	C	C
A		A		A	
C	D	C	C	C	C
A		A		A	

(2) 화란식 쌓기

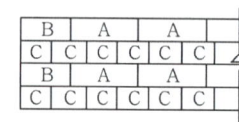

(3) 불식 쌓기

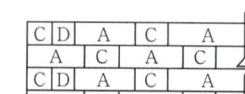

08② · 17① [4점]

2-4 벽돌쌓기 방식 중 영식 쌓기의 특성을 간략히 기술하시오.

해설 영국식 쌓기
한 켜는 길이쌓기, 다음 켜는 마구리쌓기를 반복하는 방식으로 모서리에 **이오토막이나 반절**을 사용하며 가장 튼튼한 쌓기법이다.

03① · 08③ [3점]

2-5 벽돌벽을 이중벽으로 하여 공간쌓기로 하는 목적을 3가지 쓰시오.

(1)
(2)
(3)

해설 공간쌓기 목적
(1) 방수
(2) 단열(보온)
(3) 결로 방지

11② [2점]

2-6 다음이 설명하는 용어를 쓰시오.

(1) 창 밑에 돌 또는 벽돌을 15° 정도 경사지게 옆세워 쌓는 방법 (　　　　)
(2) 벽돌벽 등에 장식적으로 구멍을 내어 쌓는 방법 (　　　　)

해설 용어
(1) 창대 쌓기
(2) 영롱 쌓기

2-7 다음이 설명하는 것을 〈보기〉에서 골라 쓰시오.

〈보기〉
① 본아치 ② 막만든아치
③ 거친아치 ④ 층두리아치

(1) 보통 벽돌을 써서 줄눈을 쐐기 모양으로 하는 아치 (   )
(2) 아치너비가 클 때에 아치를 겹으로 둘러 튼 아치 (   )
(3) 아치벽돌을 주문 제작하여 쓰는 아치 (   )
(4) 보통벽돌을 쐐기 모양으로 다듬어 쓰는 아치 (   )

해설 아치의 종류
(1) ③   (2) ④   (3) ①   (4) ②

2-8 치장벽돌쌓기 후에 시행하는 치장면의 청소방법을 3가지 쓰시오.

(1)
(2)
(3)

해설 치장면의 청소방법
(1) 물 씻기 청소(물세척)
(2) 주걱, 솔, 헝겊닦기
(3) 염산 등 희석액 사용(청소 후 물 씻기)

2-9 다음은 조적공사 시공 시 유의하여야 할 점이다. 빈칸을 채우시오.

(1) 한랭기 공사 시 (   )에서 모르타르 온도가 4~(   )℃ 이내가 되도록 유지함
(2) 벽돌 표면온도는 (   )℃ 이하가 되지 않도록 관리함
(3) 가로, 세로의 줄눈나비는 (   )cm를 표준으로 함
(4) 모르타르용 모래는 (   )mm 체에 100% 통과하는 적당한 입도일 것

해설 조적공사 시공
(1) 4℃ 이하, 40   (2) 영하 7℃
(3) 1   (4) 5

98③ · 02③

2-10
학교, 사무소 건물 등의 목재 문틀이 큰 충격력 등에 의해 조적조 벽체로부터 빠져나오지 않게 하기 위한 보강방법의 종류를 3가지 쓰시오..

(1)
(2)
(3)

해설 조적조 개구부 보강방법
(1) 창문틀 상·하 가로틀에 뿔을 길게 연장하여 옆벽에 물려서 보강한다.
(2) 창문틀 중간에 60cm 간격으로 꺾쇠나 볼트, 대못으로 고정한다.
(3) 긴결철물을 이용하여 옆벽에 물려 쌓기하고 사춤을 철저히 한다.

98① [4점]

2-11
건물의 벽돌벽에 균열이 발생하지 않도록 하기 위하여 설계 및 시공상 주의할 점을 기술하시오.

(1) 설계상 :

(2) 시공상 :

해설 균열 발생의 원인
(1) 설계상
① 평면, 입면의 불균형
② 문꼴 크기의 불합리 및 불균형 배치
③ 기초의 부동침하
④ 불균형 또는 큰 집중하중, 횡력 및 충격
⑤ 벽돌벽체의 강도 부족
(2) 시공상
① 재료의 신축성
② 모르타르 사춤 부족
③ 벽돌 및 모르타르의 강도 부족
④ 이질재와의 접합부 시공

08① · 11② · 13④ · 15④ · 19④ · 21② [4점]

2-12 벽돌벽의 표면에 생기는 백화현상의 정의와 발생 방지대책을 3가지 쓰시오.

(1) 백화현상의 정의 :
(2) 방지대책
   ①
   ②
   ③

해설 백화현상
(1) 모르타르 중의 석회성분이 벽체에 침투된 빗물에 용해되어 건물의 표면에 올라와 **공기 중 CO_2 가스와 결합하여 탄산석회를 생성**하여 조적 벽면에 백색 물질이 돋는 현상
(2) 방지대책
   ① 줄눈을 밀실하게 사춤
   ② 벽면에 파라핀 도료 등을 발라 방수 처리
   ③ 파라펫과 같은 비막이 설치
   ④ 흡수율 낮은 벽돌 사용

21② · 산21② [5점]

2-13 다음 ( ) 안에 적당한 단어나 수치를 기재하시오.

벽돌 쌓기 시 줄눈은 (가)mm로 하고, 도면 또는 공사시방서에서 정한 바가 없을 때는 영식이나 (나)쌓기법으로 하며, 1일 벽돌량 쌓기 높이는 (다)가 표준이며, 최대 쌓기 높이는 (라)이고, 벽돌벽이 블록벽과 서로 직각으로 만날 때에는 연결철물을 만들어 블록 (마)단마다 보강철물로 보강을 한다.

가.
나.
다.
라.
마.

해설 가. 10
나. 화란식
다. 1.2m
라. 1.5m
마. 3단

2-14 벽돌 쌓기에 대한 아래의 설명에 맞는 쌓기법을 기술하시오.

(1) 담 또는 처마 부분에 내쌓기를 할 때 45° 각도로 모서리가 면에 나오도록 쌓는 방법
( )

(2) 난간벽과 같이 상부 하중을 지지하지 않은 벽에 있어서 장식적인 효과를 기대하기 위해 벽체에 구멍을 내어 쌓는 것 ( )

해설 (1) 엇모쌓기
(2) 영롱쌓기

제 2 절 | 블록공사

1. 규격과 블록의 종류

(1) 규격

길이 x 높이 x 두께의 순으로 표시

형상	치수		
	길이	높이	두께
기본형 블록	390	190	100 150 190

07① · 10②
종류 : 블록의 치수 3가지

(2) 종류
① 기본블록 : 일반적으로 가장 많이 사용
② 한마구리 평블록 : 모서리나 벽 단부
③ 창대 블록 : 개구부 밑에 설치하여 빗물유입 방지
④ 창쌤 블록 : 개구부 옆면에 설치하여 창문틀의 설치를 용이하게 함
⑤ 반블록 : 절반의 크기
⑥ 양마구리 평블록 : 모서리나 벽 단부
⑦ 인방 블록 : 개구부 위에 설치하여 개구부 보강하는 U자형 블록
⑧ 가로근용 블록 : 수평철근 배근용

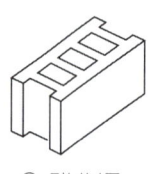 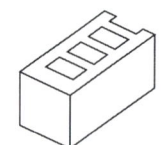 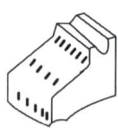 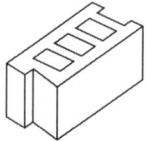
① 기본블록 ② 한마구리 평블록 ③ 창대블록 ④ 창쌤블록

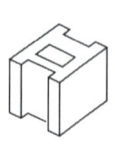 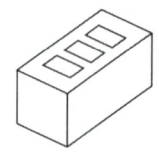 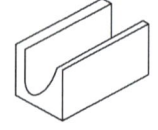 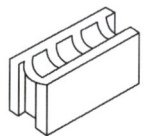
⑤ 반블록 ⑥ 양마구리 평블록 ⑦ 인방블록 ⑨가로근용 블록

00①
용어 : 창대블록, 인방블록, 창쌤블록

> 98③ · 02③ · 10①
> 명칭 : 블록그림과 명칭

2. 블록의 시공

(1) 블록 시공도에 기입해야 할 내용
   ① Block의 종류, Block 나누기
   ② 창문틀 등 개구부의 안목치수
   ③ 쌓기 높이, 단수
   ④ 매입철물의 종류, 위치
   ⑤ 나무 벽돌, 앵커 볼트, 급·배수관, 전기배선관의 위치

   > 00⑤ · 05①
   > 종류 : 블록 시공도에 기입해야 할 내용

(2) 벽 습기 침투원인
   ① 재료 자체의 방수성 불량
   ② 줄눈의 불완전 시공 및 균열
   ③ 물흘림, 빗물막이의 불완전 시공
   ④ 개구부, 창호재 접합부의 시공 불량

   > 98② · 15② · 18②
   > 원인 : 벽 습기 침투

(3) 조적조 지상외벽 직접 방수공법
   ① 도막 방수(에폭시 수지)
   ② 시멘트 액체 방수
   ③ 수밀성 재료의 부착

   > 03② · 05② · 08② · 14④ · 18④ · 22④
   > 종류 : 외벽방수공법

3. 보강 블록조

(1) 줄눈

통줄눈으로 하며 세로근과 가로근을 보강한다.

(2) 세로근

① 사용 철근은 D10 이상으로 하며, 배근 간격은 40cm 또는 80cm로 한다.
② 벽끝, 벽모서리, 벽교차부, 개구부 주위에서는 세로근을 반드시 배근해야 하며 D13을 사용한다.
③ 세로철근은 원칙적으로 벽체에서 이음을 하지 않으며 테두리보(Wall Girder)에서 잇는다.
④ 세로철근의 정착길이는 철근지름의 40배 이상이어야 하며, 철근의 피복 두께는 20mm 이상이어야 한다.

> 03① · 06①
> 위치 : 보강블록조 세로 철근 넣어야 하는 곳 3개소

> 18② · 22①
> 수치 : 세로근 정착길이/피복두께

(3) 가로근

① 사용 철근은 D10 이상으로 하며, 배근 간격은 60cm 또는 80cm로 한다.
② 가로근은 세로근 교차부마다 결속하고 블록의 공동부에 정확히 배치하여야 하며, 결속선은 #18~#20 철선은 달구어서 사용한다.
③ 이음은 엇갈리게 하여야 하며 이음 길이는 25d 이상, 모서리에서는 40d 이상을 정착한다.

(4) 공동부 사춤

① 세로 줄눈과 철근을 넣은 빈 속에는 모르타르 또는 콘크리트로 사춤을 하여야 한다.
② 세로근을 배근한 벽끝, 벽모서리, 벽교차부, 개구부 주위에는 반드시 사춤을 채워야 함
③ 사춤 모르타르는 1:3~1:5, 사춤용 콘크리트는 1:2.5:3.5~1:3:6, 골재는 10mm체를 통과하여야 한다.

> 07③
> 위치 : 보강블록조 사춤부위 3개소

(5) 와이어 메쉬(Wire Mesh)의 역할

① 벽체의 균열 방지
② 횡력, 편심하중의 균등분산
③ 모서리, 교차부의 보강

> 00⑤ · 03②
> 역할 : 보강블록조의 와이어 메쉬

4. 거푸집 블록조

(1) 정의
속이 비어 있는 ㄱ자형, ㄷ자형, T자형, ㅁ자형 블록을 거푸집으로 활용하여 블록 내부를 철근과 콘크리트를 넣어 라멘 구조체로 할 수도 있다.

(2) 특성
① 공기를 단축할 수 있다.
② 줄눈이 많아서 강도가 부족하다.
③ 블록살 두께가 얇아서 충분한 다짐이 곤란하다.
④ 줄눈 사이에 시멘트 풀이 흘러 곰보 발생이 우려된다.
⑤ 콘크리트 타설 결과를 확인할 수 없으며 철근의 피복이 불완전하다.

> 05①
> 특성 : 거푸집 블록조의 단점 4가지

5. 테두리보/인방보/평보

(1) 테두리보(Wall Girder)
① 정의
　조적조 벽체를 일체화하고, 하중을 균등히 분포시키기 위하여 벽체 중간, 마루바닥부분, 또는 상부에 일체식으로 만든 철근콘크리트보 또는 철골보
② 역할
　㉠ 수직균열 방지
　㉡ 벽체의 일체화를 통한 수직하중의 분산
　㉢ 세로근의 정착 및 이음 부위 제공

> 04③ · 06② · 산23③
> 종류 : 테두리보의 역할

(2) 인방보(Lintel)
① 정의 : 개구부 상부의 하중과 벽체 하중에 대하여 안전을 위해 설치하는 보

> 산23①
> 정의 : 인방보

② 설치방법
　㉠ 인방용 블록을 사용하여 현장에서 철근과 콘크리트를 보강/제작하여 설치
　㉡ 현장에서 철근콘크리트를 제작하여 설치
　㉢ 기성콘크리트 보를 만들어 들어올려서 설치
　㉣ 철제 보 이용

> 04②
> 종류 : 인방보 설치 방법 3가지

(3) 평보

지붕틀 하부에 수평으로 설치되는 인장 부재

> 산23①
> 정의 : 평보

6. 용어

(1) 내력벽

상층의 벽, 지붕, 바닥 등의 연직하중과 건물에 가해지는 풍압력, 지진력 등의 수평하중을 받는 주요 벽체

(2) 대린벽

① 벽체의 길이를 규제하기 위해 설정한 것으로 한 벽에 직각되게 서로 마주 보는 벽
② 대린벽으로 구획된 내력벽의 길이는 10m 이하이어야 함

> 02①
> 용어 : 대린벽

> 18④ · 21④
> 수치 : 내력벽의 길이

(3) 부축벽(Buttress)

① 부축벽의 길이는 층 높이의 1/3
② 단층에서 1m 이상, 2층의 밑에서 2m 이상
③ 평면상에서 전후, 좌우 대칭

(4) 벽량(cm/m^2)

① 내력벽 길이의 합(cm)을 그 층의 바닥면적(m^2)으로 나눈값
② 보통 15cm/m^2 이상
③ 내력벽으로 둘러싸인 바닥면적 80m^2 이하이어야 함

> 02① · 10① · 12④
> 용어 : 벽량

> 12④ · 18④ · 21④
> 수치 : 벽량

단원별 경향문제

07① · 10②

1-1 한국산업규격(KS)에 제시된 속 빈 블록치수 3가지를 쓰시오.

(1)
(2)
(3)

해설 블록치수
(1) 390×190×100
(2) 390×190×150
(3) 390×190×190

00① [3점]

1-2 다음 설명이 뜻하는 용어를 쓰시오.

(1) 창문틀의 밑에 쌓는 블록은? (   )
(2) 문꼴 위에 쌓아 철근과 콘크리트를 다져 넣어 보강하는 U자형 블록은?
    (   )
(3) 창문틀의 옆에 쌓는 블록은? (   )

해설 블록의 종류
(1) 창대블록(Window Sill Block)
(2) 인방블록(Lintel Block)
(3) 창쌤블록(Window Jamb Block)

Chapter 07 · 조적공사   417

98③ · 02③ · 10① [4점]

1-3 다음 블록의 명칭을 쓰시오.

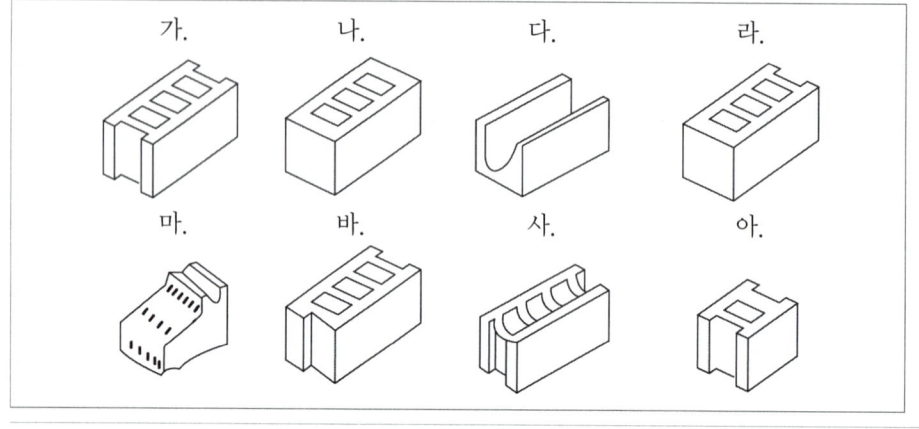

가.　　　　　　　　　　　나.
다.　　　　　　　　　　　라.
마.　　　　　　　　　　　바.
사.　　　　　　　　　　　아.

해설 블록의 종류
가. 기본블록　　　　　　나. 양마구리 평블록
다. 인방블록　　　　　　라. 한마구리 평블록
마. 창대블록　　　　　　바. 창쌤블록
사. 가로근용 블록　　　　아. 반블록

00⑤ · 05① [4점]

1-4 블록 쌓기 시공도에 기입하여야 할 사항에 대하여 4가지만 쓰시오.

(1)
(2)
(3)
(4)

해설 블록 쌓기 시공도 기입사항
(1) Block의 종류, Block 나누기
(2) 창문틀 등 개구부의 안목치수
(3) 쌓기 높이, 단수
(4) 매입철물의 종류, 위치

98② · 15② · 18② [4점]

1-5 블록 벽체의 결함 중 습기, 빗물 침투현상의 원인을 4가지만 쓰시오.

(1)
(2)
(3)
(4)

해설 블록 벽체의 습기, 빗물 침투 원인
(1) 재료 자체의 방수성 불량
(2) 줄눈의 불완전 시공 및 균열
(3) 물흘림, 빗물막이의 불완전 시공
(4) 개구부, 창호재 접합부의 시공 불량

03② · 05② · 08② · 14④ · 18④

1-6 조적조(벽돌, 블록, 돌)를 바탕으로 하는 지상부 건축물의 외부벽면의 방수 공법의 종류를 3가지 쓰시오.

(1)
(2)
(3)

해설 조적조 외부벽면 방수법
(1) 도막 방수(에폭시 수지)
(2) 시멘트 액체 방수
(3) 수밀성 재료의 부착

03① · 06① [3점]

1-7 보강철근콘크리트 블록조에서 세로철근을 반드시 넣어야 하는 위치 3개소를 쓰시오.

(1)
(2)
(3)

해설 보강블록조 세로철근 배근 위치
(1) 벽끝
(2) 벽모서리
(3) 벽교차부
(4) 개구부 주위

1-8 다음 ( )에 알맞은 수치를 기재하시오.

> 보강콘크리트 블록조에서 블록안에 들어가는 세로철근의 정착 길이는 철근지름의 (가)배 이상이어야 하며, 이 때 철근의 피복두께는 (나)mm 이상이어야 한다.

(가)
(나)

해설 보강 블록조
(가) 40
(나) 20

1-9 보강블록구조의 시공에서 반드시 모르타르 또는 콘크리트로 사춤을 채워 넣는 부위를 3가지만 쓰시오.

(1)
(2)
(3)

해설 보강블록조 사춤 부위
(1) 벽끝
(2) 벽모서리
(3) 벽교차부
(4) 개구부 주위

1-10 보강 블록벽 쌓기 시 와이어 메쉬(Wire Mesh)의 역할을 3가지 쓰시오.

(1)
(2)
(3)

해설 와이어 메쉬(Wire Mesh)의 역할
(1) 벽체의 균열 방지
(2) 횡력, 편심하중의 균등분산
(3) 모서리, 교차부의 보강

05① [4점]

1-11 거푸집 블록조의 콘크리트 부어넣기에 있어 일반 RC조와 비교할 때 시공 및 구조적으로 불리한 점을 4가지만 쓰시오.

(1)
(2)
(3)
(4)

해설 거푸집 블록조의 단점
(1) 줄눈이 많아서 강도가 부족하다.
(2) 블록살 두께가 얇아서 충분한 다짐이 곤란하다.
(3) 줄눈 사이에 시멘트 풀이 흘러 곰보 발생이 우려된다.
(4) 콘크리트 타설 결과를 확인할 수 없으며 철근의 피복이 불완전하다.

04③ · 06② [3점]

1-12 조적벽체에서 테두리보(Wall Girder)의 역할에 대하여 3가지만 쓰시오.

(1)
(2)
(3)

해설 테두리보의 역할
(1) 수직균열 방지
(2) 벽체의 일체화를 통한 수직하중의 분산
(3) 세로근의 정착 및 이음 부위 제공

04② [3점]

1-13 블록구조에서 인방보를 설치하는 방법 3가지를 기술하시오.

(1)
(2)
(3)

해설 블록구조 인방보 설치 방법
(1) 인방용 블록을 사용하여 현장에서 철근과 콘크리트를 보강/제작하여 설치
(2) 현장에서 철근콘크리트를 제작하여 설치
(3) 기성콘크리트 보를 만들어 들어올려서 설치

Chapter 07 · 조적공사

02① [3점]

1-14 다음 설명에 해당되는 용어를 쓰시오.

(1) 보의 응력은 일반적으로 기둥과 접합부 부근에서 크게 되어 단부의 응력에 맞는 단면으로 보 전체를 설계하면 현저하게 비경제적이기 때문에 단부에만 단면적을 크게 하여 보강한 것을 무엇이라 하는가?
(2) 조적조 건물에서 내력벽 길이의 합(cm)을 그 층의 바닥면적(m^2)으로 나눈값을 무엇이라고 하는가?
(3) 조적조에서 벽체의 길이를 규제하기 위해 설정한 것으로 서로 마주 보는 벽을 무엇이라고 하는가?

해설 용어
(1) 헌치(Haunch)
(2) 벽량
(3) 대린벽

10① · 12④ · 18② [2점]

1-15 조적구조의 안전 규정에 대한 다음 문장 중 ( ) 안에 적당한 내용을 쓰시오.

조적조 대린벽으로 구획된 벽길이는 (1) 이하이어야 하며, 내력벽으로 둘러싸인 바닥면적은 (2) 이하이어야 한다.

(1)
(2)

해설 (1) 10m
(2) 80m^2

제 3 절 | 석공사

1. 재료

(1) 석재의 특징

장점	단점
① 장중한 외관미가 있다. ② 내구성, 내마모성, 내수성이 있다. ③ 압축강도가 크다.	① 운반, 가공이 어렵다. ② 큰 자재(장대석)를 얻기 어렵다. ③ 인장강도가 작다.

(2) 생성원인 분류

1) 화성암 : 화강암, 현무암, 안산암
2) 수성암 : 점판암, 석회암, 사암, 응회암
3) 변성암 : 대리석, 석면, 사문석, 반석

> 98③ · 02①
> 종류 : 생성원인별 구분

(3) 종류별 특성

① 화강암
  ㉠ 경도, 강도, 내마모성, 내구성, 광택 등과 가공성이 우수하지만, 화열에 약하다.
  ㉡ 큰 재료를 얻을 수 있으므로 구조재, 장색재로 사용된다.

② 안산암
  ㉠ 화강암과 비교하여 내열성이 우수하다.
  ㉡ 큰 재료(장대석)가 거의 없다.

③ 사암
  ㉠ 얇게 쪼개진다.
  ㉡ 지붕재료, 판석 등으로 사용한다.

④ 점판암
  ㉠ 강도, 내구력이 약하나 내화력이 크다.
  ㉡ 외벽재, 경량구조재로 이용한다.

⑤ 응회암
  ㉠ 강도가 약하고 흡수율도 높아 풍화, 변색되기 쉬우나 채석, 가공이 용이하다.
  ㉡ 경량, 다공질이다.

⑥ 대리석
  ㉠ 광택과 빛깔이 미려하므로 내부 장식용으로 사용된다.
  ㉡ 산 및 화열에 약하고 내구성이 적으므로 외장용으로는 사용하지 않는다.

(4) 석재의 등급
① 1등급 : 흐름(구름무늬, 얼룩), 점(흰점, 검은 점), 띠(흰 줄, 검은 줄), 철분(녹물), 끊어지는 줄(균열, 짬), 산화, 풍화 등이 조금도 없는 석재
② 2등급 : 1등급 기준에 결점이 심하지 않은 석재
③ 3등급 : 시공의 실용상 지장이 없는 것

> 산23③
> 특징 : 석재의 등급

2. 석재의 표면가공

(1) 순서

혹두기 → 정다듬 → 도드락다듬 → 잔다듬 → 물갈기

> 산22①
> 순서 : 석재의 표면가공

(2) 수작업
① 혹두기 : 마름돌의 거친면을 쇠메로 다듬어 면을 보기 좋게 한다.
② 정다듬 : 정으로 쪼아 평탄한 거친 면처리를 한다.
③ 도드락다듬 : 도드락 망치로 정다듬한 면을 더욱 평탄하게 다듬는 작업
④ 잔다듬 : 도드락 다듬면 위에서 날망치로 곱게 쪼아 면다듬을 하는 수법
⑤ 물갈기
  ㉠ 잔다듬 또는 톱켜기면을 철사, 금강사, 카보런덤, 모래, 숫돌 등으로 물을 주어 갈아 광택이 나게 하는 것이다.
  ㉡ 거친갈기 → 물갈기 → 본갈기 → 정갈기의 순으로 마무리한다.

> 14② · 산22①
> 순서 : 석재의 물갈기 순서

(3) 특수가공(기계가공)
① 화염 분사법(Bumer Finish Method) : 석재면을 달군 다음 찬물을 뿌려 급랭시키면 표면에 얇은 층이 떨어져 나가 거친면으로 마무리하는 공법
② 모래 분사법(Sand Blasting Method) : 고압공기의 압력으로 모래를 분사시켜 석재면을 거칠게 만드는 공법
③ 플래너 피니쉬 : 철판을 깎는 기계로서 석재 표면을 대패질하듯 훑어서 평탄하게 마무리하는 방법이다.

> 02②
> 종류 : 석재의 특수가공 공법

3. 돌 붙이기와 검사

(1) 돌 붙이기 순서

돌나누기 → 탕개줄 또는 연결철물 설치 → 돌붙이기 → 모르타르 사춤 → 치장줄눈 → 청소 → 보양

> 07②
> 순서 : 돌 붙이기

(2) 석재가공 완료 시 검사내용

① 마무리 치수의 정확도
② 모서리각의 정확도
③ 면의 평활도
④ 다듬기 솜씨의 정도 확인

> 07②
> 종류 : 석재가공 완료 시 검사내용

단원별 경향문제

1-1 다음 〈보기〉의 암석 종류를 생성원인별로 찾아 번호로 쓰시오.

〈보기〉
① 점판암   ② 화강암   ③ 대리석   ④ 석면   ⑤ 현무암   ⑥ 석회암   ⑦ 안산암

(1) 화성암 :
(2) 수성암 :
(3) 변성암 :

해설 석재의 종류
(1) ②, ⑤, ⑦   (2) ①, ⑥   (3) ③, ④

1-2 건축공사 표준시방서에 의한 석재의 물갈기 마감공정을 순서대로 나열하시오.

(　　　) → (　　　) → (　　　) → (　　　)

해설 석재 물갈기 공정순서
거친갈기 → 물갈기 → 본갈기 → 정갈기

1-3 석재의 표면마감에서 혹두기, 정다듬, 도드라다듬, 잔다듬, 물갈기의 기존공법 외에 특수가공 공법의 종류를 2가지만 쓰고, 설명하시오.

(1)
(2)

해설 석재 특수가공 공법
(1) 화염 분사법(Burner Finish Method) : 석재면을 달군 다음 찬물을 뿌려 급랭시키면 표면에 얇은 층이 떨어져 나가 거친면으로 마무리하는 공법
(2) 모래 분사법(Sand Blasting Method) : 고압공기의 압력으로 모래를 분사시켜 석재면을 거칠게 만드는 공법

07② [4점]

1-4 돌붙임 시공 순서를 〈보기〉에서 골라 번호를 쓰시오.

〈보기〉
가. 청소   나. 보양   다. 돌붙이기
라. 돌나누기   마. 모르타르 사춤   바. 치장줄눈
사. 탕개줄 또는 연결철물 설치

( ) → ( ) → ( ) → ( ) → ( ) → ( ) → ( )

해설 돌붙임 시공순서
라 → 사 → 다 → 마 → 바 → 가 → 나

98④ · 01③ [4점]

1-5 석재의 가공이 완료되었을 때 가공 검사의 내용에 대하여 4가지를 기술하시오.

(1)
(2)
(3)
(4)

해설 석재가공 완료 시 검사내용
(1) 마무리 치수의 정확도
(2) 모서리각의 정확도
(3) 면의 평활도
(4) 다듬기 솜씨의 정도 확인

제 4 절 | 타일 공사

1. 재료
(1) 종류
① 소지 : 도자기 및 타일의 재료가 되는 흙의 성분
② 소지별 타일의 종류 : 자기질, 석기질, 도기질, 토기질 타일
③ 용도별 타일의 종류 : 외장용, 내장용, 바닥용 타일

> 00⑤ · 03③ · 08①
> 종류 : 타일(소지별/용도별)

④ 외장에 사용하는 타일은 석기질 타일, 자기질 타일을 사용한다.
⑤ 내장에 사용하는 타일은 도기질 타일, 석기질 타일, 자기질 타일을 사용한다.
⑥ 바닥 타일은 유약을 바르지 않은 석기질 타일, 자기질 타일을 사용한다.

> 산21① · 산23②
> 용도 : 타일

(2) 특성
① 품질(소성온도) : 자기 > 석기 > 도기 > 토기
② 흡수율크기 : 토기 > 도기 > 석기 > 자기

(3) 유약처리상
① 무유 : 표면에 유약을 바르지 않은 것
② 시유 : 표면에 유약을 바른 것

(4) 외장타일의 결점(흠집)
① 치수의 오차
② 색조의 차이
③ 공기구멍(기포)의 혼입

> 98③
> 종류 : 외장타일의 결점(흠집)

2. 시공 붙이기

(1) 순서

바탕처리 → 타일나누기 → 벽타일 붙이기 → 치장줄눈 → 보양

> 10① · 14④
> 순서 : 벽타일 시공

(2) 바탕처리
① 이물질을 제거하고 표면을 거칠게 한다.
② 물축임을 충분히 한다.

(3) 타일나누기
① 가급적 온장이 사용되도록 계획한다.
② 줄눈을 일치(바닥+벽, 벽+벽)

(4) 붙이기 공법
① 떠붙이기(적층) 공법
  ㉠ 타일 뒷면에 붙임용 모르타르를 바르고 벽면의 아래에서 위로 붙여 가는 종래의 일반적인 공법
  ㉡ 오래된 타일붙이기 방법으로 타일 뒷면에 붙임모르타르를 얹어 바탕 모르타르에 누르듯이 하여 1매씩 붙이는 방법

> 01① · 00④ · 02③ · 06① · 07② · 10④ · 산21③ · 산22③
> 용어 : 떠붙임공법

② 개량적층 공법
  ㉠ 접착제를 벽체 바탕에 2~3mm 두께로 바른 후 타일을 붙이는 공법
  ㉡ 바탕면은 충분히 건조(여름 : 1주, 기타 : 2주 이상) 후 시공

③ 압착 공법
  ㉠ 바탕면에 먼저 붙임 모르타르를 고르게 바르고 그곳에 타일을 눌러 붙이는 공법
  ㉡ 평평하게 만든 바탕 모르타르 위에 붙임 모르타르를 바르고, 그 위에 타일을 두드려 누르거나 비벼 넣으면서 붙이는 방법

> 00④ · 01① · 02③ · 06① · 07② · 10④ · 산21③ · 산22③ · 23④
> 용어 : 압착 공법, 개량적층 공법

④ 개량압착 공법
  ㉠ 바탕면에 붙임 모르타르를 바르고 타일 뒷면에 붙임 모르타르를 발라 두드려 누르거나 비벼 넣으며 붙이는 공법으로 압착공법을 한층 발전시킨 공법
  ㉡ 1회 붙임면적 : $1m^2$

> 00④ · 02③ · 06① · 15① · 산22③ · 23④
> 용어 : 개량압착공법

  ⑤ 밀착(동시줄눈) 공법

    ㉠ 바탕면에 붙임 모르타르를 발라 타일을 눌러 붙인 다음 충격공구(손진동기)로 타일면에 충격을 가하는 공법

    ㉡ 줄눈수정 : 타일 붙인 후 15분 이내

> 99② · 99③ · 00③ · 08① · 10② · 16① · 산21② · 산23①
> 종류 : 벽타일 붙이기 공법

> 01① · 07②
> 용어 : 동시줄눈 밀착법

3. 하자

(1) 하자종류

  ① 박리, 박락

  ② 동해

  ③ 백화현상

(2) 박리 · 박락 원인

  ① 붙임 모르타르 불량

  ② 바탕의 처리 불량

  ③ 동해에 의한 팽창

  ④ 줄눈시공 불량

  ⑤ 구조체 균열

> 16④ · 17②
> 종류 : 박리 · 박락 원인

(3) 동해방지

  ① 소성온도가 높은 타일을 사용한다.

  ② 흡수율이 낮은 타일을 사용한다.

  ③ 줄눈누름을 충분히 하여 우수의 침투를 방지한다.

  ④ 모르타르의 단위수량을 적게 한다.

4. 타일공사의 기타사항

(1) 욕실 바닥 타일 붙이기의 시공순서

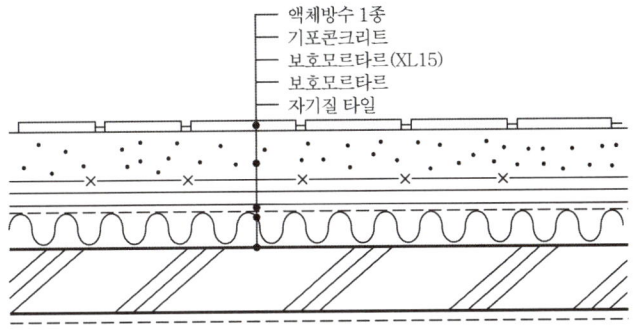

> 📖 산23①
> 시공순서 : 욕실 바닥 타일 붙이기

제 5 절 | 용어해설

(1) 거푸집 블록
   L형, 역T자형, U자형 등으로 만들어 콘크리트조의 거푸집을 겸하게 된 블록으로 내부에서 철근배근 및 콘크리트를 채워 넣을 수 있는 블록

(2) 경량블록
   기건비중이 1.9 미만의 속빈 콘크리트 블록

단원별 경향문제

00⑤ · 03③ · 08① [2점]

1-1 타일의 종류를 소지 및 용도에 따라 분류하시오.

(1) 소지별 :
(2) 용도별 :

해설 타일의 종류
(1) 소지별 : 자기질, 석기질, 도기질, 토기질 타일
(2) 용도별 : 외장용, 내장용, 바닥용 타일

98③ [3점]

1-2 점토소성 제품인 타일의 선정에서 외장타일에 발생할 수 있는 결점(흠집)의 종류를 3가지만 쓰시오.

(1)
(2)
(3)

해설 타일의 결점(흠집)
(1) 치수의 오차
(2) 색조의 차이
(3) 공기구멍(기포)의 혼입

10① · 14④ [4점]

1-3 벽타일 붙이기 시공순서를 쓰시오.

① 바탕처리 → (②) → (③) → (④) → (⑤)

②
③
④
⑤

해설 벽타일 시공순서
① 바탕처리 → ② 타일 나누기 → ③ 벽타일 붙이기 → ④ 치장줄눈 → ⑤ 보양

99②,③ · 00③ · 08① · 10② · 16① · 산21② [4점]

1-4 벽타일의 붙임공법 종류 4가지를 기술하시오.

(1)
(2)
(3)
(4)

해설 타일붙임 공법
(1) 떠붙이기(적층) 공법
(2) 개량적층 공법
(3) 압착 공법
(4) 개량압착 공법
(5) 밀착(동시줄눈) 공법

01① · 07② [3점]

1-5 다음은 타일붙임 공법에 대한 설명이다. ( ) 안에 알맞은 공법을 〈보기〉에서 골라 기호로 쓰시오.

〈보기〉
① 개량압착 공법　　② 압착붙이기　　③ 떠붙이기
④ 개량떠붙이기 공법　　⑤ 밀착(동시줄눈)공법

(1) 타일 뒷면에 붙임용 모르타르를 바르고 벽면의 아래에서 위로 붙여 가는 종래의 일반적인 공법은 (　　)이다.
(2) 바탕면에 먼저 붙임 모르타르를 고르게 바르고 그곳에 타일을 눌러 붙이는 공법은 (　　)이다.
(3) 바탕면에 붙임 모르타르를 발라 타일을 눌러 붙인 다음 충격공구(손진동기)로 타일 면에 충격을 가하는 공법은 (　　)이다.

해설 타일붙임 공법
(1) ③
(2) ②
(3) ⑤

15① [2점]

1-6 다음 타일 붙임공법의 명칭을 쓰시오.

바탕면에 붙임 모르타르를 바르고 타일에도 붙임 모르타르를 발라 두드려 누르거나 비벼 넣으며 붙이는 공법으로 압착공법을 한층 발전시킨 공법

해설 타일 붙이기
개량 압착 공법

00④ · 02③ · 06①

1-7 다음이 설명하는 타일 공법을 쓰시오.

(1) 오래된 타일붙이기 방법으로 타일 뒷면에 붙임모르타르를 얹어 바탕 모르타르에 누르듯이 하여 1매씩 붙이는 방법 (   )
(2) 평평하게 만든 바탕 모르타르 위에 붙임 모르타르를 바르고, 그 위에 타일을 두드려 누르거나 비벼 넣으면서 붙이는 방법 (   )
(3) 평평하게 만든 바탕모르타르 위에 붙임 모르타르를 바르고 타일 뒷면에 붙임 모르타르를 얇게 발라 두드려 누르거나 비벼넣으면서 붙이는 방법 (   )

해설 타일부착 공법
(1) 떠붙임 공법
(2) 압착 공법
(3) 개량압착 공법

10③ [4점]

1-8 타일시공법 중 붙임재 사용법에 따른 공법을 1가지씩 쓰시오.

(1) 타일 측에 붙임재를 바르는 공법 :
(2) 바탕 측에 붙임재를 바르는 공법 :

해설 붙임재 사용
(1) 떠붙이기 공법
(2) 압착 공법 혹은 밀착 공법

16④ · 17② [4점]

1-9 타일공사에서 타일의 탈락(박리, 박락)의 원인 4가지를 기술하시오.

(1)
(2)
(3)
(4)

해설 타일의 탈락(박리, 박락)의 원인
(1) 붙임 모르타르 불량
(2) 바탕의 처리 불량
(3) 동해에 의한 팽창
(4) 줄눈시공 불량

산21① [6점]

1-10 아래 설명에 적합한 타일을 보기에서 골라 기호로 기술하시오.

〈보기〉
① 토기질 타일 ② 도기질 타일 ③ 석기질 타일 ④ 자기질 타일

(1) 외장에 사용하는 타일은 (   ), (   )을 사용한다.
(2) 내장에 사용하는 타일은 (   ), (   ), (   )을 사용한다.
(3) 바닥 타일은 유약을 바르지 않은 (   ), (   )을 사용한다.

해설 (1) 외장에 사용하는 타일은 (③), (④)을 사용한다.
(2) 내장에 사용하는 타일은 (②), (③), (④)을 사용한다.
(3) 바닥 타일은 유약을 바르지 않은 (③), (④)을 사용한다.

CHAPTER 08 목공사

제1절 | 재료 및 목재의 특성

1. 재료
(1) 장단점
    ① 장점
        ㉠ 비중이 작고 연질이다(가공이 용이)
        ㉡ 비중에 비해 강도가 크다(구조용재)
        ㉢ 열전도율이 작다(보온 효과)
        ㉣ 탄성 및 인성이 크다.
    ② 단점
        ㉠ 가연성이다.
        ㉡ 부패, 충해, 풍해가 있다(내구성이 약함)

(2) 구조용 목재의 요구조건
    ① 강도가 크고, 장대재를 얻을 수 있을 것
    ② 건조변형, 수축성이 적을 것
    ③ 재료의 공급이 원활한 것
    ④ 내부식성, 내충해성 있을 것

> 99①
> 성능 : 구조용재 요구성능

(3) 품질검사항목
    ① 수축률 시험방법
    ② 흡수량 측정방법
    ③ 인장강도 시험방법
    ④ 압축강도 시험방법
    ⑤ 함수율 및 비중 측정방법

> 02①
> 종류 : 품질검사 항목

(4) 목재의 건조법

천연건조(자연건조)	인공건조
① 시설비 및 작업비용이 저렴함 ② 대량으로 건조 가능 ③ 인공건조에 비해 균일한 건조 가능 ④ 건조 시간이 오래 걸림	① 초기 시설비 필요 ② 건조 시간이 짧음 ③ 천연건조에 비해 결함 발생 우려 ④ 진공법, 증기법, 열기법, 훈연법, 고주파법

19①
장점 : 천연건조법

18②
종류 : 인공건조법

2. 목재의 특성

(1) 함수율

① 절건상태 : 0%

② 기건상태 : 15%

③ 수장재 : 15%

④ 구조재 : 20%

⑤ 섬유포화점 : 30%

■ 섬유포화점 : 세포 사이의 자유수가 증발하고 세포벽 내의 세포수만 남아 함수율이 30%가 된 상태로서 이 점을 경계로 수축 및 강도변화가 현저해진다.

99③ · 02②
용어 : 섬유포화점

(2) 수축률

① 섬유포화점에 따른 수축률 변화

㉠ 섬유포화점 이상 : 신축하지 않음

㉡ 섬유포화점 이하 : 함수율 감소에 비례하여 수축

② 심재와 변재의 수축률

㉠ 심재부(수심부) : 조직이 경화되므로 수축률이 작다

㉡ 변재부(수피부) : 조직이 여리고 함수율과 수축률이 크다

③ 연륜방향(나이테)에 따른 수축률

연륜방향의 수축은 연륜의 직각방향에 약 2배가 됨

00①
괄호넣기 : 수축률

(3) 강도
　① 크기 : 인장 > 휨 > 압축 > 전단
　② 가력방향 : 섬유평행 > 섬유직각
　③ 섬유포화점에 따른 강도 변화
　　㉠ 섬유포화점 이상 : 강도가 일정함
　　㉡ 섬유포화점 이하 : 함수율이 낮을수록 강도는 증가함

> 09② · 16④ · 20②
> 특징 : 섬유포화점과 관련된 함수율 증가와 강도의 변화

(4) 내구성
　① 요인 : 물, 불, 햇빛, 균, 벌레
　② 방부처리법
　　㉠ 표면 탄화법 : 목재표면을 태워 수분을 제거하는 방법
　　㉡ 방부제 처리법 : 방부제를 칠하거나 뿌리는 방법
　　　ⓐ 방부제 도포법 : 방부제를 도포, 뿜칠 등으로 바르거나 주입하는 방법
　　　ⓑ 침지법 : 목재를 방부제 용액 속에 담가 균이 생기지 못하게 하는 방법
　　　ⓒ 주입법 : 압력용기 속에 목재를 넣어 고압에서 방부제를 주입하는 방법
　　㉢ 일광직사법 : 목재를 30시간 이상 햇빛에 쪼이는 방법
　　㉣ 수침법 : 물속에 목재를 담가 균이 기생하지 못하게 하는 방법

> 91② · 93② · 95① · 99② · 05① · 10① · 14② · 15① · 16④ · 18④ · 19④ · 21② · 산21② · 산23②
> 종류 : 방부처리법

> 18① · 21④
> 종류 : 방부제 처리법

(5) 방부제

구분	품명	특징
유성	콜타르	상온에서 침투 불가, 도포용
	크레오소트	방부력, 침투력 우수, 냄새, 흑갈색용액, 외부용
	아스팔트	가열도포, 흑색 도료 칠 불가, 보이지 않는 곳만 사용
유용성	유성 페인트	유성 페인트 도포 피막형성, 착색 자유, 미관효과 우수
	P.C.P	방부력 가장 우수, 무색, 도료칠 가능

(6) 목공사에서 방충 및 방부 처리된 목재를 써야 하는 경우
   ① 구조 내력상 주요부분인 토대, 외부기둥, 외부 벽 등에 사용하는 목재로서 포수성의 재질에 접하는 부분
   ② 급수 및 배수시설에 근접된 목부로서 부식의 우려가 있는 부분
   ③ 목조의 외부 버팀 기둥을 구성하는 부재의 모든 면
   ④ 직접 우수를 맞거나 습기가 차기 쉬운 부분의 모르타르 바름 등의 바탕에 해당하는 부분

   > 21① · 23②
   > 용도 : 방충 및 방부 처리된 목재

(7) 난연처리법
   ① 불연성 도료 칠
   ② 방화제법
   ③ 난연약제 도포법

   > 16①
   > 종류 : 난연처리법

(8) 목재 균열의 종류
   ① 분할 : 제재목의 끝부분에서 상하가 관통하여 갈라진 결함
   ② 윤할 : 나무가 생장 과정에서 받는 내부응력으로 인하여 목재 조직이 나이테에 평행한 방향으로 갈라지는 결함
   ③ 할렬 : 목재가 건조과정에서 방향에 따른 수축률의 차이로 나이테에 직각 방향으로 갈라지는 결함

   > 산23③
   > 종류 : 목새 균열

단원별 경향문제

1 재료

99① [4점]

1-1 구조용 목재의 요구조건을 4가지만 쓰시오.

(1)
(2)
(3)
(4)

해설 **구조용 목재의 요구조건**
(1) 강도가 크고, 장대재를 얻을 수 있을 것
(2) 건조변형, 수축성이 적을 것
(3) 재료의 공급이 원활한 것
(4) 내부식성, 내충해성 있을 것

02① [3점]

1-2 목재의 품질검사는 건축공사 시 사용되는 목재의 변형, 균열 등의 발생을 미리 방지하기 위하여 실시한다. 목재의 품질검사 항목을 3가지 쓰시오.

(1)
(2)
(3)

해설 **목재의 품질검사 항목**
(1) 수축률 시험방법   (2) 흡수량 측정방법   (3) 압축, 인장강도 시험방법

19① [3점]

1-3 목재의 건조방법 중 천연 건조(자연건조) 시 장점 2가지를 기술하시오.

(1)
(2)

해설 (1) 시설비 및 작업비용이 저렴함
(2) 대량으로 건조 가능
(3) 인공건조에 비해 균일한 건조 가능

1-4 목재의 건조방법 중 인공건조법의 종류 3가지를 기술하시오.

(1)
(2)
(3)

해설
(1) 열기건조
(2) 훈연건조
(3) 진공건조
(4) 증기건조
(5) 고주파건조

2 목재의 특성

2-1 다음 목재에 관계되는 용어를 설명하시오.

(1) 섬유포화점 :

(2) 집성재 :

해설 용어
(1) 섬유포화점 : 세포 사이의 자유수가 증발하고 세포벽 내의 세포수만 남아 **함수율이 30%가 된 상태**로서 이 점을 경계로 수축 및 강도변화가 현저해진다.
(2) 집성재 : 나무단판을 합성수지 접착제를 이용하여 섬유 평행방향으로 몇 장 접착하여 하나의 큰 부재로 한 목재

2-2 목재에서 섬유포화점과 관련하여 함수율 증감에 따른 강도 변화에 대해 기술하시오.

(1) 섬유포화점 이상 :
(2) 섬유포화점 이하 :

해설 목재의 강도
함수율 증감에 따른 강도변화
(1) 섬유포화점 이상 : **강도가 일정함**
(2) 섬유포화점 이하 : **함수율이 낮을수록 강도는 증가함**

2-3 다음 목재의 수축변형에 대한 설명 중 ( ) 안에 알맞은 말을 써넣으시오.

목재는 건조수축하여 변형하고 연륜방향의 수축은 연륜의 (①)에 약 2배가 된다. 또 수피부는 수심부보다 수축이 (②)다. (③)는 조직이 경화되고, (④)는 조직이 여리고 함수율도 (⑤)고 재질도 무르기 때문이다.

(1) (2)
(3) (4)
(5)

해설 목재의 성질
(1) 직각방향   (2) 크(다)
(3) 심재부   (4) 변재부
(5) 크(다)

2-4 목재의 방부처리방법을 3가지 쓰고, 그 내용을 설명하시오.

(1)
(2)
(3)

해설 목재의 방부처리법
(1) 표면 탄화법 : 목재표면을 태워 수분을 제거하는 방법
(2) 방부제법 : 방부제를 칠하거나 뿌리는 방법
(3) 일광직사법 : 목재를 30시간 이상 햇빛에 쪼이는 방법

2-5 목재의 방부처리법 중 방부제 처리법에 대한 종류를 3가지 쓰시오.

(1)
(2)
(3)

해설 목재 방부제 처리법
(1) 방부제 도포법 : 방부제를 도포, 뿜칠 등으로 **바르거나 주입**하는 방법
(2) 침지법 : 목재를 방부제 **용액 속에 담가** 균이 생기지 못하게 하는 방법
(3) 주입법 : 압력용기 속에 목재를 넣어 **고압에서 방부제를 주입**하는 방법

16① [3점]

2-6 목재 난연처리법의 종류 3가지를 기술하시오.

(1)
(2)
(3)

해설 목재의 난연처리법
(1) 불연성 도료 칠
(2) 방화제법
(3) 난연약제 도포법

21① [4점]

2-7 목공사에서 방충 및 방부 처리된 목재를 써야 하는 경우 2가지를 기술하시오.

(1)
(2)

해설 (1) 구조 내력상 주요부분인 토대, 외부기둥, 외부 벽 등에 사용하는 목재로서 포수성의 재질에 접하는 부분
(2) 급수 및 배수시설에 근접된 목부로서 부식의 우려가 있는 부분
(3) 목조의 외부 버팀 기둥을 구성하는 부재의 모든 면
(4) 직접 우수를 맞거나 습기가 차기 쉬운 부분의 모르타르 바름 등의 바탕에 해당하는 부분

제 2 절 | 제재와 가공

1. 제재

(1) 단면치수

① 제재치수 : 톱켜기에 의한 지정치수로 구조재, 수장재의 치수로 쓰인다.
② 마무리치수 : 대패질까지 끝난 마무리치수로 창호재, 가구재의 치수로 쓰인다.
③ 정치수 : 제재목을 지정치수대로 한 것

> 05② · 14②
> 용어 : 제재치수, 마무리치수, 정치수

(2) 집성재

나무단판을 합성수지 접착제를 이용하여 섬유 평행방향으로 몇 장 접착하여 하나의 큰 부재로 한 목재

> 99③ · 02②
> 용어 : 집성재

2. 가공

(1) 순서

현치도 작성 → 재료반입/검사 → 먹매김 → 마름질 → 바심질 → 감추임면에 번호기입 → 접합

(2) 먹매김

마름질, 바심질을 하기 위해 재의 축방향에 심먹을 넣고 가공형태를 기호로써 표시하는 일

(3) 마름질

재료를 소요수치로 형태에 맞춰 자르는 일

(4) 바심질
① 정의 : 자르기와 이음, 맞춤, 장부 등의 깎아내기를 하고, 구멍파기, 볼트 구멍 뚫기, 홈파기, 대패질을 하는 것
② 모접기 : 나무나 석재의 모나 면을 깎아 밀어서 두드러지게 또는 오목하게 하여 모양지게 하는 것

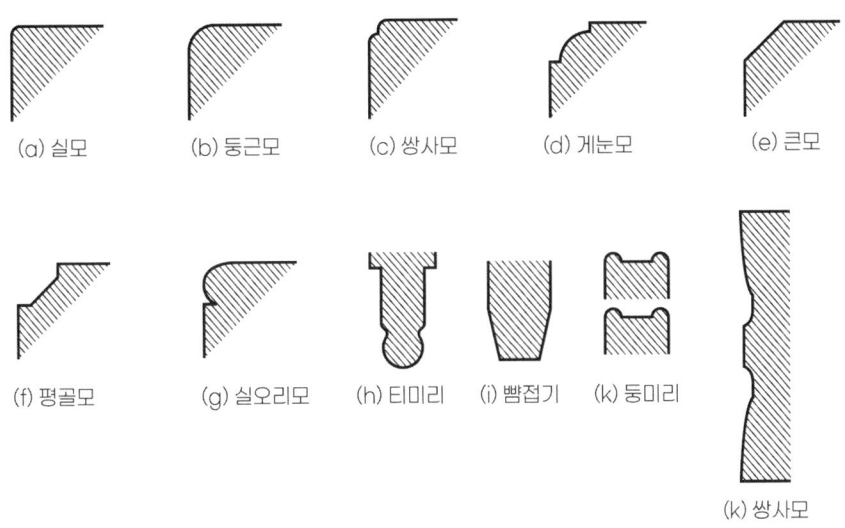

| 모접기의 종류 |

99① · 11① · 16④
종류 : 모접기 종류, 그림 연결

단원별 경향문제

05② · 14② [3점]

1-1 다음은 목공사의 단면치수 표기법에 대한 설명이다. (   ) 안에 해당하는 용어를 기술하시오.

> 목재의 단면을 표시하는 치수는 특기사항이 없을 때 구조재와 수장재는 모두 (1)치수로 하고, 창호재와 가구재는 (2)치수로 한다. 또한, 제재목을 지정치수대로 한 것을 (3) 치수라고 한다.

(1)
(2)
(3)

해설 목재치수
(1) 제재
(2) 마무리
(3) 정

99① · 11① · 16④ [3점]

1-2 목공사 마무리 중 모접기(면접기)의 종류 3가지를 기술하시오.

(1)
(2)
(3)

해설 모접기의 종류
(1) 둥근모접기
(2) 실모접기
(3) 쌍사모접기

99① · 11① [3점]

1-3 목공사의 마무리 중 모접기의 종류를 다음 〈보기〉에서 골라 쓰시오.

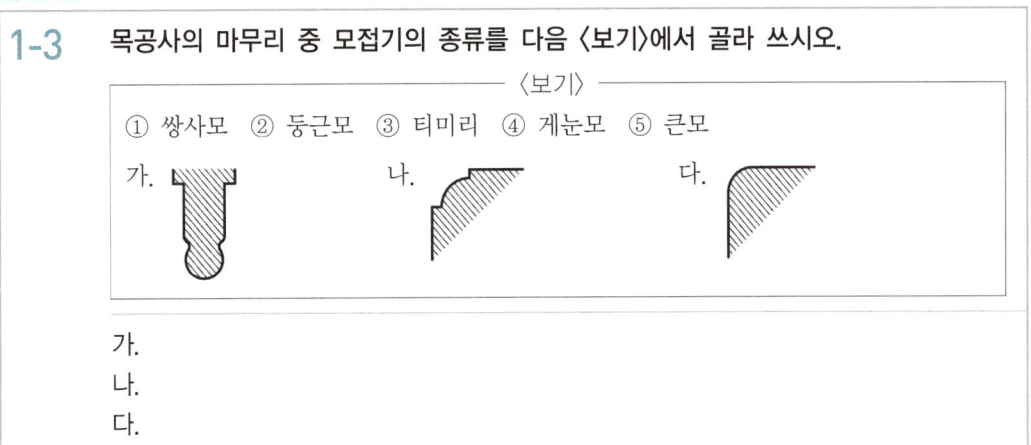

가.
나.
다.

[해설] 모접기의 종류
가. ③ 티미리
나. ④ 게눈모
다. ② 둥근모

제 3 절 | 접합

1. 부재 가공

(1) 종류

① 이음 : 두 부재를 길이 방향으로 접합하는 것
② 맞춤 : 두 부재를 서로 직각 또는 경사지게 접합하는 것
③ 쪽매 : 두 부재의 옆면을 섬유방향과 평행으로 옆으로 대어 접합하는 것
④ 연귀맞춤 : 모서리 구석 등에 표면 마구리가 보이지 않게 45° 각도로 빗잘라 대는 맞춤

> 09④ · 12④ · 16④ · 21④ · 산22①
> 용어 : 이음

> 99⑤ · 09④ · 12④ · 16④ · 21④ · 산22①
> 용어 : 맞춤

> 09④ · 12④ · 산22①
> 용어 : 쪽매

> 99⑤ · 06①
> 용어 : 연귀맞춤

(2) 이음 맞춤 시 주의사항

① 이음, 맞춤은 가능한 한 응력이 적은 곳에서 만든다.
② 재료는 될 수 있는 대로 적게 깎아내어 약해지지 않도록 한다.
③ 큰 응력을 받는 부분이나 약한 부분은 철물로써 보강한다.
④ 이음, 맞춤의 단면은 응력의 방향에 직각으로 한다.

(3) 쪽매

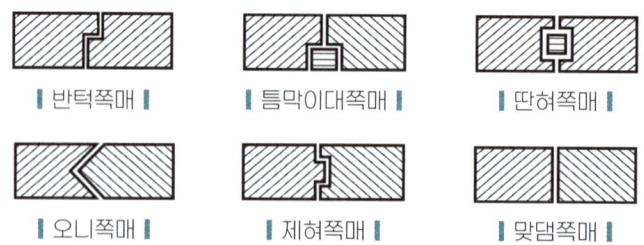

| 반턱쪽매 | 틈막이대쪽매 | 딴혀쪽매 |
| 오니쪽매 | 제혀쪽매 | 맞댐쪽매 |

> 90② · 산21① · 산21③
> 명칭 : 쪽매

2. 보강철물(연결철물)

(1) 못(시공)
  ① 널 두께는 못지름의 6배 이상
  ② 못길이는 널 두께의 2.5~3배, 널두께가 10mm 이하일 때는 4배, 재의 마구리에 박는 것은 3~3.5배 정도
  ③ 못은 15° 정도 기울게 박는다.

(2) 나사못/코치스크류
  ① 나사 틀어박기에 앞서 나사못 지름의 1/2 정도의 구멍을 뚫는다.
  ② 나사못은 처음부터 틀어박는 것을 원칙으로 하고, 때려박더라도 나사못 길이의 나중 1/3은 틀어박아야 한다.
  ③ 코치 스크류 등에 있어서는 그 길이의 1/2 정도까지 때려박고 나머지는 틀어 조인다.

(3) 꺾쇠
  ① 실용길이는 9~12cm, 갈구리 4~5cm
  ② 종류 : 보통꺾쇠, 엇꺾쇠, 주걱꺾쇠

> 98①
> 종류 : 꺾쇠

(4) 볼트
  ① 인장력에 저항하는 접합부 보강용 철물
  ② 볼트 구멍은 볼트지름보다 3mm 이상 커서는 안 된다.

(5) 듀벨

전단력에 저항하는 접합부 보강용 철물

> 99⑤
> 용어 : 듀벨

(6) 띠쇠
보통 띠쇠, ㄱ자쇠, ㄷ자쇠, 감잡이쇠, 안장쇠 등이 있다.

> 98⑤
> 종류 : 연결철물

단원별 경향문제

09④ · 12④ · 16④ [6점]

1-1 목공사에서 활용되는 다음 용어를 설명하시오.

(1) 이음 :
(2) 맞춤 :
(3) 쪽매 :

[해설] 용어
(1) 이음 : 두 부재를 **길이 방향**으로 접합하는 것
(2) 맞춤 : 두 부재를 서로 **직각 또는 경사지게** 접합하는 것
(3) 쪽매 : 두 부재의 **옆면을 섬유방향과 평행으로 옆으로 대어** 접합하는 것

06① [4점]

1-2 다음 설명에 알맞은 용어를 쓰시오.

(1) 나무나 석재의 모나 면을 깎아 밀어서 두드러지게 또는 오목하게 하여 모양지게 하는 것
(2) 모서리 구석 등에 표면 마구리가 보이지 않게 45° 각도로 빗잘라 대는 맞춤
(3) 무량판 구조 또는 평판 구조에서 특수상자 모양의 기성재 거푸집
(4) 굵은 골재를 거푸집에 넣고 그 사이 공극에 특수 모르타르를 적당한 압력으로 주입하여 만드는 콘크리트

(1)
(2)
(3)
(4)

[해설] 용어
(1) 모접기
(2) 연귀맞춤
(3) 워플(Waffle) 폼
(4) 프리플레이스트(프리팩트) 콘크리트

98⑤ [3점]

1-3 **목재 연결철물의 큰 분류상 종류를 3가지만 쓰시오.**

(1)
(2)
(3)

해설 목재 연결 철물
(1) 못(나사못)
(2) 띠쇠(꺾쇠)
(3) 볼트
(4) 듀벨

98①

1-4 **다음 그림의 꺾쇠 명칭을 쓰시오.**

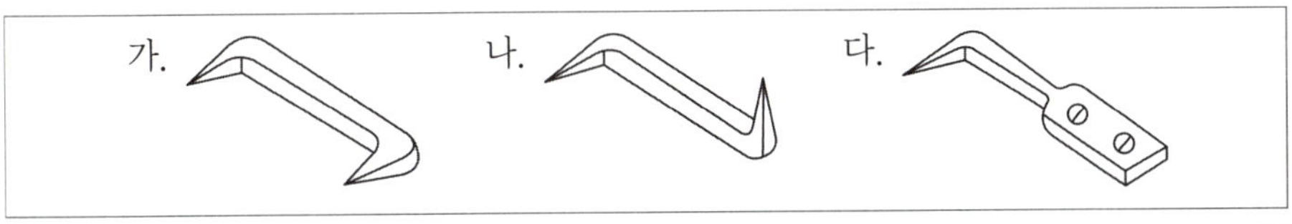

가.
나.
다.

해설 꺾쇠 종류
가. 보통꺾쇠
나. 엇꺾쇠
다. 주걱꺾쇠

1-5 목공사에 사용되는 쪽매의 그림이다. 각 그림에 맞는 용어를 기술하시오.

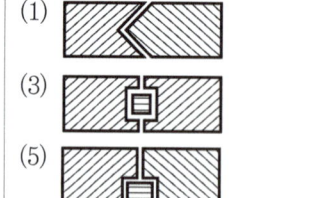

(1)
(2)
(3)
(4)
(5)

[해설] (1) 오니쪽매
(2) 반턱쪽매
(3) 딴혀쪽매
(4) 제혀쪽매
(5) 틈막이대쪽매

제 4 절 | 목구조의 부재 및 수장

1. 목구조의 부재

(1) 토대
① 기둥을 통해 내려오는 하중을 기초에 고르게 분포시키는 가로재
② 크기는 보통 기둥과 같게 하거나 다소 크게 한다.

> 산23①
> 정의 : 토대

(2) 통재기둥
① 밑층에서 위층까지 1층의 부재로 된 기둥
② 통재 기둥은 모서리나 벽의 중간에 설치기준이 되는 곳에 세우며, 길이는 대개 5~7m 정도

> 00①
> 용어 : 통재기둥

(3) 평기둥
① 평기둥의 간격은 2m 정도(1.8m)로 치수는 10.5cm 각 정도로 한다.
② 평기둥은 한층에 서는 기둥으로서 토대와 층도리, 깔도리, 처마도리 등 가로재에 의해 구획한다.

(4) 샛기둥
① 샛기둥은 본기둥 사이에서 벽체를 이루는 것으로서 가새의 옆휨(좌굴)을 막는 데 유효하다.
② 샛기둥의 크기는 본기둥의 반쪽 또는 1/3쪽으로 하고 간격은 40~60cm로 한다.

(5) 깔도리
기둥 맨 상단의 처마 부분에 수평으로 걸어 기둥 상단을 고정하면서 지붕틀을 받아 지붕의 하중을 기둥에 전달하는 부재

> 99⑤
> 용어 : 깔도리

2. 횡력에 저항하는 부재

(1) 가새
　① 수평력에 저항하는 부재로서 건물 전체의 변형을 방지하기 위하여 설치하는 부재
　② 가새와 샛기둥이 만날 때는 샛기둥을 따내고 가새는 따내지 않는다.

(2) 버팀대
　수평력에 저항하는 부재로 가새를 댈 수 없는 곳에 수직 모서리를 보강하는 부재

(3) 귀잡이
　수평력에 저항하는 부재로 수평 모서리를 보강하는 부재

> 98② · 08② · 14① · 산23①
> 종류/정의 : 횡력에 저항하는 부재

3. 수장

(1) 마루
　① 1층 마루의 종류 : 동바리마루, 납작마루

> 01①
> 종류 : 1층 마루 종류

　② 1층 마루의 시공순서 : 동바리돌 → 동바리 → 멍에 → 장선 → 밑창널 → 마루널

> 99⑤ · 21②
> 순서 : 1층 마루의 시공

　③ 2층 마루의 종류
　　㉠ 홀마루 : 장선 – 마루널
　　㉡ 보마루 : 보 – 장선 – 마루널
　　㉢ 짠마루 : 큰 보 – 작은 보 – 장선 – 마루널

> 01①
> 종류 : 2층 마루 종류

(2) 목조 반자틀
　달대받이 → 반자돌림대 → 반자틀받이 → 반자틀 → 달대 → 천장재 붙이기

> 99② · 03③
> 순서 : 목조 반자틀 시공순서

(3) 판벽
   ① 걸레받이 : 벽 하부의 바닥과 접하는 부분에 높이 20cm 정도로 설치한 것
   ② 징두리 판벽 : 바닥 하부에서 1~1.5m의 높이까지 널을 댄 벽
   ③ 고막이 : 외벽 하부지면에서 50cm 정도 설치한 것

   > 18② · 21②
   > 용어 : 징두리 판벽

(4) 목재 마루타일 붙이기 순서
   단열재 → 기포콘크리트 → 보호모르타르 → 목재마루 타일

   > 산23②
   > 순서 : 목재 마루타일 붙이기

1 목구조의 부재

1-1 다음 설명에 해당되는 용어를 쓰시오.

(1) 목구조에서 밑층에서 위층까지 1층의 부재로 된 기둥으로 5~7m 정도의 길이로 타 부재의 설치기준이 되는 기둥 (   )
(2) 기초의 종류 중 2개 이상의 기둥을 하나의 기초에 연결지지시키는 기초 방식 (   )

해설 용어
(1) 통재기둥   (2) 복합기초

1-2 다음은 목공사에 관한 설명이다. ( ) 안에 알맞은 말을 쓰시오.

(1) 창문틀이나 창문의 모서리 등에서 맞춤재의 마구리를 감추면서 튼튼하게 맞춤을 하는 것을 (①)라 한다.
(2) 널재를 나란히 옆으로 붙여 대어 판재를 넓게 하는 것을 (②)라 한다.
(3) 기둥 맨 상단의 처마 부분에 수평으로 걸어 기둥 상단을 고정하면서 지붕틀을 받아 지붕의 하중을 기둥에 전달하는 부재를 (③)라 한다.
(4) 1층 납작마루의 시공순서를 동바리돌 → 멍에 → (④) → 마루널의 순서로 한다.
(5) 목구조에서 접합부 보강용 철물로 사용되며, 전단력에 저항하는 보강철물을 (⑤) 이라 한다.

①
②
③
④
⑤

해설 용어
① 연귀 맞춤
② 쪽매
③ 깔도리
④ 장선
⑤ 듀벨

08② · 14① [3점]

1-3 목구조에서 횡력에 저항하도록 설계하는 부재 3가지를 기술하시오.

(1)
(2)
(3)

해설 횡력 보강 부재
(1) 가새
(2) 버팀대
(3) 귀잡이

98② [3점]

1-4 다음 용어에 대해 기술하시오.

(1) 가새 :
(2) 버팀대 :
(3) 귀잡이 :

해설 용어 설명
(1) 수평력에 저항하는 부재로서 건물 전체의 변형을 방지하기 위하여 설치하는 부재
(2) 수평력에 저항하는 부재로 수직 모서리를 보강하는 부재
(3) 수평력에 저항하는 부재로 수평 모서리를 보강하는 부재

21② [3점]

1-5 1층 마루널 설치에 관한 순서를 보기를 보고 나열하시오.

〈보기〉
마루널, 멍에, 장선, 동바리돌, 동바리

(　　　) → (　　　) → (　　　) → (　　　) → (　　　)

해설 동바리돌 → 동바리 → 멍에 → 장선 → 마루널

2 수장

01① [4점]

2-1 다음은 목공사의 마루에 대한 내용이다. (　) 안에 알맞은 말을 써 넣으시오.

> 나무 마루에는 바닥마루(1층 마루)로서 (1) 마루와 (2)마루가 있고, 층마루(2층 마루)로서 (3)마루, (4)마루, 짠마루가 있다.

(1)
(2)
(3)
(4)

해설 마루
(1) 동바리
(2) 납작
(3) 홑
(4) 보

99② · 03② [4점]

2-2 목조 반자틀의 시공순서를 〈보기〉에서 골라 번호로 쓰시오.

〈보기〉
① 반자틀받이　　② 반자틀　　③ 반자돌림대
④ 달대받이　　⑤ 천장재 붙이기　　⑥ 달대

(　) → (　) → (　) → (　) → (　) → (　)

해설 목조 반자틀 시공 순서
④ → ③ → ① → ② → ⑥ → ⑤

18② · 21② [2점]

2-3 수장 공사 시 바닥 하부에서 1~1.5m의 높이까지 널을 댄 벽의 명칭을 기술하시오.

해설 용어
징두리 판벽

CHAPTER 09 방수공사

제1절 │ 일반사항 및 지하실 방수

1. 방수공사의 분류

(1) 부위별
  ① 지상 방수 : 옥상, 외벽, 내벽 방수
  ② 지하실 방수 : 안 방수, 바깥 방수

(2) 공법별
  ① 멤브레인 방수 : 불투수성 피막을 형성하여 방수하는 공사로 아스팔트, 시트, 도막 방수 등이 있음
  ② 침투성 방수 : 시멘트 액체방수, 침투성 방수
  ③ 수밀재 붙임 : 금속판, 타일, 테라조판, 대리석판 붙임법
  ④ 구조체 방수 : 수밀 콘크리트

> 03③ · 산21③
> 용어 : 멤브레인 방수

> 99① · 02③ · 04③ · 산21③ · 산23①
> 종류 : 멤브레인 방수

2. 방수재료의 종류별 용도

(1) 방수 모르타르

시멘트, 모래와 방수제 및 물을 혼합하여 반죽한 것

(2) 방수 시멘트 페이스트

시멘트와 방수제 및 물을 혼합하여 반죽한 것

(3) 방수용액

물에 방수제를 넣어 희석 또는 용해한 것

(4) 프라이머

방수층과 바탕을 견고하게 접착시키는 목적으로 도포하는 액상 혹은 점착 유연형의 재료

> 산21①
> 용어 : 방수재료의 종류별 용도

3. 지하실 방수

구분	안 방수	바깥 방수
1. 바탕만들기	따로 만들 필요가 없다.	따로 만들어야 한다.
2. 사용환경	수압이 작은 지하에 적용	수압이 크고 깊은 지하실
3. 공사시기	자유롭다.	본공사에 선행되어야 한다.
4. 공사난이도	간단하다.	상당히 복잡하다.
5. 본공사 추진	방수공사에 관계없이 추진한다.	방수공사에 영향을 받는다.
6. 경제성	비교적 싸다.	비교적 고가이다.
7. 보호누름	필요하다.	없어도 무방하다.

> 98④ · 09④ · 12② · 19④ · 21① · 산22①
> 특징 : 안방수, 바깥방수 비교 / 차이점

> 03③ · 06① · 19④
> 특징 : 안방수, 바깥방수 장단점

(1) 안방수의 시공순서

지하구조체 완성 → 방수층 설치 → 보호 누름 → 보호 모르타르

(2) 바깥방수의 시공순서

잡석다짐 → 밑창(버림) 모르타르 → 바닥 방수층 시공 → 바닥콘크리트 → 외벽콘크리트 → 외벽방수 → 보호누름 벽돌쌓기 → 되메우기

> 99④ · 00⑤ · 02③ · 07① · 17①
> 순서 : 바깥방수 시공

단원별 경향문제

99① · 02③ · 04③ [3점]

1-1 방수공사에서 사용되는 재질에 의한 분류 중 멤브레인 방수공사의 종류를 3가지 쓰시오.

(1)　　　　　　　　(2)　　　　　　　　(3)

해설 멤브레인 방수
(1) 아스팔트방수　　(2) 시트(Sheet) 방수　　(3) 도막방수

산21① [4점]

1-2 다음은 방수재료에 대한 설명이다. 설명에 맞는 용어를 보기에서 골라 기입하시오.

〈보기〉
방수 모르타르, 방수 시멘트 페이스트, 방수용액, 프라이머

(1) 시멘트, 모래와 방수제 및 물을 혼합하여 반죽한 것 (　　　　　)
(2) 시멘트와 방수제 및 물을 혼합하여 반죽한 것 (　　　　　)
(3) 물에 방수제를 넣어 희석 또는 용해한 것 (　　　　　)
(4) 방수층과 바탕을 견고하게 접착시키는 목적으로 도포하는 액상 혹은 점착 유연형의 재료 (　　　　　)

해설 (1) 방수 모르타르　　(2) 방수 시멘트 페이스트
(3) 방수용액　　(4) 프라이머

12② · 21① [4점]

1-3 안방수와 바깥방수의 차이점 4가지를 기술하시오.

(1)
(2)
(3)
(4)

해설 (1) 안방수는 수압이 적은 얕은 지하에 적용, 바깥방수는 수압이 큰 깊은 지하에 적용
(2) 안방수는 시공이 간단, 바깥방수는 시공이 복잡함
(3) 안방수는 비교적 저렴함, 바깥방수는 비교적 고가임
(4) 안방수는 보호누름 필요, 바깥방수는 없어도 상관없음

03③ · 06① [4점]

1-4 방수공법으로 안방수와 바깥방수의 장단점을 쓰시오.

(1) 안방수
 ① 장점 :
 ② 단점 :

(2) 바깥방수
 ① 장점 :
 ② 단점 :

해설 안방수와 바깥방수
(1) 안방수
 ① 장점 : 공사시기가 자유롭고 공사비가 저렴하다.
 ② 단점 : 수압이 적고 얕은 지하실에서 사용되며 내수압성이 떨어진다.
(2) 바깥방수
 ① 장점 : 수압이 크고 깊은 지하실에서 사용되며 내수압성이 크다.
 ② 단점 : 공사시기가 본 공사에 선행하므로 자유롭지 못하고 공사비가 고가이다.

98④ · 09④ · 19④ [5점]

1-5 지하실 외벽의 경우에 안방수와 바깥방수를 다음의 관점에서 각각 비교하여 쓰시오.

구분	안방수	바깥방수	보기	
(1) 사용환경			① 수압이 작고 얕은 지하실	② 수압이 크고 깊은 지하실
(2) 바탕처리			① 따로 만들 필요 없음	② 따로 만들어야 함
(3) 공사시기			① 자유롭다.	② 본 공사에 선행
(4) 시공용이			① 간단하다.	② 어렵다.
(5) 경제성			① 저렴	② 고가
(6) 보호누름			① 필요하다.	② 없어도 무방

구분	안방수	바깥방수
(1) 사용환경		
(2) 바탕처리		
(3) 공사시기		
(4) 시공용이		
(5) 경제성		
(6) 보호누름		

해설

구분	안방수	바깥방수
(1) 사용환경	①	②
(2) 바탕처리	①	②
(3) 공사시기	①	②
(4) 시공용이	①	②
(5) 경제성	①	②
(6) 보호누름	①	②

1-6 지하실 바깥방수 시공순서를 〈보기〉에서 골라 번호를 쓰시오.

99④ · 00⑤ · 02③ · 07① · 17① [5점]

― 〈보기〉 ―
① 밑창(버림) 모르타르 ② 잡석다짐 ③ 바닥콘크리트
④ 보호누름 벽돌쌓기 ⑤ 외벽콘크리트 ⑥ 외벽방수
⑦ 되메우기 ⑧ 바닥 방수층 시공

( ) → ( ) → ( ) → ( ) → ( ) → ( ) → ( ) → ( )

해설 바깥방수 시공순서

② → ① → ⑧ → ③ → ⑤ → ⑥ → ④ → ⑦

1-7 지하실 바깥방수법의 시공공정 순서를 쓰시오.

99④ · 00⑤ · 02③ · 07① [3점]

밑창콘크리트 - (1) - 바닥콘크리트 타설 - 벽콘크리트 타설 - (2) - (3) - 되메우기

(1)
(2)
(3)

해설 지하실 바깥방수법 시공순서

(1) 바닥방수층 시공
(2) 외벽방수 시공
(3) 보호누름 벽돌 쌓기

제 2 절 | 침투성 방수와 멤브레인 방수

1. 침투성 방수(시멘트 액체방수)

(1) 정의

콘크리트 등의 구조체에 방수액을 침투시켜 구조체 자체의 방수성능을 증진시키는 방수공법이다.

(2) 바탕처리

① 결함, 균열부위 보수 및 청소
② 바탕은 평활하게 하고 필요에 따라 물흘림 경사(1/200)를 둔다.

(3) 시공순서

① 제1공정 : 바탕면 정리 및 물청소 → 방수시멘트 페이스트 1차 → 방수액침투 → 방수시멘트 페이스트 2차 → 방수 모르타르
② 제2공정 : 제1공정 위에 덧붙여 같은 작업을 다시 반복 시공한다.

> 산21①
> 시공순서 : 시멘트 액체방수

2. 멤브레인 방수

(1) 정의

불투수성 피막을 형성하여 방수하는 공사

(2) 종류

아스팔트방수, 시트 방수, 도막 방수

> 03③
> 용어/종류 : 멤브레인 방수

3. 아스팔트 방수의 재료

(1) 아스팔트

① 스트레이트 아스팔트 : 신축이 좋고 접착력도 우수하지만 연화점이 낮아 주로 지하실 등에 사용한다.
② 블로운아스팔트
  ㉠ 비교적 연화점이 높고 온도에 예민하지 않으므로 지붕방수에 주로 사용한다.
  ㉡ 탄력성과 휘발성분은 적다.

③ 아스팔트컴파운드
   ㉠ 블로운 아스팔트에 동식물성 기름과 광물성 분말을 혼합하여 성질을 개량한 최우량품의 아스팔트로 고가이다.
   ㉡ 신축성, 유동성이 좋으며 내산, 내후, 내열, 점착성이 좋다.

> 98② · 01②
> 용어 : 스트레이트 아스팔트

> 98④
> 특징 : 스트레이트 아스팔트와 블로운아스팔트 비교

> 98② · 01② · 산22②
> 용어 : 블로운 아스팔트

> 98② · 01② · 09④ · 17④
> 용어 : 아스팔트 컴파운드

(2) 아스팔트 프라이머
① 아스팔트를 휘발성용제로 녹여 액체화시킨 교착제
② 방수시공 시 밑바탕에 도포하여 모재와 방수층의 부착을 좋게 한다.

> 98② · 01②
> 용어 : 아스팔트 프라이머

(3) 아스팔트 펠트
유기성 섬유를 펠트(felt) 상으로 만든 원지에 가열 용융한 스트레이트 아스팔트를 침투시켜 만든 것이다.

(4) 아스팔트 루핑
원지에 스트레이트 아스팔트를 침투시킨 다음 그 양면에 블론 아스팔트를 도포하고, 광물질 분말을 살포하여 마무리한 것이다.

(5) 아스팔트 주요성질
① 침입도
   ㉠ 25℃에서 100g의 추가 5초 동안 바늘을 누를 때 0.1mm 들어가는 것을 침입도 1이라 한다.
   ㉡ 아스팔트의 품질판정에 가장 중요한 요소이다.

> 09① · 15①
> 용어 : 침입도

② 연화점
   ㉠ 아스팔트를 가열하여 액체상태의 점도에 도달했을 때의 온도이다.
   ㉡ 일반적으로 연화점과 침입도는 반비례한다.
③ 인화점 : 아스팔트를 가열하여 불을 붙일 때 점화되는 순간의 온도이다.
④ 스트레이트 아스팔트와 블로운 아스팔트의 항목별 비교
   ㉠ 침입도 : 스트레이트 아스팔트 > 블로운 아스팔트
   ㉡ 상온신장도 : 스트레이트 아스팔트 > 블로운 아스팔트
   ㉢ 부착력 : 스트레이트 아스팔트 > 블로운 아스팔트
   ㉣ 탄력성 : 스트레이트 아스팔트 < 블로운 아스팔트

> 98④
> 비교 : 항목별 대소

4. 아스팔트방수의 시공(8층, 3겹 방수)

(1) 8층 방수공사의 시공순서
   ① 제1층 : 아스팔트 프라이머
   ② 제2층 : 아스팔트
   ③ 제3층 : 아스팔트 펠트
   ④ 제4층 : 아스팔트
   ⑤ 제5층 : 아스팔트 루핑
   ⑥ 제6층 : 아스팔트
   ⑦ 제7층 : 아스팔트 루핑
   ⑧ 제8층 : 아스팔트

(2) 옥상의 아스팔트 방수공사의 시공순서

   바탕처리 → Asphalt 방수층 시공 → 보호 누름 콘크리트 → 마감 모르타르 시공

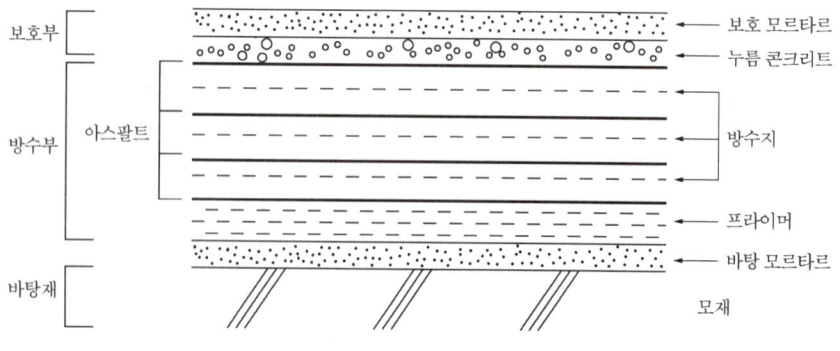

| 아스팔트 방수 시공 |

> 00② · 02② · 10① · 15②
> 순서 : 아스팔트 방수순서(8층/옥상)

5. 시멘트 액체방수와 아스팔트 방수 비교

구분	아스팔트 방수	시멘트 액체방수
1. 바탕처리	완전 건조, 보수 처리 보통, 바탕 모르타르 바름을 한다.	보통 건조, 보수 처리 엄밀히 한다.
2. 외기에 대한 영향	적다.	직감적이다.
3. 방수층의 신축성	크다.	거의 없다.
4. 균열의 발생 정도	비교적 안 생긴다.	잘 생긴다.
5. 방수층의 중량	자체는 적으나 보호누름이 있으므로 총체적으로 크다.	비교적 가볍다.
6. 시공의 용이도	번잡하다.	간단하다.
7. 시공 시일	길다.	짧다.
8. 보호누름	절대 필요하다.	안 해도 무방하다.
9. 경제성(공사비)	비싸다.	다소 싸다.
10. 방수 성능 신용도	신뢰할 수 있다.	신뢰성이 약하다.
11. 재료 취급, 성능판단	복잡하지만 명확하다.	간단하지만 신빙성이 적다.
12. 결합부 발견	용이하지 않다.	용이하다.
13. 보수 범위	광범위하고 보호 누름도 재시공한다.	국부적으로 보수할 수 있다.
14. 보수비	비싸다.	싸다.
15. 방수층 끝마무리	불확실하고 난점이 있다.	확실히 할 수 있고 간단하다.

99③

특징 : 아스팔트 방수와 시멘트 액체방수 비교

단원별 경향문제

03③ [4점]

1-1 다음은 방수공사에 대한 설명으로 (　) 안에 알맞은 용어를 쓰시오.

(1) 멤브레인 방수층이란 불투수성 피막을 형성하여 방수하는 공사를 총칭하며, (①), (②), (③)이 여기에 해당된다.
(2) 방수를 도막재와 병용하여 방수층을 보강하는 재료로써 일반적으로 유리 섬유제품이나 합성섬유 제품을 사용한다. 이것을 (④)(이)라 한다.

①
②
③
④

해설 방수공법
① 아스팔트 방수법　② 시트 방수법
③ 도막방수법　　　④ 라이닝 공법

98② · 01② [4점]

1-2 다음 아스팔트 방수공사의 재료에 관한 명칭을 쓰시오.

(1) 블로운 아스팔트에 동식물성 기름과 광물성 분말을 혼합하여 성질을 개량한 최우량품의 아스팔트이다.
(2) 아스팔트를 휘발성용제로 녹인 것으로 방수시공 시 밑바탕에 도포하여 모재와 방수층의 부착을 좋게 한다.
(3) 비교적 연화점이 높고 온도에 예민하지 않으므로 지붕방수에 주로 사용한다.
(4) 신축이 좋고 접착력도 우수하지만 연화점이 낮아 주로 지하실 등에 사용한다.

(1)
(2)
(3)
(4)

해설 아스팔트 방수 재료
(1) 아스팔트 컴파운드
(2) 아스팔트 프라이머
(3) 블로운 아스팔트
(4) 스트레이트 아스팔트

09① · 15① [4점]

1-3 다음 용어를 간단히 설명하시오.

(1) 물시멘트비(W/C) :
(2) 침입도 :

[해설] 용어
(1) 물-시멘트비 : 시멘트 모르타르 또는 콘크리트에 사용된 **시멘트 중량에 대한 물의 중량비**
(2) 침입도 : 25℃, 100g의 추를 5초간 관입하는 것으로 아스팔트 상태의 **좋고 나쁨**을 나타냄

98④ [4점]

1-4 스트레이트 아스팔트와 블로운 아스팔트의 항목별 대소를 표시하시오.

(1) 침입도 : 스트레이트 아스팔트 (   )블로운 아스팔트
(2) 상온신장도 : 스트레이트 아스팔트 (   )블로운 아스팔트
(3) 부착력 : 스트레이트 아스팔트 (   )블로운 아스팔트
(4) 탄력성 : 스트레이트 아스팔트 (   )블로운 아스팔트

[해설] 아스팔트 비교
(1) 침입도 : 스트레이트 아스팔트 (>) 블로운 아스팔트
(2) 상온신장도 : 스트레이트 아스팔트 (>) 블로운 아스팔트
(3) 부착력 : 스트레이트 아스팔트 (>) 블로운 아스팔트
(4) 탄력성 : 스트레이트 아스팔트 (<) 블로운 아스팔트

00② · 02② [4점]

1-5 다음은 아스팔트 8층 공사의 방수층을 하층에서부터 상층으로 사용하는 재료를 기입한 것이다. 빈칸에 알맞은 재료를 기입하시오.

(1) 1층 :
    2층 : 아스팔트
(2) 3층 :
(3) 4층 :
(4) 5층 :
    6층 : 아스팔트
    7층 : 아스팔트 루핑
(5) 8층 :

[해설] 방수층 재료
(1) 1층 : 아스팔트 프라이머, 2층 : 아스팔트
(2) 3층 : 아스팔트 펠트
(3) 4층 : 아스팔트
(4) 5층 : 아스팔트 루핑, 6층 : 아스팔트, 7층 : 아스팔트 루핑
(5) 8층 : 아스팔트

10① · 15② [5점]

1-6 옥상 8층 아스팔트 방수공법을 시공순서대로 나열하시오.

(1) 1층 (　　　)　　(2) 2층 (　　　)
(3) 3층 (　　　)　　(4) 4층 (　　　)
(5) 5층 (　　　)　　(6) 6층 (　　　)
(7) 7층 (　　　)　　(8) 8층 (　　　)

해설 아스팔트 방수시공 순서
1층 : 아스팔트 프라이머　　2층 : 아스팔트
3층 : 아스팔트 펠트　　　　4층 : 아스팔트
5층 : 아스팔트 루핑　　　　6층 : 아스팔트
7층 : 아스팔트 루핑　　　　8층 : 아스팔트

00② · 02② · 10① [4점]

1-7 다음은 옥상에 아스팔트 방수공사를 한 그림이다. 콘크리트 바탕으로부터 최상부 마무리까지의 시공순서를 번호에 맞춰 쓰시오. (단, 아스팔트 방수층 시공순서는 세분하지 않는다.)

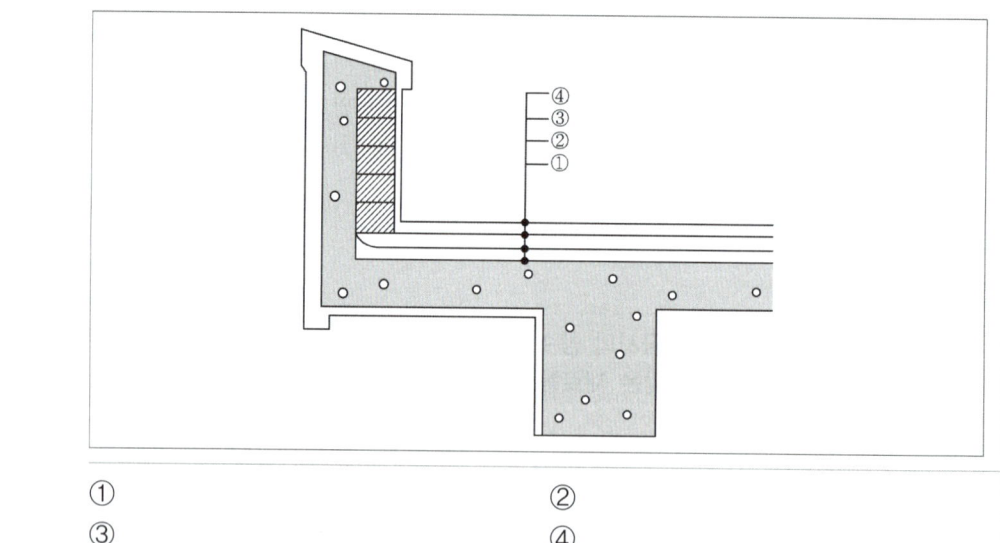

①　　　　　　　　　　　②
③　　　　　　　　　　　④

해설 아스팔트 방수
① 바탕처리
② Asphalt 방수층 시공
③ 보호 누름 콘크리트
④ 마감 모르타르 시공

99③ [5점]

1-8 아스팔트 방수와 시멘트 액체방수를 다음의 관점에서 각각 비교하시오.

구분	아스팔트 방수	시멘트 액체방수
(1) 바탕처리		
(2) 방수층의 신축성		
(3) 시공용이도		
(4) 방수성능		
(5) 보수범위		

해설 아스팔트방수와 시멘트 액체방수의 비교

구분	아스팔트 방수	시멘트 액체방수
(1) 바탕처리	평활, 건조	불필요
(2) 방수층의 신축성	크다.	작다.
(3) 시공용이도	번잡하다.	용이하다.
(4) 방수성능	신뢰할 수 있다.	신뢰성이 약하다.
(5) 보수범위	광범위	국부적

산21① [5점]

1-9 바닥용 시멘트 액체 방수층 시공순서를 보기에서 골라 순서대로 나열하시오.

〈보기〉
방수 모르타르, 방수액침투, 바탕면 정리 및 물청소, 방수시멘트 페이스트 1차, 방수시멘트 페이스트 2차

( ) → ( ) → ( ) → ( ) → ( )

해설 바탕면 정리 및 물청소 → 방수시멘트 페이스트 1차 → 방수액침투 → 방수시멘트 페이스트 2차 → 방수 모르타르

제 3 절 | 시트 방수 및 도막 방수

1. 시트 방수

(1) 정의

합성고분자 재료(합성고무, 합성수지 등)의 시트 1겹을 표면에 접착제로 붙여 방수막을 형성하는 방법

> 00① · 09④
> 용어 : 시트 방수

(2) 특성

장점	단점
① 공기단축 가능 ② 내약품성 우수 ③ 방수층의 두께가 균일함	① 온도에 따른 영향이 커서 균열, 박리의 우려가 있음 ② 내구성 있는 보호층이 필요함 ③ 보호층 형상시공이 어려움

> 12① · 19①,② · 21④ · 산22③ · 산23②
> 특징 : 시트 방수 장단점

(3) 시공

① 순서 : 바탕처리 → 단열재 깔기 → 프라이머 칠 → 접착제 칠 → 시트 붙이기 → 보강붙이기 → 조인트 seal → 물 채우기 시험

> 98⑤ · 99③ · 00④,⑤ · 05① · 08③ · 11② · 13② · 15① · 17②
> 순서 : 시트 방수

② 접착방법

　㉠ 온통 접착
　㉡ 줄 접착
　㉢ 점 접착

> 04②
> 종류 : 시트 방수 공법

③ 이음 : 시트 상호간 이음 겹침길이는 겹친이음은 50mm 이상, 맞댄이음은 100mm 이상으로 하고 테이프로 보강하고 seal 등으로 충진하여 수밀하게 시공한다.

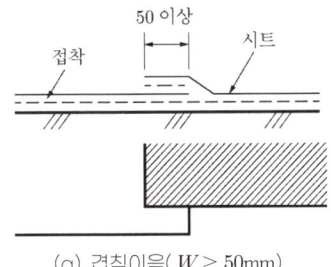
(a) 겹침이음($W \geq 50mm$)

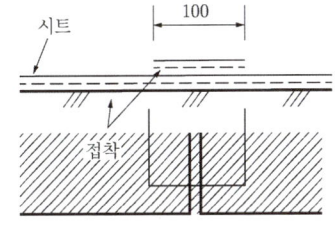
(b) 맞댐(덧쪽)이음($W \geq 100mm$)

> 98⑤ · 04②
> 종류 : 시트 방수 이음

2. 도막 방수

(1) 정의
도료 상태의 방수제를 표면에 여러 번 칠하여 방수막을 형성하는 방법

> 00① · 09④
> 용어 : 도막방수

(2) 특성

장점	단점
① 시공이 용이	① 외상에 약함
② 착색의 자유로움	② 화열에 약함
③ 공기단축	③ 외기 노출 시 탄성저하 우려

(3) 공법
① 코팅공법 : 도막 방수재를 단순히 도포만 하는 방법
② 라이닝(Lining) 공법 : 방수를 도막재와 병용하여 방수층을 보강하는 재료로써 일반적으로 유리섬유, 합성섬유 등의 망상포를 적층하여 도포하는 방법

> 03③
> 용어 : 라이닝 공법

단원별 경향문제

00① · 09④ · 11④ [4점]

1-1 방수공법 중 도막방수와 시트방수의 방수층 형성 원리에 대하여 기술하시오.

(1) 도막방수 :
(2) 시트방수 :

해설 방수공법
(1) 도막방수 : 도료 상태의 방수제를 표면에 여러 번 칠하여 방수막을 형성하는 방법
(2) 시트방수 : 합성고분자 재료(합성고무, 합성수지 등)의 시트 1겹을 표면에 접착제로 붙여 방수막을 형성하는 방법

12① · 19①,② [4점]

1-2 Sheet 방수공법의 장·단점을 각각 2가지씩 기술하시오.

(1) 장점
   ①
   ②
(2) 단점
   ①
   ②

해설 (1) 장점
   ① 공기단축이 가능하며 내약품성이 우수함
   ② 방수층의 두께가 균일함
(2) 단점
   ① 온도에 따른 영향이 커서 균열, 박리의 우려가 있음
   ② 내구성 있는 보호층이 필요함

98⑤ · 99③ · 00④,⑤ · 05① · 08③ · 11② · 13②[4점]

1-3 다음 보기는 시트 방수공사의 항목들이다. 시공의 순서대로 기호를 나열하시오.

〈보기〉
① 단열재 깔기 ② 접착제 도포 ③ 조인트 실(Seal)
④ 물 채우기 시험 ⑤ 보강 붙이기 ⑥ 바탕처리
⑦ 시트 붙이기

( ) → ( ) → ( ) → ( ) → ( ) → ( ) → ( )

해설 시트방수 시공순서
⑥ → ① → ② → ⑦ → ⑤ → ③ → ④

98⑤ · 99③ · 00④,⑤ · 05① · 08③ · 11② · 15① · 17② [3점]

1-4 시트(Sheet) 방수 공법의 시공순서를 쓰시오.

바탕처리 - (1) - 접착제 칠 - (2) - (3)

(1)
(2)
(3)

해설 시트 방수 순서
(1) 단열재 깔기(또는 프라이머 칠)
(2) 시트 붙이기
(3) 조인트 seal(또는 물 채우기 시험)

04② [4점]

1-5 시트 방수 공사에서 시트 방수재를 붙이는 방법 3가지를 쓰고, 시트이음방법을 설명하시오.

(1) 붙이는 방법 :
(2) 시트이음 방법 :

해설 시트 방수
(1) 온통 접착, 줄 접착, 점 접착
(2) 시트 상호간 이음 겹침길이는 겹친이음은 50mm 이상, 맞댄이음은 100mm 이상으로 하고 테이프로 보강하고 seal 등으로 충진하여 수밀하게 시공한다.

1-6 다음은 시트 방수 공법에 대한 설명이다. ( ) 안에 알맞은 말을 쓰시오.

(1) 일반적으로 시트의 상호 간의 이음은 (　　　) 또는 (　　　)으로 하고, 각기 겹친너비는 5cm 이상, 10cm 이상이 필요하고 충분히 압착해야 한다.
(2) 시공순서는 바탕처리 – (　　　) – 접착제 칠 – (　　　) – 마무리

해설 시트방수 시공
(1) 겹친이음, 맞댄이음
(2) 프라이머 도포, 시트 붙이기

제 4 절 | 멤브레인 방수의 영문 표시 기호 및 실(Seal)재방수

1. 멤브레인 방수의 영문 표시 기호 : 재료, 바탕 고정상태, 단열재 유무, 적용부위

구분	아스팔트 방수	시멘트 액체방수
아스팔트 방수(A)	Pr : 보호층 필요(보행용) Mi : 모래 붙은 루핑 Al : ALC패널 방수층 Th : 단열재 삽입 In : 실내용	F : 전면부착 S : 부분부착 T : 바탕과의 사이에 단열재 M : 바탕과 기계적으로 고정시키는 방수층 U : 지하에 적용하는 방수층 W : 외벽에 적용하는 방수층
시트 방수(S)	Ru : 합성 고무계 Pl : 합성 수지계	
개량형 아스팔트 방수(M)	Pr : 보호층 필요 Mi : 모래 붙은 루핑	
도막 방수(L)	Ur : 우레탄 Ac : 아크릴 고무 Gu : 고무아스팔트	
A : Asphalt S : Sheet M : Modified Asphalt L : Liquid	Pr : Protected Al : Alc Th : Thermal Insulated Mi : Mineral Surfaced In : Indoor Ru : Rubber Pl : Plastic Ur : Urethane Rubber Ac : Acrylic Rubber Gu : Gum	F : Fully Bonded S : Spot Bonded T : Thermal Insulated M : Mechanical Fastened U : Underground W : Wall

> 05① · 09④ · 10① · 16②
> 기호 : 방수공사 표시방법 중 최후의 영문자 내용

2. 합성고분자 방수

(1) 정의

방수 공법에 사용하는 재료로 합성고분자를 사용하는 방수

(2) 종류

시트방수, 도막방수, 실(Seal)재 방수

> 99② · 01③
> 종류 : 합성고분자 방수

3. 실(Seal)재 방수

(1) 정의

부재 접합부 사이의 공극에 탄성재를 충전하여 방수적으로 일체화하는 틈막이 방수공법이다.

(2) 요구성능

① 접착성
  ㉠ 실리콘재의 접착성을 고려해서, 외장재의 재질이나 표면마무리를 생각한다.
  ㉡ PC/커튼월이나 RC조에서는 충분한 건조가 가능하도록 공정을 짠다.

② 내구성
  ㉠ 목표 수명의 설정 및 무브먼트 등의 사용조건을 명확히 한다.
  ㉡ 목표 수명을 달성하도록 재료 선정을 함과 동시에 조인트의 형상치수를 결정한다.

③ 오염방지성
  ㉠ 오염이 문제가 되는 벽에서는 실리콘계 실링재를 피한다. 부득이하게 사용할 경우에는 물흘림의 설치 오염방지제의 도포 및 클리닝 등을 고려한다.
  ㉡ 방수성과 오염방지성의 균형을 꾀한다.

> 05② · 10①
> 특징 : 실링방수제 요구성능

(3) 하자

① 실링재 자신의 파단
② 접착면과의 박리
③ 접착부나 줄눈 주위의 오염

> 03①
> 원인 : 하자원인

(4) 시공순서

① 피복면 청소
② 백업(Back up)재 부착
③ 마스킹 테이프 부착
④ 프라이머 도포
⑤ 실링재 충진
⑥ 주걱누름
⑦ 줄눈 주위 청소

단원별 경향문제

05① · 09④ [4점]

1-1 건축공사표준시방서의 방수공사 표시방법 중 각 공법에서 최후의 문자는 각 방수층에 대하여 공통으로 고정상태, 단열재의 유무 및 적용부위를 의미한다. 이에 사용되는 영문기호 F, M, S, U, T, W 중 4개를 선택하여 그 의미를 설명하시오.

(1)
(2)
(3)
(4)

해설 용어
(1) F(Fully Bonded) : 바탕에 **전면 부착**시키는 공법
(2) M(Mechanical Fastened) : 바탕과 **기계적으로 고정**시키는 방수층
(3) S(Spot Bonded) : 바탕에 **부분적으로 부착**시키는 공법
(4) U(Underground) : **지하에 적용**하는 방수층
(5) T(Thermal Insulated) : 바탕과의 사이에 **단열재를 삽입**하는 방수층
(6) W(Wall) : **외벽에 적용**하는 방수층

10① [5점]

1-2 건축공사표준시방서에서 표기한 방수층의 영문기호 중 아스팔트 방수층에 적용되는 영문기호 Pr, Mi, Al, Th, In의 의미를 설명하시오.

(1) Pr :
(2) Mi :
(3) Al :
(4) Th :
(5) In :

해설 아스팔트방수 영문기호
(1) Pr : (Protected) – 보행 등에 견딜 수 있는 **보호층이 필요한** 방수층
(2) Mi : (Mineral Surfaced) – 최상층에 **모래 붙은 루핑을 사용**한 방수층
(3) Al : (Alc) – 바탕이 **ALC 패널용의** 방수층
(4) Th : (Thermal Insulated) – 방수층 사이에 **단열재를 삽입**한 방수층
(5) In : (Indoor) – **실내용** 방수층

1-3 건축공사 표준시방서에 기술된 방수공사의 표기법에서 최초의 문자는 방수층의 종류에 따라 달라지는데 다음 알파벳 기호가 나타내는 의미를 기술하시오.

(1) A :
(2) S :
(3) L :
(4) M :

해설 멤브레인 방수 – 영문표기법
(1) A : 아스팔트방수(Asphalt)
(2) S : 시트방수(Sheet)
(3) L : 도막방수(Liquid)
(4) M : 개량형 아스팔트방수(Modifed Asphalt)

1-4 합성고분자 방수법의 종류에 대해서 3가지 쓰시오.

(1)
(2)
(3)

해설 합성고분자 방수법
(1) 도막방수
(2) 시트방수
(3) 실(Seal)재 방수

1-5 실링방수제가 수밀성과 기밀성을 확보하면서 방수제로서 기능을 만족하고, 이를 장기적으로 유지시키기 위해서 요구되는 실링방수제의 품질성능 요소를 3가지 쓰시오.

(1)
(2)
(3)

해설 실링방수제의 품질성능 요소
(1) 접착성
(2) 내구성
(3) 오염방지성

03① [3점]

1-6 실링방수제의 주요 하자 요인을 크게 3가지로 분류하시오.

(1)
(2)
(3)

해설 실링방수제의 하자 요인
(1) 실링재 자신의 파단
(2) 접착면과의 박리
(3) 접착부나 줄눈 주위의 오염

CHAPTER 10 지붕, 창호 및 유리공사

제1절 | 지붕공사

1. 일반사항

(1) 지붕재료 요구성능
  ① 내수적이고 습도에 의한 신축이 적을 것
  ② 열전도율이 적고 불연재일 것
  ③ 내구적이며 경량일 것

(2) 물매
  ① 정의 : 수평 10cm에 대한 수직 높이의 비율을 말한다.
  ② 평물매 : 평보 반길이에 대한 왕대공 높이의 비율이다.
     귀물매 : 평물매 값을 $\sqrt{2}$ 로 나눈 비율이다.

2. 한식기와

(1) 기와종류
  ① 너새 : 박공 옆에 직각으로 대는 암키와
  ② 감새 : 박공 옆면에 내리덮는 날개를 옆에 댄 평기와
  ③ 산자 : 서까래 위에 기와를 잇기 위하여 가는 싸리 나무
  ④ 아귀토 : 수키와 처마 끝에 막새 대신에 회백토로 둥글게 바른 것
  ⑤ 알매흙 : 암키와 밑에 산자 위에서 펴 까는 진흙
  ⑥ 홍두깨흙 : 수키와 밑의 진흙
  ⑦ 회첨골 : 골추녀에 암키와를 낮게 두 줄로 깐 것

> 90③
> 명칭 : 한식 기와에 이용되는 각종 기와의 명칭

> 12①
> 용어 : 아귀토, 알매흙

3. 금속판 잇기

(1) 재료별 특성

① 아연판 : 산, 알칼리 및 연탄가스에 약하여 연탄 굴뚝 주위, 부엌에 맞닿는 지붕에 사용을 금지한다.

② 동판 : 알칼리에 약하여 화장실이나 암모니아 가스가 발생하는 곳은 부적당하다.

③ 알루미늄판 : 염에 약하여 해안에는 부적당하다.

④ 납판 : 목재와 회반죽에 닿으면 썩기 쉬우나, 온도에 신축성이 크다.

⑤ 함석 : 탄산가스(CO_2)에 약하다.

(2) 잇기

① 골판

㉠ 고정철물로는 중도리가 목조일 때에는 아연 도금못 또는 나사못을, 철골일 때에는 갈구리 볼트를 한 장의 나비에 3개씩 친다.

㉡ 가로 겹침길이는 큰 골판 1.5골, 작은 골판 2.5골 이상으로 한다.

㉢ 세로 겹침길이는 보통 15cm 정도로 골슬레이트와 같이 한다.

> 92① · 95④ · 97⑤
> 수치 : 골팟잇기 ( )넣기

② 평판

㉠ 바탕 방수지의 겹침길이는 가로 9cm, 세로 12cm 이상으로 한다.

㉡ 금속판은 신축에 대비하기 위하여 45~60cm 정도로 잘라서 잇는다.

㉢ 처마끝 부분은 나비 3cm 정도의 거멀띠, 밑창판을 약 25cm 간격으로 못박아 대고 감싸기판을 거멀띠에 접어 걸어 밑창판과 지붕판을 감싸기판과 같이 꺾어 접는다.

㉣ 금속판의 접합은 폭 1.5~2.5cm 정도의 거멀접기(감접기)에 의한 거멀쪽 이음을 각 판마다 4곳 이상 한다.

③ 기와가락

㉠ 지붕널 위 물흐름 방향으로 4~6cm 각재(기와가락)를 간격 40~55cm(서까래 위치에 맞춤)로 댄다.

㉡ 지붕판은 기와가락 옆에서 3cm 이상 꺾어 올리고, 거멀쪽 2개 이상을 써서 덮개와 같이 꺾어 접는다.

㉢ 기와가락을 대지 않고 중공 기와가락으로 할 수도 있다.

(3) 금속기와 잇기 시공순서
　① 경량철골 설치
　② Purlin 설치(지붕레벨 고려)
　③ 부식방지를 위한 철골용접 부위의 방청도장 실시
　④ 서까래 설치(방부처리를 할 것)
　⑤ 금속기와 Size에 맞는 간격으로 기와걸이 미송각재를 설치
　⑥ 금속기와 설치

> 12① · 19②
> 순서 : 금속기와 잇기

단원별 경향문제

1-1 다음은 한식기와 잇기에 대한 설명이다. ( ) 안에 해당하는 용어를 기술하시오.

한식기와 잇기에서 산자 위에서 펴 까는 진흙을 (①)(이)라 하며, 수키와 처마 끝에 막새 대신에 회백토로 둥글게 바른 것을 (②)(이)라 한다.

(1)
(2)

해설 (1) 알매흙
(2) 아귀토

1-2 금속판 지붕공사에서 금속기와 설치 순서를 번호대로 나열하시오.

① 서까래 설치(방부처리를 할 것)
② 금속기와 Size에 맞는 간격으로 기와걸이 미송각재 설치
③ 경량철골 설치
④ Purlin 설치(지붕레벨 고려)
⑤ 부식방지를 위한 철골용접 부위의 방청도장 실시
⑥ 금속기와 설치

( ) → ( ) → ( ) → ( ) → ( ) → ( )

해설 ③ → ④ → ⑤ → ① → ② → ⑥

제 2 절 | 창호공사

1. 일반사항

(1) 요구성능
　① 내풍압성, 기밀성, 개폐성, 내구성
　② 방음성, 단열성, 방화성

(2) 창호 성능에 따른 분류
　① 방음 창호
　② 단열 창호
　③ 방화 창호

> 03③
> 종류 : 창호 성능에 따른 분류

(3) 창호의 종류 및 용도
　① 주름문 : 문을 닫았을 때 창살처럼 되는 문으로 방범용으로 쓰임
　② 회전문 : 외풍을 막고 기밀성을 높인 문으로 회전지도리를 사용, 현관의 방풍용
　③ 양판철재문 : 갑종 방화문, 을종 방화문
　④ 행거도어 : 창고, 격납고, 차고, 현장 정문 등 대형문에 이용하고 중량문일때는 레일 및 바퀴를 설치하기도 한다.
　⑤ 아코디언도어 : 칸막이용 가변적 구획을 할 수 있다.
　⑥ 징두리 양판문 : 상부에 유리, 높이 1m 정도 하부에만 양판을 댄 문
　⑦ 플러시문(Flush door) : 울거미를 짜고 중간 살간격을 25cm 정도로 배치하여 양면에 합판을 교착한 문
　⑧ 양판문(Panel door) : 울거미 중심에 넓은 널을 댄 문

> 00⑤
> 용어 : 주름문/플러시문/양판문/징두리 양판문

(4) 기타 창호 관련 용어
　① 박배 : 창문을 창문틀에 다는 일
　② 마중대 : 미닫이 또는 여닫이 문짝이 서로 맞닿는 선대
　③ 여밈대 : 미서기 또는 오르내리창이 서로 여며지는 선대
　④ 풍소란 : 창호가 닫혔을 때 각종 선대 등 접하는 부분에 틈새가 나지 않도록 대어주는 것

> 98① · 05③ · 08③
> 용어 : 박배, 마중대, 여밈대, 풍소란

(5) 표시기호

	재료	종류
일련번호 / 재료 / 종류	Al : 알루미늄 G : 유리 P : 플라스틱 S : 강철 SS : 스테인리스 W : 목재	D : 문 W : 창 S : 셔터

> 13① · 22①
> 기호 창/문/재료

2. 창호철물

(1) 여닫이 창호철물의 종류

명칭	형태	명칭	형태
경첩(Hinge) 또는 정첩		피벗 힌지 (Pivot Hinge)	상부 힌지 / 하부 힌지
자유경첩 (Spring Hinge)		도어클로저 (Door Closer, Door Check)	니카나형 / H형
래버터리 힌지(Lavatory Spring Hinge)	상부 힌지 / 하부 힌지	손잡이볼 (Pin Tumble Lock)	손잡이 볼 / 레버 핸들
플로어 힌지 (Floor Hinge)	톱 피벗 힌지 / 플로어 힌지	체인로크 (Chain Lock)	

(2) 창호철물의 종류와 특징

① 자유경첩(자유정첩) : 안팎 개폐용 철물로 자재문에 사용
② 래버토리(Lavatory) 힌지 : 스프링 힌지의 일종으로 공중화장실, 공중전화 출입문에는 저절로 닫히지만 15cm 정도 열려 있게 하는 창호
③ 도어클로저, 도어체크 : 문 위틀과 문짝에 설치하여 자동으로 문을 닫는 장치
④ 크레센트 : 오르내리창이나 미서기 창의 자물쇠
⑤ 피봇(Pivot) 힌지 : 용수철을 쓰지 않고 문장부식으로 된 힌지로 중량문(방화문)에 사용

⑥ 플로어(Floor) 힌지 : 중량이 큰 여닫이문에 사용

> 📱 99③ · 04③
> 용어 : 레버토리 힌지

> 📱 99③
> 용어 : 도어클로저

> 📱 99③ · 04③
> 용어 : 피벗힌지

> 📱 99③ · 04③
> 용어 : 플로어 힌지

(3) 미서기 및 미닫이 창호철물
① 꽂이쇠
② 걸대
③ 스프링 캐치
④ 도어 행거
⑤ 호차
⑥ 손잡이
⑦ 문고리
⑧ 크레센트 자물쇠
⑨ 오르내리창 용달차

> 📱 99②
> 종류 : 미서기 창호 철물

3. 강재 창호
(1) 용어
   스틸도어, 행거도어, 셔터, 주름문, 방화문
(2) 제작순서
   원척도 → 녹떨기 → 변형 바로잡기 → 금매김 → 절단 → 구부리기 → 조립 → 용접 → 접합부 검사

> 📱 07①
> 순서 : 강재창호 제작

(3) 현장시공순서

현장반입 → 변형 바로잡기 → 녹막이칠 → 먹매김 → 구멍파기, 따내기 → 가설치 → 묻음발 고정 → 창문틀 주위 사춤 → 양생

> 📖 04②
> 순서 : 강재창호 현장설치

4. 알루미늄 창호

(1) 특성

① 장점

　㉠ 비중이 철의 $\frac{1}{3}$로 가볍다.

　㉡ 공작이 자유롭고 기밀성이 있다.

　㉢ 여닫음이 경쾌하다.

　㉣ 녹슬지 않고 수명이 길다.

> 📖 14① · 17④ · 산21①
> 장점 : 알루미늄 창호

② 단점

　㉠ 용접부가 철보다 약하다.

　㉡ 콘크리트, 모르타르 등의 알칼리성에 대단히 약하다.

　㉢ 전기·화학작용으로 이질 금속재와 접촉하면 부식된다.

　㉣ 알루미늄 새시 표면은 철이 잘 부착되지 않는다.

(2) 시공 시 주의사항

① 알칼리에 약하므로 내알칼리성 도장이 필요하다.

② 풍압에 견디기 위해서 난간을 크게 하거나 멀리온 등으로 보강한다.

③ 알루미늄 새시는 강도상 무리가 있으므로 나중세우기를 한다.

> 📖 98②
> 주의사항 : 알루미늄 창호공사 시

단원별 경향문제

03③ [3점]

1-1 창호를 분류하면 기능에 의한 분류, 재질에 의한 분류, 개폐방식에 의한 분류, 성능에 의한 분류로 구분할 수 있다. 이 중에서 성능에 따라 분류할 때의 종류를 3가지 쓰시오.

(1)
(2)
(3)

[해설] 성능에 따른 창호의 분류
(1) 방음 창호
(2) 단열 창호
(3) 방화 창호

00⑤ [4점]

1-2 다음 설명이 의미하는 문의 명칭을 쓰시오.

(1) 문을 닫았을 때 창살처럼 되는 문으로 방범용으로 쓰임 (　　　　　)
(2) 울거미를 짜고 중간 살간격을 25cm 정도로 배치하여 양면에 합판을 교착한 문
 (　　　　　)
(3) 상부에 유리, 높이 1m 정도 하부에만 양판을 댄 문 (　　　　　)
(4) 울거미 중심에 넓은 널을 댄 문 (　　　　　)

[해설] 개구부 종류
(1) 주름문
(2) 플러시문(Flush door)
(3) 징두리 양판문
(4) 양판문(Panel door)

1-3

다음은 창호 공사에 관한 용어 설명이다. 각 설명이 의미하는 용어명을 쓰시오.

(1) 창문을 창문틀에 다는 일
(2) 미닫이 또는 여닫이 문짝이 서로 맞닿는 선대
(3) 미서기 또는 오르내리창이 서로 여며지는 선대
(4) 창호가 닫혔을 때 각종 선대 등 접하는 부분에 틈새가 나지 않도록 대어주는 것

(1) (2)
(3) (4)

해설 용어
(1) 박배 (2) 마중대 (3) 여밈대 (4) 풍소란

1-4

다음 좌측의 표에 제시된 창호틀 재료의 종류 및 창호별 기호를 참고하여, 우측의 창호기호표를 완성하시오.

기호	창호틀 재료의 종류
A	알루미늄
G	유리
P	플라스틱
S	강철
SS	스테인리스
W	목재

영문기호	창호구별
D	문
W	창
S	셔터

구분	창	문
목재		
철재		
알루미늄재		

해설

구분	창	문
목재	①WW	②WD
철재	③SW	④SD
알루미늄재	⑤AW	⑥AD

04③ [3점]

1-5 창호 철물에 대한 설명이다. 알맞은 철물을 ( ) 안에 쓰시오.

> 정첩으로 지탱할 수 없는 무거운 여닫이문(현관문)에는 (1) 힌지, 용수철을 쓰지 않고 문장부식으로 된 힌지로 중량문(방화문)에 사용하는 (2) 힌지, 스프링 힌지의 일종으로 공중화장실, 공중전화 출입문에는 저절로 닫히지만 15cm 정도 열려 있게 하는 (3)힌지 등이 사용된다.

(1)
(2)
(3)

해설 창호 철물
(1) 플로어(Floor)　　(2) 피봇(Pivot)　　(3) 래버토리(Lavatory)

99③ [3점]

1-6 다음 설명에 적합한 여닫이 창호의 철물명칭을 쓰시오.

(1) 공중전화 출입문, 화장실, 경량 칸막이문 등에 사용되며, 저절로 닫히거나 15cm 정도 열리는 문에 사용됨 (　　　　　　)
(2) 정첩으로 지탱할 수 없는 중량이 큰 자재여닫이문에 사용됨 (　　　　　　)
(3) 문 위틀과 문짝에 설치하여 자동으로 문을 닫는 장치 (　　　　　　)

해설 여닫이 창호 철물
(1) 래버토리 힌지(Lavatory Hinge)
(2) 플로어 힌지(Floor Hinge)
(3) 도어 클로저(Door Closer)

07① [4점]

1-7 강재창호의 제작순서를 〈보기〉에서 골라 번호로 쓰시오.

〈보기〉
① 원척도　　② 구부리기　　③ 용접
④ 녹떨기　　⑤ 접합부 검사　　⑥ 절단
⑦ 변형 바로잡기　　⑧ 금매김　　⑨ 조립

(　) → (　) → (　) → (　) → (　) → (　) → (　) → (　) → (　)

해설 강재창호 제작순서
① → ④ → ⑦ → ⑧ → ⑥ → ② → ⑨ → ③ → ⑤

04② [4점]

1-8 강재창호 현장설치 공법의 시공순서를 쓰시오.

현장반입 – (1) – (2) – (3) – 구멍파기, 따내기 – (4) – (5) – 창문틀 주위 사춤 – (6)

(1)
(2)
(3)
(4)
(5)
(6)

해설 강재창호 설치순서
(1) 변형 바로잡기
(2) 녹막이칠
(3) 먹매김
(4) 가설치
(5) 묻음발 고정
(6) 양생

14①・17④・산21① [2점]

1-9 알루미늄 창호를 철제 창호와 비교할 때 장점 4가지를 기술하시오.

(1)
(2)
(3)
(4)

해설 알루미늄 창호 장점
(1) 비중이 철의 $\frac{1}{3}$로 가볍다.
(2) 공작이 자유롭고 기밀성이 있다.
(3) 여닫음이 경쾌하다.
(4) 녹슬지 않고 수명이 길다.

98② [3점]

1-10 알루미늄 창호공사 시 주의할 사항에 대하여 3가지만 쓰시오.

(1)
(2)
(3)

해설 알루미늄 창호 공사 시 주의점
(1) 알칼리에 약하므로 내알칼리성 도장 필요
(2) 풍압에 견디기 위해서 단면을 크게 하거나 멀리온 등으로 보강함
(3) 알루미늄 새시는 강도상 무리가 있으므로 나중세우기를 함

제 3 절 | 유리공사

1. 유리의 재료 특성
① 취성이 있다.
② 파편이 날카로워 위험하다.
③ 두께가 얇다.
④ 불연 재료이다.
⑤ 광선투과율이 높다.

2. 유리 끼우기

(1) 퍼티

바탕의 파임·균열·구멍 등의 결함을 메워 바탕의 평편함을 향상시키기 위해 사용하는 살붙임용의 도료. 안료분을 많이 함유하고 대부분이 페이스트상이다.

> 산21②
> 용어 : 퍼티

(2) 개스킷(Gasket)

고무, 합성수지로 끼워 넣는다.

(3) 실링(Sealing)

탄성 실런트로 끼워 넣는다.

(4) 서스펜션(Suspension Glazing System)

유리를 매다는 공법

(5) SSG(Structural Sealant Glazing System)

구조적(고성능) 실런트로 유리와 Frame을 접착시킨다.

(6) SSG 공법의 검토시항

① 커튼월과 동일하게 내풍압 설계
② 충분한 접착폭과 두께 산정
③ 층간변위에 의한 추종성
④ 온도변화에 따른 movement
⑤ 접착제의 내구성·수밀성·접착성

> 07②
> 용어/검토사항 : SSG 공법

(7) 유리 공사의 열 파손

유리가 두꺼운 경우 열 축적이 크게 되는데, 유리 공사 시 발생한 국부적 결함이 있는 곳으로 온도 응력이 집중하여 유리가 파손되는 현상

> 21①
> 용어 : 유리 공사의 열 파손

3. 유리 종류와 특징

(1) 안전유리

① 접합유리
  ㉠ 2장 이상의 판유리 사이에 합성수지(필름)를 넣은 것으로서 일명 합판 유리라 함
  ㉡ 투광성이 낮고, 차음성·보온성은 크다.

> 98① · 00③ · 02②
> 종류 : 안전유리

> 02② · 15② · 19① · 산22① · 23④
> 용어 : 접합유리

② 강화유리
  ㉠ 판유리를 열처리한 후 냉각 공기로 급랭 강화시켜 판유리의 3~5배 정도 강도를 높인 유리
  ㉡ 파괴 시 잘게 부서진다.
  ㉢ 절단, 가공할 수 없다.

> 17④ · 산22①
> 용어 : 강화유리

③ 망입유리
  ㉠ 유리 내부에 금속망을 삽입하고 압착 성형한 판유리
  ㉡ 특징
    ⓐ 0.4mm 이상으로 잘 깨어지지 않는다.
    ⓑ 도난방지, 화재방지
    ⓒ 절단, 가공할 수 없다.
  ■ 현장절단이 불가능한 유리 : 강화유리, 망입유리, 복층유리

> 01① · 18④ · 산22①
> 종류 : 현장절단이 불가능한 유리명칭 3가지

(2) 특수유리
　① 복층유리
　　㉠ 건조공기층을 사이에 두고 판유리를 이중으로 접합하여 테두리를 둘러서 밀봉한 유리
　　㉡ 방서, 단열효과, 결로 방지
　　㉢ 절단, 가공할 수 없다.

> 02② · 13① · 17②,④ · 22②
> 용어 : 복층유리

　② 색유리
　　㉠ 유리+산화금속류의 착색제를 넣어 만든 유리
　　㉡ 적색, 황색, 청색, 자색, 갈색
　③ 스테인드글라스 : I형 단면의 납테에 색유리를 끼워 만든 유리로서 납테의 모양이 다양함
　④ 자외선 투과유리
　　㉠ 산화제이철의 함유량을 줄인 유리
　　㉡ 일광욕실, 병원, 요양소 등에 사용

> 02②
> 용어 : 자외선 투과유리

　⑤ 자외선 차단유리
　　㉠ 산화제이철 10%+크롬+망간
　　㉡ 용접공의 보호안경, 진열창, 약품창고 등에서 노화와 퇴색 방지에 사용

> 02②
> 용어 : 자외선 차단유리

　⑥ X선 차단유리
　　㉠ 유리+산화납(6% 이내)
　　㉡ X선 차단용

⑦ 로이유리(Low-Emissivity)
- ㉠ 금속이나 금속산화물이 얇게 코팅된 유리로서 가시광선의 투과율이 높고 열의 이동이 최소화됨
- ㉡ 고단열 복층유리(에너지 절약형) 또는 저방사 유리하고도 함
- ㉢ 단열과 결로 방지
- ㉣ 다양한 색상

> 15② · 19① · 22④ · 23④
> 용어 : 로이유리

⑧ 배강도유리 : 일반 판유리의 강도보다 **2배** 정도 크게 만든 유리로 고층건물에 적용함

> 13① · 17② · 22②
> 용어 : 배강도유리

⑨ 광학유리
- ㉠ 크라운 유리
- ㉡ 플린트 유리

> 산23③
> 용어 : 광학유리

단원별 경향문제

07② [4점]

1-1 건물의 창과 유리를 구성하는 유리와 패널류를 구조실런트를 사용하여 실내 측의 멀리온이나 프레인 등으로 고정시키는 공법과 검토사항을 쓰시오.

(1) 공법 :
(2) 검토사항 :

해설 유리 고정 방법
(1) 공법 : SSG(Structural Sealant Glazing System)공법
(2) 검토사항
① 커튼월과 동일하게 내풍압 설계
② 충분한 접착폭과 두께 산정
③ 층간변위에 의한 추종성
④ 온도변화에 따른 movement
⑤ 접착제의 내구성·수밀성·접착성

98① · 00③ [3점]

1-2 건축창호에 쓰이는 유리 중에서 안전이 강화된 안전유리의 종류를 3가지 쓰시오.

(1)
(2)
(3)

해설 안전강화유리
(1) 강화유리
(2) 접합유리
(3) 망입유리

1-3

다음은 유리의 종류에 관한 설명이다. 설명이 의미하는 유리의 종류를 〈보기〉에서 골라 쓰시오.

〈보기〉
① 접합유리(Laminated Glass) ② 자외선 투과유리
③ 복층유리(Pair Glass) ④ 열선반사유리
⑤ 자외선차단유리 ⑥ 강화유리
⑦ 망입유리 ⑧ 프리즘(Prism) 유리

(1) 건조공기층을 사이에 두고 판유리를 이중으로 접합하여 테두리를 둘러서 밀봉한 유리 ( )
(2) 일광욕실, 병원, 요양소 등에 사용 ( )
(3) 두 장 이상의 판 사이에 합성수지를 겹붙여 댄 것으로서 일명 합판 유리라 함 ( )
(4) 진열창, 약품창고 등에서 노화와 퇴색 방지에 사용 ( )

해설 유리의 종류
(1) ③ (2) ② (3) ① (4) ⑤

1-4

다음 용어를 간략히 설명하시오.

(1) 접합유리 :
(2) 로이유리 :

해설 용어 설명
(1) 접합유리 : 2장 이상의 판유리 사이에 합성수지(필름)를 넣은 것
(2) 로이유리 : 금속이나 금속산화물이 얇게 코팅된 유리로서 가시광선의 투과율이 높고 열의 이동이 최소화된 에너지 절약형 유리로 저방사 유리라고도 함

1-5

다음과 같은 유리의 정의를 기술하시오.

(1) 복층유리 :
(2) 배강도 유리 :

해설 복층유리, 배강도 유리 용어 설명
(1) 복층유리 : 건조공기층을 사이에 두고 판유리를 이중으로 접합하여 테두리를 둘러서 밀봉한 유리로 단열, 결로방지에 유리함
(2) 배강도 유리 : 일반 판유리의 강도보다 2배 정도 크게 만든 유리로 고층건물에 적용함

17④ [4점]

1-6 다음 용어를 간단히 설명하시오.

(1) 복층유리 :

(2) 강화유리 :

해설 용어 설명
(1) 복층유리 : 건조공기층을 사이에 두고 판유리를 이중으로 접합하여 테두리를 둘러서 밀봉한 유리로 단열, 결로방지에 유리함
(2) 강화 유리 : 판유리를 열처리한 후 냉각 공기로 급랭 강화시켜 판유리의 3~5배 정도 강도를 높인 유리

01① · 18④ [3점]

1-7 현장에서 절단이 불가능해 사용 치수로 주문 제작해야 하는 유리의 종류를 2가지를 기술하시오.

(1)
(2)
(3)

해설 현장 절단 불가능 유리
(1) 강화유리
(2) 복층유리
(3) 망입유리

21① [3점]

1-8 커튼월 공사의 유리 공사에서 발생할 수 있는 열 파손에 관해 설명하시오.

해설 유리 공사의 열 파손
유리가 두꺼운 경우 열 축적이 크게 되는데, 유리 공사 시 발생한 국부적 결함이 있는 곳으로 온도 응력이 집중하여 유리가 파손되는 현상

CHAPTER 11 마감공사

제1절 | 미장공사

1. 경화성에 따른 미장재료의 구분
(1) 기경성
   ① 진흙 : 진흙+모래+짚여물+물
   ② 석회질
      ㉠ 회반죽 : 소석회+모래+여물+해초풀
      ㉡ 회사벽 : 석회죽+모래
      ㉢ 돌로마이트 플라스터 : 돌로마이트 석회+모래+여물
(2) 수경성
   ① 시멘트 모르타르 : 포틀랜드 시멘트+모래
   ② 석고질
      ㉠ 순석고 플라스터 : 순석고+모래+물
      ㉡ 배합석고 플라스터 : 배합석고+모래+물
      ㉢ 경석고 플라스터(Keen's cement) : 무수석고+모래+여물+물

> 99③ · 00① · 05① · 12② · 13④ · 산21③ · 23②
> 종류 : 수경성, 기경성 구분하기

2. 각종 모르타르의 용도
(1) 보통 모르타르
   일반용
(2) 백시멘트 모르타르
   치장용
(3) 방수 모르타르
   방수용
(4) 바라이트 모르타르
   방사선 차단용
(5) 질석 모르타르
   경량용 · 단열용

(6) 활석면 모르타르
   보온, 불연용

(7) 아스팔트 모르타르
   내산 바닥용

   > 98⑤ · 01① · 04② · 07②
   > 종류 : 각종 모르타르의 용도

   > 00⑤
   > 용어 : 바라이트 모르타르

3. 시멘트 모르타르

(1) 순서

바탕처리 → 재료조정 → 바름바탕(라스 붙임) → 물 축임 후 초벌바름 → 존치기간 → 보수(덧먹임, 고름질) → 재벌바름 → 정벌바름 → 보양/정리

> 92① · 93① · 산21① · 산22① · 산23③
> 순서 : 바름순서

(2) 준비

① 바탕처리 : 과도한 요철의 바탕을 고르게 깎아내고 초벌바름이 건조한 것은 물축임을 하는 일련의 과정

> 06③ · 08① · 12②
> 용어 : 바탕처리

② 손질바름 : 콘크리트 또는 콘크리트 블록 바탕에서 초벌바름 전에 마감두께를 균등하게 하기 위해 모르타르 등으로 미리 요철을 조정하는 것

> 14②
> 용어 : 손질바름

③ 실러바름 : 바름재와 바탕과의 접착력 증진 등을 위하여 합성수지 에멀션 플라스터 등을 바탕에 바르는 것

> 14②
> 용어 : 실러바름

④ 규준바름 : 미장바름 시 바름면의 규준이 되기도 하고, 규준대 고르기에 닿는 면이 되기 위해 기준선에 맞춰 미리 둑모양 혹은 덩어리 모양으로 발라 놓은 것 또는 바르는 작업

⑤ 고름질 : 바름두께 또는 마감두께가 두꺼울 때 혹은 요철이 심할 때 초벌바름 위에 발라 붙여주는 것 또는 그 바름층
⑥ 덧먹임 : 바르기의 접합부 또는 균열의 틈새, 구멍 등에 반죽된 재료를 넣어 때우는 것

> 06③ · 08① · 12②
> 용어 : 덧먹임

⑦ 눈먹임 : 목부 바탕재의 도관 등을 메우는 작업, 인조석 갈기 또는 테라조 현장갈기의 갈아내기 공정에 있어서 작업면의 종석이 빠져나간 구멍 부분 및 기포를 메우기 위해 그 배합에서 종석을 제외하고 반죽한 것을 작업면에 발라 밀어 넣어 채우는 것

> 산21②
> 용어 : 눈먹임

⑧ 라스먹임 : 메탈라스, 와이어 라스 등의 바탕에 모르타르 등을 최초로 발라 붙이는 것

(3) 시공
① 바탕을 모두 청소하고 고름질을 한 후 초벌의 부착을 위해 면처리를 한다.
② 바름두께
  ㉠ 1회 표준 바름 두께 : 6mm
  ㉡ 바닥 : 24mm
  ㉢ 천장·채양 : 15mm
  ㉣ 내벽 : 18mm
  ㉤ 외벽 : 24mm

> 99④ · 03② · 05②
> 치수 : 시멘트 모르타르 미장바름 두께

4. 석고 플라스터

(1) 종류
① 순석고 플라스터 : 석고+물+모래+석회죽이나 Dolomite(중성, 경화가 빠르다.)
② 배합석고 플라스터 : 배합석고+물+모래+여물(약알칼리성, 경화속도는 보통)
③ 경석고 플라스터(Keen's Cement) : 무수석고+모래+여물+물(강도가 크고 수축균열이 거의 없다. 동절기 시공도 가능하다.)

(2) 특성
① 사용시간 : 초벌용 2시간 이내, 정벌용 1.5시간 이내에 사용한다.
② 초벌바름 : 거치름눈(작살긋기)을 넣는다.
③ 재벌바름 : 졸대 바탕일 때는 완전 건조 후에 하고, 콘크리트 바탕일 때는 초벌바름 후 1~2일이 경과되어 반건조되었을 때 시공한다.
④ 정벌바름 : 수시간~24시간 지난 후에 재벌바름이 반건조되었을 때 마무리손질을 한다.

(3) 시공순서

바탕처리 → 반죽 → 초벌바름 및 라스 먹임 → 고름질 및 재벌바름 → 정벌바름

> 📄 산23①
> 미장 : 시공순서

(4) 석고보드
① 정의 : 소석고를 주원료로 하여 톱밥, 섬유, 펄라이트 등을 혼합하고 물로 반죽하여 두 장의 시트 사이에 부어서 판상을 굳힌 것
② 특징
  ㉠ 장점
    ⓐ 방화성능, 단열성능 우수
    ⓑ 시공이 용이함
    ⓒ 경량, 신축성이 거의 없음
    ⓓ 설치 후 도장작업 가능
  ㉡ 단점
    ⓐ 강도가 약함
    ⓑ 습기에 취약, 지하공사에 사용금지
    ⓒ 접착제 시공 시 온도, 습도변화에 민감하여 동절기 사용이 어려움

> 📄 10④ · 16④
> 특징 : 석고보드 장단점

5. 회반죽

(1) 시공 시 유의사항
① 초벌바름 5일 후 고름질, 10일 후 재벌바름을 하고 반건조 시 정벌바름을 한다.
② 보양조건 : 통풍억제, 2℃ 공사 중지, 5℃ 이상 유지
③ 바름두께 : 벽에는 15mm, 천장·채양에는 12mm로 한다.
④ 검화 현상 : 바름면 표면에 얼룩 반점이 생기는 현상으로 바름면의 건조가 충분하지 못할 때 나타나는 현상

(2) 순서

바탕처리 → 재료의 조정 및 반죽 → 수염 붙이기 → 초벌바름 → 고름질 및 덧먹임 → 재벌바름 → 정벌바름 → 마무리 → 보양

> 📄 02③
> 순서 : 회반죽 미장 시공

6. 인조석·테라초 갈기

(1) 순서

바닥청소 → 황동줄눈대 대기 → 양생 및 경화 → 초벌갈기 → 시멘트풀먹임 → 정벌갈기 → 왁스칠

> 94②
> 순서 : 테라초현장갈기 시공 ( ) 넣기

(2) 황동줄눈대

① 설치간격 : 보통 90cm 최대 간격은 2m 이내로 한다.
② 목적
  ㉠ 바름 구획의 설정
  ㉡ 균열 방지
  ㉢ 보수 용이성

> 02②
> 목적 : 황동줄눈대 설치

(3) 시공 시 유의사항

① 충분한 경화시간이 필요하다(여름은 3일, 겨울은 7일 이상 경화).
② 바름두께는 9~15mm를 표준으로 한다.

(4) 기타 용어

① 캐스트 스톤(Cast Stone) : 인조석 잔다듬이라고도 하며, 인조석 바름 후 경화시켜 석공구로 잔다듬하여 마무리 한 것
② 리그노이드 스톤(Lignoid Stone) : 마그네시아 시멘트에 탄성재인 콜크분말, 안료 등을 혼합한 미장재료로서 바닥 포장재에 주로 쓰인다.

> 04②
> 용어 : 캐스트 스톤/리그노이드 스톤

7. 바닥강화재(Hardener) 바름

(1) 시공

① 금강사, 광물성 골재, 규사, 철분 등을 혼합 사용한다.
② 콘크리트 바닥판의 내마모성, 내화학성, 분진방지성 등의 기능 향상을 목적으로 한다.

(2) 종류

① 분말형
② 액상형
③ 합성고분자

(3) 유의사항
① 바닥강화 시공 시 기온이 5℃ 이하면 작업 중지
② 바닥 오염제거 및 비나 눈의 피해가 없도록 보양 조치가 필요함
③ 바탕면 평활

> 00④ · 01③ · 22②
> 종류 : 바닥강화재

> 00④ · 01③
> 성능 : 바닥강화재 증진

> 11①
> 주의사항 : 바닥강화재 시공 시

8. 수지 미장

(1) 정의
대리석 분말 또는 세라믹 분말제에 특수 혼화제를 첨가한 레디믹스트 모르타르에 물을 혼합하여 뿜칠로 1~3mm 두께로 얇게 바르는 미장공법

> 18②
> 용어 : 수지 미장

(2) 시공 시 유의사항
① 3℃ 이하에서 시공 금지
② 자체 기포가 발생되는 부위는 눌러서 시공
③ 자재가 흘러내리지 않도록 밑에서 위로 쇠흙손질 할 것

(3) 특징
① 평활성 확보
② 균열발생률 낮춤
③ 바탕면과의 부착성 증진

(4) 적용부위
① 벽지 및 도장 바탕면
② 계단실 벽체 미장 대체용
③ ALC 내외부 미장

9. 도배 공사

(1) 정의

바닥·벽·천장 또는 창호 등에 종이·천 또는 비닐 지포 등을 붙이는 공사

(2) 사용재료

도배지·창호지·장판지·풀·접착제

(3) 풀칠 공법의 종류

① 온통 붙임 : 도배지 전면에 전체를 풀칠하여 붙이는 공법
② 봉투 붙임 : 도배지 가장자리에만 풀칠하여 붙이는 공법
③ 비늘 붙임 : 도배지 한쪽 면만 풀칠하여 붙이는 공법

> 산21①
> 용어 : 풀칠 공법의 종류

10. 도료의 종류별 구분

(1) 수성도료

합성수지 에멀션 퍼티, 합성수지 에멀션 도료

(2) 유성도료

아크릴 도료, 조합도료

(3) 방청도료

광명단 조합도료, 아연 분말 프라이머

> 산23①
> 종류 : 도료의 구분

단원별 경향문제

99①,③ · 00① · 05① · 20⑤ [4점]

1-1 다음 〈보기〉의 미장재료에서 기경성과 수경성 미장재료를 구분하여 쓰시오.

―― 〈보기〉 ――
진흙   시멘트 모르타르   순석고 플라스터
회반죽   돌로마이트 플라스터   경석고 플라스터

(1) 기경성 미장재료 :
(2) 수경성 미장재료 :

[해설] 미장재료
(1) 기경성 : 진흙, 회반죽, 돌로마이트 플라스터
(2) 수경성 : 시멘트 모르타르, 순석고 플라스터, 경석고 플라스터

12② · 13④ [6점]

1-2 미장재료 중 수경성 재료와 기경성 재료를 각각 3가지만 쓰시오.

(1) 수경성 재료
　①
　②
　③
(2) 기경성 재료
　①
　②
　③

[해설] (1) 수경성 재료
① 시멘트 모르타르
② 순석고 플라스터
③ 배합석고 플라스터
④ 경석고 플라스터
(2) 기경성 재료
① 진흙
② 회반죽
③ 돌로마이트 플라스터

Chapter 11 · 마감공사

1-3

98⑤ · 01① · 04② · 07② [4점]

다음의 각종 모르타르에 해당하는 주요용도를 〈보기〉에서 골라 쓰시오.

〈보기〉
① 경량, 단열용 ② 내산 바닥용 ③ 보온, 불연용 ④ 방사선 차단용

(1) 아스팔트 모르타르 (   )
(2) 질석 모르타르 (   )
(3) 바라이트 모르타르 (   )
(4) 활석면 모르타르 (   )

해설 각종 모르타르
(1) ②   (2) ①   (3) ④   (4) ③

1-4

00⑤ [4점]

다음 용어에 대한 설명을 쓰시오.

(1) 숏크리트(Shortcrete) :

(2) 바라이트(Barite) 모르타르 :

해설 용어 설명
(1) 숏크리트(Shortcrete) : **압축공기를 이용해 모르타르를 분사하여 시공하는 것으로 뿜칠 콘크리트라고도 한다.**
(2) 바라이트(Barite) 모르타르 : **방사선 차단용**으로 바라이트 분말에 시멘트, 모래를 혼합하여 만든 것

1-5

06③ · 08① · 12② [2점]

미장공사와 관련된 다음 용어의 정의를 간략히 기술하시오.

(1) 바탕처리 :

(2) 덧먹임 :

해설 용어설명
(1) 바탕처리 : 과도한 요철의 바탕을 고르게 깎아내고 초벌바름이 건조한 것은 **물축임을** 하는 일련의 과정
(2) 덧먹임 : 바르기의 접합부 또는 균열의 틈새, 구멍 등에 **반죽된 재료를 넣어 때우는 것**

14② [4점]

1-6 미장공사와 관련된 다음 용어를 간단히 설명하시오.

(1) 손질바름 :

(2) 실러바름 :

해설 용어
(1) 손질바름 : 콘크리트 또는 콘크리트 블록 바탕에서 초벌바름 전에 마감두께를 균등하게 하기 위해 모르타르 등으로 미리 요철을 조정하는 것
(2) 실러바름 : 바름재와 바탕과의 접착력 증진 등을 위하여 합성수지 에멀션 플라스터 등을 바탕에 바르는 것

99④ · 03② · 05② [4점]

1-7 시멘트 모르타르 미장공사에서 채용되는 부위별 미장 시 합계 두께를 mm 단위로 쓰시오. (단, 콘크리트 바탕을 기준으로 함)

(1) 바닥 : (2) 천장 :
(3) 내벽 : (4) 바깥벽 :

해설 미장바름 두께
(1) 24mm (2) 15mm (3) 18mm (4) 24mm

99④ · 03② · 05② [4점]

1-8 미장공사에 관한 설명이다. ( ) 안을 채우시오.

미장공사 시 1회의 바름두께는 바닥을 제외하고 (가)mm를 표준으로 한다. 바닥층 두께는 보통 (나)mm로 하고 안벽은 (다)mm, 천장·채양을 (라)mm로 한다.

(가) (나)
(다) (라)

해설 미장 바름 두께
(가) 6
(나) 24
(다) 18
(라) 15

10④·16④ [4점]

1-9 석고보드의 장점과 단점을 각각 2가지씩 기술하시오.

(1) 장점
　①
　②

(2) 단점
　①
　②

[해설] 석고보드 특징
(1) 장점
　① 방화성능, 단열성능 우수
　② 시공이 용이함
　③ 경량, 신축성이 거의 없음
(2) 단점
　① 강도가 약함
　② 습기에 취약, 지하공사에 사용금지
　③ 접착제 시공 시 온도, 습도변화에 민감하여 동절기 사용이 어려움

02③ [2점]

1-10 다음의 회반죽 미장의 시공순서를 기호로 쓰시오.

① 초벌바름	② 재료 조정 및 반죽	③ 정벌바름
④ 고름질 및 덧먹임	⑤ 수염 붙이기	⑥ 재벌바름
⑦ 보양	⑧ 마무리	⑨ 바탕처리

( ) → ( ) → ( ) → ( ) → ( ) → ( ) → ( ) → ( ) → ( )

[해설] 회반죽 미장 순서
⑨ → ② → ⑤ → ① → ④ → ⑥ → ③ → ⑧ → ⑦

02② [3점]

1-11 인조석 바름 또는 테라초 현장갈기 시공 시 줄눈대를 설치하는 이유에 대하여 3가지만 쓰시오.

(1)
(2)
(3)

[해설] 줄눈대 설치 이유
(1) 바름 구획의 설정　　(2) 균열 방지　　(3) 보수 용이성

04② [6점]

1-12 다음 용어를 설명하시오.

(1) 리그노이드 스톤(Lignoid Stone):

(2) 캐스트 스톤(Cast Stone):

(3) 온도조절 철근(Temperature Bar):

해설 용어
(1) 마그네시아 시멘트에 탄성재인 콜크분말, 안료 등을 혼합한 미장재료로서 바닥 포장재에 주로 쓰인다.
(2) 인조석 잔다듬이라고도 하며, 인조석 바름 후 경화시켜 석공구로 잔다듬하여 마무리한 것
(3) 콘크리트의 건조수축, 온도변화 등에 의해 발생하는 콘크리트 수축균열을 줄이기 위해 사용되는 철근

00④ · 01③ [3점]

1-13 바닥강화재 바름공사에 사용하는 강화재의 형태에 따른 분류를 쓰고, 콘크리트와 시멘트계 바닥의 어떤 성능을 증진시키기 위해 사용하는가를 쓰시오.

(1) 바닥강화재의 종류:
(2) 증진성능:

해설 바닥 강화재
(1) 종류: 분말형, 액상형, 합성고분자 바닥강화재
(2) 성능 증진: 내마모성, 내화학성, 분진방지성

11① [4점]

1-14 시멘트계 바닥 바탕의 내마모성, 내화학성, 분진방지성을 증진시켜 주는 바닥강화제 (Hardener) 중 침투식 액상하드너 시공 시 유의사항 2가지를 기술하시오.

(1)
(2)

해설 액상 하드너 시공
(1) 바닥강화 시공 시 기온이 5℃ 이하면 작업 중지
(2) 바닥 오염제거 및 비나 눈의 피해가 없도록 보양 조치가 필요함

1-15 대리석 분말 또는 세라믹 분말제에 특수 혼화제를 첨가한 레디믹스트 모르타르에 물을 혼합하여 뿜칠로 1~3mm 두께로 얇게 바르는 미장공법의 명칭을 기술하시오.

해설 수지 미장

1-16 다음 미장 공사에서 시멘트 모르타르의 시공순서이다. ( ) 안에 적당한 용어를 보기에서 골라 기입하시오.

바탕처리, 초벌, 재벌, 정벌, 고름질

라스 붙임 - ( ) - 존치기간 - ( ) - ( ) - ( )

해설 라스 붙임 - (초벌) - 존치기간 - (고름질) - (재벌) - (정벌)

1-17 다음 도배 공사의 풀칠 공법이다. 간단히 설명하시오.

(1) 온통 붙임 :

(2) 봉투 붙임 :

(3) 비늘 붙임 :

해설
(1) 온통 붙임 : 도배지 전면에 전체를 풀칠하여 붙이는 공법
(2) 봉투 붙임 : 도배지 가장자리에만 풀칠하여 붙이는 공법
(3) 비늘 붙임 : 도배지 한쪽 면만 풀칠하여 붙이는 공법

제2절 | 도장공사

1. 도료의 종류 및 특성
(1) 일반 페인트

구분	재료	특성
유성페인트	안료＋건성유＋건조제＋희석제	① 내후성·내마모성이 좋고 건조가 느리다. ② 알칼리에 약하다. ③ 건물의 내외부에 널리 쓰인다.
에나멜페인트	안료＋유성 바니쉬 (＋수지 에나멜)	① 유성페인트와 유성바니쉬의 중간 성능이다. ② 내후성·내수성·내열성, 내약품성이 우수하다. ③ 외부용은 경도가 크다.
수성페인트	물＋접착제＋카세인＋안료	① 건물내부에 많이 사용되나 물이 닿는 곳은 사용금지이다. ② 내구성과 내수성이 떨어지며, 무광택이다. ③ 취급 간편, 작업성이 좋고 내알칼리성이다.
에멀젼페인트	수성 페인트＋합성수지＋유화제	① 수성페인트의 일종으로, 발수성이 있다. ② 내·외부 도장에 이용한다.

> 98③
> 종류 : 유성페인트의 구성요소

(2) 바니쉬(Vanish)와 래커(Lacquer)
  ① 바니쉬
    ㉠ 휘발성 바니쉬
      ⓐ 휘발성 용제+수지류
      ⓑ 건조가 빠르다. 내구성이 약하다.
      ⓒ 목재, 내부용
    ㉡ 유성 바니쉬
      ⓐ 지방유+수지류
      ⓑ 건조가 느리고, 내후성이 약하다.
      ⓒ 목재, 내부용

② 래커
- ㉠ 클리어 래커
    - ⓐ 래커에 투명한 안료를 넣은 것
    - ⓑ 건조속도가 빠르므로 Spray로 시공한다.
    - ⓒ 내후성이 작아서 주로 내부에 사용한다.
- ㉡ 에나멜 래커
    - ⓐ 연마성과 내후성이 좋다.
    - ⓑ 불투명하며 닦으면 광택이 난다.

(3) 방청도료
① 광명단
- ㉠ 주로 철재에 사용되는 붉은색의 도장재료이다.
- ㉡ 알칼리성이며 단단하고 피막을 형성하여 수분을 막는다.

② 징크로메이트
- ㉠ 알키드 수지와 크롬산아연의 합성물질이다.
- ㉡ 알루미늄판의 초벌용으로 많이 사용된다.

③ 방청산화철 도료 : 내수성이 우수하다.

④ 그래파이트 도료 : 주로 정벌에서 많이 사용되나 녹막이 효과가 있어서 초벌 시에도 쓸 수 있다.

⑤ 역청질 도료 : 일시적인 방청효과가 있다.

⑥ 아연 분말 프라이머

> 09② · 12④ · 16④ · 산23①
> 종류 : 방청도료

2. 도장 작업

(1) 공법
① 솔칠
- ㉠ 위에서 아래로, 왼쪽에서 오른쪽으로 칠해 나간다.
- ㉡ 솔은 보통 돼지털을 사용한다.

② 롤러칠
- ㉠ 스폰지나 털이 깊은 롤러를 사용한다.
- ㉡ 평활하고 큰 면에 적용된다.

③ 문지름칠
- ㉠ 헝겊에 솜을 싸서 도료를 묻힌 후 문지름을 하는 바름법이다.
- ㉡ 칠이 반쯤 건조되었을 때 적당한 마찰로 광택을 형성한다.

④ 뿜칠
　㉠ 작업 능률이 좋기 때문에 건조가 빠른 래커 외에도 널리 이용한다.
　㉡ 뿜칠의 폭은 300mm 정도로 뿜칠너비의 1/3이 겹치게 한다.
　㉢ 다음 칠은 직각(90°)으로 교차시켜서 한다.
　㉣ 5℃ 이하는 작업 중단이 원칙이다.

> 09④
> 수치 : 뿜칠 (　　) 넓기

⑤ 조색 : 몇 가지 색의 도료를 혼합해서 얻어지는 도막의 색이 희망하는 색이 되도록 하는 작업

> 산21②
> 용어 : 조색

(2) 바탕처리 순서
　① 목부바탕 : 오염부착물 제거 - 송전처리 - 연마지 닦기 - 옹이땜 - 구멍땜

> 92④ · 94③
> 순서 : 목부바탕 만들기

　② 철부바탕
　　㉠ 순서 : 오염부착물 제거 - 유류 제거 - 녹떨기 - 화학처리 - 피막 마무리
　　㉡ 철제면에서의 녹제거
　　　ⓐ 공구 : 와이어브러시, 철사, 스크레이퍼 : 오염 제거
　　　ⓑ 용제 : 휘발유, 벤젠, 솔벤트, 나프타

> 99① · 01①
> 공구/용제 : 철제면에서의 녹제거

　　㉢ 금속재 바탕처리법 중 화학적 방법
　　　ⓐ 용제에 의한 방법
　　　ⓑ 인산 피막법
　　　ⓒ 워시 프라이머법

> 11① · 16②
> 종류 : 금속재 바탕처리의 화학적 방법

　③ 콘크리트 모르타르 플라스터 : 건조 - 오염 부착물 제거 - 구멍땜 - 연마

(3) 도장작업 순서

　① 목부 유성페인트 : 바탕만들기 → 연마 → 초벌칠 → 퍼티 먹임 → 연마 → 재벌칠 1회 → 연마 → 재벌칠 2회 → 연말 → 정벌칠

> 98⑤
> ---
> 순서 : 목부 유성 페인트시공

　② 철부 유성페인트 : 바탕처리 → 연마 → 초벌칠 2회 → 퍼티 → 연마 → 재벌 → 연마 → 재벌 2회 → 연마 → 정벌칠

　③ 바니쉬 : 바탕처리 → 눈먹임 → 색올림 → 왁스 문지름

> 99③ · 06③ · 16② · 23④
> ---
> 순서 : 바니쉬칠 작업

　④ 수성페인트 : 바탕처리 → 초벌 → 재벌 → 정벌

단원별 경향문제

98③ [3점]

1-1 유성페인트 구성요소를 3가지 쓰시오.

(1)
(2)
(3)

[해설] 유성페인트 구성요소
(1) 안료
(2) 건성유
(3) 건조제

09② · 12④ · 16④ [2점]

1-2 도장공사에 쓰이는 녹막이용 도장재료 2가지를 기술하시오.

(1)
(2)

[해설] 녹막이 방지용 도료
(1) 징크로메이트
(2) 광명단
(3) 방청산화철

09④ [3점]

1-3 다음의 ( )을 채우시오.

> 뿜칠의 노즐 끝과 시공면의 거리는 (가)mm를 유지, 시공면과의 각도는 (나)°, (다)℃ 이하는 작업 중단이 원칙

(가)
(나)
(다)

[해설] 도장작업 - 뿜칠
(가) 300   (나) 90   (다) 5

Chapter 11 · 마감공사   519

1-4 철제면에서 녹제거 시에 필요한 공구 2가지와 용제 2가지를 쓰시오.

(1) 공구 :
(2) 용제 :

해설 녹제거 공구와 용제
(1) 공구 : 와이어브러시, 철사
(2) 용제 : 휘발유, 벤젠, 솔벤트, 나프타

1-5 금속재 바탕처리법 중 화학적 방법 3가지를 기술하시오.

(1)
(2)
(3)

해설 화학적 방법
(1) 용제에 의한 방법
(2) 인산 피막법
(3) 워시 프라이머법

1-6 목부 유성페인트 시공을 하고자 한다. 공정의 순서를 아래 〈보기〉에서 골라 기호로 쓰시오.

〈보기〉
① 정벌칠   ② 초벌칠   ③ 재벌칠 1회
④ 연마   ⑤ 바탕 만들기 ⑥ 퍼티 먹임
⑦ 재벌칠 2회

( ) → ( ) → ( ) → ( ) → ( ) → ( ) → ( ) → ( ) → ( )

해설 ⑤ → ④ → ② → ⑥ → ④ → ③ → ④ → ⑦ → ④ → ①

99③ · 06③ · 16② [4점]

1-7 목재면 바니쉬칠 공정의 작업순서를 〈보기〉에서 골라 기호로 쓰시오.

〈보기〉
① 색올림　② 왁스 문지름　③ 바탕처리　④ 눈먹임

(　) → (　) → (　) → (　)

해설　바니쉬칠 순서
③ → ④ → ① → ②

산21② · 산22② [3점]

1-8 다음 설명하는 내용에 맞는 말을 보기를 보고 골라 기재하시오.
(1) 몇 가지 색의 도료를 혼합해서 얻어지는 도막의 색이 희망하는 색이 되도록 하는 작업
(2) 바탕의 파임·균열·구멍 등의 결함을 메워 바탕의 평편함을 향상시키기 위해 사용하는 살붙임용의 도료. 안료분을 많이 함유하고 대부분이 페이스트상이다.
(3) 목부 바탕재의 도관 등을 메우는 작업

〈보기〉
① 눈먹임　② 퍼티　③ 상도　④ 착색　⑤ 조색　⑥ 연마　⑦ 하도

(1)
(2)
(3)

해설　(1) ⑤
　　　(2) ②
　　　(3) ①

제 3 절 | 합성수지 공사

1. 정의 및 특성
(1) 정의
① 일정 온도에서 가소성(Plasticity)이 있는 화합물질을 총칭한다.
② 합성수지의 경우 주원료는 석유, 석탄 등을 이용한 것이다.

(2) 특성
① 장점
㉠ 무게가 가볍고 성형 및 가공이 쉽다.
㉡ 대량생산이 가능하고 녹슬지 않는다.
㉢ 내구성과 내수성·내산성·내알칼리성이 크다.
② 단점
㉠ 내화 및 내열성이 적다.
㉡ 경도와 내마모성이 적다.

> 99⑤
> 장단점 : 합성수지

2. 열가소성 수지/열경화성 수지
(1) 열가소성 수지
① 특징
㉠ 일반적으로 무색 투명이다.
㉡ 열에 의해 연화하고 냉각하면 원래의 모양대로 굳는다.
㉢ 열전도율은 작으나 열팽창계수는 크다.
② 종류
㉠ 염화비닐 수지 : PVC 파이프나 바닥용 타일에 사용
㉡ 초산비닐 수지
㉢ 아크릴 수지 : 광고판이나 조명기구에 사용
㉣ 폴리스틸렌 수지 : 보온재, 스티로폼에 사용
㉤ 폴리에틸렌 수지 : 포장필름, 방수필름 등에 사용
㉥ 폴리아미드 수지

(2) 열경화성수지

　① 특성

　　㉠ 용제에 녹지 않고 열을 가해도 연화하지 않는다.

　　㉡ 재성형이 불가능하고 건축재에 많이 이용된다.

　　㉢ 열전도율은 작으나 열팽창계수는 크다.

　② 종류

　　㉠ 페놀 수지 : 목재의 접착제로 사용

　　㉡ 요소 수지 : 장남감, 완구 등에 사용

　　㉢ 멜라민 수지 : 화장판으로 사용

　　㉣ 폴리에스테르 수지 : 유리섬유 등에 사용

　　㉤ 에폭시 수지 : 석공사의 진행 중 석재가 깨진 경우 석재를 붙이는데 사용되는 접착제

　　㉥ 실리콘 수지 : 개스킷, 방수제로 사용

　　㉦ 우레탄 수지 : 방수제로 사용

00② · 02① · 18①

종류 : 열경화성 열가소성 분류/기재

18② · 23①

용어(역할) : 에폭시 수지

단원별 경향문제

99⑤ [4점]

1-1 최근 건축공사에서 사용되고 있는 합성수지 재료의 물성에 관한 장단점을 각각 2가지씩 쓰시오.

(1) 장점
   ①
   ②
(2) 단점
   ①
   ②

해설 합성수지의 특징
(1) 장점
   ① 무게가 가볍고 성형 및 가공이 쉽다.
   ② 대량생산이 가능하고 녹슬지 않는다.
(2) 단점
   ① 내화 및 내열성이 적다.
   ② 경도와 내마모성이 적다.

00② · 02① [4점]

1-2 다음 〈보기〉의 합성수지를 열경화성 및 열가소성으로 분류하여 기호를 쓰시오.

〈보기〉
① 염화비닐 수지   ② 폴리에틸렌 수지   ③ 페놀 수지
④ 멜라민 수지   ⑤ 에폭시 수지   ⑥ 아크릴 수지

(1) 열경화성 수지 :
(2) 열가소성 수지 :

해설 합성수지 종류
(1) ③, ④, ⑤
(2) ①, ②, ⑥

1-3 다음 〈보기〉의 합성수지를 열경화성 및 열가소성 수지로 분류하시오.

00② · 02① [4점]

〈보기〉
① 페놀 수지 ② 아크릴 수지 ③ 폴리에틸렌 수지
④ 폴리에스테르 수지 ⑤ 멜라민 수지 ⑥ 염화비닐 수지
⑦ 우레탄 수지

(1) 열경화성 수지 :
(2) 열가소성 수지 :

해설 합성수지 종류
(1) 열경화성 수지 : ①, ④, ⑤, ⑦
(2) 열가소성 수지 : ②, ③, ⑥

18① [4점]

1-4 합성수지 중에서 열가소성 수지와 열경화성 수지를 각각 2가지씩 기술하시오.

(1) 열가소성 수지 :

(2) 열경화성 수지 :

해설 합성수지 분류
(1) 열가소성 수지 : 염화비닐 수지, 초산비닐 수지, 아크릴 수지, 폴리스틸렌 수지, 폴리에틸렌 수지, 폴리아미드 수지 등
(2) 열경화성 수지 : 페놀 수지, 요소 수지, 멜라민 수지, 폴리에스테르 수지, 에폭시 수지, 실리콘 수시, 우레탄 수지

18② [3점]

1-5 석공사의 진행 중 석재가 깨진 경우 석재를 붙이는데 사용되는 접착제를 기술하시오.

해설 접착제
에폭시 접착제

제 4 절 | 기타공사

1. 금속공사
(1) 기성재
  ① 미끄럼막이
    ㉠ 계단의 디딤판 끝에 모서리에 대어 미끄러지지 않게 한다.
    ㉡ 황동제 철물, 타일제품, 석재, 접착 Sheet 등이 있다.
  ② 계단난간
    ㉠ 계단에서 사용되는 손스침이다.
    ㉡ 황동제, 철제파이프 등을 용접, 나사, 볼트 등으로 잇는다.
  ③ 코너비드
    ㉠ 벽, 기둥 등의 모서리는 손상되기 쉬우므로 별도의 마감재를 감아대거나 미장면의 모서리를 보호하면서 벽, 기둥을 마무리하는 보호용 재료
    ㉡ 모르타르(콘크리트, 조적)나 못, 스테이플(목조) 등으로 고정한다.
  ④ 줄눈대
    ㉠ 이질재와의 접합부에서 이음새를 감춰 누르는 데 사용한다.
    ㉡ 아연도금 철판제, 경금속제, 황동재의 얇은 판을 프레스한 길이 1.8m 정도의 줄눈가림재이다.

> 05③ · 10① · 19④ · 20①
> 용어 : 코너비드

(2) 수장용 철물
  ① 와이어메쉬
    ㉠ 연강 철선을 직교시켜 전기 용접한 것이다.
    ㉡ Concrete 바닥판, Concrete 포장 등에 쓰인다.

> 12④ · 15①
> 용어 : 와이어 메쉬

  ② 와이어 라스
    ㉠ 아연도금한 굵은 철선을 꼬아 만든 철망이다.
    ㉡ 벽, 천장의 미장공사에 쓰인다.

> 12④ · 15①
> 용어 : 와이어 라스

③ 펀칭메탈
  ㉠ 얇은 철판에 각종 모양을 도려낸 것이다.
  ㉡ 라지에이터 커버 등의 장식재로 쓰인다.

08② · 12④ · 15① · 18①
용어 : 펀칭메탈

④ 메탈라스
  ㉠ 얇은 철판에 자름금을 내어 당겨 늘린 것
  ㉡ 벽, 천장, 처마둘레 등 미장 바탕에 사용한다.

08② · 12④ · 15① · 18①
용어 : 메탈라스

(3) 고정용 철물
① 인서트
  ㉠ 반자틀에 연결된 달대를 매어 달기 위한 부재이다.
  ㉡ Slab에 미리 간격을 정확히 배치하여 Concrete 타설하며 이때 이동, 변형이 없도록 주의한다.
  ㉢ 고정용 인서트의 간격은 공사시방서에서 정하는 바가 없을 경우 경량천정은 세로 1m, 가로 2m로 한다.

21②
간격 : 고정용 인서트

② 팽창볼트 : 콘크리트 벽돌 등에 미리 설치되어 볼트, 나사못 등을 박으면 벌어져서 단단히 조여지는 철물이다.
③ 스크류앵커 : 팽창 볼트와 같은 종류이다.
④ 드라이브 핀(Drive Pin) : 드라이비트 건이라는 일종의 못 박기 총을 사용하여 콘크리트나 강재 등에 박는 특수 못이다. 머리가 달린 것을 H형, 나사로 된 것을 T형이라고 한다.

11④ · 18① · 20② · 23①
용어 : 드라이브 핀

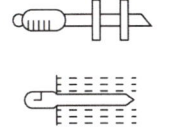 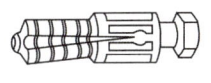 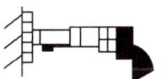 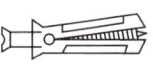

┃드라이빗트(Drive Stud)┃ ┃익스팬션 볼트┃ ┃드라이빗트 건┃ ┃스크루 앵커┃

2. 단열공사

(1) 성능 향상을 위한 고려사항

① 구조 설계 시
  ㉠ 공기층을 설치한다.
  ㉡ 창호는 이중유리 또는 이중창을 설치한다.

② 재료선택 시 단열재의 요구성능
  ㉠ 열전도율이 낮을 것
  ㉡ 투습성이 적고, 내화성이 있을 것
  ㉢ 비중이 작고, 상온에서 가공성이 좋을 것
  ㉣ 내부식성이 좋을 것
  ㉤ 균질한 품질, 가격이 저렴할 것

> 07② · 산21②
> 종류 : 단열재 구비조건/요구성능

③ 시공 방법
  ㉠ 건물의 수직, 수평의 기준선을 정한 후 단열재의 긴 변을 지면과 수평을 유지
  ㉡ 아래에서부터 위의 방향으로 설치
  ㉢ 수직 통줄눈이 생기지 않도록 엇갈리게 교차하여 단열재를 설치함

> 산23③
> 시공 방법 : 단열재

(2) 단열공법의 종류

① **외단열** : 시공이 어렵고 복잡하나, 단열효과 우수
② **내단열** : 구조체 내부에 설치, 시공은 간단하나 내부 결로 우려
③ **중공벽 단열** : 조적공사에서 주로 채택, 단열효과는 우수하나 공사비, 공기 증대

> 02③ · 06③ · 09③ · 16② · 산21①
> 종류 : 단열공법

(3) 단열공사의 도해
① 단열재-석고보드 공사

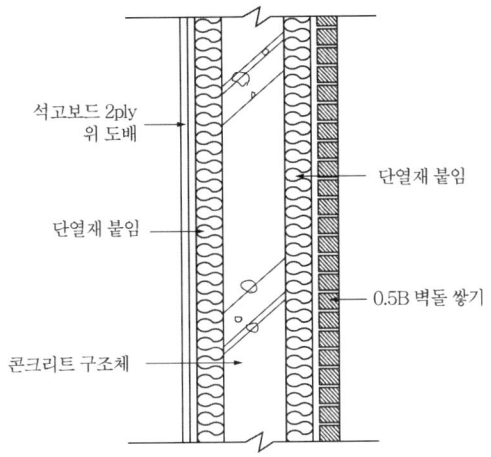

산21①
도해 : 단열공사

② 비드법 보온판의 외단열 공사

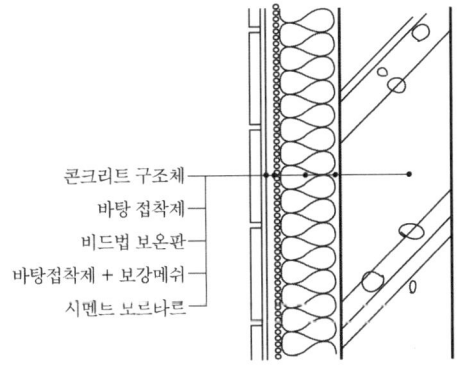

산21②
도해 : 외단열

3. 바닥깔기

(1) 아스팔트타일 비닐타일

① 주의사항
- ㉠ 타일용 프라이머를 바른 후 12시간 경과 시 접착제를 바탕면에 고르게 바르고 필요에 따라 타일류의 뒷면에도 온통발라 붙인다.
- ㉡ 붙이기 전에 가열하여 시공하면 용이하다.

② 순서

바탕처리 → 바탕건조 및 청소 → 프라이머 도포 → 먹줄치기 → 접착제 도포 → 타일 붙이기 → 타일면 청소 및 보양 → 왁스칠

(2) 리놀륨

① 주의사항
- ㉠ 임시 깔기 : 시트류의 신축이 끝날 때까지 충분한 기간(2주일) 동안 펴놓는다.
- ㉡ 정깔기 및 붙임 : 접착제를 바탕면에 발라 들뜸이 없이 펴붙인다.

② 순서

바탕처리 → 깔기 계획 → 임시 깔기 → 정 깔기 → 마무리

> 00③
> 순서 : 리놀륨 시공

(3) Access Floor

① 정의 : 전기/통신설비 등을 설치하기 위해 플로어 패널을 받침대로 지지시켜 구성하는 2층 뜬 바닥구조

> 00③ · 09① · 19④
> 용어 : Access Floor

② 특징
- ㉠ 공조, 배관, 전기 설비 등의 설치, 유지관리 및 보수의 편리성 확보
- ㉡ 바닥 먼지를 바닥판으로 배출하여 실내청정도를 유지한다.

③ Access Floor 지지방식의 종류
- ㉠ 지지각 분리방식
- ㉡ 지지각 일체방식
- ㉢ 조정지지각 방식
- ㉣ 트렌치 구성방식

> 10②
> 종류 : Access Floor 지지방식

(4) 마감공사
   ① 정의 : 건물 내부 및 외부를 마감하는 미장, 창호, 타일 공사들의 총칭
   ② 시공순서
      창 및 출입문(새시) → 벽미장(회반죽) 마감 → 징두리 설치(인조대리석판) → 바닥 깔기(비닐타일) → 걸레받이 설치(인조대리석판)

   06①
   순서 : 마감공사 재료별 시공

단원별 경향문제

1 금속공사

1-1 벽, 기둥 등의 모서리는 손상되기 쉬우므로 별도의 마감재를 감아대거나 미장면의 모서리를 보호하면서 벽, 기둥을 마무리하는 보호용 재료를 무엇이라고 하는가?

해설 코너비드(Corner Bead)

1-2 다음 용어의 정의를 기술하시오.

(1) 코너비드(Corner Bead) :
(2) 차폐용 콘크리트 :

해설 (1) 코너비드 : 벽, 기둥의 모서리에 대어 미장바름을 보호하는 철물
(2) 차폐용 콘크리트 : 방사선 차폐를 목적으로 하는 중량콘크리트

1-3 다음 금속공사에 이용되는 철물이 뜻하는 용어를 보기에서 골라 그 번호를 쓰시오.

① 철선을 꼬아 만든 철망
② 얇은 철판에 각종 모양을 도려낸 것
③ 벽, 기둥의 모서리에 대어 미장바름을 보호하는 철물
④ 테라초 현장갈기의 줄눈에 쓰이는 것
⑤ 얇은 철판에 자름금을 내어 당겨 늘린 것
⑥ 연강 철선을 직교시켜 전기 용접한 것
⑦ 천장, 벽 등의 이음새를 감추고 누르는 것

(1) 와이어라스 :   (2) 메탈라스 :
(3) 와이어메쉬 :   (4) 펀칭메탈 :

해설 (1) ① (2) ⑤ (3) ⑥ (4) ②

1-4 다음 수장철물의 용어를 설명하시오.

(1) 메탈라스 :
(2) 펀칭메탈 :

해설 (1) 메탈라스 : 얇은 철판에 자름금을 내어 당겨 늘린 것
(2) 펀칭메탈 : 얇은 철판에 각종 모양을 도려낸 것

1-5 다음에서 설명하는 특수 못의 용어를 쓰시오.

드라이비트 건이라는 일종의 못 박기 총을 사용하여 콘크리트나 강재 등에 박는 특수 못이다. 머리가 달린 것을 H형, 나사로 된 것을 T형이라고 한다.

해설 용어
드라이브 핀(Drive Pin)

1-6 RC조의 천정에서 달대 설치에 따른 고정용 인서트의 간격은 공사시방서에서 정하는 바가 없을 경우 경량천정은 세로 (가)m, 가로 (나)m로 한다.

가.
나.

해설 가. 1
나. 2

2 단열공사

07② · 산21② [4점]

2-1 일반적인 단열재의 구비조건을 4가지를 기술하시오.

(1)　　　　　　　　　　　(2)
(3)　　　　　　　　　　　(4)

해설 단열재의 구비조건
(1) 열전도율이 낮을 것
(2) 투습성이 적고, 내화성이 있을 것
(3) 비중이 작고, 상온에서 가공성이 좋을 것
(4) 내부식성이 좋을 것
(5) 균질한 품질, 가격이 저렴할 것

산21① [5점]

2-2 아래 그림을 보고 적당한 재료명을 기술하시오.

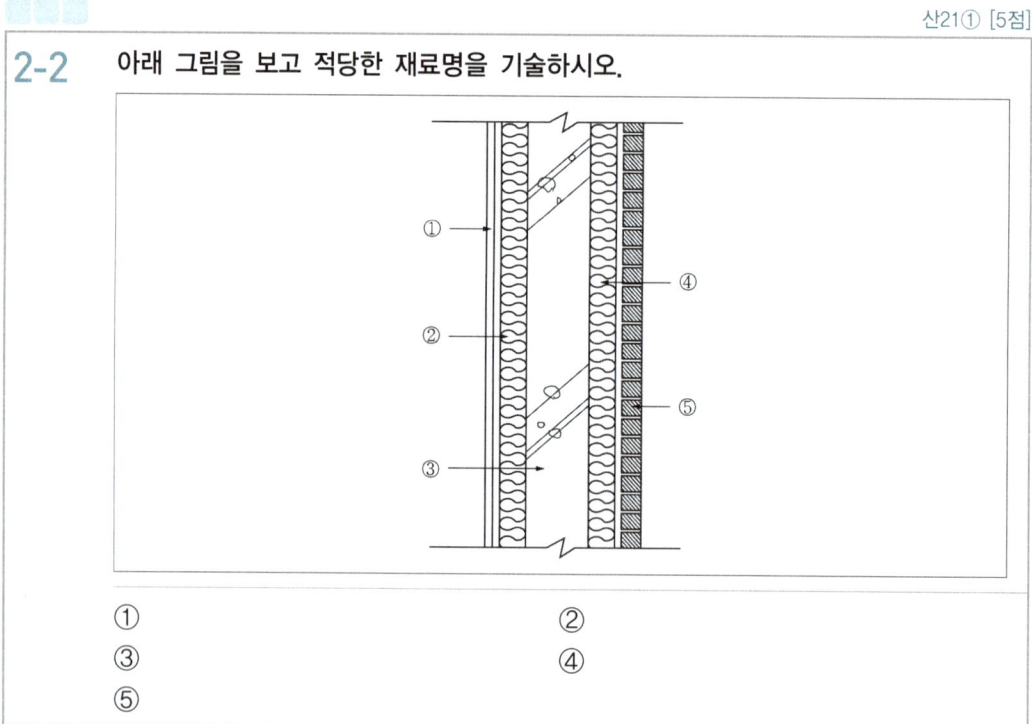

①　　　　　　　　　　　②
③　　　　　　　　　　　④
⑤

해설 ① 석고보드 2ply 위 도배
② 단열재 붙임
③ 콘크리트 구조체
④ 단열재 붙임
⑤ 0.5B 벽돌 쌓기

02③ · 06③ · 09③ · 16② · 산21① [3점]

2-3 건축공사 벽체 단열공법의 종류 3가지를 기술하시오.

(1)
(2)
(3)

해설 부위에 따른 벽단열 공법
(1) 외단열 공법
(2) 내단열 공법
(3) 중공벽 단열공법

산21② [5점]

2-4 아래 외단열의 그림을 보고 순서에 맞게 고르시오.

① 바탕 접착제
② 시멘트 모르타르
③ 비드법 보온판
④ 바탕접착제+보강메쉬
⑤ 콘크리트 구조체

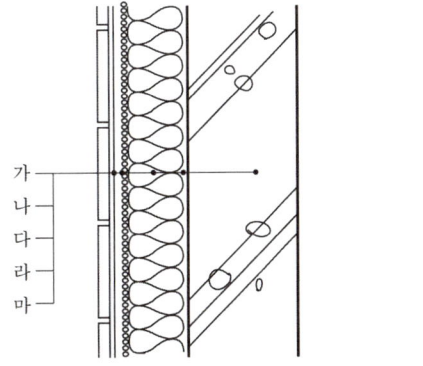

해설
가. ⑤
나. ①
다. ③
라. ④
마. ②

3 기타공사

00③ [2점]

3-1 바닥재료 중 리놀륨 시공순서를 빈칸에 쓰시오.

(1)
(2) 깔기 계획
(3)
(4)
(5) 마무리

해설 리놀륨 시공 순서
(1) 바탕처리   (2) 깔기 계획
(3) 임시 깔기   (4) 정 깔기
(5) 마무리

00③ · 09① · 19④ [4점]

3-2 인텔리전트 빌딩에 사용되는 엑세스 플로어(Access Floor)를 간략히 설명하시오.

해설 Access Floor 바닥
전기/통신설비 등을 설치하기 위해 플로어 패널을 받침대로 지지시켜 구성하는 2층 뜬 바닥구조

10② [4점]

3-3 2중바닥 구조인 Access Floor의 지지방식을 4가지 쓰시오.

(1)
(2)
(3)
(4)

해설 액세스플로어 지지방식
(1) 지지각 분리 방식
(2) 지지각 일체 방식
(3) 조정지지각 방식
(4) 트렌치 구성방식

06① [4점]

3-4 다음 〈보기〉에서 마감공사 항목을 시공순서에 따라 번호를 쓰시오.

〈보기〉
① 벽미장(회반죽) 마감
② 걸레받이 설치(인조대리석판)
③ 징두리 설치(인조대리석판)
④ 창 및 출입문(새시)
⑤ 바닥 깔기(비닐타일)

( ) → ( ) → ( ) → ( ) → ( )

해설 마감공사 순서
④ → ① → ③ → ⑤ → ②

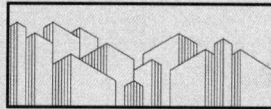

건축기사 / 건축산업기사 실기

PART 2

공정관리

건축기사 / 건축산업기사실기

CHAPTER 01 총론

제1절 | 공정계획의 일반사항

1. 정의
건축물을 지정된 공사기간 내의 공사예산에 맞추어서 정밀도가 높은 양질의 시공을 하기 위하여 작성·계획하고, 공사의 공정계획 및 진척 상황을 알기 쉽게 세부계획에 필요한 공사시간과 순서, 자재, 노무, 기계설비 등을 일정한 형식에 의거 작성, 관리함을 목적으로 하는 전체 계획을 공정계획이라 한다.

2. 공정계획의 요소
① 시간(작업시간, 자재조달시간, 공사기간 등)
② 비용(순작업비용, 총공사비, 부대발생비용 등)
③ 작업량(작업자 능력, 기계효율, 현장 상황 등 고려)
④ 작업순서(기후와 현장 능력 고려)

제2절 | 공정표의 종류

1. 사선식 공정표(S-Curve, 바나나곡선)
작업의 관련성을 나타낼 수는 없으나, 공사의 기성고를 표시하는 데 편리한 공정표로 세로에 공사량, 총 인부 등을 표시하고, 가로에 월, 일수 등을 취하여 일정한 사선절선을 가지고 **공사의 진척 상황(기성고)을 수량적으로 나타낸다**.

> 10① · 13①
> [용어] S-Curve(바나나곡선)

장점	① 부분공정표에 적합하다. ② 전체 경향과 시공속도를 파악할 수 있다. ③ 예정과 실적의 차이를 파악하기 쉽다.
단점	① 개개작업의 조정을 할 수 없다. ② 보조적 수단에만 사용한다. ③ 작업 상호간의 관계가 불분명하다.

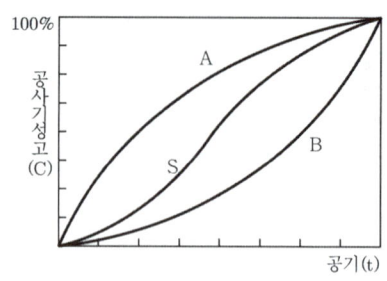

① 공사 기성고는 공사금액으로 표시
② A는 상방 허용한계
③ B는 하방 허용한계
④ S는 이상적인 공사속도(S-Curve)

2. 횡선식 공정표(Bar Chart)

세로축에 공사 종목별 각 공사명을 배열하고 가로축에 날짜를 표기한 다음 공사별 소요 시간을 횡선의 길이로서 나타내는 공정표이다. 바차트(Bar Chart) 또는 간트차트(Gantt Chart)라고도 한다.

장점	① 각 공정별 공사와 전체 공정시기 등이 일목요연하다. ② 각 공종별 공사의 착수 및 완료일이 명시되어 판단이 용이하다. ③ 공정표가 단순하여 경험이 적은 사람도 이해하기 쉽다.
단점	① 작업 상호간의 관계가 불분명하다. ② 주공정선 파악이 어려워 관리가 힘들다. ③ 한 작업이 다른 작업 및 Project에 미치는 영향을 파악할 수 없다. ④ 작업상황이 변동되었을 때 탄력성이 없다.

📖 01③
[단점] 횡선식공정표의 단점 3가지

3. LOB(Line of balance) 공정표

반복 작업에서 각 작업조의 생산성을 유지하면서 그 생산성(작업속도)을 기울기로 하는 직선을 각 반복 작업으로 표시하여 전체 공사를 도식화하는 공정기법

4. 네트워크 공정표

네트워크 공정표는 작업의 상호관계를 O(결합점 : Event)과 → (작업 : Activity)로 표시한 망상도로, 각 결합점이나 작업에 명칭, 작업량, 소요시간, 투입 자재량, 비용 등 공정계획 및 관리상 필요한 정보를 기입하여 프로젝트 수행에 관련하여 발생되는 공정상의 문제를 도해나 모델로 해명하고 진척 관리하고자 한다. 네트워크 공정표는 대표적인 방법으로 CPM(Critical Path Method)과 PERT(Program Evaluation & Review Technique) 수법이 있다.

(1) 특징

장점	① 개개의 작업관련이 도시되어 있어 내용이 알기 쉽다. ② 전자계산기 이용이 가능하다. ③ 주공정선에 주의하면 다른 작업에 누락이 없는 한 공정관리가 편리하다. ④ 주공정선의 작업에 현장인원 중점배치가 가능하다. ⑤ 작업자 이외에도 이해하기가 쉽다.
단점	① 작성시간이 오래 걸린다. ② 작성 및 검사에 특별한 기능이 요구된다. ③ 실제공사에서 네트워크와 같이 구분하여 이행되지 못하므로, 진척관리에 특별한 연구가 필요하다.

(2) 네트워크 공정표 작성순서

실제 공정계획을 세울 때에는 다음과 같은 순서로 실시한다.
① 네트워크 작성준비
② 단위작업시간 견적(시간 계산)
③ 일정계산
④ 공기 조정
⑤ 공정표 작성

📄 00⑤
[순서] 네트워크 공정표 작성

(3) PERT와 CPM의 비교

구분	CPM	PERT
개발 및 응용	① Walker와 Kelly에 의하여 개발 ② 듀폰에 있어서 보전에 응용	① 미 군수국 특별계획부에 의하여 개발 ② 함대 탄도탄(F.B.M) 개발에 응용
대상계획 및 사업 종류	반복 사업, 경험이 있는 사업 등에 이용	신규 사업, 비반복 사업, 경험이 없는 사업 등에 활용
소요시간 추정	• 1점 시간 추정 $t_e = t_m$	• 3점 시간 추정 $t_e = \dfrac{t_o + 4t_m + t_p}{6}$ 여기서, t_e : 평균 기대시간 t_o : 낙관 시간치 t_m : 정상 시간치 t_P : 비관 시간치
일정계산	• 요소작업 중심의 일정계산 ① 가장 빠른 개시 시간 　(EST ; Earliest Start Time) ② 가장 늦은 개시 시간 　(LST ; Latest Start Time) ③ 가장 빠른 완료 시간 　(EFT ; Earliest Finish Time) ④ 가장 늦은 완료 시간 　(LFT ; Latest Finish Time)	• 단계중심의 일정계산 ① 가장 빠른 기대 시간 　(TE ; Earliest Expected Time) ② 가장 늦은 허용 시간 　(TL ; Latest Allowable Time)
MCX (최소비용)	CPM의 핵심이론이다.	이 이론이 없다.

📱 02③

용어/산정식 : PERT의 기대시간

📱 09③ · 12① · 17①,④

계산 : PERT 기대시간

단원별 경향문제

10① · 13① [2점]

01 공정관리 중 진도관리에 사용되는 S-Curve(바나나곡선)는 주로 무엇을 표시하는 데 사용되는지 설명하시오.

해설 바나나 곡선
공사의 진척 상황을 알아보는 데 활용된다.

01③ [3점]

02 횡선식공정표의 단점 3가지를 쓰시오.

(1)
(2)
(3)

해설 (1) 작업 상호간의 관계가 불분명하다.
(2) 주공정선 파악이 어려워 관리가 힘들다.
(3) 한 작업이 다른 작업 및 Project에 미치는 영향을 파악할 수 없다.

00⑤

03 네트워크 공정표 작성순서를 〈보기〉에서 골라 기호로 나열하시오.

(가) 공기 조정   (나) 단위작업시간 견적   (다) 작성준비
(라) 일정계산   (마) 공정표 작성

( ) → ( ) → ( ) → ( ) → ( )

해설 (다) → (나) → (라) → (가) → (마)

04 퍼트(PERT)에 사용되는 3가지 시간 견적치를 쓰고, 평균 기대시간을 구하는 식을 쓰시오.

(1)
(2)
(3)
(4) 평균 기대시간 :

해설 (1) 낙관 시간치(t_o)
(2) 정상 시간치(t_m)
(3) 비관 시간치(t_p)
(4) 평균 기대시간(t_e) = $\dfrac{t_o + 4t_m + t_p}{6}$

05 퍼트(PERT)에 의한 공정관리기법에서 낙관시간이 5일, 정상시간이 8일, 비관시간이 11일일 때 공정상의 기대시간을 구하시오.

해설 $t_e = \dfrac{t_o + 4 \times t_m + t_p}{6} = \dfrac{5 + 4 \times 8 + 11}{6} = 8$일

06 PERT 기법에 의한 기대시간(Expected Time)을 구하시오.

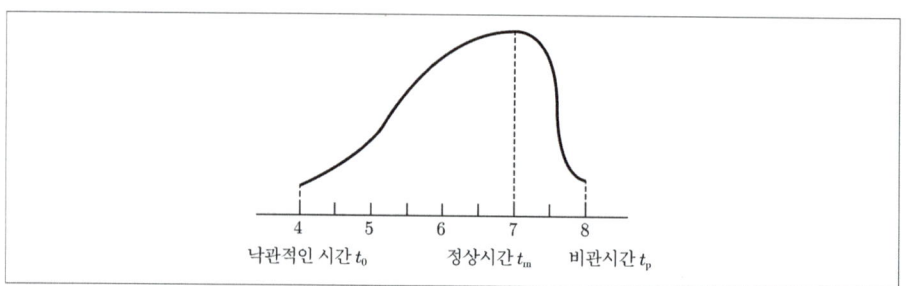

계산과정 :

해설 $t_e = \dfrac{t_o + (4 \times t_m) + t_p}{6} = \dfrac{4 + (4 \times 7) + 8}{6} = 6.67$

CHAPTER 02 네트워크 공정표

제1절 | 네트워크 공정표 구성

1. 구성요소

용어	기호	내용
결합점(Event)	○	네트워크 공정표에서 작업의 개시 및 종료를 나타내며 작업과 작업을 연결하는 기호
작업(Activity, Job)	→	네트워크 공정표에서 하나의 작업을 나타내는 기호
더미(Dummy)	⇢	네트워크에서 정상적으로 표현할 수 없는 작업 상호간의 관계를 표시하는 점선 화살표

(1) ① : **결합점(Event, Node)**
  ① 작업의 시작과 종료를 표시하는 개시점, 종료점
  ② 작업과 작업의 연결점, 결합점
  ③ 번호를 붙이되, 작업의 진행방향으로 작은 번호에서 큰 번호순으로 부여

(2) $\dfrac{작업명}{작업일수}\rightarrow$: **작업(Activity, Job)**
  ① 작업을 나타내며 화살표의 길이와 작업일수는 관계가 없다.
  ② → 위는 작업명, 아래는 작업일수를 적는다.

(3) ⇢ : **더미(Dummy)**
  ① **Numbering dummy**
    결합점에 번호를 붙일 때 중복작업을 피하기 위해 생기는 더미

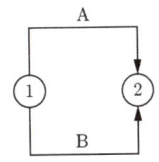 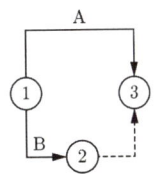

  ② **Logical Dummy**
    작업 선후 관계를 규정하기 위하여 필요한 더미

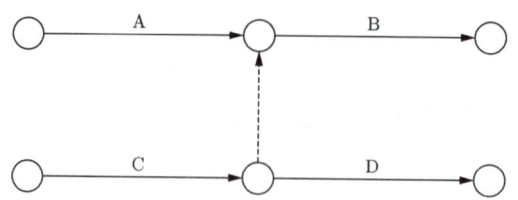

- B작업은 A와 C작업이 종료되어야만 시작할 수 있다.
- D작업은 A작업과 상관없이 C작업이 완료되면 시작할 수 있다.

③ Connection Dummy

네트워크 공정표 표현법이 다른 부분에서 발생하는 특수한 더미

> 02① · 11④ · 17④ · 산22③
> [종류] 더미

2. 공정표 작성 기본 원칙

(1) 공정의 원칙(단위 작업을 정확한 네트워크로 표현)

하나의 작업은 반드시 **시작 결합점과 종료 결합점이 있어야 한다.**

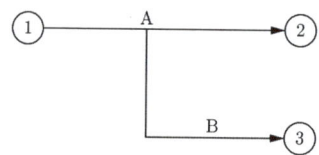

- B작업의 개시 결합점이 없으므로 정확한 네트워크 표현이 아니다.

(2) 단계의 원칙

① 네트워크 공정표에서 **선행작업이 종료된 후 후속작업을 개시할 수 있다.**

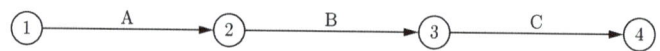

- A의 후속작업은 B
- B의 후속작업은 C
- B의 선행작업은 A
- C의 선행작업은 B

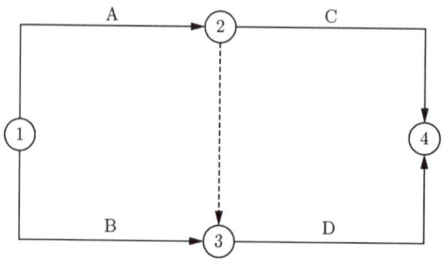

- A의 후속작업 : C, D
- B의 후속작업 : D
- C의 선행작업 : A
- D의 선행작업 : A, B

② 선행과 후속의 관계는 결합점을 중심으로 종료되는 모든 작업이 결합점에서 시작되는 모든 작업의 선행작업이며, 결합점에서 시작되는 모든 작업이 결합점에서 종료되는 모든 작업의 후속작업이다.

③ Dummy가 있는 경우 선행과 후속은 연속 개념으로 본다.

(3) 활동의 원칙

① 작업을 표시하기 위해 결합점들을 연결할 때, 개시 결합점의 번호와 종료 결합점의 번호가 동시에 같은 것으로 존재할 수 없다.

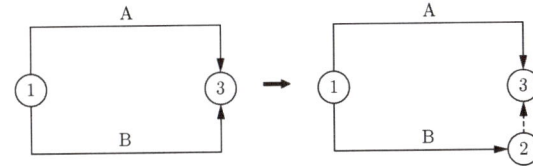

② 두 결합점의 번호 중 하나만 다르면 되므로 일반적으로 하나의 작업 뒤에 더미로 연결한다.

(4) 연결의 원칙

최초 개시 결합점 및 종료 결합점은 반드시 1개씩이어야 한다.

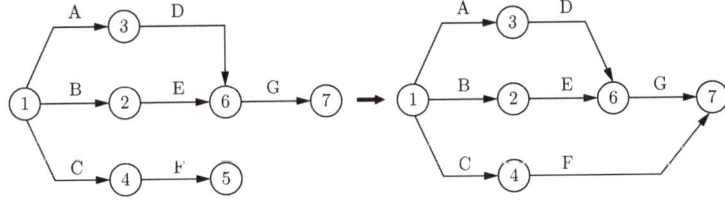

3. 네트워크 작성 시 주의사항

① 무의미한 더미(Dummy)는 생략한다. 더미의 수는 최소화할 것(공정표상에서 전체 dummy의 수가 틀리면 감점 처리되거나 0점 처리됨)

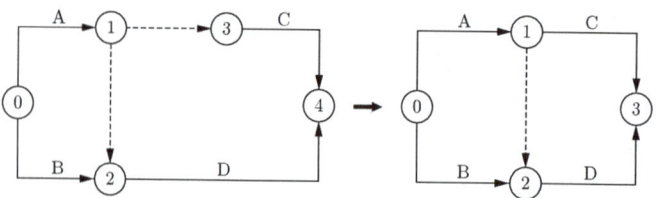

② 가능한 한 작업 상호간의 교차는 피하도록 한다. 가장 긴 경로의 작업은 가급적 전체 공정표의 중앙이 아닌 외곽에 배치한다.

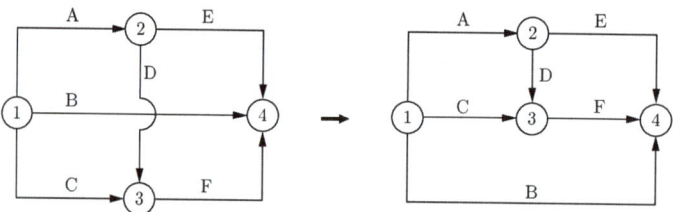

③ 역진 또는 개시 결합점 방향으로 돌아가면 안 된다.

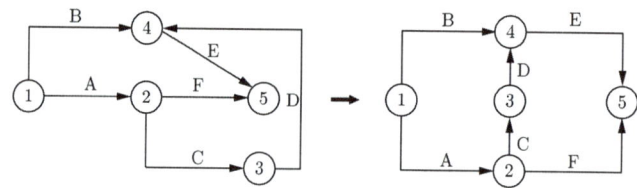

제 2 절 | 네트워크 공정표 작성 연습

① ②, ④ 결합점(Event) 사이에 2개의 작업 A, B가 존재할 때

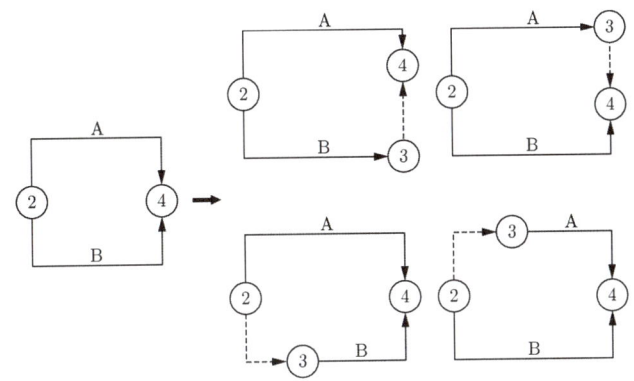

- 4가지 모두 가능한 공정표이다.
- 4가지 방법 중 가능한 뒤쪽에 Dummy를 두어 작성하며, 가급적 소요일수가 짧은 작업의 뒤에 더미를 위치시킨다.

② ②, ⑤ 결합점(Event)에 3개의 작업 A, B, C가 존재할 때

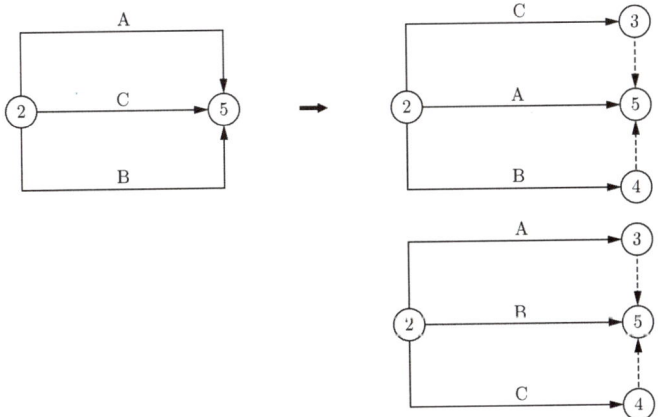

- 두 가지 방법 모두 가능하며 이외에도 다양한 형태로 나타낼 수 있으나, Dummy 의 수는 변하지 않고, 일반적으로 소요일수가 가장 긴 작업에는 더미를 표시하지 않는다.

③ A작업의 후속작업이 B, C작업일 때

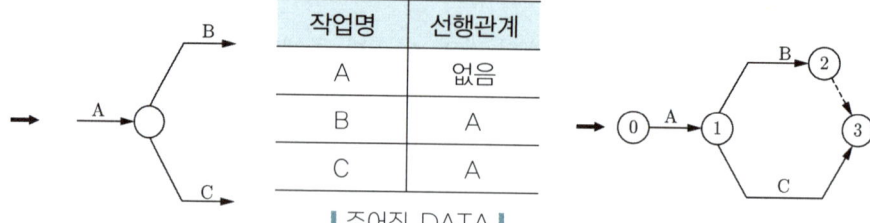

- 두 후속작업이 하나의 종료 결합점에 만나기 위해서는 더미가 필요하며, 일반적으로 소요일수가 작은 작업의 뒤에 더미를 위치시킨다.

④ A와 B의 후속작업이 C작업일 때

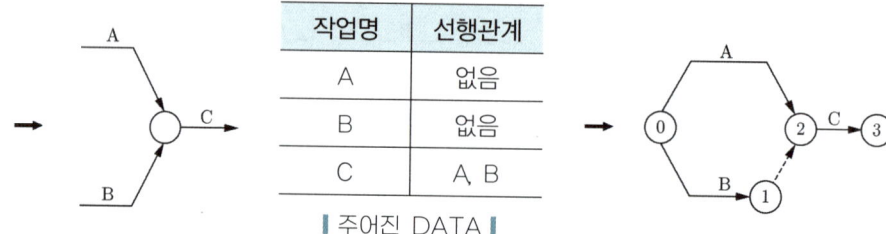

- 두 선행작업이 하나의 종료 결합점에 만나기 위해서도 더미가 필요하며, 일반적으로 소요일수가 작은 작업의 뒤에 더미를 위치시킨다.

⑤ A, B의 후속작업이 C, D작업일 때

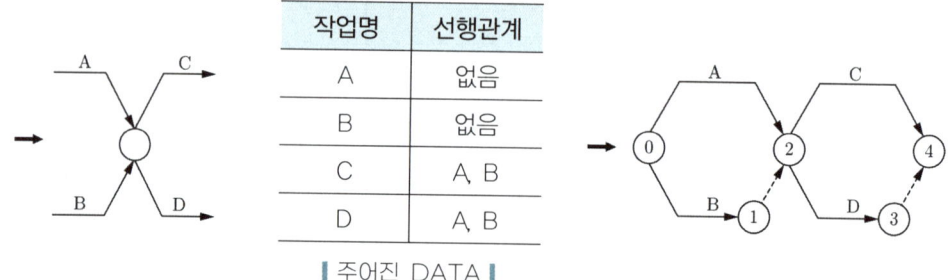

- A작업과 C작업에서 Dummy가 발생해도 무방하며 이런 Dummy를 Numbering Dummy라 한다.

⑥ A의 후속작업이 C, D작업이고 B의 후속작업이 D작업일 때

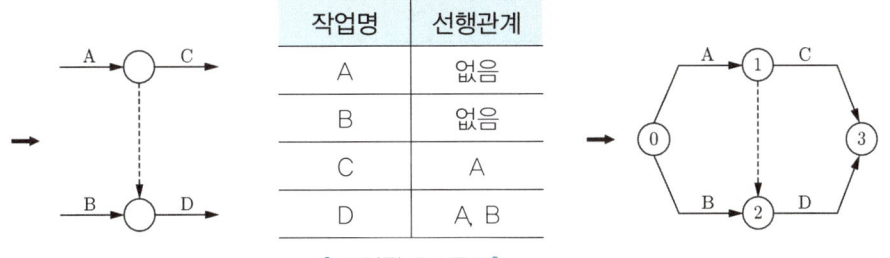

작업명	선행관계
A	없음
B	없음
C	A
D	A, B

| 주어진 DATA |

- C작업의 선행작업은 A작업이므로 A작업 다음에 C작업을 그리면 된다.
- 한편, D작업의 선행작업은 A작업뿐만 아니라 B작업도 해당되므로 A작업의 종료 결합점과 B작업의 종료 결합점이 만나도록 더미를 사용한다.

⑦ A의 후속작업이 C작업이고, B의 후속작업이 C, D작업일 때

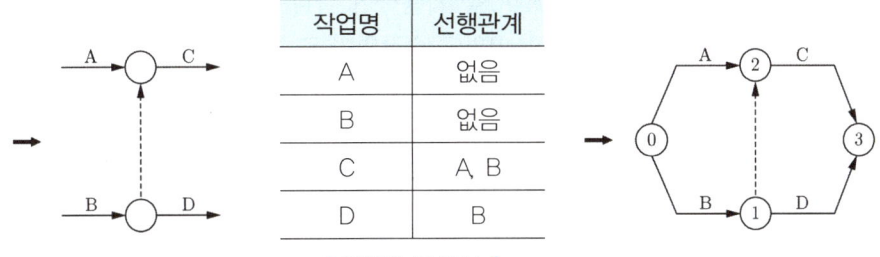

작업명	선행관계
A	없음
B	없음
C	A, B
D	B

| 주어진 DATA |

- 위의 경우와 유사한 형태지만 Dummy의 방향이 다르다. 그러므로 공정표 작성 시 Dummy 방향을 정확히 표현해야 한다.

⑧ A의 후속작업이 C, D작업이고, B의 후속작업이 D, E작업일 때

작업명	선행관계
A	없음
B	없음
C	A
D	A, B
E	B

| 주어진 DATA |

- 선행작업이 하나씩인 C작업과 E작업을 먼저 완성하고 D작업을 그리는 것이 좋다.
- (7), (8)번에서 발생된 Dummy는 작업의 선후 관계를 표시하는 것으로 이러한 Dummy를 Logical Dummy라고 한다.
- 여러 개의 결합점에서 Dummy로 연결될 수 있으며, 하나의 결합점에서 여러 개의 Dummy가 동시에 나갈 수 있다.

⑨ A의 후속작업이 C, D, E작업이고, B의 후속작업이 D, E작업일 때

- D, E작업은 선행조건이 같으므로 동일 결합점에서 시작되지만, C작업은 조건이 다르므로 다른 결합점에서 시작되고, 하나의 종료 결합점에서 만나게 된다.
- D작업과 E작업은 시작 결합점과 종료 결합점이 같게 되므로 두 개의 실선으로 연결하지 못하고 Numbering Dummy를 사용하여 나타낸다.

⑩ A의 후속작업이 D, E, F작업이고, B의 후속작업이 E, F작업이며, C의 후속작업이 F작업일 때

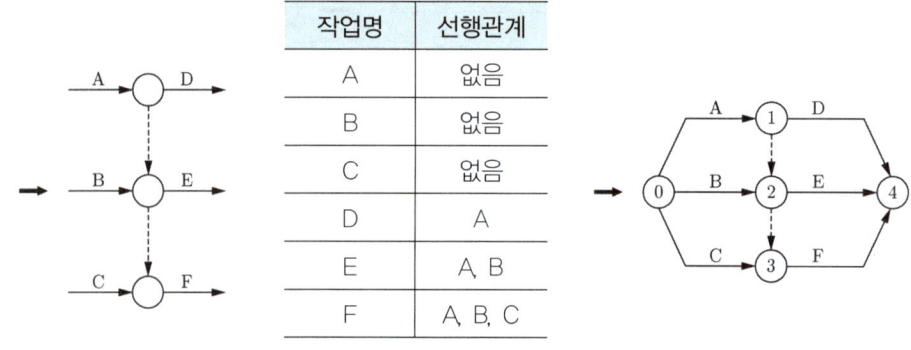

- 선행작업의 개수가 적은 작업부터 D, E, F작업의 순으로 작도하는 것이 좋다.
- 연속해서 Dummy로 연결된 작업(A와 F)은 선행과 후속관계에 있음을 알 수 있으며, 또한 Dummy는 몇 개의 결합점을 거쳐서도 표현할 수 있다.
- 선행작업이 없는 최초의 작업이 3개 이상일 경우 역시 선행작업의 개수가 적은 순서대로(A, B, C작업 순으로) 위에서부터 아래로 작도하는 것이 좋다.

제3절 | 일정계산

1. 용어

(1) 시간 계산

네트워크 공정표상에서 소요시간을 기본으로 한 작업시간, 결합점시간, 공기, 여유 등을 계산하는 것을 말한다.

용어	기호	내용
가장 빠른 개시시각 (Earliest Starting Time)	EST	작업을 시작할 수 있는 가장 빠른 시각
가장 빠른 종료시각 (Earliest Finishing Time)	EFT	작업을 끝낼 수 있는 가장 빠른 시각
가장 늦은 개시시각 (Latest Starting Time)	LST	공기에 영향이 없는 범위 내에서 작업을 가장 늦게 개시해도 되는 시각
가장 늦은 종료시각 (Latest Finishing Time)	LFT	공기에 영향이 없는 범위 내에서 작업을 가장 늦게 종료해도 되는 시각

> 산23③
> 용어 : 시간계산

(2) 결합점시각(Node Time)

① 정의 : 화살표형 네트워크에서 시간 계산이 산정된 결합점의 시각

용어	기호	내용
가장 빠른 결합점시각 (Earliest Node Time)	ET	작업을 시작할 수 있는 가장 빠른 시각
가장 늦은 송류시각 (Latest Node Time)	LT	공기에 영향이 없는 범위 내에서 작업을 가장 늦게 종료해도 되는 시각

② ET는 결합점의 EST와 시각이 동일하며 LT는 결합점의 LFT와 동일한 시각이 된다.

(3) 공기

공사 기간을 뜻하며 지정공기와 계산공기가 있으며, 계산공기는 항상 지정공기보다 같거나 작아야 한다. 만약에 계산공기가 지정공기보다 크다면 공기를 조정해야 하는데 이를 공기단축이라 하며 자세한 내용은 공기단축 파트에서 다루어 보자.

용어	기호	내용
지정공기	T_o	발주자에 의해 미리 지정되어 있는 공기
계산공기	T	네트워크의 일정계산으로 구해진 공기

(4) 여유시간

공사가 종료되는 데 지장을 주지 않는 범위 내에서의 잔여시간을 말하며, 크게 구분하여 플로트(Float)와 슬랙(Slack)이 있다.

① 플로트(Float) : 네트워크 공정표에서 작업의 여유시간

용어	기호	내용
전체여유 (Total Float)	TF	가장 빠른 개시시각(EST)에 시작하고 가장 늦은 종료시각(LFT)으로 완료할 때 생기는 여유시간
자유여유 (Free Float)	FF	가장 빠른 개시시각(EST)에 시작하고 후속하는 작업이 가장 빠른 개시시각(EST)에 시작하여도 존재하는 여유시간
종속여유 (Dependent Float)	DF	후속작업의 전체여유(TF)에 영향을 주는 여유 TF - FF = DF의 공식이 성립

> 산21② · 산23③
> 정의 : 여유

② 슬랙(Slack)

네트워크 공정표에서 결합점이 가지는 여유시간

> 산21② · 산23③
> 정의 : 슬랙

③ 플로트와 슬랙의 비교

플로트와 슬랙은 여유시간이라는 같은 뜻으로 사용하나, 그 대상(작업·결합점)이 다르므로 용어정리 시 반드시 대상이 표현되어야 한다.

(5) 경로(Path)

① 임의의 결합점에서 화살표의 방향으로 다른 결합점에 도달되는 작업(Activity)의 연결에 이르는 것을 말한다.
② 즉, 두 개 이상의 작업이 연결되는 것을 Path(경로)라 한다.
③ 네트워크에서 Path는 최장패스(LP)와 주공정선(CP)이 있다. 최장패스와 주공정선의 구분은 각 패스의 범위의 차이로 한다.

용어	기호	내용
최장패스 (Longest Path)	LP	임의의 두 결합점의 패스 중 소요시간이 가장 긴 경로
주공정선 (Critical Path)	CP	개시 결합점에서 종료 결합점에 이르는 패스 중 가장 긴 경로

> 산21② · 산22③
> 정의 : 주공정선(CP), 패스

(6) 주공정선(Critical Path, CP)
① 개시 결합점에서 종료 결합점에 이르는 경로 중 가장 긴 경로이다.
② CP는 공기를 결정하므로 공정계획 및 공정관리상 가장 중요한 경로가 된다.
③ 주공정선상의 작업의 여유(Float)와 결합점의 여유(Slack)는 0이다.
④ Dummy도 주공정선이 될 수 있다.
⑤ 네트워크 공정표상에서 CP는 복수일 수 있다.

2. 일정계산
네트워크 공정표의 일정은 크게 작업의 일정과 결합점의 일정으로 나누어 생각할 수 있다.

	작업(Activity)	결합점(Event)
일정	EST, EFT, LST, LFT	EST, EFT, LST, LFT
여유	TF, FF, DF	slack
표기	일정표(활동목록표)를 작성하여 표기	공정표상에 표기 △LFT EFT □EST LST → ⓘ

[일정 계산 방법]
• 먼저 작업의 일정을 계산하고 그 데이터를 이용하여 결합점의 일정을 계산한다.
• 결합점의 일정은 문제에서 요구하는 사항을 잘 파악하여 작성한다.

(1) 공정표상의 EST, EFT 계산방법
① 최초의 개시 결합점에서 작업의 흐름에 따라 전진 계산한다.
② 최초 개시 결합점의 EST=0이다. (개시 결합점에서 시작되는 모든 작업의 EST=0이다.)
③ 임의 작업의 EFT는 EST에 소요일수를 더하여 구한다. (EFT = EST + D)
④ 임의의 결합점의 EST는 선행작업의 EFT로 한다. (선행작업이 복수일 때는 EFT값 중 최대값으로 한다.)
⑤ 최종 결합점에서 끝나는 작업의 EFT의 최대값이 계산공기이며, 최종 결합점의 LFT가 된다.

위 내용을 아래 예제에 적용시켜 보면 다음과 같다.

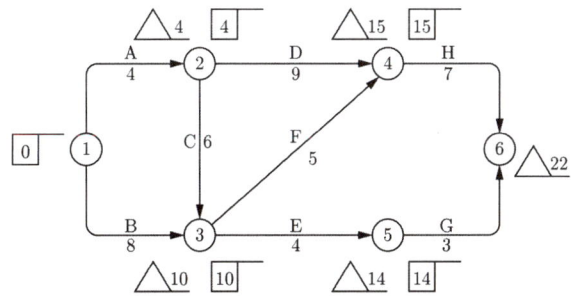

예제

① 위 공정표에서 전진계산에 대한 작업별 여유시간 계산과정을 정리하면 아래와 같다.
② 최초의 개시 결합점에서 시작되는 모든 작업에 0으로 EST 표기한다.
③ 각 작업의 EFT는 EST+작업일수로 계산한다.
④ 두 개의 결합점에서 후속작업의 EST는 선행작업의 EFT값으로 결정한다.
⑤ 3번 결합점과 같이 선행작업이 복수일 경우 EFT값(10일과 8일) 중 최대값인 10일이 후속작업의 EST가 된다(단계의 원칙 적용).
⑥ 아울러 4번 결합점에서 D작업의 13일과 F작업의 15일 중 최대값인 15일이 계산공기이자 5번 결합점의 LFT값이 된다.

(2) 공정표상의 LST, LFT 계산방법
① 최초의 종료 결합점에서 작업의 흐름과 반대방향으로 역진 계산한다.
② 최초 종료 결합점의 LFT값은 종료 결합점에서 끝나는 작업의 EFT 값 중 최대값으로 한다.
③ 임의 작업의 LST는 LFT에 소요일수를 감하여 계산한다. (LST = LFT - D)
④ 임의의 결합점의 LFT는 후속작업의 LST값으로 한다. (후속작업이 복수일 때는 LST 값 중에서 최소값으로 한다.)

위의 내용을 앞의 예제에 적용시켜보면 다음과 같다.

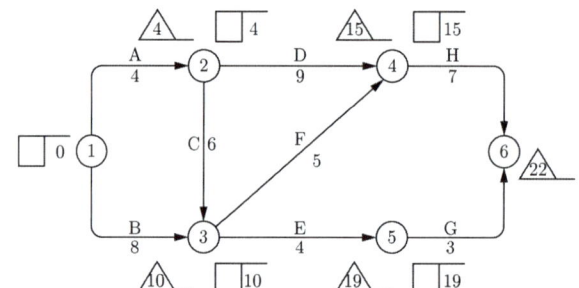

예제

① 위 공정표에서 역진계산에 대한 작업별 여유시간 계산과정을 정리하면 아래와 같다.
② 최종 종료 결합점인 6번 결합점의 LFT는 G작업의 EFT인 17일과 H작업의 EFT인 22일 중에서 최대값인 22일이며, 이는 G작업과 H작업의 LFT가 된다.
③ 각 작업의 LST는 LFT - 작업일수로 계산한다.
④ 3번 결합점의 LFT 값은 F작업의 LST인 10일과 E작업의 LST인 15일 중에서 최소값인 10일을 택하여 B, C작업에 적용하였다.
⑤ 2번 결합점의 LFT 값은 D작업의 LST인 6일과 C작업의 LST인 4일 중에서 최소값인 4일을 택하여 A작업에 적용하였다.

(3) 주공정선(Critical Path) 계산방법
　① 주공정선은 개시 결합점에서 종료 결합점까지의 패스 중 가장 긴 작업의 소요일수를 가진 경로를 말한다.
　② 주공정선(Critical Path)상의 작업의 여유 Float와 결합점의 여유인 Slack은 항상 0이다.
　③ 주공정선은 하나만 존재하는 것이 아니고 복수일 수 있다.
　④ Dummy도 주공정선이 될 수 있음에 유의하여야 한다.
　⑤ 주공정선의 일수가 바로 공사기간이 된다. 그러므로 주공정선상의 어느 작업에서도 공사가 지연되는 경우 전체 공기가 지연되므로 공정관리를 위하여 주공정선은 굵은 선으로 표기한다.
　예제에서 주공정선(Critical Path)은 ① → ② → ③ → ④ → ⑥이며 공사기간은 22일이 된다.

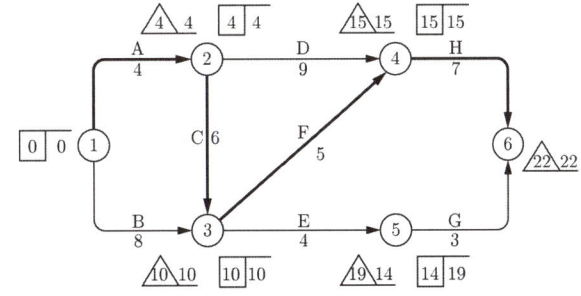

[주공정선 구하고 작도하기]
일정계산 시 EST, EFT, LST, LFT를 구한 후 4개가 모두 같은 결합점들을 연결하면 주공정선이 된다. 특별한 문제조건이 없는 한 주공정선은 굵은 선, 또는 이중선으로 표시하여야 한다.

(4) 작업의 EST, EFT, LST, LFT의 산정 및 표기방법
　① 일반적으로 작업의 여유시간 TF, FF 및 DF와 CP만 계산하는 경우가 대부분이지만 간혹 EST, EFT, LST, LFT를 모두 표기하라는 문제가 출제된다.
　② 이때는 공정표를 그리고 EST, EFT, LST, LFT를 그림에 표기한 후 그림을 보면서 표에 옮겨적으면 된다.
　③ 주공정선에 해당하는 작업들은 아래의 그림에 따라 각 작업의 EST, EFT, LST, LFT를 순서대로 기입하면 된다. 그리고 주공정선이 아닌 작업의 경우 사각형과 삼각형이 이루어진 EST와 LFT는 그대로 기입하지만, 도형이 완성되지 않은 LST와 EFT는 숫자 그대로 기입하지 않고 EFT = EST + D, LST = LFT - D의 공식을 사용하여 계산 후 기입한다.

(5) 작업의 여유(Float) 계산방법

① TF(Total Float) : TF = 그 작업의 LFT - 그 작업의 EFT [뒤 △ - (앞 □ + D)]
   또는 TF = 후속 작업의 LST - 그 작업의 EFT
② FF(Free Float) : FF = 후속작업의 EST - 그 작업의 EFT [뒤 □ - (앞 □ + D)]
③ DF(Dependent Float) : DF = TF - FF

주공정선인 A, C, F, H작업의 여유시간은 0이므로 주공정선상 작업의 TF, FF, DF는 모두 0이다. 또한, 위의 계산방법을 적용하여 B작업의 여유시간을 계산하면 다음과 같이 나타낼 수 있다.

① TF 계산방법[뒤 △ - (앞 □ + D)] : 10 - (0 + 8) = 2
② FF 계산방법[뒤 □ - (앞 □ + D)] : 10 - (0 + 8) = 2
③ DF 계산방법(TF-FF) : 2 - 2 = 0
④ 위와 같은 계산방법으로 주공정선을 제외한 모든 작업의 여유시간을 계산한다.

> [주의 : Dummy 1개로만 연결된 결합점의 EST 계산]
> 결합점의 EST 계산 시 후속작업이 Dummy 1개로만 연결된 경우 Dummy의 EST가 결합점의 EST가 된다. 즉, 어떤 작업에서 Dummy 1개로만 연결된 경우의 그 작업의 여유시간 계산에서 EST는 Dummy로 연결된 다음 작업의 EST로 계산해야 한다.
> 다만, 어떤 작업에서 Dummy 1개와 실선이 1개 이상 추가로 연결된 경우 그 작업의 여유시간 계산은 기존 계산대로 해당 작업의 EST로 계산한다.

(6) 활동목록표(일정표 작성)

지금까지 작업의 일정을 계산한 것을 도표로 정리하여 나타낸 것을 활동목록표, 또는 일정표라 한다. 예제 문제의 결과를 나타내면 다음과 같다.

작업명	EST	EFT	LST	LFT	TF	FF	DF	CP
A	0	4	0	4	0	0	0	*
B	0	8	2	10	2	2	0	
C	4	10	4	10	0	0	0	*
D	4	13	6	15	2	2	0	
E	10	14	15	19	5	0	5	
F	10	15	10	15	0	0	0	*
G	14	17	19	22	5	5	0	
H	15	22	15	22	0	0	0	*

> [활동목록표 작성]
> • 활동목록표나 일정표는 답안에서 양식이 제시되지 않는 경우에도 도표로 작성하는 것이 좋다.
> • 별도로 답을 요구하는 경우 요구조건을 준수하여 작성한다.

(7) CPM 기법과 PERT 기법에 의한 공정표 작성 비교
① 결합점의 일정은 아래의 예와 같이 두 가지 형태로 나타내는데, 첫 번째가 CPM 기법이고 두 번째 그림이 PERT 기법의 표현이다.

┃표현 1┃   ┃표현 2┃

② 위 두 가지 방법에서 표기방법을 비교하면 아래와 같다.

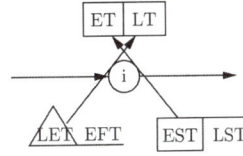

위의 그림에서 보듯이 결합점의 EST와 ET가 같고, 결합점의 LFT와 LT가 같게 구한다. 즉, 하나의 작업에 대해 CPM 기법에서는 LFT, EFT, EST, LST의 4개를 나타내지만, PERT 기법에서는 ET와 LT 2개만 나타낸다.

③ CPM 기법에서 결합점의 EFT와 LST는 아래와 같이 표현한다.

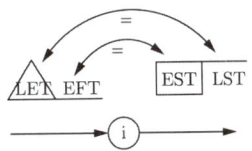

[공정표 작성 시 유의사항]
① 결합점의 번호 확인(小 → 大)
② Dummy 유무 및 화살표 확인
③ 주공정선 확인(굵은 선, 이중선)
④ 한눈에 들어올 수 있게 깨끗하게 작성
⑤ 답안지가 제시된 영역의 범위 안에서 크게 작성

단원별 경향문제

02① · 11④ · 17④ [3점]

01 네트워크 공정표에서 작업 상호간의 연관 관계만을 나타내는 명목상의 작업인 더미(Dummy)의 종류 3가지를 쓰시오.

(1)　　　　　　　　　　　(2)
(3)

[해설] 더미의 종류
(1) 넘버링(Numbering) 더미
(2) 로지컬(Logical) 더미
(3) 커넥션(Connection) 더미

11④ [4점]

02 다음과 같은 Network 공정표의 최장 소요일수를 구하고 CP를 표시하시오.

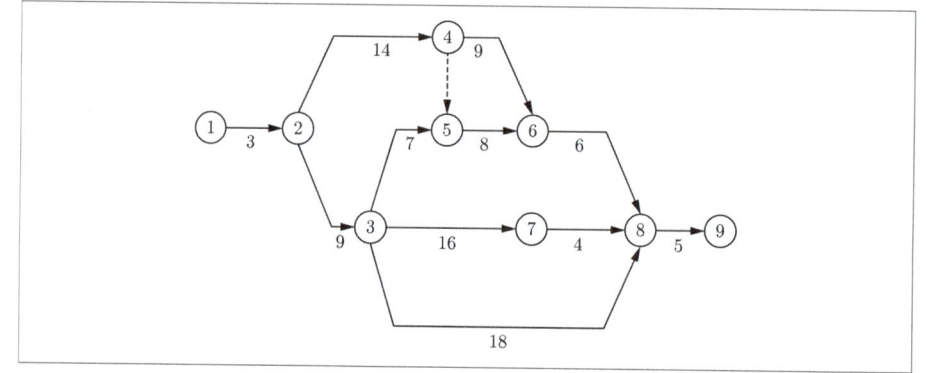

[해설]

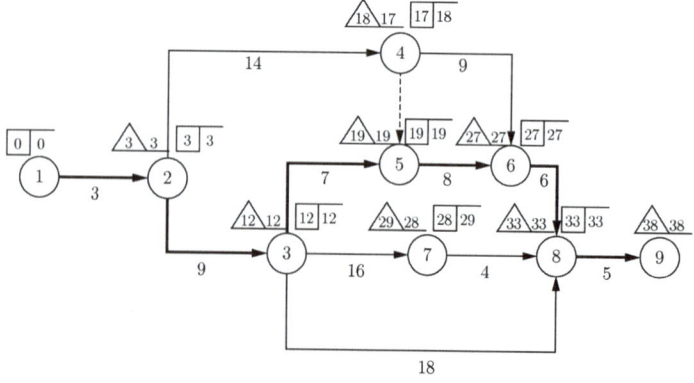

최장 소요일수 : 38일

03 다음에 제시된 화살표형 네트워크 공정표를 통해 일정계산 및 여유시간, 주공정선 (CP)과 관련된 빈칸을 모두 채우시오. (단, CP에 해당하는 작업은 * 표시를 하시오.)

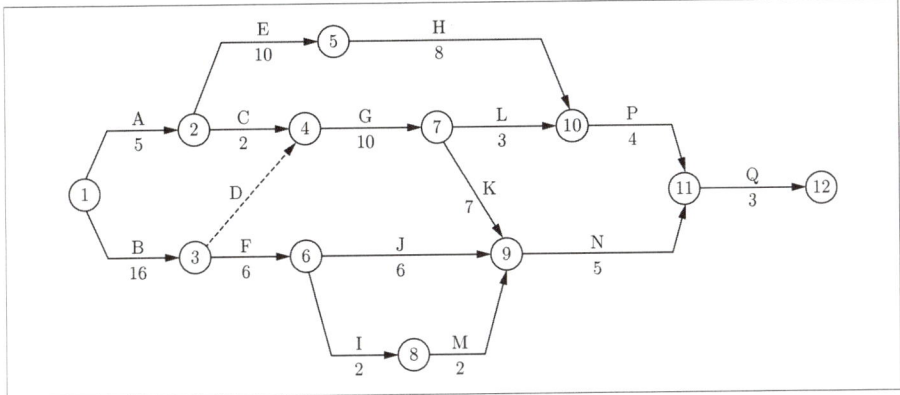

작업명	EST	EFT	LST	LFT	TF	FF	DF	CP
A								
B								
C								
D								
E								
F								
G								
H								
I								
J								
K								
L								
M								
N								
P								
Q								

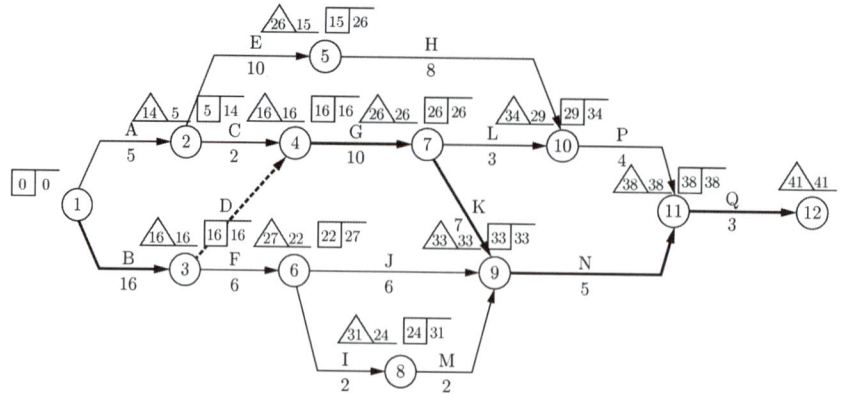

작업명	EST	EFT	LST	LFT	TF	FF	DF	CP
A	0	5	9	14	9	0	9	
B	0	16	0	16	0	0	0	*
C	5	7	14	16	9	9	0	
D	16	16	16	16	0	0	0	*
E	5	15	16	26	11	0	11	
F	16	22	21	27	5	0	5	
G	16	26	16	26	0	0	0	*
H	15	23	26	34	11	6	5	
I	22	24	29	31	7	0	7	
J	22	28	27	33	5	5	0	
K	26	33	26	33	0	0	0	*
L	26	29	31	34	5	0	5	
M	24	26	31	33	7	7	0	
N	33	38	33	38	0	0	0	*
P	29	33	34	38	5	5	0	
Q	38	41	38	41	0	0	0	*

04 다음 Network 공정표를 보고 물음에 답하시오.

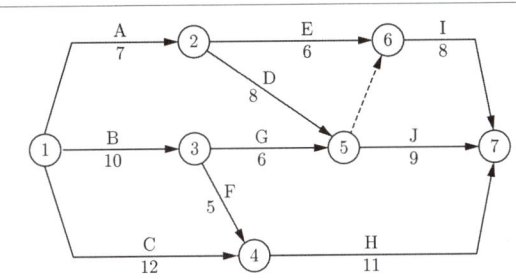

(1) Network 공정표상에 주공정선을 굵은 선으로 표시하고 각 작업의 EST, EFT, LST, LFT를 기입하시오.
(2) D작업의 TF와 DF를 구하시오.
   ① TF :   ② DF :

해설 (1) 공정표 및 작업의 일정
   ① 공정표

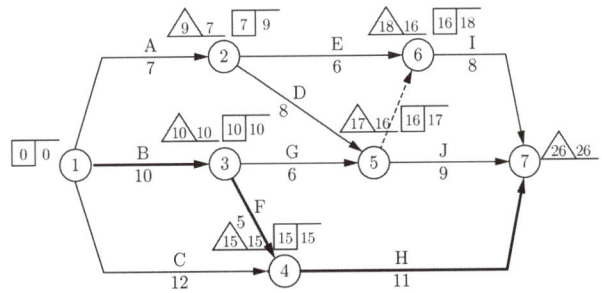

   ② 각 작업의 일정(활동목록표)

작업명	EST	EFT	LST	LFT
A	0	7	2	9
B	0	10	0	10
C	0	12	3	15
D	7	15	9	17
E	7	13	12	18
F	10	15	10	15
G	10	16	11	17
H	15	26	15	26
I	16	24	18	26
J	16	25	17	26

(2) D작업의 TF/DF
   ① TF = [뒤 △ − (앞 □ + D)]이므로, TF = [17 − (7 + 8)] = 2일
   ② FF = [뒤 □ − (앞 □ + D)]이므로, FF = [16 − (7 + 8)] = 1일
       DF = TF − FF이므로 DF = 2일 − 1일 = 1일

07① [6점]

05 다음 데이터를 이용하여 네트워크 공정표를 작성하시오.

작업명	작업일수	선행작업	비고
A	6	없음	① CP는 굵은 선으로 표시한다.
B	4	없음	② 각 결합점에서는 다음과 같이 표시한다.
C	3	없음	EST │ LST △LET\EFT
D	3	B	③ 각 작업은 다음과 같이 표시한다.
E	6	A, B	(i) ─작업명/공사일수→ (j)
F	5	A, C	

해설 〈공정표〉

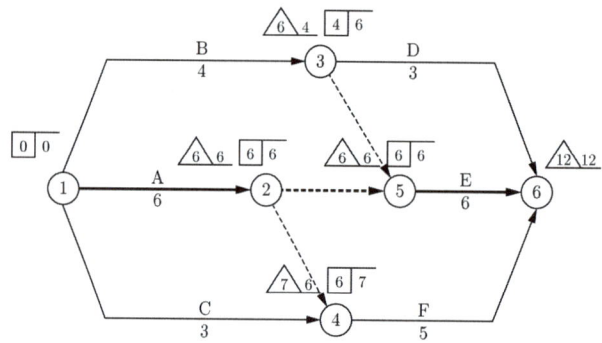

[공정표 작성 시 유의사항]
D, E, F작업의 선행작업 조건이 각기 다르므로 한 개의 결합점에서 동시에 나가는 작업은 없고, 각기 다른 결합점에서 시작하여야 하며, 작도의 순서는 D, F, E작업의 순으로 한다.

06 다음 데이터를 네트워크 공정표로 작성하고, 각 작업별 여유시간을 산출하시오.

작업명	작업일수	선행작업	비고
A	2	없음	① CP는 굵은 선으로 표시한다.
B	5	없음	② 각 결합점에서는 다음과 같이 표시한다.
C	3	없음	EST │ LST LET △ EFT
D	4	A, B	③ 각 작업은 다음과 같이 표시한다.
E	3	B, C	i →(작업명/공사일수)→ j

(1) 공정표
(2) 여유시간 계산

해설 (1) 공정표

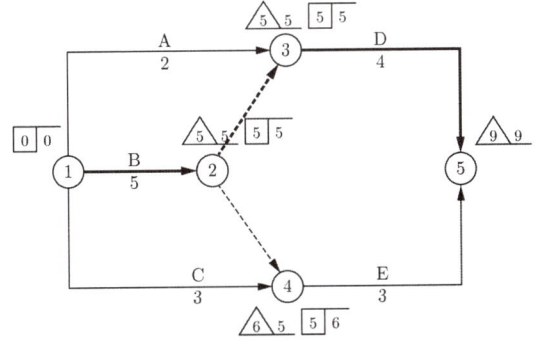

(2) 여유시간 계산

작업명	TF	FF	DF	CP
A	3	3	0	
B	0	0	0	*
C	3	2	1	
D	0	0	0	*
E	1	1	0	

[공정표 작성 시 유의사항]
개시결합점의 번호보다 종료 결합점의 번호가 반드시 큰 번호가 기입되어야 함에 유의하여 작성한다.

07 다음 데이터를 이용하여 네트워크 공정표를 작성하고 각 작업의 여유시간을 계산하시오.

작업명	작업일수	선행작업	비고
A	5	없음	① CP는 굵은 선으로 표시한다.
B	2	없음	② 각 결합점에서는 다음과 같이 표시한다.
C	4	없음	EST LST / LET EFT
D	4	A, B, C	③ 각 작업은 다음과 같이 표시한다.
E	3	A, B, C	(i) —작업명/공사일수→ (j)

(1) 공정표
(2) 여유시간 계산

작업명	EST	EFT	LST	LFT	TF	FF	DF	CP
A								
B								
C								
D								
E								

해설

[공정표 답안은 복수가능]
- 이 문제는 A, B, C작업의 순서에 따라 여러 유형의 답안이 존재한다.
- 답안의 유형에 따라 dummy의 주공정선 유무가 달라지지만, 작업의 일정은 문제의 조건을 반영하면 어떠한 경우에도 같게 된다.

(1) 공정표

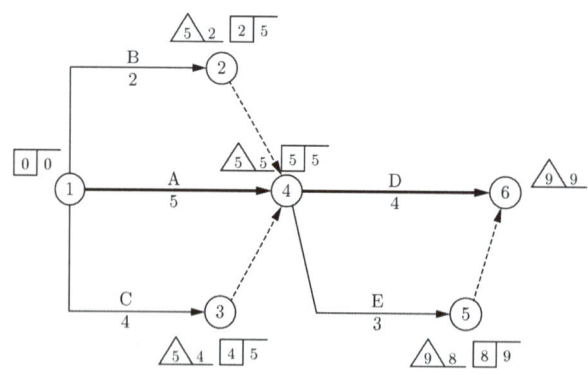

(2) 여유시간 계산

작업명	EST	EFT	LST	LFT	TF	FF	DF	CP
A	0	5	0	5	0	0	0	*
B	0	2	3	5	3	3	0	
C	0	4	1	5	1	1	0	
D	5	9	5	9	0	0	0	*
E	5	8	6	9	1	1	0	

08

다음 데이터를 네트워크 공정표로 작성하시오.

작업명	작업일수	선행작업	비고
A	5	없음	
B	7	없음	① CP는 굵은 선으로 표시한다.
C	3	없음	② 각 결합점 일정 계산은 PERT 기법에 의거 다음과 같이 계산한다.
D	4	A, B	
E	8	A, B	
F	6	B, C	
G	5	B, C	

해설 〈공정표 작성〉

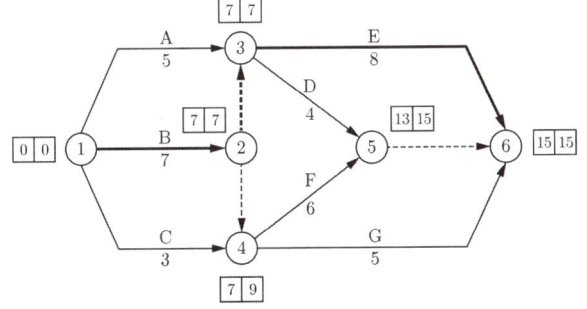

[공정표 작도 시 유의사항]
D, E작업과 F, G작업은 선행작업 조건이 같으므로 동시에 1개의 결합점에서 시작한다.

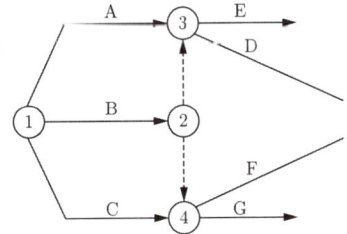

위의 공정표와 같이 그린 후 종료 결합점을 그리고 나서 Dummy의 수가 최소가 되는 방법을 찾는다.

[공정표 작도 순서]
① A, B, C작업 : 이때 B작업이 중앙에 오도록 한다.
② D, E작업
③ F, G작업
④ 완성

09 다음 데이터를 네트워크 공정표로 작성하고, 여유시간을 구하시오. (단, 주공정선은 굵은 선으로 표시하고 소요일정 계산은 다음과 같이 표시한다.)

작업명	작업일수	선행작업	비고
A	3	없음	① CP는 굵은 선으로 표시한다.
B	5	없음	② 각 결합점에서는 다음과 같이 표시한다.
C	2	없음	EST | LST /LET \ EFT
D	3	B	③ 각 작업은 다음과 같이 표시한다.
E	4	A, B, C	i →(작업명/공사일수)→ j
F	2	C	

해설 (1) 공정표 작성

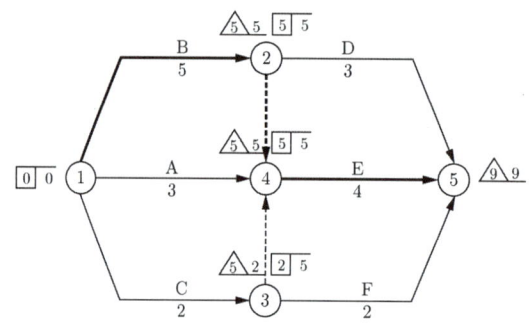

(2) 작업의 여유시간

작업명	TF	FF	DF	CP
A	2	2	0	
B	0	0	0	*
C	3	0	3	
D	1	1	0	
E	0	0	0	*
F	5	5	0	

10 다음 자료로 네트워크 공정표를 작성하고 요구작업에 대하여는 여유시간을 계산하시오. (단, 주공정선은 굵은 선으로 표시한다.)

작업명	작업일수	공정관계	선행작업	비고
A	5	1 → 4	없음	
B	4	1 → 3	없음	
C	6	1 → 2	없음	① CP는 굵은 선으로 표시한다.
D	7	4 → 7	A, B, C	② 각 결합점에서는 다음과 같이 표시한다.
E	8	3 → 6	B, C	
F	4	2 → 5	C	③ 각 작업은 다음과 같이 표시한다.
G	6	7 → 8	D, E, F	
H	4	6 → 8	E, F	
I	5	5 → 8	F	
J	2	8 → 9	G, H, I	

(1) 네트워크 공정표를 작성하시오.
(2) 작업 B, D, F, G, I의 TF, FF, DF를 계산하시오.

해설 문제에서 공정관계가 주어진 경우 결합점의 번호를 그대로 따라 공정표를 작성해야 한다.

(1) 네트워크 공정표

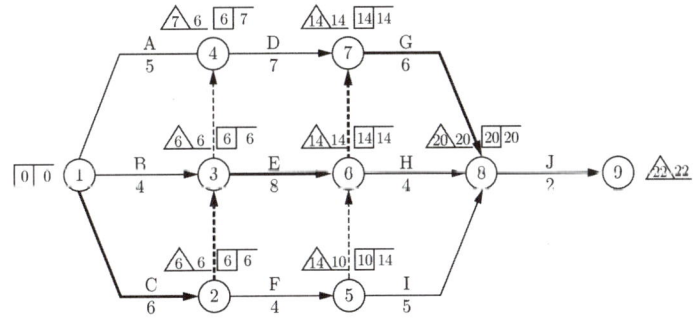

(2) 작업의 여유시간

작업명	TF	FF	DF
B	2	2	0
D	1	1	0
F	4	0	4
G	0	0	0
I	5	5	0

11

99① · 05③ · 07③ · 12④ · 18① · 21② [10점]

다음 작업리스트에서 네트워크 공정표를 작성하고, 각 작업의 여유시간을 구하시오.

작업명	작업일수	선행작업	비고
A	4	없음	
B	6	A	① CP는 굵은 선으로 표시한다.
C	5	A	② 각 결합점에서는 다음과 같이 표시한다.
D	4	A	
E	3	B	EST | LST LET △ EFT
F	7	B, C, D	
G	8	D	③ 각 작업은 다음과 같이 표시한다.
H	7	E	
I	5	E, F	i — 작업명 / 공사일수 → j
J	8	E, F, G	
K	6	H, I, J	

(1) 네트워크 공정표
(2) 각 작업의 여유시간

해설

[Data 분석]
Data에서 작업의 수가 많은 경우 부분으로 나누어 생각하면 쉽다.
〈작성순서〉
① A작업
② B, C, D작업 : 이때 E, F, G작업군을 고려하여 C작업이 가운데에 위치해야 한다.
③ H, I, J작업 : Data의 수가 적은 작업부터 작성
④ K작업

(1) 공정표 작성

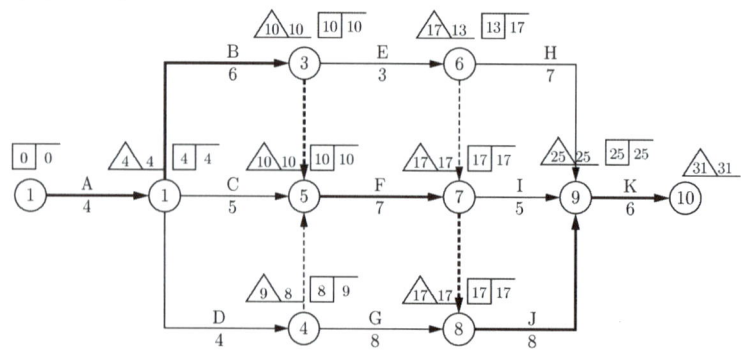

(2) 작업의 여유시간

작업명	TF	FF	DF	CP
A	0	0	0	*
B	0	0	0	*
C	1	1	0	
D	1	0	1	
E	4	0	4	
F	0	0	0	*
G	1	1	0	
H	5	5	0	
I	3	3	0	
J	0	0	0	*
K	0	0	0	*

08② · 13④ · 18④ [10점]

12 다음 데이터를 네트워크 공정표로 작성하고, 각 작업의 여유시간을 구하시오.

작업명	소요일수	선행작업	비고
A	2	없음	① CP는 굵은 선으로 표시한다.
B	3	없음	② 각 결합점에서는 다음과 같이 표시한다.
C	5	없음	EST │ LST /LET\ EFT
D	4	없음	③ 각 작업은 다음과 같이 표시한다.
E	7	A, B, C	(i) ─작업명→ (j)
F	5	B, C, D	공사일수

(1) 네트워크 공정표
(2) 각 작업의 여유시간

[해설] (1) 공정표 작성

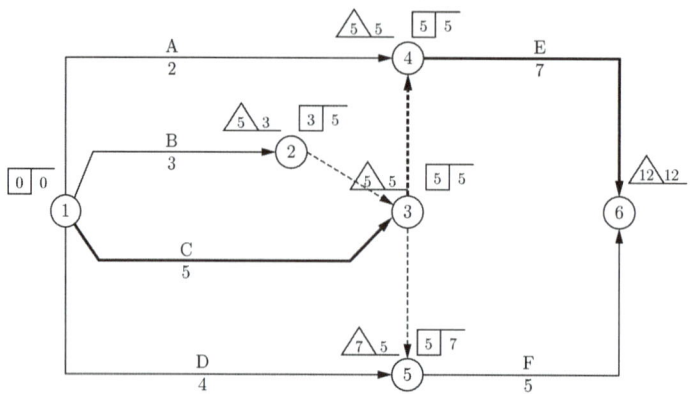

(2) 작업의 여유시간

작업명	TF	FF	DF	CP
A	3	3	0	
B	2	2	0	
C	0	0	0	*
D	3	1	2	
E	0	0	0	*
F	2	2	0	

[Data 분석]
선행작업이 없는 작업의 수가 4개 이상인 문제이다. 여기서 E, F의 선행작업 중에 B, C작업이 공통으로 되어있으므로 B, C작업을 하나의 작업으로 인식하면 작성이 수월하다. 즉, X=B, C

작업명	선행작업
E	A, X
F	X, D

그러면 X를 가운데 A, D작업을 위, 아래로 두어 작성하면 손쉽게 공정표를 그릴 수 있다.

※ 별해

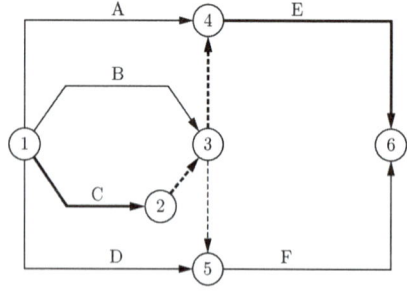

위의 공정표도 무방하지만 가급적 소요일수가 3일로 짧은 B작업에 더미를 붙이는 것이 바람직하다.

13

다음 데이터를 네트워크 공정표로 작성하고, 각 작업의 여유시간을 구하시오.

작업명	작업일수	선행작업	비고
A	5	없음	① CP는 굵은 선으로 표시한다.
B	3	없음	② 각 결합점에서는 다음과 같이 표시한다.
C	2	없음	EST LST / LET EFT
D	2	A, B	③ 각 작업은 다음과 같이 표시한다.
E	5	A, B, C	또한, 여유시간 계산 시 각 작업의 실제적인
F	3	A, C	의미의 여유시간으로 계산한다. (더미의 여유시간은 고려하지 않을 것)

(1) 공정표 작성
(2) 작업의 여유시간

해설 (1) 공정표 작성

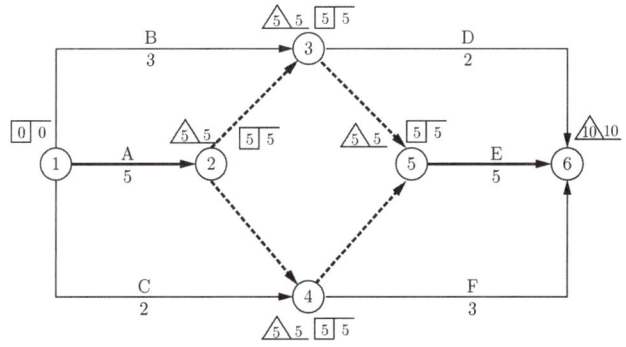

(2) 작업의 여유시간

작업명	TF	FF	DF	CP
A	0	0	0	*
B	2	2	0	
C	3	3	0	
D	3	3	0	
E	0	0	0	
F	2	2	0	*

[Data 분석]
〈작성순서〉
① A, B, C작업 : A작업이 중앙에 오게 함이 좋다. 그 이유는 D와 F작업의 선행작업 중 A작업이 공통이기 때문이다.
② D, F작업
③ E작업

00④·04①·07②·10④·14④·15①·20①·20② [10점]

14 다음 데이터를 네트워크 공정표로 작성하고, 각 작업의 여유시간을 계산하시오.

작업명	작업일수	선행작업	비고
A	5	없음	① CP는 굵은 선으로 표시한다. ② 각 결합점에서는 다음과 같이 표시한다. EST | LST △LET | EFT ③ 각 작업은 다음과 같이 표시한다. i —작업명/공사일수→ j 또한, 여유시간 계산 시 각 작업의 실제적인 의미의 여유시간으로 계산한다. (더미의 여유시간은 고려하지 않을 것)
B	2	없음	
C	4	없음	
D	4	A, B, C	
E	3	A, B, C	
F	3	A, B, C	

(1) 공정표
(2) 여유시간

해설 (1) 공정표 작성

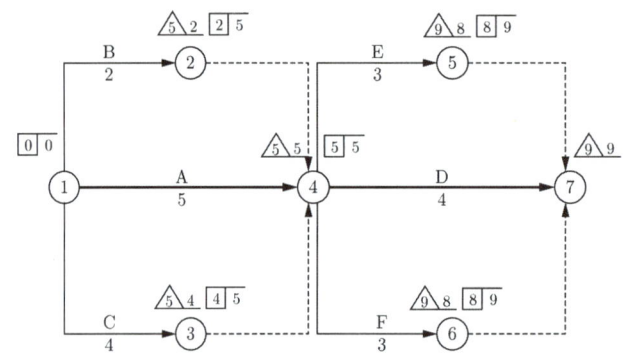

(2) 작업의 여유시간

작업명	TF	FF	DF	CP
A	0	0	0	*
B	3	3	0	
C	1	1	0	
D	0	0	0	*
E	1	1	0	
F	1	1	0	

[여러 가지 답안]
해설과 다른 유형의 공정표가 작성될 수 있다.

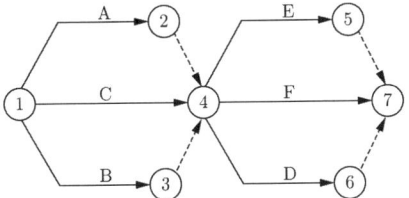

[작업의 순서가 바뀐 공정표]

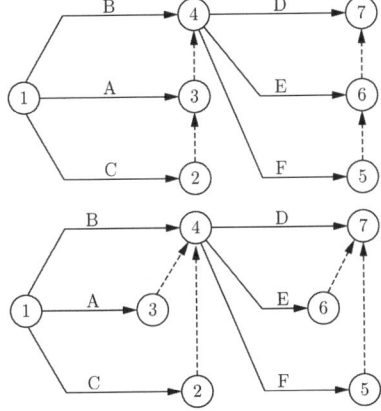

〈작업명의 순서가 바뀔 수 있다〉
- 주의 : 여러 유형의 공정표는 결합점의 일정은 다를 수 있으나, 작업의 일정은 문제조건에서 제시된 실제적인 여유를 계산하면 항상 동일하다.
- 각 작업의 여유시간 산출 시 2, 3, 5, 6번 결합점은 더미가 하나씩만 나가고 있으므로 더미를 무시하여 2, 3, 5, 6번 결합점에서의 여유시간은 다음 작업을 기준으로 계산해야 한다.

15 다음 데이터를 네트워크 공정표로 작성하시오.

작업명	작업일수	선행작업	비고
A	5	–	단, 주공정선은 굵은 선으로 표시한다. 각 결합점 일정계산은 PERT 기법에 의거 다음과 같이 계산한다. (단, 결합점 번호는 반드시 기입한다).
B	2	–	
C	4	–	
D	5	A, B, C	
E	3	A, B, C	
F	2	A, B, C	
G	3	D, E	
H	5	D, E, F	
I	2	D, F	

〈공정표 작성〉

해설 〈공정표 작성〉

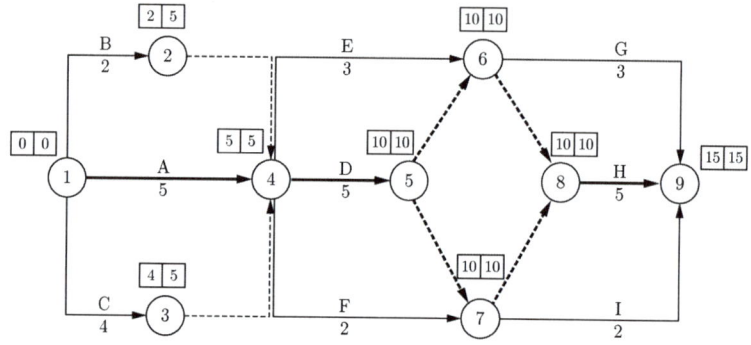

[Data 분석]
〈작성순서〉
① A, B, C작업 : 이때 세 작업은 순서에 상관없다.
② D, E, F작업 : G, H, I작업의 선행조건을 파악하여 D작업이 공통이므로 중앙에 위치하여야 한다.
③ G, H, I작업

[결합점의 ET, LT]

16 다음 데이터를 네트워크 공정표로 작성하시오.

작업명	소요일수	선행관계	작업명	소요일수	선행관계	비고
A	4	없음	F	2	B, C	단, 이벤트(Event)에는 번호를 기입하고, 주 공정선은 굵은 선으로 표기한다.
B	8	없음	G	5	B, C	
C	6	A	H	2	D	
D	11	A	I	8	D, F	
E	14	A	J	9	E, G, H, I	

〈네트워크 공정표〉

해설 〈네트워크 공정표〉

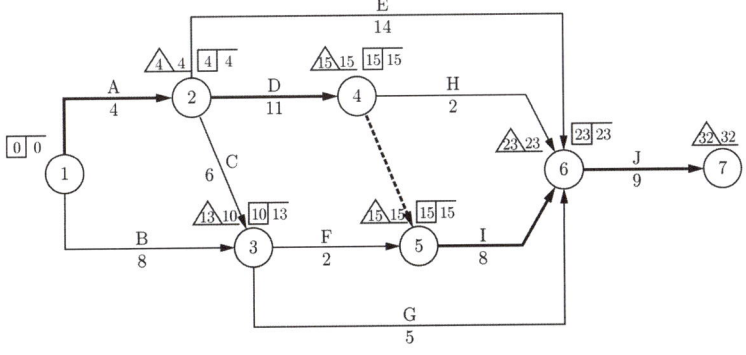

17 다음 데이터를 네트워크 공정표로 작성하고, 각 작업별 여유시간을 산출하시오.

작업명	작업일수	선행작업	비고
A	2	–	① CP는 굵은 선으로 표시한다.
B	2	–	② 각 결합점에서는 다음과 같이 표시한다.
C	4	–	EST LST LET EFT
D	5	C	
E	2	B	③ 각 작업은 다음과 같이 표시한다.
F	3	A	(i) —작업명/공사일수→ (j)
G	3	A, C, E	
H	4	D, F, G	

(1) 공정표
(2) 각 작업의 여유시간

해설 (1) 공정표

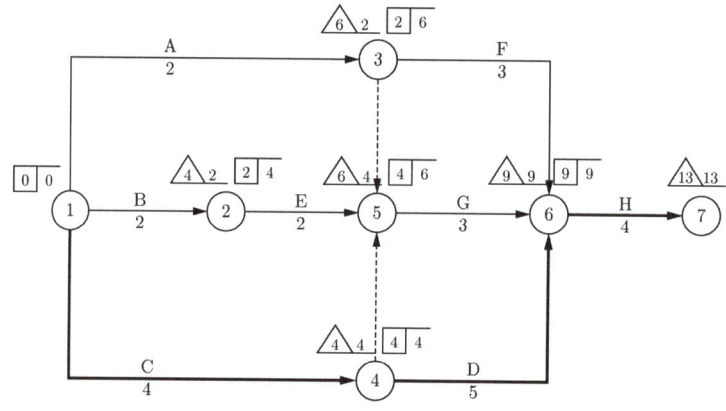

(2) 각 작업의 여유시간

작업명	TF	FF	DF	CP
A	4	0	4	
B	2	0	2	
C	0	0	0	*
D	0	0	0	*
E	2	0	2	
F	4	4	0	
G	2	2	0	
H	0	0	0	*

[data 분석]
D, E, F, G, H의 작업전부가 선행작업이 동일하지 않다. 그러므로 각 작업은 각기 다른 결합점에서 시작한다.

08③ · 15④ · 21① · 산22② [10점]

18 다음 데이터를 네트워크 공정표로 작성하고, 각 작업별 여유시간을 산출하시오.

작업명	작업일수	선행작업	비고
A	3	없음	① CP는 굵은 선으로 표시한다.
B	4	없음	② 각 결합점에서는 다음과 같이 표시한다.
C	5	없음	EST │ LST △ LET │ EFT
D	6	A, B	③ 각 작업은 다음과 같이 표시한다.
E	7	B	i ──작업명/공사일수──→ j
F	4	D	
G	5	D, E	
H	5	C, F, G	
I	7	F, G	

(1) 공정표   (2) 여유시간

해설

[작도 시 주의사항]
dummy의 방향을 정확하게 표현하여야 한다. 그렇지 않은 경우 선행조건도 만족하지 못하지만 일정계산도 틀리게 된다.

(1) 공정표

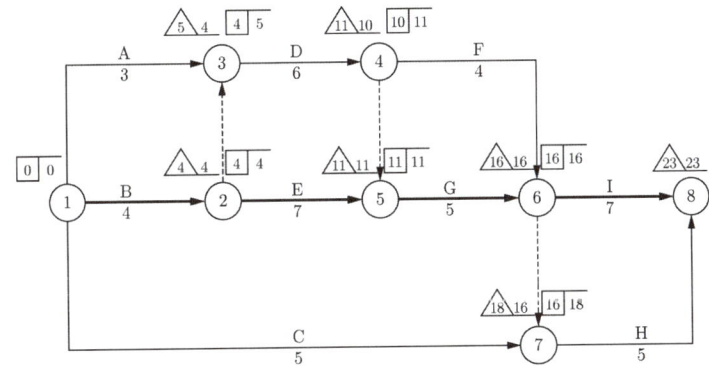

(2) 여유시간

작업명	TF	FF	DF	CP
A	2	1	1	
B	0	0	0	*
C	13	11	2	
D	1	0	1	
E	0	0	0	*
F	2	2	0	
G	0	0	0	*
H	2	2	0	
I	0	0	0	*

19 작업리스트에 따라 네트워크 공정표를 작성하시오.

작업명	작업일수	선행작업	비고
A	2	없음	
B	3	없음	① CP는 굵은 선으로 표시한다.
C	5	A	② 각 결합점에서는 다음과 같이 표시한다.
D	5	A, B	
E	2	A, B	
F	3	C, D, E	
G	4	E	

공정표

해설 공정표

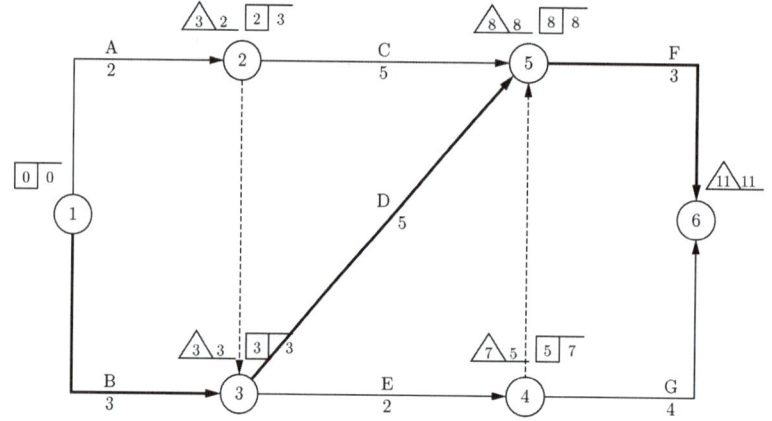

02③ · 04② · 14① · 14② · 22④ [8점]

20

다음 데이터를 네트워크 공정표로 작성하고 각 작업의 전체여유(TF)와 자유여유(FF)를 구하시오.

작업명	작업일수	선행작업	비고
A	5	없음	① CP는 굵은 선으로 표시한다.
B	6	없음	② 각 결합점에서는 다음과 같이 표시한다.
C	5	A, B	
D	7	A, B	EST LST LET EFT
E	3	B	③ 각 작업은 다음과 같이 표시한다.
F	4	B	
G	3	C, E	i — 작업명/공사일수 → j
H	4	C, D, E, F	

(1) 공정표 작성
(2) 여유시간 계산

해설 (1) 공정표 작성

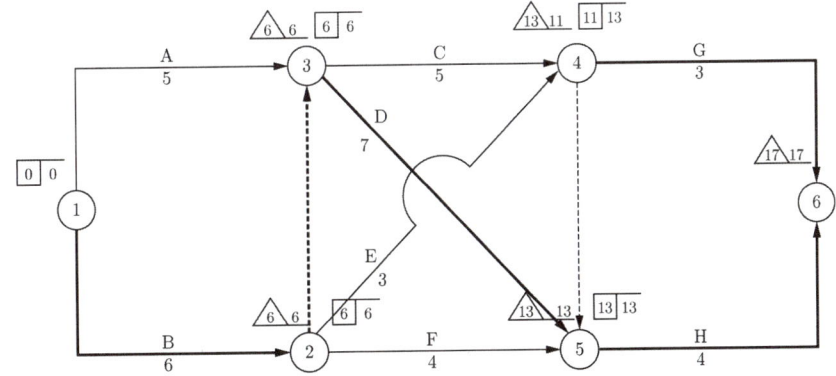

(2) 작업의 여유시간

작업명	TF	FF	DF	CP
A	1	1	0	
B	0	0	0	*
C	2	0	2	
D	0	0	0	*
E	4	2	2	
F	3	3	0	
G	3	3	0	
H	0	0	0	*

[Data 분석]
공정표 작성 시 작업이 교차되지 않도록(D, E작업) 구부려 작도한다.
〈작업순서〉
① A, B작업
② E, F작업
③ C, D작업
  • G작업의 선행조건에 의하여 C작업과 D작업을 인접시켜야 한다.
  • G와 H의 선행조건을 보면 G에서 H로 Dummy가 발생함을 알 수 있다.
  • 두 가지 경우에 의하여 작업이 교차되므로, 선을 구부려 표시한다.
④ G작업
⑤ H작업

21. 다음 데이터를 네트워크 공정표로 작성하고 각 작업의 여유시간을 구하시오.

작업명	소요일수	선행작업	비고
A	5	없음	
B	6	없음	① CP는 굵은 선으로 표시한다.
C	5	A	② 각 결합점에서는 다음과 같이 표시한다.
D	2	A, B	EST | LST LET △ EFT
E	3	A	③ 각 작업은 다음과 같이 표시한다.
F	4	C, E	i —작업명/공사일수→ j
G	3	D	
H	3	G, F	

(1) 네트워크 공정표
(2) 각 작업의 여유시간

해설 (1) 네트워크 공정표

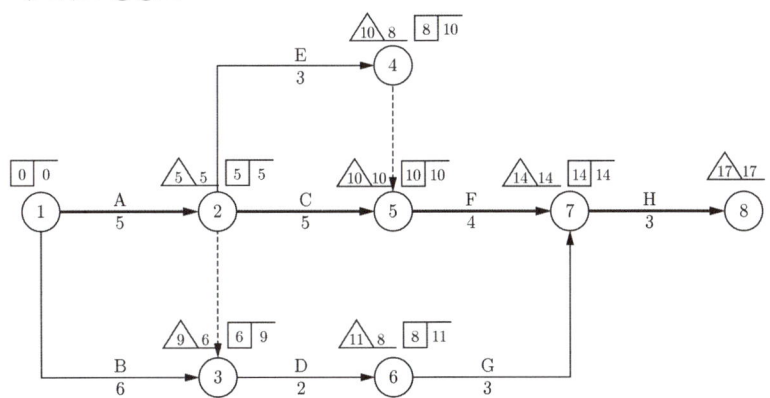

(2) 각 작업의 여유시간

작업명	TF	FF	DF	CP
A	0	0	0	*
B	3	0	3	
C	0	0	0	*
D	3	0	3	
E	2	2	0	
F	0	0	0	*
G	3	3	0	
H	0	0	0	*

CHAPTER 03 횡선식 공정표(Bar Chart)

제1절 | 문제 유형 분석

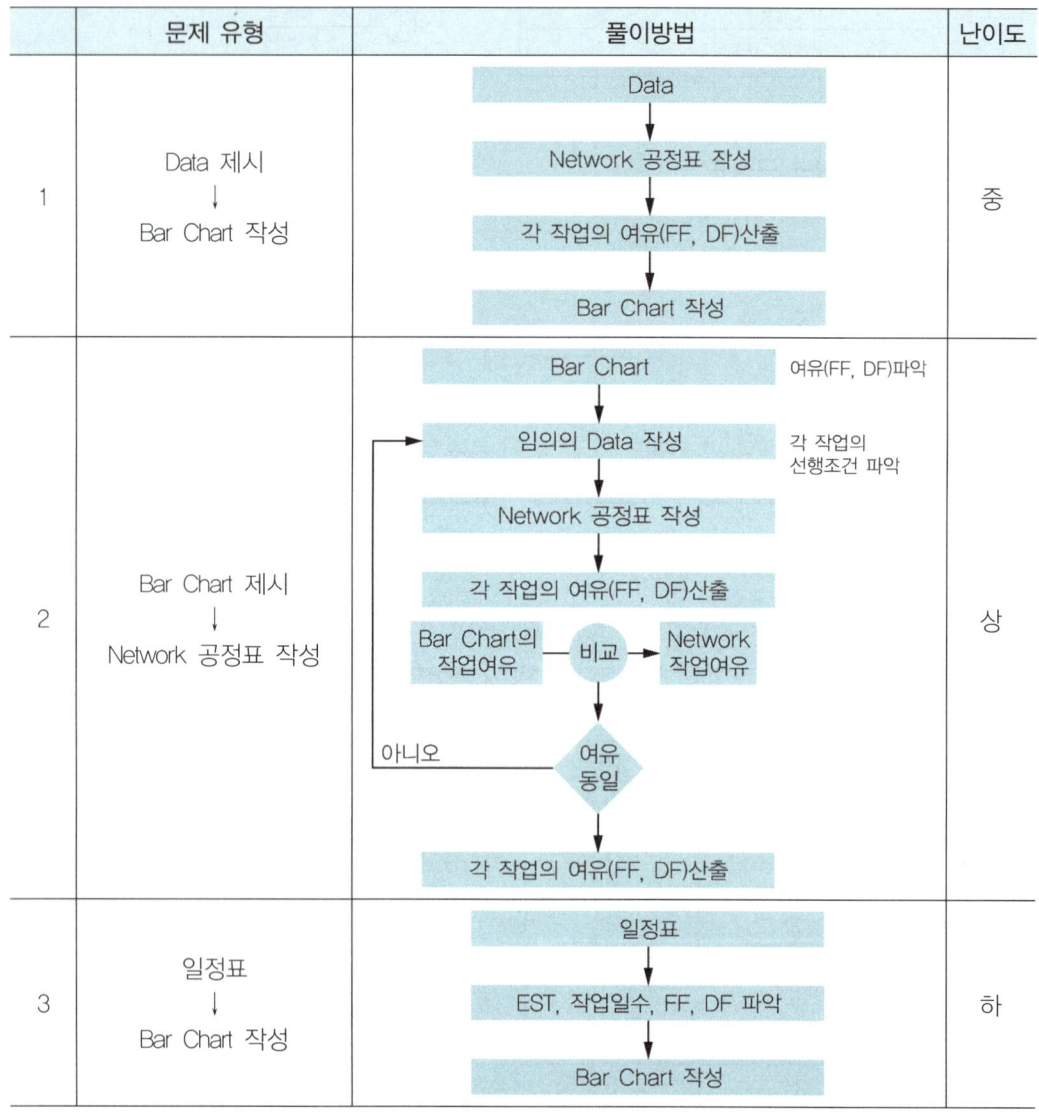

제 2 절 | 유형별 문제풀이

1. Data 제시 → Bar Chart 작성

① 주어진 Data를 이용하여 Network 공정표를 작성하고, 일정계산을 통하여 각 작업의 여유(FF, DF)를 파악한 후 작성한다.
② Bar Chart 작성 시 모든 작업은 EST에서 시작하는 것으로 작성하고 작업일수 뒤에 여유를 표시한다.
③ 범례표를 작성하여 여러 기호들의 설명을 도시한다.

예제 1

다음 데이터를 Bar Chart로 작성하시오.

작업명	작업일수	선행작업	비고
A	3	없음	
B	4	없음	
C	2	없음	
D	2	B	단, 각 작업은 가장 빠른 시간으로 하여 ▇▇▇로 표시하고
E	2	A	네트워크 공정표로 작성하였을 경우 생기는 여유
F	1	E	시간 중 FF는 □□□로
G	3	D, C	DF는 □□□로 표기할 것
H	3	D, C	[예] A작업 ▇□ 와 같이 표시한다.
I	3	H	
J	2	G, F	
K	2	I, J	

해설

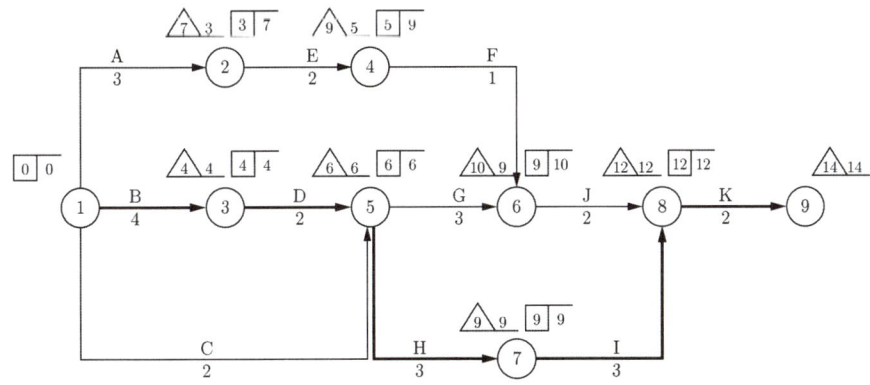

작업명	TF	FF	DF	CP
A	4	0	4	
B	0	0	0	*
C	4	4	0	
D	0	0	0	*
E	4	0	4	
F	4	3	1	
G	1	0	1	
H	0	0	0	*
I	0	0	0	*
J	1	1	0	
K	0	0	0	*

작업 \ 일수	1	2	3	4	5	6	7	8	9	10	11	12	13	14	CP
A	■	■	■	░	░	░	░								
B	■	■	■	■	■										*
C	■	■													
D					■	■									*
E				■	■	░	░	░	░						
F						■	■	☐ ☐ ☐ ░							
G							■	■	■	░					
H							■	■	■						*
I										■	■	■			*
J										■	■	☐			
K													■	■	*
범례			작업 : ■			FF : ☐			DF : ░			CP : *			

2. Bar Chart → Network 공정표 작성

① 주어진 Bar Chart에서 Data(선행관계)를 구한다.
② 구한 Data를 이용하여 네트워크 공정표를 작성한다.
③ 네트워크 공정표에서 일정계산을 하여 각 작업의 여유(FF, DF)를 계산한다.
④ 구해진 작업의 여유(FF, DF)와 문제조건(Bar Chart)의 여유를 비교한다.
⑤ 작업의 여유(FF, DF)를 비교한 결과 같다면, 작성된 네트워크 공정표가 맞지만 같지 않다면, 또 다른 Data(선행관계)를 구하여 같아질 때까지 계속 반복하여 네트워크 공정표를 수정한다.

단원별 경향문제

01③ [6점]

01 다음 주어진 데이터를 이용하여 Bar Chart를 작성하시오.

작업명	선행작업	작업일수	비고
A	없음	5	
B	없음	6	단, 각 작업은 가장 빠른 시간으로 하여 작성하고, 네트워크 공정표로 작성하였을 경우 생기는 여유시간을 아래와 같이 표기할 것
C	A	5	
D	A, B	2	
E	A	3	
F	C, E	4	■■■■ : 작업일수
G	D	2	▭▭▭▭ : FF
H	G, F	3	▭▭▭▭ : DF로 표기함

Bar Chart

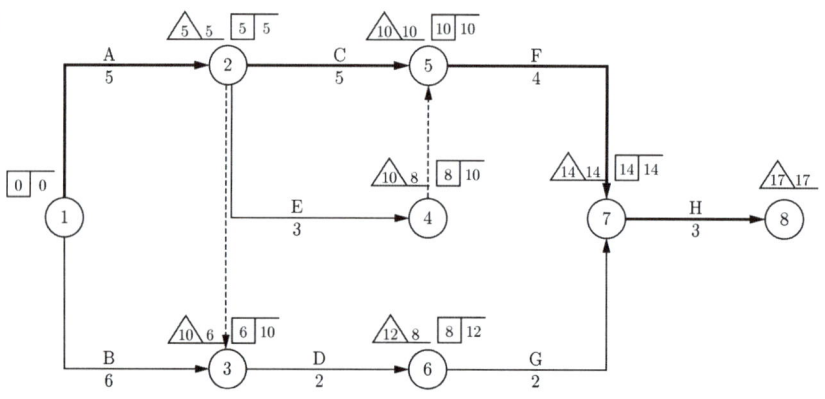

작업명	TF	FF	DF	CP
A	0	0	0	*
B	4	0	4	
C	0	0	0	*
D	4	0	4	
E	2	2	0	
F	0	0	0	*
G	4	4	0	
H	0	0	0	*

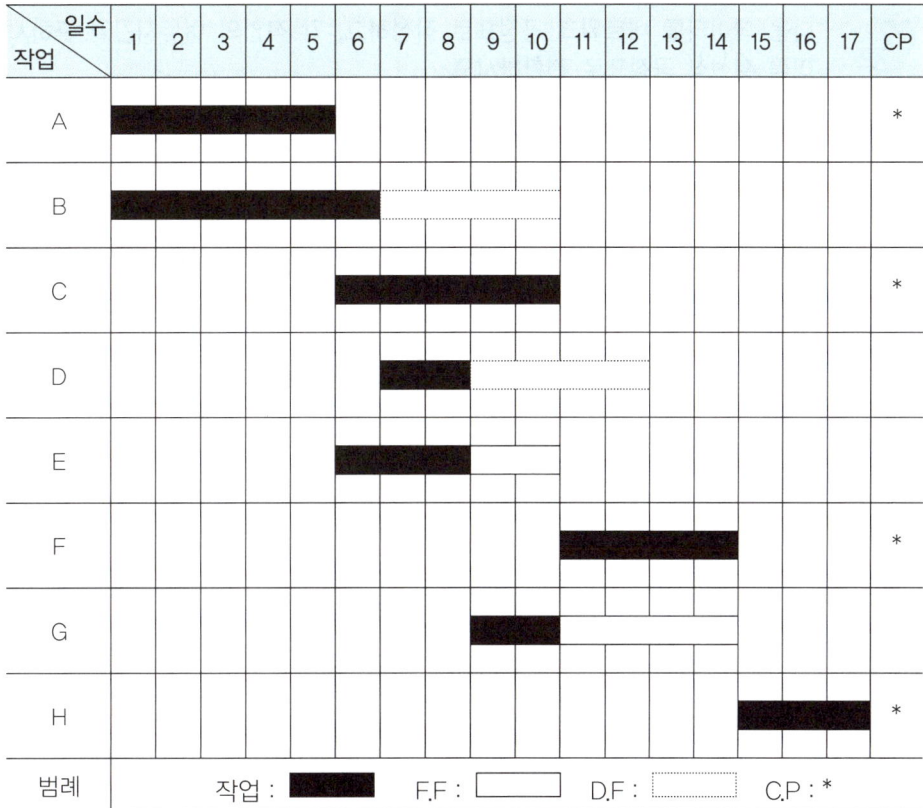

02

다음 데이터를 네트워크 공정표로 작성하고, 각 작업의 여유시간을 구하시오. 또한, 이를 횡선식 공정표로 전환하시오.

작업명	소요일수	선행작업	비고
A	5	없음	
B	6	없음	EST LST / LET EFT
C	5	A	
D	2	A, B	(i) ─작업명/공사일수─→ (j)
E	3	A	주공정선은 굵은 선으로 표시하시오.
F	4	C, E	(단, Bar Chart로 전환하는 경우)
G	3	D	■ : 작업일수
H	3	G, F	□ : FF
			⋯ : DF로 표기함

(1) 네트워크 공정표
(2) 각 작업의 여유시간

작업명	TF	FF	DF	CP
A				
B				
C				
D				
E				
F				
G				
H				

(3) 횡선식 공정표(Bar Chart)

일수\작업	1	2	3	4	5	6	7	8	9	10	11	12	13	14	15	16	17	CP
A																		
B																		
C																		
D																		
E																		
F																		
G																		
H																		

해설 (1) 네트워크 공정표

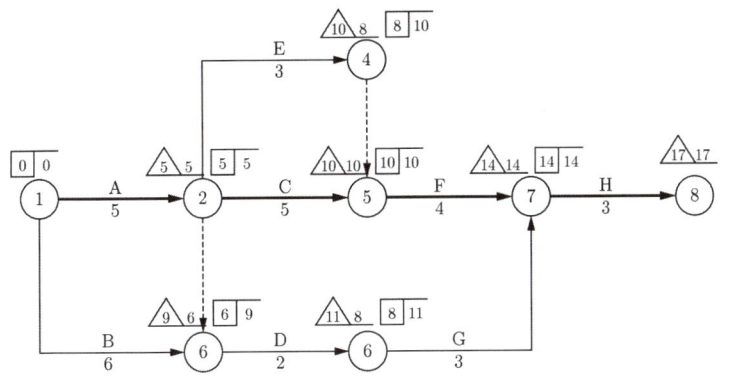

(2) 각 작업의 여유시간

작업명	TF	FF	DF	CP
A	0	0	0	*
B	3	0	3	
C	0	0	0	*
D	3	0	3	
E	2	2	0	
F	0	0	0	*
G	3	3	0	
H	0	0	0	*

(3) 횡선식 공정표(Bar Chart)

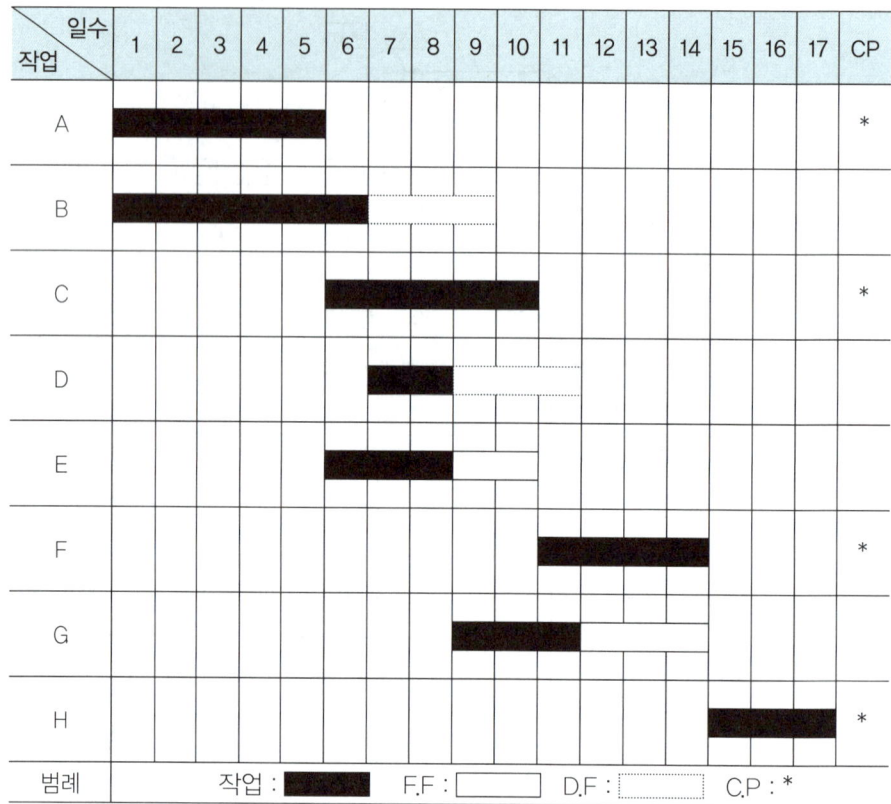

[여유시간 계산]
E작업의 여유시간 계산 시 4번 결합점에서 하나의 dummy만 나가고 있으므로 다음 결합점인 5번 결합점을 기준으로 여유시간을 계산하여야 한다.

[Bar Chart 작성]
각 작업은 EST에 시작하는 것으로 작성한다.

CHAPTER 04 공기단축

제1절 | 일반사항

1. 공기단축 시기
① 지정공기보다 계산공기가 긴 경우
② 진도관리에 의해 작업이 지연되고 있음을 알았을 경우

2. 시간과 비용의 관계
① 총공사비는 직접비와 간접비의 합으로 구성된다.
② 시공속도를 빨리하면 간접비는 감소되고 직접비는 증대된다.
③ 직접비와 간접비의 총합계가 최소(그림에서 표준점)가 되도록 한 시공속도를 최적시공속도 또는 경제속도라 한다.

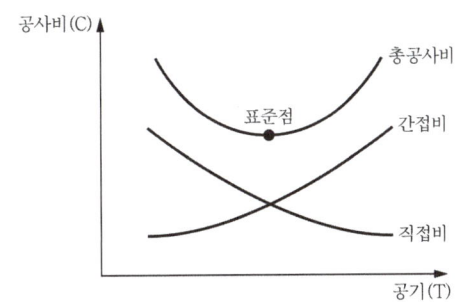

3. 비용 구배(Cost Slope)
① 비용 구배란 공기 1일 단축 시 증가되는 비용을 말한다.
② 시간 단축 시 증가되는 비용의 곡선을 직선으로 가정한 기울기의 값이다.
③ 비용 구배 = $\dfrac{\text{특급비용} - \text{표준비용}}{\text{표준공기} - \text{특급공기}}$
④ 단위는 원/일이다.
⑤ 공기단축 가능일수 = 표준공기 - 특급공기
⑥ 특급점이란 비용이나 인원을 증가하여도 더 이상 단축이 불가능한 시간(절대공기)을 말한다.

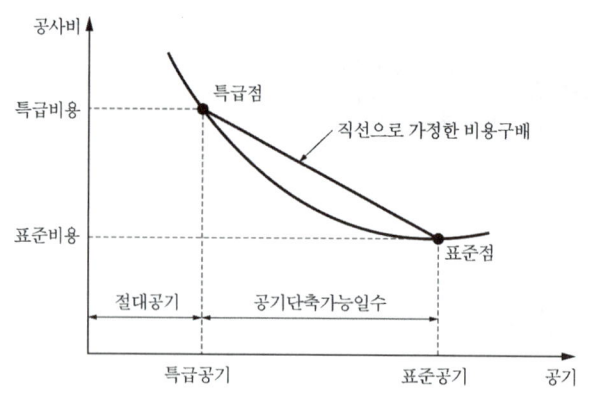

> 08① · 10③
>
> [용어] 비용 구배, 특급점

예제 1

다음 각 작업의 비용 구배를 구하시오.

작업	표준(Normal)		특급(Crash)	
	공기	공비	공기	공비
A	10일	90,000원	6일	150,000원
B	8일	80,000원	5일	110,000원

해설

A작업 : 비용구배 $= \dfrac{150,000-90,000원}{10일-6일} = 15,000원/일$

B작업 : 비용구배 $= \dfrac{110,000-80,000원}{8일-5일} = 10,000원/일$

> [비용구배 단위]
> 비용 구배 산출 시 단위가 원/일 임에 유의한다(단순히 원만 기입하면 오답 처리됨)

> 05③ · 09② · 21② · 산21②
>
> [계산] 비용 구배

제2절 | 공기단축법

1. MCX(Minimum Cost Expediting) 기법
① 네트워크 공정표를 작성한다.
② 주공정선(CP)을 구한다.
③ 각 작업의 비용구배를 구한다.
④ 주공정선(CP)의 작업에서 비용 구배가 최소인 작업부터 단축가능일수 범위 내에서 단축한다.
⑤ 이때 주공정선(CP)이 바뀌지 않도록 주의해야 한다(부공정선이 추가로 주공정선이 될 수 있다.)

> 01② · 10①
> [MCX] 공기단축 순서

예제 2
다음 네트워크 공정표와 작업 Data는 어떤 공사계획의 일부분이다. 이 공정에서 3일간의 공기를 단축하고자 한다. 공기단축 시 총공사비를 산출하시오.

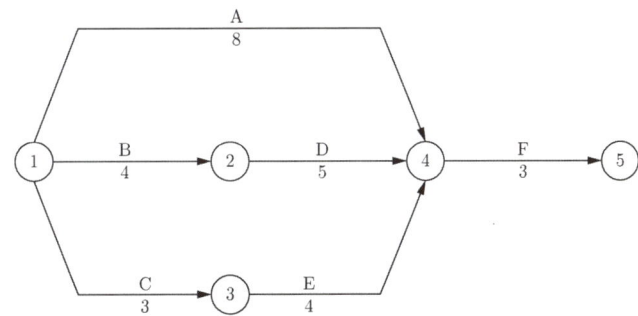

작업	표준(Normal)		특급(Crash)	
	공기	공비	공기	공비
A	8	40,000	6	52,000
B	4	40,000	2	50,000
C	3	60,000	3	60,000
D	5	70,000	3	86,000
E	4	60,000	2	100,000
F	3	40,000	2	50,000

[해설]
(1) 주공정선(CP)을 구한다.

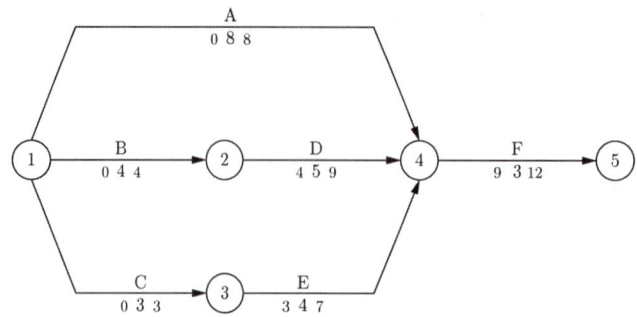

[주공정선(CP)]
공정표를 작성 후 각 작업의 EST와 EFT만을 구하여 주공정선(CP)을 구한다.

(2) 각 작업의 단축가능일수 및 비용 구배를 구한다.

작업	단축가능일수	비용 구배
A	2	6,000
B	2	5,000
C	단축 불가	단축 불가
D	2	8,000
E	2	20,000
F	1	10,000

[단축가능일수]
단축가능일수 = 표준공기 − 특급공기

(3) 주공정선(CP)의 작업에서 비용 구배가 최소인 작업부터 단축가능일수 범위 내에서 단축하되, 주공정선이 뒤바뀌지 않도록 주의한다.

① 1차 단축 : B-D-F공정(CP) 중 비용구배가 최소인 B작업에서 단축하되 단축가능일수 2일을 전부 단축하면 B-D-F(10일), A-F(11일)이 되어 주공정선이 바뀌게 된다. 주공정선은 부공정선과 소요일수가 같을 수는 있지만, 한 번 정해지면 공기단축이 끝날 때까지 바뀔 수 없으므로 B작업에서는 1일밖에 단축할 수 없다.

경로	소요일수	1차 단축	2차 단축	3차 단축
A-F	11	11		
B-D-F	12	11		
C-E-F	10	10		
단축작업		B-1		

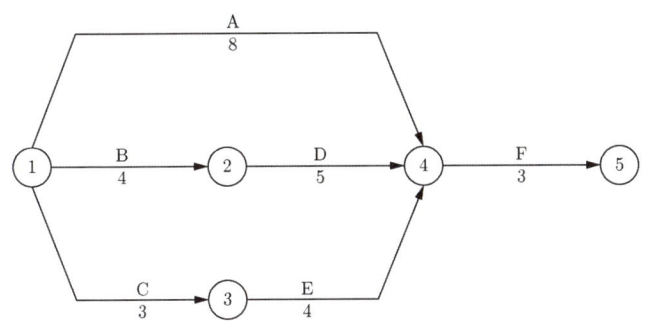

B작업에서 1일 단축 후 A작업이 추가로 주공정선이 되었다.

② 2차 단축 : 주공정선(B-D-F와 A-F)에서 동시에 1일 단축하는 경우의 수는 공통으로 속한 F-1과 A/B-1, A/D-1이 있고 세 가지의 경우의 수에 대한 증가 비용을 비교해서 최소인 공정을 선택하면 된다.

〈증가 비용 비교〉
- F작업 1일 단축 시(F-1) 증가 비용 : 10,000원
- A작업과 B작업을 동시 1일 단축 시(A/B-1) 증가 비용 : 6,000+5,000=11,000원
- A작업과 D작업을 동시 1일 단축 시(A/D-1) 증가 비용 : 6,000+8,000=14,000원
  ∴ F작업에서 1일 단축

경로	소요일수	1차 단축	2차 단축	3차 단축
A-F	11	11	10	
B-D-F	12	11	10	
C-E-F	10	10	9	
단축작업		B-1	F-1	

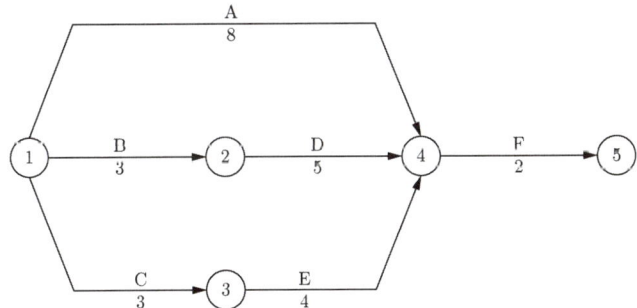

③ 3차 단축 : ②번에서 살펴본 결과, 역시 F작업에서 1일을 단축하면 되지만, F작업은 단축가능일수가 1일뿐이었으므로 더 이상 단축할 수 없고, 자동적으로 A작업과 B작업에서 1일씩 단축하는 것이 비용 구배가 최소가 된다.

경로	소요일수	1차 단축	2차 단축	3차 단축
A-F	11	11	10	9
B-D-F	12	11	10	9
C-E-F	10	10	9	9
단축작업		B-1	F-1	A-1, B-1

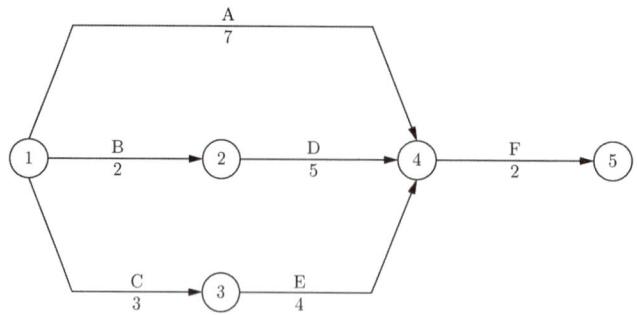

3차 단축 후 모든 공정이 주공정선이 되므로 C작업과 E작업도 주공정선이 된다.

(4) 공기단축 시 총공사비 산출
  ① 표준상태 총공사비 = 310,000원
  ② 공기단축 시 증가 비용 : A-1, B-1, B-1, F-1을 모두 계산한다.
     6,000×1 + 5,000×2 + 10,000×1 = 26,000원
  ③ 공기단축 시 총공사비
     ① + ② = 310,000 + 26,000 = 336,000원

2. SAM(Siemens Approximation Method)

공기비용-매트릭스의 도표에 의하여 공기-비용의 최적화를 도모하는 방법으로 단축순서는 MCX법과 동일하나 최초의 결합점(Event)에서 최후의 결합점(Event)에 이르기까지의 모든 경로를 나타내어 각 경로별로 공기-비용의 최적화를 구하는 데 특색이 있는 방법이다. 즉 비용 구배(Cost Slope)를 각 경로에 균등히 분할하여 할당하는 것으로, 어떤 단위작업이 2개 이상의 경로를 지날 때는 모든 경로에 비용 구배를 분할하여 할당한다.

예제 3

다음 네트워크 공정표와 작업 Data는 어떤 공사계획의 일부분이다. 이 공정에서 3일간의 공기를 단축하고자 한다. 공기단축 시 총공사비를 산출하시오.

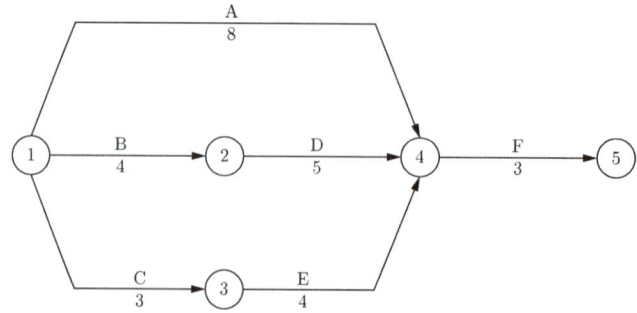

작업	표준(Normal)		특급(Crash)	
	공기	공비	공기	공비
A	8	40,000	6	52,000
B	4	40,000	2	50,000
C	3	60,000	3	60,000
D	5	70,000	3	86,000
E	4	60,000	2	100,000
F	3	40,000	2	50,000

해설

(1) 개시 결합점에서 종료 결합점에 이르는 전체 경로(Path)를 아래 도표와 같이 표시한다.

	A-F	B-D-F	C-E-F	비용구배	단축일수	증가비용
A		✕	✕	6,000		
B	✕		✕	5,000		
C	✕	✕	단축 불가	단축 불가		
D	✕		✕	8,000		
E	✕	✕		20,000		
F				10,000		
공기	11일	12일	10일			

(2) Path에 해당하지 않는 작업은 ✕ 표시한다.

(3) 각 칸 안에는 $\dfrac{비용구배}{단축가능일수(단축일수)}$ 를 표시한다.

(4) 공기가 가장 긴 경로 중 비용구배가 최소인 작업부터 단축하며 그 작업이 속해 있는 Path는 동일하게 적용한다.

(5) 이와 같은 방법으로 공기단축하면 아래와 같다.

	A-F	B-D-F	C-E-F	비용구배	단축일수	증가비용
A	$\dfrac{6,000}{2(1)}$			6,000	1	6,000
B	✕	$\dfrac{5,000}{2(2)}$	✕	5,000	2	10,000
C			단축 불가	단축 불가		
D	✕	$\dfrac{8,000}{2}$	✕	8,000		
E	✕	✕	$\dfrac{20,000}{2}$	20,000		
F	$\dfrac{10,000}{1(1)}$	$\dfrac{10,000}{1(1)}$	$\dfrac{10,000}{1(1)}$	10,000	1	10,000
공기	11일 9일	12일 9일	10일 9일			

(6) 공기단축 시 총공사비용 = 310,000 + 26,000 = 336,000원

1 일반사항/비용 구배

08① · 10③ [3점]

1-1 다음에 해당하는 용어를 쓰시오.

(1) 네트워크에서 어느 임의의 결합점에서 종료 결합점에 이르는 최장패스의 소요시간
(2) 공사기간을 단축하는 경우 공사종류별 1일 단축시마다 추가되는 공사비의 증가액
(3) 비용이나 인원을 증가하여도 더 이상 단축이 불가능한 시간

(1)
(2)
(3)

해설 (1) 간공기
(2) 비용구배
(3) 특급점

05③ · 09② [3점]

1-2 어느 건설공사의 한 작업이 정상적으로 시공할 때 공사기일은 10일, 공사비는 700,000원이고, 특급으로 시공할 때 공사기일은 6일, 공사비는 900,000원이라 할 때 이 공사의 공기단축 시 필요한 비용구배(Cost Slope)를 구하시오.

해설
$$\text{비용구배} = \frac{\text{특급비용} - \text{표준비용}}{\text{표준공기} - \text{특급공기}}$$
$$= \frac{900,000 - 700,000}{10일 - 6일}$$
$$= 50,000원/일$$

21② [3점]

1-3 다음 데이터를 보고 각 작업의 비용구배를 구하고 큰 순서대로 기재하시오.

작업	표준상태		특급상태	
	공기	공비	공기	공비
A	2	2,000	1	3,000
B	4	3,000	2	6,000
C	8	5,000	3	8,000

해설

A작업 : $\dfrac{3,000-2,000}{2-1}=1,000$ 원/일

B작업 : $\dfrac{6,000-3,000}{4-2}=1,500$ 원/일

C작업 : $\dfrac{8,000-5,000}{8-3}=600$ 원/일

∴ B작업 > A작업 > C작업

2 공기단축 공정표

01② · 10① [4점]

2-1 공기단축기법에서 MCX(Minimum Cost Expediting) 기법의 순서를 보기에서 골라 기호로 쓰시오.

〈보기〉

(1) 우선 비용 구배가 최소인 작업을 단축한다.
(2) 보조 주공정선의 발생을 확인한다.
(3) 단축한계까지 단축한다.
(4) 단축가능한 작업이어야 한다.
(5) 주공정선상의 작업을 선택한다.
(6) 보조주공정선의 동시단축 경로를 고려한다.
(7) 앞의 순서를 반복 시행한다.

( ) → ( ) → ( ) → ( ) → ( ) → ( ) → ( )

해설 5 - 4 - 1 - 2 - 3 - 6 - 7

2-2 주어진 자료(Data)에 의하여 다음 물음에 답하시오.

(1) 표준(Normal) 네트워크 공정표를 작성하시오.
(2) 공기를 5일 단축한 네트워크 공정표를 작성하시오.
(3) 공기단축된 총공사비를 산출하시오.
  (단, ① 네트워크 공정표 작성은 화살형(Arrow) 네트워크로 한다.
      ② 주공정선은 굵은 선 또는 이중선으로 표시한다.
      ③ 각 결합점에는 다음과 같이 표시한다.)

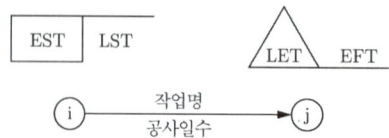

④ 공기단축된 네트워크 공정표에는 EST LST / LET EFT 를 표시하지 않는다.

작업명	공정관계	선행관계	작업일수	공기 1일 단축 시 비용(원)	비고
A	①-②	없음	6	10,000	
B	①-③	없음	13	12,000	
C	①-④	없음	20	9,000	
D	②-③	A	2	8,000	(1) 공기단축은 각 작업일수의 1/2를 초과할 수 없다.
E	②-④	A	5	5,000	
F	③-⑤	B, D	6	8,000	
G	③-⑥	B, D	3	5,000	(2) 표준공기 시 총공사비는 1,000,000원이다.
H	④-⑤	C, E	2	공기단축 불가	
I	⑤-⑦	H, F	3	6,000	
J	⑥-⑦	G	2	공기단축 불가	
K	⑦-⑧	I, J	2	15,000	

해설 (1) 표준네트워크 공정표

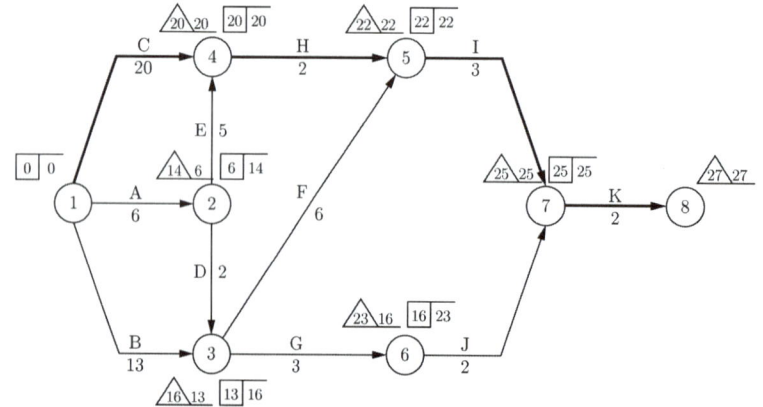

[데이터의 이용]
공정관계와 선행관계를 함께 생각하여 작성한다.

(2) 공기단축
1) 주어진 Data를 정리

작업	단축가능일수	비용 구배(원/일)
A	3	10,000
B	6	12,000
C	10	9,000
D	1	8,000
E	2	5,000
F	3	8,000
G	1	5,000
H	–	–
I	1	6,000
J	–	–
K	1	15,000

2) 공기단축

경로	소요일수	1차 단축	2차 단축	3차 단축
C-H-I-K	27	26	23	22
A-E-H-I-K	18	17	17	16
A-D-F-I-K	19	18	18	17
A-D-G-J-K	15	15	15	14
B-F-I-K	24	23	23	22
B-G-J-K	20	20	20	19
단축작업		I-1	C-3	K-1

① 1차 단축 : 주공정선 중에서 비용구배가 최소인 I작업 1일 단축
② 2차 단축 : 주공정선 중에서 I작업이 비용구배가 최소이지만 단축가능일수가 1일이므로 더 이상 단축불가이고, 그 다음 비용구배가 최소인 C작업에서 단축하되 부공정선인 B-F-I-K와의 공기차이가 3일이므로 3일간 단축한다.
③ C작업 3일 단축으로 인하여 B-F-I-K 공정도 주공정선이 되었다.
④ 공정 C-H-I-K와 B-F-I-K을 동시에 단축시킬 수 있는 경우의 수는 공통으로 포함된 K-1과 C/B-1, C/F-1의 세 가지 중 비용 구배가 최소인 K-1을 선택한다.

3) 공사비 계산
① 표준상태에서 총공사비 : 1,000,000원
② 단축 시 증가 비용 : C-3, I-1, K-1을 모두 계산한다.
   $= 3C + I + K = 3 \times 9,000 + 6,000 + 15,000 = 48,000$원
③ 단축 시 총공사비용 = ① + ② = 1,048,000원

[단축가능일수]
단축가능일수는 작업일수의 1/2을 초과할 수 없으므로 작업일수÷2 해서 소수점이 나오면 소수점 이하는 버린다.
[예] B작업일수 13일
     13 ÷ 2 = 6.5   ∴ 6일

(3) 공기단축 후 네트워크 공정표

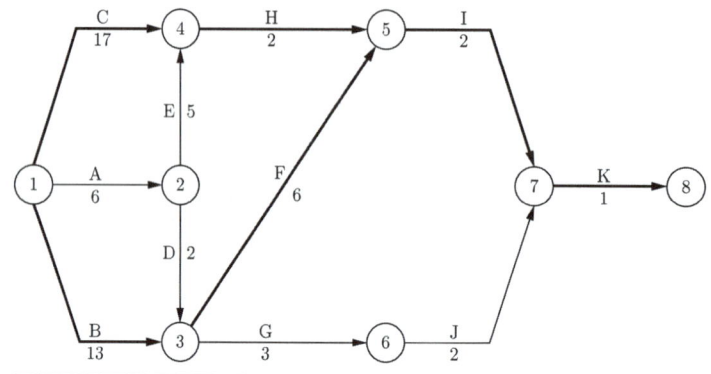

[공기단축된 공정표 작성]
공기단축된 공정표 작성 시 문제조건에 의하여 결합점의 일정은 작성하지 않는다.

99③ · 03③ · 06② [10점]

2-3
다음 데이터를 이용하여 정상공기를 산출한 결과 지정공기보다 3일이 지연되는 결과였다. 공기를 조정하여 3일의 공기를 단축한 네트워크 공정표를 작성하고 아울러 총공사금액을 산출하시오.

작업명	선행작업	정상(Normal) 공기(일)	정상(Normal) 공비(원)	특급(Crash) 공기(일)	특급(Crash) 공비(원)	비용 구배 (Cost Slope) (원/일)	비고
A	없음	3	7,000	3	7,000	–	단축된 공정표에서 CP는 굵은선으로 표기하고 각 결합점에서는 아래와 같이 표기한다(단, 정상공기는 답지에 표기하지 않고 시험지 여백을 이용할 것)
B	A	5	5,000	3	7,000	1,000	
C	A	6	9,000	4	12,000	1,500	
D	A	7	6,000	4	15,000	3,000	
E	B	4	8,000	3	8,500	500	
F	B	10	15,000	6	19,000	1,000	
G	C, E	8	6,000	5	12,000	2,000	
H	D	9	10,000	7	18,000	4,000	
I	F, G, H	2	3,000	2	3,000	–	

(1) 단축한 네트워크 공정표
(2) 총공사 금액

해설 (1) 공정표 작성

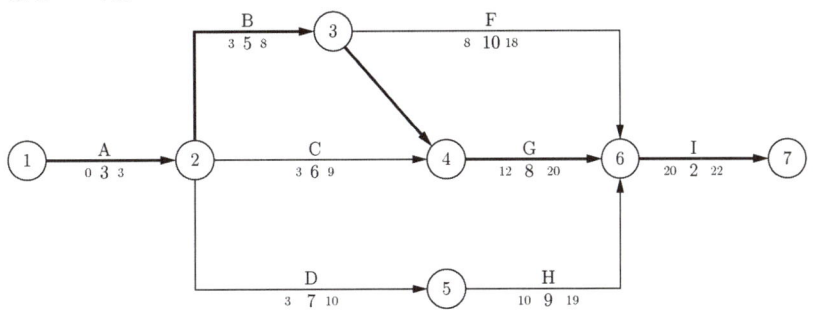

(2) data 정리

작업	단축가능일수	비용 구배(원/일)
A	–	–
B	2	1,000
C	2	1,500
D	3	3,000
E	1	500
F	4	1,000
G	3	2,000
H	2	4,000
I	–	–

(3) 공기단축 및 비용

경로	소요일수	1차 단축	2차 단축
A–B–F–I	20	20	18
A–B–E–G–I	22	21	19
A–C–G–I	19	19	19
A–D–H–I	21	21	19
단축작업		E–1	B–2, D–2

1) 1차 단축
   E작업에서 1일
   A–D–H–I 주공정선으로 추가

2) 2차 단축
   단축 가능한 경우의 수는 B/D–2, B/H–2, G/D–2, G/H–2이며 비용 구배가 최소인 B/D–2을 선택한다.

3) 증가비용 : B–2, D–2, E–1
   $= 2B + 2D + E = 2 \times 1,000 + 2 \times 3,000 + 500 = 8,500$원

4) 공기단축 시 총공사비
   ① 표준비용 = 69,000원
   ② 증가 비용 = 8,500원
   ∴ ① + ② = 77,500원

(4) 공기 단축된 공정표

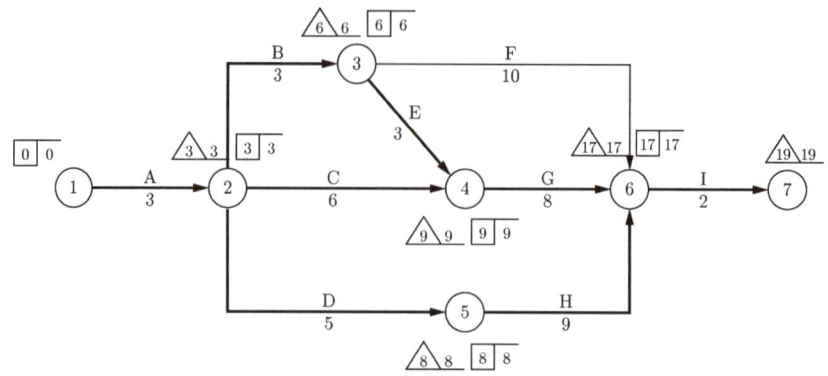

2-4 주어진 자료(DATA)에 의하여 다음 물음에 답하시오.

작업명	선행작업	정상		급속		비고
		Time (일)	Cost (천원)	Time (일)	Cost (천원)	
A	없음	5	170	4	210	단, CP는 굵은 선으로 표시하고 각 결합에서는 다음과 같이 표기한다.
B	없음	18	300	13	450	
C	없음	16	320	12	480	
D	A	8	200	6	260	
E	A	7	110	6	140	
F	A	6	120	4	200	
G	D, E, F	7	150	5	220	

(1) 표준네트워크 공정표를 작성하시오.
(2) 정상 공기 시 총공사비용을 구하시오.
(3) 공기를 4일 단축 시 증가된 총공사비용을 구하시오.

해설 (1) 표준네트워크 공정표

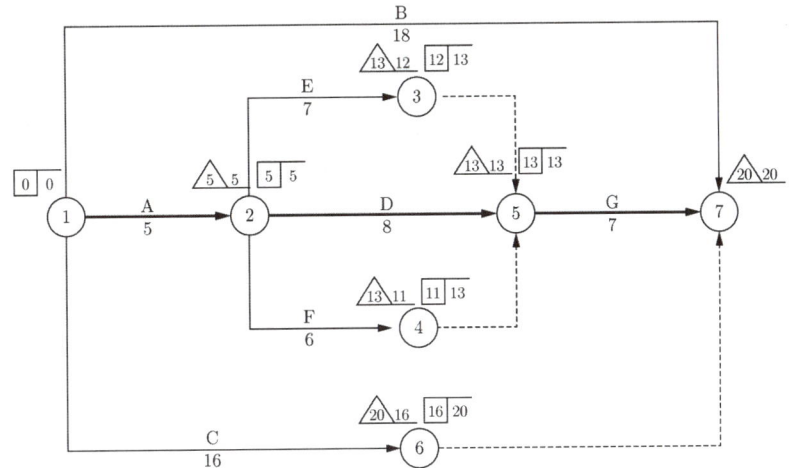

(2) 표준 공기 시 총공사비

= 170 + 300 + 320 + 200 + 110 + 120 + 150

= 1,370천원 = 1,370,000원

(3) 공기단축을 위한 비용구배와 단축가능일수

작업명	비용구배(천원/일)	단축가능일수	1차	2차	3차	4차
A	40	1				1
B	30	5			1	1
C	40	4				
D	30	2	1			
E	30	1				
F	40	2				
G	35	2		1	1	

경로(소요일수)	1차	2차	3차	4차
B (18일)	18	18	17	16
A-E-G (19일)	19	18	17	16
A-D-G (20일)	19	18	17	16
A-F-G (18일)	18	17	17	16
C (16일)	16	16	16	16
공기단축	D-1	G-1	B-1, G-1	A-1, B-1

(4) 공기단축 시 총공사비

① 공기단축으로 추가된 비용

= A + 2B + D + 2G = 40 + 2 × 30 + 30 + 2 × 35

= 200천원 = 200,000원

② 최종 공사비

= 1,370,000 + 200,000 = 1,570,000원

03② · 16④ · 20④ · 23② [8점]

2-5
다음 데이터를 이용하여 공기를 계산한 결과 지정공기보다 3일이 지연되었다. 공기를 조정하여 3일의 공기를 단축한 공정표를 작성하고, 총공사 금액을 산출하시오.

작업명	선행작업	Normal		Crash		비용구배 (Cost Slope) (천원/일)	비고
		Time (일)	Cost (천원)	Time (일)	Cost (천원)		
A	없음	3	7,000	3	7,000	–	단축된 공정표에서 CP는 굵은 선으로 표기하고 각 결합점에서는 아래와 같이 표기한다.
B	A	5	5,000	3	7,000	1,000	
C	A	6	9,000	4	12,000	1,500	
D	A	7	6,000	4	15,000	3,000	EST | LST | LET | EFT
E	B	4	8,000	3	8,500	500	
F	B	10	15,000	6	19,000	1,000	ⓘ ―작업명/공사일수→ ⓙ
G	C,E	8	6,000	5	12,000	2,000	(단, 정상공기는 답지에 표기하지 않고 시험지 여백을 이용할 것)
H	D	9	10,000	7	18,000	4,000	
I	F,G,H	2	3,000	2	3,000	–	

(1) 단축한 네트워크 공정표를 작성하시오.
(2) 단축된 상태의 총공사비용을 구하시오.

해설 (1) 표준공정표 작성

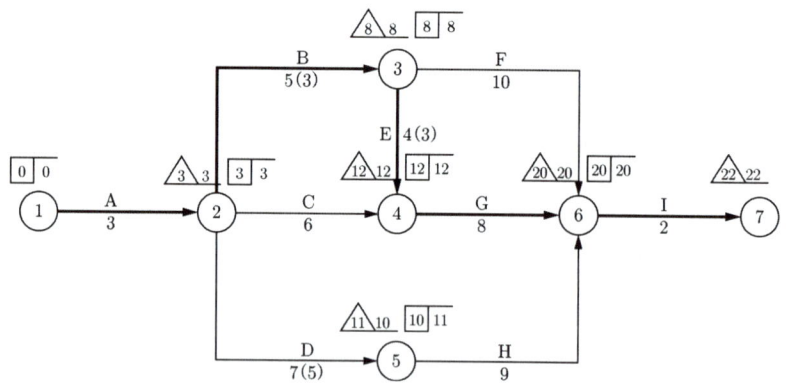

(2) 공기단축

작업	단축가능일수	비용구배(천원/일)
A	–	–
B	2	1,000
C	2	1,500
D	3	3,000
E	1	500
F	4	1,000
G	3	2,000
H	2	4,000
I	–	–

경로(소요일수)	1차	2차
A–B–F–I (20)	20	18
A–B–E–G–I (22)	21	19
A–C–G–I (19)	19	19
A–D–H–I (21)	21	19
단축작업-일수	E-1	B-2, D-2

(3) 공기 단축된 공정표

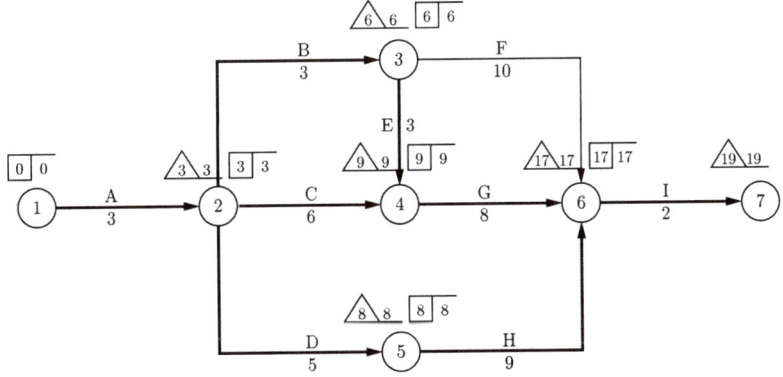

(4) 총공사비 계산
  ① 표준상태 총공사비 = 69,000천원
  ② 공기단축 시 증가 비용
    $2B + 2D + E = 2(1,000) + 2(3,000) + 500 = 8,500$ 천원
  ③ 공기단축 시 총공사비 = 69,000 + 8,500 = 77,500천원 = 77,500,000원

2-6

다음 데이터를 기준으로 Normal Time 네트워크 공정표를 작성하고, 3일 공기단축한 새로운 네트워크 공정표를 작성하고 총 공사금액을 계산하시오.

Activity	정상시간(일)	정상비용(원)	특급시간(일)	특급비용(원)
A(1→2)	3	20,000	2	26,000
B(1→3)	7	40,000	5	50,000
C(2→3)	5	45,000	3	59,000
D(2→5)	8	50,000	7	60,000
E(3→4)	5	35,000	4	44,000
F(3→5)	4	15,000	3	20,000
G(4→6)	3	15,000	3	15,000
H(5→6)	7	60,000	7	60,000

① CP는 굵은 선으로 표시한다.
② 각 결합점에서는 다음과 같이 표시한다.

③ 각 작업은 다음과 같이 표시한다.

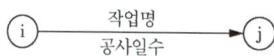

④ 공기단축 네트워크 공정표에는  는 표시하지 않는다.

해설 (1) 표준상태 공정표

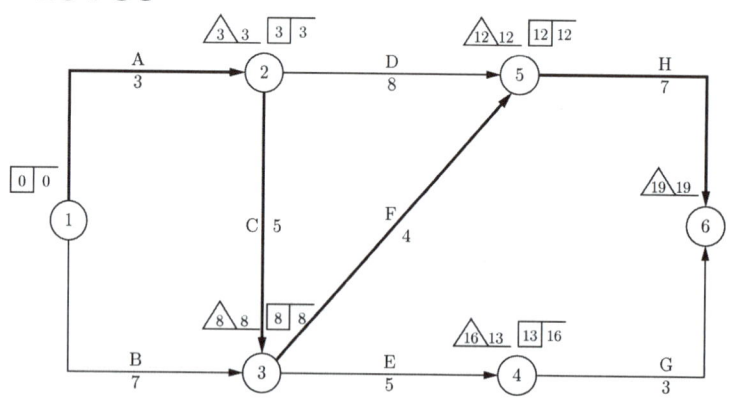

(2) 공기단축

작업	단축가능일수	비용구배(원/일)
A	1	6,000
B	2	5,000
C	2	7,000
D	1	10,000
E	1	9,000
F	1	5,000
G	—	—
H	—	—

경로(소요일수)	1차	2차	3차
A-D-H (18)	18	17	16
A-C-F-H (19)	18	17	16
A-C-E-G (16)	16	15	14
B-F-H (18)	17	17	16
B-E-G (15)	15	15	14
단축작업-일수	F-1	A-1	B-1, C-1, D-1

(3) 총공사비 계산
  ① 표준상태 총공사비 = 280,000원
  ② 공기단축 시 증가 비용
    $A+B+C+D+F = 6,000+5,000+7,000+10,000+5,000 = 33,000$원
  ③ 공기단축 시 총공사비 = 280,000 + 33,000 = 313,000원

(4) 공기단축 공정표

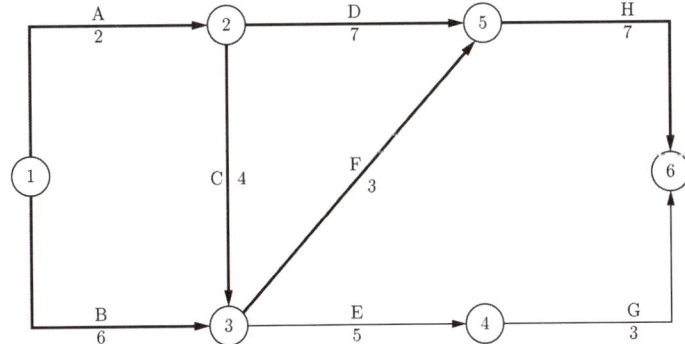

98④ · 99④ · 02② · 05① · 06③ [10점]

2-7

다음 데이터를 공정표로 작성하고, 4일의 공기를 단축한 최종 상태의 공사비를 산출하시오. (단, 최초작성 네트워크 공정표에서 크리티컬 패스는 굵은 선으로 표시하고, 결합점시간은 다음과 같이 표시한다.)

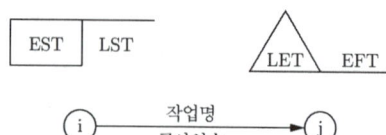

작업명	선행작업	표준(Normal)		특급(Crash)	
		소요일수	공사비	소요일수	공사비
A	없음	3일	70,000원	2일	130,000원
B	없음	4일	60,000원	2일	80,000원
C	A	4일	50,000원	3일	90,000원
D	A	6일	90,000원	3일	120,000원
E	A	5일	70,000원	3일	140,000원
F	B, C, D	3일	80,000원	2일	120,000원

(1) 표준네트워크 공정표
(2) 공기단축
(3) 공기단축 시 총공사비

해설 (1) 표준네트워크 공정표

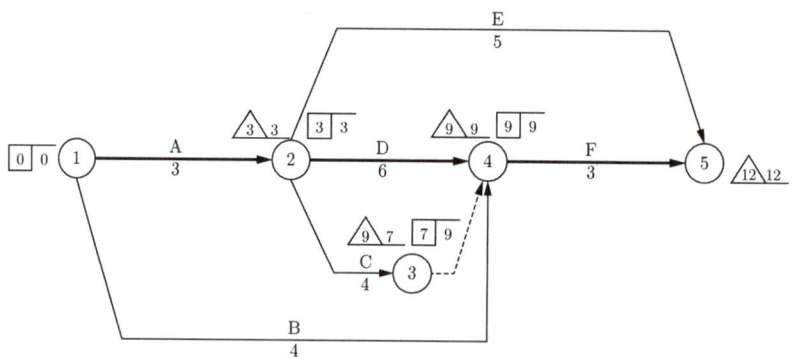

(2) 공기단축

1) 주어진 Data를 정리

작업명	단축가능일수	비용구배(천원/일)
A	1	60
B	2	10
C	1	40
D	3	10
E	2	35
F	1	40

2) 공기단축

경로(소요일수)	1차	2차	3차
A–E (8일)	8	8	8
A–D–F (12일)	10	9	8
A–C–F (10일)	10	9	8
B–F (7일)	7	6	6
공기단축	D-2	F-1	C-1, D-1

① 1차 단축은 주공정선에서 비용구배가 최소인 D작업에서 단축하되 부공정선인 A–C–F 공정과의 공기의 차이가 2일이므로 2일만 단축한다.
② 1차 단축으로 인하여 A–C–F도 주공정선으로 추가되었다.
③ 2차 단축에서 공기단축이 가능한 경우의 수는 A-1, F-1, D/A-1, D/C-1 중 비용 구배가 최소인 F작업에서 1일을 단축한다.
④ 3차 단축에서 공기단축이 가능한 경우의 수는 A-1, D/A-1, D/C-1 중 비용 구배가 최소인 D작업 및 C작업에서 1일씩 단축한다.

(3) 공기단축 시 총공사비

1) 표준상태 총공사비=420,000원
2) 공기단축 시 증가비용
   $C + 3D + F = 40,000 + 3 \times 10,000 + 40,000 = 110,000$원
3) 단축 시 총공사비=1)+2)=530,000원

2-8

아래와 같은 네트워크 공정표로부터 표와 같은 조건에 의하여 최소비용으로 공기를 22일이 되도록 조정하여 네트워크 공정표를 다시 작성하고 비용증가액을 계산하시오. (단, 주공정선은 굵은 선으로 표시한다.)

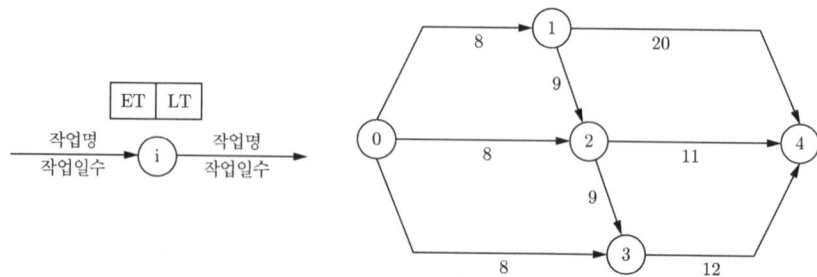

작업명	정상계획		급속계획		비고
	소요일수	비용(원)	소요일수	비용(원)	
0 → 1	8	100,000	3	550,000	
0 → 2	8	200,000	4	280,000	
0 → 3	6	150,000	3	270,000	
1 → 2	9	250,000	2	670,000	
1 → 4	20	130,000	13	340,000	
2 → 3	9	120,000	4	470,000	
2 → 4	11	170,000	6	220,000	
3 → 4	12	190,000	5	750,000	
계		1,310,000			

해설 (1) 일정계산 및 주공정선

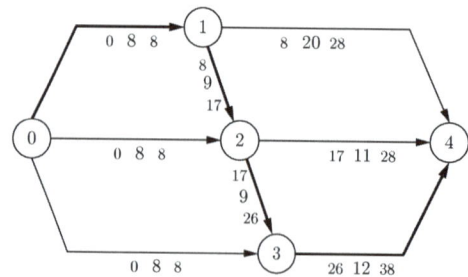

(2) 주어진 Data 정리

작업명	단축가능일수	비용구배(원/일)
0 → 1	5	90,000
0 → 2	4	20,000
0 → 3	3	40,000
1 → 2	7	60,000
1 → 4	7	30,000
2 → 3	5	70,000
2 → 4	5	10,000
3 → 4	7	80,000

(3) 공기단축

경로(소요일수)	1차	2차	3차	4차	5차
0-1-4 (28일)	28	28	26	24	22
0-1-2-4 (28일)	21	21	19	19	17
0-1-2-3-4 (38일)	31	28	26	24	22
0-2-4 (19일)	19	19	19	17	15
0-2-3-4 (29일)	29	26	26	24	22
0-3-4 (18일)	18	18	18	18	18
공기단축	1-2(7일)	2-3(3일)	0-1(2일)	1-4/2-3(2일)	0-1/0-2(2일)

1) 1차 단축 : 주공정선 중에서 비용구배가 가장 적은 ①-② 작업에서 7일 단축
2) 2차 단축 : ②-③ 작업에서 단축가능일수 5일만큼 전부 다 단축하지 못하고 0-1-4 경로의 소요일수인 28일에 맞추어서 3일만 단축한다. 그러므로 단축 후 0-1-4 경로도 주공정선이 됨을 알 수 있다.
3) 3차 단축 : 공기단축이 가능한 경우의 수는 공통으로 포함된 0-1과 1-4/2-3, 1-4/3-4 중 비용 구배가 최소인 ⓪-① 작업에서 2일씩 단축한다. 그 이유는 부공정선인 0-2-3-4 공정의 소요일수가 26일로 주공정선과의 차이가 2일밖에 없기 때문이다. 단축 후 0-2-3-4 경로도 주공정선이 됨을 알 수 있다.
4) 4차 단축 : 공기단축이 가능한 경우의 수는 0-1/0-2, 1-4/2-3, 1-4/3-4 중 비용구배가 최소인 ①-④작업과 ②-③작업에서 동시에 2일씩 단축한다. 단축일수는 ②-③ 작업에서 단축가능일수가 2일(총 5일에서 2차 단축 시 3일 단축했음)이 가능하므로 ①-④ 작업과 동시에 2일씩 단축한다.
5) 5차 단축 : 공기단축이 가능한 경우의 수는 0-1/0-2, 1-4/3-4인데 두 가지의 비용구배가 같으므로 어떤 작업을 선택해도 증가되는 비용(110,000원)과 단축일수(2일)는 동일하므로 여기서는 ⓪-①작업과 ⓪-②작업에서 동시에 2일씩 단축하는 것으로 한다.

(4) 공기단축된 공정표

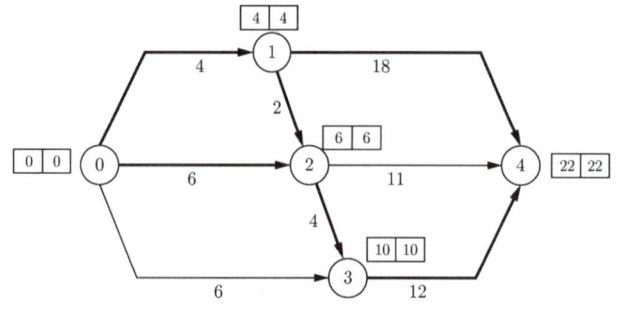

(5) 공기단축 시 비용증가액 계산
$$4(0-1)+2(0-2)+7(1-2)+2(1-4)+5(2-3)$$
$$=4\times 90,000+2\times 20,000+7\times 60,000+2\times 30,000+5\times 70,000=1,230,000원$$

2-9

98③ · 02① [10점]

다음 데이터를 이용하여 3일 공기단축한 네트워크 공정표를 작성하고 공기단축된 상태의 총공사비를 산출하시오.

작업명	작업일수	선행작업	비용구배 (원/일)	비고
A	3	없음	5,000	① 공기단축된 각 작업의 일정은 다음과 같이 표기하고 결합점 번호는 원칙에 따라 부여한다. [EST｜LST] △LET｜EFT (i) —작업명/공사일수→ (j) ② 공기단축은 작업일수의 1/2을 초과할 수 없다. ③ 표준 공기 시 총공사비는 2,500,000원이다.
B	2	없음	1,000	
C	1	없음	—	
D	4	A, B, C	4,000	
E	6	B, C	3,000	
F	5	C	5,000	

(1) 공기단축한 네트워크 공정표
(2) 총공사비

해설 (1) 일정계산 및 주공정선

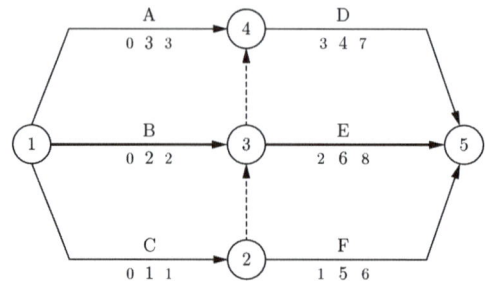

(2) 주어진 Data 정리

작업명	단축가능일수	비용구배(원/일)
A	1	5,000
B	1	1,000
C	불가	0
D	2	4,000
E	3	3,000
F	2	5,000

(3) 공기단축

경로(소요일수)	1차	2차	3차
A–D (7일)	7	6	5
B–D (6일)	5	4	3
B–E (8일)	7	6	5
C–D (5일)	5	4	3
C–E (7일)	7	6	5
C–F (6일)	6	6	5
공기단축	B-1	D-1, E-1	D-1, E-1, F-1

1) 1차 단축 : 주공정선 B, E작업 중 비용구배가 작은 B작업에서 단축가능일수인 1일 단축
2) 2차 단축
   ① 1차 단축으로 인하여 A–D와 C–E 공정도 주공정선이 되었다.
   ② B작업은 더 이상 단축이 불가하므로 A와 E작업, D와 E작업을 동시에 줄이는 방법 중 비용구배가 작은 D와 E작업을 1일씩만 단축한다. 그 이유는 부공정선인 C–F와의 소요일수 차이가 1일밖에 나지 않기 때문이다.
3) 3차 단축
   ① B작업과 C작업은 단축이 불가능하다.
   ② 단축 가능한 경우의 수는 A, E, F작업과 D, E, F작업을 1일씩 단축하는 것인데, 비용 구배가 최소인 D, E, F작업에서 1일씩 단축한다.

(4) 공기단축된 공정표
   1) 네트워크 공정표

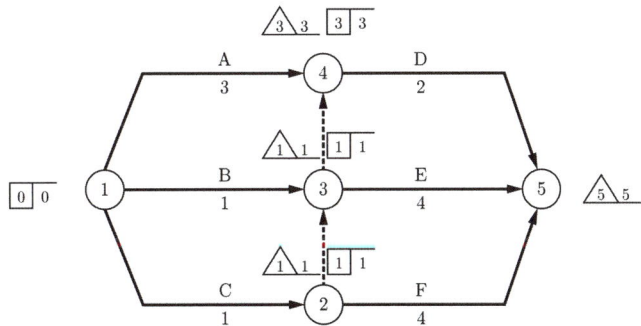

2) 공기단축 시 총공사비
   ① 표준상태 총공사비 = 2,500,000원
   ② 공기단축 시 증가비용
      $B+2D+2E+F = 1,000+2\times 4,000+2\times 3,000+5,000 = 20,000$원
   ③ 공기단축 시 총공사비 = 1) + 2) = 2,520,000원

[주의사항]
더미 2개가 전부 주공정선이 아님에 유의한다.

12① · 16① [10점]

2-10
다음 데이터를 보고 표준네트워크 공정표를 작성하고, 7일 공기단축한 상태의 네트워크 공정표를 작성하시오.

작업명	작업일수	선행작업	비용구배 (천원)	비고
A(①→②)	2	없음	50	(1) 결합점 위에는 다음과 같이 표시한다. EST LST / LET EFT i —작업명/공사일수→ j (2) 공기단축은 작업일수의 1/2을 초과할 수 없다.
B(①→③)	3	없음	40	
C(①→④)	4	없음	30	
D(②→⑤)	5	A, B, C	20	
E(②→⑥)	6	A, B, C	10	
F(③→⑤)	4	B, C	15	
G(④→⑥)	3	C	23	
H(⑤→⑦)	6	D, F	37	
I(⑥→⑦)	7	E, G	45	

(1) 표준네트워크 공정표
(2) 공기단축 네트워크 공정표

해설 공정-공기단축

(1) 표준네트워크 공정표

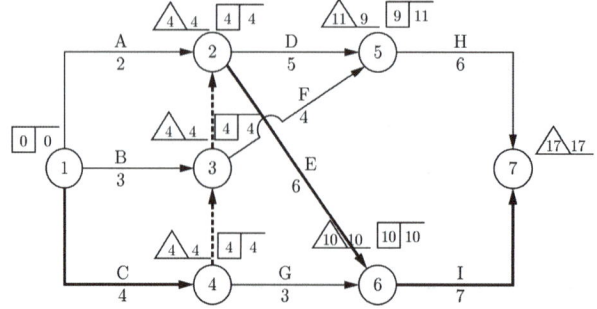

(2) 공기단축된 공정표
  1) 공기단축을 위한 비용구배와 단축가능일수

작업명	비용구배	단축가능일수	1차	2차	3차	4차	5차	6차
A	50,000	1						
B	40,000	1				1		
C	30,000	2		1		1		
D	20,000	2			1		1	
E	10,000	3	2		1			
F	15,000	2					1	
G	23,000	1						
H	37,000	3						1
I	45,000	3					1	1

경로(소요일수)	1차	2차	3차	4차	5차	6차
A-D-H (13일)	13	13	12	11	11	10
A-E-I (15일)	13	13	12	11	11	10
B-D-H (14일)	14	14	13	12	11	10
B-F-H (13일)	13	13	13	12	11	10
B-E-I (16일)	14	14	13	12	11	10
C-D-H (15일)	15	14	13	12	11	10
C-E-I (17일)	15	14	13	12	11	10
C-F-H (14일)	14	13	13	12	11	10
C-G-I (14일)	14	13	13	12	11	10
공기단축	E-2	C-1	D-1, E-1	B-1, C-1	D-1, F-1, I-1	H-1, I-1

  2) 공기단축 후 증가된 비용
   $40,000 + 30,000 \times 2 + 20,000 \times 2 + 10,000 \times 3 + 15,000 + 37,000 + 45,000 \times 2$
   $= 312,000원$

  3) 공기단축된 공정표(모든 공정이 주공정선임)

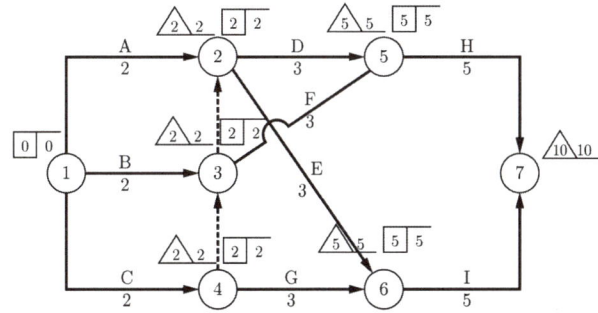

[참고사항]
공기단축 문제 중 난이도가 최상으로 높은 문제이다. 어렵다고 포기하지 말고 끝까지 풀어보세요.

2-11 주어진 데이터를 보고 다음 물음에 답하시오.

09① · 17② · 21④ [10점]

작업	소요일	선행작업	비용구배(원)	비고
A	5	없음	10,000	① Network 작성은 Arrow Network로 할 것 ② Critical Path는 굵은 선으로 표시할 것 ③ 각 결합점에서는 다음과 같이 표시한다. 　EST｜LST　　LET／EFT 　(i)──작업명──(j) 　　　공사일수 • 공기단축의 가능일수는 　Activity A에서 1일, Activity B에서 1일, 　Activity C에서 5일, Activity H에서 3일, 　Activity I에서 2일로 한다. • 표준공기의 총공사비는 1,000,000원이다.
B	8	없음	15,000	
C	15	없음	9,000	
D	3	A	공기단축 불가	
E	6	A	25,000	
F	7	B, D	30,000	
G	9	B, D	21,000	
H	10	C, E	8,500	
I	4	H, F	9,500	
J	3	G	공기단축 불가	
K	2	I, J	공기단축 불가	

(1) 표준(normal) Network를 작성하시오.
(2) 공기를 10일 단축한 Network를 작성하시오.
(3) 공기단축 후 총공사비를 계산하시오.

해설 공기 단축
(1) 표준 네트워크 공정표

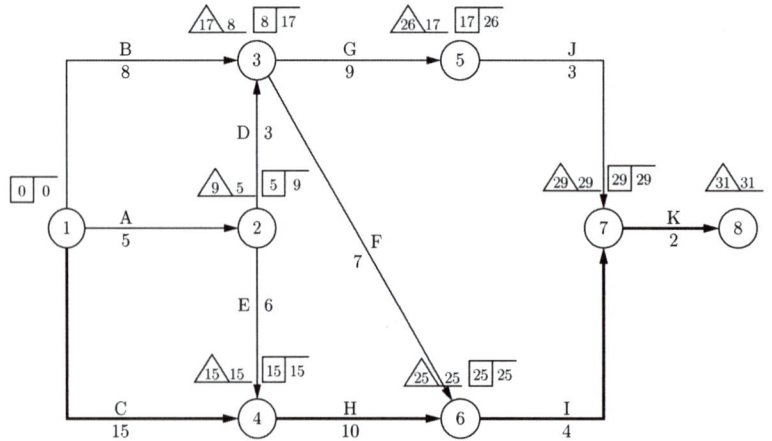

(2) 10일 단축한 네트워크 공정표

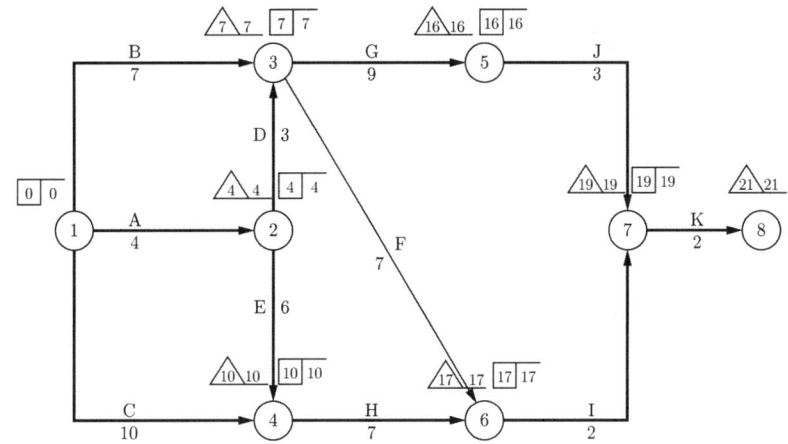

(3) 총공사비 계산
① 표준상태 총공사비 = 1,000,000원
② 공기단축 시 증가 비용
 $A+B+5C+3H+2I$
 $= 10,000+15,000+(5\times 9,000)+(3\times 8,500)+(2\times 9,500) = 114,500$원
③ 공기단축 시 총공사비 = 1,000,000 + 114,500 = 1,114,500원

CHAPTER 05 공정관리 기법

제1절 | 자원배당

1. 일반사항
① 자원배당은 자원(인력, 자재, 장비, 자금) 소요량과 투입량을 상호조정하며 자원의 비효율성을 제거하여 비용의 증가를 최소화하는 것이다.
② 여유시간을 이용하여 논리적 순서에 따라 작업을 조절하여 자원을 배당함으로써 자원이용에 대한 손실을 줄이고, 자원수요를 평준화하는 데 목적이 있다.

2. 목적
① 자원변동의 최소화
② 자원의 시간 낭비 제거
③ 자원의 효율화
④ 공사비 절감

> 02①
> [목적] 자원배당

3. 자원배당의 대상
① 내구성 자원 : 인력(Man), 장비(Machine)
② 소모성 자원 : 자재(Material), 자금(Money)
③ 기타 : 공법(관리), 경험, 기억(기술축적)

> 99③ · 00④ · 01② · 05③ · 07②
> [종류] 자원배당

4. 자원 평준화 중 Crew Balance 방식
(1) 정의
작업관찰을 통해 작업에 필요한 각 작업조 구성원과 사용 장비 간의 상호관계를 단위 주기 안에서 시간 비율로 나타내고 불필요한 인원 및 작업과정을 분석, 도출하여 작업의 효율성을 높이기 위한 기법

(2) 적용

대상 작업이 짧은 작업주기를 갖는 작업, 작업조의 구성원 수가 적은 작업, 매우 반복적인 작업일 때 효과적이다.

03① · 08②
[정의/적용] Crew Balance 방식

제 2 절 | EVMS(Earned Value Management System, 비용시간 통합관리)

1. 정의

프로젝트의 업무정의, 일정계획 및 예산배분, 성과측정 및 분석의 과정을 통하여 비용과 일정의 계획값과 실제값을 통합관리함으로써 문제를 파악하고 분석하여 비용과 일정을 예측하고 만회 대책 수립을 가능하게 한다.

2. 구성요소

EVMS를 구성하는 요소는 계획요소, 측정요소, 분석요소 3개로 나눌 수 있다.

(1) 계획요소

① 작업분류체계(WBS; Work Breakdown Structure)

프로젝트의 모든 작업내용을 계층적으로 분류한 것으로 가계도와 유사한 형성을 나타낸다.

08③
[용어] WBS

② 관리계정(CA; Control Account)

공정, 공사비 통합, 성과측성, 분석의 기본단위를 밀하며, 작업분류체계에 의해 분할된 최소 관리 단위를 의미한다.

05② · 12① · 16②
[용어] CA

③ 성과 기준(PMB; Performance Measurement Baseline)

관리계정을 구성하는 항목별로 비용을 일정에 따라 배분하여 표기한 누계곡선을 말하며 소화곡선(S-surve)이라고 함. 이는 계획과 실적을 비교 관리하는 성과측정의 관리기준

[분류체계]
- WBS(작업 분류체계)
- OBS(조직 분류체계)
- CBS(비용 분류체계)

(2) 측정요소

측정요소는 실제 공사가 진행되는 과정에서 주기적으로 성과를 측정하고 분석하기 위한 자료를 수집하는 과정으로 실행원가, 실행기성, 실투입비로 나뉜다.

① 실행원가(BCWS; Budgeted Cost of Work Scheduled)

성과측정 시점까지 투입 예정된 공사비로 실행예산 또는 계획실적 등으로 불린다. 공사계획에 의해 특정 시점까지 완료해야 할 작업에 배분된 예산으로 원가관리의 기준

> 08③
> [용어] BCWS

② 실행기성(BCWP; Budgeted Cost of Work Performed)

특정 시점까지 실제 완료한 작업에 배분된 예산으로 소화금액, 기성, Earned Value(EV) 등으로 불린다.

③ 실투입비(ACWP; Actual Cost of Work Performed)

특정 시점까지 실제 완료한 작업에 소요된 실제 투입비용

> 05② · 12① · 16②
> [용어] ACWP

> [측정요소]
> - 실행(BCWS)=계획수량×계획단가
> - 실행기성(BCWP)=실제수량×계획단가
> - 실투입비(ACWP)=실제수량×실제단가

(3) 분석요소

분석요소는 측정요소를 활용하여 특정 시점에서의 공사의 상태를 파악하고, 향후 성과를 예측하여 일정과 비용의 추세를 분석하는 지표이다. 분석요소에는 일정분산, 비용분산, 잔여 비용 추정, 최종비용 추정, 변경실행예산, 공사비 편차 추정, 비용차이율, 일정차이율 등이 포함된다.

① 일정분산(SV; Schedule Variance)

성과측정 시점까지 지불된 공사비(BCWP)에서 성과측정 시점까지 투입예정된 공사비를 제외한 비용

> 08③
> [용어] SV

② 일정수행지수(SPI; Schedule Performance Index)

계획 일정과 실제 일정을 비교하기 위한 지수로 실행과 실행기성의 비율로 표시

③ 비용분산(CV; Cost Variance)
성과측정 시점까지 지불된 공사비(BCWP)에서 성과측정 시점까지 실제로 투입된 금액을 제외한 비용으로, 실투입이 원가 내에 있는지 여부를 구분하는 척도이며 시공자 입장에서 공사 수행을 통한 손익 정도를 분석

> 05② · 12① · 16②
> [용어] CV

④ 비용수행지수(CPI; Cost Performance Index)
비용의 초과 집행 또는 절감을 분석하는 지수로서 실행기성과 실투입비의 비율로 표시
⑤ 총실행예산(BAC; Budgeted at Completion)
공사 준공 시까지 소요되는 예산의 총합
⑥ 잔여비율 추정액(ETC; Estimate to Completion)
성과측정 기준일부터 추정 준공일까지 실투입비에 대한 추정액
⑦ 변경실행예산(EAC; Estimate at Completion)
공사 착공부터 추정 준공일까지 실투입비 총액 추정치
⑧ 실행공정률(PC; Percent Complete)
특정시점 기준으로 총사업예산 대비 기성율을 나타내는 척도
⑨ 공사비 편차 추정(VAC; Variance at Completion)
총실행예산과 변경실행예산의 차이로서 공사 준공시점에서 비용 성과를 추정하는 지표
⑩ 잔여공사비 성과지표(TCPI; To-Complete Cost Performance Index)
측정시점 기준에서 잔여 공사물량에 대한 예산과 실투입비 추정액의 비율
⑪ 비율 차이율(CVP; Cost Variance Percentage)
비용분산과 실행기성의 비율
⑫ 일정 차이율(SVP; Schedule Variance Performance)
일정분산과 실행의 비율

단원별 경향문제

01 자원배당의 목적 4가지를 기술하시오. 02① [4점]

(1)
(2)
(3)
(4)

해설 (1) 자원변동의 최소화
(2) 자원의 시간 낭비 제거
(3) 자원의 효율화
(4) 공사비 절감

---

02 네트워크 공정표에서 자원배당(Resource allocation)의 대상 3가지를 기술하시오. 05③ [3점]

(1)　　　　　　　　　　　(2)
(3)　　　　　　　　　　　(4)

해설 (1) 인력(Man)
(2) 장비(Machine)
(3) 자재(Material)
(4) 자금(Money)

---

03 공사관리를 실시하는 데에는 자원에 대한 배당이 매우 중요하다 할 수 있다. 이때 소요되는 자원을 아래와 같은 특성상으로 분류하면 그 대상은 어떤 것일까? (　) 안을 기입하시오. 00④·01②·07② [4점]

(1) 내구성 자원(Carried-forward resource) : (　　　　　)
(2) 소모성 자원(Used-by-job resource) : (　　　　　)

해설 (1) 인력, 장비(기계)
(2) 자재, 자금

04 네트워크 공정표에서 자원배당의 대상이 되는 자원을 쓰시오.

(1)
(2) 장비, 설비
(3)
(4) 자금
(5)
(6)

해설 (1) 인력, 노무
(3) 재료, 자원
(5) 공법, 관리
(6) 경험, 기억(기술축적)

05 공정관리에 있어서 자원 평준화 중 Crew Balance 방식에 관하여 기술하시오.

(1)
(2)

해설 (1) 정의 : 작업관찰을 통해 작업에 필요한 각 작업조 구성원과 사용 장비 간의 상호관계를 단위 주기 안에서 시간 비율로 나타내고 불필요한 인원 및 작업과정을 분석, 도출하여 작업의 효율성을 높이기 위한 기법
(2) 적용 : 대상 작업이 짧은 작업주기를 갖는 작업, 작업조의 구성원 수가 적은 작업, 매우 반복적인 작업일 때 효과적이다.

06 다음 통합공정관리(EVMS; Earned Value Management System)의 용어를 설명한 것 중 맞는 것을 보기에서 선택하여 번호로 기술하시오.

① 프로젝트의 모든 작업내용을 계층적으로 분류한 것
② 성과측정 시점까지 투입예정된 공사비
③ 공사착수일로부터 추정준공일까지의 실 투입비에 대한 추정치
④ 성과측정 시점까지 지불된 공사비(BCWP)에서 성과측정 시점까지 투입예정된 공사비를 제외한 비용
⑤ 성과측정 시점까지 실제로 투입된 금액
⑥ 성과측정 시점까지 지불된 공사비(BCWP)에서 성과측정 시점까지 실제로 투입된 금액을 제외한 비용
⑦ 공정, 공사비 통합, 성과측정, 분석의 기본단위

(1) CA(Control Account) :
(2) CV(Cost Variance) :
(3) ACWP(Actual Cost for Work Performed) :

해설 (1) CA(Control Account) – ⑦
(2) CV(Cost Variance) – ⑥
(3) ACWP(Actual Cost for Work Performed) – ⑤

08③ [3점]

07 다음 통합공정관리(EVMS; Earned Value Management System)의 용어를 설명한 것 중 맞는 것을 보기에서 선택하여 번호로 기술하시오.

① 프로젝트의 모든 작업내용을 계층적으로 분류한 것으로 가계도와 유사한 형성을 나타낸다.
② 성과측정 시점까지 투입예정된 공사비
③ 공사착수일로부터 추정준공일까지의 실 투입비에 대한 추정치
④ 성과측정 시점까지 지불된 공사비(BCWP)에서 성과측정 시점까지 투입예정된 공사비를 제외한 비용
⑤ 성과측정 시점까지 실제로 투입된 금액을 말한다.
⑥ 성과측정 시점까지 지불된 공사비(BCWP)에서 성과측정 시점까지 실제로 투입된 금액을 제외한 비용
⑦ 공정, 공사비 통합, 성과측정, 분석의 기본단위를 말한다.

(1) WBS(Work Breakdown Structure) :
(2) SV(Schedule Variance) :
(3) BCWS(Budgeted Cost for Work Scheduled) :

해설 (1) WBS : ①
(2) SV : ④
(3) BCWS : ②

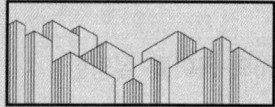

건축기사 / 건축산업기사 실기

PART 3

건축적산

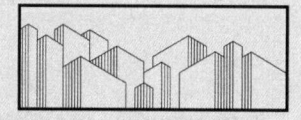
건축기사 / 건축산업기사실기

CHAPTER 01 총론

제1절 | 건축적산의 일반사항

1 적산과 견적

(1) 적산
　공사에 필요한 재료나 품의 수량 즉, 전체 공사량을 산출하는 것
(2) 견적
　산출된 전체 공사량에 단가를 곱하여 총공사비를 산출하는 것으로 공사개요 및 기일, 기타 조건에 의하여 달라질 수 있다.

> 13② · 18④ · 산22②
> [용어] 적산과 견적

2 견적의 종류

(1) 명세견적
　설계도서(도면, 시방서), 현장설명서, 질의응답서, 구조계산서 등에 의거하여 가장 정확하고 정밀하게 공사비를 산출하는 방법
(2) 개산견적
　기 수행된 공사의 자료, 통계치, 경험, 실험식 등에 의하여 개략적으로 공사비를 산출하는 방법
　① 단위 수량에 의한 방법
　　㉠ 단위면적에 의한 개산견적
　　㉡ 단위 체적에 의한 개산견적
　　㉢ 단위 설비에 의한 개산견적
　② 단위 비율에 의한 방법
　　㉠ 가격 비율에 의한 개산견적
　　㉡ 수량 비율에 의한 개산견적

3 견적의 순서

수량산출 및 집계 → 일위대가 및 단가산정 → 공사비 산출

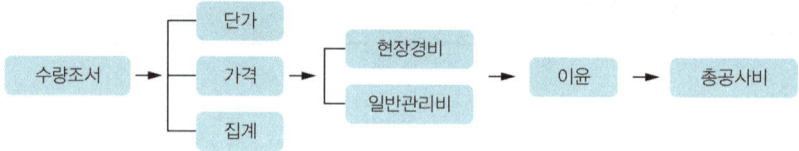

4 공사비 구성

(1) 총공사비

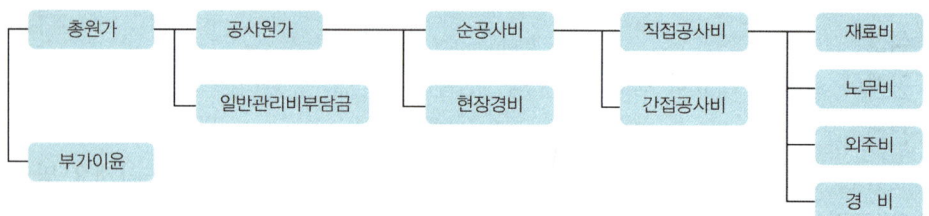

(2) 총공사비

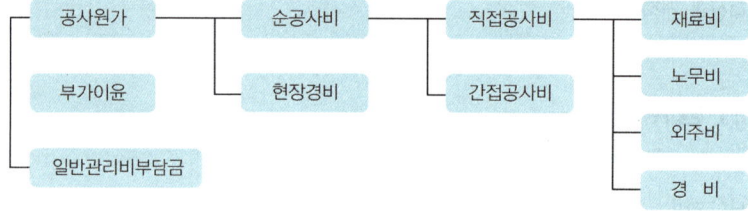

5 공사비 비목

비목	비목 내용
재료비 (자재비)	① 직접재료비 : 공사계약 목적물을 완성하는데 사용되는 재료의 비용 ② 간접재료비 : 공사계약 목적물을 완성하지 않으나, 공사에 보조적으로 소비되는 재료의 비용(소모품) ③ 부산물 : 시공 중 발생되는 부산물은 이용가치를 추산하여 재료비에서 공제한다.
노무비	① 직접노무비 : 공사계약 목적물을 완성하기 위하여 직접 작업에 종사하는 종업원 및 기능공에 제공되는 노동력의 대가 ② 간접노무비 : 직접 작업에 종사하지 않으나, 공사 현장의 보조작업에 종사하는 노무자, 종업원, 현장사무직원에 지급하는 금액
외주비	도급에 의해 공사계약 목적물 공사의 일부를 위탁, 의뢰하여 반입되는 재료비와 노무비
경비	전력비, 운반비, 기계경비, 가설비, 특허권 사용료, 기술료, 시험검사비, 지급 임차료, 보험료, 보관비, 외주 가공비, 안전 관리비, 기타 경비
일반관리비	기업의 유지를 위한 관리활동부문에서 발행하는 제비용
이윤	영업 이익
공사원가	공사 시공과정에서 발생하는 재료비, 노무비, (간접공사비), 경비의 합계액
총공사비	공사 시공과정에서 발생하는 공사원가, 일반관리비, 이윤의 합계액

📖 14②

[용어] 공사원가, 일반관리비, 직접노무비

📖 06③

[계산] 공사원가, 총공사비

제2절 | 수량산출 기준

1 수량의 종류

(1) 정미량
  설계도서에 의거하여 정확한 길이(m), 면적(m²), 체적(m³), 개수 등을 산출한 수량

(2) 소요량, 구입량
  산출된 정미량에 시공 시 발생되는 손실량, 망실량 등을 고려하여 일정 비율의 수량(할증량)을 가산하여 산출된 수량

2 할증률

할증률	재료	할증률	재료
1%	유리, 철근콘크리트	5%	원형철근 일반 볼트, 리벳, 강관 소형형강(Angle) 시멘트 벽돌 타일(합성수지계) 수장합판 목재(각재) 텍스, 석고보드, 기와
2%	도료 무근콘크리트 위생기구	6%	테라초 판
		7%	대형형강
3%	이형철근 고력볼트 붉은벽돌 내화벽돌 타일(점토계) 타일(클링커) 테라코타 일반합판 슬레이트	10%	강판(Plate) 단열재 석재(정형) 목재(판재)
4%	시멘트 블록	20%	졸대
		30%	석재(원석, 부정형)

15④ · 산22①

[할증률] 유리, 시멘트 벽돌, 붉은 벽돌, 단열재

3 수량의 계산(기준)

① 수량의 CGS 단위(m, kg 등)를 사용한다.
② 수량의 단위 및 소수점 자릿수는 표준 품셈 단위 표준에 의한다.
③ 수량의 계산은 지정 소수점 이하 둘째 자리까지 구하고, 끝수는 4사 5입(반올림)한다.
④ 계산에 쓰이는 분도는 분까지, 원둘레율, 삼각함수 및 호도의 유효 숫자는 3자리로 한다.
⑤ 곱하거나 나눗셈에 있어서는 기재된 순서에 의하여 계산하고, 분수는 약분법을 쓰지 않으며, 각 분수마다 그의 값을 구한 다음 전부의 계산을 한다.
⑥ 체적계산은 의사공식에 의함을 원칙으로 하나, 토사의 체적은 양단면적을 평균한 값에 그 단면적 간의 거리를 곱하여 산출하는 것을 원칙으로 한다. 다만, 거리평균법으로 고쳐서 산출할 수도 있다.
⑦ 다음에 열거하는 것의 체적과 면적은 구조물의 수량에서 공제하지 않는다.
  ㉠ 콘크리트 구조물 중의 말뚝머리 체적
  ㉡ 볼트의 구멍
  ㉢ 모따기 또는 물구멍
  ㉣ 이음줄눈의 간격
  ㉤ 포장공종의 1개소당 $0.1m^2$ 이하의 구조물 자리
  ㉥ 강구조물의 리벳 구멍
  ㉦ 철근콘크리트 내의 철근

4 수량산출 시 주의사항

① 수량산출 시 가급적 시공순서에 의해서 계산한다.
② 지정 소수섬 자릿수를 확인한다.
③ 단위 환산에 유의한다.
  ㉠ 도면 단위(mm) → 수량 단위(m, m^2, m^3)
  ㉡ 반드시 정수 단위인 경우(소숫점으로 나오면 정수로 올림하여 계산한다)
   • 벽돌·블록·타일(장)
   • 시멘트(포대)
   • 인부 수(인)
   • 운반횟수(회)
   • 장비(대) 등

제 3 절 | 길이 · 면적 산출방법

1 둘레길이 · 면적 산출법

(1)
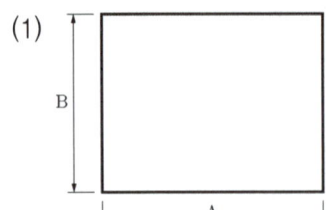

① 면적 = $A \times B$
② 둘레길이 = $(A+B) \times 2$

(2)
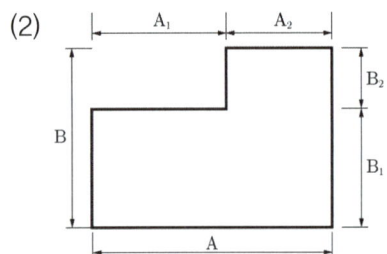

① 면적 = $A \times B - (A_1 \times B_2)$
② 둘레길이 = $(A+B) \times 2$

(3)
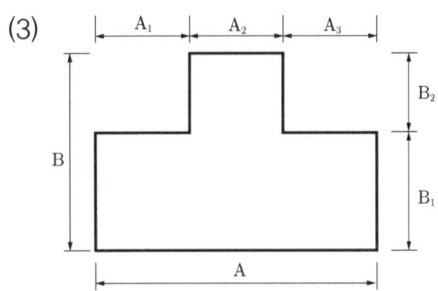

① 면적 = $A \times B - \{(A_1 + A_3) \times B_2\}$
② 둘레길이 = $(A+B) \times 2$

(4)
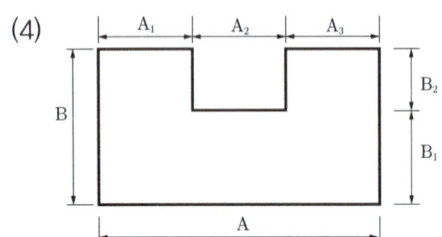

① 면적 = $A \times B - (A_2 \times B_2)$
② 둘레길이 = $(A+B+B_2) \times 2$

(5)

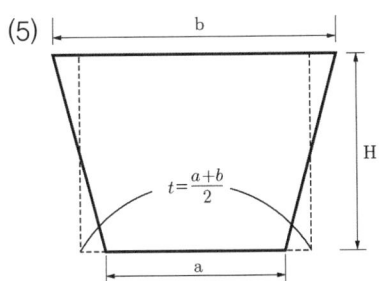

※ 면적 $= \dfrac{a+b}{2} \times H = t \times H$

(6)

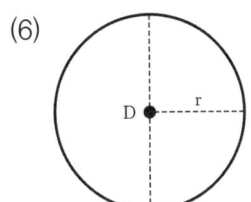

① 면적 $= \pi r^2 = \dfrac{\pi D^2}{4}$

② 둘레길이 $= 2\pi r = \pi D$

[면적 산출법]
전체면적 – 공제 부분 면적

[둘레길이]

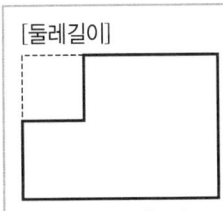

굵은 선 부분을 밖으로 밀면 점선과 같이 되어 1번의 도형이 된다.

[둘레길이]

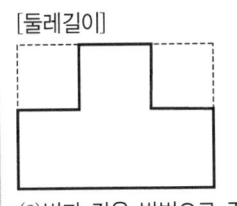

(2)번과 같은 방법으로 길이 계산한다.

[둘레길이]

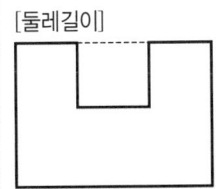

굵은 선 부분을 밖으로 밀어내면 B2 부분만 남게 된다.

> [t]
> 윗변과 밑변 길이의 평균값이 되면 사다리꼴 도형의 면적은 항상 평균 길이(t)를 이용하여 계산한다.

> [원]
> 지름(D)과 반지름(r) 두 가지를 이용하여 필요 부분을 계산할 수 있어야 한다.

2 면적산출법(1)

일반적으로 토공사에서 다루게 될 도면은 앞에서 정리한 도형보다는 아래에 있는 도면(두께가 있는)의 형태가 된다. 이러한 도면을 기준으로 계산해 보도록 하자. 면적산출 시 1차적으로 알아야 할 것은 각 부분의 길이 산출이다.

(1) 중심간 계산 시

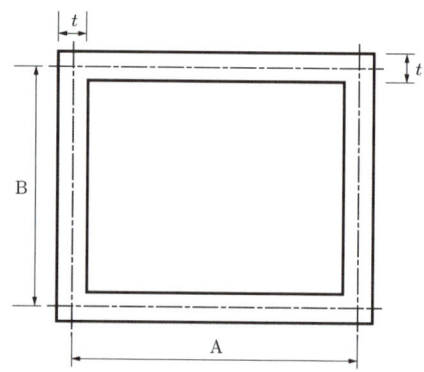

① 면적 = $A \times B$
② 둘레길이 = $(A+B) \times 2$

(2) 내측간 계산 시

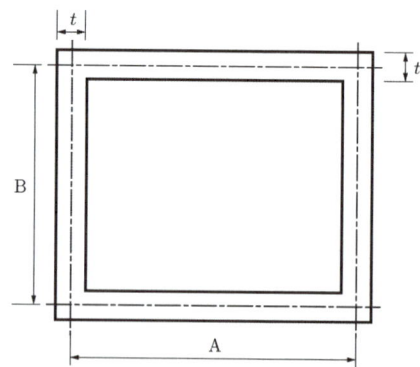

① 면적 = $(A-t) \times (B-t)$
② 둘레길이 = $\{(A-t)+(B-t)\} \times 2$

(3) 외측간 계산 시

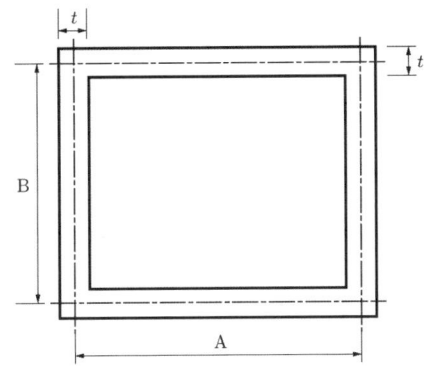

① 면적 = $(A+t) \times (B+t)$
② 둘레길이 = $\{(A+t)+(B+t)\} \times 2$

(4) 빗금 친 부분의 면적

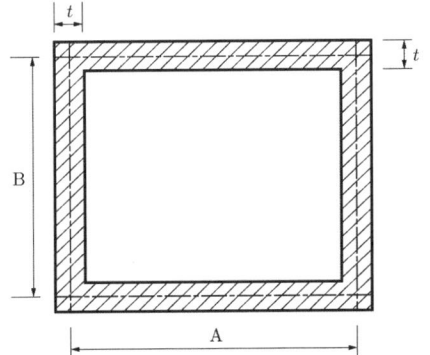

① 면적 = $(A+B) \times 2 \times t$
　　　　↓
　　중심간 둘레길이

3 면적산출법(2)

(1) 내측과 외측의 두께가 다른 경우

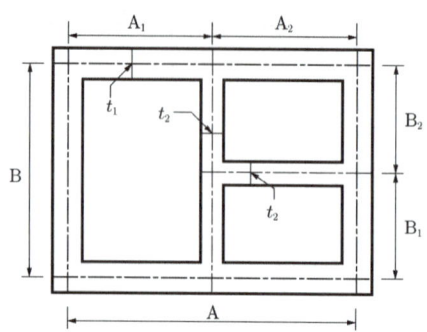

위의 도면과 같이 두께가 다른 경우는 외측과 내측을 분리하여 산출한다.
① 외측 부분
　앞에서의 계산과정과 동일하다. $A = (A+B) \times 2 \times t_1$
② 내측 부분
　㉠ 가로부분 : $\left\{ A_2 - \left(\dfrac{t_2}{2} + \dfrac{t_1}{2} \right) \right\} \times t_2$
　㉡ 세로부분 : $\left\{ B - \left(\dfrac{t_1}{2} \times 2개소 \right) \right\} \times t_2$

앞에서 구한 공식과 비교하여 다시 정리하면 다음과 같다.
1. 두께 동일 → 내·외측 한 번에 계산
　면적(A) = $\left\{ \underline{\sum l} - \left(\dfrac{t}{2} \times 중복\ 개소\ 수 \right) \right\} \times t$: 두께 동일
　내·외측 중심간 길이의 합
2. 두께 상이 → 내·외측 구분하여 계산
　① 외측 = $\underline{\sum l} - \times t_1$
　　외측의 중심간 길이
　② 내측 = $\left\{ \sum l - \left(\dfrac{t_1}{2} \times 중복\ 개소\ 수 + \dfrac{t_2}{2} \times 중복\ 개소\ 수 \right) \right\} \times t_2$: 두께동일
　　내측의 중심간 길이

즉, 두께가 다른 경우 중복 개소 수를 두께가 같은 것끼리 나누어 중심간 길이에서 공제하여 주면 된다.

4 체적산출법

앞에서 계산해 보았던 구조물의 체적을 구하는 방법을 알아보자.

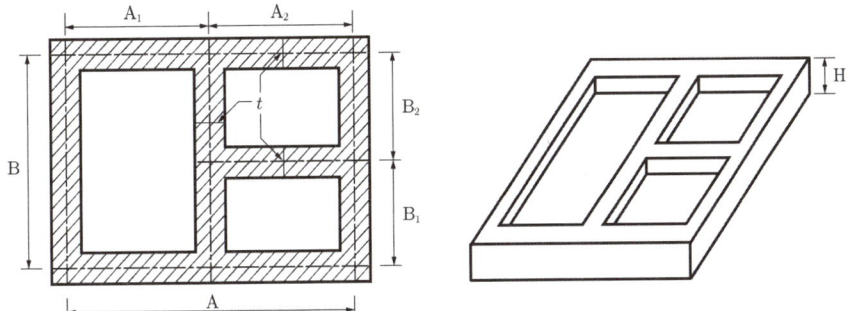

우리는 앞에서 위의 평면도의 빗금친부분의 면적을 아래와 같이 정리하여 공식화하였다.

면적(A) = $\left\{\Sigma l - \left(\dfrac{t}{2} \times 중복\ 개소\ 수\right)\right\} \times t$

그러므로 상기 구조물은 빗금친 면적에다 높이(H)를 곱하면 체적을 구할 수 있다. 그 내용을 정리하면 아래와 같다.

체적(V) = $t \times H \times \left\{\Sigma l - \left(\dfrac{t}{2} \times 중복개소수\right)\right\}$

단원별 경향문제

13② · 18④ [4점]

01 다음 용어의 정의를 기술하시오.

(1) 적산 :
(2) 견적 :

해설 용어 - 적산, 견적
(1) 적산(積算) : 공사에 필요한 재료나 품의 수량 즉, 전체 공사량을 산출하는 것
(2) 견적(見積) : 산출된 전체 공사량에 단가를 곱하여 총공사비를 산출하는 것

01① [2점]

02 상세견적의 개략적인 견적절차 3단계를 쓰시오.

(1)
(2)
(3)

해설 (1) 수량산출 및 집계
(2) 일위대가 및 단가산정
(3) 공사비 산출

14② [3점]

03 실시설계도서가 완성되고 공사 물량산출 등 견적업무가 끝나면 공사예정가격 작성을 위한 원가계산을 하게 된다. 원가계산기준 중 아래 내용에 대한 용어를 기술하시오.

(1) 공사 시공과정에서 발생하는 재료비, 노무비, 경비의 합계액
(2) 기업의 유지를 위한 관리활동부문에서 발생하는 제비용
(3) 공사계약 목적물을 완성하기 위하여 직접 작업에 종사하는 종업원 및 기능공에 제공되는 노동력의 대가

(1)
(2)
(3)

해설 (1) 공사원가 (2) 일반관리비 (3) 직접노무비

04 다음 아래 〈보기〉의 자료에 의한 공사원가와 총공사비를 산출하시오.

〈보기〉
- ㉠ 자재비 50,000,000원
- ㉡ 노무비 35,000,000원
- ㉢ 현장경비 15,000,000원
- ㉣ 간접공사비 12,000,000원
- ㉤ 일반관리비 부담금 3,000,000원
- ㉥ 이윤 13,000,000원

(1) 공사원가 :
(2) 총공사비 :

해설
(1) 공사원가＝자재비＋노무비＋간접공사비＋현장경비
　　　　　＝50,000,000＋35,000,000＋12,000,000＋15,000,000
　　　　　＝112,000,000원
(2) 총공사비＝공사원가＋일반관리비 부담금＋이윤
　　　　　＝112,000,000＋3,000,000＋13,000,000
　　　　　＝128,000,000원

05 적산에서 사용하는 건축공사용 재료의 할증률을 기술하시오.

(1) 유리 :
(2) 시멘트 벽돌 :
(3) 붉은 벽돌 :
(4) 단열재 :

해설 재료의 할증률
(1) 유리 : 1%
(2) 시멘트 벽돌 : 5%
(3) 붉은 벽돌 : 3%
(4) 단열재 : 10%

06

09② [10점]

길이 4m×높이 1m 담장을 세우려 한다. 블록소요량을 산출하고, 일위대가표를 작성 후 재료비와 노무비를 산출하시오. (단, 블록규격 390×190×150)

(1) 담장 쌓기의 블록소요량을 산출하시오.
　　계산식 :

(2) 아래 수량과 단가를 기준으로 일위대가표를 작성하시오. (단위 : m²당)

구분	단위	수량	재료비		노무비		비고
			단가	금액	단가	금액	
블록							
시멘트							금액산출 시 소수 이하 수치 버림
모래							
조적공							
보통인부							
합계							

(수량)
2. 시멘트 : 4.59kg/m² 당
3. 모래 : 0.01m³
4. 조적공 : 0.17인/m²당
5. 보통인부 : 0.08인/m²당
5. 보통인부 : 66,622원/인

(단가)
블록 : 550원/매당
2. 시멘트(40kg) : 3,800원/포대당
3. 모래 : 20,000원/m³당
4. 조적공 : 89,437원/인
5. 보통인부 : 66,622원/인

(3) 작성한 일위대가표를 기준으로 담장 쌓기의 재료비와 노무비를 산출하시오.
　　계산식 : (재료비) =
　　　　　　(노무비) =
　　　　　　(재료비+노무비) =

해설 (1) 담장 쌓기의 블록소요량(단위수량 13매는 할증 4% 포함 수량임)
계산식 : 4×1×13매/m²=52매

(2) 아래 수량과 단가를 기준으로 한 일위대가표

(단위 : m²당)

구분	단위	수량	재료비		노무비		비고
			단가	금액	단가	금액	
블록	매	13	550	7,150			
시멘트	kg	4.59	95	436			금액산출 시 소수 이하 수치 버림
모래	m³	0.01	20,000	200			
조적공	인	0.17	−	−	89,437	15,204	
보통인부	인	0.08	−	−	66,622	5,329	
합계				7,786		20,533	

(3) 작성한 일위대가표를 기준으로 한 담장 쌓기의 재료비와 노무비
계산식 : (재료비)=4×1=4m² → 4×7,786=31,144원
　　　　(노무비)=4×1=4m² → 4×20,533=82,132원
　　　　(재료비+노무비)=31,144+82,132=113,276원

CHAPTER 02 가설공사

제1절 | 공통 가설공사

1 시멘트 창고 면적(m²) 계산

(1) 비례식(창고 바닥면적 1m²당)
   ① 30~35포 저장(창고 내 통로 설치)
   ② 50포 저장(창고 내 통로를 고려치 않는 경우)

(2) 식에 의한 경우

$$A = 0.4 \times \frac{N}{n}$$

> 06② · 23④
> [면적계산] 시멘트 창고

여기서, A : 창고면적(m²)
       n : 최고 쌓기 단수
   ① 문제조건 우선
   ② 조건이 없는 경우 13단
   ③ 장기 저장인 경우 7단
N : 저장할 수 있는 시멘트량
   ① 사용시멘트량 600포 미만 : 전량저장
   ② 사용시멘트량 600포 이상 : 사용량의 1/3
      (단, 공사기간이 단기인 경우 사용 시멘트량에 관계없이 전량을 저장함)

예제 1

사용 시멘트가 각각 500포, 2,400포대가 있다. 12단으로 쌓을 경우 필요한 시멘트 창고면적을 계산하시오.
06② [4점]

해설

① 500포인 경우 → 600포 미만이므로 전량저장

$$A = 0.4 \times \frac{500}{12} = 16.67\text{m}^2$$

② 2,400포인 경우 → 전체의 1/3인 800포 저장

$$A = 0.4 \times \frac{800}{12} = 26.67\text{m}^2$$

2 동력소 및 변전소 면적 산출(m²)

$$A = 3.3 \times \sqrt{W}$$

여기서, A : 설치면적(m²)

W : 사용기계 기구의 최대 전력(kW)의 합(1HP≒746W=0.746kW)

10②
[면적계산] 변전소

예제 2

다음의 조건으로 필요한 동력소 면적을 산출하고, 1개월에 소요되는 전력량을 계산하시오.
10② [3점]

① 20HP 전동기 3개
② 10HP 원치 3대
③ 200W 전등 20개
④ 1일 10시간 사용으로 1개월을 25일로 계산한다.

해설

(1) 각 사용기계 기구의 단위를 kW로 환산 후 그 합을 구한 후 $\sqrt{}$ 를 씌워 답을 계산한다.
  ① 20HP 전동기 3대 = 20 × 0.746 × 3 = 44.76kW
  ② 10HP 원치 2대 = 10 × 0.746 × 2 = 14.92kW
  ③ 200W 전등 20개 = 0.2 × 20 = 4kW
  ∴ 최대 전력은 ① + ② + ③ = 44.76 + 14.92 + 4 = 63.68kW
(2) 변전소 면적(m²) : $A = 3.3 \times \sqrt{63.68} = 26.33\text{m}^2$
(3) 1개월 소요 전력량(kWh) : 63.68×10×25=15,920kWh

제 2 절 | 직접 가설공사

1 수평규준틀

(1) 수평규준틀 산출방법
   ① 평면 배치도를 작성하여 귀규준틀 또는 평규준틀로 나누어 개소 수로 산출함을 원칙으로 하되, 건축면적의 규모 및 평면구조상 불가피한 경우 면적당으로 계산할 수도 있다.
   ② 2층 이상의 수평보기는 먹매김품을 적용한다.
   ③ 수평 규준틀의 목재 손율은 80%로 한다.
      ㉠ 면적으로 산출 시 : 중심선으로 둘러싸인 건축면적(m^2)으로 계산
      ㉡ 개소당 산출 시

종류	구조	설치 위치
평규준틀	RC조	모서리 기둥을 제외한 기둥마다 설치
	조적조	모서리 부분 및 노출되는 부분의 내력벽마다 설치
귀규준틀	RC조	외관 모서리 기둥과 외부로 노출되는 기둥에 설치
	조적조	모서리 부분 및 노출되는 부분에 설치

16②
[계산] 귀규준틀과 평규준틀의 수량

2 비계면적(m^2)

(1) 내부 비계면적
   ① 내부비계의 비계면적은 연면적의 90%로 하고 손료는 외부비계 3개월까지의 손율을 적용함을 원칙으로 한다.
   ② 수평비계는 2가지 이상의 복합공사 또는 단일 공사라도 작업이 복잡한 경우에 사용함을 원칙으로 한다.
   ③ 말비계는 층고 3.6m 미만일 때의 내부공사에 사용함을 원칙으로 한다.

(2) 외부 비계면적

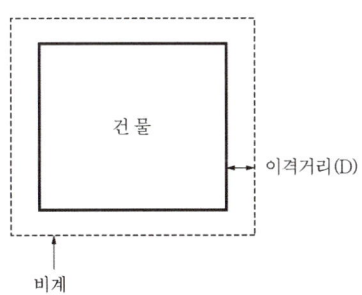

건물구조 \ 비계종류	통나무 비계		단관 파이프 틀비계	비고
	외줄·겹비계	쌍줄틀비계		
목구조	45	90	100	벽 중심에서 이격
조적조 철근콘크리트구조 철골구조	45	90	100	벽 외측에서 이격

[비계면적(A) = 비계둘레길이 × 건물의 높이]

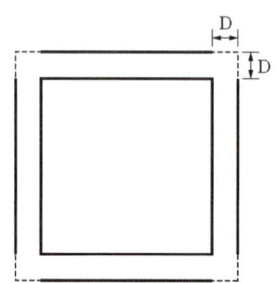

① 비계둘레길이 = (건물둘레길이 + 늘어난 비계길이)
② 늘어난 비계길이 산정방법은 오른쪽 그림에서 알 수 있듯이 8개소 × 이격거리(D)이다.

1. 내부 비계면적 = 연면적 × 0.9
2. 외부 비계면적
   ① 외줄·겹비계 : $A = (\Sigma L + 0.45 \times 8) \times H$
   ② 쌍줄비계 : $A = (\Sigma L + 0.9 \times 8) \times H$
   ③ 단관·틀비계 : $A = (\Sigma L + 1.0 \times 8) \times H$
   여기서, $\Sigma \ell$: 건물둘레길이
   　　　　 H : 건물의 높이

13②
[서술] 쌍줄비계/외줄비계의 면적 산출법

12① · 17④ · 23②
[면적계산] 쌍줄비계

단원별 경향문제

16② · 23④ [4점]

01 다음 그림과 같은 철근콘크리트조 건물의 신축 시 필요한 귀규준틀과 평규준틀의 수량을 구하시오.

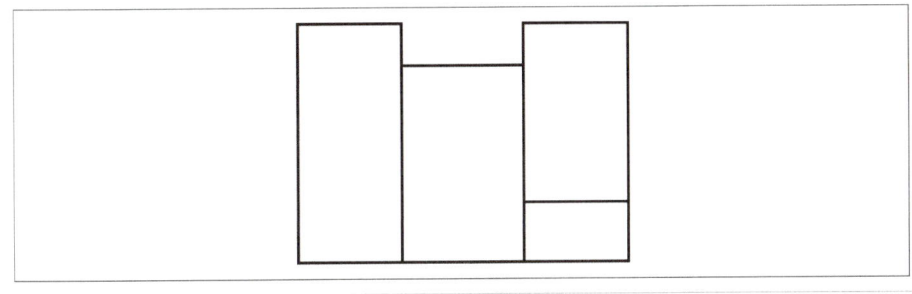

(1) 귀규준틀 :   개소
(2) 평규준틀 :   개소

해설 적산-규준틀 개소 산출

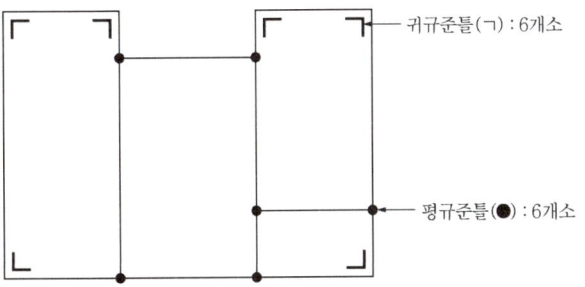

귀규준틀(ㄱ) : 6개소

평규준틀(●) : 6개소

(1) 귀규준틀 : 6개소
(2) 평규준틀 : 6개소

07③ [4점]

02 오른쪽 평면의 건물높이가 16.5m일 때 비계면적을 산출하시오. (단, 쌍줄비계로 한다.)

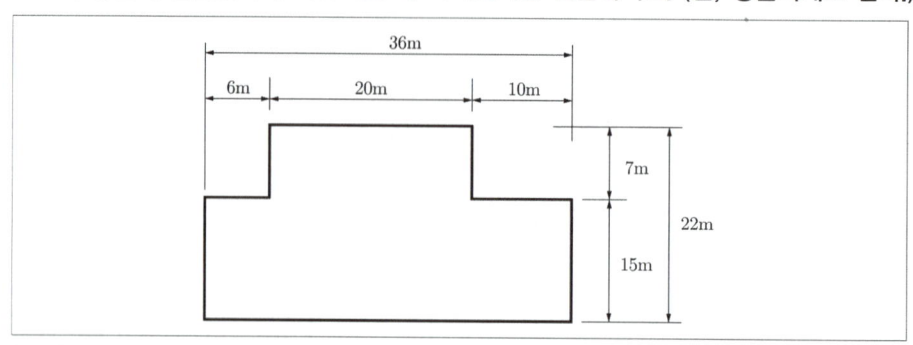

쌍줄 비계면적 :

해설 쌍줄 비계면적
$$A = (\Sigma L + 0.9 \times 8) \times H$$
$$= [(36+22) \times 2 + (0.9 \times 8)] \times 16.5 = 2{,}032.8 \text{m}^2$$

13② [4점]

03 철근콘크리트조의 경우 다음 비계 면적의 산출방법에 대해 설명하시오.

(1) 외부 쌍줄비계 :

(2) 외줄비계 :

해설 비계면적 산출
(1) 외부 쌍줄비계 : 건물 벽 외면에서 90cm 이격시킨 둘레 길이에 건물 높이를 곱한다.
$$A = (\Sigma L + 0.9 \times 8) \times H$$
(2) 외줄비계 : 건물 벽 외면에서 45cm 이격시킨 둘레 길이에 건물 높이를 곱한다.
$$A = (\Sigma L + 0.45 \times 8) \times H$$

CHAPTER 03 토공사

제1절 | 터파기량

1 터파기량 계산

(1) 독립기초
① 기초판의 크기에서 터파기 밑변과 윗변의 크기를 결정한다.
② 터파기량 전체를 입체적으로 표현하면 아래 그림과 같다.

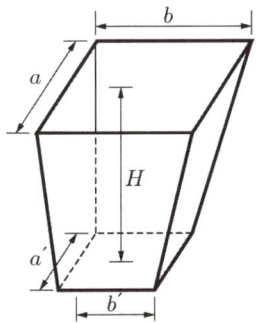

③ 위 그림의 입체 체적은 아래 공식을 사용하여 독립기초 터파기량을 결정한다.

$$V = \frac{H}{6}\{(2a+a')\times b + (2a'+a)\times b'\}$$

> 02② · 07③
> [독립기초] 터파기량, 되메우기량, 잔토처리량

(2) 줄기초
① 기초구조부 단면에서 터파기 밑변과 윗변의 크기를 결정한다.
② 터파기의 단면을 표현하면 아래 그림과 같다.

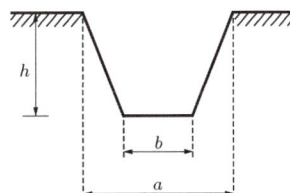 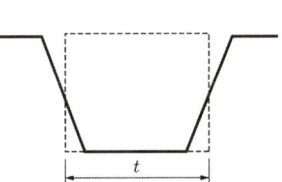

③ 터파기량 = 단면적 × 길이

　㉠ 단면적 = $\dfrac{a+b}{2} \times h$ (여기서, $\dfrac{a+b}{2} = t$) = t × h

　㉡ 길이는 외측의 줄기초는 중심간 길이, 내측의 줄기초는 안목길이로 산출한다.

④ 줄기초는 길이 변화에 유의하여야 한다.

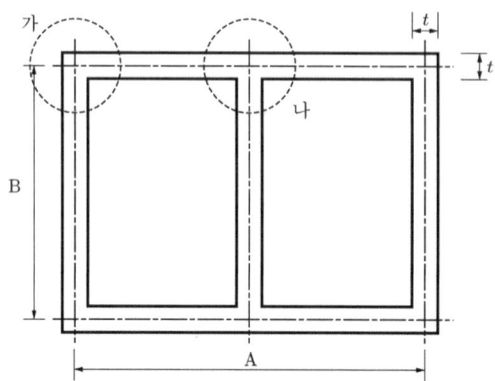

⑤ 줄기초 터파기량은 체적 구하는 공식을 활용하여 아래의 방법을 이용한다.

① 터파기 높이 결정(H) ② 밑변, 윗변 너비 결정(t=산출) ③ 중심간 길이 산출(내·외측합=$\Sigma \ell$) ④ 중복 개소 수 산출	$t \times H \times \left[\Sigma l - \dfrac{t}{2} \times 중복\ 개소\ 수 \right]$

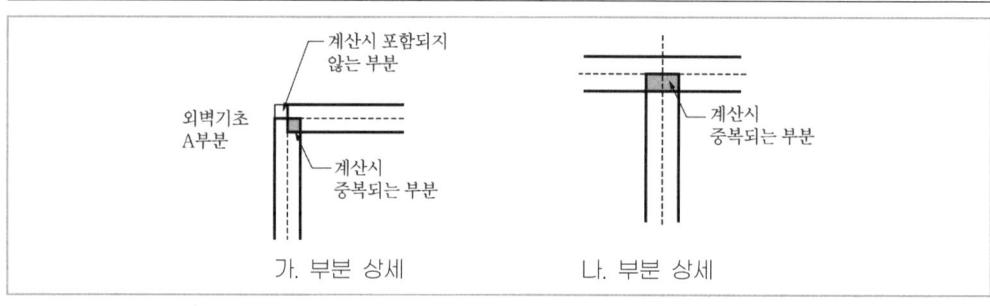

99④

[줄기초] 터파기량, 되메우기량, 잔토처리량

(3) 온통기초(흙막이가 없을 때)
  ① 건축물 외측길이 l_x, l_y
  ② 터파기량 = 터파기 면적 × H
  ③ 여유폭$(a) = d + \dfrac{H_x}{2}$
  ∴ 터파기량$(V) = (l_x + 2a) \times (l_y + 2a) \times H$

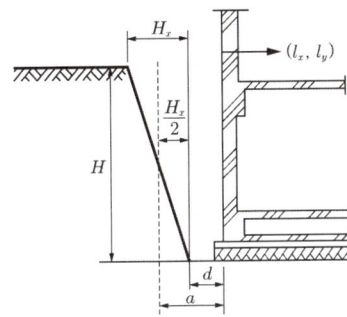

> 10① · 12④ · 13④ · 16② · 20②
> [온통기초] 터파기량, 되메우기량, 잔토처리량

제 2 절 | 되메우기량

되메우기량 = 터파기량 − 기초구조부 체적(GL 이하)

여기서, 기초구조부 체적은 지표면 이하의 잡석다짐량, 기초콘크리트, 지하실의 용적 등의 합계를 말한다. 단, 잡석다짐량 산출 시 실계도서상에 특기가 없는 경우에 목조 및 조적조 기초 측면은 10cm, 철근콘크리트조 기초 측면은 15cm를 가산하여 잡석지정의 폭으로 한다.

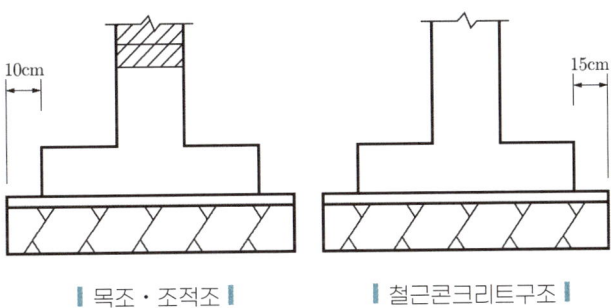

|목조 · 조적조| |철근콘크리트구조|

보충 | 터파기량-되메우기량-잔토처리량의 비교

1. 터파기량(m³) : 빗금친 부분의 체적=①

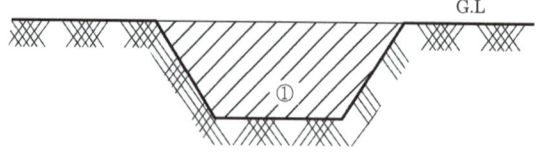

2. 되메우기량(m³) : 터파기량 − 기초구조부 체적(GL 이하)=①−②

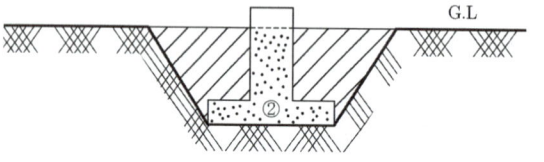

3. 잔토처리량(m³) : 기초구조부 체적(GL 이하)×토량환산계수=②×토량환산계수

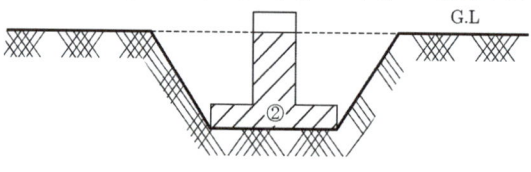

[체적량 계산]
①, ②의 체적을 계산하면 그 체적량은 자연상태의 체적이다.
터파기량 = 되메우기량 + 기초구조부 체적

제 3 절 | 잔토처리량

$$\text{잔토처리량} = \text{기초구조부 체적(GL 이하)} \times \text{토량환산계수(L)}$$

1 기초구조부 체적(GL 이하)
기초구조부 체적은 되메우기량에서 구한 값을 이용한다.

2 토량환산계수
토량의 상태변화에 따른 흙의 부피변화를 나타낸 상수

자연상태(1)	흐트러진 상태(L)	다짐상태(C)
	부피증가(20%)	부피감소(10%) / 밀실

(1) 토량의 변화

$$L = \frac{\text{흐트러진 상태의 토량}(m^3)}{\text{자연상태의 토량}(m^3)} \rightarrow \text{잔토처리량 계산 시 사용}$$

$$C = \frac{\text{다져진 상태의 토량}(m^3)}{\text{자연상태의 토량}(m^3)} \rightarrow \text{흙 돋우기(다짐) 계산 시 사용}$$

(2) 토량환산계수표

기준이 되는 상태 \ 구하는 상태	자연상태의 토량	흐트러진 상태의 토량	다짐상태의 토량
자연상태의 토량	1	L	C
흐트러진 상태의 토량	1/L	1	C/L
다짐상태의 토량	1/C	L/C	1

[토량환산계수표 적용]

$$\frac{\text{구하는 상태(변화된 상태)}}{\text{기준이 되는 상태(원상태)}} \quad \begin{array}{l} \rightarrow \text{분자} \\ \rightarrow \text{분모} \end{array}$$

11④ · 15④

[토량 산출] 토량환산계수의 활용

예제 1

흐트러진 상태의 흙 10m³를 이용하여 10m²의 면적에 다짐상태로 50cm 두께로 터 돋우기할 때 시공 완료된 후 흐트러진 상태로 남은 흙의 양을 산출하시오. (단, 이 흙의 $L=1.2$이고, $C=0.9$이다.)

00③ · 18① [3점]

해설

적산 – 토량환산

(1) 시공 시 건축물의 부피에 해당하는 돋우기된 토량을 흐트러진 상태로 환산($\times \dfrac{L}{C}$ 활용)

$$10\text{m}^2 \times 0.5\text{m} \times \dfrac{1.2}{0.9} = 6.67\text{m}^3$$

(2) 남는 토량 = $10\text{m}^3 - 6.67\text{m}^3 = 3.33\text{m}^3$

3 잔토처리

① 터파기량을 전부 잔토처리할 때 = 터파기 체적 × 토량환산계수
② 일부 흙을 되메우고 잔토처리할 때
    ㉠ 흙 메우기만 할 때 = (터파기 체적 – 되메우기 체적) × 토량환산계수
    ㉡ 흙 메우고 흙 돋우기할 때
        = {터파기 체적 – (되메우기 체적 + 돋우기 체적)} × 토량환산계수

제 4 절 | 건설기계 및 소운반

1 건설장비의 작업량(Q)

(1) 불도저

$$Q = \frac{60 \times q \times f \times E}{C_m}$$

여기서, Q : 장비의 1시간당 작업량
C_m : 1회 작업당 소요시간(분)
q : 1회 작업사이클당 표준작업량(m^3 또는 ton)
f : 토량환산계수, E : 작업효율

13① · 16②
[작업시간 계산] 불도저

(2) 셔블계 굴착기

$$Q = \frac{3600 \times q \times k \times f \times E}{C_m}$$

여기서, Q : 장비의 1시간당 작업량
C_m : 1회 작업당 소요시간(초)
k : 버킷 또는 딥퍼 계수
q : 1회 작업사이클당 표준작업량(m^3 또는 ton)
f : 토량환산계수, E : 작업효율

06① · 09③ · 15② · 19①
[작업량 계산] 파워 셔블

예제 2

토량 600m^3를 2대의 불도저로 작업하려 한다. 삽날 용량 0.6m^3, 토량환산계수 0.7, 작업효율 0.9이며 1회 사이클 시간이 10분일 때 작업을 완료할 수 있는 시간을 구하시오.

해설

불도저의 작업시간 계산

(1) 불도저 1대의 시간당 작업량

$$Q = \frac{60 \times q \times f \times E}{C_m} = \frac{60 \times 0.6 \times 0.7 \times 0.9}{10} = 2.268 m^3/hr$$

(2) 불도저 2대의 시간당 작업량 = $2.268 m^3/hr \times 2 = 4.536 m^3/hr$

(3) 토량 600m^3의 작업시간 = $\frac{600 m^3}{4.536 m^3/hr}$ = 132.28시간 = 132시간 17분

2 소운반 및 차량 운반(횟수, 대수)

계산과정은 간단하나 최종 답안은 올림으로 처리하여 반드시 정수로 환산하여야 한다.

[운반의 종류]
① 대운반 : 외부에서 현장까지의 운반으로 운반비를 계상한다.
② 소운반 : 현장 내부에서 운반을 뜻하며 운반비를 계상하지 않는다. 그러므로 소운반의 범위를 수평거리 20m 이하로 제한하고 있다. 경사는 수평거리 6에 대한 수직 1의 높이까지이다.

예제 3

$3m^3$의 모래를 운반하려고 한다. 소요 인부 수를 구하시오. (단, 질통의 무게 50kg, 상하차 시간 2분, 운반거리 240m, 평균운반속도 60m/분, 모래의 단위용적중량 1,600kg/m^3, 1일 8시간 작업하는 것으로 가정한다) 09③ [3점]

해설

(1) 운반해야 할 모래를 중량으로 환산하면 = $3 \times 1,600 = 4,800$ kg
(2) 전체 모래를 50kg의 질통으로 운반 시 횟수 = $4,800 \div 50 = 96$회
(3) 질통 1회 왕복 시 소요시간
    ① 상하차 시간 : 2분
    ② 운반 소요시간×2(왕복) : $(240 \div 60) \times 2 = 8$분
    ∴ ①+② = 10분
(4) 1일 1인의 운반횟수 = $\dfrac{8\text{시간} \times 60\text{분}}{10\text{분}} = 48$회

    ∴ 총인부수 = $\dfrac{96\text{회}}{48\text{회}} = 2$인

09③
[수치 계산] 소운반

단원별 경향문제

02② · 07③ [9점]

01 다음 기초공사에 소요되는 터파기량(m³), 되메우기량(m³), 잔토처리량(m³)을 산출하시오. (단, 토량환산계수는 $C=0.9$, $L=1.2$이다)

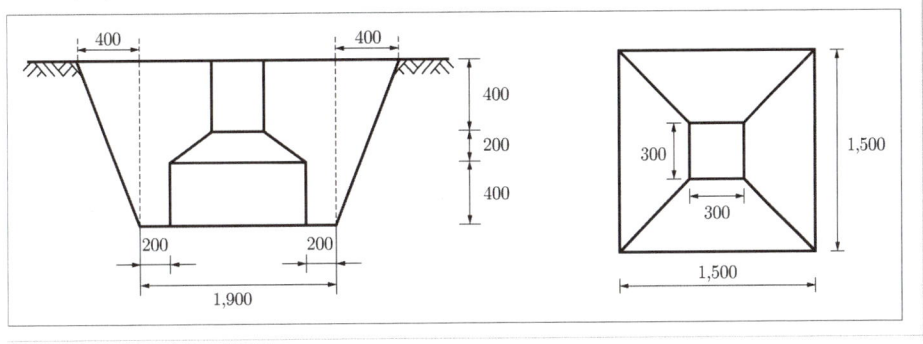

해설

[문제조건 분석]

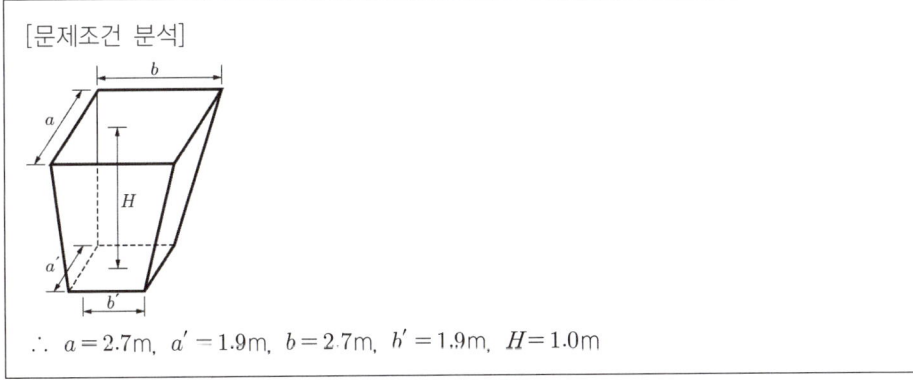

∴ $a=2.7$m, $a'=1.9$m, $b=2.7$m, $b'=1.9$m, $H=1.0$m

(1) 터파기량(V) $= \dfrac{H}{6}[(2a+a') \times b + (2a'+a) \times b']$

$V = \dfrac{1}{6}[(2 \times 2.7 + 1.9) \times 2.7 + (2 \times 1.9 + 2.7) \times 1.9] = 5.343\text{m}^3$

(2) 되메우기량 = 터파기량 − 기초구조부 체적(GL 이하 부분)

∴ 기초구조부 체적

① 기초판(수평) $= 1.5 \times 1.5 \times 0.4 = 0.9\text{m}^3$

② 기초판(경사) $= \dfrac{0.2}{6}[(2 \times 1.5 + 0.3) \times 1.5 + (2 \times 0.3 + 1.5) \times 0.3] = 0.186\text{m}^3$

③ 기초기둥 $= 0.3 \times 0.3 \times 0.4 = 0.036\text{m}^3$

① + ② + ③ $= 0.9 + 0.186 + 0.036 = 1.122\text{m}^3$

∴ 되메우기량 $= 5.343 - 1.122 = 4.221\text{m}^3$

(3) 잔토처리량 = 기초구조부 체적(GL 이하) × 토량환산계수($L=1.2$)

$= 1.122 \times 1.2 = 1.346\text{m}^3$

02 다음과 같은 조적조 줄기초 시공에 필요한 터파기량, 되메우기량, 잔토처리량, 잡석다짐량, 콘크리트량 및 거푸집량을 건축적산 기준을 적용하여 정미량으로 산출하시오. (단, 토질의 토량환산계수 $C = 0.9$, $L = 1.2$로 하여, 설계지반선은 원지반선과 동일하다.)

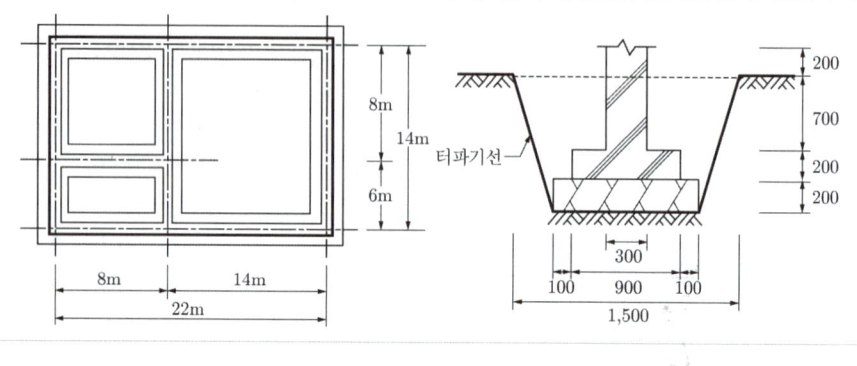

해설 줄기초 수량산출 공식을 활용 $t \times H \times \left[\sum l - \dfrac{t}{2} \times [\Sigma \ell - \dfrac{t}{2} \times 중복 \ 개소 \ 수\right]$

	터파기	잡석	기초판	기초벽	
				GL 이하	GL 이상
t	1.3	1.1	0.9	0.3	0.3
H	1.1	0.2	0.2	0.7	0.2

(1) 터파기량 $= 1.3 \times 1.1 \times \left[(22+14) \times 2 + (8+14) - \left(\dfrac{1.3}{2} \times 4\right)\right] = 130.702 \text{m}^3$

(2) 되메우기량＝터파기량－기초구조부 체적(GL 이하 부분)

　① 잡석량 $= 1.1 \times 0.2 \times \left[(22+14) \times 2 + (8+14) - \left(\dfrac{1.1}{2} \times 4\right)\right] = 20.196 \text{m}^3$

　② 기초판 콘크리트 $= 0.9 \times 0.2 \times \left[94 - \left(\dfrac{0.9}{2} \times 4\right)\right] = 16.596 \text{m}^3$

　③ 기초벽 콘크리트(GL 이하) $= 0.3 \times 0.7 \times \left[94 - \left(\dfrac{0.3}{2} \times 4\right)\right] = 19.614 \text{m}^3$

　④ 기초벽 콘크리트(GL 이상) → 콘크리트 수량산출 시 이용

　　 $= 0.3 \times 0.2 \times \left[94 - \left(\dfrac{0.3}{2} \times 4\right)\right] = 5.604 \text{m}^3$

　∴ 기초구조부 체적(GL 이하 부분)
　　 ＝①＋②＋③ ＝ 20.196＋16.596＋19.614 ＝ 56.406 m^3

　∴ 되메우기량＝130.702－56.406＝74.296 m^3

(3) 잔토처리량＝기초구조부 체적(GL 이하)×토량환산계수($L = 1.2$)
　　 ＝56.406×1.2＝67.687 m^3

(4) 잡석다짐량＝(2)의 ①수량＝20.196 m^3

(5) 콘크리트량＝(2)의 ②, ③, ④수량＝16.596＋19.614＋5.604＝41.814 m^3

(6) 거푸집량

① 기초판 : $0.2 \times \left[94 - \left(\dfrac{0.9}{2} \times 4\right)\right] \times 2(양면) = 36.88\text{m}^2$

② 기초벽 : $0.9 \times \left[94 - \left(\dfrac{0.3}{2} \times 4\right)\right] \times 2(양면) = 168.12\text{m}^2$

③ 공제부분 : $(0.9 \times 0.2 + 0.3 \times 0.9) \times 4개소 = 1.8\text{m}^2$

∴ 거푸집량 = ① + ② − ③ = $36.88 + 168.12 - 1.8 = 203.2\text{m}^2$

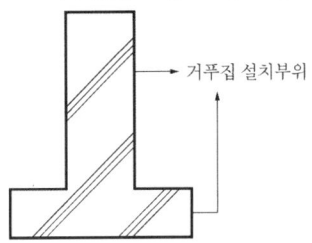
→ 거푸집 설치부위

[문제조건 분석]
① 중심간 길이($\Sigma \ell$) = $(22 + 14) \times 2 + 8 + 14 = 94\text{m}$
② 중복 개소 수 = 4개소

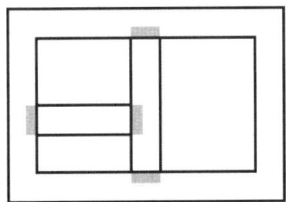

③ 터파기 두께(t)

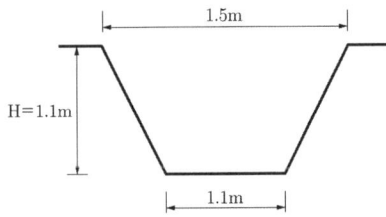

$\therefore t = \dfrac{1.1 + 1.5}{2} = 1.3\text{m}$

10① · 13④ · 20② · 23② [9점]

03

토공사에서 그림과 같은 도면을 검토하여 터파기량, 되메우기량, 잔토처리량을 계산하시오. (단, 토량환산계수 $L = 1.2$로 한다).

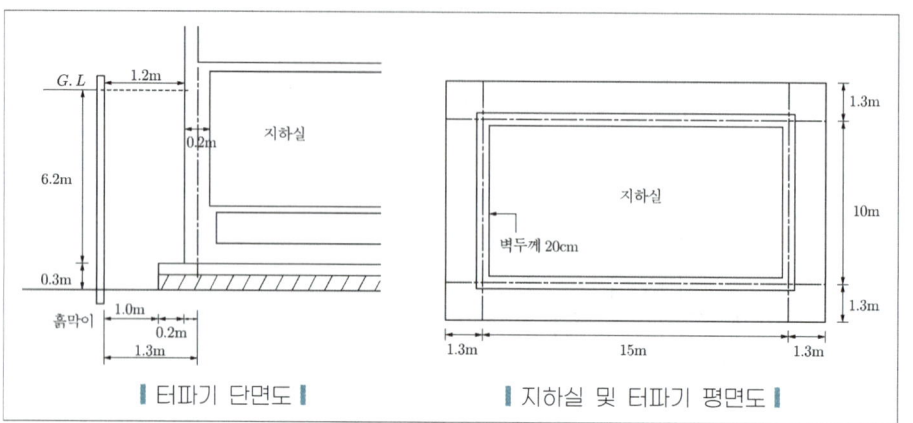

| 터파기 단면도 | | 지하실 및 터파기 평면도 |

(1) 터파기량
   계산과정 :
(2) 되메우기량
   계산과정 :
(3) 잔토처리량
   계산과정 :

해설 적산 온통기초 토공사 수량

(1) 터파기량 $V = (1.3 + 15 + 1.3) \times (1.3 + 10 + 1.3) \times (6.2 + 0.3) = 1,441.44 \text{m}^3$
(2) 되메우기량 = 터파기량 − 기초구조부 체적

〈기초구조부 체적〉
① 잡석+버림 콘크리트 $B_1 = (0.3 + 15 + 0.3) \times (0.3 + 10 + 0.3) \times 0.3 = 49.608 \text{m}^3$
② 지하실 체적 $B_2 = (0.1 + 15 + 0.1) \times (0.1 + 10 + 0.1) \times 6.2 = 961.248 \text{m}^3$
   ∴ 기초구조부 체적 $B = B_1 + B_2 = 49.608 + 961.248 = 1,010.856 \text{m}^3$
   ∴ 되메우기량 = $V - B = 1,441.44 - 1,010.856 = 430.58 \text{m}^3$
(3) 잔토처리량 $B' = B \times L = 1,010.856 \times 1.2 = 1,213.03 \text{m}^3$

04 다음 그림과 같은 조건에서 요구하는 수량을 산출하시오. (단, $L : 1.3$, $C : 0.9$)

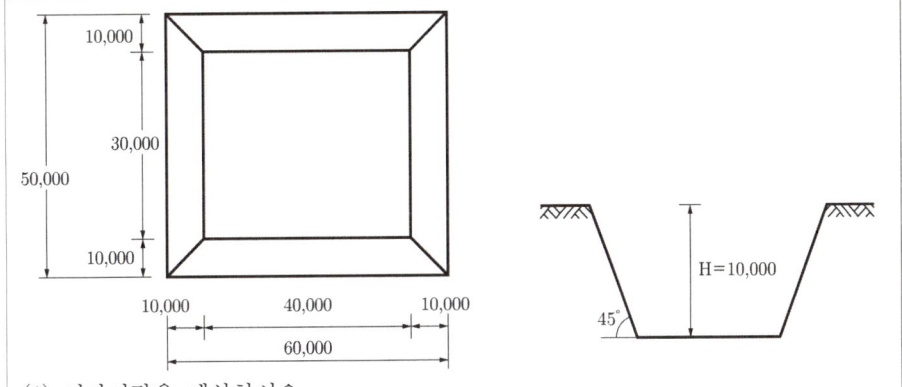

(1) 터파기량을 계산하시오.
(2) 운반 대수를 계산하시오. (단, 운반 차량 1대의 적재량은 $12m^3$)
(3) $5,000m^2$의 면적에 흙을 성토하여 다짐할 때 표고는 몇 m인지 계산하시오. (비탈면은 수직으로 가정한다.)

(1)
(2)
(3)

해설 적산

(1) 터파기량 : $V = \dfrac{h}{6}[(2a+a')(b) + (2a'+a)(b')]$

$= \dfrac{10}{6}[(2 \times 60 + 40)(50) + (2 \times 40 + 60)(30)] = 20,333.33m^3$

(2) 운반대수 $= \dfrac{\text{터파기량} \times L}{\text{1대의 적재량}} = \dfrac{20,333.33 \times 1.3}{12} = 2,202.77$대 → 2,203대

(3) 성토흙의 표고 $= \dfrac{\text{터파기량} \times C}{\text{성토면적}} = \dfrac{20,333.33 \times 0.9}{5,000} = 3.66m$

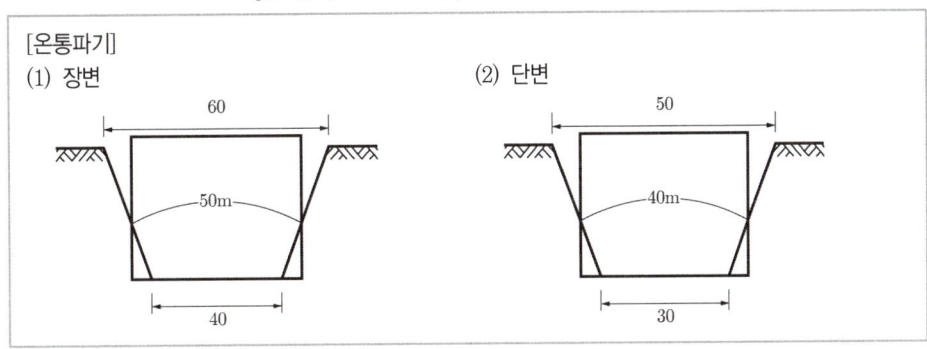

[온통파기]
(1) 장변 (2) 단변

[독립기초 공식 사용]

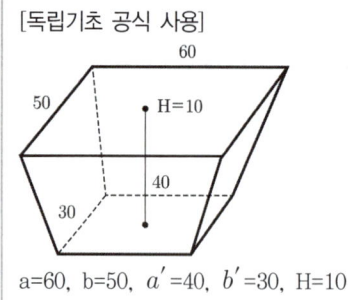

a=60, b=50, a'=40, b'=30, H=10

[절상시킨 정수]
운반대수는 소수점 이하는 무조건 올린 정수이어야 한다.

00③ · 11④ · 15④ · 22② [3점]

05 흐트러진 상태의 흙 30m³를 이용하여 30m²의 면적에 다짐 상태로 60cm 두께를 터돋우기 할 때 시공 완료된 다음의 흐트러진 상태의 남는 토량을 산출하시오. (단, 이 흙의 $L=1.2$이고, $C=0.9$이다.)

해설 (1) 시공 시 건축물의 부피에 해당하는 돋우기된 토량을 흐트러진 상태로 환산($\times \dfrac{L}{C}$ 활용)

$$30\text{m}^2 \times 0.6\text{m} \times \dfrac{1.2}{0.9} = 24\text{m}^3$$

(2) 남는 토량 = $30\text{m}^3 - 24\text{m}^3 = 6\text{m}^3$

13① · 16② [4점]

06 토량 2,000m³을 2대로 불도저로 작업할 예정이다. 삽날용량 0.6m³, 토량환산계수 0.7, 작업효율 0.9이며, 1회 사이클 시간이 15분일 때 작업 완료에 필요한 시간을 계산하시오.

해설 불도저의 시간당 작업량
(1) 불도저 1대의 시간당 작업량

$$Q = \dfrac{60 \times q \times f \times E}{C_m} = \dfrac{60 \times 0.6 \times 0.7 \times 0.9}{15} = 1.512\text{m}^3/\text{hr}$$

(2) 불도저 2대의 시간당 작업량 = $1.512\text{m}^3/\text{hr} \times 2 = 3.024\text{m}^3/\text{hr}$

(3) 토량 2,000m³의 작업시간 = $\dfrac{2,000\text{m}^3}{3.024\text{m}^3/\text{hr}}$ = 661.38시간 = 661시간 23분

00① · 03① · 05③ · 06① · 09③ · 15② · 19① [4점]

07 다음 조건을 기준으로 파워셔블(Power Shovel)의 1시간당 추정 굴착작업량을 계산하시오. (단, 단위를 명기하시오)

- $q = 0.8\text{m}^3$
- $k = 0.8$
- $f = 0.83$
- $E = 0.7$
- $C_m = 40\text{sec}$

[해설] 파워셔블의 1시간당 굴착작업량 계산

$$Q = \frac{3{,}600 \times q \times k \times f \times E}{C_m} = \frac{3{,}600 \times 0.8 \times 0.8 \times 0.7 \times 0.83}{40} = 33.47\text{m}^3/\text{hr}$$

16① [6점]

08 자연상태 흙의 터파기량이 12,000m³일 때, 이중 5,000m³를 되메우기하고 나머지 흙을 8t 트럭으로 잔토처리할 경우 덤프트럭 1회 적재량과 필요한 차량 대수를 계산하시오. (단, 자연상태에서의 흙의 단위체적중량 : 1,800kg/m³, 토량변화율(L) : 1.25)

(1) 덤프트럭 1회 적재량
(2) 필요 차량 대수

[해설] 적산-트럭 적재량, 차량 대수 계산
(1) 덤프트럭 1회 적재량

① 8t 트럭 1대의 흙의 적재량(자연상태) $= \dfrac{8t}{1.8t/m^3} = 4.444\text{m}^3$

② 8t 트럭 1대의 흙의 적재량(흐트러진 상태) $= 4.444 \times 1.25 = 5.56\text{m}^3$

(2) 필요 차량 대수

① 잔토처리량(흐트러진 상태) $= (12{,}000 - 5{,}000) \times 1.25 = 8{,}750\text{m}^3$

② 필요 차량 대수 $= \dfrac{8{,}750\text{m}^3}{5.56\text{m}^3/\text{대}} = 1{,}573.7 \rightarrow 1{,}574$대

18② [4점]

09 다음 그림과 같이 줄기초를 터파기할 때 주어진 조건에 따라 터파기된 흙을 6톤 트럭으로 운반할 때 트럭의 운반 대수를 계산하시오. (단, 흙의 할증은 25%이며 흙의 흐트러진 상태의 단위 중량은 1,600kg/m³이다.)

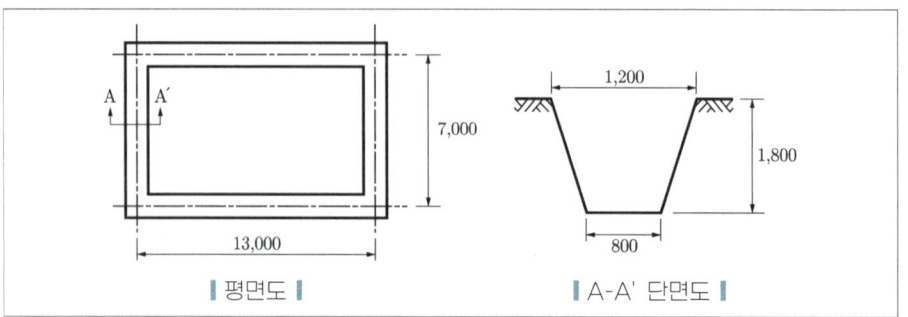

(1) 터파기량
(2) 6톤 트럭 운반대수

해설 적산 – 토공사

(1) 터파기량=기초의 단면적×중심길이
$= \dfrac{1.2+0.8}{2} \times 1.8 \times (13+7) \times 2 = 72\text{m}^3$(자연 상태)

(2) 6톤 트럭 운반대수 $= \dfrac{\text{터파기량} \times \text{단위중량} \times L}{\text{1대의 적재중량}} = \dfrac{72\text{m}^3 \times 1.6\text{t}/\text{m}^3 \times 1.25}{6\text{t}} = 24$대

CHAPTER 04 철근콘크리트 공사

제1절 | 배합비에 따른 각 재료량

1 콘크리트 배합비에 따른 각 재료량

(1) 콘크리트의 부피

콘크리트의 부피는 콘크리트를 구성하는 시멘트, 모래, 자갈 및 물의 부피의 합이다.

콘크리트 부피 = 시멘트의 부피 + 모래의 부피 + 자갈의 부피 + 물의 부피

비중 $= \dfrac{W(\text{중량})}{V(\text{부피})}$ → $V(\text{부피}) = \dfrac{W(\text{중량})}{\text{비중}}$, $W(\text{중량}) = V(\text{부피}) \times \text{비중}$

(2) 비벼내기량 계산

비벼내기량(V)을 산출하는 식은 정산식과 약산식으로 나눌 수 있다.

① 정산식

표준계량 용적배합비가 1 : m : n이고, W/C가 χ%일 때

$$V = 1 \times \dfrac{W_c}{g_c} + \dfrac{m \times W_s}{g_s} + \dfrac{n \times W_g}{g_g} + W_c \cdot \chi$$

여기서, V : 콘크리트의 비벼내기량(m^3)

W_c : 시멘트의 단위용적 중량(t/m^3 또는 kg/ℓ)

W_s : 모래의 단위용적 중량(t/m^3 또는 kg/ℓ)

W_g : 자갈의 단위용적 중량(t/m^3 또는 kg/ℓ)

g_c : 시멘트의 비중

g_s : 모래의 비중

g_g : 자갈의 비중

② 약산식

콘크리트 현장 용적배합비가 1 : m : n이고, W/C를 고려하지 않는 경우

$V = 1.1\text{m} + 0.57\text{n}$

> 07② · 17① · 20①
> [재료량 계산] 약산식 적용

(3) 콘크리트의 배합비가 주어졌을 경우 각 재료량 계산

배합비가 1 : m : n인 콘크리트 1m³ 당 각 재료의 소요량은 비벼내기량(V)을 구한 후 다음 식에 의거 산출한다.

① 시멘트량 = $\frac{1}{V}(m^3)$ → 단위용적 중량 = 1,500kg/m³ 사용, 시멘트 1포 = 40kg

② 모래량 = $\frac{m}{V}(m^3)$

③ 자갈량 = $\frac{n}{V}(m^3)$

④ 물의 양 = 시멘트 중량 × 물·시멘트비

예제 1

다음 조건을 이용해 콘크리트 1m³를 생성하는 데 필요한 시멘트, 모래, 자갈의 중량을 모두 계산하시오.
08③·17①·20① [8점]

① 단위수량 : 160kg/m³	② 물시멘트비 : 50%
③ 잔골재율 : 40%	④ 시멘트 비중 : 3.15
⑤ 모래 및 자갈의 비중 : 2.6	⑥ 공기량 : 1%

해설

적산-배합비에 따른 각 재료의 중량 계산

(1) 시멘트 중량

$$W/C = \frac{W_w}{W_c} = 50\% = 0.5 \rightarrow W_c = \frac{W_w}{0.5} = \frac{160}{0.5} = 320kg$$

(2) 모래의 중량 : 골재의 중량을 계산하기 위해 다른 모든 재료들의 **부피를 계산한 후 비중을 이용해 중량으로 환산**해야 한다.

$$비중 = \frac{W(중량)}{V(부피)} \rightarrow V(부피) = \frac{W(중량)}{비중}, W(중량) = V(부피) \times 비중$$

① 물의 부피 : $V = \frac{W(중량)}{비중} = \frac{160kg}{1t/m^3} = \frac{0.16t}{1t/m^3} = 0.16m^3$

② 시멘트의 부피 : $V = \frac{W(중량)}{비중} = \frac{320kg}{3.15t/m^3} = \frac{0.32t}{3.15t/m^3} = 0.102m^3$

③ 공기의 부피 : 1m³의 1% = 0.01m³

④ 모래 + 자갈의 부피 : 1 − (0.16 + 0.102 + 0.01) = 0.728m³

⑤ 잔골재율을 이용한 모래의 부피 :

$$잔골재율 = \frac{모래의\ 부피}{모래+자갈의\ 부피} \rightarrow 모래의\ 부피 = 잔골재율 \times (모래+자갈의\ 부피)$$

$$= 0.4 \times 0.728 = 0.291m^3$$

⑥ 모래의 중량 : $W(중량) = V(부피) \times 비중$
$= 0.291m^3 \times 2.6t/m^3 = 0.7566t = 756.6kg$

(3) 자갈의 중량

① 자갈의 부피 : 자갈의 부피 = (1 − 잔골재율) × (모래 + 자갈의 부피)
$= (1 − 0.4) \times 0.728 = 0.436m^3$

② 자갈의 중량 : $W(중량) = V(부피) \times 비중$
$= 0.436m^3 \times 2.6t/m^3 = 1.1336t = 1,133.6kg$

제 2 절 | 콘크리트량 · 거푸집량

1 일반사항

(1) 콘크리트
 ① 콘크리트 소요량은 품질·배합의 종류·제치장 마무리 등의 종류별로 구분하여 산출하며 도면의 정미량으로 한다.
 ② 체적 산출 시는 일반적으로 건물의 최하부에서부터 상부로, 또한 각층별로 구분하여 기초, 기둥, 벽체, 보, 바닥판, 계단 및 기타 세부의 순으로 산출하되 연결부분은 서로 중복이 없도록 한다.
 ③ 콘크리트 배합설계재료의 할증률은 다음 표의 값 이내로 한다.

종류	정치식(%)	기타(%)
시멘트	2	3
잔골재	10	12
굵은 골재	3	5
혼화재	2	–

10②,④ · 14①,②,④ · 18④ · 19④ · 산21③ · 산23①
[콘크리트량 계산]

(2) 거푸집
 ① 거푸집 소요량은 설계도서에 의하여 산출한 정미면적으로 한다.
 ② 거푸집 면적산출방법은 각층별 또는 구조별로 나누어 각 부분에 서로 중복이 없도록 한다.
 ③ $1m^2$ 이하의 개구부는 주위 사용재를 고려하여 거푸집 면적에서 공제하지 않는다.
 ④ 다음의 접합부 면적은 거푸집 면적에서 공제하지 않는다.
  ㉠ 기초와 지중보의 접합부
  ㉡ 지중보와 기둥의 접합부
  ㉢ 기둥과 큰 보의 접합부
  ㉣ 큰 보와 작은 보의 접합부
  ㉤ 기둥과 벽체의 접합부
  ㉥ 보와 벽체의 접합부
  ㉦ 바닥판과 기둥의 접합부

10②,④ · 14①,②,④ · 19② · 산21③ · 22① · 산23① · 산23②
[거푸집량]

[개구부 공제]

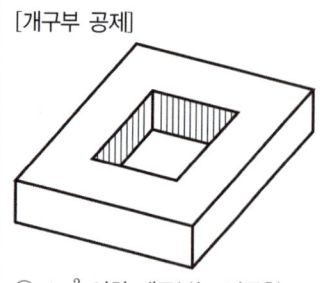

① $1m^2$ 이하 개구부는 빗금친 부분의 설치 거푸집과 주위의 부속재와 상쇄되는 것으로 한다.
② $1m^2$를 초과하는 개구부는 거푸집 면적을 공제하는 대신 빗금친 마구리 면적의 거푸집을 산출하여야 한다.

2 부위별 산출방법

(1) 기초

기초는 지반선 이하로 한다.

지하실이 있는 경우에는 지하실 바닥을 경계로 한다.

① 독립기초

기초판은 모양·치수가 동일한 개수를 계상하고 1개의 체적을 산출하여 개수를 곱한다.

㉠ 콘크리트
- A부분 = $a \times b \times h_1$
- B부분 = $\dfrac{h_2}{6}\{(2a+a') \times b + (2a'+a) \times b'\}$

㉡ 거푸집

$\theta \geq 30°$인 경우에는 B부분의 비탈면 거푸집을 계상하고 $\theta < 30°$인 경우에는 A부분의 수직면 거푸집만 계상한다.

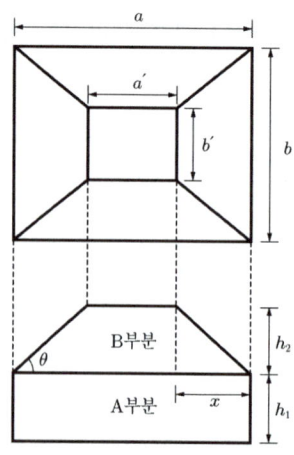

- A부분$= (a+b) \times 2 \times h_1$
- B부분$= \left(\dfrac{a+a'}{2} \times \sqrt{\chi^2 + h_2^2} \right) \times$ 개소수

② 줄기초(연속기초)

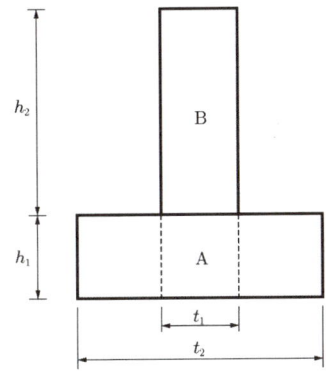

㉠ 콘크리트량 : 단면적×유효길이(l)
- A부분 : $t_2 \times h_1 \times l$
- B부분 : $t_1 \times h_2 \times l$

㉡ 거푸집량 : 수직면(옆면+앞/뒷면)만 계상
- A부분 : $h_1 \times 2 \times l$
- B부분 : $h_2 \times 2 \times l$
- 앞/뒷면 : $(h_1 \times t_2 + h_2 \times t_1) \times 2$

  ■ 줄기초와 줄기초가 만나는 부재면적은 거푸집 산출에서 공제한다(빗금친 부분)

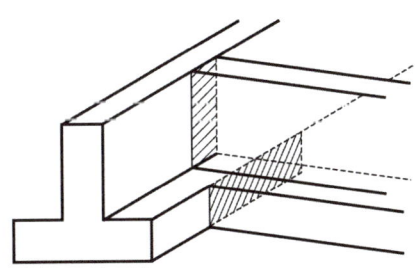

예제 2

다음 도면의 철근콘크리트 독립기초 2개소 시공에 필요한 다음 소요 재료량을 정미량으로 산출하시오.

07① [12점]

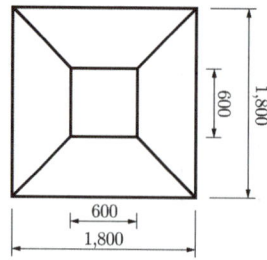
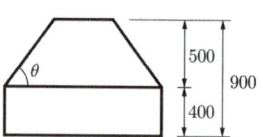

(1) 콘크리트량(m³)
(2) 거푸집량(m²)
(3) 시멘트량(단, 1 : 2 : 4 현장계량 용적배합임 – 포대수)
(4) 물량(물·시멘트비는 60%임–l)

해설

(1) 콘크리트량(m³)

　① 수평부 : 1.8×1.8×0.4=1.296m³

　② 경사부=$\dfrac{0.5}{6}${(2×1.8+0.6)×1.8+(2×0.6+1.8)×0.6}=0.78m³

　∴ (①+②)×2=(1.296+0.78)×2개소=4.152m³

(2) 거푸집량(m²)

　① 수평부 : (1.8+1.8)×2×0.4=2.88m²

　② 경사부=$\dfrac{0.5}{0.6}$≥tan30° 이면 거푸집 설치

　0.83≥0.577 이므로 경사면 거푸집 설치

　∴ $\left(\dfrac{1.8+0.6}{2} \times \sqrt{0.6^2+0.5^2}\right) \times 4 = 3.749 m^2$

　∴(①+②)×2개소=(2.88+3.749)×2=13.258m²

(3) 시멘트량

　비벼내기량(V)을 산출하고 그에 따른 재료량을 산출한다.
　여기서는 약산식 $V=1.1m+0.57n$을 이용

　① 비벼내기량 ; $V=1.1 \times 2+0.57 \times 4=4.48m^3$

　② 시멘트량(포대)=$\left(\dfrac{1}{4.48} \times 1,500 \div 40\right) \times 4.152 m^3$

　　　　　　　　=8.37포/m³×4.152m³=34.754포　　∴ 올림하여 35포

(4) 물의 양(l)=물·시멘트비(W/C)에 의해서 계산

　① 시멘트량(kg)=$\left(\dfrac{1}{4.48} \times 1,500\right) \times 4.152 m^3 = 1,390.179$kg

　② 물의 양(l)=시멘트량×물·시멘트비=1,390.179×0.6=834.107kg

　∴ 834.107l (∵1,000kg=1,000l)

[물의 양]
물 $1m^3 = 1t = 1,000kg = 1,000\ell$

(2) 기둥

기둥은 모양 치수가 동일한 개수를 계산하고 층높이에서 바닥판 두께를 뺀 높이를 곱하여 계산한다.

① 콘크리트량 : 기둥 단면적×안목높이$(H-t_s)$
② 거푸집 : 기둥 둘레길이×안목높이$(H-t_s)$

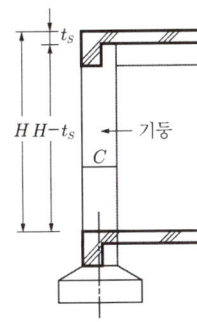

(3) 벽체

① 기둥이 없을 때

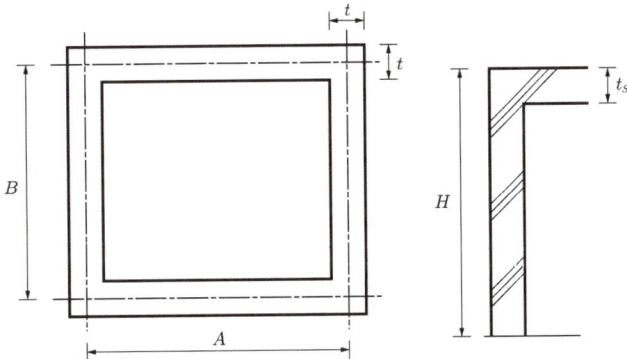

㉠ 콘크리트량=중심간 길이 × 벽두께 × 안목높이=(A+B)×2×t×$(H-t_s)$
㉡ 거푸집량=중심간 길이 × 2 × 안목높이=(A+B)×2×2×$(H-t_s)$

■ 벽체와 바닥판이 만나는 부분의 거푸집은 바닥판 거푸집 산출 시 공제한다.

② 기둥이 있을 때

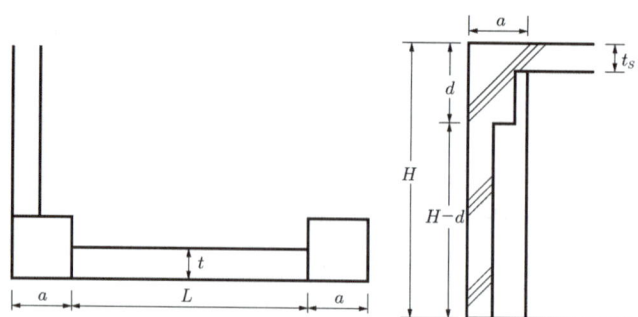

  ㉠ 콘크리트량=기둥간 안목길이×벽두께×안목높이= $L \times t \times (H-d)$
  ㉡ 거푸집량=중심간 길이×2(앞뒤)×안목높이= $L \times 2 \times (H-d)$
   ■ 기둥과 벽체가 만나는 부분은 공제하지 않는다.

(4) 보

 ① 콘크리트량=슬래브 두께를 뺀 보 단면적×기둥간 안목길이= $b \times (d-t_s) \times l_0$
  ■ 슬래브 두께 부분의 콘크리트량은 바닥판 수량 산출 시 계산한다.
 ② 거푸집량=슬래브 두께를 뺀 보 춤×2(좌우)×기둥간 안목길이= $(d-t_s) \times 2 \times l_0$

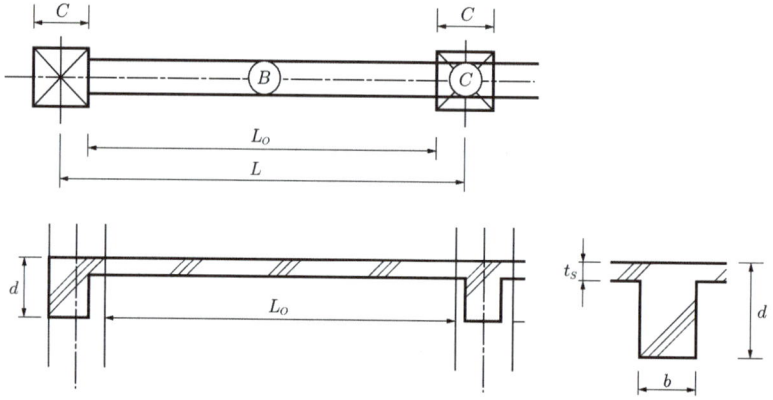

[보의 콘크리트량 산정]

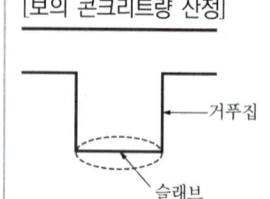

※ 콘크리트량 산출 시 보의 단독 문제인지, 슬래브까지 같이 산정하는지에 따라 풀이가 달라진다.
 보의 단독 문제 : 슬래브의 두께까지 포함해서 보의 콘크리트량 산정
 슬래브와 공동문제 : 슬래브의 두께를 제외하고 보의 콘크리트량 산정

(5) 슬래브

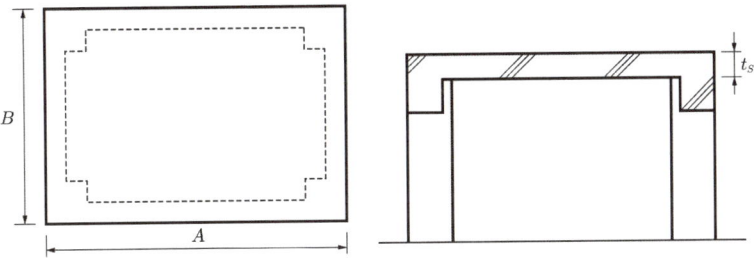

① 콘크리트량=바닥판 면적×두께= $A \times B \times t_s$
② 거푸량=밑면적+옆면적= $(A \times B) + (A+B) \times 2 \times t_s$

■ 슬래브 밑에 벽체가 있는 경우 바닥판과 벽체가 접하는 부분은 공제하므로 밑면 거푸집량 산출 시 외벽의 두께를 뺀 내벽간 바닥면적으로 한다.

예제 3

아래 그림은 철근콘크리트 사무소 건물이다. 주어진 평면도 및 단면도 A-A'를 보고 C_1, G_1, S_1에 해당하는 부분의 콘크리트량과 거푸집량을 산출하시오. (단, 소수점 셋째 자리에서 반올림한다)

10② [6점]

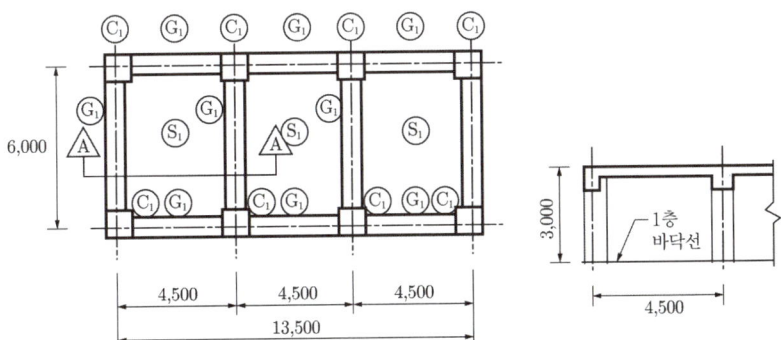

(1) 기둥단면 → 40×40cm
(2) 보 단면 →
(3) 슬래브 두께 → 12cm
(4) 층고 → 3m

단, 단면도 A-A'에 표기된 1층 바닥선 이하는 계산하지 않는다.

[문제조건 분석]
각 보의 길이 산출에 유의하며 각부 상세치수는 아래쪽 그림과 같다.

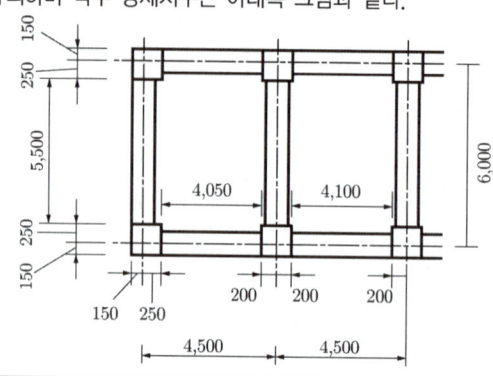

해설

※ 각 부재별 필요 길이, 개소수 등을 먼저 파악한 후 수량을 산출한다.
※ 재료별 산출보다 부위별 산출 후 각 재료를 합산하는 것이 훨씬 편리하다.

(1) 기둥(C_1)
    ① 콘크리트 : $0.4 \times 0.4 \times 2.88 \times 8 = 3.69 \mathrm{m}^3$
    ② 거푸집 : $(0.4 + 0.4) \times 2 \times 2.88 \times 8 = 36.86 \mathrm{m}^2$

(2) 보(G_1 : 4.05m)
    ③ 콘크리트 : $0.3 \times 0.38 \times 4.05 \times 4 = 1.85 \mathrm{m}^3$
    ④ 거푸집(옆면) : $0.38 \times 4.05 \times 2 \times 4 = 12.31 \mathrm{m}^2$

(3) 보(G_1 : 4.1m)
    ⑤ 콘크리트 : $0.3 \times 0.38 \times 4.1 \times 2 = 0.93 \mathrm{m}^3$
    ⑥ 거푸집(옆면) : $0.38 \times 4.1 \times 2 \times 2 = 6.23 \mathrm{m}^2$

(4) 보(G_1 : 5.5m)
    ⑦ 콘크리트 : $0.3 \times 0.38 \times 5.5 \times 4 = 2.51 \mathrm{m}^3$
    ⑧ 거푸집(옆면) : $0.38 \times 5.5 \times 2 \times 4 = 16.72 \mathrm{m}^2$

(5) 슬래브
    ⑨ 콘크리트 : $13.8 \times 6.3 \times 0.12 = 10.43 \mathrm{m}^3$
    ⑩ 거푸집량(밑면) : $13.8 \times 6.3 = 86.94 \mathrm{m}^2$
    ⑪ 거푸집(옆면) : $(13.8 + 6.3) \times 2 \times 0.12 = 4.82 \mathrm{m}^2$

  ∴ 콘크리트량 = ① + ③ + ⑤ + ⑦ + ⑨
               = 3.69 + 1.85 + 0.93 + 2.51 + 140.43
               = 19.41 m^3

  ∴ 거푸집량 = ② + ④ + ⑥ + ⑧ + ⑩ + ⑪
              = 36.86 + 12.31 + 6.23 + 16.72 + 86.94 + 4.82
              = 163.88 m^2

[문제조건 분석]
① 기둥간 안목길이
    ㉠ 가로외측부 : $4.5 - (0.25 + 0.2) = 4.05\mathrm{m}$
    ㉡ 가로중앙부 : $4.5 - (0.2 \times 2) = 4.1\mathrm{m}$
    ㉢ 세로 : $6 - (0.25 \times 2) = 5.5\mathrm{m}$
② 기둥 안목높이 : $3 - 0.12 = 2.88$
③ 기둥 개수 : 8개소
④ 보 개수
    ㉠ 4.0m : 4개소
    ㉡ 4.1m : 2개소
    ㉢ 5.5m : 4개소
⑤ 슬래브 전체 길이
    ㉠ 가로 : $13.5 + (0.15 \times 2) = 13.8\mathrm{m}$
    ㉡ 세로 : $6 + (0.15 \times 2) = 6.3\mathrm{m}$

제 3 절 | 철근량

1 일반사항

① 철근은 종류별, 지름별로 총 길이를 산출하고 단위중량을 곱하여 총중량으로 산출한다.
② 철근은 각층별로 기초, 기둥, 보, 바닥판, 벽체, 계단 기타로 구분하여 각 부분에 중복이 없도록 산출한다.
③ 철근 수량은 이음 정착길이를 정밀히 계산하여 정미량을 산정하고 정미량에다 원형철근은 5% 이내, 이형철근은 3% 이내의 할증률을 가산하여 소요량으로 한다.
④ 이형철근 지름 13mm 이하의 철근 사용 시 hook을 가산하지 않으나, 지름 16mm 이상 이형철근에서 기둥, 보, 굴뚝 등은 hook의 길이를 산정한다. (단, 조건이 제시된 경우에는 조건에 따른다.)
⑤ 대근(Hoop), 늑근(Stirrup)의 길이 계상은 콘크리트 단면치수로 계산한다(피복두께 무시).
⑥ 철근이음 길이 산정 시 이음개소는 D13mm 이하는 6m마다, D16mm 이상은 7m마다 한다(단, 조건이 제시된 경우는 조건에 따른다).
⑦ 철근량은 길이(m)로 산출하고, 산출된 길이에 단위중량(kg/m)을 곱하여 총중량으로 산출한다.

98① · 99⑤ · 05② · 09③ · 11② · 15① · 22④
[철근량 계산]

[할증률 계산]
할증률을 적용할 때에는 지름별로 할증을 적용하여 선출한 다음 전체 중량을 계산한다.

2 철근의 길이(m) 산출법

철근의 길이는 1개의 길이 산출 후 개수를 곱하여 총 길이를 산출한다.

(1) 철근 1개의 길이

$$\text{부재길이 + 이음길이 + 정착길이 + Hook의 길이}$$

① 부재길이
   각 구조 부위별 수량 산출법을 참조한다.

② 이음길이
   ㉠ 큰 인장력을 받는 경우 : $40d(l_1)$
   ② 압축력, 작은 인장력을 받는 경우 : $25d(l_2)$
   ■ 지름이 다른 경우는 작은 지름(d)

③ 정착길이
   ㉠ 정착길이는 이음길이와 동일하다.
   ㉡ 정착위치는 각 부재에 따라 적용한다.

④ Hook의 길이
   ㉠ Hook을 두는 곳
   - 원형철근 단부
   - 이형철근의 굴뚝, 기둥, 보의 단부
   - 도면에서 지정하고 있는 곳
   ㉡ Hook의 적용길이(180° 정착 시 10.3d)

   $= \dfrac{2\pi r}{2} + 4d$ (여기서, $r = 2d$)

   $= 3.14 \times 2d + 4d = 10.28d$

   ∴ ≒ $10.3d$

(2) 철근의 개수

$$\text{개수} = \dfrac{\text{길이}(l)}{\text{간격}(@)} + 1$$

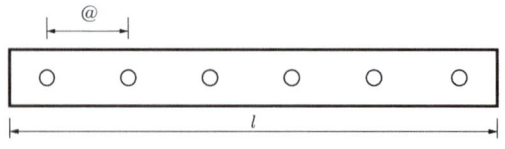

3 각 구조 부위별 수량 산출

(1) 독립기초

① 기초판

> 1개의 길이 = 부재의 길이(이음, 정착 Hook은 고려치 않는다.)

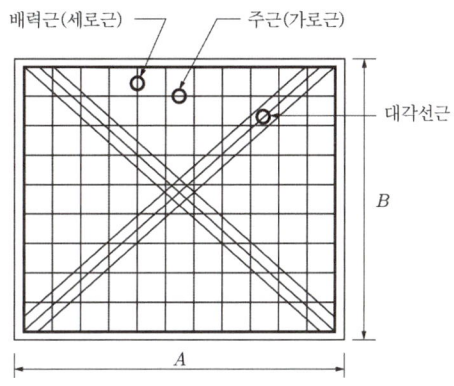

㉠ 주근(규격) : $A \times (\frac{B}{@}+1)$(개)

㉡ 배력근(규격) : $B \times (\frac{A}{@}+1)$(개)

㉢ 대각선근(규격) : $\sqrt{A^2+B^2} \times$ 개수
                                       (도면표기)

② 기초기둥

> 1개의 길이 = 부재의 길이(H) + 정착길이(이음, hook은 고려치 않는다.)

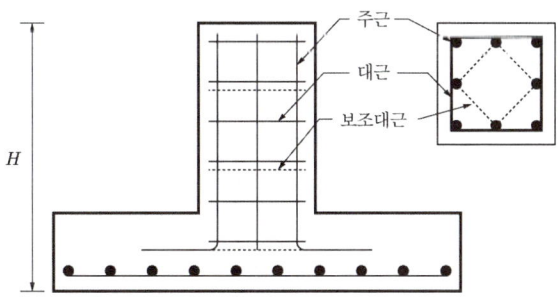

㉠ 주근 : (H+0.4)×개수(도면표기)

㉡ 대근(띠철근) : 기둥 둘레길이 × $\frac{H}{@}$ (개)

㉢ 보조 대근(보조 띠철근) : 기둥 둘레길이 × $\frac{H}{@}$ (개)

(2) 기둥

> 1개의 길이 = 부재의 길이 + 정착길이 + Hook + 이음길이

■ 독립기초의 기초기둥 산출방법과 동일하지만, 이음개소 및 상단의 Hook에 유의한다.

① 주근
  - ㉠ 부재길이의 높이 ··· 기둥높이
  - ㉡ 정착길이 ·· 40cm
  - ㉢ 이음길이 ·· 25d
  - ㉣ 이음개소 ·· 층마다
  - ㉤ 개수 ··· 도면표기
  - ㉥ Hook ··· 10.3d

[기둥 철근이음 개소]
기둥에서 철근의 이음 개소수는 철근 1본의 길이와 무관하게 매층마다 발생된다. 이는 시공과정에서 발생되기 때문이다.

② 띠철근
  - ㉠ 1개의 길이 ·· 기둥 둘레길이
  - ㉡ 개수 ······································· 기둥높이÷간격+1(중앙부)
  - ·· 기둥높이÷간격(단부)

③ 보조 띠철근
  - ㉠ 1개의 길이 ·· 기둥 둘레길이
  - ㉡ 개수 ······································· 기둥높이÷간격+1(중앙부)
  - ··· 기둥높이÷간격(단부)

예제 4

다음 도면과 같은 기둥의 주근 및 띠철근의 철근량을 산출하시오. (단, 층고는 3.6m, 주근의 이음길이는 25d로 하고, 철근의 중량은 D22는 3.04kg/m, D19는 2.25kg/m, D10은 0.56kg/m로 한다.)

98① · 99⑤ · 05② · 09③ · 11② · 15① [4점]

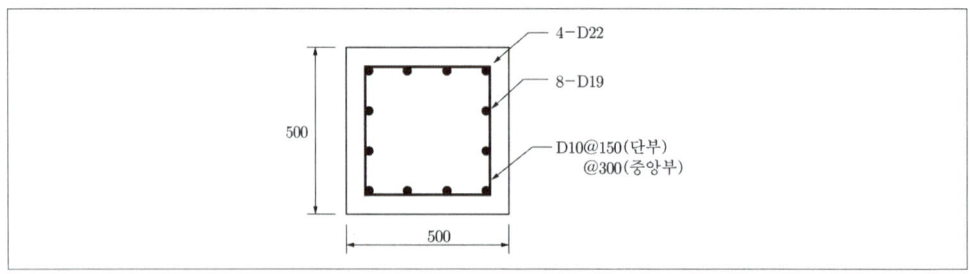

해설 주근 및 띠철근의 철근량 산출
  (1) 주근(D22) : 4개 $\times [3.6 + (25 \times 0.022)] \times 3.04 = 50.464$ kg
  (2) 주근(D19) : 8개 $\times [3.6 + (25 \times 0.019)] \times 2.25 = 73.35$ kg
  (3) 띠철근(D10) : $2 \times (0.5 + 0.5) \times \left[\left(\dfrac{1.8}{0.15}\right) + \left(\dfrac{1.8}{0.3} + 1\right)\right] \times 0.56 = 21.28$ kg
  ∴ 전체 철근량 : $50.464 + 73.35 + 21.28 = 145.09$ kg

단원별 경향문제

06② [3점]

01 시멘트 320kg, 모래 0.45m³, 자갈 0.90m³를 배합하여 물·시멘트비 60%의 콘크리트 1m³를 만드는 데 필요한 물의 용적은 얼마인가?

해설 물시멘트비$(x) = \dfrac{W(\text{물의 중량})}{C(\text{시멘트 중량})} \times 100(\%)$

∴ $W = x \times C = 0.6 \times 320\text{kg} = 192\text{kg}$

∴ 0.192m^3

[물의 양(단위)]
여기서, 물 1m³=1t=1,000kg=1,000ℓ

06① [4점]

02 콘크리트 펌프에서 실린더의 안지름 18cm, 스트로크 길이 1m, 스트로크 수 24회/분, 효율 100%인 조건으로 1인 6시간 작업할 때 가능한 1일 최대 콘크리트 펌핑량을 구하시오.

해설 ① 1회 펌핑량=(실린더 안면석)×길이×효율=$(\pi \times 0.18 \times 0.18 \div 4) \times 1 \times 1 = 0.025\text{m}^3$
② 1분 펌핑량=$0.025 \times 24(\text{회}) = 0.6\text{m}^3$
③ 1일(6시간) 펌핑량=$0.6 \times 60 \times 6 = 216\text{m}^3$

16② [3점]

03 콘크리트 펌프가 실린더의 안지름이 18cm, 스트로크 길이가 1m, 스트로크 수가 24회/분, 효율이 90% 조건으로 콘크리트를 펌핑할 때 원활한 시공을 위한 7m³ 레미콘 트럭의 배차시간 간격(분)을 계산하시오.

해설 적산-레미콘 배차시간 계산

(1) 분당 토출량(단위를 m으로 통일)

$$= \frac{\pi D^2}{4} \times L \times N \times E = \frac{\pi (0.18)^2}{4} \times 1 \times 24 \times 0.9 = 0.5497 m^3/\min$$

(2) 레미콘 트럭의 배차시간 계산

$$= \frac{7m^3}{0.5497 m^3/\min} = 12.73\min \rightarrow 12분$$

04① [4점]

04 설계도에서 정미량으로 산출한 D10 철근량이 2,574kg이었다. 건설공사의 할증률을 고려하여 소요량으로서 8m짜리 철근을 구입하고자 하는데, 이때, D10 철근 (0.56kg/m) 몇 개를 운반하면 좋을지 필요한 개수를 산출하시오. (단, 계근소의 휴업으로 개수로 구입할 수밖에 없는 조건이다.)

해설 ① 철근(D10) 1개의 중량 = 0.56 × 8 = 4.48kg
② 철근 구입량(소요량) = 2,574 × 1.03 = 2,651.22kg
③ 철근의 개수 = 2,651.22 ÷ 4.48 = 591.8
∴ 592개

18④ · 23① [4점]

05 다음과 같은 조건의 철근콘크리트 부재의 부피와 중량을 계산하시오.

> (1) 기둥 : 450×600, 길이 4m, 수량 50개
> (2) 보 : 300×400, 길이 1m, 수량 150개

(1) 부피 :
(2) 중량 :

해설 적산 – 콘크리트 부재의 부피와 중량 계산
(1) 부피
　① 기둥의 부피 = $0.45 \times 0.6 \times 4 \times 50 = 54 m^3$
　② 보의 부피 = $0.3 \times 0.4 \times 1 \times 150 = 18 m^3$
　③ 전체 부피 = $54 + 18 = 72 m^3$
(2) 중량
　① 기둥의 중량 = $54 m^3 \times 2.4 t/m^3 = 129.6 t$
　② 보의 중량 = $18 m^3 \times 2.4 t/m^3 = 43.2 t$
　③ 전체 중량 = $129.6 + 43.2 = 172.8 t$

> [단위용적중량]
> · 철근콘크리트 : $2.4 t/m^3$
> · 무근콘크리트 : $2.3 t/m^3$

10① · 18④ · 21④ [4점]

06 두께 0.15m, 너비 6m, 길이 100m 도로를 $6m^3$ 레미콘을 이용하여 하루 8시간 작업 시 레미콘 트럭의 배차 간격(분)을 계산하시오.

해설 적산 – 레미콘 배차 간격 계산
(1) 도로의 콘크리트량 = $0.15 \times 6 \times 100 = 90 m^3$
(2) 레미콘 트럭의 대수 = $\dfrac{90}{6} = 15$대
(3) 배차 간격은 트럭 대수에서 1을 뺀 14번 발생함
∴ 레미콘 트럭의 배차시간 계산 = $\dfrac{8 \times 60}{14} = 34.29$ → 34분

> [배차간격(절하)]
> (1) 배차간격은 작업대수에서 1대를 빼고 계산하여야 한다.
> (2) 배차간격이 소수점으로 나오면 내림으로 계산한다.

Chapter 04 · 철근콘크리트 공사

07

다음 그림과 같은 철근콘크리트조 건물에서 벽체와 기둥의 거푸집량을 계산하시오. (단, 높이는 3m로 하고, 기둥과 벽을 별도의 거푸집으로 타설한다.)

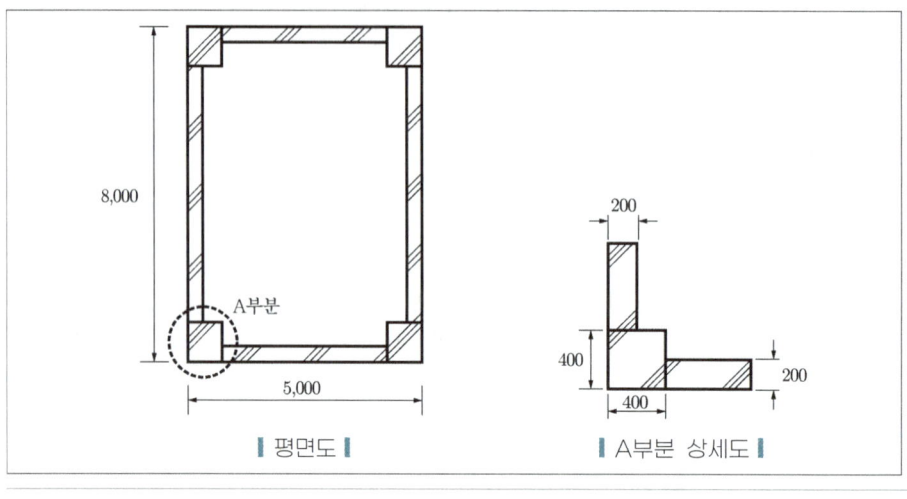

| 평면도 | | A부분 상세도 |

해설 적산-거푸집량 계산

(1) 기둥 = $(0.4+0.4) \times 2 \times 3 \times 4 = 19.2 \text{m}^2$

(2) 벽

① 수평방향 벽 = $(5-0.4 \times 2) \times 3 \times 2(양면) \times 2(상하) = 50.4 \text{m}^2$

② 수직방향 벽 = $(8-0.4 \times 2) \times 3 \times 2(양면) \times 2(좌우) = 86.4 \text{m}^2$

벽 거푸집량 = $50.4 + 86.4 = 136.8 \text{m}^2$

∴ 전체 거푸집량 = $19.2 + 136.8 = 156.0 \text{m}^2$

[벽과 기둥이 만나는 부분 면적]
벽과 기둥이 만나는 부분의 면적은 거푸집 산출 시 공제하지 않는다.

06① [4점]

08 건설공사 기초거푸집 소요량이 100m²이고, 1층과 2층의 거푸집이 각각 300m²일 때 거푸집 주문량을 산출하시오. (단, 기초거푸집은 1회 사용, 일반층은 2회 사용하는 것으로 한다. 이때, 거푸집 1m²당 1회 사용 시의 손실률은 3%이고, 2회 사용 시 전용률은 57%이다.)

해설

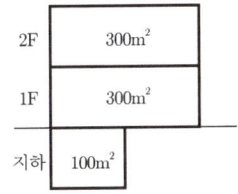

① 지하 기초거푸집 주문량 $= 100 \times 1.03 = 103 \text{m}^2$
② 1층 거푸집 주문량 $= 300 \times 1.03 = 309 \text{m}^2$
③ 2층 거푸집
    ㉠ 1층 거푸집으로 반복 사용 $= 300 \times 0.57 = 171 \text{m}^2$
    ㉡ 2층 거푸집 주문량 $= (300 - 171) \times 1.03 = 132.87 \text{m}^2$
    ∴ ①+②+㉡ $= 103 + 309 + 132.87 = 544.87 \text{m}^2$

[거푸집 전용 횟수]
기초거푸집은 1회 사용이므로 2회 사용할 수 있는 것은 일반층 거푸집뿐이다. 1층과 2층의 전체 면적 중 2회 사용하고 남은 면적에 대해서는 새로운 거푸집이 필요하다.

| | 10④ · 22④ [6점] |

09 다음 기초에 사용되는 철근, 콘크리트, 거푸집의 정미량을 산출하시오. (단, 이형철근 D16의 단위중량은 1.56kg/m, D13의 단위중량은 0.995kg/m이다.)

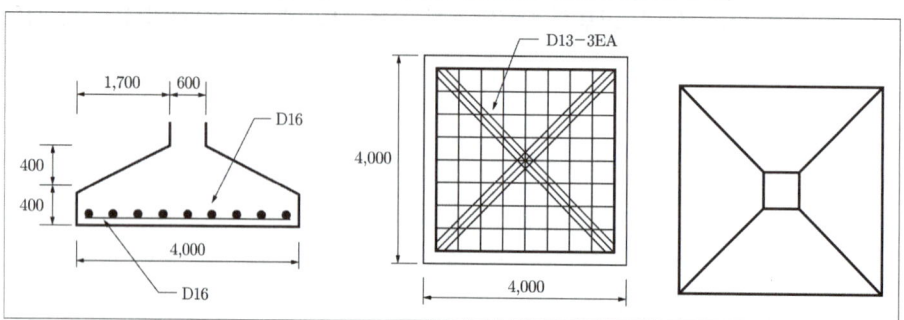

(1) 철근량
(2) 콘크리트량
(3) 거푸집량

해설 (1) 철근량(간격이 주어지지 않았으므로 도면의 개수로 적용)
   ① 가로근(D16) : 4×9개 $= 36$m
   ② 세로근(D16) : 4×9개 $= 36$m
   ③ 대각선근(D13) : $\sqrt{4^2 + 4^2} \times 3 \times 2$개 $= 33.94$m
   ∴ $D13 = ③ = 33.94\text{m} \times 0.995\text{kg/m} = 33.77\text{kg}$
      $D16 = ① + ② = 72\text{m} \times 1.56\text{kg/m} = 112.32\text{kg}$
   ∴ 총중량 $= D13 + D16 = 146.09\text{kg}$

(2) 콘크리트량
   ① 수평부 $= 4 \times 4 \times 0.4 = 6.4\text{m}^3$
   ② 경사부 $= \dfrac{0.4}{6} \times (2 \times 4 + 0.6) \times 4 + (2 \times 0.6 + 4) \times 0.6 = 2.5\text{m}^3$
   ∴ ① + ② $= 8.9\text{m}^3$

(3) 거푸집량
   ① 수평부 $= (4+4) \times 2 \times 0.4 = 6.4\text{m}^2$
   ② 경사부 $= \dfrac{0.4}{1.7} \geq \tan 30°$이면 거푸집 설치
      $0.235 < 0.577$이므로(30° 미만) 설치하지 않는다.
   ∴ ① 6.46m^2

07② [6점]

10 그림과 같은 줄기초의 전체 길이가 150m일 때, 기초콘크리트량, 철근량을 산출하시오.(단, D13=0.995kg/m, D10=0.56kg/m이며, 이음길이는 무시하고 정미량으로 산출한다.)

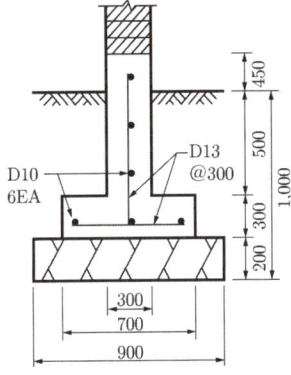

해설 1. 콘크리트량
   (1) 기초판=0.7×0.3×150=31.5m³
   (2) 기초벽=0.3×(0.5+0.45)×150=42.75m³
      ∴ 전체 콘크리트량=31.5+42.75=74.25m³
2. 철근량 → (이음길이는 문제조건에 의해 고려하지 않는다.)
   (1) 기초판
      ① 선철근(D13) : $0.7 \times \dfrac{150}{0.3} = 350$m
      ② 점철근(D10) : $150 \times 3 = 450$m
   (2) 기초벽
      ③ 선철근(D13) : $(1.25 + 0.4) \times \dfrac{150}{0.8} = 825$m
      ④ 점철근(D10) : $150 \times 3 = 450$m
   ∴ $D10 = ② + ④ = 900\text{m} \times 0.56 = 504\text{kg}$
      $D13 = ① + ③ = 1{,}175\text{m} \times 0.995 = 1{,}169.125\text{kg}$
   ∴ 총중량= $D10 + D13 = 504 + 1{,}169.125 = 1{,}673.13\text{kg}$

[정착길이]
정착길이는 기초판의 크기에 구애받지 않고 40cm를 적용한다.

11 다음 그림의 헌치 보에 대하여 콘크리트량과 거푸집 면적을 계산하시오.

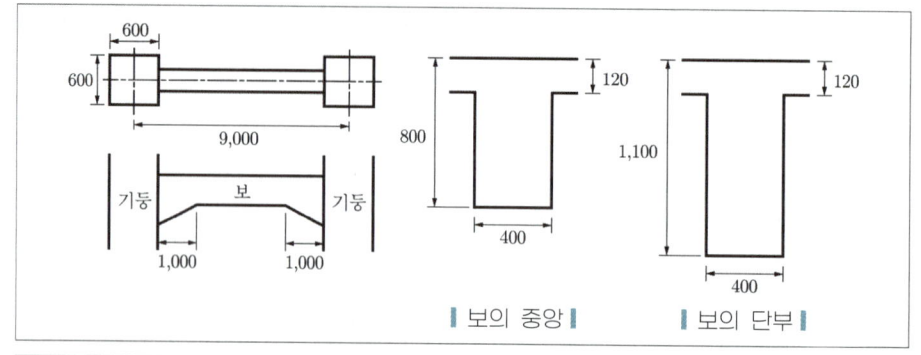

(1) 콘크리트량
(2) 거푸집 면적

해설 적산-헌치 보의 콘크리트량 거푸집 면적

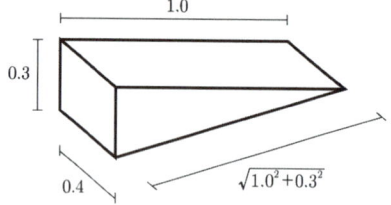

보의 콘크리트량 산출 문제에서는 보의 두께 계산 시 슬래브 두께까지 포함해서 계산한다.
(1) 콘크리트량

① 보 부분 $= 0.4 \times 0.8 \times (9 - \dfrac{0.6}{2} \times 2) = 2.688 \text{m}^3$

② 헌치 부분 $= \dfrac{1}{2} \times 0.3 \times 1.0 \times 0.4 \times 2 = 0.12 \text{m}^3$

∴ 콘크리트량 $= 2.688 + 0.12 = 2.808 \text{m}^3$

(2) 거푸집 면적

① 헌치 부분을 제외한 보 옆 $= (0.8 - 0.12) \times (9 - \dfrac{0.6}{2} \times 2) \times 2 = 11.424 \text{m}^2$

② 헌치 $= \dfrac{1}{2} \times 0.3 \times 1.0 \times 2 \times 2 = 0.6 \text{m}^2$

③ 보 밑 $= [0.4 \times (9 - 1 - 1 - \dfrac{0.6}{2} \times 2)] + [0.4 \times \sqrt{(0.3)^2 + 1^2} \times 2] = 3.395 \text{m}^2$

∴ 거푸집 면적 $= 11.424 + 0.6 + 3.395 = 15.415 \text{m}^2$

10② · 14② · 20① · 23④ [10점]

12 다음의 그림은 철근콘크리트조 경비실 건물이다. 주어진 평면도와 단면도를 보고 C_1, G_1, G_2, S_1에 해당되는 부분의 1층과 2층의 콘크리트량과 거푸집 면적을 계산하시오.
단, 1) 기둥 단면(C_1) : $30cm \times 30cm$, 2) 보 단면(G_1, G_2) : $30cm \times 60cm$
3) 슬래브 두께(S_1) : 13cm, 4) 층고 : 단면도 참조
단, 단면도에 표기된 1층 바닥선 이하는 계산하지 않는다.

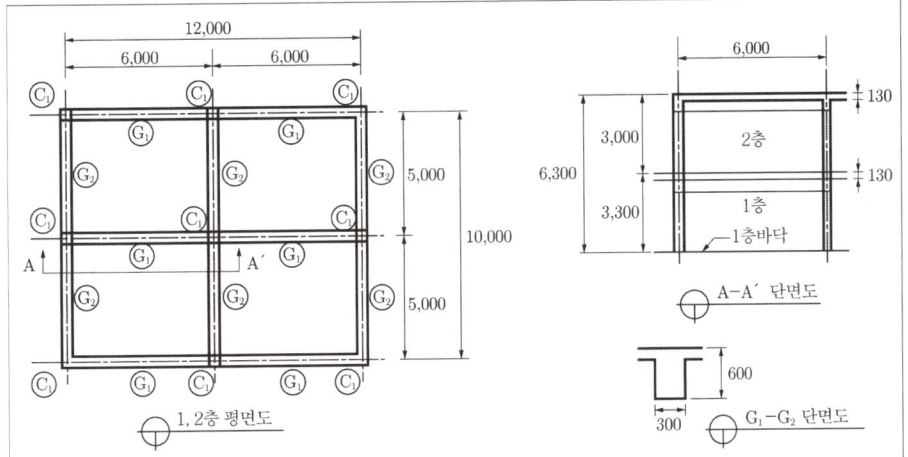

(1)
(2)
(3)

해설 콘크리트량과 거푸집 면적 계산
(1) 콘크리트량
  1) 기둥—C_1
     ① 1층 = $0.3 \times 0.3 \times (3.3 - 0.13) \times 9$개 = $2.568m^3$
     ② 2층 = $0.3 \times 0.3 \times (3.0 - 0.13) \times 9$개 = $2.325m^3$
  2) 보—G_1
     ① 1층 = $0.3 \times (0.6 - 0.13) \times (6 - \dfrac{0.3}{2} \times 2) \times 6$개 = $4.822m^3$
     ② 2층 = $0.3 \times (0.6 - 0.13) \times (6 - \dfrac{0.3}{2} \times 2) \times 6$개 = $4.822m^3$
  3) 보—G_2
     ① 1층 = $0.3 \times (0.6 - 0.13) \times (5 - \dfrac{0.3}{2} \times 2) \times 6$개 = $3.976m^3$
     ② 2층 = $0.3 \times (0.6 - 0.13) \times (5 - \dfrac{0.3}{2} \times 2) \times 6$개 = $3.976m^3$

4) 슬래브–S_1
   ① 1층 $= (12 + \dfrac{0.3}{2} \times 2) \times (10 + \dfrac{0.3}{2} \times 2) \times 0.13 = 16.470\text{m}^3$
   ② 2층 $= (12 + \dfrac{0.3}{2} \times 2) \times (10 + \dfrac{0.3}{2} \times 2) \times 0.13 = 16.470\text{m}^3$

5) 전체 콘크리트량 = 기둥 + 보 + 슬래브
   $= 2.568 + 2.325 + (4.822 \times 2) + (3.976 \times 2) + (16.470 \times 2) = 55.43\text{m}^3$

(2) 거푸집 면적 : 보의 밑면 거푸집은 계산하지 않고 슬래브의 밑면 거푸집으로 계산한다.
1) 기둥–C_1
   ① 1층 $= (0.3 + 0.3) \times 2 \times (3.3 - 0.13) \times 9$개 $= 34.236\text{m}^2$
   ② 2층 $= (0.3 + 0.3) \times 2 \times (3.0 - 0.13) \times 9$개 $= 30.996\text{m}^2$

2) 보–G_1
   ① 1층 $= (0.6 - 0.13) \times 2 \times (6 - \dfrac{0.3}{2} \times 2) \times 6$개 $= 32.148\text{m}^2$
   ② 2층 $= (0.6 - 0.13) \times 2 \times (6 - \dfrac{0.3}{2} \times 2) \times 6$개 $= 32.148\text{m}^2$

3) 보–G_2
   ① 1층 $= (0.6 - 0.13) \times 2 \times (5 - \dfrac{0.3}{2} \times 2) \times 6$개 $= 26.508\text{m}^2$
   ② 2층 $= (0.6 - 0.13) \times 2 \times (5 - \dfrac{0.3}{2} \times 2) \times 6$개 $= 26.508\text{m}^2$

4) 슬래브–S_1
   ① 측면 $= [(12 + \dfrac{0.3}{2} \times 2) + (10 + \dfrac{0.3}{2} \times 2)] \times 2 \times 0.13 \times 2$개층 $= 11.745\text{m}^2$
   ② 밑면 $= [(12 + \dfrac{0.3}{2} \times 2) \times (10 + \dfrac{0.3}{2} \times 2)] \times 2$개층 $= 253.38\text{m}^2$

5) 전체 거푸집 면적 = 기둥 + 보 + 슬래브
   $= 34.236 + 30.996 + (32.148 \times 2) + (26.508 \times 2) + 11.745 + 253.38 = 447.67\text{m}^2$

98③ · 04① · 08② · 14④ · 19④ [10점]

13 아래 그림에서 한 층분의 콘크리트량과 거푸집 면적을 계산하시오.

(1) 부재 치수(단위 : mm)
(2) 전 기둥(C_1) : 500×500, 슬래브 두께(t) : 120
(3) 보 G_1, G_2 : 400×600(B×H), 보 G_3 : 400×700(B×H), 보 B_1 : 300×600(B×H)
(4) 층고 : 3,600

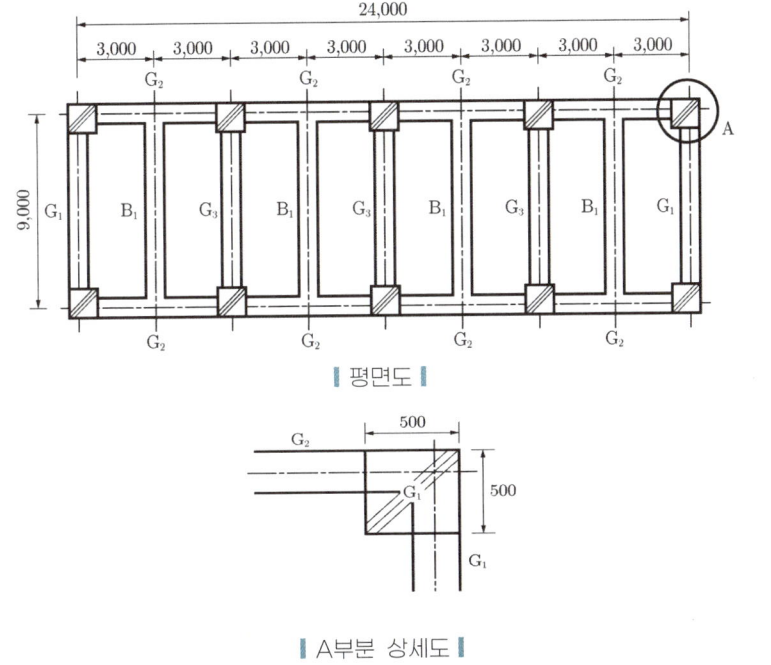

| 평면도 |

| A부분 상세도 |

가. 콘크리트량(m^3) :

나. 거푸집 면적(m^2) :

[해설] 콘크리트량과 거푸집 면적 계산

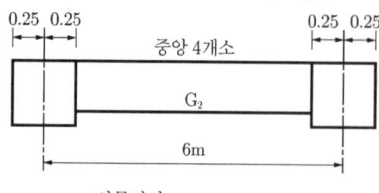

안목길이=6−0.25×2=5.5m

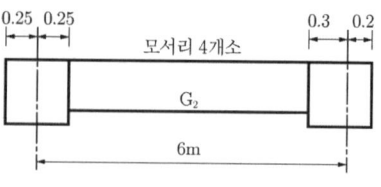

안목길이=6−0.3−0.25=5.45m

(1) 콘크리트량

1) 기둥−C_1 : $0.5 \times 0.5 \times (3.6 - 0.12) \times 10$개 $= 8.7 \text{m}^3$

2) 보−G_1 : $0.4 \times (0.6 - 0.12) \times [9 - (0.5 - 0.2) \times 2] \times 2$개 $= 3.226 \text{m}^3$

3) 보−G_2

① 단부(5.45m) : $0.4 \times (0.6 - 0.12) \times (6 - 0.3 - 0.25) \times 4$개 $= 4.186 \text{m}^3$

② 중앙부(5.5m) : $0.4 \times (0.6 - 0.12) \times (6 - 0.25 \times 2) \times 4$개 $= 4.224 \text{m}^3$

4) 보−G_3 : $0.4 \times (0.7 - 0.12) \times (9 - 0.3 \times 2) \times 3$개 $= 5.846 \text{m}^3$

5) 보−B_1 : $0.3 \times (0.6 - 0.12) \times (9 - 0.2 \times 2) \times 4$개 $= 4.954 \text{m}^3$

6) 슬래브−S_1 : $(9 + 0.2 \times 2) \times (24 + 0.2 \times 2) \times 0.12 = 27.523 \text{m}^3$

7) 전체 콘크리트량=기둥 + 보 + 슬래브

$= 8.7 + 3.226 + 4.186 + 4.224 + 5.846 + 4.954 + 27.523 = 58.66 \text{m}^3$

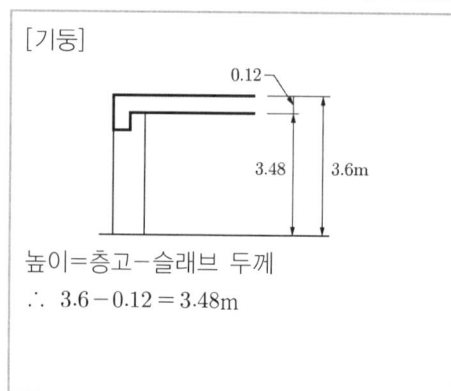

[기둥]

높이=층고−슬래브 두께

∴ 3.6−0.12=3.48m

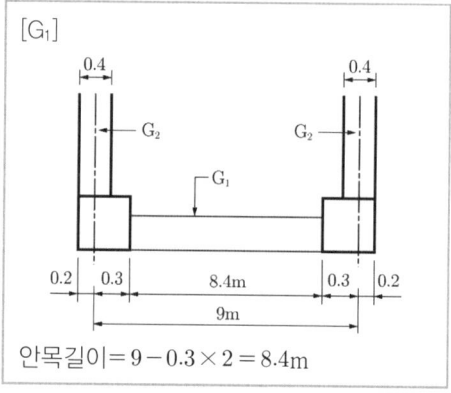

[G_1]

안목길이=9−0.3×2=8.4m

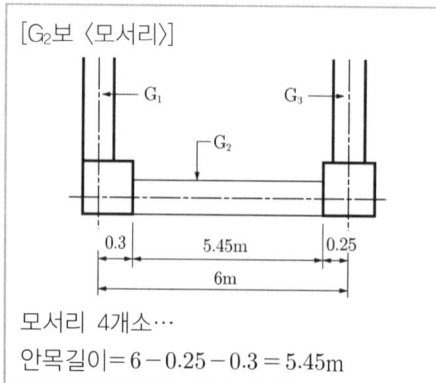

[G_2보 〈모서리〉]

모서리 4개소…

안목길이=6−0.25−0.3=5.45m

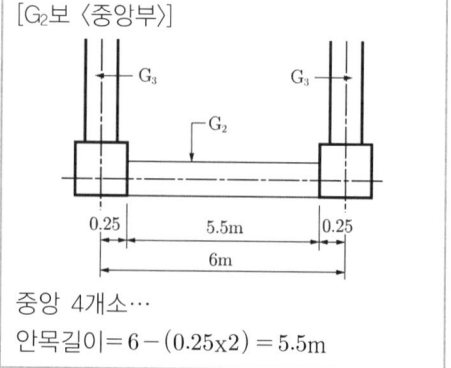

[G_2보 〈중앙부〉]

중앙 4개소…

안목길이=6−(0.25×2)=5.5m

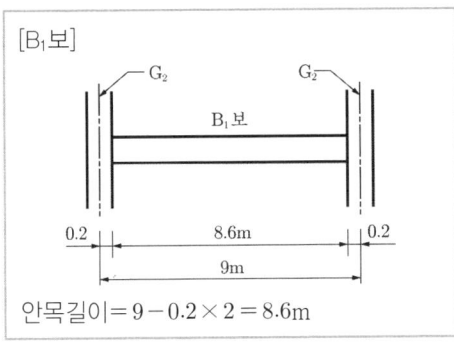

[B₁보]

안목길이 = 9 − 0.2 × 2 = 8.6m

(2) 거푸집 면적 : 보의 밑면 거푸집은 계산하지 않고 슬래브의 밑면 거푸집으로 계산한다.
   1) 기둥—C_1 : $(0.5+0.5) \times 2 \times (3.6-0.12) \times 10개 = 69.6 m^2$
   2) 보—G_1 : $(0.6-0.12) \times 2 \times (9-0.3 \times 2) \times 2개 = 16.128 m^2$
   3) 보—G_2
      ① 단부(5.45m) : $(0.6-0.12) \times 2 \times (6-0.3-0.25) \times 4개 = 20.928 m^2$
      ② 중앙부(5.5m) : $(0.6-0.12) \times 2 \times (6-0.25 \times 2) \times 4개 = 21.12 m^2$
   4) 보—G_3 : $(0.7-0.12) \times 2 \times (9-0.3 \times 2) \times 3개 = 29.232 m^2$
   5) 보—B_1 : $(0.6-0.12) \times 2 \times (9-0.2 \times 2) \times 4개 = 33.024 m^2$
   6) 슬래브—S_1 :
      ① 밑면 : $(9+0.2 \times 2) \times (24+0.2 \times 2) = 229.36 m^2$
      ② 측면 : $[(9+0.2 \times 2)+(24+0.2 \times 2)] \times 2 \times 0.12 = 8.112 m^2$
   7) 전체 거푸집 면적 = 기둥 + 보 + 슬래브
      $= 69.6+16.128+20.928+21.12+29.232+33.024+229.36+8.112$
      $= 427.50 m^2$

CHAPTER 05 철골공사

제1절 | 일반사항

1 철골공사 수량산출의 일반사항

① 철골재는 층별로 기둥, 벽체, 바닥 및 지붕틀의 순으로 구별하여 산출한다. 또 주재와 부속재로 나누어 계산한다.

② 철골재는 도면에 의한 정미량에 다음 표의 값 이내의 할증률을 가산하여 소요량으로 한다. 단, 조건이 없을 때는 정미량으로 산출한다.

종류	할증률(%)
고장력볼트(H.T.B)	3
경량형강·소형 형강·강관·각관·일반볼트·리벳·봉강·평강·대강	5
대형 형강	7
강판	10

제2절 | 수량산출

1. 강판 : 면적(m^2) × 단위중량(kg/m^2)

    ① 실제 면적에 가장 가까운 사각형, 삼각형, 평행사변형, 사다리꼴로 면적을 계산한다.

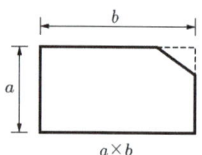
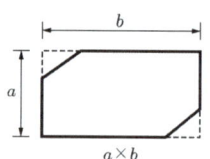
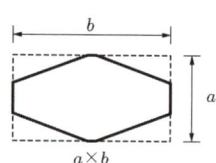

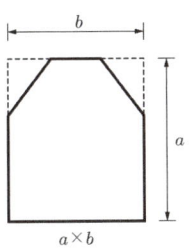 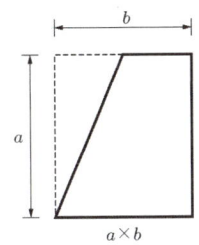 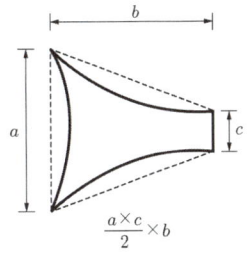

> 03② · 07② · 08② · 12④ · 13②
>
> [수량산출] 철골량

② 볼트, 리벳구멍 및 콘크리트 타설용 구멍은 면적에서 공제하지 않는다. 단, 가공상 배관 등으로 구멍이 큰 경우에는 면적에서 공제한다.

③ 지름, 길이, 모양별로 개수 또는 중량으로 산출한다.

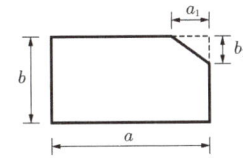

㉠ 강재량 = $a \times b$

㉡ 스크랩 발생량 = $a_1 \times b_1 \times \dfrac{1}{2}$

2 형강(앵글)량

종류 및 단별 치수별로 구분하여 총 길이(m)를 산출하고, 길이당 단위중량을 곱하여 총 중량으로 계산한다.

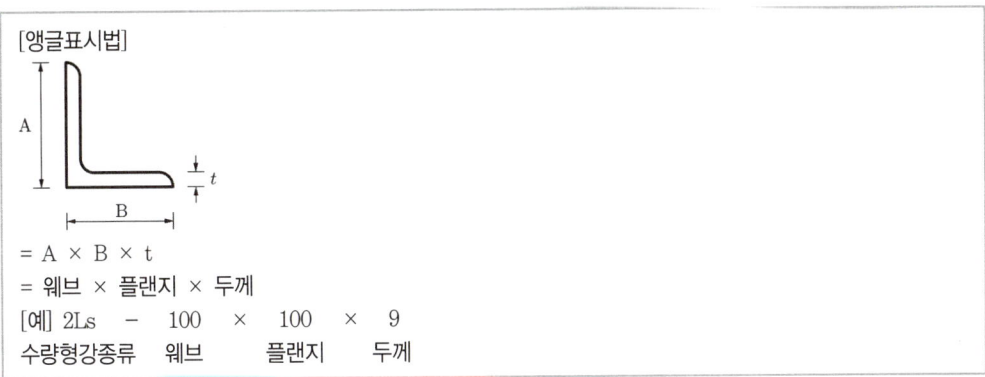

예제

다음과 같은 플레이트 보의 각 부재 수량을 산출하시오. (단, 보의 길이는 10m로 하고 L-90×90×10은 13.3kg/m, PL-10은 78.5kg/m², PL-12는 94.2kg/m²로 한다)

99① [3점]

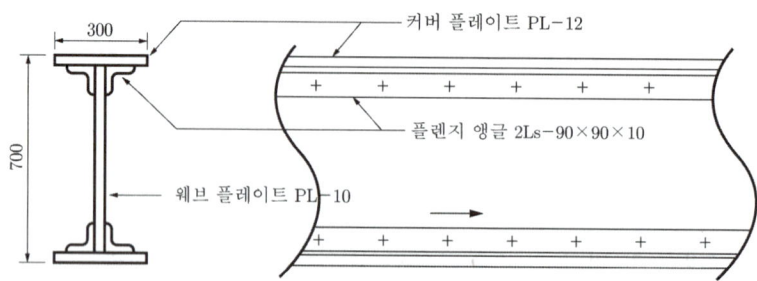

해설

1. 앵글량($L-90\times90\times10$) : $10\times2\times2=40\mathrm{m}$

   ∴ $40\mathrm{m}\times13.3\mathrm{kg/m}=532\mathrm{kg}$

2. 강판량

   ① 웨브 플레이트($T=10$) : $(0.7-2\times0.012)\times10=6.76\mathrm{m}^2$

   ∴ $6.76\mathrm{m}^2\times78.5\mathrm{kg/m}^2=530.66\mathrm{kg}$

   ② 커버 플레이트($T=12$) : $0.3\times10\times2=6\mathrm{m}^2$

   ∴ $6\mathrm{m}^2\times94.2\mathrm{kg/m}^2=565.2\mathrm{kg}$

단원별 경향문제

03② · 08② [4점]

01 철골구조물에서 보 및 기둥에는 H형강이 많이 사용되는데 장경간에서는 기성품인 Rolled 형강을 사용할 수 없을 정도의 큰 단면의 부재가 필요하게 된다. 이 경우 공장에서 두꺼운 철강판을 절단하여 소요 크기로 용접 제작하여 현장제작(Built up) 형강을 사용하게 되는데 H-1200×500×25×100 부재(l=20m) 20개의 철강판 중량은 얼마(ton)인가? (단, 철강의 비중은 7.85로 한다.)

계산식

해설 비중 $= \dfrac{중량(t)}{부피(m^3)}$ ∴ 중량(t)=비중×부피(m^3)

아래의 그림을 참조하여 부재별로 수량을 산출한다.

[문제조건 분석]
주어진 문제를 도면으로 표기하면 아래와 같다.

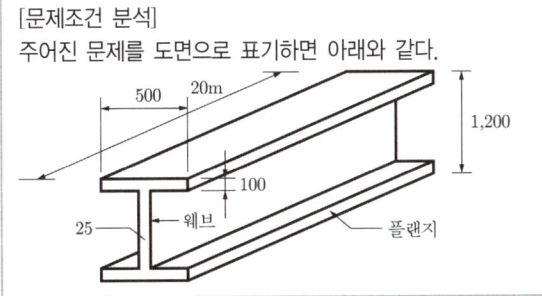

(1) 플랜지 = 0.5×0.1×20×2(상·하)×7.85×20개 = 314t
(2) 웨브 = (1.2−2×0.1)×0.025×20×7.85×20개 = 78.5t
  ∴ (1)+(2) = 392.5t

02 길이 5m, 길이당 단위 중량이 13.3kg/m인 L-형강(2L-90×90×10)의 중량(kg)을 계산하시오.

해설 철골 중량 계산
$2 \times 5\text{m} \times 13.3\text{kg/m} = 133.0\text{kg}$

03 강판을 그림과 같이 가공하여 30개의 수량을 사용하고자 한다. 강판의 비중이 7.85일 때 강판의 소요량(kg)과 스크랩의 발생량(kg)을 계산하시오.

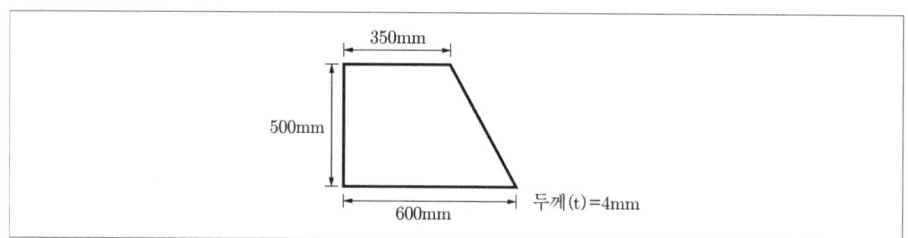

(1) 강판의 소요량
(2) 스크랩 발생량

해설 적산 – 강판 소요량 / 스크랩 발생량

비중 7.85는 7.85t/m^3을 의미하며, 강판의 할증률은 10%를 적용한다.
(1) 강판의 소요량
$= 0.6 \times 0.5 \times 0.004 \times 7.85\text{t/m}^3 \times 1{,}000\text{kg/t} \times 30\text{개} \times 1.1 = 310.86\text{kg}$
(2) 스크랩 발생량
$= \dfrac{1}{2} \times 0.25 \times 0.5 \times 0.004 \times 7.85\text{t/m}^3 \times 1{,}000\text{kg/t} \times 30\text{개} = 58.88\text{kg}$

CHAPTER 06 조적공사

제1절 | 벽돌공사

1 벽돌량

벽돌량은 유효 벽면적 × 단위수량으로 산정한다.
① 종류별(시멘트 벽돌, 붉은 벽돌, 내화벽돌), 크기별로 나누어 산출한다.
② 벽체의 두께별로 벽면적을 산출하고 여기에 단위면적당($1m^2$) 장수를 곱하여 벽돌의 정미수량을 산출한다.

(1) 단위수량($1m^2$당)

구분	0.5B	1.0B	1.5B	2.0B	→ 벽두께
표준형	75	149	224	298	→ 줄눈 10mm

> 08②,③ · 09① · 10② · 11④ · 12② · 13①,④ · 15①,② · 18① · 19② · 산21③ · 22① · 산22② · 산23② · 산23③
>
> [수량산출] 벽돌량

(2) 단위수량 산출법
① 벽면적 $1m^2$를 벽돌 1장의 면적으로 나누어 산출한다.
② 벽돌 1장의 면적은 가로, 세로 줄눈의 너비를 합한 면적이다.

■ 표준형 벽돌 0.5B 두께 $1m^2$의 수량

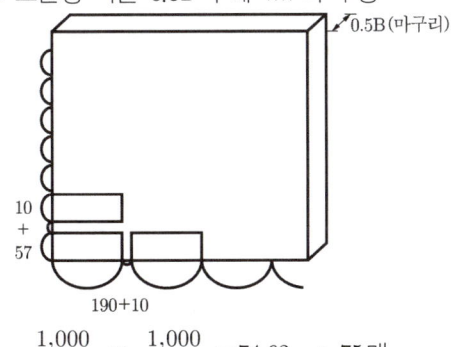

$$\frac{1,000}{190+10} \times \frac{1,000}{57+10} = 74.63 \rightarrow 75매$$

(3) 벽돌량 산정 시 주의사항
① 벽돌의 소요량은 정미량에 시멘트벽돌 5%, 붉은 벽돌·내화벽돌 3%의 할증을 가산하여 구한다.
② 벽돌량의 단위는 매(장)이므로 소숫점 이하를 올림으로 계산한 정수이다.

2 쌓기 모르타르량(m³)

① 산출법은 아래의 식과 같다.

$$\text{모르타르량} = \frac{\text{벽돌의 정미량}}{1,000\text{장}} \times \text{단위수량}$$

> 13④
> [수량산출] 모르타르량

② 실제 들어가는 모르타르량은 할증을 포함한 벽돌의 소요량이 아닌 정미량에만 적용된다.
③ 1,000장으로 나누는 것은 아래의 도표에서 알 수 있듯이 단위수량이 1,000장을 기준으로 했기 때문이다.

(단위수량 : m³)

구분	0.5B	1.0B	1.5B	2.0B
표준형	0.25	0.33	0.35	0.36

■ 벽돌 1,000장당 기준 수량임
위의 쌓기 모르타르량 기준은 2020년 아래와 같은 기준으로 변경되었다.

[벽돌쌓기 재료량] (단위 : 벽면적 m²당)

구분	단위	수량(벽두께)		
		0.5B	1.0B	1.5B
벽돌(190×90×57)	매	75	149	224
모르타르	m³	0.019	0.049	0.078

제 2 절 │ 블록공사

1 블록량

블록량은 유효 벽면적 × 단위수량으로 산정한다.
① 벽면적 산출은 벽돌량 산출방법과 동일하다.
② 단위수량 속에는 블록의 할증 4%가 포함되어 있으므로 소요량 계산 시 별도의 할증을 고려하지 않는다.
③ 단위수량($1m^2$)은 다음과 같다.

($1m^2$당)

구분	치수	블록(장)
기본형	390×190×210	13
	390×190×190	
	390×190×150	
	390×190×100	
장려형	290×190×190	17
	290×190×150	
	290×190×100	

■ 할증 4%가 포함된 수량임

[블록의 표시법]

길이 × 높이 × 두께

2 단위수량 산출법 예

(1) 기본형(390×190×210) 1m²의 수량산출

① 벽돌량 단위수량과 동일한 방법으로 산출한다.

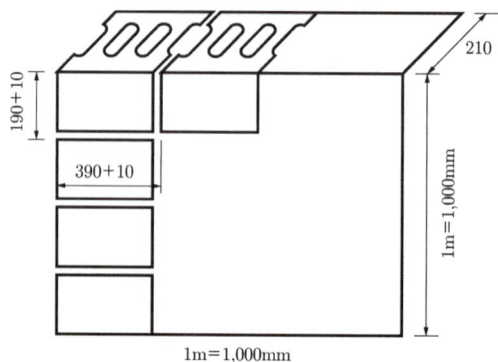

② $\dfrac{1,000}{190+10} \times \dfrac{1,000}{390+10} = 12.5$장

③ 블록은 정미량의 소수점을 올림하지 않고 여기에 4%의 할증을 가산한다.

∴ 12.5×1.04=13장

[블록의 단위수량 산출]

$$\dfrac{1,000}{길이+줄눈} \times \dfrac{1,000}{높이+줄눈}$$

제 3 절 | 타일공사

1 타일량 산출법

타일량은 시공면적 × 단위수량으로 산정한다.

[타일의 단위수량 산출]

$$\dfrac{1,000}{타일\ 한\ 변\ 크기+줄눈} \times \dfrac{1,000}{타일\ 다른\ 변\ 크기+줄눈}$$

📖 03③ · 04②

[수량산출] 타일량

2 타일의 줄눈

① 대형 외부 : 9mm ② 대형 내부 : 6mm
③ 소형 : 3mm   ④ 모자이크 : 2mm

단원별 경향문제

01 표준형 벽돌 1,000장으로 1.5B 두께로 쌓을 수 있는 벽면적(m²)을 계산하시오. (단, 할증률은 고려하지 않는다.)

07① · 08② · 12② · 15② [3점]

해설 1.5B 두께의 벽면적 산출
(1) 1.5B의 정미량 : 224매/m²
(2) 벽면적 = $\dfrac{1,000}{224}$ = 4.46m²

02 붉은 벽돌을 1.5B로 쌓을 때, 100m²에 사용되는 벽돌량을 할증을 고려하여 계산하시오.

08③ · 10② · 19① · 22① [4점]

해설 적산 – 붉은 벽돌량 산출
100m² × 224매/m² × 1.03 = 23,072매

03 시멘트 벽돌 1.0B, 두께로 가로 12m, 높이 3m인 벽을 쌓을 때 소요되는 시멘트 벽돌량과 모르타르량을 계산하시오. (단, 시멘트 벽돌의 크기는 190×90×57mm이고, 할증률을 고려해야 하며 정수매로 표기, 벽두께 1.0B에서 1,000매당 모르타르 소요량은 0.33m³이며, 할증은 포함되어 있다.)

(1) 시멘트 벽돌 소요량
(2) 모르타르량

해설 적산-조적
(1) 시멘트 벽돌 소요량
① 정미량 : $12 \times 3 \times 149 = 5,364$ 매
② 벽돌 소요량(할증률 포함) : $5,364 \times 1.05 = 5,632.2 \rightarrow 5,633$ 매
(2) 모르타르량 : $\dfrac{5,364(정미량)}{1,000} \times 0.33 = 1.77\text{m}^3$

04 바닥마감 공사에서 규격 180×180mm인 크링커 타일을 줄눈나비 10mm로 바닥면적 200m²에 붙일 때 붙임매수는 몇 장인가? (단, 할증률 및 파손은 없는 것으로 가정한다.)

해설 단위수량 × 시공면적 = $\left(\dfrac{1,000}{180+10} \times \dfrac{1,000}{180+10} \right) \times 200 = 5,540.2 \rightarrow 5,541$ 장

CHAPTER 07 목공사

제1절 일반사항

1 치수 적용

목재는 종류·재질·치수·용도별로 산출하고 설계도서상 특기가 없는 수장재, 구조재는 도면치수를 제재치수로 보며, 창호재와 가구재는 도면치수를 마무리치수로 하여 재적을 산출한다.

2 할증률

목재는 도면에 의한 정미량에 다음 표의 값 이내의 할증률을 가산하여 소요량으로 한다.

종류		할증률(%)	종류	할증률(%)
각재		5~10	단열재	10
합판	일반용	3	판재	10~20
	수장용	5	졸대	20

제2절 수량산출

1 목재의 수량산출

목재의 수량산출은 체적(m^3, 才)으로 산출한다.

> 15② · 16②
> [수량산출] 목재, 운반대수

2 각 기준단위의 체적

① $1m^3 = 1m \times 1m \times 1m$
② $1才 = 1치 \times 1치 \times 12자 (30mm \times 30mm \times 3,600mm)$
③ 따라서 $1m^3 = 300才$로 환산하여 계산한다.

01 트럭 적재한도의 중량이 6t일 때 비중 0.6, 부피 300,000(才)의 목재 운반 트럭대수를 계산하시오. (단, 6t 트럭의 적재량은 8.3m³)

15② [3점]

해설 목재 운반 대수 계산

(1) 목재 1m³는 300才이므로 $\frac{300,000}{300} = 1,000 \text{m}^3$

(2) 비중은 일종의 밀도와 같은 개념이므로 목재의 비중은 $0.6\text{t}/\text{m}^3$으로 볼 수 있음

(3) 목재 1,000m³의 중량 : $1,000\text{m}^3 \times 0.6\text{t}/\text{m}^3 = 600\text{t}$

(4) 트럭 1대(8.3m³)에 적재할 수 있는 목재의 중량 : $8.3\text{m}^3 \times 0.6\text{t}/\text{m}^3 = 4.98\text{t}$

(5) 운반대수 $= \frac{600}{4.98} = 120.48$대 → 121대

비중, 중량, 부피 산정식

· 비중 $= \dfrac{중량(t)}{부피(m^3)}$ · 중량(t)=비중×부피(m³)   · 부피(m³) $= \dfrac{중량(t)}{비중}$

16② [4점]

02 최대적재량이 6ton(중량)이고 7.5m³(용적)인 차량으로 목재 300,000재(才)를 운반하려고 할 때 필요한 운반차량 대수를 계산하시오. (단, 목재의 비중은 0.8로 가정한다.)

해설 적산–목재 운반 대수 계산

(1) 목재 1m³는 300才이므로 $\dfrac{300,000}{300} = 1,000 \text{m}^3$

(2) 목재 1,000m³의 중량 : $1,000 m^3 \times 0.8 t/m^3 = 800 t$

(3) 운반대수 $= \dfrac{800t}{6t} = 133.33$대 → 134대

[참고사항]
목재의 부피단위가 문제에서 재(才)수로 출제되었지만 앞으로는 m³로 출제될 확률이 높음

CHAPTER 08 기타공사

제1절 | 방수공사

① 수량은 겹수, 층수, 횟수와는 무관하게 시공면적(m^2)으로 산출한다.
② 면적 산출 시 부위별(바닥·벽·지하실·옥상 등), 공법별(아스팔트방수·액체방수·방수 모르타르 등)로 구분하여 산출한다.
③ 코킹 및 신출줄눈은 시공장소별·공종별로 구분하여 총 길이로 산정한다.

제2절 | 미장공사

(1) 모르타르 및 회사벽 바름
  ① 벽, 바닥, 천장 등의 장소별 또는 마무리 종류별로 면적을 산출한다.
  ② 도면 정미면적(마무리 면적)을 소요면적으로 하여 재료량을 구하고 다음 표의 값 이내의 할증률을 가산하여 소요량으로 한다.

바름바탕별	할증률(%)	비고
바닥	5	
벽, 천장	15	회사벽 바름은 제외
나무 졸대	20	

(2) 회반죽, 플라스터(돌로마이트·순석고), 스투코 및 리그노이드 바름
  ① 벽, 바닥, 천장 등의 장소별 또한 마무리 종류별로 면적을 산출한다.
  ② 도면 정미면적(마무리 면적)을 소요면적으로 하여 재료의 소요량을 산출한다.

(3) 인조석 및 테라초 현장바름
  바름장소(바닥, 벽 등)별, 마무리 두께별, 갈기방법(손갈기, 기계갈기 및 갈기 횟수)별로 면적을 산출한다.

단원별 경향문제

03② · 15④ · 18① [2점]

01 바닥미장 면적이 1,000m²일 때, 1일 10인의 작업 시 작업소요일을 계산하시오.
(단, 아래와 같은 품셈을 사용하며 계산과정을 쓰시오.)

바닥미장 품셈

(m²당)

구분	단위	수량
미장공	인	0.05

(1)
(2)

해설 미장 작업일수 계산

(1) $1,000\text{m}^2 \times 0.05\text{인}/\text{m}^2 = 50\text{인}$

(2) 소요일수 $= \dfrac{50\text{인}}{10\text{인}/\text{일}} = 5\text{일}$

02

다음 그림과 같은 창고를 시멘트 벽돌로 신축하고자 한다. 소요 벽돌량과 내·외벽을 시멘트 모르타르로 미장할 때 미장면적(m^2)을 구하시오. (단, 벽돌량은 정수로 표기한다)

가. 벽두께는 외벽 1.5B, 내벽은 1.0B 쌓기로 한다.
나. 벽높이는 내·외벽 모두 3.6m로 한다.
다. 벽돌은 표준형이며, 할증률은 5%로 한다.
라. 창문틀 규격은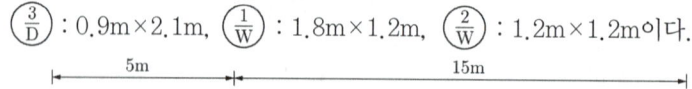

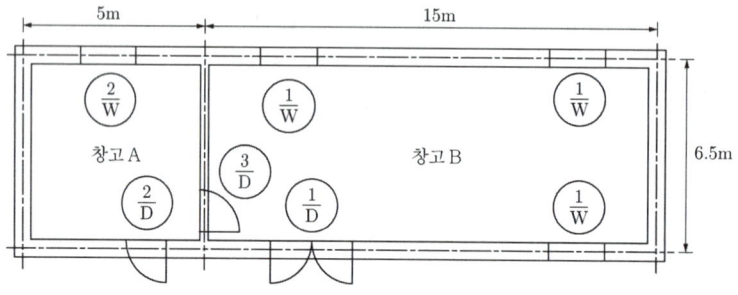

(1) 벽돌량
(2) 미장면적

해설 적산 – 벽돌량 & 미장면적

(1) 벽돌량
① 표준형이므로 크기는 190×90×57이다.
② 외벽(1.5B) :
$2 \times (5+15+6.5) \times 3.6 - [(2.2 \times 2.4) + (0.9 \times 2.4) + 3 \times (1.8 \times 1.2) + (1.2 \times 1.2)]$
$= 175.44 m^2 \times 224장/m^2 \times 1.05 = 41,263.49 = 41,264장$
③ 내벽(1.0B) : $[6.5 - 2 \times \frac{(0.19+0.09+0.01)}{2}] \times 3.6 - (0.9 \times 2.1)]$
$= 20.47 m^2 \times 149장/m^2 \times 1.05 = 3,202.53 = 3,203장$
∴ ②+③ = 41,264 + 3,203 = 44,467장

(2) 미장면적
① 외벽 : $2 \times [(5+15+0.29) + (6.5+0.29)] \times 3.6 - [(2.2 \times 2.4) + (0.9 \times 2.4) + 3 \times (1.8 \times 1.2) + (1.2 \times 1.2)]$
$= 179.616 m^2$
② 내벽
㉠ 창고 A : $2 \times [5 - (\frac{0.29}{2} + \frac{0.19}{2}) + 6.5 - 2 \times (\frac{0.29}{2})]$
$\times 3.6 - [(0.9 \times 2.4) + (0.9 \times 2.1) + (1.2 \times 1.2)] = 73.494 m^2$
㉡ 창고 B : $2 \times [15 - (\frac{0.19}{2} + \frac{0.29}{2}) + 6.5 - 2 \times (\frac{0.29}{2})]$
$\times 3.6 - [(2.2 \times 2.4) + (0.9 \times 2.1) + 3 \times (1.8 \times 1.2)] = 137.334 m^2$
∴ ①+② = 179.616 + 73.494 + 137.334 = 390.44 m^2

00④ · 01③ · 02② · 05① [8점]

03

다음 그림과 같은 간이 사무실 건축에서 바닥은 테라초 현장갈기로 하고, 벽은 시멘트 벽돌 바탕에 시멘트 모르타르로 바름할 때 각 공사 수량을 산출하시오.

(1) 벽두께 : 외벽 1.0B, 내벽 0.5B
(2) 벽돌의 크기 : 표준형으로 사용한다.
(3) 벽돌의 높이 : 2.7m
(4) 외벽 시멘트 모르타르 바름 높이 : 3m
(5) 사무실 내부 걸레받이 높이는 15cm, 테라초 현장갈기 마감
(6) 창호의 크기
   $\left(\dfrac{1}{D}\right)$: 2,200mm×2,400mm $\left(\dfrac{2}{D}\right)$: 1,000mm×2,100mm
   $\left(\dfrac{1}{W}\right)$: 1,800mm×1,200mm $\left(\dfrac{2}{W}\right)$: 1,200mm×900mm
(7) 벽돌의 할증률 : 5%
(8) 시멘트 벽돌 수량산출 시 외벽 및 칸막이벽의 길이 산정은 모두 중심거리로 한다.

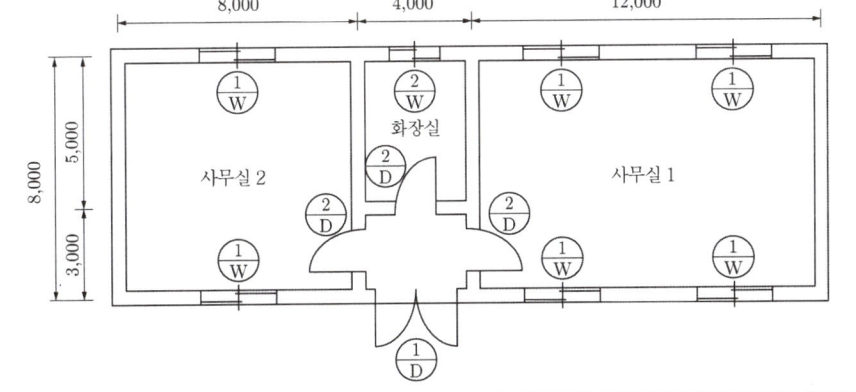

1. 시멘트 벽돌의 소요량(매)
2. 테라초 현장갈기의 수량(m²) (단, 사무실 1, 2의 경우)
3. 외벽미장(m²)

해설 1. 시멘트 벽돌 : 문제조건 중에서 중심 간 길이로 산출
　　1) 외벽(1.0B) : $[(24+8) \times 2 \times 2.7 - (2.2 \times 2.4) + (1.8 \times 1.2 \times 6) + (1.2 \times 0.9)]$
　　　　　　　　　$\times 149 \times 1.05 = 24{,}012$장
　　2) 내벽(0.5B) : $(8 \times 2 + 4) \times 2.7 - (1 \times 2.1 \times 3) \times 75 \times 1.05 = 3{,}757$장
　　∴ 1) + 2) = 27,769장

2. 테라초 현장갈기
　　1) 사무실 1
　　　① 바닥 : $(12 - 0.14) \times (8 - 0.19) = 92.63 \text{m}^2$
　　　② 걸레받이 : $[(12 - 0.14) + (8 - 0.19) \times 2 - 1] \times 0.15 = 5.75 \text{m}^2$
　　2) 사무실 2
　　　① 바닥 : $(8 - 0.14) \times (8 - 0.19) = 61.39 \text{m}^2$
　　　② 걸레받이 : $[(8 - 0.14) + (8 - 0.19) \times 2 - 1] \times 0.15 = 4.55 \text{m}^2$
　　∴ 1) + 2) = 164.32 m^2

3. 외벽미장
　　$\{(24 + 0.19) + (8 + 0.19)\} \times 2 \times 3 - \{(2.2 \times 2.4) + (1.8 \times 1.2 \times 6) + (1.2 \times 0.9)\}$
　　$= 174.96 \text{m}^2$

06① · 08③ · 11④ · 15① · 21② · 산22③ [6점]

04 아래 도면은 건물 옥상의 평면도와 단면도이다. 다음을 산출하시오. (단, 벽돌은 표준형을 사용하며 벽돌의 할증률은 5%로 한다.)

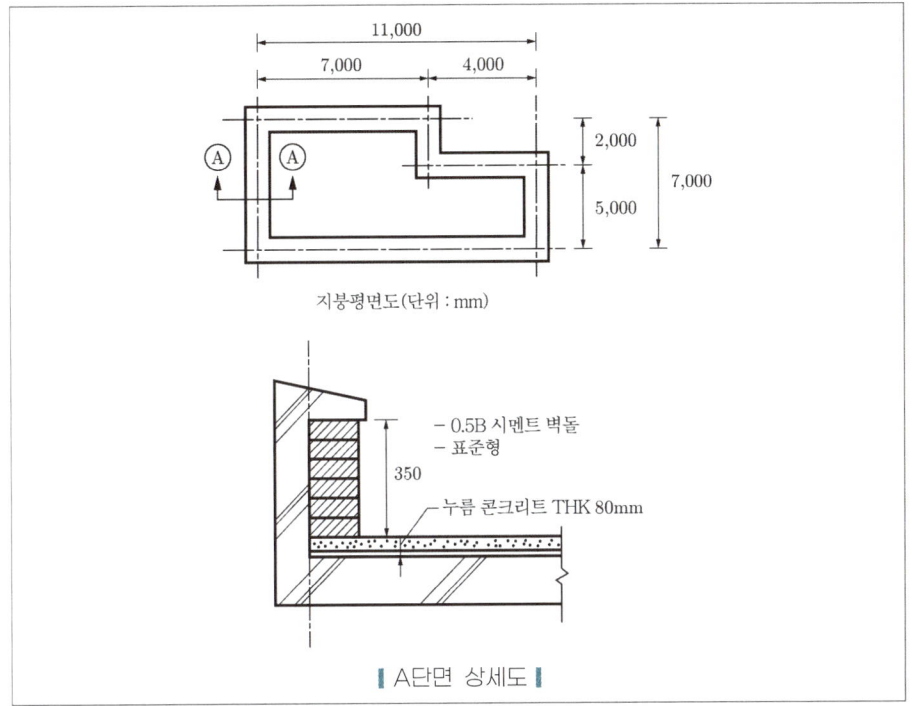

(1) 옥상 방수면적(m²) :
(2) 누름 콘크리트량(m³) :
(3) 보호 벽돌량(매) :

해설 옥상 방수 적산

(1) 옥상 방수면적 : $(7 \times 7) + (4 \times 5) + [(11+7) \times 2 \times (0.35 + 0.08)] = 84.48 \text{m}^2$

(2) 누름 콘크리트량 : $[(7 \times 7) + (4 \times 5)] \times 0.08 = 5.52 \text{m}^3$

(3) 보호 벽돌량 : $[(11-0.09) + (7-0.09)] \times 2 \times 0.35 \times 75 \text{매}/\text{m}^2 \times 1.05 = 982.3 \rightarrow 983 \text{매}$

CHAPTER 09 종합적산

단원별 경향문제

98②·99②·99⑤·00①·01②·03③·04③ [15점]

01 아래 평면 및 A-A' 단면도를 보고 벽돌조 건물에 대해 요구하는 재료량을 산출하시오. (단, 벽돌 수량산출은 벽체 중심선으로 하고, 할증은 무시, 콘크리트량, 거푸집량은 정미량)

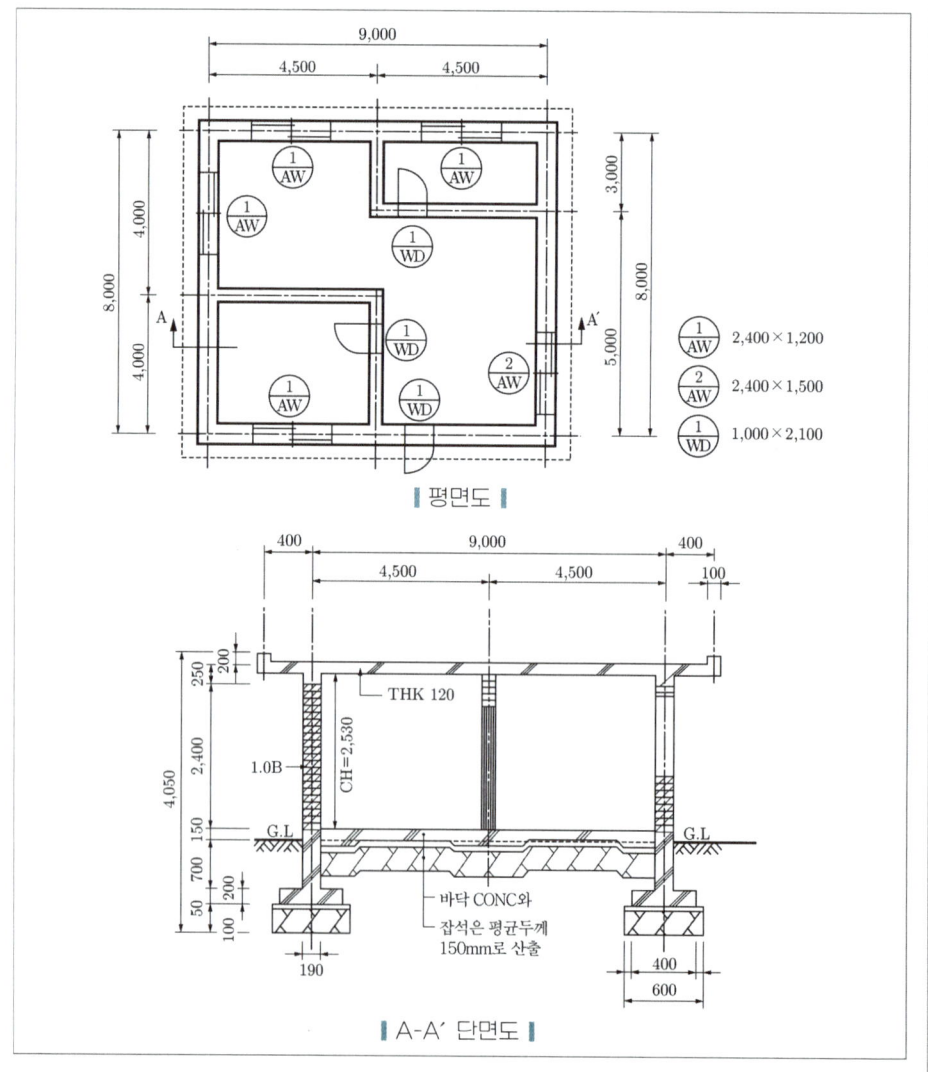

| 평면도 |

| A-A' 단면도 |

(1) 벽돌량(외벽 1.0B 붉은 벽돌, 내벽 0.5B 시멘트 벽돌, 벽돌크기(190×90×57mm), 줄눈나비(10mm)
(2) 콘크리트량(단, 버림콘크리트 제외)
(3) 거푸집량(단, 버림콘크리트 제외)

해설 벽체 중심 간 길이(Σl) = (9+8)×2 = 34m
1. 벽돌량 : 문제조건에 의해 중심 간 길이로 산출
    1) 외벽(1.0B) : $[(9+8)\times2\times2.4-(1\times2.1)+(2.4\times1.2\times4)+(2.4\times1.5)]$
       $\times 149 = 9{,}593$장
    2) 내벽(0.5B) : $\{(16\times2.53)-(1\times2.1\times2)\}\times75 = 2{,}721$장
    ∴ 붉은 벽돌 = 9,593장, 시멘트 벽돌 = 2,721장
2. 콘크리트량
    1) 기초판 : $0.4\times0.2\times34 = 2.72\text{m}^3$
    2) 기초벽 : $0.19\times0.85\times34 = 5.49\text{m}^3$
    3) 1층 바닥 : $(9-0.19)\times(8-0.19)\times0.15 = 10.32\text{m}^3$
    4) 보 : $0.19\times0.13\times34 = 0.84\text{m}^3$
    5) 지붕 슬래브 : $9.9\times8.9\times0.12 = 10.57\text{m}^3$
    6) 패러핏 : $0.1\times0.2\times(9.8+8.8)\times2 = 0.74\text{m}^3$
    ∴ 1)+2)+3)+4)+5) = 30.68m^3
3. 거푸집량
    1) 기초판 : $0.2\times2\times34 = 13.6\text{m}^2$
    2) 기초벽 : $0.85\times2\times34 = 57.8\text{m}^2$
    3) 보 측면 : $0.13\times2\times34 = 8.84\text{m}^2$
    4) 지붕 슬래브(밑) : $9.9\times8.9 = 88.11\text{m}^2$
    5) 공제 부분(조적 벽체) : $\{(9+8)\times2-(2.4\times5)\}\times0.19 = 4.18\text{m}^2$
    6) 지붕 슬래브(옆) : $(9.9+8.9)\times2\times0.12 = 4.51\text{m}^2$
    7) 패러핏 : $(9.8+8.8)\times2\times2\times0.2 = 14.88\text{m}^2$
    ∴ 1)+2)+3)+4)-5)+6)+7) = 183.56m^2

[높이]
외벽의 높이와 내벽의 높이가 같지 않음에 유의한다.

[내벽길이]
$4.5\times2+4+3 = 16\text{m}$

[보]
보 부분의 수량산출은 빗금친 부분만 산출

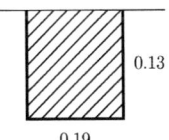

04② · 06② [24점]

02 아래의 기초 도면을 보고 다음에 요구하는 재료량을 산출하시오.
(단, $D10 = 0.56kg/m$, $D13 = 0.995kg/m$ 이고, 이음길이와 피복은 고려하지 않는다. 또한, 모든 수량은 정미량으로 하고 토량환산계수 $L = 1.2$ 이다.)

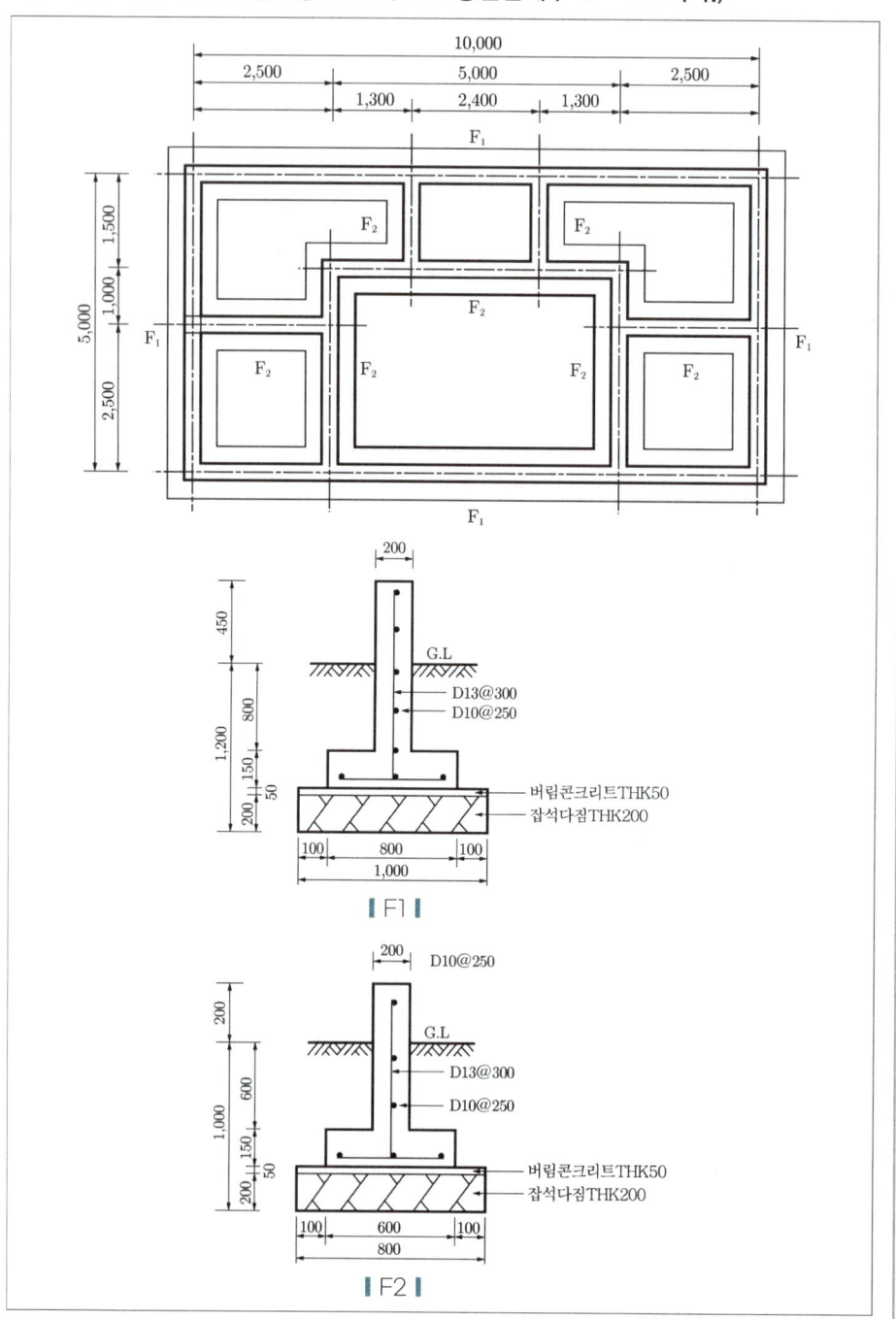

(1) 터파기(m³)
(2) 잡석다짐(m³)
(3) 버림콘크리트량(m³)
(4) 거푸집량(m²) (단, 버림콘크리트는 제외)
(5) 콘크리트량(m³)
(6) 철근 D10(kg), D13(kg), 합계(kg)
(7) 잔토처리량(m³)
(8) 되메우기량(m³)

해설 1. F1 기초

중심 간 길이 = (10+5) × 2 = 30m

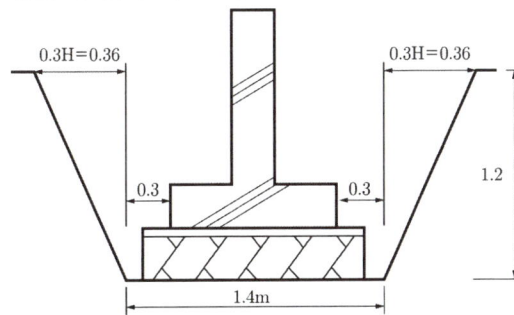

※ 중복되는 부위 없음

구분		t(m)	H(m)
터파기		1.76	1.2
잡석		1	0.2
버림콘크리트		1	0.05
기초판		0.8	0.15
기초벽	GL 이하	0.2	0.8
	GL 이상	0.2	0.45

1) 터파기 = 1.76 × 1.2 × 30 = 63.36m³
2) 잡석다짐 = 1 × 0.2 × 30 = 6m³
3) 버림콘크리트량 = 1 × 0.05 × 30 = 1.5m³
4) 거푸집량
   ① 기초판 = 0.15 × 2 × 30 = 9m²
   ② 기초벽 = 1.25 × 2 × 30 = 75m²
5) 콘크리트량
   ① 기초판 = 0.8 × 0.15 × 30 = 3.6m³
   ② 기초벽(GL 이하) = 0.2 × 0.8 × 30 = 4.8m³
   ③ 기초벽(GL 이상) = 0.2 × 0.45 × 30 = 2.7m³
6) 철근량
   ① 기초판 선철근(D13) = $0.8 × \dfrac{30}{0.3} = 80$m

② 기초판 점철근(D10)= $30 \times \dfrac{0.8}{0.25} = 96$m

③ 기초벽 선철근(D13)= $(1.4+0.4) \times \dfrac{30}{0.3} = 180$m

④ 기초벽 점철근(D10)= $30 \times \dfrac{1.4}{0.25} = 168$m

∴ D10=②+④= 264m × $0.56 = 147.84$kg
　D13=①+③= 260m × $0.995 = 258.7$kg

7) 잔토처리량=기초구조부 체적(GL 이하)×토량환산계수(L = 1.2)

∴ 기초구조부 체적(GL 이하)

2)+3)+5)의 ①+②= $15.9 \times 1.2 = 19.08$m³

8) 되메우기량=터파기량−기초구조부 체적(GL 이하)
　= $63.36 − 15.9 = 47.46$m³

[F_1 기초 부분 산출]
$t \times H \times \Sigma$(F_1 기초 중심간 길이 합)

[터파기 단면]

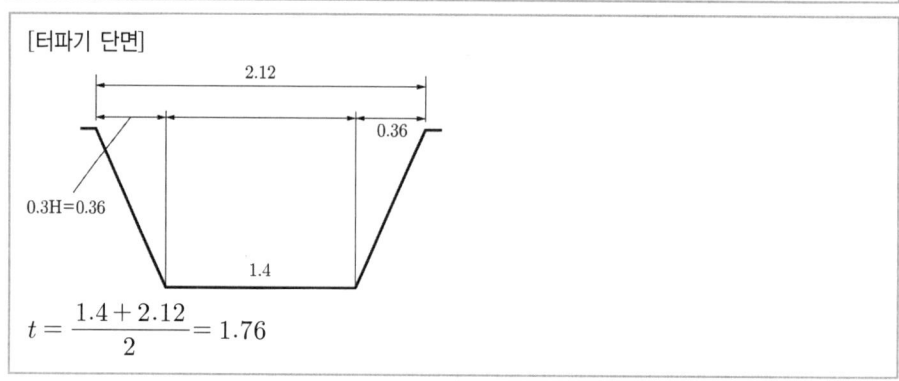

$$t = \dfrac{1.4 + 2.12}{2} = 1.76$$

2. F2 기초

중심 간 총길이=2.5×2+5+3.5×2+1.5×2=20m

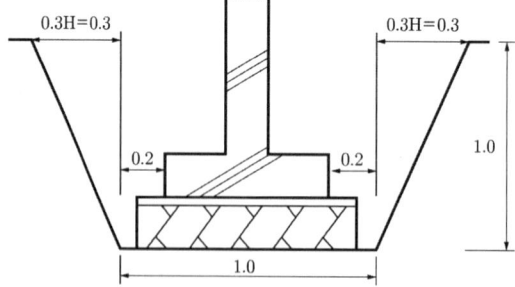

※ 중복되는 부위 없음

구분		t(m)	H(m)
터파기		1.3	1.0
잡석		0.8	0.2
버림콘크리트		0.8	0.05
기초판		0.6	0.15
기초벽	GL 이하	0.2	0.6
	GL 이상	0.2	0.2

[F_2 기초 부분 산출]

$$t \times H \times \left\{ \Sigma l - \frac{t_1}{2} \times 중복개소수 + \frac{t_2}{2} \times 중복개소수 \right\}$$

- $\Sigma l = F_2$ 기초 중심 간 길이
- $t_1 = F_1$ 기초의 t
- $t_2 = F_2$ 기초의 t

※ F_1과 접합되는 곳과 F_2와 접합되는 부분으로 나누어서 중복개소수를 산정한다.
$F_1+F_2=6$개소, $F_2+F_2=4$개소이며, F_1과 F_2의 접합부위는 아래 그림과 같다.

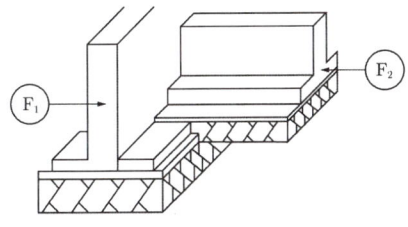
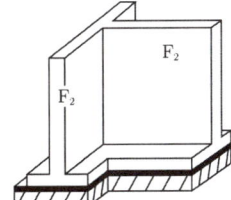

1) 터파기량 $= 1.3 \times 1 \times \left[20 - \left\{ \left(\frac{1.3}{2} \times 4 \right) + \left(\frac{1.76}{2} \times 6 \right) \right\} \right] = 15.756 \text{m}^3$

2) 잡석다짐

   ① $0.8 \times 0.2 \times \left[20 - \left\{ \left(\frac{0.8}{2} \times 4 \right) + \left(\frac{0.8}{2} \times 6 \right) \right\} \right] = 2.56 \text{m}^3$

   ② 공제부분 $= 0.1 \times 0.05 \times 0.8 \times 6 = 0.024 \text{m}^3$

3) 버림콘크리트량 $= 0.8 \times 0.05 \times \left[20 - \left\{ \left(\frac{0.8}{2} \times 4 \right) + \left(\frac{0.2}{2} \times 6 \right) \right\} \right] = 0.712 \text{m}^3$

4) 거푸집량

   ① 기초판 $= 0.15 \times 2 \times \left\{ 20 - \left(\frac{0.6}{2} \times 4 + \frac{0.2}{2} \times 6 \right) \right\} = 5.46 \text{m}^2$

   ② 기초벽 $= 0.8 \times 2 \times \left\{ 20 - \left(\frac{0.2}{2} \times 4 + \frac{0.2}{2} \times 6 \right) \right\} = 30.4 \text{m}^2$

   ③ 공제부분 $= (0.6 \times 0.15 + 0.2 \times 0.8) \times 4 = 1 \text{m}^2$

5) 콘크리트량

   ① 기초판 $= 0.6 \times 0.15 \times \left\{ 20 - \left(\frac{0.6}{2} \times 4 + \frac{0.2}{2} \times 6 \right) \right\} = 1.638 m^3$

   ② 기초벽(GL 이하) $= 0.2 \times 0.6 \times \left\{ 20 - \left(\frac{0.2}{2} \times 4 + \frac{0.2}{2} \times 6 \right) \right\} = 2.28 \text{m}^3$

③ 기초벽(GL 이상)=$0.2 \times 0.2 \times \{20-(\frac{0.2}{2} \times 4 + \frac{0.2}{2} \times 6)\}=0.76m^3$

6) 철근량

① 기초판 선철근(D13)=$0.6 \times \frac{20}{0.3}$(67개)=40.2m

② 기초판 점철근(D10)=$20 \times \frac{0.6}{0.25}$(4개)=80m

③ 기초벽 선철근(D13)=$(0.95+0.4) \times \frac{20}{0.3}$(67개)=90.45m

④ 기초벽 점철근(D10)=$20 \times \frac{0.95}{0.25}$(5개)=100m

7) 잔토처리량=기초구조부 체적(GL 이하)×토량환산계수(L=1.2)
   ∴ 2)+3)+5) ①+②=$7.166m^3 \times 1.2 = 8.599m^3$

8) 되메우기량=터파기량-기초구조부 체적(GL 이하)
   ∴ $15.756-7.166=8.59m^3$
   ∴ 전체수량(F_1+F_2)

[F_2 부재와 F_1 부재 접합]
F_2 부분의 기초벽, 기초판, 버림콘크리트는 F_1 기초의 기초벽과 만나게 되므로
$\frac{t_1}{2}$×6개소 → t_1이 전부 0.2가 된다.

[F_2 잡석이 F_1과 만나는 부위]

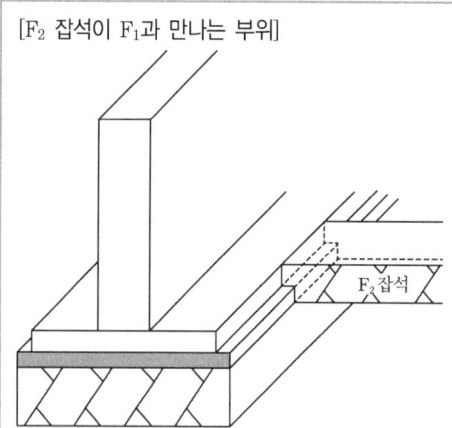

F_1과 접하는 부분은 시공상 F_1 기초 후 F_2 시공이므로 공제하지 아니하고 F_2와 F_2가 접하는 부분만 공제한다.

구분		F_1 기초	F_2 기초	총수량		
터파기량		63.6m³	15.756m³	79.116m³		
잡석다짐		6m³	2.536m³	8.536m³		
버림콘크리트		1.5m³	0.712m³	2.212m³		
거푸집		84m²	34.86m²	118.86m²		
콘크리트		11.1m³	4.678m³	15.788m³		
철근량	D10	201.6kg	100.8kg	302.4kg	총합	691.1kg
	D13	258.7kg	130kg	388.7kg		
잔토처리량		19.08m³	8.599m³	26.679m³		
되메우기량		47.46m³	8.59m³	56.05m³		

MEMO

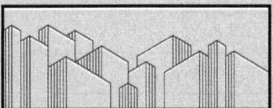

건축기사 / 건축산업기사 실기

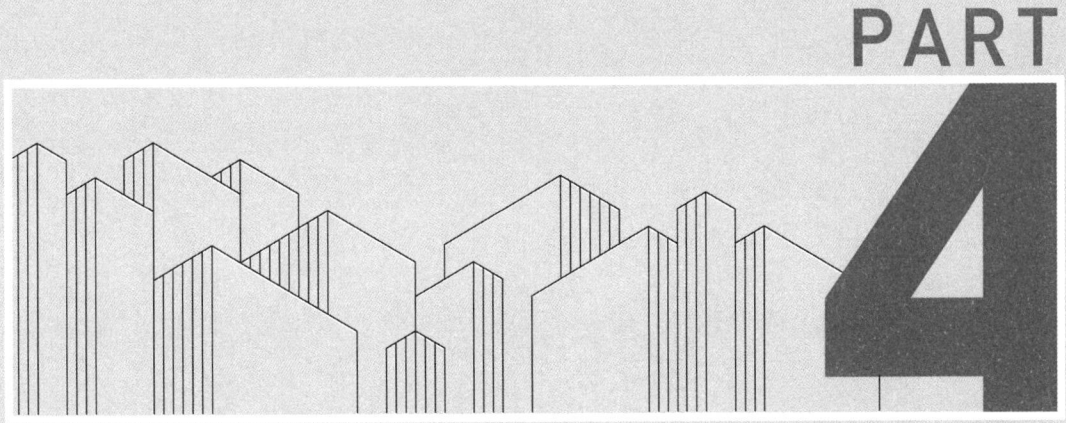

PART 4

품질관리

CHAPTER 01 품질관리

제1절 | 시공기술 품질관리

1 총론

1. 품질의 정의
① 제품의 유용성을 결정하는 성질 또는 제품의 사용목적을 다하기 위하여 구비해야 할 성질
② 사용해 볼 소비자에 의하여 평가된다.
③ 좋은 품질이란 그것을 사용할 소비자에 의하여 평가되며 소비자의 사용목적이나 조건에 맞는 품질이다. 또한 '최고나 최상'이 아닌 '최적'의 품질

2. 관리
(1) 정의
  목표를 설정하고 이를 능률적으로 달성하기 위한 모든 조직적인 활동
(2) 품질관리의 4 사이클(Cycle)
  계획(Plan) → 실시(Do) → 검토(Check) → 시정(Action)

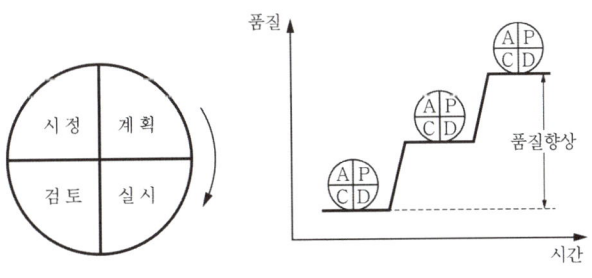

98② · 08② · 산21②
[순서] 품질관리 Cycle, 4단계

(3) 목표가 되는 관리와 수단이 되는 관리
  ① 목표가 되는 관리 : 어떤 목표를 향해 관리하는 것, 예 원가관리, 품질관리, 공정관리
  ② 수단이 되는 관리 : 수단으로 작용하는 관리, 예 자원관리, 설비관리, 자금관리, 인력관리

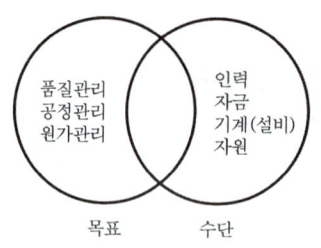

> 📖 03① · 산21③ · 산22①
> [종류] 목표가 되는 관리와 수단이 되는 관리

3. 품질관리

(1) 정의

품질관리(QC ; Quality Control)란 수요자의 요구에 맞는 품질의 제품을 경제적으로 만들어 내는 모든 수단의 체계를 말한다.

즉, 건축공사의 품질관리란 설계서나 시방서 등에 따른 시공 목적물을 소요강도 및 내구성, 경제성 등에 맞도록 모든 공정 중의 품질에 대하여 기술적인 지식을 응용하여 관리하고 시험하며 통계적 방법을 이용해 나가는 것이라 할 수 있다.

(2) 순서

① **품질관리의 항목 선정** : 품질에 중요한 영향을 미치는 품질 특성 중에서 신속한 조치가 필요한 것을 선정한다.

② **품질기준의 결정** : 품질표준은 그 공사에서 품질을 목표로 하는 것으로 대부분 설계서나 시방서에 의하여 결정된다.

③ **작업기준의 결정** : 품질표준에 따른 작업조건, 작업방법, 사용재료, 사용장비 등을 결정한다.

④ 작업표준에 따른 **교육 및 작업 실시** : 현장 작업원에게 각자의 작업내용을 교육 훈련하여 숙지시킨다.

⑤ **품질시험 및 검사** : 품질표준과 일치하고 있는지의 여부를 조사하고 히스토그램이나 공정능력도를 작성하여 이상 여부를 확인한다.

⑦ **공정의 안정성 검토** : 공정능력도나 히스토그램이 양호한 상태로 나타나면 적당한 관리도를 선정하여 이상 여부를 계속 주시한다.

⑧ **이상원인 조사 및 수정조치** : 관리도에서 이상이 발견되면 그 원인을 분석하고 수정 조치한다.

⑨ **관리한계선의 재결정** : 수정조치 후 그 결과를 확인한 후 관리한계선을 재결정한다.

> 📖 00③ · 10④
> [순서] 품질관리

4. 품질관리 계획

(1) 품질관리 계획서 제출 대상공사
   ① 전면책임감리 대상인 건설공사로서 총 공사비가 500억원 이상인 건설공사
   ② 다중이용건축물의 건설공사로서 연면적이 30,000m^2 이상인 건축물의 건설공사
   ③ 당해 건설공사의 계약에 품질관리 계획의 수립이 명시되어 있는 건설공사

(2) 품질관리계획서 작성내용
   ① 건설공사정보 / 품질방침 및 목표 / 현장조직관리 / 문서관리 / 기록관리 / 자원관리 / 설계관리 / 공사수행준비 / 교육훈련 / 의사소통 / 자재구매관리 / 지급자재관리 / 하도급관리 공사관리 / 중점품질관리 / 계약변경 / 식별 및 추적 / 기자재 및 공사목적물의 보존관리 / 검사, 측정 및 시험장비의 관리 / 검사 및 시험, 모니터링 / 부적합사항 관리 / 데이터의 분석관리 / 시정 및 예방조치 / 품질검사 / 건설공사 운영성과 / 공사준공 및 인계
   ② 품질관리계획서 제출 시 필수적 기입 항목
   품질 방침 및 목표, 품질관리 절차, 품질관리 항목, 품질관리 검사 및 시험계획, 품질관리 부적격 판정 및 처리계획

> 14① · 15④
> [항목] 품질관리 계획 시 필수 항목

2 품질관리(QC) 수법

도구명	내용
히스토그램	계량치(데이터)의 분포가 어떠한 분포를 하는지 알아보기 위하여 작성하는 것
특성요인도	결과에 원인이 어떻게 관계하고 있는가를 한눈에 알아보기 위하여 작성하는 것 (체계적 정리, 원인 발견)
파레토도	불량, 결점, 고장 등의 발생건수를 분류항목별로 나누어 크기 순서대로 나열해 놓은 것(불량항목과 원인의 중요성 발견)
그래프	품질관리에서 얻은 각종 자료의 결과를 알기 쉽게 그림으로 정리한 것
체크시트	계수치의 데이터가 분류항목별의 어디에 집중되어 있는가를 알아보기 쉽게 나타낸 것(불량항목 발생, 상황파악 데이터의 사실 파악)
산점도	서로 대응되는 두 개의 짝으로 된 데이터를 그래프 용지에 점으로 나타내어 두 변수 간의 상관관계를 짐작할 수 있다.
층별	집단을 구성하고 있는 많은 데이터를 어떤 특징에 따라 몇 개의 부분집단으로 나눈 것

> 11② · 15④ · 산22③ · 산23②
> [종류] QC 수법

> 98② · 01① · 02② · 06②③ · 07①②③ · 14① · 산22② · 23④
> [연결] QC 수법/설명

1. 히스토그램(Histogram)

(1) 정의

길이, 무게, 시간, 경도 등을 측정하는 계량치 데이터가 어떠한 분포를 하고 있는가를 알아보기 쉽게 나타낸 그림으로 데이터만으론 알아보기 어려웠던 전체의 모습을 간단하게 알 수 있고 대체적인 평균이나 산포의 모습 및 크기를 간단하게 알 수 있다.

(2) 작성순서

① 데이터를 수집한다.
② 데이터에서 최솟값과 최댓값을 구하여 전 범위를 구한다.
③ 구간폭을 정한다(계급의 수와 데이터의 수).
④ 도수분포도를 작성한다.
⑤ 히스토그램을 작성한다.
⑥ 히스토그램과 규격값을 대조하여 안정상태인지 검토한다.

> 98⑤ · 00④ · 04③ · 06③ · 09① · 15② · 16② · 산23①
> [정의/순서] 히스토그램 작성

2. 특성요인도

특성요인도란 품질특성에 대하여 결과에 원인이 어떻게 관계하고 있는가를 한눈에 알아보기 위하여 작성하는 것으로 일반적인 요인을 세밀하게 구체적으로 파악할 수 있다.

> 12② · 17①
> [용어] 특성요인도

3. 파레토도

결함부나 기타 결손항목을 항목별로 구분하여 크기순으로 나열하여 그린 그림으로 가장 많은 결함의 항목을 집중적으로 감소시키는 데 효과적으로 사용되는 그림을 파레토도라고 한다.

4. 그래프

(1) 정의

데이터의 결과를 알기 쉽게 표현하여 보는 사람이 빠르게 정보를 얻을 수 있도록 하는 그림이다.

(2) 각종 그래프의 예

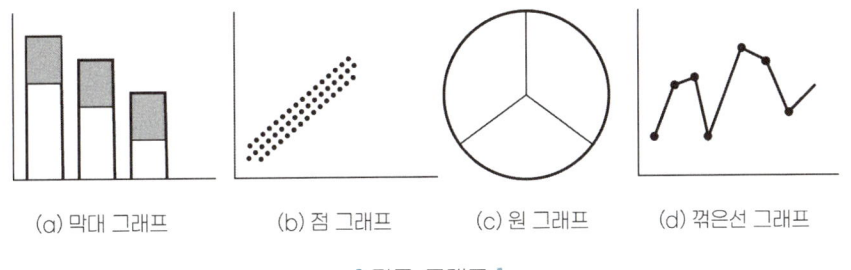

(a) 막대 그래프   (b) 점 그래프   (c) 원 그래프   (d) 꺾은선 그래프

┃ 각종 그래프 ┃

5. 체크시트

체크시트란 계수치의 데이터(불량수, 결점수)가 분류항목별의 어디에 집중되어 있는가를 알아보기 쉽게 나타낸 것으로, 기록용지 구실을 하며 기록이 끝난 후에는 비교·검토함으로써 문제점을 판단할 수 있다.

6. 산점도

(1) 정의

산점도란 서로 대응하는 두 개의 짝으로 된 데이터를 그래프 용지 위에 점으로 나타낸 그림으로서 30개 이상의 시료에 대해 2종류의 특징인 x와 y의 값을 횡축, 종축에 각각 x, y의 눈금으로 타점한 것을 말한다.

(2) 상관관계

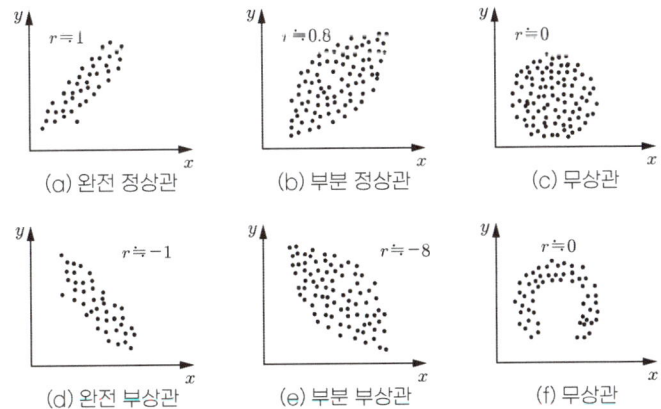

(a) 완전 정상관   (b) 부분 정상관   (c) 무상관

(d) 완전 부상관   (e) 부분 부상관   (f) 무상관

7. 층별

층별이란 집단을 구성하고 있는 많은 데이터를 어떤 특징에 따라서 몇 개의 부분집단으로 나누는 것을 말한다. 측정치에는 반드시 산포가 있다. 따라서 산포의 원인이 되는 인자에 관하여 층별하면 산포의 발생원인을 규명할 수 있게 되고, 산포를 줄이거나, 공정의 평균을 좋은 방향으로 개선하는 등 품질향상에 도움이 된다.

8. 관리도

(1) 정의

공정의 상태를 나타내는 그래프로 공정이 안정된 상태인지를 조사하기 위하여 사용한다.

(2) 관리도의 종류

데이터	호칭	용도 비교
계량치	$\bar{\chi} - R$관리도	평균치와 범위
	$\chi_i - R$관리도	개개의 측정치
	$\tilde{\chi} - R$관리도	중위 수와 범위
계수치	P_n관리도	불량개수
	P관리도	불량률
	C관리도	결점수
	u관리도	단위결점수

[용어정리]
① 계량치 : 연속량으로서 측정되는 품질특성의 값
  [예] 길이, 질량, 온도
② 계수치 : 개수로 셀 수 있는 품질특성의 값
  [예] 불량개수, 결점수

① $\bar{\chi} - R$관리도

이 관리도는 시료의 길이, 무게, 시간, 인장강도 등 계량치의 데이터에 대하여 $\bar{\chi}$과 R(평균치와 범위)을 사용하여 공정을 관리하는 관리도로서 가장 대표적인 것이다.

㉠ $\bar{X}$관리도의 관리한계

ⓐ 상한관리한계(UCL) = $\bar{X} + A_2 \bar{R}$

ⓑ 하한관리한계(LCL) = $\bar{X} - A_2$

㉡ R관리도의 관리한계

ⓐ 상한관리한계(UCL) = $D_4 \cdot \bar{R}$

ⓑ 하한관리한계(LCL) = $D_3 \cdot \bar{R}$

09 ②
[계산] X와 R의 관리한계

② $\tilde{\chi} - R$관리도

$\overline{\chi} - R$관리도의 $\overline{\chi}$ 대신 $\tilde{\chi}$를 관리하는 관리도법이다. 계량치를 메디안과 범위로 관리하며, 평균치 $\overline{\chi}$를 계산하는 시간과 노력을 줄이기 위해서 사용되며 작성방법은 $\overline{\chi} - R$관리도와 거의 같다.

③ $\chi_i - R$관리도(일점 관리도)

데이터를 군으로 나누지 않고 한 개 한 개의 측정치를 그대로 사용하여 공정관리 시에 사용한다. 한 개 값의 계량치 데이터를 개개의 값과 앞뒤 값의 범위로 관리하며, 데이터로 얻은 간격이 크거나 군으로 나누어도 별로 의미가 없는 경우, 또는 정해진 공정으로부터 한 개의 데이터밖에 얻을 수 없을 때 사용한다.

④ P_n 관리도

데이터가 계량치가 아니고 하나하나의 물품을 양호, 불량으로 판정하여 시료 전체속에 불량품의 개수로서 공정을 관리할 때 사용한다. 시료의 크기(개수)가 항상 일정한 경우에만 사용한다.

⑤ P 관리도

계수치를 불량률로 관리하며, 시료의 크기가 반드시 일정하지 않아도 된다.

⑥ C 관리도

일정 크기의 시료 가운데 나타나는 결점수에 의거 공정을 관리할 때 사용한다.

⑦ u 관리도

결점수에 의거 공정을 관리할 때에 나타나는 결점의 크기가 일정하지 않을 때에 결점수를 일정단위당으로 바꾸어 u관리도로 사용한다.

[기호]
- $\overline{\chi}$: 평균값
- R : 범위
- $\tilde{\chi}$: 중위 수

00 ①
[용어] 관리도

단원별 경향문제

98② · 08② · 산21② [4점]

01 품질관리의 4 사이클을 순서대로 나열하시오.

( ) → ( ) → ( ) → ( )

[해설] 계획(Plan) → 실시(Do) → 검토(Check) → 시정(Action)

03① [4점]

02 다음 보기에서 각종 관리 중 목표가 되는 관리와 수단이 되는 관리로 분류하여 번호로 쓰시오.

(가) 원가관리	(나) 자원관리
(다) 설비관리	(라) 품질관리
(마) 자금관리	(바) 공정관리
(사) 인력관리	

(1) 목표 :
(2) 수단 :

[해설] (1) 목표 : (가), (라), (바)
(2) 수단 : (나), (다), (마), (사)
[보충설명]

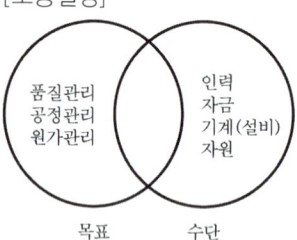

목표   수단

00③ · 10④ [4점]

03 다음 〈보기〉에서 일반적인 품질관리의 순서를 번호별로 나열하시오.

〈보기〉
(가) 품질관리 항목선정   (나) 교육 및 작업 실시
(다) 품질시험 및 검사   (라) 관리한계선의 재결정
(마) 공정의 안정성 검토   (바) 품질 및 작업기준 결정
(사) 이상원인 조사 및 수정조치

( ) → ( ) → ( ) → ( ) → ( ) → ( ) → ( )

해설 품질관리의 순서
(가) → (바) → (나) → (다) → (마) → (사) → (라)

14① · 15④ [4점]

04 품질관리계획서 제출 시 필수적으로 기입하여야 하는 항목 4가지를 기술하시오.

(1)
(2)
(3)
(4)

해설 품질관리계획서 항목
(1) 품질 방침 및 목표
(2) 품질관리 절차
(3) 품질관리 항목
(4) 품질관리 검사 및 시험계획
(5) 품질관리 부적격 판정 및 처리계획

05 공업생산에 품질관리의 기초수법으로 이용되는 도구 4가지를 쓰시오.

(1) (2)
(3) (4)

> 해설 (1) 히스토그램
> (2) 특성요인표
> (3) 파레토도
> (4) 그래프
> (5) 체크시트
> (6) 산점도
> (7) 층별

06 건설업의 TQC에 이용되는 도구의 명칭을 쓰시오.

(1) 계량치의 분포가 어떠한 분포를 하는지 알아보기 위하여 작성하는 것 (①)
(2) 결과에 원인이 어떻게 관계하고 있는가를 한눈에 알아보기 위하여 작성하는 것 (②)
(3) 불량, 결점, 고장 등의 발생건수를 분류항목별로 나누어 크기 순서대로 나열해 놓은 것 (③)
(4) 계수치의 데이터가 분류항목별의 어디에 집중되어 있는가를 알아보기 쉽게 나타낸 것 (④)
(5) 품질관리에서 얻은 각종 자료를 알기 쉽게 그림으로 정리한 것 (⑤)
(6) 서로 대응되는 두 개의 짝으로 된 데이터를 그래프용지에 점으로 나타낸 것 (⑥)
(7) 집단을 구성하고 있는 많은 데이터를 어떤 특징에 따라 몇 개의 부분집단으로 나눈 것 (⑦)

① ②
③ ④
⑤ ⑥
⑦

> 해설 TQC에 이용되는 도구의 명칭
> ① 히스토그램 ② 특성요인도
> ③ 파레토도   ④ 체크시트
> ⑤ 그래프   ⑥ 산점도
> ⑦ 층별

14① [3점]

07
다음은 TQC의 도구에 대한 설명이다. 해당되는 도구명을 기술하시오.

(1) 계량치가 어떤 분포를 하는지 알아보기 위하여 작성하는 그림
(2) 불량 등 발생건수를 분류 항목별로 나누어 크기 순서대로 나열해 놓은 그림
(3) 결과에 원인이 어떻게 관계하고 있는가를 한눈에 알 수 있도록 작성한 그림

(1)
(2)
(3)

해설 QC 수법
(1) 히스토그램
(2) 파레토도
(3) 특성요인도

98⑤·00④·04①③·06③·09①·15②·16② [3점]

08
히스토그램(Histogram)의 작성순서를 〈보기〉에서 골라 순서를 기호로 쓰시오.

―〈보기〉―
(1) 히스토그램과 규격값을 대조하여 안정상태인지 검토한다.
(2) 히스토그램을 작성한다.
(3) 도수분포도를 작성한다.
(4) 데이터에서 최솟값과 최댓값을 구하여 전 범위를 구한다.
(5) 구간폭을 정한다.
(6) 데이터를 수집한다.

( ) → ( ) → ( ) → ( ) → ( ) → ( )

해설 히스토그램의 작성순서
① 데이터를 수집한다.
② 범위 R을 구한다.
③ 구간폭을 정한다.
④ 도수분포도를 만든다.
⑤ 히스토그램을 작성한다.
⑥ 안정상태를 검토한다.
∴ (6) → (4) → (5) → (3) → (2) → (1)

09 품질관리도구 중 특성요인도(Characteristic Diagram)에 대하여 설명하시오.

해설 **특성요인도**
결과와 원인이 어떻게 연관되어 있는지를 한눈에 알 수 있도록 작성한 그림

10 다음은 품질관리(QC)에 이용되는 관리도의 설명이다. 설명에 맞는 관리도명을 〈보기〉에서 골라 번호로 쓰시오.

① $x_i - R$관리도   ② P관리도   ③ C관리도
④ $\bar{x} - R$관리도   ⑤ P_n관리도   ⑥ $\tilde{x} - R$관리도

(1) 계수치를 불량률로 관리한다. (　)
(2) 계량치를 평균치와 범위로 관리한다. (　)
(3) 한 개 값의 계량치 데이터를 개개의 값과 앞뒤 값의 범위로 관리한다. (　)
(4) 계량치를 메디안과 범위로 관리한다. (　)
(5) 계수치를 불량개수로 관리한다. (　)
(6) 일정 단위량 결점수로 관리한다. (　)

해설 (1) ②
(2) ④
(3) ①
(4) ⑥
(5) ⑤
(6) ③

11 다음 표는 어떤 공사장에서 사용할 콘크리트 슬럼프 시험 결과이다. 이 Data를 사용하여 X와 R의 관리한계를 구하시오. (단, $A_2 = 1.023$, $D_4 = 2.575$, $n = 5$)

조번호	1	2	3	4	5
$\overline{X}$	7.8	6.5	8.5	7.0	7.7
R	1.2	0.8	1.3	1.0	1.2

해설 (1) 총 평균

$$\overline{\overline{X}} = \frac{\sum \overline{X}}{n} = \frac{7.8 + 6.5 + 8.5 + 7.0 + 7.7}{5} = 7.5$$

(2) 범위의 평균

$$\overline{R} = \frac{\sum \overline{R}}{n} = \frac{1.2 + 0.8 + 1.3 + 1.0 + 1.2}{5} = 1.1$$

(3) $\overline{X}$관리도의 관리한계
  ① 중심선(CL)= $\overline{\overline{X}}$ = 7.5
  ② 상한관리한계(UCL)= $\overline{\overline{X}} + A_2\overline{R}$ = 7.5 + 1.023 × 1.1 = 8.625
  ③ 하한관리한계(LCL)= $\overline{\overline{X}} - A_2\overline{R}$ = 7.5 − 1.023 × 1.1 = 6.375

(4) R관리도의 관리한계
  ① 중심선(CL)= $\overline{R}$ = 1.1 = 1.1
  ② 상한관리한계(UCL)= $D_4 \cdot \overline{R}$ = 2.575 × 1.1 = 2.833
  ③ 하한관리한계(LCL)= $D_3 \cdot \overline{R}$ = 0

제2절 | 통계적 품질관리(SQC ; Statistical Quality Control)

1 정의

하나의 건물의 건설 과정에서는 시공법, 사용방법, 재료 등이 몇 번이고 되풀이되어 사용되게 된다. 따라서, 이들의 데이터를 통계적으로 조사, 처리하면 가장 좋은 시공계획 작업계획을 세울 수 있다.

즉, 통계적인 품질관리란 보다 유용하고 시장성 있는 제품을 보다 경제적으로 생산하기 위하여 생산의 모든 단계에 통계적인 수법을 응용한 것이다.

2 데이터의 특성(정리 방법)

(1) 중심치에 의한 정리

① 평균치($\bar{\chi}$)

측정치에 대한 평균값으로 n개의 데이터가 있을 때

$$\bar{\chi} = \frac{\chi_1 + \chi_2 + \chi_3 \cdots + \chi_n}{n}$$

② 중위수(Median : $\tilde{\chi}$)

데이터를 크기 순서대로 나열했을 때 Data의 개수가 홀수이면 중앙값이고 짝수이면 중앙에 위치하는 두 개의 데이터의 평균치를 말한다.

③ 미드레인지(Midrange : M)

1조의 데이터 중 최대치($\chi_{\max}$)와 최소치($\chi_{\min}$)의 평균치

$$M = \frac{\chi_{\max} + \chi_{\min}}{2}$$

[데이터의 정리]
아래 Data를 이용하여 데이터의 정리방법을 풀어보기로 하자.
[Data] 9, 6, 7, 3, 2
주어진 Data를 크기순으로 나열하는 것이 좋다.
∴ 2, 3, 6, 7, 9

① 평균치($\bar{x}$) = $\frac{2+3+6+7+9}{5개}$ = 5.4

② 중위수($\tilde{x}$) = 데이터의 개수가 홀수이므로 크기순으로 나열한 후 중앙의 수치
  ∴ 2, 3, 6, 7, 9
  　　　중위수

③ 미드레인지(M) = $\frac{2+9}{2}$ = 5.5

(2) 흩어짐(산포)에 의한 정리
　① 범위(R)
　　1조의 데이터 중 최대치와 최소치의 차
　　$R = x_{max} - x_{min}$
　② 편차제곱합(Sum of square : S)
　　개개의 측정치의 시료 평균으로부터 편차의 제곱합을 말한다.
　　n개의 데이터 $x_1, x_2, x_3, \cdots, x_n$이 있을 때
　　$S = (x_1 - \overline{x})^2 + (x_2 - \overline{x})^2 + \cdots + (x_n - \overline{x})^2$
　③ 표본분산/불편분산(Unbiased Variance : V)
　　데이터 수가 n개 있을 때 이 데이터의 제곱의 합(S)을 (n-1)로 나눈 것을 말한다.
　　$V = \dfrac{S}{n-1}$
　④ 분산(Variance : σ^2)
　　데이터의 제곱의 합(S)을 데이터의 수(n)로 나눈 값을 말한다.
　　$\sigma^2 = \dfrac{S}{n}$
　⑤ 표본 표준편차(s)
　　$s = \sqrt{\dfrac{S}{n-1}}$
　⑥ 표준편차(Standard Deviation : σ)
　　$\sigma = \sqrt{\dfrac{S}{n}}$
　⑦ 변동계수(CV)
　　표준편차를 평균치로 나눈 것으로 보통 백분율로 표시한다.
　　$CV = \dfrac{\sigma}{\overline{x}} \times 100\%$

[데이터 정리]
아래 Data를 이용하여 데이터의 정리방법을 풀어 보기로 하자.
[Data] 9, 6, 7, 3, 2
① 범위(R) = 9 - 2 = 7
② 변동(S) : 산출 시 유의해야 한다.
$$(2-5.4)^2+(3-5.4)^2+(6-5.4)^2+(7-5.4)^2+(9-5.4)^2=33.2$$
③ 표본분산$(s^2) = \dfrac{33.2}{5-1} = 8.3$
④ 분산$(\sigma^2) = \dfrac{33.2}{5} = 6.64$
⑤ 표본 표준편차$(s) = \sqrt{\dfrac{S}{n-1}} = \sqrt{\dfrac{33.2}{4}} = 2.88$
⑥ 변동계수(CV) $= \dfrac{2.88}{5.4} \times 100 = 53.33\%$

15①
[계산] 산술평균, 표본분산

98③ · 99④ · 01③ · 09①
[계산] 통계적 품질관리의 각종 용어

단원별 경향문제

15① [4점]

01 다음과 같은 철근의 인장강도 데이터를 이용하여 아래 용어를 계산하시오.

> 460, 520, 450, 450, 470, 500, 530, 480, 490, 550

(1) 산술평균($\overline{X}$) :
(2) 표본분산(S^2) :

해설 데이터 정리

(1) 산술평균($\overline{X}$)

$$\frac{460+520+450+450+470+500+530+480+490+550}{10}=490$$

(2) 표본분산(S^2)

① 편차 제곱의 합(S) :

$(490-460)^2+(490-520)^2+(490-450)^2+(490-450)^2+(490-470)^2+(490-500)^2$
$+(490-530)^2+(490-480)^2+(490-490)^2+(490-550)^2=10,800$

② 표본분산 : $S^2 = \dfrac{S}{n-1} = \dfrac{10,800}{10-1} = 1,200$

02 다음 데이터는 일정한 산지에서 계속 반입되고 있는 잔골재의 단위용적 중량을 매 차량마다 1회씩 10대를 측정한 자료이다. 이 데이터를 이용하여 아래 물음에 답하시오.

> [Data] 1760, 1740, 1750, 1730, 1760, 1770, 1740, 1760, 1740, 1750
> (산출평균=1,750kg/cm²)

(1) 편차제곱합(Sum of square : S)
(2) 분산(Variance : σ^2)
(3) 불편분산(Unbiased Variance : V)
(4) 표준편차(Standard Deviation : σ)
(5) 불편분산의 제곱근(혹은 표본표준편차 : Sample Standard Deviation : $\sqrt{V}$)
(6) 변동계수(Coefficient of Variation : CV)

해설

(1) $S = (1,760-1,750)^2 + (1,740-1,750)2 + (1,750-1,750)2$
$+ (1,730-1,750)^2 + (1,760-1,750)^2 +$
$(1,770-1,750)^2 + (1,740-1,750)^2 + (1,760-1,750)^2 + (1,740-1,750)^2$
$+ (1,750-1,750)^2 = 1,400$

(2) $\sigma^2 = \dfrac{S}{n} = \dfrac{1,400}{10} = 140$

(3) $V = \dfrac{S}{n-1} = \dfrac{1,400}{10-1} = 155.56$

(4) $\sigma = \sqrt{\dfrac{S}{n}} = \sqrt{140} = 140 = 11.83$

(5) $\sqrt{V} = \sqrt{155.56} = 155.56 = 12.47$

(6) $CV = \dfrac{\sigma}{\chi} \times 100\% = \dfrac{11.83}{1,750} \times 100\% = 0.68\%$

제 3 절 | 자재 품질관리

1 목재

(1) 함수율

$$함수율(\%) = \frac{W_1 - W_2}{W_2} \times 100$$

여기서, W_1 : 건조 전 수분을 포함한 공시체 중량(g)
W_2 : 건조중량(g)

2 시멘트

02③
[연결] 시멘트 시험기구 및 재료

(1) 비중

$$비중 = \frac{W}{V_2 - V_1}$$

여기서, W : 시료 시멘트의 무게(g)
V_1 : 시료를 넣기 전 광유를 넣은 비중병의 눈금(cc)
V_2 : 시료를 넣은 후의 눈금(cc)

[비중 시험 측정기구]
르샤틀리에 비중병(플라스크)

07② · 22④
[계산] 비중 계산 및 적부 판정

예제 1

건설공사 현장에 시멘트가 반입되었다. 특기 시방서에 시멘트의 비중은 3.10 이상으로 규정되어 있다고 할 때, 르샤틀리에 비중병을 이용하여 KS 규격에 의거 시멘트 비중을 시험한 결과에 대하여 시멘트의 비중을 구하고, 자재 품질관리상 합격여부를 판정하시오. (시험결과 비중병에 광유를 채웠을 때의 최소눈금은 0.5cc, 실험에 사용한 시멘트량은 100g, 광유에 시멘트를 넣은 후의 눈금은 32.2cc이었다)   07② · 22④ [4점]

해설

① 시멘트의 비중 = $\dfrac{100}{32.2 - 0.5}$ = 3.15

② 판정 = 합격 (∵ 3.15 > 3.10)

(2) 분말도(브레인법)

분말도$(cm^2/g) = S_S \sqrt{\dfrac{T}{T_s}}$

여기서, S_S : 표준시료의 비표면적(cm^2/g)
　　　　T : 시험 시료에 대한 마노미터액의 B표선부터 C표선까지 낙하하는 시간(sec)
　　　　T_s : 표준시료에 대한 마노미터액의 B표선부터 C표선까지 낙하하는 시간(sec)

[분말도 시험 측정기구]
마노미터

(3) 응결시간

① 표준주도 : 시멘트 페이스트 혼합이 끝난 후 30초에 비카장치의 플랜저 침이 처음 면에서 10±1mm점까지 내려갔을 때의 반죽 상태
② 초결 : 표준주도로 반죽된 시멘트 페이스트 시험체를 1mm의 비카침으로 관입시켜 30초간에 25mm의 침입도를 얻을 때까지의 가수 후 경과시간(단, 길모아 장치로는 패드의 표면에 초결침을 가볍게 올려놓았을 때 알아볼 만한 흔적을 내지 않는 경과시간)
③ 종결 : 길모아 장치로 패드의 표면에 종결침을 가볍게 올려놓았을 때 알아볼 만한 흔적을 내지 않는 경과시간

[응결시간 시험 측정기구]
길모아 장치, 비커 장치

(4) 안정성

팽창도$(\%) = \dfrac{l_2 - l_1}{l_1} \times 100$

여기서, l_1 : 오토클레이브 시험체의 유효 표점거리(mm)
　　　　l_2 : 오토클레이브 시험 후 시험체 길이(mm)

[안정성 시험 측정기구]
오토클레이브 시험체

📖 00⑤
[계산] 팽창도 계산 및 안정성 적부 판정

예제 2

KS 규격상 시멘트의 오토클레이브 팽창도는 0.80% 이하로 규정되어 있다. 반입된 시멘트의 안정성 시험결과가 다음과 같다고 할 때 합격 여부를 판정하시오. (단, 시험 전 시험체의 유효 표점길이는 254mm, 오토클레이브 시험 후 시험체의 길이는 255.78mm이었다) 00⑤ · 21④ [4점]

해설

① 오토 클레이브 팽창도(%) $= \dfrac{255.78 - 254}{254} \times 100 = 0.70\%$

② 판정=합격 ($\because$ 0.70 < 0.80)

3 골재

(1) 체가름 시험

① 조립률(FM) $= \dfrac{\text{각 체에 남는 양 누계(\%)의 합계}}{100}$

(단, 사용체는 80, 40, 20, 10mm, No.4, 8, 16, 30, 50, 100의 10개만을 이용한다.)
[입도곡선 예]

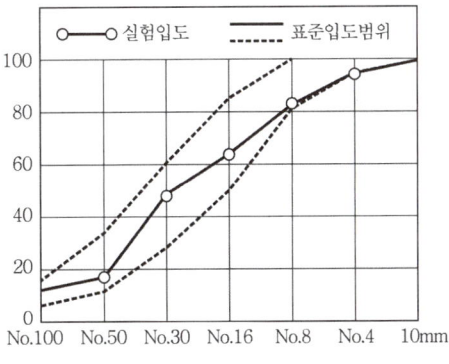

| 체규격 |

② 혼합조립률

두 무리의 골재의 조립률을 각각 F_1, F_2라고 하고 배합비율을 A : B라고 할 때 혼합조립률은 아래와 같이 계산한다.

$FM = \left(\dfrac{A}{A+B}\right) \times F_1 + \left(\dfrac{B}{A+B}\right) \times F_2$

> 08①
> [계산] 혼합조립률

(2) 굵은 골재의 비중 및 함수량

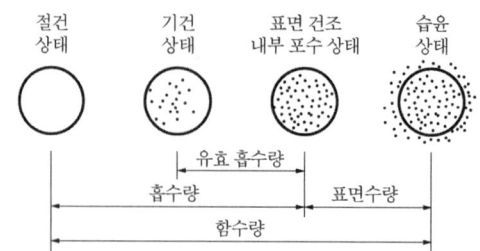

① 함수량 = 습윤중량 − 절건중량

② 함수율 = $\dfrac{\text{습윤중량} - \text{절건중량}}{\text{절건중량}} \times 100$

③ 표면수량 = 습윤중량 − 표면건조내부포수중량

④ 표면수율 = $\dfrac{\text{습윤중량} - \text{표면건조내부포수중량}}{\text{표면건조내부포수중량}} \times 100$

⑤ 유효흡수량 = 표면건조내부포수중량 − 기건중량

⑥ 유효흡수율 = $\dfrac{\text{표면건조내부포수중량} - \text{기건중량}}{\text{기건중량}} \times 100$

⑦ 흡수량 = 표면건조내부포수중량 − 절건중량

⑧ 흡수율 = $\dfrac{\text{표면건조내부포수중량} - \text{절건중량}}{\text{절건중량}} \times 100$

⑨ 겉보기 비중 = $\dfrac{A}{B-C}$

⑩ 표면건조 포화상태의 비중(표건비중) = $\dfrac{B}{B-C}$

⑪ 진비중 = $\dfrac{A}{A-C}$

여기서, A : 절건중량(g)
  B : 표면건조내부포수중량(g)
  C : 시료의 수중중량(g)

99④
[계산] 함수량/표면수율/흡수율/유효흡수량

98④ · 00④ · 11② · 17② · 19② · 21① · 22①
[계산] 흡수율/표건비중/겉보기비중/진비중

예제 3

굵은골재의 최대치수 25mm, 4kg을 물속에서 채취하여 표면건조 내부포수상태의 질량이 3.95kg, 절대건조 질량이 3.60kg, 수중에서의 질량이 2.45kg일 때 흡수율과 여러 가지 비중을 구하시오.

00④ · 11② · 17② · 19② [4점]

① 흡수율 :
② 표건비중 :
③ 겉보기비중 :
④ 진비중 :

해설

① 흡수율 : $\dfrac{3.95-3.6}{3.6} \times 100\% = 9.72\%$

② 표건비중 : $\dfrac{3.95}{3.95-2.45} = 2.63$

③ 겉보기비중 : $\dfrac{3.6}{3.95-2.45} = 2.4$

④ 진비중 : $\dfrac{3.6}{3.6-2.45} = 3.13$

(3) 공극률과 실적률

$$공극률(\%) = \dfrac{(G \times 0.999) - w}{G \times 0.999} \times 100\,(\%)$$

$$실적률(\%) = \dfrac{w}{G} \times 100\,(\%)$$

여기서, G : 비중
　　　　w : 단위용적중량(t/m³)
　　　　0.999 : 표준온도 17℃에서의 물 1m³의 중량(0.999t/m³)

98③ · 00① · 09③ · 14② · 15④
[계산] 공극률/실적률

예제 4

비중이 2.6이고, 단위용적중량이 1,750kg/m³인 굵은 골재가 있다. 공극률을 구하시오.

98③ · 09③ · 14② · 15④ [4점]

해설

$$공극률(\%) = \dfrac{(G \times 0.999) - w}{G \times 0.999} \times 100$$

$\therefore$ 공극률 $= \dfrac{(2.6 \times 0.999) - 1.75}{2.6 \times 0.999} \times 100 = 32.62\%$

(4) 마모율

① 마모율(%)= $\dfrac{W_1 - W_2}{W_1} \times 100$

② 마모손실 중량(kg)= $W_1 - W_2$

여기서, W_1 : 시험 전의 시료 중량(g)

W_2 : 시험 후의 시료 중량(시험 후 No.12체에 남는 시료의 중량)(g)

③ 측정기구 : 로스앤젤레스 마모 시험기

4 콘크리트

(1) 슬럼프 시험

① 슬럼프치(cm) = 30-B = A

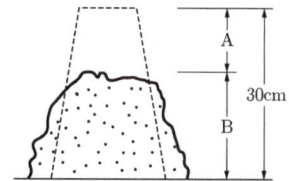

② 측정기구 : 수밀성 평판, 시험통, 다짐막대, 측정계기

(2) 압축강도 시험

압축강도(N/mm²)= $\dfrac{P}{A}$

여기서, P : 최대하중(N)

A : 시험체의 단면적(mm²)

※ 시험체 : 콘크리트 공시체

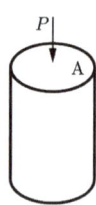

00② · 03① · 05③ · 06① · 15②
[계산] 압축강도

(3) 인장강도

인장강도(kg/cm²) = $\dfrac{2P}{\pi l d}$

여기서, P : 최대하중(kg)
l : 시험체의 길이(cm)
d : 시험체의 지름(cm)

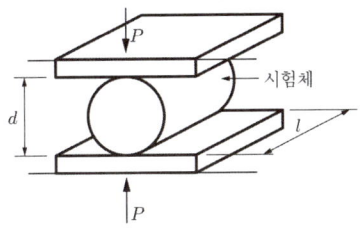

> 05② · 22①
> [계산] 인장강도

예제 5

특기 시방서상 콘크리트의 인장강도가 2MPa 이상으로 규정되어 있다고 할 때, 원지름 10cm, 길이 20cm인 원주공시체 3개를 제작하여 할렬 방법으로 인장강도를 시험한 결과 50kN, 62kN, 53kN에서 파괴되었다. 평균 인장강도를 구하고 평균값이 규정을 상회하고 있는지 여부에 따라 합격 및 불합격으로 판정하시오.   05① [3점]

해설

1) $\dfrac{2 \times 50 \times 1{,}000}{\pi \times 200 \times 100} = 1.59\text{MPa}$

2) $\dfrac{2 \times 62 \times 1{,}000}{\pi \times 200 \times 100} = 1.97\text{MPa}$

3) $\dfrac{2 \times 53 \times 1{,}000}{\pi \times 200 \times 100} = 1.69\text{MPa}$

∴ 평균강도 = $\dfrac{1.59 + 1.97 + 1.69}{3} = 1.75\text{MPa}$

판정 = 불합격(∵ 1.75MPa < 2MPa)

(4) 휨강도

① 중앙점 하중법 휨강도 $= \dfrac{3PL}{2bd^2}(\text{MPa})$

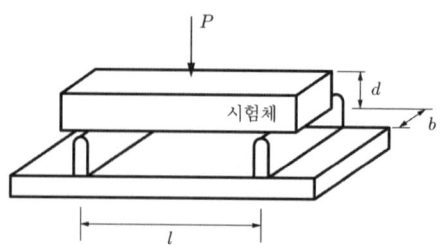

> 05②
> [계산] 휨강도

② 삼등분점 하중법 휨강도$(\text{kg/cm}^2) = \dfrac{Pl}{bd^2}$

여기서, P : 최대하중(kg)
l : 스판
b : 시험체의 폭(cm)
d : 시험체의 높이(cm)

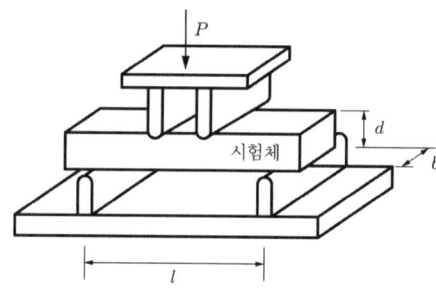

∥ 삼등분점 하중법 ∥

5 금속재료

(1) 인장강도(MPa) = $\dfrac{P}{A}$ ≥ 항복강도(MPa) F_y

04② · 18②

[계산] 인장강도

예제 6

특기 시방서에 철근의 인장강도가 240MPa 이상으로 규정되어 있다. 건설공사 현장에서 반입된 철근을 KS 규격에 따라 중앙부 지름 14mm, 표점거리 50mm로 가공하여 인장강도를 시험하였더니 37,300N, 40,570N, 38,150N에서 파괴되었다. 평균 인장강도를 구하고 합격 여부를 판정하시오.

18② [5점]

해설

철근의 인장강도 판정

(1) 철근의 단면적 = $\dfrac{\pi \times (14)^2}{4} = 153.94 \text{mm}^2$

(2) 철근의 인장강도 = $\dfrac{P}{A}$

① $\dfrac{37,300}{153.94} = 242.30 \text{MPa}$

② $\dfrac{40,570}{153.94} = 263.54 \text{MPa}$

③ $\dfrac{38,150}{153.94} = 247.82 \text{MPa}$

(3) 평균 인장강도 = $\dfrac{242.30 + 263.54 + 247.82}{3} = 251.22 \text{MPa}$

(4) 판정 - 철근의 평균 인장강도(251.22MPa) > 기준강도(240MPa) → 합격

6 조적재료

(1) 벽돌 압축강도

벽돌 압축강도(MPa) $= \dfrac{P}{A}$

여기서, A : 단면적(길이×마구리)
P : 최대중량(kg)

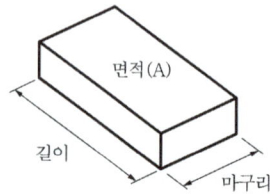

> 98⑤ · 99⑤
> [계산] 벽돌의 압축강도

예제 7

KS 규격상 시멘트 벽돌의 압축강도는 8MPa 이상으로 규정되어 있다. 현장에 반입된 벽돌의 규격은 다음 그림과 같고 표준방법에 의한 압축강도 시험결과는 100kN, 95kN 및 90kN에서 파괴되었다면 평균 압축강도를 구하고 규격을 상회하고 있는지 여부에 따라 합격 및 불합격으로 판정하시오.

98⑤ · 99⑤ [4점]

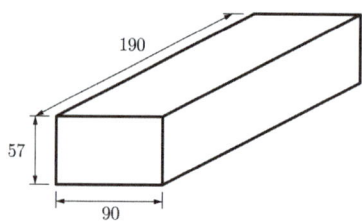

해설

(1) $\dfrac{100 \times 1{,}000}{190 \times 90} = 5.85\text{MPa}$

(2) $\dfrac{95 \times 1{,}000}{190 \times 90} = 5.56\text{MPa}$

(3) $\dfrac{90 \times 1{,}000}{190 \times 90} = 5.26\text{MPa}$

∴ 평균강도 $= \dfrac{5.85 + 5.56 + 5.26}{3} = 5.56\text{MPa}$

∴ 판정 - 벽돌의 평균 압축강도(5.56MPa) < 기준강도(8MPa) → 불합격

(2) 블록 압축강도

블록 압축강도(MPa) $= \dfrac{P}{A}$

여기서, A : 전단면적(cm²)(블록의 속 빈 부분을 무시한 전단면적)
    P : 최대하중(kg)

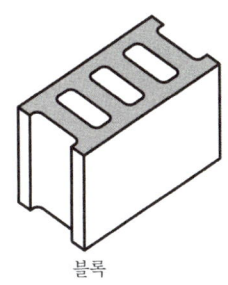
블록

예제 8

블록의 1급 압축강도는 8MPa 이상으로 규정되어 있다. 현장에 반입된 블록의 규격이 다음 그림과 같을 때, 압축강도 시험을 실시한 결과 550kN, 500kN, 600kN에서 파괴되었다면 평균 압축강도를 구하고 규격을 상회하고 있는지 여부에 따라 합격 및 불합격 판정을 하시오. (단, 블록의 전단면적(19cm×39cm)은 741cm²이고, 구멍을 공제한 중앙부의 순단면적은 460cm²이다.)

23① [5점]

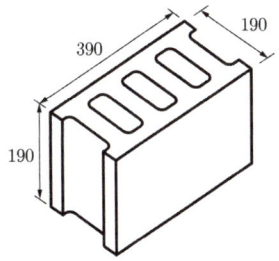

해설

(1) $\dfrac{550 \times 1{,}000}{390 \times 190} = 7.42\text{MPa}$

(2) $\dfrac{500 \times 1{,}000}{390 \times 190} = 6.75\text{MPa}$

(3) $\dfrac{600 \times 1{,}000}{390 \times 190} = 8.10\text{MPa}$

∴ 평균강도 $= \dfrac{7.42 + 6.75 + 8.1}{3} = 7.42\text{MPa}$

∴ 판정 - 블록의 평균 압축강도(7.42MPa) < 기준강도(8MPa) → 불합격

(3) 석재 흡수율 및 비중

① 흡수율(%) = $\dfrac{B-A}{A} \times 100$

② 비중 = $\dfrac{A}{B-C}$

여기서, A : 공시체의 건조중량(g)
B : 공시체의 침수 후 표면건조 포화상태의 중량(g)
C : 공시체의 수중중량(g)

> 00① · 00③
> [계산] 석재의 흡수율 및 비중

예제

특기 시방서상 화강암의 비중을 2.62 이상, 흡수율(%)을 0.3% 이하로 규정하고 있을 때 화강암의 비중과 흡수율을 구하고, 재료의 적합 여부를 판정하시오. (단, 공시체의 건조중량은 5,000g, 공시체의 침수 후 표면건조 포화상태의 중량은 5,020g, 공시체의 수중중량은 3,150g이었다.)

00① · 00③ [4점]

해설

① 비중 = $\dfrac{5,000}{5,020-3,150} = 2.67$

② 흡수율 = $\dfrac{5,020-5,000}{5,000} \times 100 = 0.4\%$

∴ 판정 - 석재의 흡수율(0.4%) > 기준흡수율(0.3%) → 불합격

단원별 경향문제

02③ [3점]

01 다음에 열거한 KS 규격의 시멘트 관련 시험에 쓰이는 시험기구 및 재료를 아래 〈보기〉에서 골라 쓰시오.

〈보기〉
① 르샤틀리에 플라스크 ② 마노미터
③ 표준모래 ④ 오토 클레이브
⑤ 길모아 장치

(1) 분말도 시험
(2) 압축강도 시험
(3) 비중 시험
(4) 응결시간 시험
(5) 안정성 시험

해설 (1) ②
(2) ③
(3) ①
(4) ⑤
(5) ④

08① [3점]

02 3.2의 조립률과 7의 조립률을 1 : 2의 비율로 섞었을 때 혼합조립률을 계산하시오.

해설 혼합조립률
$$FM = \left(\frac{1}{1+2}\right) \times 3.2 + \left(\frac{2}{1+2}\right) \times 7 = 5.73$$

03 수중에 있는 골재 채취시의 무게가 1,000g이고 표면건조 내부포화상태의 무게 900g, 대기건조상태 시료무게 860g, 완전건조상태 시료무게가 850g일 때 다음을 구하시오.

(1) 함수량 :
(2) 표면수율 :
(3) 흡수율 :
(4) 유효 흡수량 :

해설 골재의 수량

(1) 함수량 $= 1,000 - 850 = 150g$

(2) 표면수율 $= \dfrac{1,000 - 900}{900} \times 100 = 11.11\%$

(3) 흡수율 $= \dfrac{900 - 850}{850} \times 100 = 5.88\%$

(4) 유효 흡수량 $= 900 - 860 = 40g$

04 다음 자료를 이용하여 흡수율, 표건상태의 밀도, 절건상태의 밀도를 구하시오.

- 물의 밀도 : $1g/cm^3$
- 골재의 수중 중량 : 2.45kg
- 골재의 절건 중량 : 3.6kg
- 골재의 표면건조 내부 포수 중량 : 3.95kg

(1) 흡수율 :
(2) 진밀도(진비중) :
(3) 표건 상태의 밀도(표건비중) :

해설
(1) 흡수율 : $\dfrac{3.95 - 3.6}{3.6} \times 100\% = 9.72\%$

(2) 진밀도(진비중) : $\dfrac{3.6}{3.6 - 2.45} = 3.13$

(3) 표건 상태의 밀도(표건비중) : $\dfrac{3.95}{3.95 - 2.45} = 2.63$

05 굵은 골재의 비중 및 흡수량 시험에서 A : 절건중량, B : 대기 중 시료의 표면건조 포화상태의 무게, C : 물속에서 시료의 무게를 각각 나타내고 있을 때, ABC의 관계를 이용하여 다음의 용어를 도식화하시오.

(1) 표면건조 포화상태의 비중 :
(2) 겉보기 비중 :
(3) 흡수율 :

해설
(1) $\dfrac{B}{B-C}$

(2) $\dfrac{A}{B-C}$

(3) $\dfrac{B-A}{A}$

---

06 어떤 골재의 비중이 2.65이고, 단위용적중량이 1,800kg/m³이라면 이 골재의 실적률을 계산하시오.

계산식

해설 실적률 계산

(1) 단위용적중량 $w = 1.8 t/m^3$

(2) 공극률 $= \dfrac{G \times 0.999 - w}{G \times 0.999} \times 100(\%) = \dfrac{2.65 \times 0.999 - 1.8}{2.65 \times 0.999} \times 100 = 32.01\%$

(3) 실적률 $= 100\% -$ 공극률 $= 100 - 32.01 = 67.99\%$

※ 별해

실적률 $= \dfrac{w}{G} \times 100(\%) = \dfrac{1.8}{2.65} \times 100 = 67.92\%$

15② [3점]

07 재령 28일 콘크리트 표준공시체(ϕ150×300)에 대한 압축강도시험 결과 파괴하중이 500kN일 때 압축강도(MPa)를 계산하시오.

계산식

해설 **콘크리트 압축강도 계산**
(1) MPa로 압축강도를 산정하므로 모든 단위를 N, mm로 통일한다.
(2) $f_{ck} = \dfrac{P}{A} = \dfrac{P}{\dfrac{\pi D^2}{4}} = \dfrac{500 \times 1,000}{\dfrac{\pi \times (150)^2}{4}} = 28.29 \text{MPa}$

00② · 05③ · 06① [4점]

08 특기 시방서상 레미콘의 압축강도가 24MPa 이상으로 규정되어 있다고 할 때, 납품된 레미콘으로부터 임의의 3개 공시체(지름 10cm, 높이 20cm인 원주체)를 제작하여 압축강도 시험을 한 결과 최대하중 180kN, 170kN, 200kN에서 파괴되었다. 평균 압축강도를 구하고 규정을 상회하고 있는지 여부에 따라 합격 및 불합격으로 판정하시오.

계산식

해설 ① 공시체 면적 $= \dfrac{\pi \times 100 \times 100}{4} = 7,854.0 \text{mm}^2$
② 평균하중 $= \dfrac{180,000 + 170,000 + 200,000}{3} = 183,333\text{N}$
③ 평균압축강도 $= \dfrac{183,333.33}{7,850} = 23.34\text{MPa}$
④ 판정=불합격(∵ 23.34MPa < 24MPa)

09 콘크리트의 하중속도는 압축강도에 크게 영향을 미친다. 그러므로 콘크리트 강도시험에서 하중속도를 초당 2~3kg/cm²로 할 때 φ10×20cm 공시체를 이용하면 1분 후에 하중계가 얼마의 값의 범위를 지시하여야 하는가를 산출하시오.

계산식

해설
(1) 공시체의 단면적(A)= $\dfrac{\pi \times 10^2}{4}$ = 78.54cm²

(2) 1분 후의 하중 범위
① 초당 2kg/cm²일 때 = 78.54×2×60 = 9,424.8kg
② 초당 3kg/cm²일 때 = 78.54×3×60 = 14,137.2kg
∴ 범위 = 9,424.8 ~ 14,137.2kg

10 특기 시방서상 콘크리트 휨강도가 5MPa로 규정되어 있다. 15cm×15cm×50cm 공시체를 제작하여 지간(Span) 45cm인 중앙점 하중으로 휨강도를 3회 실시한 결과 중앙에서 45kN, 43kN, 35kN의 하중으로 파괴되었다면 평균 휨강도를 구하고, 평균치가 규정을 상회하고 있는지 여부에 따라 합격 여부를 판정하시오.

계산식

해설
(1) 중앙점 휨강도 = $\dfrac{3PL}{2bd^2}$ (MPa)

(2) 평균하중 = $\dfrac{45,000 + 43,000 + 35,000}{3}$ = 41,000N

(3) 평균강도 $\dfrac{3 \times 41,000 \times 450}{2 \times 150 \times 150 \times 150}$ = 8.2MPa

(4) 판정 = 합격(∵ 8.2MPa > 5MPa)

11 특기 시방서상 철근의 항복강도는 24MPa 이상으로 규정되어 있다. 건설공사 현장에서 반입된 철근을 KS규격에 의거 중앙부지름 14mm, 표점거리 50mm로 가공하여 인장강도를 시험하였더니 3,816kg, 4,075kg, 3,927kg에서 항복현상이 나타났다. 평균 항복강도를 구하고, 특기 시방서상의 규정과 비교하여 합격 여부를 판정하시오.

계산식

해설 (1) 항복강도 $F_y = \dfrac{P_y}{A_0}(MPa)$

∴ 평균항복강도 $= \dfrac{(3,816+4,075+3,927)}{\dfrac{\pi \times (14)^2}{4}} \div 3 = 25.59MPa$

(2) 판정=합격(∵ 25.59MPa > 24MPa)

12 39cm×19cm×19cm인 시멘트 블록의 압축강도 시험에서 하중속도를 매초 0.2N/mm²로 가력한다면 압축강도 8MPa인 블록은 몇 초에 붕괴되겠는지 붕괴시간을 구하시오.

계산식

해설 (1) 압축강도 $= \dfrac{P}{A} \geq 8(N/mm^2)$

(2) $P = A \times 8 = 390 \times 190 \times 8 = 592,800N$

(3) 1초당 가압하중 $= 0.2 \times 390 \times 190 = 14,820N$

(4) 붕괴시간 $= \dfrac{592,800}{14,820} = 40$초

건축기사 / 건축산업기사 실기

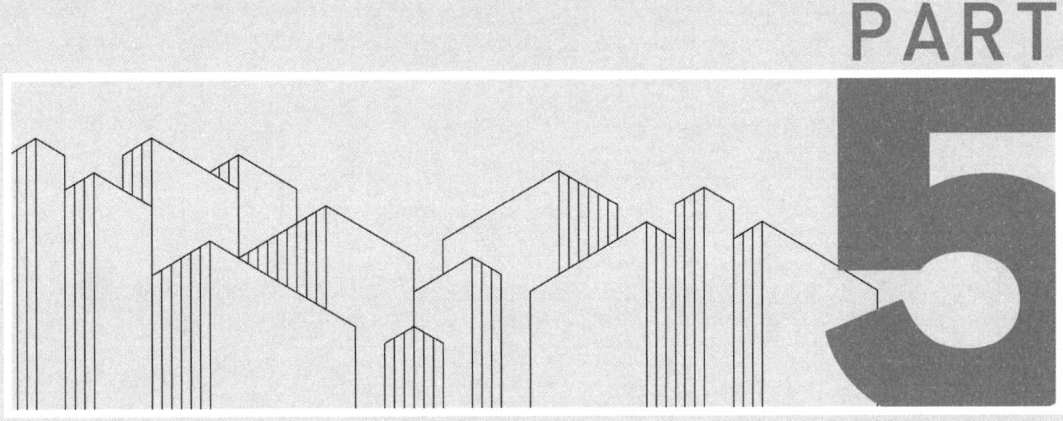

PART 5

건축구조

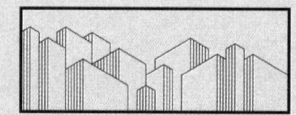
건축기사 / 건축산업기사실기

CHAPTER 01 구조역학

제1절 | 힘의 단위

1 힘(force)의 단위

① 절대단위(1N) : 질량 1kg인 물체에 $1m/sec^2$의 가속도를 내게 할 수 있는 힘
② 중력단위(1W) : 질량 1kg인 물체에 $9.81m/sec^2$의 가속도를 내게 할 수 있는 힘
③ 국제단위(SI 단위) : 힘(N), 질량(kg), 길이(m), 시간(s)을 기본단위로 한다.
 - $1N = 1kg \cdot 1m/s^2 = 1kg \cdot m/s^2$
 - $1kgf = 1kg \cdot 9.81m/s^2 \approx 10kg \cdot m/s^2 = 10N$

2 압력(stress)의 단위

단위면적(m^2)당 작용하는 힘(N)을 압력이라 하고, SI 단위에서는 Pascal(Pa) 단위를 사용한다.
 - 1Pa : $1m^2$의 면적에 1N의 힘이 작용할 때의 압력은 1Pa이다.
  [∴ $1Pa = 1N/m^2$, $1MPa = 1N/mm^2$]

3 SI 접두어

$10^9 = G(giga)$, $10^6 = M(mega)$, $10^3 = k(kilo)$
$10^{-2} = c(centi)$, $10^{-3} = m(mili)$, $10^{-6} = \mu(micro)$

 - giga(G)와 mega(M)를 제외하고 기호는 항상 소문자를 사용한다. 그러나 개인의 이름에서 딴 기호는 대문자를 사용한다. 예를 들면 힘의 단위 newton(N)을 말한다.
 - kilogram은 접두어가 붙은 유일한 기본단위이다.
 - $f_y = 400MPa = 400 \times 10^6 N/m^2 = 400 \times 10^6 N/(10^3 mm)^2$
    $= 400 \times 10^6 N/10^6 mm^2 = 400 N/mm^2$
 - $f_y = 235 N/mm^2 = 235 N/(10^{-3}m)^2 = 235 N/10^{-6} m^2$
    $= 235 \times 10^6 N/m^2 = 235 MPa$

제 2 절 | 정정구조물

1. 라미의 정리(일명 sine 법칙)

한 점에 작용하는 3개의 힘이 평형을 이루고 있을 때는 이 3개의 힘은 같은 평면상에 있으며, 한 점에서 만난다. 이때 각각의 힘은 다른 두 힘 사이각 sine의 값에 정비례한다.

$$\left[\frac{P_1}{\sin\alpha_1} = \frac{P_2}{\sin\alpha_2} = \frac{P_3}{\sin\alpha_3}\right]$$

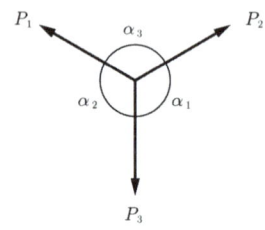

| 라미의 정리 |

📖 13④ · 16② · 18① · 20③ · 22②

[부재력 계산] sine 법칙

참고

sine 법칙의 적용범위 : 트러스의 부재력을 구할 때

참고

트러스 부재력은 다음 같은 특수 삼각비에 의하여 구한다.

① 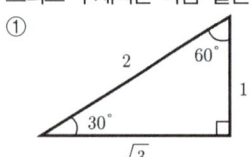 ② 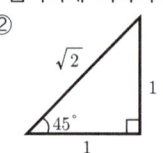 ③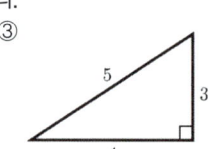

[특수 삼각비에 의한 트러스 부재력]

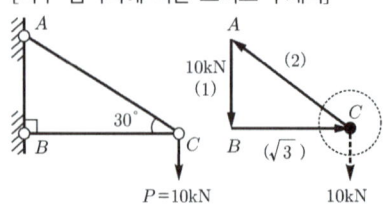

$\overline{AC} : 10 = 2 : 1 \rightarrow \therefore \overline{AC} = 20N$(인장)

$\overline{BC} : 10 = \sqrt{3} : 1 \rightarrow \therefore \overline{BC} = -10\sqrt{3}\,N$(압축)

2 힘의 정적 평형조건

물체에 여러 힘이 작용하고 있을 때, 물체가 이동 및 회전을 하지 않고 정지하고 있을 경우 힘이 정적으로 평형을 이루고 있다고 말할 수 있다. 따라서 힘이 정적으로 평형을 이루기 위해서는 다음과 같은 3가지 조건이 만족되어야 한다.

① 수평방향으로 작용하는 힘의 합이 0이 되어야 한다.(즉, $\Sigma H = 0$)
② 수직방향으로 작용하는 힘의 합이 0이 되어야 한다.(즉, $\Sigma V = 0$)
③ 회전하는 힘의 합이 0이 되어야 한다.(즉, $\Sigma M = 0$)

■ 수평력 : 우측방향 → (+), 좌측방향 ← (−)
　수직력 : 상향 ↑(+), 하향 ↓(−)
　모멘트 : 시계방향 (+), 반시계반향 (−)

(a) 수직·수평방향 부호　　(b) 모멘트방향 부호

❙ 힘의 부호규약 ❙

[한 점에 작용하는 여러 힘의 평형]
[예] 다음 그림에서 3개의 힘이 평행을 이루기 위한 V부재력의 크기를 구하시오.

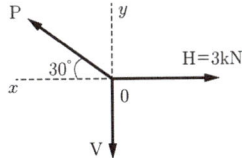

힘의 삼각형을 도시한 다음 특수 삼각비에 의하여 P와 V의 크기를 산정한다.

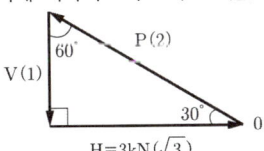

① V부재력

$$V : 3 = 1 : \sqrt{3} \;\rightarrow\; \therefore V = \frac{3}{\sqrt{3}} = 1.732 \text{kN}$$

② 외력 P의 크기

$$P : 3 = 2 : \sqrt{3} \;\rightarrow\; \therefore P = \frac{6}{\sqrt{3}} = 3.464 \text{kN}$$

📖 12④ · 13① · 22④

[절단법에 의한 부재력 계산] 트러스

3 구조물의 분류와 판별

(1) 안정 구조물
① 외적 안정 : 구조물의 위치가 변하지 않는 경우, 지점의 반력수가 3 이상으로 힘의 평형 3조건을 만족한다.
② 내적 안정 : 구조물의 형태가 변하지 않는 경우

(2) 불안정 구조물
① 외적 불안정 : 구조물의 위치가 변하는 경우
② 내적 불안정 : 구조물의 형태가 변하는 경우

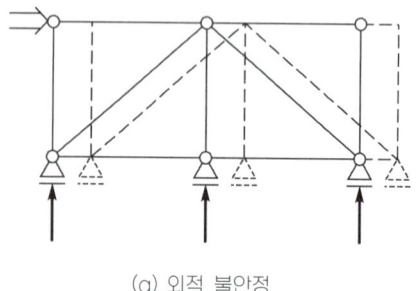
(a) 외적 불안정

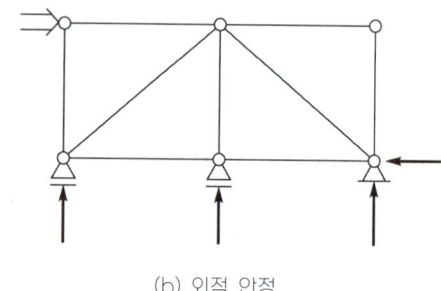
(b) 외적 안정

▎외적 불안정 구조물과 안정구조물 ▎

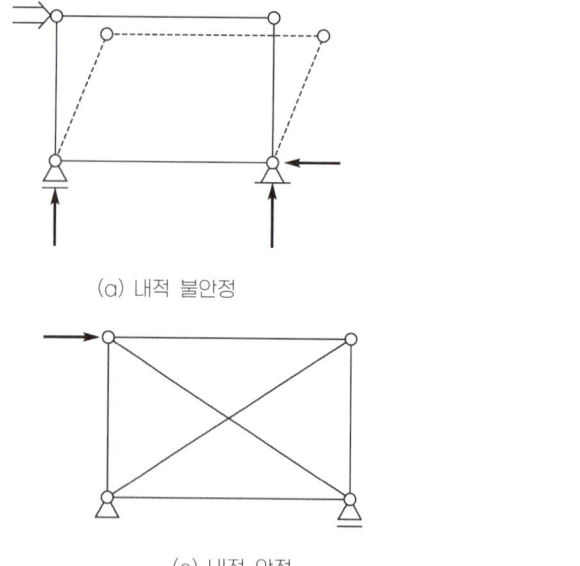

▎내적 불안정 구조물과 안정구조물 ▎

(3) 정정구조물과 부정정구조물
① 정정구조물 : 구조물의 반력 및 부재력을 힘의 평형조건식만으로 구할 수 있는 구조물이다.
② 부정정구조물 : 구조물의 반력 및 부재력을 구하기 위해서는 힘의 평형조건 외에 변형의 일치조건도 필요한 구조물이다.

(4) 구조물의 판별식
① 모든 구조물의 전체 부정정 차수는 다음과 같다.

$n = (r+m+k)-2j$
n > 0이면 안정이며 부정정, n = 0이면 안정이며 정정, n < 0이면 불안정

여기서, n : 부정정차수
r : 반력 수
m : 부재 수
k : 강절점 수(각 절점에서 부재수 - 1 - 힌지절점 수)
j : 절점 수(지점과 자유단을 포함한다)

13① · 14① · 23①
[계산] 부정정차수/인장재/압축재

■ 반력 수

명칭	구조	기호	반력 수 (구속력 수)
이동지점 (롤리지점)			1(수직)
회전지점 (힌지지점)			수직(1) 수평(1)
고정지점 (고정단)			수직(1) 수평(1) 모멘트(1)

■ 강절점 수(한 부재를 기준으로 강하게 붙은 부재 수)와 부재 수

부재					
절점수(j)	1	1	1	1	1
부재수(m)	2	2	3	3	4
강절점수(k)	0	1	1	2	3

■ 힌지절점을 포함한 경우의 강절점 수와 부재 수

부재					
절점수(j)	1	1	1	1	1
부재수(m)	4	4	4	4	3
강절점수(k)	0	1	2	0	2

② 트러스 구조물의 전체 부정정 차수는 다음과 같다.

$[n = r + m - 2j]$

11② · 12②

[부정정차수 계산] 라멘

4 구조물의 단면력

(1) 축방향력(Axial Force) : 힘의 작용선이 부재축과 일치

부재의 축에 따라 작용하는 힘을 축방향력이라 한다. 축방향력은 인장력을 (+), 압축력을 (−)로 표시한다. 부재 각점에 대한 축방향력은 재축에 직각방향으로 표시하고, 그 분포 상태를 표시한 그림을 축방향력도(A.F.D)라 한다.

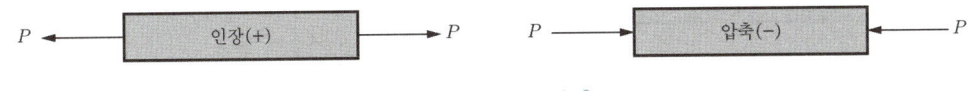

│ 축방향력의 부호 │

(2) 전단력(Shearing Force) : 힘의 작용선이 부재축과 직각

부재의 축에 직각방향으로 작용하고 크기가 같고 방향이 반대인 한 쌍의 힘을 전단력이라 한다. 전단력은 일명 우력이므로 시계방향의 전단력을 (+), 반시계방향의 전단력을 (−)로 표시한다. 부재 각 점에서 대한 전단력은 재축에 지각방향으로 표시하고, 그 분포 상태를 표시한 그림을 전단력도(S.F.D)라 한다.

│ 전단력의 부호 │

(3) 휨모멘트(Bending Moment)

부재를 휘게 하는 힘을 휨모멘트라 한다. 휨모멘트는 부재를 중력방향(아래쪽)으로 휘게 하는 힘을 정(+), 중력과 반대방향(위쪽)으로 휘게 하는 휨모멘트를 부(−)로 표시한다. 부재 각점에 대한 휨모멘트를 재축에 직각방향으로 표시하고, 그 분포 상태를 표시한 그림을 휨모멘트도(B.M.D)

(a) 중력방향 휨(+)   (b) 중력과 반대방향 휨(-)

│ 휨모멘트의 부호 │

5 하중, 전단력 및 휨모멘트의 관계

그림과 같이 보에서 dx 길이만큼의 미소 부분을 절단하여 O점에서 힘의 평형을 고려하면 하중, 전단력 및 휨모멘트의 관계를 유도할 수 있다.

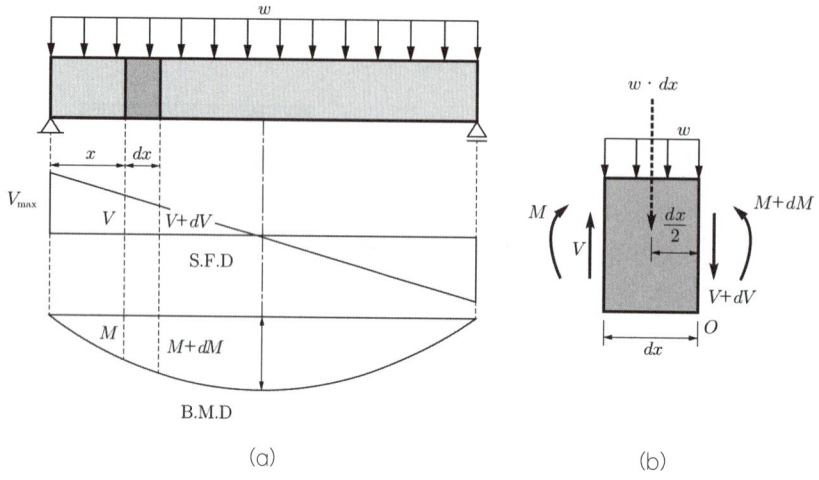

| 하중, 전단력, 휨모멘트의 관계 |

(1) 하중

$\Sigma V = 0 : V - \omega \cdot dx - (V + dV) = 0$

$\therefore \dfrac{dV}{dx} = -\omega$

전단력을 거리로 1차 미분하면 (−)하중이 됨을 의미한다.

(또는 하중을 1차 적분하면 전단력 $V = -\displaystyle\int \omega\, dx$)

(2) 휨모멘트

$\Sigma M_o = 0 : M - (M + dM) + V \cdot dx - \omega \cdot dx \cdot \dfrac{dx}{2} = 0$

상기 식에서 $\omega \cdot \dfrac{dx^2}{2}$ 은 고차의 미소량이므로 무시하면

$\therefore \dfrac{dM}{dx} = V$

① 휨모멘트를 거리로 1차 미분하면 전단력이 됨을 의미한다.

(또는 전단력을 1차 적분하면 휨모멘트 $M = \displaystyle\int V\, dx$)

② 휨모멘트를 거리로 2차 미분하면 (−)하중이 됨을 의미한다.
(또는 하중을 2차 적분하면 휨모멘트 $M = -\iint \omega\,dx\,dx$)

따라서 하중, 전단력, 휨모멘트의 관계식은 다음과 같이 표현할 수 있다.

$$\frac{d^2M}{dx^2} = \left(\frac{d}{dx}\right)\left(\frac{dM}{dx}\right) = \frac{dV}{dx} = -\omega$$

또는 $M = \int V dx = -\iint \omega\,dx\,dx$

(3) 전단력과 휨모멘트의 특성
① 전단력
  ㉠ 지점의 전단력은 그 지점의 수직반력이다.
  ㉡ 어느 점까지의 전단력도의 면적은 그 지점의 휨모멘트 값이다.
  ㉢ 전단력이 0인 곳에서 휨모멘트는 최대가 된다. 또한, 전단력도의 부호가 바뀌는 점에서 휨모멘트는 극대치가 된다.
  ㉣ 집중하중이 작용하는 점에서는 그 단면 좌우측의 전단력 값이 집중하중의 크기만큼 달라 불연속되어 전단력도는 계단상으로 변화한다.
  ㉤ 등분포하중에 의한 전단력도는 1차식으로 직선변화하고, 등변분포하중에 의한 전단력도는 2차식으로 포물선이다.
  ㉥ 모멘트 하중(우력)의 작용점에서는 모멘트 하중에 의한 전단력의 변화는 없다.
  ㉦ 전단력도의 (+), (−) 면적은 서로 같다.
② 휨모멘트
  ㉠ 휨모멘트가 최대인 곳은 전단력이 0이 되는 곳이거나, 전단력의 부호가 바뀐 곳이다.
  ㉡ 집중하중에 의한 휨모멘트도는 격점과 격점 사이에서 1차식으로 직선변화하고 집중하중이 작용하는 점에서 절곡된다.
  ㉢ 등분포하중에 의한 휨모멘트는 2차식으로 포물선(2차곡선)이고 등변분포하중에 의한 휨모멘트도는 3차식으로 3차곡선이다.

11② · 12① · 12④ · 14① · 15① · 17④ · 18① · 18④ · 19④ · 20④
[반력 계산] 보

(4) 3힌지 라멘의 반력
① 수직반력
$\Sigma M = 0$을 이용하여 정정보와 마찬가지로 산정한다.
② 수평반력
정정보와 같이 $\Sigma H = 0$을 이용하여 산정할 수 없고, 힌지 절점의 휨모멘트가 0이 되는 조건을 이용하여 힌지절점 왼쪽(또는 오른쪽)만 생각하여 수평반력을 산정한다.
③ 수평반력의 성질
㉠ 수직하중에 의한 양지점의 수평반력은 방향은 서로 반대이고 크기는 같다.
㉡ 수평하중에 의한 양지점의 수평반력은 방향은 서로 같고 크기는 같거나 다르다.

> 11① · 16④ · 19① · 23④
> [반력 계산] 라멘

(5) 모멘트분배법
① 정의 및 모멘트분배법의 용어
휨모멘트를 근사적으로 구하는 방법으로 처짐각법과 같이 연립방정식이 아니라 단순한 반복계산에 의하여 휨모멘트를 구하는 방법

㉠ 강도(K) $K = \dfrac{I}{l}$

㉡ 강비(k) $k = \dfrac{K}{K_0}$ (K_0 : 기준강도)

㉢ 유효강비(k_e)

강비는 부재의 양단이 고정일 때를 기준으로 하여 정한 것인데 부재의 타단이 Hinge나 대칭인 경우에는 위의 강비를 수정하여 양단이 고정인 경우와 통일하여 사용하게 되는데 이 수정된 강비를 유효강비라고 함

■ 유효강비(k_e)와 도달률

단부 및 변형조건	휨모멘트 분포	유효강비(k_e)	도달률
B단이 고정인 경우		k	$\dfrac{1}{2}$
B단이 핀인 경우		$\dfrac{3}{4}k$	0
휨모멘트가 일정한 경우		$\dfrac{1}{2}k$	−1

② 분배율과 분배모멘트
  ⓐ 분배율(μ)

  여러 부재가 강접합된 한 절점에 모멘트 M이 작용하면 M은 각 부재의 유효강비에 비례하여 각 부재에 분배되며, 이 모멘트 M이 분배되는 비율을 분배율이라 정의함

$$\mu = \frac{\text{자신의 유효강비}}{\text{그 절점에 접합된 모든 부재의 유효강비의 합}} = \frac{k_e}{\sum k_e}$$

  16①
  [분배율 계산] 모멘트분배법

  ⓑ 분배모멘트
    – 각 부재의 분배율에 의하여 재단에 분배된 모멘트

$$M' = \mu M = \frac{k}{\sum k_e} M$$

③ 전달률과 전달모멘트
  ⓐ 전달률($\frac{1}{2}$)
    – 타단이 고정인 부재의 고정단에는 분배모멘트의 1/2이 전달됨
    – 타단이 힌지이거나 자유단이면 모멘트는 전혀 전달되지 않음
  ⓑ 전달모멘트

$$M'' = \frac{1}{2}M' = \frac{1}{2} \times \frac{k}{\sum k_e} M$$

② 해법 순서

　㉠ 강도($K=\dfrac{I}{l}$), 강비($k=\dfrac{K}{K_0}$) 계산

　㉡ 분배율(DF, μ) : $\mu = \dfrac{k_e}{\sum k_e}$

　㉢ 고정단 모멘트(하중항 C)의 계산

$$M_u = \sum C$$

　㉣ 해방 모멘트($\overline{M}$) 계산

$$\overline{M} = -\sum C$$

　㉤ 분배모멘트 계산(M')

$$M' = \mu M$$

　㉥ 전달모멘트 계산(M'')

$$M'' = \dfrac{1}{2}M'$$

15②

[전달모멘트 계산] 모멘트분배법

단원별 경향문제

13④·18①·22② [3점]

01 다음 그림과 같은 구조물의 T부재에 발생하는 부재력을 계산하시오.

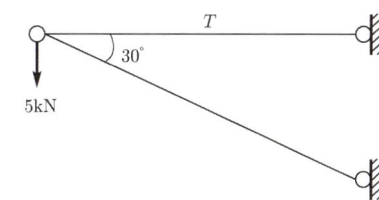

해설 T부재력 : sine 법칙 이용

$$\frac{N_T}{\sin 60°} = \frac{5\text{kN}}{\sin 30°} \rightarrow N_T = \sin 60° \times \frac{5\text{kN}}{\sin 30°} = 8.66\text{kN}(\text{인장력})$$

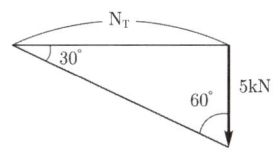

16②·20③ [3점]

02 그림과 같은 구조물에서 T1부재에 발생하는 부재력을 구하시오. (단, 인장은 (+), 압축은 (−)로 표시한다.)

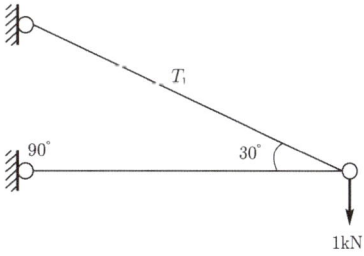

해설 T₁ 부재력 : sine 법칙 이용

$$\frac{T_1}{\sin 90°} = \frac{1\text{kN}}{\sin 30°} \rightarrow T_1 = \frac{1\text{kN}}{\sin 30°} = 2\text{kN}(\text{인장력})$$

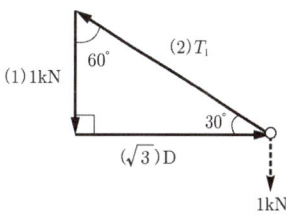

12④·22④ [4점]

03 그림과 같은 평행현 트러스의 U_2, L_2부재의 부재력을 절단법으로 구하시오.

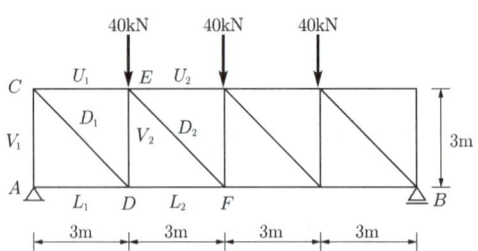

해설 트러스 부재력

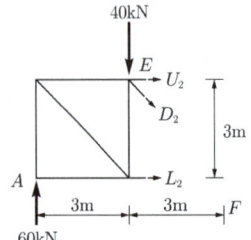

(1) $V_A = \dfrac{40+40+40}{2} = 60\text{kN}(\uparrow)$

(2) $\Sigma M_F = 0 \;\to\; 60 \times (3+3) - 40 \times 3 + U_2 \times 3 = 0$

$\therefore U_2 = -80\text{kN}(압축)$

(3) $\Sigma M_E = 0 \;\to\; 60 \times 3 - L_2 \times 3 = 0$

$\therefore L_2 = 60\text{kN}(인장)$

13① [4점]

04
다음과 같이 연직 등분포하중을 받고 있는 두 개의 트러스에서 인장재와 압축재에 해당하는 부재를 골라 번호로 나열하시오.

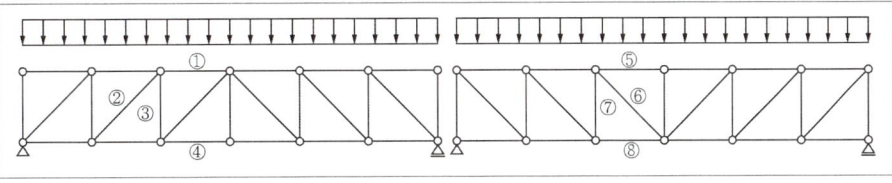

(1) 인장재 :
(2) 압축재 :

해설 트러스–인장재/압축재

트러스에 연직하중이 작용하면 **상현재는 압축재, 하현재는 인장재**가 된다. 수직재와 경사재는 경사재의 방향에 따라 인장 또는 압축이 된다. 경사재가 삼각형 형태를 보이는 **하우 트러스에서 경사재는 압축재, 수직재는 인장재**가 되며, 경사재가 역삼각형 형태를 보이는 프랫 트러스는 반대로 경사재는 인장재, 수직재는 압축재가 된다.

(1) 인장재 : ③, ④, ⑥, ⑧
(2) 압축재 : ①, ②, ⑤, ⑦

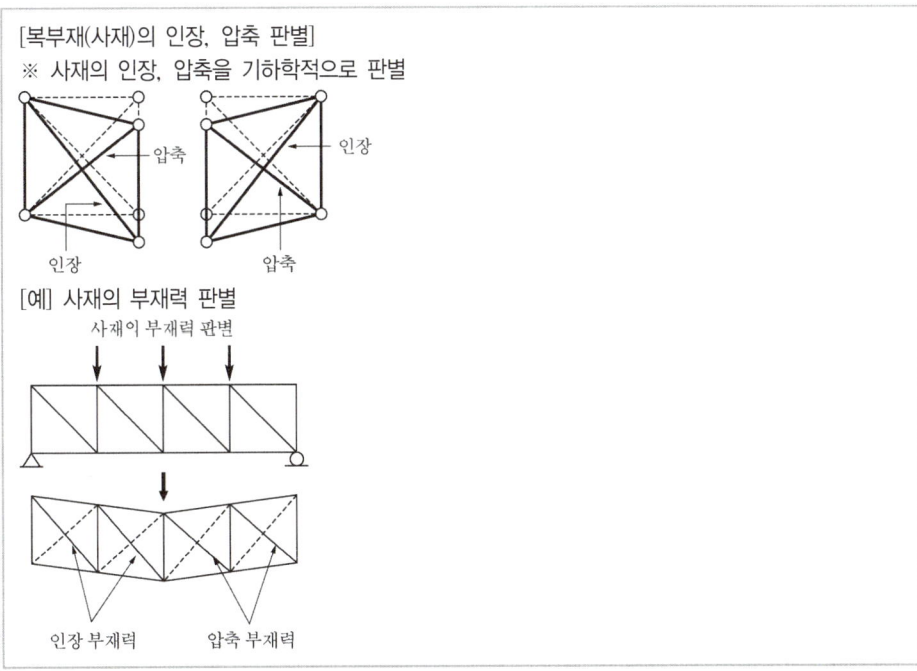

05
다음 그림과 같은 트러스 구조물의 부정정차수를 구하고, 안정구조물 또는 불안정 구조물 여부를 판별하시오.

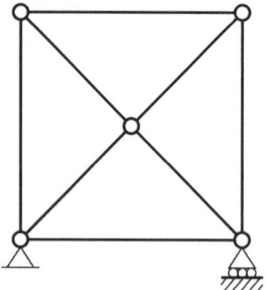

해설 구조물의 판별식
(1) $n = r + m - 2j = 3 + 8 - 2 \times 5 = 1$차 부정정
여기에서 반력수 $r = 1 + 2 = 3$, 부재수 $m = 8$, 절점수 $j = 5$
(2) 힘의 평형조건식을 만족하고 삼각형 형태로 내부의 큰 변형이 발생하지 않으므로 안정구조물이다.

06
그림과 같은 라멘의 부정정차수를 계산하시오.

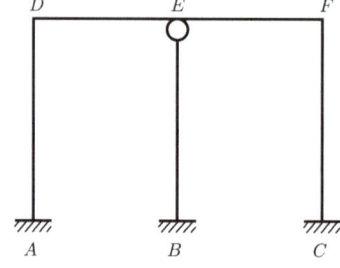

계산식 :

해설 라멘의 차수판별식
(1) $n = (r + m + k) - 2j$
(2) r(반력) : $3 + 3 + 3 = 9$, m(부재수) : 5, k(강절점수) : $1 + 1 + 1 = 3$,
j(절점수) : $2 + 2 + 2 = 6$
(3) $n = (r + m + k) - 2j = (9 + 5 + 3) - 2 \times 6 = 5$차 부정정

07 다음 구조물의 부정정차수를 구하시오.

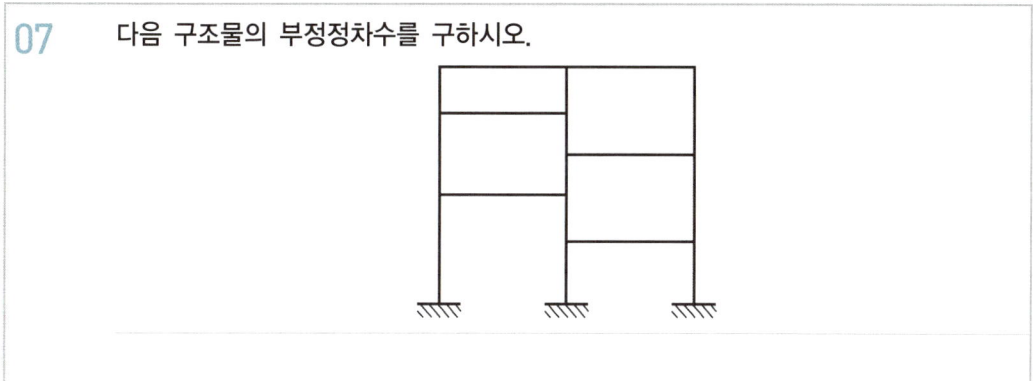

해설 부정정차수 계산
(1) $n = r + m + k - 2j$
(2) 반력수 : 3+3+3=9, 부재수 : 17, 강절점수 : 1+1+2(9)=20, 절점수 : 14
(3) $n = 9 + 17 + 20 - 2 \times 14 = 18$차 부정정

11② · 23① [3점]

08 다음 그림과 같은 겔버보의 A, B, C 지점반력을 구하시오.

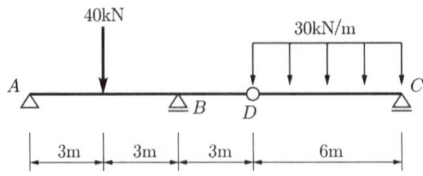

해설 겔버보는 항상 힌지를 기준으로 두 개의 보로 분리해서 해석한다.

(1) DC 구간(단순보) : 좌우 대칭이므로

$$V_c = V_D = \frac{30 \times 6}{2} = 90\text{kN}(\uparrow)$$

(2) D점은 지점이 아니고 절점이기 때문에 반력이 존재할 수 없으므로 V_D를 90kN(↓)과 같이 반대방향의 하중으로 다시 작용시킨다.

(3) AD 내민보 구간

$\Sigma H = 0 \rightarrow H_A = 0$

$\Sigma M_A = 0 \rightarrow 40 \times 3 - V_B \times (3+3) + 90 \times (3+3+3) = 0$

$$\therefore V_B = 155\text{kN}(\uparrow)$$

$\Sigma V = 0 \rightarrow V_A + 155 - 40 - 90 = 0$

$$\therefore V_A = -25\text{kN}(\downarrow)$$

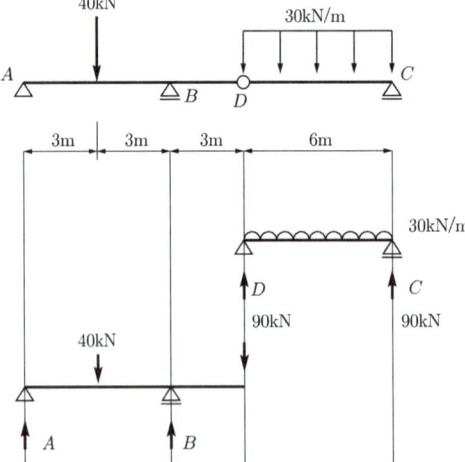

14① [4점]

09 그림과 같은 하중을 받는 단순보(A)와 단순보(B)의 최대휨모멘트가 같을 때 집중하중 P를 계산하시오.

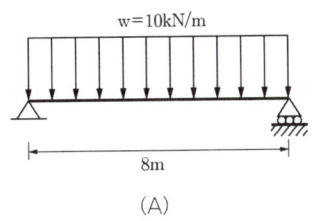
(A)

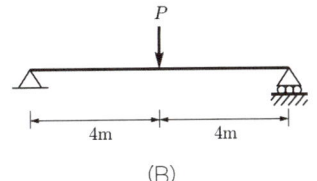
(B)

해설 하중 계산

(A)보의 최대 휨모멘트는 보의 중앙에서

$$M_{max} = \frac{\omega L^2}{8}$$

(B)보의 최대 휨모멘트도 보의 중앙에서

$$M_{max} = \frac{PL}{4}$$

※ A보와 B보가 보의 중앙에서 휨모멘트의 값이 같아질 때의 집중하중 P의 크기는

$$\frac{wL^2}{8} = \frac{PL}{4} \rightarrow \frac{10(8)^2}{8} = \frac{P(8)}{4} \rightarrow P = 40\text{kN}$$

10 다음과 같은 보에서 최대휨모멘트가 발생되는 지점의 위치는 A점으로부터 어느 정도 떨어진 점인지 A점으로부터의 거리 x를 계산하시오.

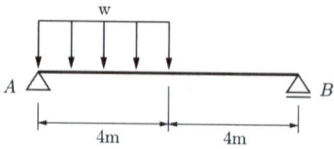

해설 최대휨모멘트의 발생 위치 계산

(1) $\Sigma M_B = 0 \rightarrow R_A \times (4+4) - w \times 4 \times (4 + \frac{4}{2}) = 0 \rightarrow R_A = 3w(\uparrow)$

(2) 최대휨모멘트가 발생하는 점의 전단력은 항상 0이므로,
$V_x = R_A - \omega \times x = 3w - \omega \times x = 0$

$\therefore x = 3\mathrm{m}$

11 다음 그림과 같은 구조물의 전단력도와 휨모멘트도를 그리고 최대전단력, 최대휨모멘트값을 구하시오.

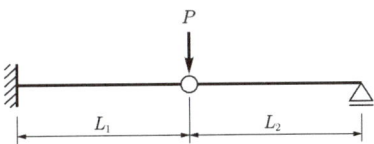

(1) 전단력도(SFD) :   (2) 최대전단력 :
(3) 휨모멘트도(BMD) :   (4) 최대휨모멘트 :

해설 (1) 반력 산정
중앙의 힌지 절점을 C라고 하고 힌지를 기준으로 우측 부분만 생각하면,
$\Sigma M_B = 0 \rightarrow -P \times L_2 + V_c \times L_2 = 0$

$$\therefore V_c = P(\uparrow)$$

좌측 부분의 캔틸레버보에 반력 V_c를 반대방향으로 해서 작용하면,
$\Sigma V = 0 \rightarrow -P + V_A = 0$

$$\therefore V_A = P(\uparrow)$$

$\Sigma M_A = 0 \rightarrow P \times L_1 + M_A = 0$

$$\therefore M_A = -PL_1$$

(2) 캔틸레버보에서 최대전단력과 최대휨모멘트값은 항상 고정단에서 발생한다.

$V_{\max} = P$

$M_{\max} = -PL_1$

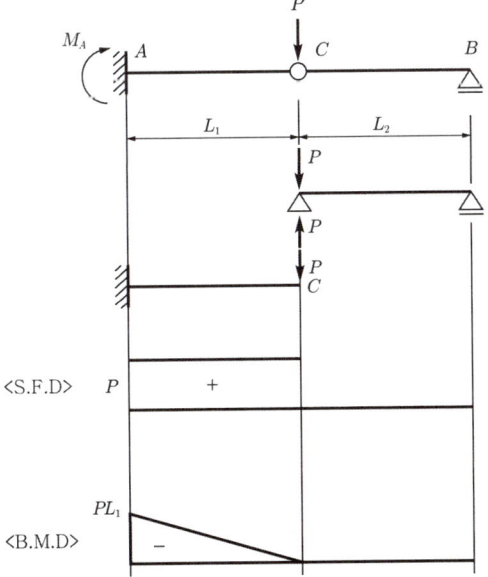

12 다음 그림과 같은 겔버보에서 A단의 휨모멘트를 구하시오.

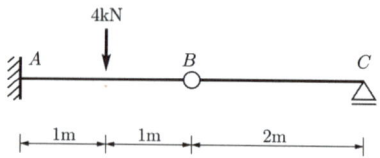

해설 겔버보의 휨모멘트 계산

(1) 겔버보는 힌지를 기준으로 좌우 구조물로 분리한 후 반력을 계산한다.
캔틸레버보 구간에 작용하는 하중은 단순보 구간에 영향을 주지 않는다.

(2) $\Sigma M_A = 0 \rightarrow M_A + 4 \times 1 = 0 \rightarrow M_A = -4\text{kNm}(\curvearrowleft)$

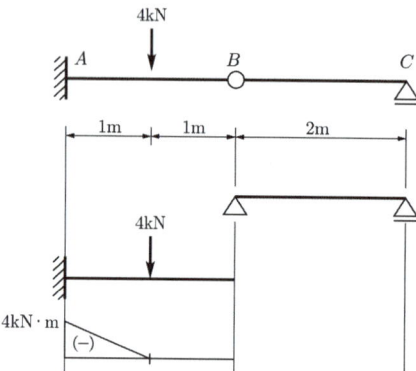

13 다음 그림과 같은 캔틸레버보에서 A지점의 수직반력과 C점의 전단력과 모멘트를 계산하시오.

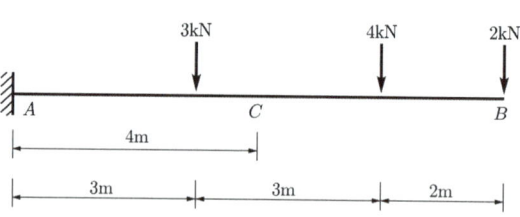

해설 캔틸레버보의 해석

(1) $\Sigma V = 0 \rightarrow V_A - 3 - 4 - 2 = 0 \rightarrow V_A = 9\text{kN}(\uparrow)$

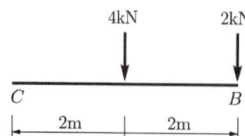

(2) $\Sigma V = 0 \rightarrow V_C - 4 - 2 = 0 \rightarrow V_C = 6\text{kN}$

(3) $\Sigma M_C = 0 \rightarrow M_C + 4 \times 2 + 2 \times (2+2) = 0 \rightarrow M_C = -16\text{kNm}$

14 그림과 같은 캔틸레버보의 A점의 반력을 계산하시오.

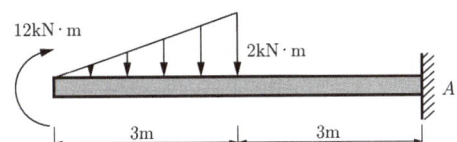

해설 (1) $\Sigma H = 0 \rightarrow H_A = 0$ (∵ 외력 중 수평력이 없으므로)

(2) $\Sigma V = 0 \rightarrow -\left(\dfrac{1}{2} \times 2 \times 3\right) + V_A = 0 \rightarrow V_A = 3\text{kN}(\uparrow)$

(3) $\Sigma M_A = 0 \rightarrow 12 - \left(\dfrac{1}{2} \times 2 \times 3\right)\left(3 + 3 \times \dfrac{1}{3}\right) + M_A = 0 \rightarrow M_A = 0$

$$P = 2 \times \dfrac{3}{2} = 3\text{kN}$$

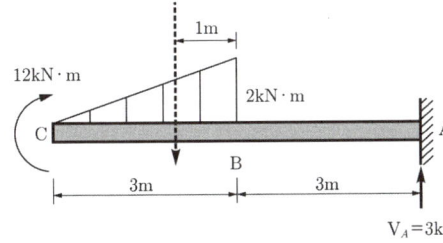

15 다음 그림과 같은 내민보의 전단력도(SFD)와 휨모멘트도(BMD)를 그리시오.

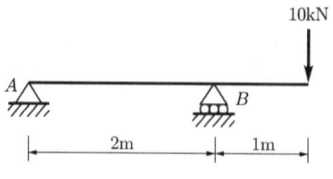

해설 내민보의 전단력도 및 휨모멘트도
(1) A지점과 B지점의 반력 방향을 모두 위쪽으로 가정하면,
$$\Sigma M_A = 0 \rightarrow -R_B \times 2 + 10 \times (2+1) = 0$$
$$\therefore R_B = 15\text{kN}(\uparrow)$$
(2) $\Sigma V = 0 \rightarrow R_A + 15 - 10 = 0$
$$\therefore R_A = -5\text{kN}(\downarrow)$$
(3) B지점을 기준으로 우측의 자유물체도를 가정하면,
$$\Sigma M_B = 0 \rightarrow M_B + 10 \times 1 = 0$$
$$\therefore M_B = -10\text{kNm}$$

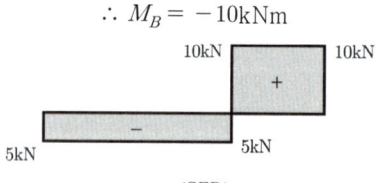

16 다음은 단순보의 전단력도이다. 이때 단순보의 최대 휨모멘트를 구하시오.

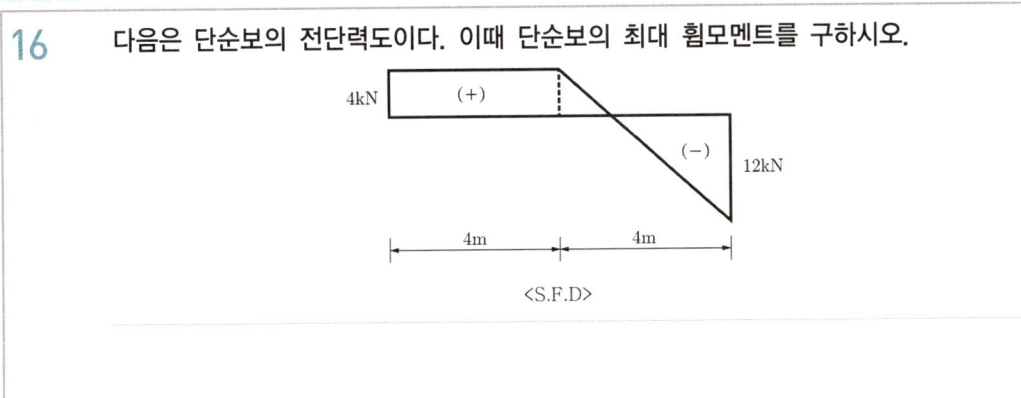

해설 최대 휨모멘트는 전단력이 0인 지점까지의 면적이므로 전단력도의 (+)면적값을 구한다.
$4:12=x:4-x$에서 $x=1$인 점이므로
최대 휨모멘트 $=4\times 4+\dfrac{1}{2}\times 1\times 4=18\text{kN}\cdot\text{m}$

17 다음 그림과 같은 3힌지 라멘에서 A지점의 반력을 계산하시오.

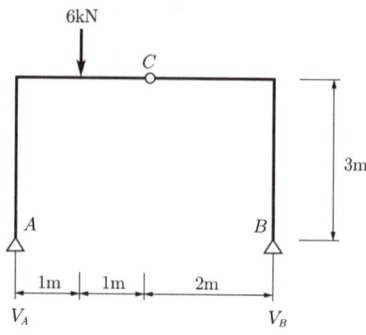

계산식 :

해설 반력 계산

3힌지 라멘은 구조의 특징상 수직하중만 작용하더라도 양 지점에 수평반력이 발생한다.

(1) $\Sigma H = 0 \rightarrow H_A + H_B = 0$

(2) $\Sigma V = 0 \rightarrow V_A + V_B - 6 = 0 \rightarrow V_A + V_B = 6$

(3) $\Sigma M_B = 0 \rightarrow V_A \times (1+1+2) - 6 \times (1+2) = 0$

∴ $V_A = 4.5\text{kN}(\uparrow), \ V_B = 1.5\text{kN}(\uparrow)$

(4) C점을 기준으로 좌측 구조물의 자유물체도를 가정하면,

$\Sigma M_C = 0 \rightarrow V_A \times (1+1) - H_A \times 3 - 6 \times 1 = 0$

∴ $H_A = 1\text{kN}(\rightarrow), \ H_B = 1\text{kN}(\leftarrow)$

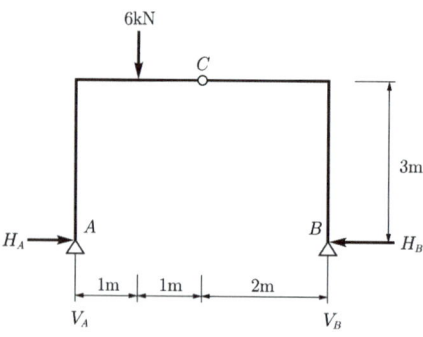

11① [3점]

18 그림과 같은 라멘의 휨모멘트도를 개략적으로 그리시오.

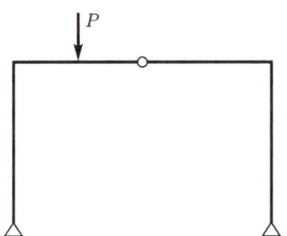

해설 오른쪽 지점의 지지조건이 제시된 그림처럼 이동단이면 불안정 구조물이 되어 전체 구조물에 휨모멘트는 발생하지 않는다.
참고로 오른쪽 지점이 회전단이라면 3힌지 라멘이 되며 휨모멘트도를 그리면 다음과 같다.

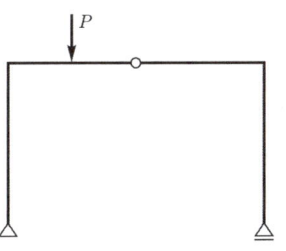 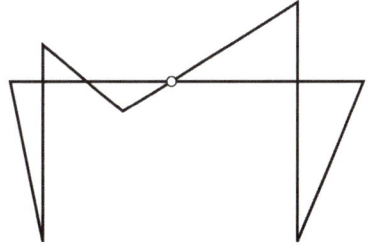

┃우측지점이 이동단일 경우┃　　　　┃우측지점이 회전단일 경우┃

19① [3점]

19 그림과 같은 3-Hinge 라멘에서 A지점의 수평반력을 구하시오.

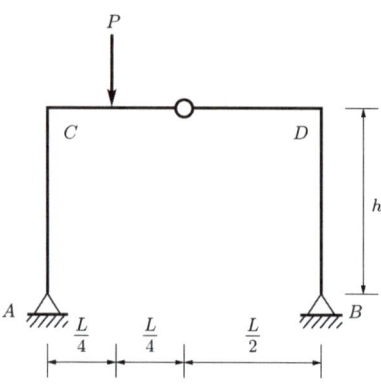

[해설] 반력 계산

(1) $\Sigma M_B = 0 \rightarrow V_A \times L - P \times \left(\dfrac{L}{4} + \dfrac{L}{2}\right) = 0$

$\therefore V_A = \dfrac{3P}{4}(\uparrow)$

(2) 중앙의 힌지를 기준으로 좌측의 자유물체도만 생각하면,

$\Sigma M_h = \dfrac{3P}{4} \times \left(\dfrac{L}{4} + \dfrac{L}{4}\right) - P \times \left(\dfrac{L}{4}\right) - H_A \times h = 0$

$\therefore H_A = \dfrac{PL}{8h}(\rightarrow)$

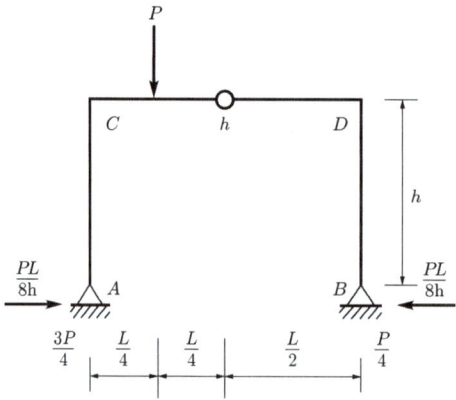

16① [4점]

20 그림과 같은 구조물을 모멘트 분배법으로 해석할 때 부재 OA로의 분배율을 계산하시오.

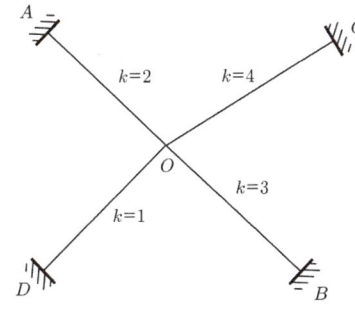

계산식 :

해설 모멘트 분배법의 부재별 분배율 계산

$$DF_{OA} = \frac{k_{OA}}{\Sigma k} = \frac{2}{2+4+1+3} = \frac{2}{10} = 0.2$$

15② [3점]

21 그림과 같은 라멘에 있어서 A점의 전달모멘트를 계산하시오. (단, k는 강비이다)

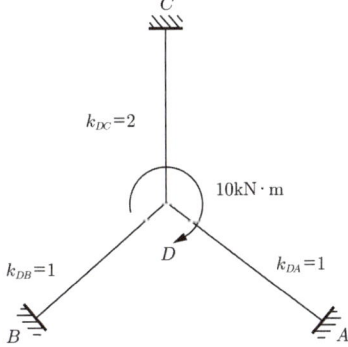

해설 모멘트 분배법

(1) AD 부재의 분배율 $\mu = \dfrac{k_{DA}}{k_{DA}+k_{DB}+k_{DC}} = \dfrac{1}{1+1+2} = \dfrac{1}{4}$

(2) AD 부재의 분배모멘트 $M_{DA} = \mu \times M = \dfrac{1}{4} \times 10 = 2.5\text{kNm}$

(3) A지점의 전달모멘트 $M_{AD} = \dfrac{1}{2} \times M_{DA} = \dfrac{1}{2} \times 2.5 = 1.25\text{kNm}$

제 3 절 | 응력과 변형도

1 응력과 변형도

(1) 응력의 정의

외력에 의해 부재 내부에 발생되는 면적당 힘의 크기를 응력(Stress)이라 한다.

$\sigma = \dfrac{P}{A}$ (단위 : $N/mm^2 = MPa$)

(2) 변형도

구조물에 외력이 작용하여 그 형상에 변화를 일으킬 때 이를 변형(Deformation)이라 하고, 단위 길이에 대한 변형을 변형도(Strain)라 한다.

변형도=변형률(ε) : $\varepsilon = \dfrac{\triangle l}{l} = \dfrac{\delta}{l}$

또한, 부재가 세로길이 방향으로 늘어나면 폭 방향으로는 줄어들게 된다. 세로방향 변형률과 가로방향 변형률의 비를 포아송비라 하며 다음과 같이 표현한다.

포아송비(ν) : $\nu = -\dfrac{\dfrac{\triangle d}{d}}{\dfrac{\triangle l}{l}} = -\dfrac{\triangle d \times l}{\triangle l \times d} = \left|\dfrac{1}{m}\right|$

여기서, m은 포아송수라 하고, 그 역수인 ν는 포아송비이다.

포아송수(m) : $m = \dfrac{1}{\nu}$

2 후크의 법칙과 강재의 응력 - 변형도 곡선

(1) 후크의 법칙

① 축력을 받는 경우

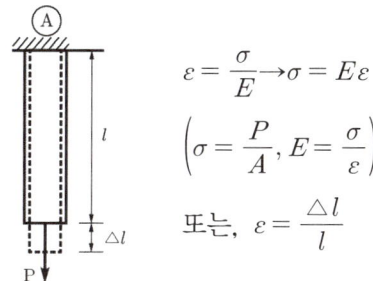

$$\varepsilon = \frac{\sigma}{E} \rightarrow \sigma = E\varepsilon$$

$$\left(\sigma = \frac{P}{A}, E = \frac{\sigma}{\varepsilon}\right)$$

또는, $\varepsilon = \frac{\triangle l}{l}$

② 전단력을 받는 경우

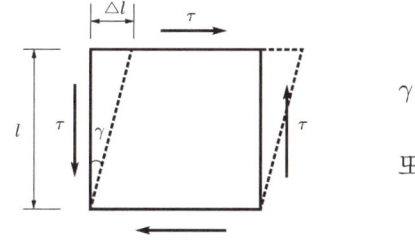

$$\gamma = \frac{\tau}{G} \rightarrow \tau = G\gamma$$

또는 $\tan\gamma = \frac{\triangle l}{l} \rightarrow \gamma = \frac{\triangle l}{l}$

(2) 탄성계수(E)와 전단탄성계수(G)의 관계

$$G = \frac{E}{2(1+\nu)}$$

(3) 축력을 받는 부재의 변형량

$\sigma = E\varepsilon$, $\varepsilon = \frac{\triangle l}{l}$, $\sigma = \frac{P}{A}$

$\frac{P}{A} = E\left(\frac{\triangle l}{l}\right)$에서 $\triangle l = \frac{Pl}{EA}$

> 12① · 16②
> [계산] 변형량/변형률/탄성계수

(4) 온도변화에 따른 길이방향 변형량

$\triangle l = \alpha \cdot \triangle T \cdot l$, $\varepsilon_t = \alpha \cdot \triangle T$, $\sigma_t = E \cdot \alpha \cdot \triangle T$

여기서, α : 선팽창계수
   $\triangle T$: 온도변화량
   l : 부재의 원래 길이

> 95② · 10②
> [계산] 온도변화에 따른 길이방향 변형량

(5) 강재의 응력-변형도 곡선

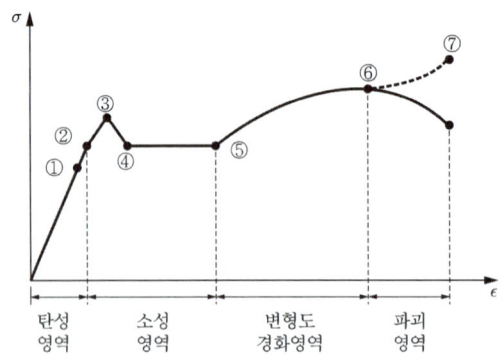

① 비례 한계점 : 응력과 변형도가 선형 비례하는 구간으로 후크의 법칙이 성립된다.
② 탄성 한계점 : 응력을 제거하면 잔류변형이 남지 않고 원래의 길이로 복원되는 한계점으로 ①과 ② 사이에 존재한다.
③ 상항복점 : 실험조건에 따라 여러 가지 값을 나타낸다.
④ 하항복점 : 응력의 증가 없이 변형도만 증가되는 시점으로 강구조 설계 시 기준 값 F_y 산정에 기본이 된다. 즉, 실험조건에 영향을 받지 않는다.
⑤ 변형도 경화 개시점 : 강재의 항복이 끝나고 다시 응력이 증가되는 개시점으로 이와 같은 응력의 증가현상을 변형도 경화현상이라고 한다.
⑥ 인장강도점
⑦ 파괴점

11② · 15① · 22①
[용어] 강재의 응력-변형도 곡선

3 보의 응력

(1) 휨응력과 단면2차모멘트

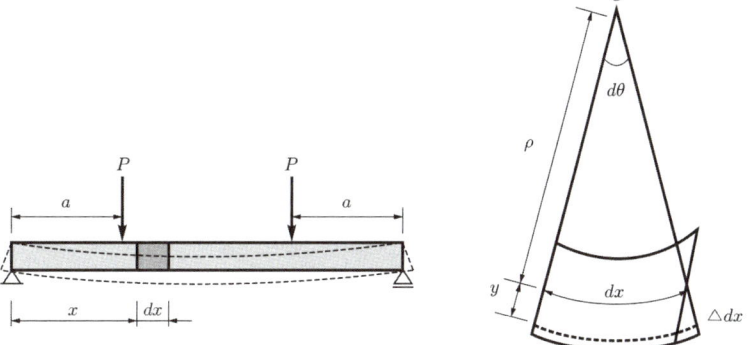

$$\frac{\rho}{dx} = \frac{y}{\triangle dx} \to \frac{y}{\rho} = \frac{\triangle dx}{dx} \to \varepsilon = \frac{y}{\rho}$$

$$\frac{\sigma}{E} = \frac{y}{\rho}, \quad \therefore \sigma = \frac{E \cdot y}{\rho} \quad \cdots\cdots\cdots\cdots\cdots\cdots\cdots\cdots\cdots\cdots\cdots (\text{식 1})$$

중립축에 대한 모멘트

$$M = \int \sigma \cdot dA \cdot y = \int \frac{Ey}{\rho} dA \cdot y = \frac{E}{\rho} \int y^2 dA = \frac{EI}{\rho}$$

여기서, $I = \int y^2 dA$

$$\frac{1}{\rho} = \frac{M}{EI} \quad \cdots\cdots\cdots\cdots\cdots\cdots\cdots\cdots\cdots\cdots\cdots\cdots\cdots\cdots\cdots (\text{식 2})$$

(식 1)과 (식 2)에 의해

$$\sigma = \frac{M}{I} y, \quad \sigma_{\max} = \frac{M}{Z}$$

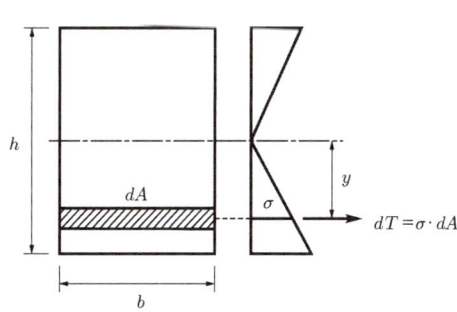

① 장방형 단면의 도심축에 대한 단면2차모멘트

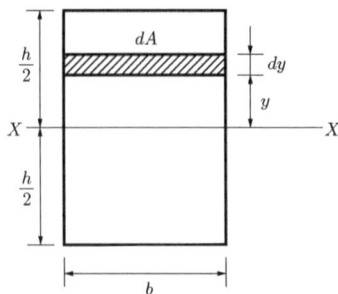

$$I_X = 2\int_0^{\frac{h}{2}} y^2 dA = 2\int_0^{\frac{h}{2}} y^2 b\,dy = 2b\left[\frac{y^3}{3}\right]_0^{\frac{h}{2}} = \frac{bh^3}{12}$$

② 임의 축에 대한 단면2차모멘트

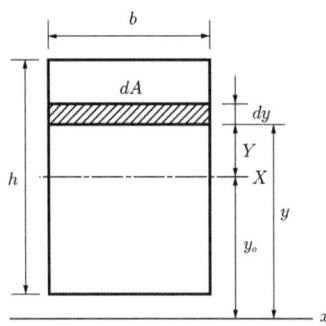

$$I_x = \int_A y^2 dA = \int_A (Y+y_o)^2 dA$$
$$= \int_A Y^2 dA + 2y_o^2 \int_A Y dA + y_o^2 \int_A dA$$

여기서, $\int_A Y^2 dA = I_X$

$2y_o \int_A YdA$는 도심 X를 지나는 $y_o \int_A dA = A \cdot y_o^2$

$$\therefore I_x = I_X + A \cdot y_o^2$$

📘 12② · 12④ · 14① · 14④ · 15① · 18② · 23② · 23④
[계산] 단면2차모멘트의 비

📘 15② · 17②
[계산] 원형단면/직사각형 단면의 단면계수

📘 14④ · 19②
[계산] 휨응력

(2) 전단응력과 단면1차모멘트

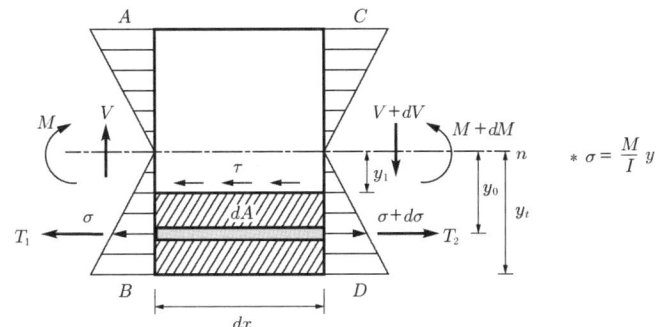

$* \sigma = \dfrac{M}{I} y$

AB면 : $\displaystyle\int_{y_1}^{y_t} \sigma \cdot dA = \dfrac{M}{I}\int_{y_1}^{y_t} y \cdot dA = T_1$

CD면 : $\displaystyle\int_{y_1}^{y_t} (\sigma + d\sim ga) dA = \dfrac{M+dM}{I}\int_{y_1}^{y_t} y \cdot dA = T_2$

평형조건으로부터 $\Sigma H = 0$에서

$T_2 - T_1 = V$

$\dfrac{M+dM}{I}\displaystyle\int_{y_1}^{y_t} y \cdot dA - \dfrac{M}{I}\int_{y_1}^{y_t} y \cdot dA = \tau \cdot dx \cdot b$

$\dfrac{dM}{I}\displaystyle\int_{y_1}^{y_t} y \cdot dA = \tau \cdot dx \cdot b$

$\tau = \dfrac{dM}{dx}\left(\dfrac{1}{Ib}\right)\displaystyle\int_{y_1}^{y_t} y \cdot dA = \dfrac{VQ}{Ib}$

① 장방형 단면의 최대 전단응력

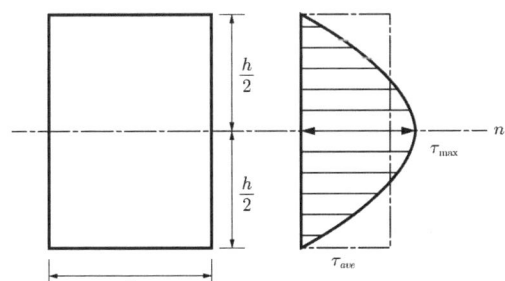

평균전단응력 : $\tau_{ave} = \dfrac{V}{A}$

최대전단응력 : $\tau_{max} = \dfrac{3V}{2A}$

② 원형 단면의 최대 전단응력

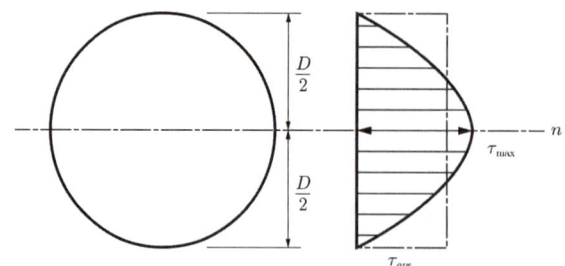

평균전단응력 : $\tau_{ave} = \dfrac{V}{A}$

최대전단응력 : $\tau_{max} = \dfrac{4V}{3A}$

> 13② · 16④ · 22④
> [계산] 직사각형 단면의 전단응력

4 주축과 주단면 2차모멘트

(1) 주축

① 정의

임의의 점을 원점으로 하는 직교하는 두 축에 관한 단면2차모멘트가 최대치와 최소치를 가질 때, 이 두 축을 이 점에서의 주축이라고 한다. 일반적으로 단면의 도심에서의 주축을 단면의 주축이라고 한다.

② 주단면 2차모멘트

두 주축에 관한 단면 2차모멘트를 주단면 2차모멘트라 한다.

③ 주축과 단면 상승모멘트의 관계

단면 상승모멘트가 0이 되는 직교하는 두 축은 주축이며, 반대로 주축에 관한 단면 상승모멘트는 0이다. 따라서 주축을 구하려면 단면 상승모멘트가 0이 되는 직교하는 두 축을 구하면 된다. 그러므로 대칭축을 가진 단면에서는 대칭축과 그것에 직교하는 축은 주축이다.

> **참고**
>
> 기본 도형의 도심에서의 주축은 다음과 같다.
>
>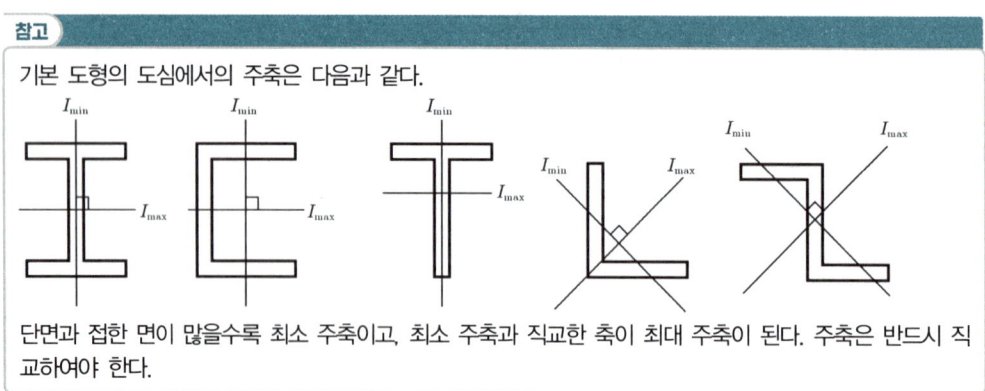
>
> 단면과 접한 면이 많을수록 최소 주축이고, 최소 주축과 직교한 축이 최대 주축이 된다. 주축은 반드시 직교하여야 한다.

(2) 기둥

축방향으로 압력을 받는 부재를 기둥이라 하며, 축방향력이 인장력일 때는 단면에 생기는 응력도는 부재의 길이에 관계가 없으나, 압축력일 때는 재장의 장·단(長·短)에 의하여 단면의 응력도에 크게 영향을 준다. 부재의 길이가 짧은 단주에서 중심 압축력이 작용하는 경우에는 휘어짐이 없이 압축파괴하지만, 부재의 길이가 긴 장주인 경우에는 압축력이 어느 한도에 이르면 변형이 급격히 증대하여 이로 인한 힘에 견디지 못하고 파괴된다. 이와 같은 하중에 견디지 못하고 휘어지는 현상을 좌굴(Buckling)이라고 한다.

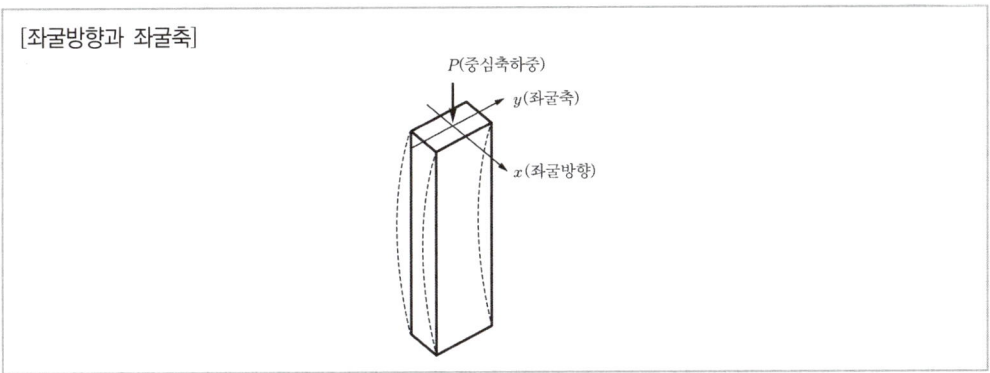

[좌굴방향과 좌굴축]

① 중심 압축력을 받는 단주

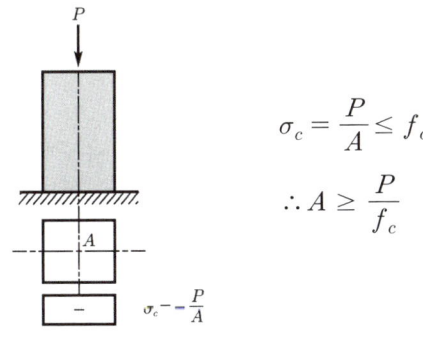

$$\sigma_c = \frac{P}{A} \le f_c$$

$$\therefore A \ge \frac{P}{f_c}$$

② 편심 압축력을 받는 단주

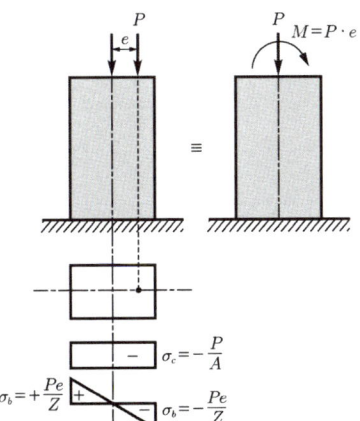

$$\sigma_{c,t} = -\frac{P}{A} \pm \frac{M}{Z}$$

$$= -\frac{P}{A} \pm \frac{P \cdot e}{Z}$$

$$\therefore \sigma_{c,\max} = -\left(\frac{P}{A} + \frac{P \cdot e}{Z}\right)$$

여기서, $Z = \dfrac{bh^2}{6} = \dfrac{Ah}{6}$

> 13④
> [계산] 기둥의 압축응력도

③ 장주

장주는 부재가 좌굴하기 때문에 단면에 균일한 응력도는 일어나지 않는다. 단주에서 산정된 파괴하중보다 작은 하중을 받으면서도 좌굴하게 되고, 이와 같은 하중을 좌굴하중이라 하며, 좌굴하중을 단면적으로 나눈값을 좌굴응력도라 한다.

㉠ 세장비

$$세장비 = \frac{기둥의 유효길이(좌굴길이)}{최소 단면 2차 반지름(최소 회전반경)}$$

$$\lambda = \frac{kL}{r_{min}}$$

> 13① · 23④
> [계산] 기둥의 세장비

㉡ 좌굴방향(강축)
  ⓐ 좌굴방향은 단면 2차모멘트가 최대인 축의 방향(즉, 최대 주축방향)
  ⓑ 좌굴방향은 단면 2차모멘트가 최소인 축과 직각방향(즉, 최소 주축과 직각방향)

㉢ 좌굴축(약축) : 최소 2차 반경이 생기는 축, 즉 최소 주축을 말한다.

㉣ 좌굴하중(일면 탄성좌굴하중), 중심축 하중
  세장비가 100보다 큰 범위에서 적용되고, 탄성이론으로 공식을 유도하였다.
  ⓐ 좌굴하중(P_{cr})

$$P_{cr} = \frac{\pi^2 EI}{(kl)^2} = \frac{\pi^2 EI}{l_k^2}$$

여기서, I : 최소 단면 2차 모멘트
$l_k = kl$: 유효길이, 좌굴길이, 변곡점 간의 길이이며, 양단 힌지 기둥을 1로 했을 때 장주 계산에 필요한 이론상(역학상) 길이
k : 유효길이계수, 좌굴길이계수

> 12② · 12④ · 21②
> [계산] 기둥의 좌굴하중

ⓑ 좌굴응력(σ_{cr})

$$\sigma_{cr} = \frac{P_{cr}}{A} = \frac{\pi^2 EI}{A \cdot l_k^2} = \frac{\pi^2 Er^2 A}{A \cdot l_k^2} = \frac{\pi^2 E}{\lambda^2}$$

여기서, $\lambda = \frac{l_k}{r} \rightarrow \lambda^2 = \frac{l_k^2}{r^2}$

㉤ 장주의 종류

구분	일단고정 타단자유	양단힌지	일단고정 타단힌지	양단고정
양단지지 상태 (● 변곡점)	$2l$	l	$0.7l$	$0.5l$
좌굴길이 계수(k)	2	1	$\frac{1}{\sqrt{2}} ≒ 0.7$	$\frac{1}{2} = 0.5$
좌굴하중 (P_{cr})	$\frac{\pi^2 EI}{4l^2}$	$\frac{\pi^2 EI}{l^2}$	$\frac{2\pi^2 EI}{l^2}$	$\frac{4\pi^2 EI}{l^2}$

12①・12④・18②・19②・22①・23②
[계산] 기둥의 좌굴길이

5 전단중심

(1) 순수 휨과 비틀림
  ① 순수 휨
     하중이 도심(G)을 통과하면 보는 도심점을 중심축으로 휘게 된다. 이와 같이 비틀림이 생기지 않는 휨을 순수 휨이라고 한다.
  ② 휨과 비틀림
     하중이 도심을 벗어나면 보가 휘면서 보의 중심축에 대하여 비틀리게 된다.

(2) 전단중심
  전응력의 합력이 통과하는 점을 전단중심 또는 휨중심이라고 하고, 하중이 전단중심(S)에 작용하면 비틀림이 없이 순수 휨만이 발생한다.
  ① 전단중심거리(e)

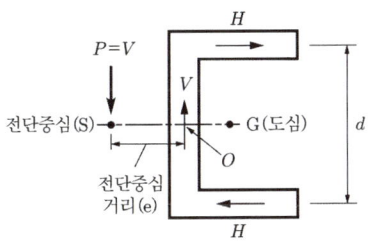

$\Sigma M_o = 0 : H \times d - P \times e = 0$

∴ 전단중심거리 $e = \dfrac{H \cdot d}{P}$

여기서, H : 플랜지의 수평전단력
　　　　V : 웨브의 수직전단력

② 전단중심의 일반적 성질
  ㉠ 2축 대칭단면 및 역대칭단면 : 전단중심은 도심과 일치한다. ($G = S$)
  ㉡ 1축 대칭단면 : 전단중심은 그 대칭축 선상에 있다.
  ㉢ 비대칭 단면(개단면) : 중심선이 1점에서 교차하는 개단면일 경우는 그 교점이 전단중심이다.
    ■ ①의 경우 (a)~(c)까지는 대칭 단면, (d)는 역대칭 단면(즉, 점대칭)

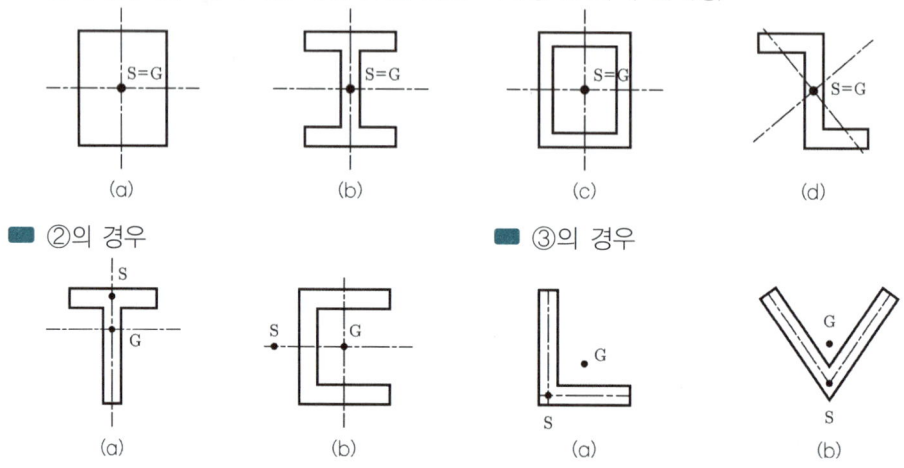

    ■ ②의 경우   ■ ③의 경우

 12②

[도면 표시] 전단중심

단원별 경향문제

12① [2점]

01 강재의 길이 4m, 단면적 10cm², 탄성계수 205,000MPa, 외력으로 80kN의 인장력이 작용할 때 변형량($\triangle L$)을 구하시오.

해설 변형량 계산

MPa의 단위가 주어져 있으므로 모든 단위는 N과 mm로 통일한다.

$$\triangle L = \frac{PL}{AE} = \frac{(80\times 10^3)(4\times 10^3)}{(10\times 10^2)(205,000)} = 1.56\text{mm}$$

16② [3점]

02 그림과 같은 단면 100×100mm, 길이 L=1,000mm 부재에 1,000kN의 압축력이 작용하여 990mm로 되었다. 이때 부재의 압축응력, 재축방향의 변형률, 탄성계수를 계산하시오.

(1) 압축응력 :
(2) 변형률 :
(3) 탄성계수 :

해설 압축응력, 변형률, 탄성계수 계산

모든 단위를 N, mm로 통일함

(1) 압축응력 $\sigma = \dfrac{P}{A} = \dfrac{1,000\times 10^3}{100\times 100} = 100\text{N/mm}^2 = 100\text{MPa}$

(2) 변형률 $\varepsilon = \dfrac{\delta}{L} = \dfrac{1,000-990}{1000} = 0.01$

(3) 탄성계수 $E = \dfrac{\sigma}{\varepsilon} = \dfrac{100}{0.01} = 10,000\text{N/mm}^2 = 10,000\text{MPa}$

03

철근콘크리트의 선팽창계수가 1.0×10⁻⁵이라면 10m 부재가 10℃의 온도변화 시 부재의 길이 변화량은 몇 cm인가?

95② · 10② [3점]

해설 온도변화에 따른 길이 변화
길이 변화$(\triangle L) = \alpha \triangle T L$
$= 1.0 \times 10^{-5} \times 10℃ \times 1,000 \text{cm} = 0.1 \text{cm}$

04

철근의 응력-변형률 곡선에서 해당하는 4개의 주요 영역과 6개의 주요 포인트에 관련된 용어를 쓰시오.

11② · 15① · 22① [3점]

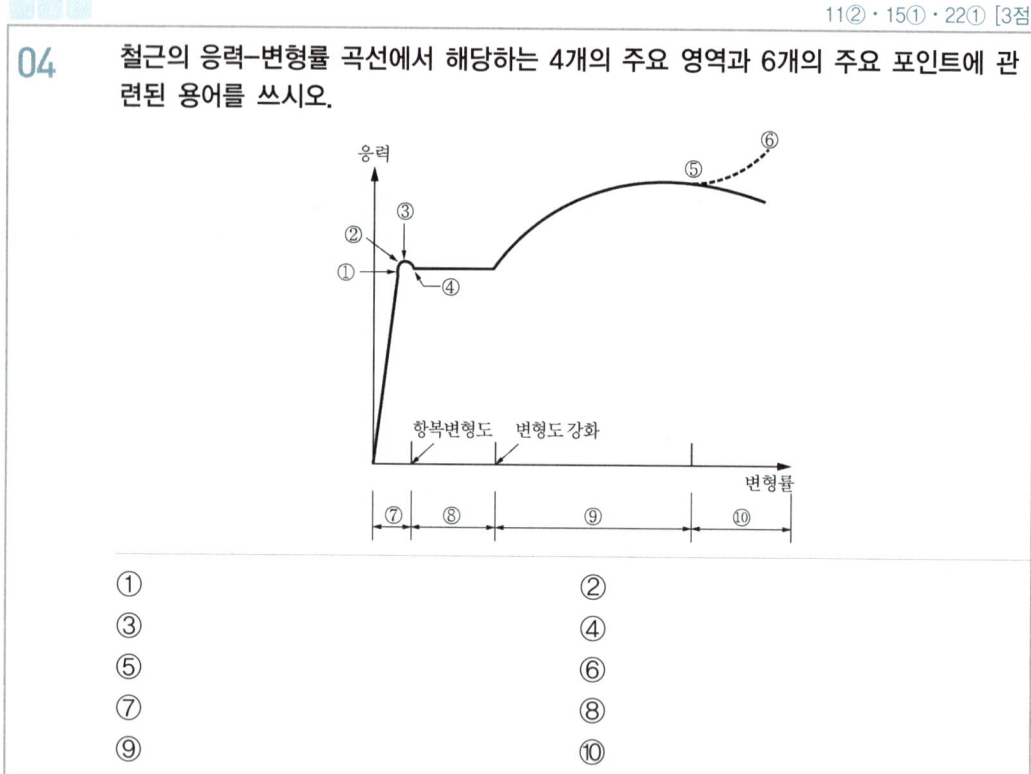

①
②
③
④
⑤
⑥
⑦
⑧
⑨
⑩

해설 강재의 응력-변형도 곡선
① 비례한계점　② 탄성한계점
③ 상항복점　　④ 하항복점
⑤ 인장강도점　⑥ 파괴점
⑦ 탄성영역　　⑧ 소성영역
⑨ 변형도경화영역　⑩ 파괴영역

05 다음 장방형 단면에서 각 축에 대한 단면2차모멘트의 비 I_X/I_Y를 계산하시오.

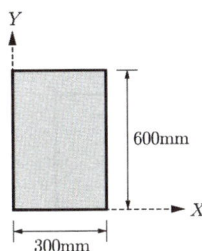

계산식 :

[해설] 단면2차모멘트 비 계산

(1) 도심축이 아닌 임의의 축에 대한 단면2차모멘트 산정식 :
$$I_X = I_x + Ay_0^2, \quad I_Y = I_y + Ax_0^2$$

(2) $I_X = I_x + Ay_0^2 = \dfrac{300(600)^3}{12} + (300)(600)(\dfrac{600}{2})^2 = 2.16 \times 10^{10} \text{mm}^4$

(3) $I_Y = I_y + Ax_0^2 = \dfrac{600(300)^3}{12} + (600)(300)(\dfrac{300}{2})^2 = 5.4 \times 10^9 \text{mm}^4$

(4) $\dfrac{I_X}{I_Y} = \dfrac{2.16 \times 10^{10}}{5.4 \times 10^9} = 4$

06 그림과 같은 단면의 X-X축에 대한 단면2차모멘트를 계산하시오.

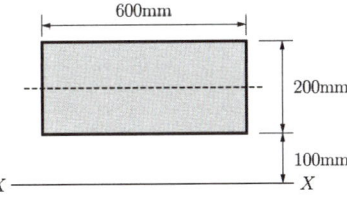

계산식 :

[해설] 단면2차모멘트 계산
$$I_X = I_x + Ay_0^2 = \dfrac{600 \times (200)^3}{12} + (600 \times 200) \times (100+100)^2 = 5.2 \times 10^9 \text{mm}^4$$

07 다음 그림의 X-X축에 대한 단면2차모멘트를 계산하시오.

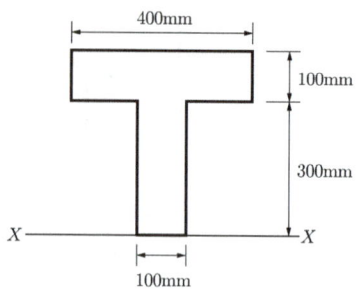

계산식 :

해설 도심축이 아닌 축에 대한 단면2차모멘트 계산
(1) 상부에 위치한 좌우로 긴 사각형은 1번 도형, 하부에 위치한 상하로 긴 사각형을 2번 도형으로 가정한다.

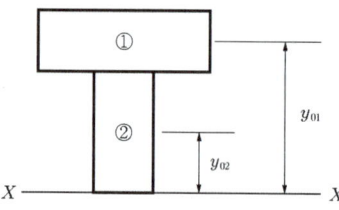

(2) 도심축이 아닌 축에 대한 단면2차모멘트 $I_X = I_x + Ay_0^2$로 계산하며 각 도형의 단면2차모멘트를 더하면 전체의 단면2차모멘트를 얻을 수 있다.

(3) $I_X = (I_{x1} + Ay_{01}^2) + (I_{x2} + Ay_{02}^2)$
$= \left\{ \dfrac{400 \times 100^3}{12} + (400 \times 100) \times (300 + \dfrac{100}{2})^2 \right\} + \left\{ \dfrac{100 \times 300^3}{12} + (100 \times 300) \times (\dfrac{300}{2})^2 \right\}$
$= 5,833,333,333.33 \text{mm}^4 = 5.833 \times 10^9 \text{mm}^4$

08 다음 그림의 X축에 대한 단면2차모멘트를 계산하시오.

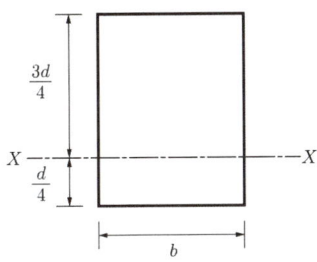

계산식 :

[해설] 도심축이 아닌 축에 대한 단면2차모멘트
$$I_X = I_x + Ay^2 = \frac{bd^3}{12} + (bd)\left(\frac{d}{4}\right)^2 = \frac{bd^3}{12} + \frac{bd^3}{16} = \frac{(4+3)bd^3}{48} = \frac{7bd^3}{48}$$

09 다음 그림과 같은 원형 단면에서 폭 b, 높이 $h=2b$의 직사각형 단면을 얻기 위한 단면계수 Z를 직경 D의 함수로 나타내시오.(단, 지름이 D인 원에 내접하는 밑변이 b이고 $h=2b$)

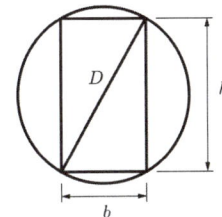

계산식 :

[해설] 단면계수 계산
(1) D와 b의 관계
$$D = \sqrt{b^2 + h^2} = \sqrt{b^2 + (2b)^2} = \sqrt{5b^2} = \sqrt{5}\,b \;\rightarrow\; b = \frac{D}{\sqrt{5}}$$
(2) 단면계수 계산
$$Z = \frac{bh^2}{6} = \frac{b(2b)^2}{6} = \frac{4b^3}{6} = \frac{2b^3}{3}$$
(3) 단면계수 Z를 D의 함수로 표현
$$Z = \frac{2b^3}{3} = \frac{2\left(\frac{D}{\sqrt{5}}\right)^3}{3} = \frac{2D^3}{15\sqrt{5}} = \frac{2\sqrt{5}\,D^3}{75} = 0.06D^3$$

10 지름이 D인 원형의 단면계수를 Z_A, 한 변의 길이가 a인 정사각형의 단면계수를 Z_B라고 할 때 $Z_A : Z_B$를 계산하시오. (단, 두 재료의 단면적은 같고, Z_A를 1로 환산한 Z_B의 값으로 표현하시오.)

해설 단면계수 계산

(1) $\dfrac{\pi D^2}{4} = a^2 \rightarrow D = \sqrt{\dfrac{4a^2}{\pi}} = 1.128a$

(2) $Z_A = \dfrac{\pi D^3}{32} = \dfrac{\pi \times (1.128a)^3}{32} = 0.141a^3$

$Z_B = \dfrac{a(a)^2}{6} = \dfrac{a^3}{6} = 0.167a^3$

(3) $Z_A : Z_B = 0.141a^3 : 0.167a^3 = 1 : 1.184$

11 그림과 같은 단순보의 최대휨응력을 계산하시오.

계산식 :

해설 단순보 최대휨응력 계산

응력의 단위인 MPa을 구하는 것이므로 모든 단위를 N과 mm로 통일시킨다.

(1) $M_{max} = \dfrac{wL^2}{8} = \dfrac{30 \times (8)^2}{8} = 240\text{kNm}$

$= 240 \times (10)^6 \text{Nmm}$

(2) $Z = \dfrac{bh^2}{6} = \dfrac{200 \times (300)^2}{6} = 3 \times (10)^6 \text{mm}^3$

(3) $\sigma_{max} = \dfrac{M_{max}}{Z} = \dfrac{240 \times (10)^6}{3 \times (10)^6} = 80\text{N/mm}^2 = 80\text{MPa}$

13② · 16④ · 22④ [3점]

12 그림과 같은 단순보의 단면에 생기는 최대 전단응력도(MPa)를 계산하시오. (단, 보의 단면은 300×500mm임)

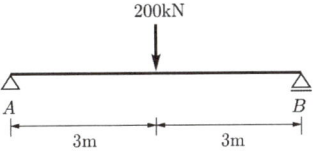

계산식 :

해설 최대 전단응력 계산

(1) 단순보에서 최대전단력은 항상 지점 반력과 같다.

∴ 최대전단력 $V_{max} = \dfrac{P}{2} = \dfrac{200}{2} = 100 kN = 100,000 N$

(2) 직사각형 단면의 형상계수 k=1.5이고, 최대 전단응력을 구하기 위해 단위를 N과 mm로 통일시킨다.

$v_{max} = k \dfrac{V_{max}}{A} = 1.5 \times \dfrac{100,000}{300 \times 500} = 1 N/mm^2 = 1 MPa$

13④ [3점]

13 그림과 같이 36kN의 하중을 받는 구조물이 있을 때, 고정단에 발생하는 최대 압축응력도(MPa)를 계산하시오. (단, 기둥은 단면은 600mm×600mm이며, 압축응력도의 부호는 −로 표기한다.)

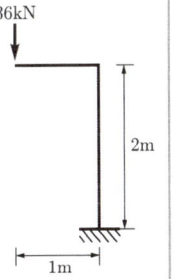

계산식 :

해설 최대 압축응력도

(1) MPa = N/mm^2이므로 모든 단위를 N과 mm로 통일시킨다.

(2) $\sigma_{max} = -\dfrac{P}{A} - \dfrac{M}{Z} = -\dfrac{36,000}{600 \times 600} - \dfrac{36,000 \times 1,000}{\dfrac{600 \times (600)^2}{6}} = -1.1 N/mm^2$

$= -1.1 MPa$

14 그림과 같은 각형 기둥의 양단이 핀으로 지지되어 있을 때, 약축에 대한 세장비가 150이 되기 위해 필요한 기둥의 길이(m)를 계산하시오.

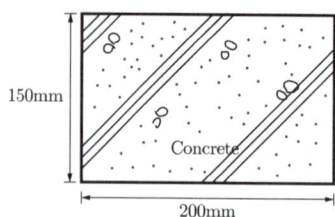

계산식 :

해설 기둥 길이

(1) 약축에 대한 단면2차모멘트 $I_{min} = \dfrac{200 \times 150^3}{12} = 56{,}250{,}000 \text{mm}^4$

(2) 기둥 길이 계산

$$\lambda = \dfrac{kL}{r_{min}} = \dfrac{kL}{\sqrt{\dfrac{I_{min}}{A}}} = \dfrac{(1)L}{\sqrt{\dfrac{56{,}250{,}000}{200 \times 150}}} = 150$$

$$\therefore\ L = 6{,}495.19 \text{mm} = 6.495 \text{m}$$

15 1단 자유, 타단 고정인 길이 2.5m인 압축력을 받는 철골조 기둥의 탄성좌굴하중을 계산하시오. (단, 단면2차모멘트 $I = 798{,}000 mm^4$, 탄성계수 $E = 200{,}000 MPa$)

계산식 :

해설 탄성좌굴하중

(1) 1단 자유-타단 고정은 캔틸레버이므로 $k = 2$이며, 모든 단위를 N, mm로 통일한다.

(2) $P_{cr} = \dfrac{\pi^2 EI}{(kL)^2} = \dfrac{\pi^2 (200{,}000)(798{,}000)}{(2 \times 2{,}500)^2} = 63{,}007.55\text{N} = 63.008\text{kN}$

16 1단 자유, 타단 고정이고 길이 2.5m인 압축력을 받는 H형강 기둥(H-100×100×6×8)의 탄성좌굴하중을 계산하시오. (단, $I_x = 383 \times 10^4 \text{mm}^4$, $I_y = 134 \times 10^4 \text{mm}^4$, $E = 205,000\text{N/mm}^2$)

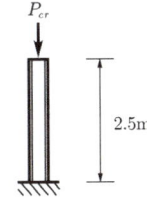

계산식 :

해설 탄성좌굴하중
(1) 캔틸레버이므로 유효좌굴길이계수 k=2, 모든 단위는 N과 mm로 통일
(2) $P_{cr} = \dfrac{\pi^2 EI_{\min}}{(KL)^2} = \dfrac{\pi^2 (205,000) \times (134 \times 10^4)}{(2 \times 2,500)^2}$
$= 108,447.21\text{N} = 108.45\text{kN}$

17 그림과 같이 기둥의 재질과 단면 크기가 모두 같은 4개의 장주의 좌굴길이를 기술하시오.

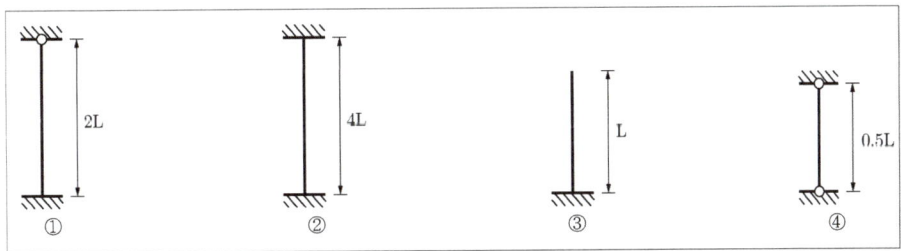

①
②
③
④

해설 지지조건에 따른 좌굴길이
① 고정단-핀 : $0.7 \times 2L = 1.4L$
② 양단고정 : $0.5 \times 4L = 2L$
③ 캔틸레버 : $2 \times L = 2L$
④ 양단핀 : $1 \times 0.5L = 0.5L$

18 재질과 단면적 및 길이가 같은 다음 4개의 장주를 유효좌굴길이가 큰 순서대로 나열하시오.

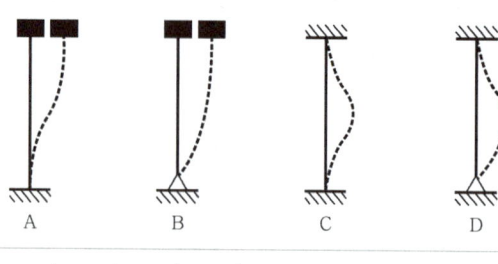

( ) → ( ) → ( ) → ( )

해설 지지조건에 따른 유효좌굴길이
B(2L) → A(L) → D(0.7L) → C(0.5L)

19 철골부재에서 비틀림이 생기지 않고 휨변형만 발생시키는 위치를 전단중심(Shear Center)이라 한다. 다음 형강들에 대하여 전단중심의 위치를 각 단면에 표시하시오.

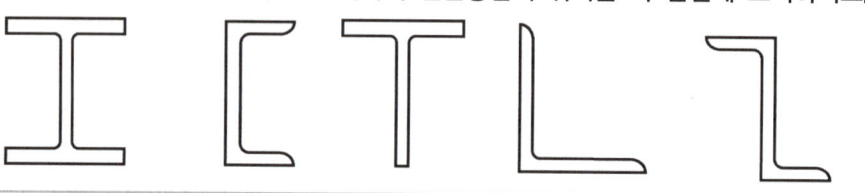

해설 전단중심(S_c) 위치 표기

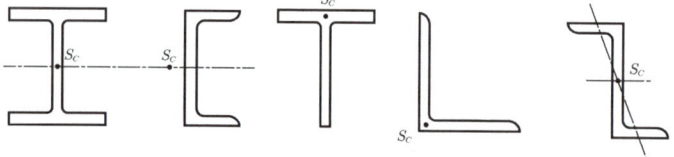

[전단중심의 판별]
- 두 개의 대칭축을 갖는 I형 단면은 도심과 전단중심이 일치한다.
- 점대칭(즉, 역대칭) Z형 단면은 도심과 전단중심이 일치한다.
- L형, T형, V형 단면은 그 단면의 중심선의 교점이 전단중심이다.
- 한 개의 대칭축을 갖는 ㄷ형, T형 단면은 대칭축 선상에 전단중심이 존재한다.

제4절 | 구조물의 변위

1 처짐 및 처짐각 해법

기하학적 방법	모멘트 면적법	보, 라멘
	공액보법	모든 보, 라멘
	탄성곡선식(처짐곡선식법) =2중적분법, 미분방정식법	보, 기둥
에너지 방법	가상일의 방법(단위하중법)	모든 구조물
	Castigliano의 제2정리	모든 구조물

2 모멘트 면적법

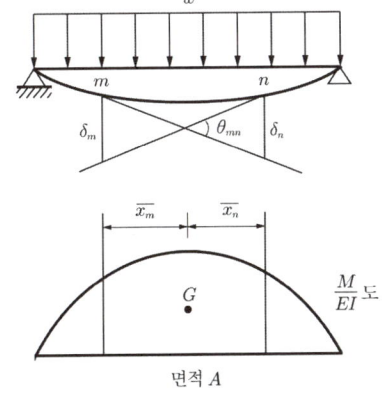

| 모멘트 면적법의 원리 |

① 모멘트 면적법 제1정리(처짐각 계산)

탄성곡선 위의 임의의 두 점 m과 n에서 그은 접선에서 이루는 각은 이 두 점 사이의 휨모멘트의 면적을 EI로 나눈 값과 같음

$$\theta = -\int_m^n \frac{M}{EI}dx = -\frac{A}{EI}$$

② 모멘트 면적법 제2정리(처짐 계산)

탄성곡선 위의 임의의 m점에서 그은 접선으로부터 탄성곡선 위의 다른 점 n점까지의 연직거리는 그 두 점 사이의 휨모멘트도 면적의 n점을 지나는 축에 대한 단면 1차모멘트를 EI로 나눈 값과 같음

$$\delta_m = -\int_m^n \frac{M}{EI} \times x_m dx = -\frac{A}{EI} \times \overline{x_m}$$

$$\delta_n = -\int_m^n \frac{M}{EI} \times x_n dx = -\frac{A}{EI} \times \overline{x_n}$$

참고 | 모멘트 면적법
① 계산된 처짐각은 탄성곡선상의 임의의 두 점에서 그은 접선이 이루는 상대 처짐각을 의미함
② 수직 처짐은 탄성곡선상의 임의의 한 점에서 다른 접선까지의 연직거리임

│ 기본적인 탄성하중의 도심과 면적 │

도형	사각형	직선	2차곡선	2차곡선
도심 (x)	$\frac{1}{2}b$	$\frac{1}{3}b$	$\frac{1}{4}b$	$\frac{3}{8}b$
면적 (A)	bh	$\frac{1}{2}bh$	$\frac{1}{3}bh$	$\frac{2}{3}bh$

3 공액보법

① 정의

실제 보를 공액보라는 가상의 보로 변화시킨 후 공액보에 탄성하중법의 원리를 적용시키는 방법

② 공액보의 적용

㉠ 단부의 조건

고정단 ⇔ 자유단

힌지지점 ⇔ 롤러지점

중간롤러지점 ⇔ 중간힌지절점

㉡ 단부조건도

실제보				
공액보				

③ 해석순서
　㉠ 주어진 하중에 대한 휨모멘트를 계산해 휨모멘트도를 그림
　㉡ 주어진 보의 공액보에 휨모멘트를 하중으로 재하함
　㉢ 휨모멘트 하중에 의해 반력, 전단력, 휨모멘트를 계산함
　㉣ 구해진 전단력은 처짐각이 되고, 휨모멘트는 처짐이 됨
　㉤ 처짐각 값이 (+)이면 ↷ 이고, 처짐 값이 (+)이면 하향(↓)을 의미함

4 처짐 및 처짐각 해석

(1) 단순보
　① 중앙에 집중하중이 작용하는 경우

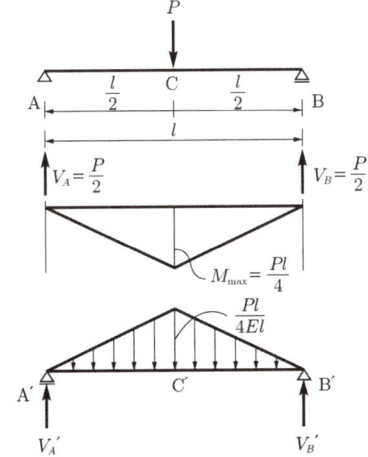

∥ 공액보법 ∥

㉠ $V_A' = \dfrac{Pl}{4EI} \times \dfrac{l}{2} \times \dfrac{1}{2} = \dfrac{Pl^2}{16EI}$　　$\theta = \dfrac{Pl^2}{16EI}$

㉡ $M_c' = \dfrac{Pl^2}{16EI} \times (\dfrac{l}{2} - \dfrac{l}{6}) = \dfrac{Pl^3}{48EI}$　　$\delta_c = \dfrac{Pl^3}{48EI}$

보의 처짐각(θ)과 처짐(δ) 공식 요약

하중상태	처짐각	최대처짐(δ_{max})
캔틸레버 집중하중 P (자유단 A, 고정단 B)	$\theta_A = -\dfrac{Pl^2}{2EI}$	$\delta_A = \dfrac{Pl^3}{3EI}$
캔틸레버 등분포하중 w	$\theta_A = -\dfrac{wl^3}{6EI}$	$\delta_A = \dfrac{wl^4}{8EI}$
캔틸레버 모멘트 M	$\theta_A = -\dfrac{Ml}{EI}$	$\delta_A = \dfrac{Ml^2}{2EI}$
단순보 중앙 집중하중 P	$\theta_A = -\theta_B$ $= \dfrac{Pl^2}{16EI}$	$\delta_C = \dfrac{Pl^3}{48EI}$
단순보 등분포하중 w	$\theta_A = -\theta_B$ $= \dfrac{wl^3}{24EI}$	$\delta_C = \dfrac{5wl^4}{384EI}$
단순보 단부 모멘트 M	$\theta_A = \dfrac{Ml}{3EI}$ $\theta_B = \dfrac{Ml}{6EI}$	$\delta_{max} = 0.064\dfrac{Ml^2}{EI}$
양단고정보 중앙 집중하중 P		$\delta_{max} = \dfrac{Pl^3}{192EI}$
양단고정보 등분포하중 w		$\delta_{max} = \dfrac{wl^4}{384EI}$

12① · 14② · 16② · 19② · 20②

[계산] 보의 처짐/반력

단원별 경향문제

14② [3점]

01 그림과 같은 캔틸레버 보의 자유단 B점의 처짐이 0이 되기 위한 등분포하중 w(kN/m)의 크기를 계산하시오. (단, 경간 전체의 휨강성 EI는 일정)

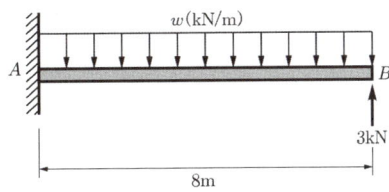

계산식 :

해설 캔틸레버 처짐 계산

(1) 등분포하중 w에 의한 처짐 $\delta_{B1} = \dfrac{wL^4}{8EI}(\downarrow)$

(2) 집중하중 P에 의한 처짐 $\delta_{B2} = \dfrac{PL^3}{3EI}(\uparrow)$

(3) $\delta_{B1} + \delta_{B2} = 0$이므로

$\dfrac{wL^4}{8EI} - \dfrac{PL^3}{3EI} = 0 \;\rightarrow\; \dfrac{w(8)^4}{8EI} = \dfrac{3 \times (8)^3}{3EI} \;\rightarrow\; \therefore\; w = 1\text{kN/m}$

02 다음 그림과 같은 단순보에서 A지점의 처짐각, 보의 중앙 C점의 최대 처짐량을 계산하시오. (단, $E=206\text{GPa}$, $I=1.6\times10^8\text{mm}^4$)

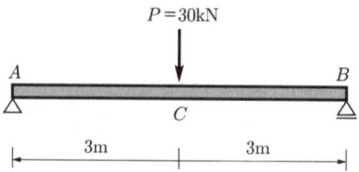

해설 처짐각과 처짐량 계산

모든 단위는 MPa, N과 mm로 통일한다.

(1) A지점 처짐각

$$\theta_A = \frac{PL^2}{16EI} = \frac{(30\times10^3)(6\times10^3)^2}{16\times(206\times10^3)(1.6\times10^8)} = 0.002\text{rad}$$

(2) 중앙 C점의 최대 처짐

$$\delta_C = \frac{PL^3}{48EI} = \frac{(30\times10^3)(6\times10^3)^3}{48\times(206\times10^3)(1.6\times10^8)} = 4.096\text{mm}$$

---

03 다음과 같은 철골보에 고정하중 $W_D=10\text{kN/m}$, 활하중 $W_L=15\text{kN/m}$가 작용하고 있을 때 철골보의 최대 처짐을 계산하시오. (단, 철골보의 자중은 무시) (단, 탄성계수 : $E=205,000\text{MPa}$, 단면2차모멘트 : $I=47,800\text{cm}^4$)

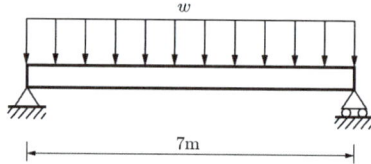

계산식 :

해설 철골보의 최대 처짐 계산

(1) $w = w_D + w_L = 10+15 = 25\text{kN/m} = 25\text{N/mm}$

처짐은 사용성 검토이므로 사용하중을 적용한다($w_u=1.2w_D+1.6w_L$을 적용하지 않음)

(2) 최대 처짐 계산(모든 단위를 N, mm로 통일)

$$\delta_{\max} = \frac{5wL^4}{384EI} = \frac{5\times25\times(7000)^4}{384\times(205,000)\times(47,800\times10^4)} = 7.98\text{mm}$$

04 그림과 같은 연속보의 지점 반력 V_A, V_B, V_C를 계산하시오.

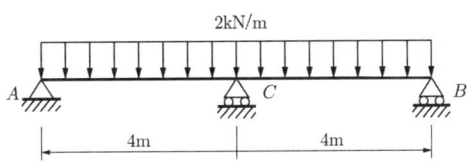

해설 지점 반력 계산

(1) C지점의 이동단이 없다고 가정했을 때, 등분포하중에 의한 C지점의 처짐과 실제로 존재하는 V_C에 의한 상향 처짐은 크기가 같고 방향이 반대라는 성질을 이용한다.

(2) 등분포하중에 의한 C지점의 처짐 = $\dfrac{5wL^4}{384EI}$

(3) V_C에 의한 상향 처짐 = $\dfrac{V_c L^3}{48EI}$

(4) 두 처짐은 크기가 같고 방향이 반대이므로,

$$\dfrac{5wL^4}{384EI} - \dfrac{V_c L^3}{48EI} = 0 \;\rightarrow\; \dfrac{5wL^4}{384EI} = \dfrac{V_c L^3}{48EI} \;\text{으로부터}$$

$$\therefore V_c = \dfrac{5wL}{8} = \dfrac{5(2)(4+4)}{8} = 10kN(\uparrow)$$

(5) 구조물이 좌우대칭이므로 V_A와 V_B의 크기는 같다.

$\Sigma V = 0 \;\rightarrow\; V_A + 10 + V_B - 2(4+4) = 0$

$$\therefore V_A = V_B = \dfrac{6}{2} = 3\text{kN}(\uparrow)$$

CHAPTER 02 철근콘크리트

제1절 | 용어 정의

1 용어해설

① 공칭강도(Nominal Strength) : 강도설계법의 규정과 가정에 따라 계산된 부재 또는 단면의 강도를 말하며, 강도감소계수를 적용하기 전의 강도
② 공칭단면적(Nominal Section Area of Deformed) : 강재의 비중을 7.85로 보고 계산한 이형철근의 겉보기 단면적
③ 공칭둘레(Nominal Perimeter of Deformed Bar) : 이형철근의 단면을 원으로 가정하고, 그 공칭단면적으로부터 산출한 둘레
④ 공칭모멘트(Nominal Moment Strength) : 강도설계법의 규정과 가정에 따라 계산된 부재 또는 단면의 모멘트 강도를 말하며, 강도감소계수를 적용하기 전의 모멘트 강도
⑤ 공칭응력(Nominal Stress) : 단면적의 변화를 무시하고, 변형 전의 단면적을 사용하여 계산상으로 구한 응력
⑥ 공칭전단강도(Nominal Shear Strength) : 강도설계법의 규정과 가정에 따라 계산된 부재 또는 단면의 전단강도를 말하며, 강도감소계수를 적용하기 전의 전단강도
⑦ 공칭치수(Nominal Dimension) : 어떤 재료의 실치수를 부르기가 어려울 때 편의상 알기 쉽도록 부르는 설계상의 치수, 이형철근에서 공칭직경, 공칭단면적, 공칭둘레 등

> 22①
> [용어] 공칭강도, 설계강도

제 2 절 ┃ 재료

1 콘크리트

(1) 콘크리트 압축강도
　① 표준공시체($\phi 150 \times 300$mm 원주형 공시체)
　　㉠ 이유 : 공시체 양단부와 가압판 밀착 → 마찰력에 의한 횡압이 발생되므로 $\dfrac{폭}{높이}$의 비가 $\dfrac{1}{2}$일 경우 중앙부 마찰영향이 아주 작다.
　　㉡ 적용 : 미국, 일본, 프랑스, 한국
　② $\phi 100 \times 200$mm 공시체 사용 시 → 강도보정계수 0.97 적용
　③ 150mm 각주형(입방체) 공시체 사용 시 → 강도보정계수 0.8 적용
　　㉠ 이유 : 원주형 공시체에 비해 마찰력에 의한 횡압의 발생이 적다.
　　㉡ 적용 : 영국, 독일, 이탈리아, 유럽

(2) 탄성계수
　콘크리트의 탄성계수(E_c)는 여러 가지 중 할선탄성계수를 사용하며, 콘크리트의 단위질량 $m_c = 2,300$kg/m³인 보통골재를 사용한 콘크리트의 탄성계수는 다음과 같다.
　$E_c = 8,500 \sqrt[3]{f_{cm}}$ (MPa)
　여기서, $f_{cm} = f_{ck} + \triangle f$
　　　　　f_{ck} : 콘크리트의 설계기준 압축강도(MPa)
　　　　　f_{cm} : 재령 28일에서 콘크리트의 평균압축강도(MPa)
- $f_{ck} \leq 40$MPa : $\triangle f = 4$MPa
- $f_{ck} \geq 60$MPa : $\triangle f = 6$MPa
- $40 < f_{ck} < 60$: 직선보간법

(3) 휨 인장강도(f_r) 또는 휨 파괴계수
　① 휨인장시험은 $150 \times 150 \times 750$mm 무근 콘크리트보를 공시체로 하여 단순지지 상태에서 중심 재하 3등분점 재하 등으로 보의 인장 측에 균열이 발생하여 파괴될 때까지 횡하중을 가하면서 휨 인장강도(또는 휨 파괴계수)를 측정하는 방법이다.
　　$f_r = \dfrac{M}{Z} = \dfrac{6M}{bh^2}$
　　여기서, M : 최대 모멘트, b : 공시체의 폭
　　　　　h : 공시체의 높이

> 13④
> [계산] 휨 균열강도(휨 파괴계수)

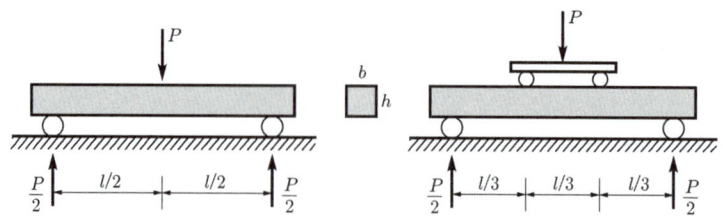

｜콘크리트의 휨 인장강도시험｜

② 콘크리트의 휨 인장강도(휨 파괴계수)는 다음과 같이 계산할 수도 있다.

$f_r = 0.63\lambda\sqrt{f_{ck}}$

여기서, λ : 경량콘크리트 계수(보통콘크리트 : 1, 전경량 : 0.75, 모래경량 : 0.85)

2 철근

(1) 철근의 종류
① 원형 철근(Round Bar) : ϕ로 표시
② 이형 철근(Deformed Bar) : D로 표시
  기계적인 부착력 확보를 위해 표면에 리브와 마디를 설치한 것으로 원형 철근보다 부착력이 40% 정도 크다.

(2) 철근의 탄성계수
① 항복점 및 항복강도
  ㉠ 일반적으로 항복점은 하위 항복점을 뜻하며, 기호는 f_y로 표기한다.
  ㉡ 고강도 철근(즉, PC강재, PC강선)에서는 항복점이 뚜렷하지 않고 인장강도에 이르기까지 완만하게 변하기 때문에 변형률이 0.2%인 점에서 초기 접선에 평행하게 그은 선과 만나는 점의 응력을 항복강도 f_y로 취한다.

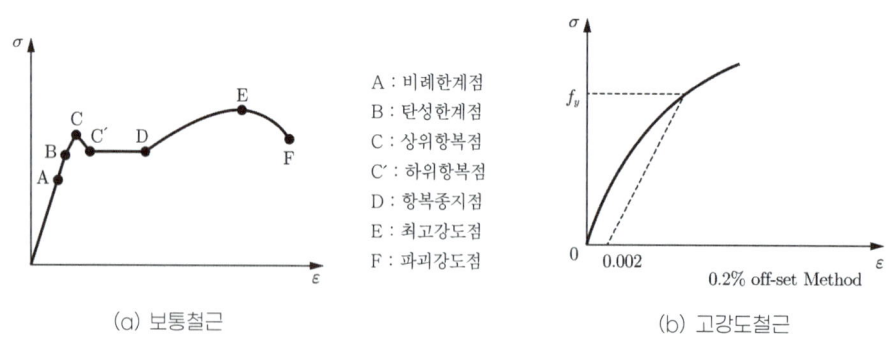

｜철근의 응력-변형도 곡선｜

② 탄성계수
  철근의 탄성계수는 항복강도에 관계없이 $E_s = 200,000\text{N/mm}^2$을 사용한다.

③ 탄성계수비(n)

철근의 탄성계수(E_s)를 콘크리트의 탄성계수(E_c)로 나눈 값을 탄성계수비라 하고, 기호는 n으로 나타내며 일반적으로 7~13의 값을 갖는다.

$$n = \frac{E_s}{E_c}$$

14② · 15④ · 20⑤
[계산] 콘크리트 탄성계수/탄성계수비

(3) 철근의 피복
① 피복두께의 정의
철근에 대한 콘크리트의 피복두께란 철근의 표면과 이것을 감싸는 콘크리트의 표면까지의 최단 거리를 말한다.
㉠ 기둥과 보 : 보조근(띠근, 스터럽)의 표면에서 측정
㉡ 기초 : 밑창 콘크리트의 두께는 제외하고 표면에서 주근 표면까지의 거리
㉢ 슬래브 : 주근 표면까지의 거리
② 피복을 하는 이유
㉠ 내구성 확보
㉡ 내화성 확보
㉢ 시공상 콘크리트 치기의 유동성 확보

3 철근콘크리트 부재의 연성을 증가시킬 수 있는 방법

(1) 콘크리트의 연성을 증가시킬 수 있는 방법
① 콘크리트 내에 연성재료를 혼합시키는 방법
콘크리트 내에 인장에 대한 저항능력이 우수한 섬유를 보강하여 콘크리트의 취성을 개선하는 방법이다. 섬유보강 콘크리트의 종류는 다음과 같다.
㉠ 강섬유 콘크리트
㉡ 유리섬유보강 콘크리트
㉢ 탄소섬유보강 콘크리트
㉣ 비닐론섬유 콘크리트
② 적절한 배근 상세를 통한 콘크리트의 연성 확보
㉠ 횡구속된 콘크리트 - 3축 압축에 의한 강도 증가, 최대변형도 증가(Stirrup, Hoop 배근 상세)
㉡ 보의 인장철근비가 낮을수록 연성 증가
㉢ 압축철근을 증가시키면 연성 증가
㉣ 기둥의 경우 축력이 감소하면 연성 증가
그러므로 강진지역에서는 기둥의 압축력이 $0.2P_o$ 이하가 되도록 권장한다.

제 3 절 | 설계하중 및 하중조합

1 강도설계법에서 구조물의 안전도 확보방안

(1) 안전규정

① 하중계수(U)

② 강도감소계수(ϕ)

　　설계강도 ≥ 소요강도

　　$\phi R_n \geq U$

　　여기서, R_n : 부재의 공칭강도 → 사용재료와 부재단면에 의하여 계산된 강도

　　　　　　ϕR_n : 설계강도

　　　　　　ϕ : 강도저감계수

　　　　　　U : 소요강도 = 하중계수 × 작용하중

③ 하중효과는 일반적으로 하중의 작용에 의하여 구조물에 생기는 모멘트, 전단력, 축력, 비틀림 모멘트 등 내적인 효과를 의미하므로 위 식은 다음과 같이 나타낼 수 있다.

　　$M_u \leq \phi M_n$

　　$V_u \leq \phi V_n$

　　$P_u \leq \phi P_n$

　　$T_u \leq \phi T_n$

　　여기서, M_u, V_u, P_u, T_u : 하중계수를 적용한 휨, 전단, 축력, 비틀림에 의한 소요강도

　　　　　　M_n, V_n, P_n, T_n : 휨, 전단, 축력, 비틀림의 각각에 대한 공칭강도

2 하중계수 및 강도감소계수를 사용하는 경우

(1) 재료 및 부재의 강도가 예상된 값보다 작을 수 있다.

① 재료의 가변성, 시험 재하속도의 영향, 현장과 시험의 차이, 건조수축의 영향 등

② 철근 위치, 휘어짐, 치수의 오차

③ 설계가정

(2) 과재하 발생 가능성

하중의 크기가 가정된 것과 다를 수 있다.

(3) 파괴결과의 심각성

인명안전과 유지보수의 경제성

3 강도감소계수

불의의 사고로 인해 구조물의 파괴가 발생할 때 취성에 의한 급작스런 파괴를 방지하기 위함

보와 기둥의 강도감소계수가 다른 이유
① 기둥은 보에 비해 연성이 작다.
② 기둥은 콘크리트 강도 변화에 큰 영향을 받는다.
③ 콘크리트 기둥은 보에 비해 큰 재하면적을 가진다.
④ 기둥의 파괴 시 야기되는 손실이 더 크다.

4 부재별 강도감소계수와 지배단면

(1) 강도감소계수(ϕ)
   ① 인장지배단면 ··· 0.85
   ② 압축지배단면
      ㉠ 나선철근 규정에 따라 나선철근으로 보강된 철근콘크리트 부재 ············· 0.70
      ㉡ 그 외의 철근콘크리트 부재 ··· 0.65
      ㉢ 공칭강도에서 최외단 인장철근의 순인장변형률 ε_t이 압축지배와 인장지배단면 사이일 경우에는 ε_t가 압축지배 변형률 한계에서 0.005로 증가함에 따라 ϕ값을 압축지배 단면에 대한 값에서 0.85까지 증가시킨다.

(2) 인장지배단면과 압축지배단면
   ① 압축지배단면
      ㉠ ε_c가 극한변형률에 도달할 때 최외단 인장철근의 순인장변형률 ε_t가 압축지배 변형률 한계 이하인 단면
      ㉡ $f_y = 400\text{MPa}$일 때

$$\varepsilon_y = \frac{f_y}{E_s} = \frac{400}{2.0 \times 10^5} = 0.002$$

        $\varepsilon_t \leq \varepsilon_y$ 즉 $\varepsilon_t = 0.002$
      ㉢ 파괴의 징후 없이 취성파괴 발생 가능성
   ② 인장지배단면
      ㉠ ε_c가 극한변형률에 도달할 때 최외단 인장철근의 순인장변형률 ε_t가 인장지배 변형률 한계 이상인 단면
      ㉡ $\varepsilon_t \geq 0.005$
      ㉢ $f_y > 400\text{MPa}$
      ㉣ 과도한 처짐이나 균열이 발생하여 파괴의 징후를 쉽게 알 수 있다.

③ 변화구간(전이구간)
  ㉠ ε_t가 압축지배 변형률 한계(0.002)와 인장지배 변형률한계(0.005) 사이에 있을 때 이 구간을 변화구간(전이구간)이라고 한다.
  ㉡ $0.002 < \varepsilon_t < 0.005$
  ㉢ 철근의 최소허용인장변형률 : $\varepsilon_{t,\min} = 0.004 (f_y \leq 400\mathrm{MPa})$
  $$\varepsilon_{t,\min} = 2\epsilon_y (f_y > 400\mathrm{MPa})$$
  ㉣ 변화구간에서의 강도감소계수 ϕ : 직선보간법

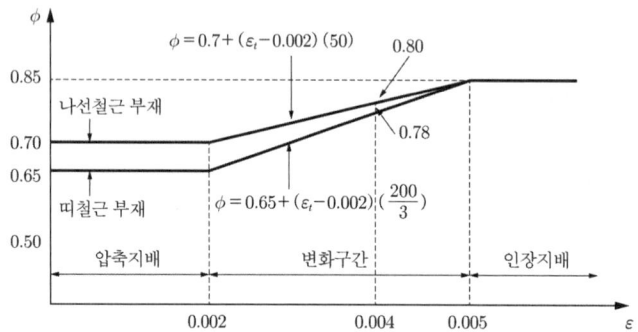

∥ 철근 등급에 따른 순인장변형률에 대한 ϕ의 변화 ∥

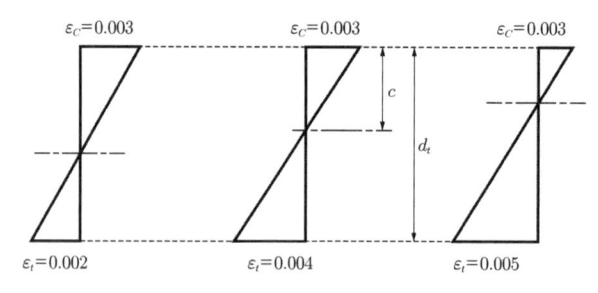

(a) 압축지배 부재 (b) 휨부재의 최소 순인장변형률 (c) 인장지배 부재

∥ 지배단면 분류 ∥

11② · 12① · 12② · 14④ · 15① · 16④ · 18④ · 20③ · 21④

[계산 및 판정] 지배단면별 강도감소계수

5 하중조합(강도설계법과 한계상태설계법에 동일하게 적용)

하중의 공칭 값과 실제 하중 사이의 차이 및 하중 해석상의 불확실성, 환경 등에 따른 안전계수로서 하중조합에 따른 하중계수는 다음과 같다.

하중조합 및 하중계수

> ① $U = 1.4(D+F)$
> ② $U = 1.2(D+F+T) + 1.6L + 0.5(L_r \text{ 또는 } S \text{ 또는 } R)$
> ③ $U = 1.2D + 1.6(L_r \text{ 또는 } S \text{ 또는 } R) + (1.0L \text{ 또는 } 0.5W)$
> ④ $U = 1.2D + 1.0W + 1.0L + 0.5(L_r \text{ 또는 } S \text{ 또는 } R)$
> ⑤ $U = 0.9D + 1.0W$
> ⑥ $U = 1.2D + 1.0E + 1.0L + 0.2S$
> ⑦ $U = 0.9D + 1.0E$

여기서, D : 고정하중
 E : 지진하중
 F : 유체의 중량 및 압력에 의한 하중
 H_h : 수평방향 수압과 토압
 H_v : 수직방향 수압과 토압
 L : 활하중
 L_r : 지붕활하중
 R : 강우하중
 S : 적설하중
 T : 온도, 크리프, 건조수축 및 부등침하의 영향
 W : 풍하중

> 23①
> [수치] 지진하중의 계수

단원별 경향문제

01 그림과 같은 150mm×150mm 단면을 가진 무근콘크리트 보가 경간길이 450mm로 단순지지되어 있다. 3등분점에서 2점 재하하였을 때, 하중 $P=12\mathrm{kN}$ 에서 균열이 발생함과 동시에 파괴되었다. 이때 무근콘크리트의 휨 균열강도(휨 파괴계수)를 계산하시오.

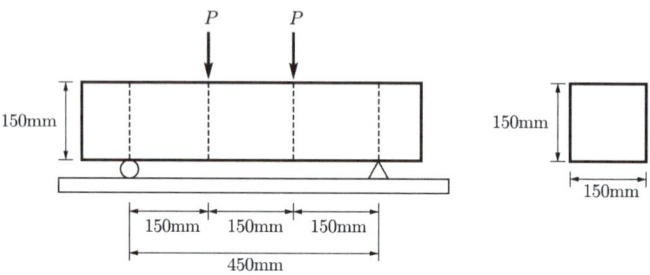

계산식 :

[해설] 휨 균열강도 계산

(1) $MPa=N/mm^2$ 이므로 모든 단위를 N과 mm로 통일시킨다.
(2) 균열모멘트 $M_{cr}=12,000\times150=1,800,000\mathrm{Nmm}$
(3) 휨 파괴계수 $f_r=\dfrac{M_{cr}}{Z}=\dfrac{1,800,000}{\dfrac{150\times(150)^2}{6}}=3.2\mathrm{N/mm^2}=3.2\mathrm{MPa}$

---

02 강도설계법에서 보통골재를 사용한 콘크리트의 압축강도(f_{ck})가 24MPa이고 철근의 탄성계수(E_s)가 200,000MPa, 항복강도(f_y)가 400MPa일 때 콘크리트의 탄성계수(E_c)와 탄성계수비$\left(\dfrac{E_s}{E_c}\right)$를 계산하시오.

(1) 콘크리트의 탄성계수 :
(2) 탄성계수비 :

[해설] 탄성계수 및 탄성계수비

(1) $E_c=8,500\times\sqrt[3]{f_{ck}+\Delta f}=8,500\times\sqrt[3]{f_{ck}+4}=8,500\times\sqrt[3]{28}=25,811.0\mathrm{MPa}$
   ($\because f_{ck}\leq40\mathrm{MPa}\ \rightarrow\ \Delta f=4\mathrm{MPa}$)
(2) $n=\dfrac{E_s}{E_c}=\dfrac{200,000}{25,811}=7.75$

11② [4점]

03 그림과 같은 철근콘크리트 보가 $f_{ck}=21\text{MPa}$, $f_y=400\text{MPa}$, D22(단면적 387mm^2)일 때 강도감소계수 $\phi=0.85$를 적용함이 적합한지 부적합한지 판정하시오.

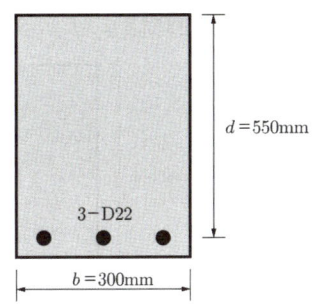

해설 순인장변형률 $\varepsilon_t \geq 0.005$이면 강도감소계수 $\phi=0.85$이다.

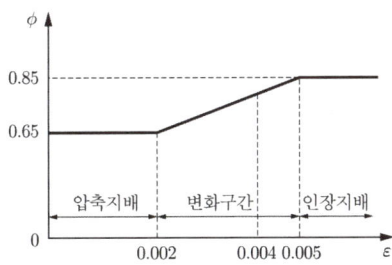

따라서, $\varepsilon_t = \dfrac{d_t-c}{c} \times 0.0033 \rightarrow a = \beta_1 c$

(1) $a = \dfrac{A_s f_y}{0.85 f_{ck} \times b} = \dfrac{(3 \times 387)(400)}{0.85(21)(300)} = 86.72\text{mm}$

(2) $f_{ck} = 21MPa \leq 40\text{MPa}$이므로 $\beta_1 = 0.80$

$a = \beta_1 \times c \rightarrow c = \dfrac{a}{\beta_1} = \dfrac{86.72}{0.80} = 108.4\text{mm}$

(3) $\varepsilon_t = \dfrac{(d_t-c)}{c} \times \varepsilon_c$

$= \dfrac{(550-108.4)}{108.4} \times 0.0033 = 0.01344 > 0.005$

∴ 최외단 인장철근의 변형률(ε_t)이 인장지배변형률한계(0.005)보다 크므로 이 보는 인장지배단면 부재이며 $\phi=0.85$를 적용함이 적합하다.

12① [4점]

04

그림과 같은 철근콘크리트 보에서 최외단 인장철근의 순인장변형률(ε_t)을 산정하고, 이 보의 지배단면(인장지배단면, 압축지배단면, 변화구간단면)을 구분하시오.
(단, $A_s = 1,927\text{mm}^2$, $f_{ck} = 24\text{MPa}$, $f_y = 400\text{MPa}$, $E_s = 200,000\text{MPa}$)

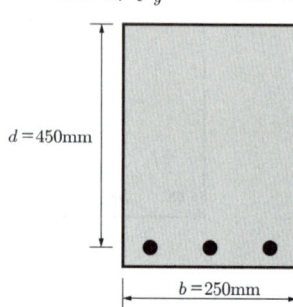

해설 보의 지배단면을 판별하기 위한 순인장변형률 ε_t(그림 참조)

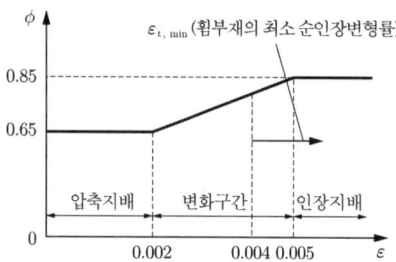

$f_y = 400\text{MPa}$일 때 압축지배변형률한계는 0.002, 인장지배변형률한계는 0.005이다. 최외단 인장철근의 순인장변형률(ε_t)이 두 개의 값과 비교해 지배단면을 결정하게 된다.

(1) 최외단 인장철근의 순인장변형률(ε_t) 계산

① $a = \dfrac{A_s f_y}{0.85 f_{ck} b} = \dfrac{(1,927)(400)}{0.85(24)(250)} = 151.14\text{mm}$

② $f_{ck} = 24\text{MPa} \leq 40\text{MPa} \rightarrow \beta_1 = 0.80$

③ $a = \beta_1 c \rightarrow c = \dfrac{a}{\beta_1} = \dfrac{151.14}{0.80} = 188.93\text{mm}$

④ 최외단 인장철근의 순인장변형률(ε_t)

$\varepsilon_t = \dfrac{(d_t - c)}{c} \times \varepsilon_c = \dfrac{(450 - 188.93)}{188.93} \times 0.0033 = 0.0046$

(2) 지배단면 판정

$0.002 < \varepsilon_t = 0.0046 < 0.005$이므로 이 보는 **변화구간** 단면이다.

05

철근콘크리트 휨부재의 공칭강도에서 최외단 인장철근의 순인장변형률 ε_t 가 0.004일 경우 강도감소계수 ϕ를 계산하시오. (단, $f_y = 400\text{MPa}$)

계산식 :

해설 (1) $f_y = 400MPa$일 때 압축지배변형률한계는 0.002, 인장지배변형률한계는 0.005이다.
(2) 최외단 인장철근의 변형률 : $0.002 < \varepsilon_t(=0.004) < 0.005$이므로 변화구간 단면의 부재이다.
(3) $\phi = 0.65 + (\varepsilon_t - 0.002) \times \dfrac{200}{3}$
$= 0.65 + (0.004 - 0.002) \times \dfrac{200}{3}$
$= 0.783$

06

그림과 같은 보의 최외단 인장철근의 순인장변형률(ε_t)을 계산하고 강도감소계수를 산정하시오.
(단, $A_s = 2,100\text{mm}^2$, $f_{ck} = 24\text{MPa}$, $f_y = 400\text{MPa}$, $E_s = 200,000\text{MPa}$)

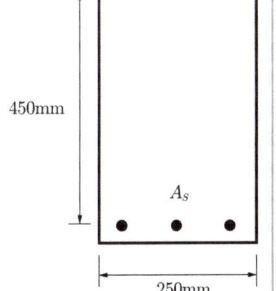

해설 순인장변형률과 강도감소계수 계산
(1) 최외단 인장철근의 순인장변형률(ε_t)
① $a = \dfrac{A_s f_y}{0.85 f_{ck} b} = \dfrac{(2,100)(400)}{0.85(24)(250)} = 164.706\text{mm}$
② $f_{ck} = 24\text{MPa} \leq 40\text{MPa} \rightarrow \beta_1 = 0.80$
③ $a = \beta_1 c \rightarrow c = \dfrac{a}{\beta_1} = \dfrac{164.706}{0.80} = 205.88\text{mm}$
④ 최외단 인장철근의 순인장변형률(ε_t)
$\varepsilon_t = \dfrac{(d_t - c)}{c} \times \varepsilon_c = \dfrac{(450 - 205.88)}{205.88} \times 0.0033 = 0.0039$

(2) 지배단면 판정
$0.002 < \varepsilon_t = 0.0039 < 0.005$이므로 이 보는 변화구간 단면이다.

(3) 변화구간의 강도감소계수
$\phi = 0.65 + \dfrac{200}{3}(\varepsilon_t - 0.002) = 0.65 + \dfrac{200}{3}(0.0039 - 0.002) = 0.777$

제 4 절 | 사용성 및 내구성

1 균열

(1) 초기균열
   ① 건조수축균열
      ㉠ 균열형태에 영향을 미친다.
      ㉡ 제어하기 어려움
   ② 초기휨균열
      ㉠ 인장응력이 콘크리트 파괴계수를 초과할 때 생기는 초기균열
      ㉡ 폭 : 0.0256mm, 철근응력 : 40~50MPa
      ㉢ 재료의 특성상 균질이 아니고, 등방성 재료가 아니기 때문에 예측이 어려움
   ③ 부식균열

(2) 주요균열(Main Crack)
   원인 : 같은 위치의 철근과 콘크리트의 변형률이 서로 다르기 때문에 발생함

2 보 및 슬래브의 철근 간격

(1) 보 및 1방향 슬래브의 휨철근 배치
   콘크리트 인장연단에 가장 가까이 배치되는 철근의 중심간격 s는 아래 식 중 작은 값 이하로 하여야 한다.

$$s = 375\left(\frac{210}{f_s}\right) - 2.5 C_c$$

$$s = 300\left(\frac{210}{f_s}\right)$$

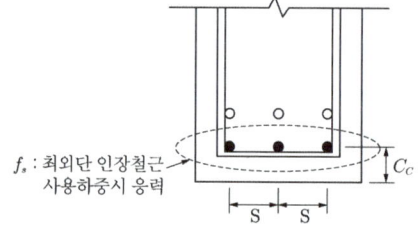

| 철근 간격 |

여기서, C_c : 인장철근이나 긴장재의 표면과 콘크리트 표면 사이의 최소두께 철근이 하나만 배치된 경우에는 인장연단의 폭을 s로 한다.

f_s : 사용하중상태에서 인장연단에서 가장 가까이에 위치한 철근의 응력으로 사용하중 휨모멘트에 대한 해석으로 결정하여야 하지만 근사값으로 f_y의 2/3를 사용할 수 있다.

[보의 폭(b)]

$b = 2a + nd_b + (n-1)p$

여기서, a : 피복두께+스터럽 직경

n : 주근 개수

d_b : 주근 직경

p : 주근의 순간격(d_b, 25mm, 4/3G 이상)

16①
[적합 검토] 철근의 배치 간격

---

(2) 휨재(보, 슬래브) 철근간격 적정성 검토

실제 철근에 발생하는 응력을 사용하는 방법

① 균열발생 여부 검토

㉠ 보의 최대 모멘트 산정

$$M_{\max} = \frac{\omega l^2}{8} \text{(단순보)}$$

㉡ 균열모멘트 산정

ⓐ 단면계수 : $Z = \dfrac{bh^2}{6}$

21④
[계산] 원형 단면의 단면계수

ⓑ 파괴계수(휨인장강도) : $f_r = 0.63 \lambda \sqrt{f_{ck}}$

19②
[계산] 콘크리트의 파괴계수

ⓒ 균열모멘트 : $M_{cr} = f_r \cdot Z = f_r \left(\dfrac{bh^2}{6} \right)$

12④ · 16② · 20① · 20⑤
[계산] 균열모멘트

---

② 철근간격 검토

$$s = 375 \left(\frac{210}{f_s} \right) - 2.5 C_c$$

$$s = 300 \left(\frac{210}{f_s} \right)$$

상기 식 중 작은 값 이하로 철근이 배근되었는지 검토함

3 처짐

(1) 단기처짐(탄성처짐)

① 등분포하중을 받는 단순받침보 : $\delta = \dfrac{5\omega l^4}{384EI}$

② 등분포하중을 받는 캔틸레버보 : $\delta = \dfrac{\omega l^4}{8EI}$

(2) 장기처짐

① 지속 하중하에서는 크리프와 건조수축의 영향을 받아 장기처짐이 발생
② 철근콘크리트 보에서의 처짐 거동
 ㉠ 콘크리트 : 지속 하중하에서 크리프 변형 발생
 ㉡ 철근 : 지속 하중하에서 변형의 증가는 미소

↓

철근콘크리트 보는 중립축 이동

> **참고**
> 압축철근이 배근된 경우 압축철근이 콘크리트 응력을 일부 부담하여 콘크리트의 응력이 줄어들므로 콘크리트의 크리프 변형도 감소한다. 따라서 압축철근비가 클수록 변형이 감소한다.

 ㉢ 영향 요인
  ⓐ 온도와 습도
  ⓑ 양생조건
  ⓒ 재하 시의 재령 및 함수량
  ⓓ 압축철근의 단면적
  ⓔ 지속하중의 크기
 ㉣ 종합적인 해석에 의하지 않는 한, 일반 또는 경량콘크리트 휨부재의 크리프와 건조수축에 의한 장기처짐은 해당 지속하중에 의해 생긴 순간처짐에 다음 계수를 곱하여 구할 수 있다.

$$\lambda = \dfrac{\xi}{1 + 50\rho'}$$

여기서, 시간경과계수 ξ : 지속하중의 재하기간에 따르는 계수로 재하기간에 따라 다음 표 값을 사용한다.

재령(월)	1	3	6	12	18	24	36	48	60 이상
ξ	0.5	1	1.2	1.4	1.6	1.74	1.8	1.9	2.0

압축철근비 $\rho' = \dfrac{A_s'}{bd}$

장기처짐 = 처짐계수 × 순간처짐
총처짐량 = 순간처짐 + 장기처짐

13② · 15② · 16④ · 18④ · 21② · 21④

[계산] 총 처짐량(순간처짐+장기처짐)

단원별 경향문제

16① [4점]

01 폭 $b = 400\text{mm}$인 보에 3-D22를 배근할 경우 균열제어 측면에서 철근의 배치 간격의 적합 여부를 검토하시오.(단, KCI 2012 기준이며, k_{cr}은 210, $f_y = 400\text{MPa}$, $f_s = \dfrac{2}{3}f_y$의 근사값 사용, 피복두께는 40mm, 스터럽은 D10 사용)

해설 보의 철근 배근배치

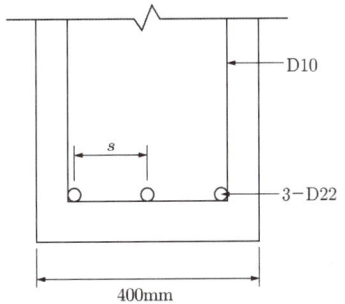

(1) 허용간격 (s_a)

① 인장철근 표면과 콘크리트 표면 사이의 최소두께
$$C_c = 40 + 10 = 50mm$$

② 철근의 응력 $f_s = \dfrac{2}{3}f_y = \dfrac{2}{3} \times 400 = 266.67\text{MPa}$

③ $s_1 = 375\left(\dfrac{k_{cr}}{f_s}\right) - 2.5 C_c$
$= 375\left(\dfrac{210}{266.67}\right) - 2.5 \times 50 = 170.3\text{mm}$

$s_2 = 300\left(\dfrac{k_{cr}}{f_s}\right) = 300 \times \left(\dfrac{210}{266.67}\right) = 236.25\text{mm}$

허용간격 $s_a = [s_1, s_2]_{\min} = 170.3\text{mm}$

(2) 문제의 철근 중심간격 (s)
$$s = \dfrac{1}{2}\left[400 - 2\left(40 + 10 + \dfrac{22}{2}\right)\right] = 139\text{mm}$$

(3) 적합 여부 검토
$s(=139\text{mm}) < s_a(=170.3\text{mm}) \rightarrow$ 적합

02 철근콘크리트구조에서 균열모멘트를 구하기 위한 콘크리트의 파괴계수 f_r을 계산하시오. (단, 모래경량콘크리트 사용, $f_{ck}=21\text{MPa}$)

19② [4점]

해설 콘크리트의 파괴계수 계산

$$f_r = 0.63\lambda\sqrt{f_{ck}} = 0.63(0.85)\sqrt{21} = 2.45\text{MPa}$$

※ 경량콘크리트계수
- 모래경량콘크리트 : 0.85
- 전경량콘크리트 : 0.75
- 보통콘크리트 : 1.0

---

03 다음 그림과 같은 단면의 보에서 외력에 의해 휨 균열을 일으키는 균열모멘트(M_{cr})를 계산하시오. (단, 보통중량콘크리트 $f_{ck}=24\text{MPa}$, $f_y=400\text{MPa}$이다.)

12④ [4점]

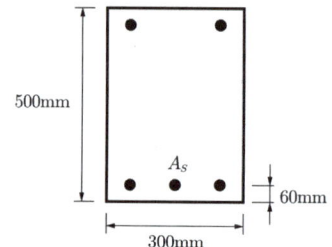

계산식 :

해설 균열모멘트 계산

(1) $\sigma = \dfrac{M}{Z} \rightarrow f_r = \dfrac{M_{cr}}{Z} \rightarrow M_{cr} = f_r \times Z$

(2) $M_{cr} = 0.63\lambda\sqrt{f_{ck}} \times \dfrac{bh^2}{6} = 0.63(1)\sqrt{24} \times \dfrac{300(500)^2}{6}$

$= 38,579,463.45 Nmm = 38.58\text{kNm}$

04 300mm×600mm의 단면을 가지는 보에서 외력에 의해 휨 균열을 일으키는 균열모멘트 (M_{cr})를 계산하시오. (단, 보통중량콘크리트, $f_{ck}=30\text{MPa}$, $f_y=400\text{MPa}$, $A_s=2{,}000\text{mm}^2$)

계산식 :

[해설] 균열모멘트 계산

(1) $\sigma = \dfrac{M}{Z} \rightarrow f_r = \dfrac{M_{cr}}{Z} \rightarrow M_{cr} = f_r \times Z$

(2) $M_{cr} = 0.63\lambda\sqrt{f_{ck}} \times \dfrac{bh^2}{6} = 0.63(1)\sqrt{30} \times \dfrac{300(600)^2}{6}$

$\qquad = 62{,}111{,}738.02\text{Nmm} = 62.11\text{kNm}$

---

05 다음 그림과 같은 단순보의 최대모멘트를 구하고, 균열모멘트와의 비교를 통해 균열 발생 여부를 검토하시오. (단, $w=50\text{kN/m}$, $L=12\text{m}$, $f_{ck}=24\text{MPa}$이고 보통중량콘크리트를 사용한다.)

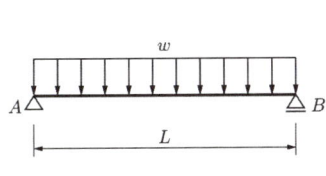
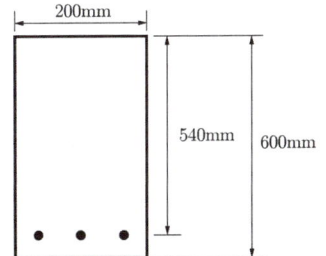

(1) 최대모멘트($M_{\max}$) (2) 균열 발생여부 검토

[해설] 최대모멘트/균열모멘트

(1) 보의 최대모멘트($M_{\max}$)

$M_{\max} = \dfrac{wL^2}{8} = \dfrac{50 \times (12)^2}{8} = 900\text{kNm}$

(2) 균열 발생여부 검토

① 균열모멘트

$\lambda = 1(\because \text{보통중량콘크리트})$

$f_r = 0.63\lambda\sqrt{f_{ck}} = 0.63 \times 1 \times \sqrt{24} = 3.086\text{MPa}$

$Z = \dfrac{bh^2}{6} = \dfrac{200 \times (600)^2}{6} = 12 \times 10^6 \text{mm}^3$

$f_r = \dfrac{M_{cr}}{Z} \rightarrow M_{cr} = f_r \times Z = 3.086 \times (12 \times 10^6) = 37{,}032{,}000\text{Nmm} = 37.03\text{kNm}$

② 균열여부 검토 : $M_{\max}(=900\text{kNm}) > M_{cr}(=37.03\text{kNm}) \rightarrow$ 균열 발생

06

인장철근만 배근된 직사각형 단순보에서 하중이 작용하여 5mm의 순간처짐이 발생하였다. 이 하중이 5년 이상 지속될 경우 총 처짐량(순간처짐+장기처짐)을 계산하시오. (단, 모든 하중을 지속하중으로 가정하며 크리프와 건조수축에 의한 장기 추가처짐에 대한 계수(λ)는 다음 식으로 구한다. $\lambda = \dfrac{\xi}{1+50\rho}$, 지속하중에 대한 시간경과계수($\xi$)는 2.0으로 한다.)

계산식 :

해설 총 처짐량 계산

(1) $\lambda = \dfrac{\xi}{1+50\rho'} = \dfrac{2}{1+50\times 0} = 2$

(2) 장기처짐 = 순간처짐 × 처짐계수 = $5 \times 2 = 10$mm

(3) 총 처짐량 = 순간처짐 + 장기처짐 = $5 + 10 = 15$mm

07

인장철근비 0.0025, 압축철근비 0.0016의 철근콘크리트 직사각형 단면의 보에 하중이 작용하여 순간처짐이 2cm 발생하였다. 3년의 지속하중이 작용할 경우 총 처짐량(순간처짐+장기처짐)을 계산하시오. (단, 시간경과계수는 다음의 표를 참조한다.)

기간(월)	1	3	6	12	18	24	36	48	60 이상
ξ	0.5	1.0	1.2	1.4	1.6	1.7	1.8	1.9	2.0

계산식 :

해설 총 처짐량 산정

(1) 장기처짐 산정

① 처짐계수 $\lambda = \dfrac{\xi}{1+50\rho'} = \dfrac{1.8}{1+50\times 0.0016} = 1.6667$

② 장기처짐 = 처짐계수 × 단기처짐 = $1.6667 \times 2 = 3.333$cm

(2) 총 처짐량 산정

총 처짐 = 단기처짐 + 장기처짐 = $2 + 3.333 = 5.333$cm

08 그림과 같은 철근콘크리트 복근보의 단기처짐이 20mm일 경우 5년 후에 예상되는 장기처짐을 포함한 총 처짐량을 구하시오. (단, 지속하중에 대한 5년의 시간경과계수(ξ)=2.0)

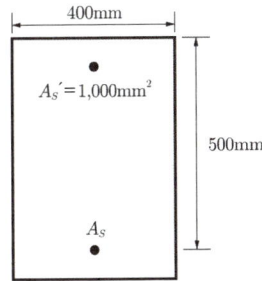

계산식 :

해설 복근보-총 처짐량 계산

(1) 장기처짐 산정

① 압축철근비 $\rho' = \dfrac{A_s'}{bd} = \dfrac{1,000}{400 \times 500} = 0.005$

② 처짐계수 $\lambda = \dfrac{\xi}{1+50\rho'} = \dfrac{2.0}{1+50\times 0.005} = 1.6$

③ 장기처짐 = 처짐계수 × 단기처짐 = $1.6 \times 20 = 32$mm

(2) 총 처짐량 산정

총 처짐 = 단기처짐 + 장기처짐 = $20 + 32 = 52$mm

제 5 절 | 보의 휨 해석 및 설계

1 휨 해석의 기본가정

(1) 해석을 위한 가정
   ① 변형 전에 부재 축에 수직한 평면은 변형 후에도 부재 축에 수직을 유지한다. 이 가정은 보의 변형률은 중립축으로부터의 거리에 비례함을 의미한다. 일반 보나 슬래브에는 무리 없이 적용되나 벽이나 깊은 보에는 아치작용이 휨작용보다 커지므로 적용이 불가능하다.
   ② 철근의 변형률은 같은 위치에서의 콘크리트 변형률과 같다. 이 가정은 철근과 콘크리트가 완전히 부착되어 있어 상대적인 미끄러짐이 생기지 않는 경우 가능하며, 하중을 지지하는데 철근과 콘크리트가 일체로 거동함을 뜻한다.
   ③ 철근과 콘크리트 응력은 철근과 콘크리트의 재료 실험에 의한 응력-변형률로부터 계산할 수 있다.

(2) 설계를 위한 가정
   ① 콘크리트는 인장응력을 지지할 수 없다.
      ㉠ 콘크리트의 인장강도는 압축강도의 1/10 정도이므로 휨재 설계 시에는 이를 무시하고 단순히 보강철근이 인장응력을 지지하도록 한다.
      ㉡ 이러한 가정은 휨응력 계산을 단순하게 하면서 안전성을 높인 것이며, 전단, 부착, 처짐 등에서는 콘크리트의 인장강도를 고려한다.
   ② 콘크리트는 압축변형률이 극한변형률에 도달했을 때 파괴된다.
   ③ 콘크리트의 압축응력도-변형률 관계는 시험결과에 따라 장방형, 사다리꼴 또는 포물선 등으로 가정할 수 있다.

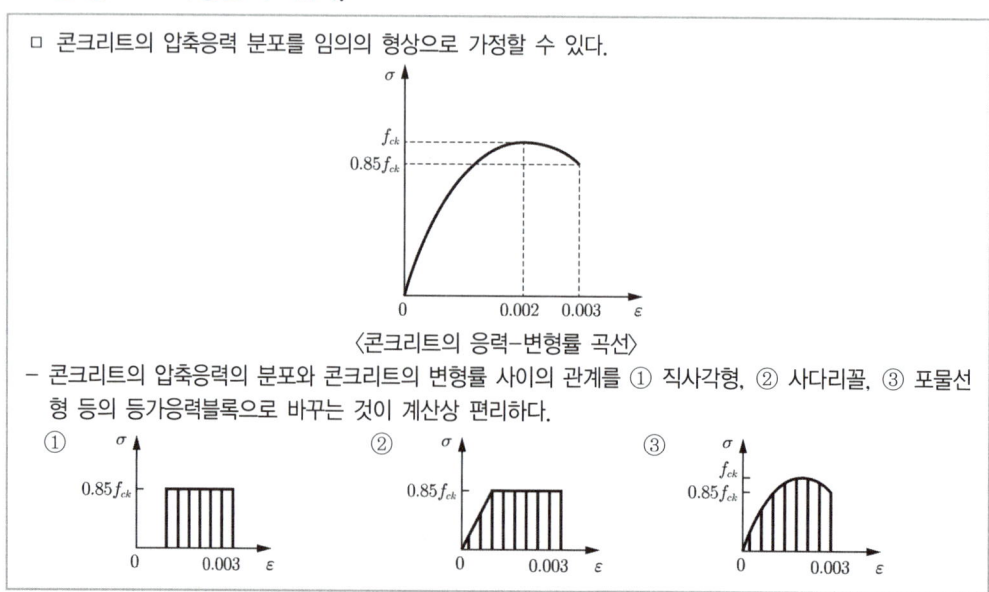

□ 콘크리트의 압축응력 분포를 임의의 형상으로 가정할 수 있다.

〈콘크리트의 응력-변형률 곡선〉

- 콘크리트의 압축응력의 분포와 콘크리트의 변형률 사이의 관계를 ① 직사각형, ② 사다리꼴, ③ 포물선형 등의 등가응력블록으로 바꾸는 것이 계산상 편리하다.

2 파괴형식

(1) 연성파괴

비교적 적은 양의 철근을 배근하면 철근이 먼저 항복응력에 도달한다. 이 응력에서 철근은 계속 항복상태에 있고 급격히 늘어나서 콘크리트의 인장균열은 눈으로 볼 수 있을 정도로 커져서 위로 진행되며, 동시에 어느 정도의 심한 처짐도 생긴다. 이러한 현상이 생길 때 콘크리트의 압축 측 변형은 콘크리트가 파괴할 정도로 증가한다. 이때의 파괴는 점진적이고 보의 처짐에 의하여 균열의 폭과 깊이가 상당히 커져서 예측할 수 있는 연성파괴가 된다.

(2) 취성파괴

과소 철근의 경우와 반대로 철근이 너무 많으면 철근이 항복하기 전에 콘크리트가 그 내력의 한계에 도달하여 압축파괴된다. 이와 같은 파괴는 사전예고 없이 폭발적으로 생기며 이러한 파괴를 취성파괴라고 한다.

3 단근 장방형 보의 해석

(1) 보의 저항모멘트

① 철근콘크리트 보에 외력에 의한 모멘트가 작용하면 중립축을 중심으로 하여 축방향으로 인장응력과 압축응력이 발생한다.

② 인장응력의 합력 T와 압축응력의 합력 C사이의 우력이 내부 저항모멘트가 되어 외부모멘트와 평형을 이룬다.

③ 외부에서 축하중이 작용하지 않는 경우 축방향 힘의 평형조건은 다음과 같다.
$C = T$

④ 내부 저항모멘트는 아래 그림에서 C와 T간의 거리를 jd로 하면 다음과 같다.
$M = C \cdot jd$, $M = T \cdot jd$

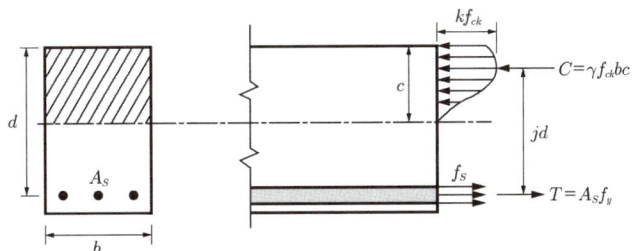

| 보의 내력과 저항모멘트 |

(2) 등가응력블록
   ① 설계모멘트를 계산하기 위하여 다음 값이 계산되어야 한다.
      ㉠ 인장응력의 합력 T의 계산
      ㉡ 압축응력의 합력 C의 계산
      ㉢ 응력중심거리 jd의 계산
   ② 인장응력 합계 T의 계산
      ㉠ 콘크리트의 인장응력은 무시한다.
      ㉡ 인장철근의 응력 f_s와 단면적 A_s의 곱
   ③ 등가응력블록의 조건
      ㉠ 실제 압축응력분포 면적과 장방형 응력블록의 면적은 같아야 한다.
      ㉡ 실제 압축응력의 도심과 응력블록의 중심은 같은 위치에 있어야 한다.
   ④ 등가응력블록의 깊이(a)
      $a = \beta_1 c$
      ㉠ 상기 식에서 c는 압축연단으로부터 중립축까지의 거리이다.
      ㉡ 계수 β_1은 콘크리트의 강도별 압축응력-변형률 시험결과를 바탕으로 다음과 같이 산정한다[2020년까지의 기준].
         ⓐ $f_{ck} \leq 28\text{N/mm}^2$ 경우 : $\beta_1 = 0.85$
         ⓑ $f_{ck} > 28\text{N/mm}^2$ 경우 : $\beta_1 = 0.85 - (0.007)(f_{ck} - 28) \geq 0.65$

> 14①
> [계산] 등가응력블록의 깊이 계수 β_1

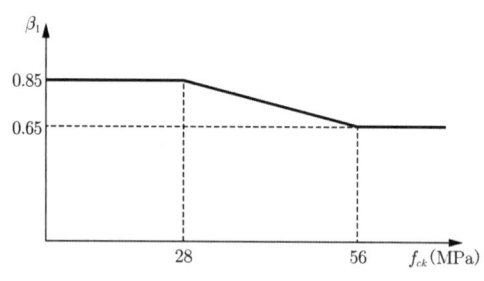

‖ 구조설계기준의 β_1분포 ‖

[2021년 개정된 새로운 기준]
① 단면의 가장자리와 최대 압축변형률이 일어나는 연단으로부터 $a = \beta_1 c$ 거리에 있고 중립축과 평행한 직선에 의해 이루어지는 등가압축영역에 $\eta(0.85 f_{ck})$인 콘크리트응력이 등분포하는 것으로 가정한다.
② 계수

η와 β_1은 다음 표의 값을 적용한다.

f_{ck}(MPa)	≤40	50	60	70	80	90
ε_{cu}	0.0033	0.0032	0.0031	0.003	0.0029	0.0028
η	1.00	0.97	0.95	0.91	0.87	0.84
β_1	0.80	0.80	0.76	0.74	0.72	0.70

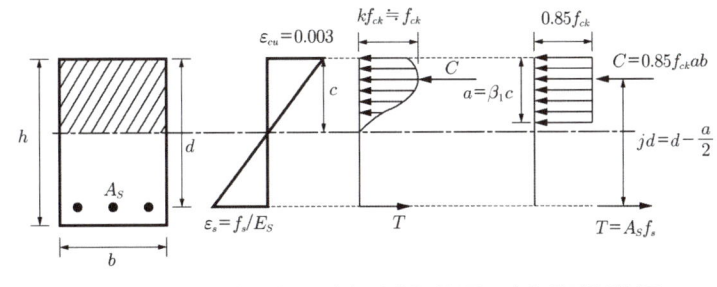

(a) 단면   (b) 변형도   (c) 실제응력블록   (d) 등가응력블록

| 철근콘크리트 보의 응력-변형률 분포 |

(3) 최소 및 최대 철근비
① 철근비와 보의 파괴형태
  ㉠ 균형철근보(동시 파괴)
    ⓐ 철근비는 철근 단면적에 대한 콘크리트의 유효단면적의 비
    $$\rho = \frac{철근의\ 단면적}{콘크리트의\ 유효단면적} = \frac{A_s}{bd}$$
    ⓑ 균형보는 압축 측 콘크리트의 변형률이 극한변형률에 이르는 것과 인장철근의 응력이 항복점에 도달하는 것이 동시에 일어나도록 설계된 보를 말하며 이때의 철근비를 균형철근비라 한다.
    ⓒ 균형철근비
    $$\rho_b = \frac{균형철근\ 단면적}{콘크리트의\ 유효단면적} = \frac{A_{sb}}{bd}$$
    균형철근비는 보의 최대 인장철근비를 정하는 기본이 된다.

> 12① · 13④
> [계산] 균형철근비 및 최대철근량

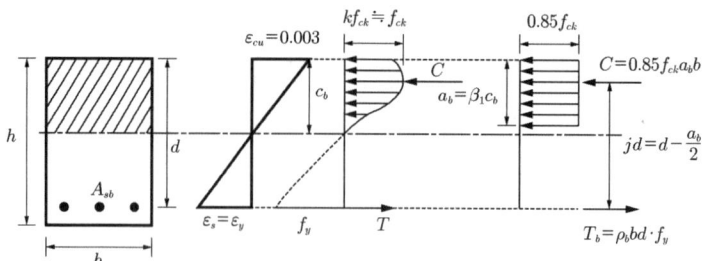

(a) 단면   (b) 변형도   (c) 실제응력도   (d) 등가응력블록

┃ 단철근 직사각형 보의 균형상태 ┃

ⓓ 중립축의 위치 : 위 그림 (b)의 변형도에서 비례식에 의하여 유도함

$$\frac{c_b}{d} = \frac{\varepsilon_{cu}}{\varepsilon_{cu} + \varepsilon_y} \text{ (여기서, } \varepsilon_y = \frac{f_y}{E_s}\text{)}$$

$$\therefore c_b = \frac{\varepsilon_{cu}}{\varepsilon_{cu} + \frac{f_y}{E_s}} d = \frac{0.0033 E_s}{0.0033 E_s + f_y} d = \frac{660}{660 + f_y} d$$

여기서, $E_s = 2.0 \times 10^5 \text{N/mm}^2$

11① · 14②

[계산] 압축연단에서 중립축까지의 거리 C

ⓔ 균형철근비(ρ_b) : $\Sigma H = 0 \rightarrow T_b = C_b,\ \left(c_b = \frac{a_b}{\beta_1}\right)$

$T_b = A_{sb} \cdot f_y = \rho_b \cdot bd \cdot f_y$
$C = 0.85 f_{ck} \cdot a_b \cdot b = 0.85 f_{ck} \cdot (\beta_1 \cdot c_b) b$
$T_b = C_b$ 에서

$$\therefore \rho_b = (0.85\beta_1)\frac{f_{ck}}{f_y} \cdot \frac{660}{660 + f_y}$$

ⓕ 공칭모멘트(M_n)

$$M_n = T_b\left(d - \frac{a_b}{2}\right) = A_{sb} \cdot f_y\left(d - \frac{a_b}{2}\right) = \rho_b \cdot bd \cdot f_y\left(d - \frac{a_b}{2}\right)$$

$$M_n = C_b\left(d - \frac{a_b}{2}\right) = 0.85 f_{ck} \cdot a_b \cdot b\left(d - \frac{a_b}{2}\right)$$

13② · 14② · 23④

[계산] 계수집중하중(P_u), 계수휨모멘트(M_u)의 최대값

② 과대 철근보(콘크리트의 취성파괴)

$\rho > \rho_b$

③ 과소 철근보(철근의 연성파괴) : 가장 바람직하다.

$\rho < \rho_b$

④ 최소 철근보(콘크리트의 취성파괴)

$\rho < \rho_{\min}$

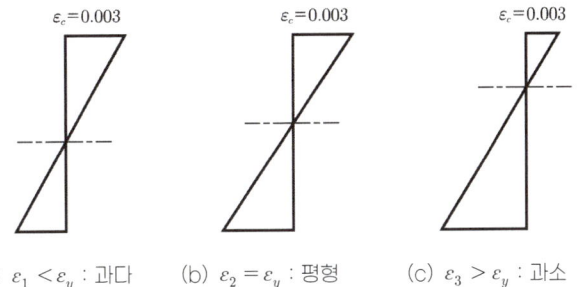

(a) $\varepsilon_1 < \varepsilon_y$: 과다   (b) $\varepsilon_2 = \varepsilon_y$: 평형   (c) $\varepsilon_3 > \varepsilon_y$: 과소

참고 불안정구조물과 안정구조물

보의 단면설계는 과소철근 단면 보로서 연성파괴로 유도해야 구조물의 안전성을 보장받을 수 있다.
$\rho_{\min} < \rho \leq \rho_{\max}$ → 연성파괴를 유도하기 위하여

(4) 최대철근비

① 인장철근이 과도하게 보강된 경우에는 보의 연성이 줄어들어 압축콘크리트의 취성파괴가 발생할 수 있으므로 극한상태에서 최외단 인장철근의 순인장변형률(ε_t)이 휨부재의 최소허용변형률($\varepsilon_{a,\min}$) 이상이 되도록 철근량을 제한할 필요가 있다.

② 보의 최대철근비는 최외단 인장철근의 순인장변형률(ε_t)이 휨부재의 최소허용변형률($\varepsilon_{a,\min}$)과 같아지는 경우이므로 $T = C$의 조건으로부터 다음과 같이 유도된다.

$T = C$

$\rho_{\max} bd \cdot f_y = 0.85 f_{ck} \cdot ab$

$\qquad = (0.85\beta_1)\left(\dfrac{f_{ck}}{f_y}\right)\left(\dfrac{0.0033}{0.0033 + \varepsilon_{a,\min}}\right) bd_t$

$\therefore \rho_{\max} = (0.85\beta_1)\left(\dfrac{f_{ck}}{f_y}\right)\left(\dfrac{d_t}{d}\right)\left(\dfrac{0.0033}{0.0033 + \varepsilon_{a,\min}}\right)$

③ 보의 설계에서는 철근비를 작게 하고 단면을 크게(즉, 폭보다는 높이를 크게)하는 것이 부재의 연성을 증가시키면서 처짐이 줄어들게 된다.

(5) 최소철근비

사용하중 상태의 보의 저항모멘트(M_s) > 콘크리트의 균열모멘트(M_{cr})

① 철근비를 너무 작게 하여 설계된 보에서는 균열단면의 휨강도가 보에 균열을 일으키는 모멘트(균열모멘트)보다 작을 수 있으며 이러한 경우 보는 균열이 생기면 즉시 파괴된다.

② 취성파괴를 방지하기 위하여 균열모멘트 이상의 휨강도를 가지도록 철근을 보강할 필요가 있다.

③ 설계 규준에서 이러한 점을 고려하여 최소 철근비를 다음 값 이상으로 규정하고 있다.
직사각형 단면의 최소철근비[2020년까지의 기준-2021년에 규정이 삭제됨]

$$\rho_{\min} = \left[\frac{0.25\sqrt{f_{ck}}}{f_y}, \frac{1.4}{f_y}\right]$$

단, 해석상 필요한 철근량의 4/3 이상 배근 시에는 $\rho_{\min}$ 무시 가능

4 단근 직사각형 보의 설계강도

① 설계강도
설계강도=(강도감소계수)×(공칭강도)

② 최대 철근비와 최소철근비의 범위에서 설계되어야 한다.

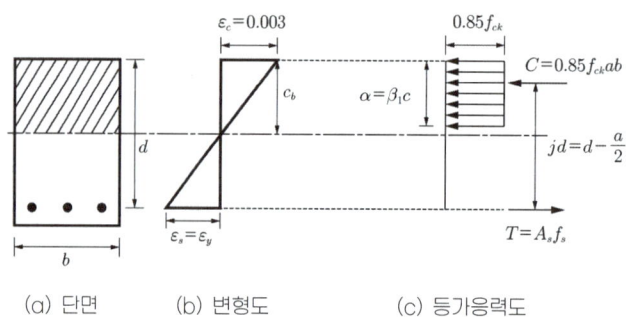

(a) 단면　　(b) 변형도　　(c) 등가응력도

┃ 단철근 직사각형 보의 해석 ┃

③ 이러한 제한을 만족시키는 보의 휨파괴는 철근의 응력이 f_y에 도달했을 때 생기며, 이런 상태에서는 변형률과 응력은 위 그림 (b), (c)와 같다.

④ 콘크리트의 압축응력의 합력(C)과 철근의 인장력(T)
$C = 0.85 f_{ck} ab$, $T = A_s f_y$

⑤ 압축력 C와 인장력 T는 평형을 이루어야 하므로 즉, $\Sigma H = 0$에서 등가응력 블록의 깊이 a는 다음과 같이 산출된다.

$$\Sigma H = 0 : C = T \rightarrow 0.85 f_{ck} ab = A_s f_y \quad \therefore a = \frac{A_s f_y}{0.85 f_{ck} b}$$

⑥ 철근비가 균형철근비보다 작은 경우 보의 설계강도는 다음과 같다.

$$\phi M_n = \phi A_s f_y (jd) = \phi A_s f_y \left(d - \frac{a}{2}\right)$$

여기서, 강도감소계수 $\phi = 0.85$

5 T형 보의 해석 및 설계

(1) T형 보의 개념

T형보는 보의 전 부분에 다 적용되는 것은 아니고 **휨에 의하여 슬래브가 압축 측이 되는 보의 중앙부분에만 적용이 가능**하며, 슬래브가 인장 측이 되는 보의 단부에서는 직사각형 보로 설계되어야 한다. 그 이유는 콘크리트는 인장응력을 지지하지 못하기 때문이다.

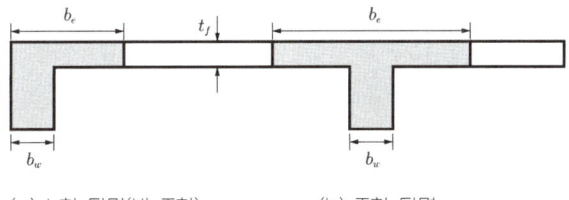

(a) L형 단면(반 T형)   (b) T형 단면

(2) T형 보의 유효폭

휨모멘트에 의하여 압축응력을 받는 T형 보 플랜지는 보에 인접한 부분에서는 압축응력을 많이 받으나 보에서 멀리 떨어질수록 지지하는 압축응력의 크기는 감소한다. 이러한 압축응력의 분포를 최대 압축응력이 일정하게 작용하는 것으로 바꿔놓았을 때 그 폭을 유효폭이라 한다.

① T형 보의 유효폭(보의 양쪽에 슬래브가 있는 T형 보)
  ㉠ 보폭에 슬래브 두께의 16배를 더한 값 : $b_e = 16t_f + b_w$
  ㉡ 양쪽 슬래브의 중심거리
  ㉢ 보 경간의 1/4 : $b_e = \dfrac{l}{4}$

📖 11④ · 23①

[산정 조건] T형 보의 유효폭

② 반T형 보(보의 한쪽에만 슬래브가 있는 경우)
  ㉠ 한쪽으로 내민 플랜지 두께의 6배+보의 웨브 폭 : $b_e = 6t_f + b_w$
  ㉡ 보의 경간의 1/12+보의 웨브 폭 : $b_e = \dfrac{l}{12} + b_w$
  ㉢ 인접 보와의 내측 거리의 1/2+보의 웨브 폭
   (인접 보와의 내측 거리)$\times \dfrac{1}{2} + b_w$

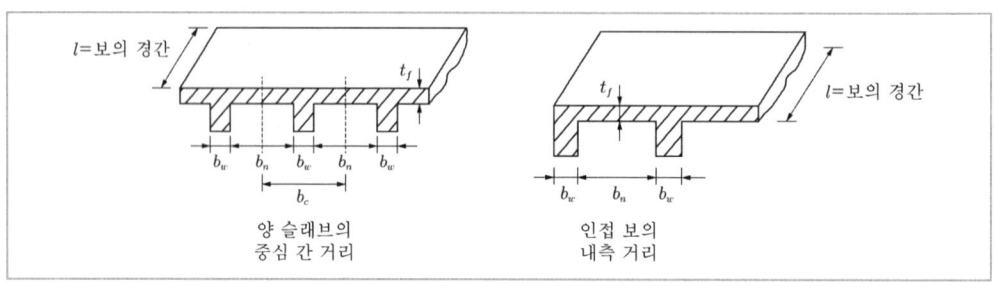

14① [3점]

01 콘크리트 설계기준압축강도 $f_{ck}=30\text{MPa}$일 때, 등가응력블록의 깊이 계수 β_1을 계산하시오.

계산식 :

해설 등가응력블록의 깊이 계수
$f_{ck} \leq 40\text{MPa}$이므로 $\beta_1 = 0.80$

11① [4점]

02 그림과 같은 보의 압축연단에서 중립축까지의 거리 C를 구하시오. (단, $f_{ck}=35\text{MPa}$, $f_y=400\text{MPa}$, $A_s=2{,}028\text{mm}^2$)

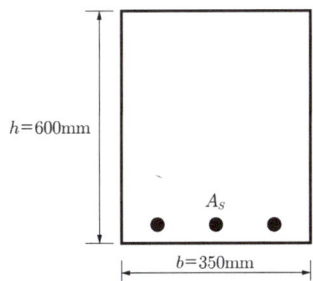

계산식 :

해설 압축연단에서 중립축까지의 거리 c 계산

(1) $a = \dfrac{A_s \times f_y}{0.85 f_{ck} \times b} = \dfrac{(2{,}028)(400)}{0.85(35)(350)} = 77.91\text{mm}$

(2) $f_{ck} = 35\text{MPa} \leq 40\text{MPa}$이므로 $\beta_1 = 0.80$

(3) $a = \beta_1 \times c \;\rightarrow\; c = \dfrac{a}{\beta_1} = \dfrac{77.91}{0.80} = 97.39\text{mm}$

03 그림과 같은 T형보의 중립축 위치(c)를 계산하시오. (단, 보통중량콘크리트 $f_{ck}=30\text{MPa}$, $f_y=400\text{MPa}$, 인장철근 단면적 $A_s=2,000\text{mm}^2$)

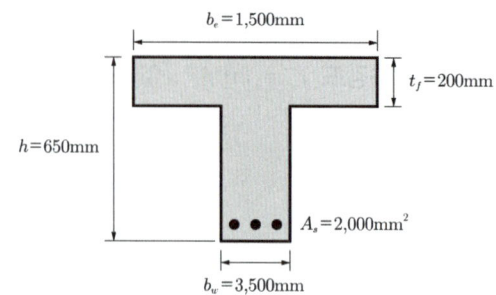

계산식 :

해설 T형보 중립축 위치 계산
(1) 등가응력블록의 깊이 산정
$$a=\frac{A_s f_y}{0.85 f_{ck} b}=\frac{2,000\times 400}{0.85\times 30\times 1,500}=20.915\text{mm}$$
(2) $f_{ck}\leq 40\text{MPa}$ 이므로 $\beta_1=0.80$
(3) $c=\dfrac{a}{\beta_1}=\dfrac{20.915}{0.80}=26.14\text{mm}$

---

04 철근콘크리트 강도설계법에서 균형철근보의 정의를 기술하시오.

정의 :

해설 인장철근이 설계기준항복강도 f_y에 대응하는 변형률에 도달함과 동시에 압축연단 콘크리트의 변형률이 그 **극한변형률에 도달하도록** 단면이 설계된 보

05 강도설계법에 따른 다음 그림과 같은 콘크리트 단근보의 균형철근비 및 최대철근량을 계산하시오. (단, $f_{ck}=27\text{MPa}$, $f_y=300\text{MPa}$, $E_s=200{,}000\text{MPa}$)

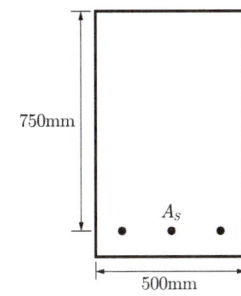

계산식 :

해설 균형철근비 / 최대철근량 계산

(1) 균형철근비

$$\rho_b = 0.85 \times \beta_1 \times \frac{f_{ck}}{f_y} \times \frac{660}{660+f_y}$$

$$= 0.85 \times 0.85 \times \frac{27}{300} \times \frac{660}{660+300} = 0.0434 \,(f_{ck} < 40MPa\text{이므로 } \beta_1 = 0.80)$$

(2) 최대철근량

$$A_{s,\max} = \rho_{\max} \times b \times d$$

$$= 0.85 \times \beta_1 \times \left(\frac{f_{ck}}{f_y}\right) \times \left(\frac{0.0033}{0.0033+\varepsilon_{a,\min}}\right) \times b \times d$$

$$\epsilon_{a,\min} = 2 \times \frac{f_y}{E_s} \geq 0.004$$

$$= 2 \times \frac{300}{200{,}000} = 0.003 \;\rightarrow\; \text{최소값인 } 0.004\text{로 선택}$$

$$A_{s,\max} = 0.85 \times 0.80 \times \left(\frac{27}{300}\right) \times \left(\frac{0.0033}{0.0033+0.004}\right) \times 500 \times 750$$

$$= 10{,}374.66\text{mm}^2$$

06

그림과 같은 철근콘크리트 단순보에서 계수집중하중(P_u)의 최댓값(kN)을 계산하시오. (단, 보통중량콘크리트 f_{ck}=28MPa, f_y=400MPa, 인장철근 단면적 A_s=1,500mm², 휨에 대한 강도감소계수 ϕ=0.85를 적용한다.)

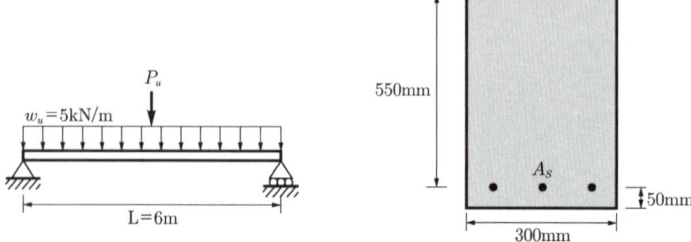

계산식 :

해설 계수집중하중 계산

(1) 등가응력블록의 깊이 산정

$$a = \frac{A_s f_y}{0.85 f_{ck} b} = \frac{1500 \times 400}{0.85 \times 28 \times 300} = 84.034 \text{mm}$$

(2) $\phi M_n = \phi A_s f_y \times \left(d - \frac{a}{2}\right)$

$= 0.85 \times 1,500 \times 400 \times \left(550 - \frac{84.034}{2}\right)$

$= 259,071,330 \text{Nmm}$

$= 259.07 \text{kNm}$

(3) $M_u = \dfrac{P_u \times L}{4} + \dfrac{w_u \times L^2}{8} = \dfrac{P_u \times 6}{4} + \dfrac{5 \times (6)^2}{8}$

(4) $M_u \leq \phi M_n$ 이므로

$\dfrac{P_u \times 6}{4} + \dfrac{5 \times (6)^2}{8} \leq 259.07$

∴ $P_u \leq 157.71 \text{kN}$

07 그림과 같은 철근콘크리트 보 중앙에 집중하중이 작용하고 있다. 이 보에 작용하는 최대 계수휨모멘트(M_u)를 구하시오. (단, 중앙집중하중 P는 고정하중 20kN이고, 활하중 30kN이며, 보의 자중은 제외함)

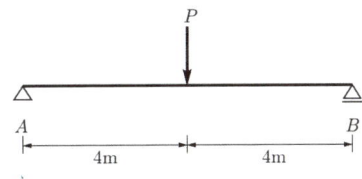

계산식 :

해설 최대 계수 휨모멘트 계산
(1) 계수하중 $P_u = 1.2P_D + 1.6P_L = 1.2 \times 20 + 1.6 \times 30 = 72kN$
(2) 최대 계수 휨모멘트
$$M_u = \frac{P_u L}{4} = \frac{72 \times (4+4)}{4} = 144 \text{kNm}$$

08 슬래브와 보를 일체로 타설한 철근콘크리트 대칭 T형보에서 압축을 받는 플랜지 부분의 유효폭을 결정할 때는 세 가지 조건에 의하여 산출된 값 중 가장 작은 값으로 결정하여야 하는데 이 세 가지 조건을 기술하시오.

(1)
(2)
(3)

해설 T형보
(1) $16t_f + b_w$ (t_f : 슬래브 두께, b_w : 보의 폭)
(2) 양쪽 슬래브의 중심 간 거리
(3) 보 경간의 1/4

> **참고** 반 T형보
> (1) $6t_f + b_w$
> (2) 인접보와 내측 거리의 $\frac{1}{2} + b_w$
> (3) 보 경간의 $\frac{1}{12} + b_w$

제 6 절 | 보의 전단

1 전단에 의한 보의 거동

(1) 개요

① 최대 설계전단력은 지지점 중심으로부터 보의 유효춤 d만큼 떨어진 단면에서의 전단력을 취한다.

> 15④
> [계산] 보의 최대 전단력

② 보의 전단응력은 다음 식으로 산정한다.

$$\tau = \frac{V}{b_w d}$$

여기서, b_w : 보의 복부 폭

d : 유효춤

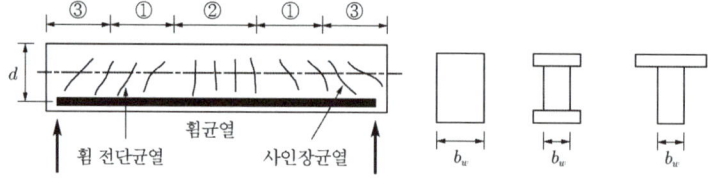

① 큰 모멘트와 큰 전단력
② 큰 모멘트와 작은 전단력
③ 작은 모멘트와 큰 전단력 : 전단력에 위험단면

∥전단력에 대한 위험위치 및 전단응력 산정식 보의 복부 폭∥

(2) 기본설계 방정식

① 전단을 받는 단면의 설계는 다음 식을 기본으로 한다.

$$V_u \leq \phi V_n = \phi(V_c + V_s)$$

여기서, V_u : 계수하중에 의한 전단력

V_c : 콘크리트에 의한 전단강도

V_s : 전단 보강근에 의한 전단강도

V_n : 부재의 공칭전단강도

> 11② · 22④
> [계산] 소요공칭전단강도

② 콘크리트의 전단강도
  ㉠ 전단력과 휨모멘트가 작용하는 부재
  $$V_c = \left(\frac{1}{6}\lambda\sqrt{f_{ck}}\right)b_w d$$
  여기서, λ : 경량콘크리트 계수

> **참고**
> 여기서 사용되는 $\sqrt{f_{ck}}$ 값은 특별한 경우를 제외하고는 8.4MPa을 초과해서는 안 된다.

2 전단철근의 전단강도

① 수직 스터럽에 생기는 수직력(전단철근의 전단강도, V_s)

$$V_s = nA_v, \quad V_s = \frac{A_v f_{yt} d}{s}$$

여기서, A_v : 스터럽의 단면적
   f_{yt} : 스터럽의 항복응력
   s : 스터럽의 간격
   p : 균열의 수평투영길이($p = d$)
   n : 균열을 가로지르는 스터럽의 수 $\left(n = \dfrac{d}{s}\right)$

② 철근의 전단강도 V_s는 $0.2(1 - f_{ck}/250)f_{ck}b_w d$ 이하로 하여야 한다.

3 전단철근의 간격

① 계수 전단력 $V_u \leq \dfrac{1}{2}\phi V_c$인 경우

  전단보강근 필요 없음

② $V_s \leq \dfrac{1}{3}\lambda\sqrt{f_{ck}}\,b_w d$인 경우(일반적인 경우)

  ㉠ $s = \dfrac{A_v f_{yt} d}{V_s}$

  ㉡ $s = \dfrac{d}{2}$

  ㉢ $s = 600\mathrm{mm}$

상기 ㉠, ㉡, ㉢ 중 가장 작은 값을 택한다.

15①
[계산] 전단철근의 간격

③ $V_s > \dfrac{1}{3}\lambda\sqrt{f_{ck}}\,b_w d$인 경우

㉠ $s = \dfrac{A_v f_{yt} d}{V_s}$

㉡ $s = \dfrac{d}{4}$

㉢ $s = 300\text{mm}$

상기 ㉠, ㉡, ㉢ 중 가장 작은 값을 택한다.

19 ④

[계산] 전단철근의 간격

단원별 경향문제

15④ [4점]

01 스팬 6m의 단순보에 $w_D = 15\text{kN/m}$, $w_L = 12\text{kN/m}$가 작용하는 경우, 보의 전단설계를 위한 최대전단력 V_u를 계산하시오. (단, 보의 단면 $b_w \times d = 300\text{mm} \times 500\text{mm}$ 이다.)

계산식 :

해설 설계를 위한 보의 최대 전단력 계산

(1) 계수하중 $w_u = 1.2w_D + 1.6w_L = 1.2 \times 15 + 1.6 \times 12 = 37.2\text{kN/m}$

(2) 최대 전단력은 반력과 같으므로 $V_{\max} = \dfrac{w_u \times L}{2} = \dfrac{37.2 \times 6}{2} = 111.6\text{kN}$

(3) 설계용 최대 전단력은 지점에서 d만큼 떨어진 단면에서의 전단력이므로
$V_{u,d} = V_{\max} - w_u \times d = 111.6 - 37.2 \times 0.5 = 93.0\text{kN}$

11② · 22④ [4점]

02 다음은 철근콘크리트 부재의 구조계산을 수행한 결과이다. 물음에 답하시오.

(1) 하중조건
  ① 고정하중 : $M_D = 150\text{kNm}$, $V_D = 120\text{kN}$
  ② 활하중 : $M_L = 130\text{kNm}$, $V_L = 110\text{kN}$
(2) 강도감소계수
  ① 휨에 대한 강도감소계수 : $\phi = 0.85$
  ② 전단에 대한 강도감소계수 : $\phi = 0.75$

(1) 소요공칭휨강도 :
(2) 소요공칭전단강도 :

해설 (1) 소요공칭 휨강도
$M_u \leq M_d = \phi M_n$
$M_n \geq \dfrac{M_u}{\phi} = \dfrac{1.2M_D + 1.6M_L}{\phi} = \dfrac{1.2 \times 150 + 1.6 \times 130}{0.85} = 456.47\text{kNm}$

(2) 소요공칭 전단강도
$V_u \leq V_d = \phi V_n$
$V_n \geq \dfrac{V_u}{\phi} = \dfrac{1.2V_D + 1.6V_L}{\phi} = \dfrac{1.2 \times 120 + 1.6 \times 110}{0.75} = 426.67\text{kN}$

03 다음과 같은 단면을 가진 보에서 전단철근의 간격을 계산하시오. (단, V_s=200kN이고, 철근의 항복강도는 400MPa이다.)

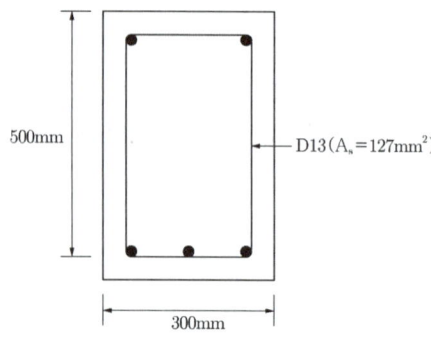

해설 전단철근의 간격

(1) $s = \dfrac{A_v f_{yt} d}{V_s} = \dfrac{(2 \times 127) \times 400 \times 500}{200 \times 1,000} = 254.0\text{mm}$

(2) $s = \dfrac{d}{2} = \dfrac{500}{2} = 250\text{mm}$

(3) $s = 600\text{mm}$

∴ 이중 최솟값인 $s = 250\text{mm}$ 이하로 배근

04 전단철근의 전단강도 V_s값의 산정결과, $V_s > \dfrac{1}{3}\lambda\sqrt{f_{ck}}\,b_w d$로 검토되었다. 전단보강철근을 배근해야 하는 구간 내에서 수직 스터럽(Stirrup)의 최대간격 s를 계산하시오. (단, 보의 유효깊이 d=550mm이다.)

해설 전단철근의 간격

전단철근의 단면적과 항복응력 및 전단철근의 전단강도가 모두 주어지지 않았으므로 $s = \dfrac{A_v f_{yt} d}{V_s}$ 은 계산하지 않는다.

① $\dfrac{d}{4} = \dfrac{550}{4} = 137.5\text{mm}$ 이하

② 300mm 이하

①, ② 중 작은값이므로 137.5mm

참고

$V_s \leq \dfrac{1}{3}\lambda\sqrt{f_{ck}}\,b_w d$의 전단철근 간격

① $\dfrac{d}{2}$ 이하

② 600mm 이하

제7절 | 정착 및 이음

1 철근의 정착

(1) 정착길이(Development Length)

콘크리트에 묻혀 있는 철근이 힘을 받을 때 뽑히거나 미끄러짐 변형이 생기는 일 없이 항복강도에 이르게 하는 최소한의 묻힘길이를 말하며 l_d로 표시한다.

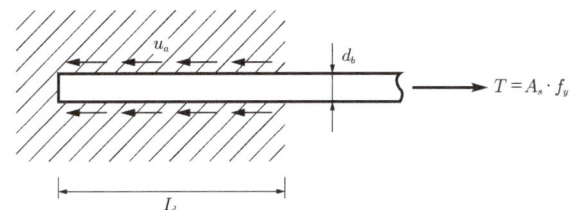

① 설계기준에서는 철근의 정착 및 이음에 사용되는 $\sqrt{f_{ck}}$ 값을 8.4MPa 이하로 하도록 규정하고 있다.

② 철근의 정착길이는 상기의 조건 이외에도 피복두께, 철근의 간격, 철근의 위치, 횡방향 구속철근, 철근 표면의 에폭시수지 도막 등 여러 가지 요인들에 의해 영향을 받으며, 이러한 부수적인 조건들은 부재마다 다르기 때문에 각 조건별로 보정계수를 정하여 이러한 조건들의 영향을 고려한다.

③ 철근의 정착길이는 기본정착길이에 보정계수를 곱한 값으로 산정한다.

l_d = 기본 정착길이(l_{db}) × 보정계수

(2) 인장이형철근 및 이형철선의 정착

① 정착길이(l_d)

인장을 받는 이형철근의 정착길이는 다음 식 (1), (2)로 계산된 값으로 한다.

$l_d = l_{db} \times$ (보정계수) ·················· (1)

$l_d = \dfrac{0.9\, d_b f_y}{\sqrt{f_{ck}}} \dfrac{\alpha\beta\gamma\lambda}{\left(\dfrac{c+K_{tr}}{d_b}\right)}$ ·················· (2)

여기서, l_d : 전단철근의 정착길이나 인장철근의 겹친길이를 제외하고 300mm 이상
이어야 한다.

$\left(\dfrac{c+K_{tr}}{d_b}\right)$: 2.5 이하이어야 한다.

② 기본 정착길이(l_{db})

$$l_{db} = \frac{0.6 d_b f_y}{\lambda \sqrt{f_{ck}}}$$

이 기본정착길이는 D35 이하의 철근 및 $f_{ck} \leq 70\text{MPa}$ 콘크리트에서만 적용이 가능하다.

> 13②
> [계산] 인장이형철근의 기본정착길이

③ 보정계수($\alpha, \beta, \gamma, \lambda$)
  ㉠ α=철근배근 위치계수
    - 상부철근(정착길이 또는 이음부 아래 300mm를 초과되게 굳지 않은 콘크리트를 친 수평철근) ·············· 1.3
    - 기타 철근 ·············· 1.0
  ㉡ β=철근 도막계수
    - 피복두께가 $3d_b$ 미만 또는 순 간격이 $6d_b$ 미만인 에폭시 도막철근 또는 철선 ·············· 1.5
    - 기타 에폭시 도막철근 ·············· 1.2
    - 아연도금 또는 도막되지 않은 철근 ·············· 1.0
  ㉢ 에폭시 도막철근이 상부 철근인 경우에 상부 철근의 보정계수 α와 에폭시 도막철근 β의 곱 $\alpha\beta$가 1.7보다 클 필요는 없다.
  ㉣ γ=철근의 크기계수
    - D19 이하의 철근과 이형철선 ·············· 0.8
    - D22 이상의 철근 ·············· 1.0
  ㉤ c=철근간격 또는 피복두께에 관련된 치수
    철근(철선)의 중심으로부터 콘크리트 표면까지의 최단거리 또는 정착되는 철근(철선)의 중심간 거리의 1/2중 작은 값을 사용하여 mm 단위로 나타낸다.

(3) 압축이형철근 및 이형철선의 정착
  ① 정착길이
    압축을 받는 이형철근의 정착길이는 다음과 같다.
    $l_d = l_{db} \times (\text{보정계수})$
    이때, 정착길이 l_d는 200mm 이상이 되어야 한다.
  ② 기본정착길이

    $$l_{db} = \frac{0.25 d_b f_y}{\lambda \sqrt{f_{ck}}} \geq 0.043 d_b f_y$$

    이 기본정착길이는 두 식 중 큰 값 이상으로 결정한다.

[계산] 압축이형철근의 기본정착길이 12② · 20④

③ 보정계수

㉠ 해석 결과 요구되는 철근량을 초과하여 배근한 경우 $\cdots \left(\dfrac{\text{소요철근량}, A_s}{\text{실제철근량}, A_s} \right)$

㉡ 지름이 6mm 이상이고 나선간격이 100mm 이하인 나선철근 또는 중심간격 100mm 이하로 배근된 D13 띠철근으로 둘러싸인 압축이형철근 ······ 0.75

(4) 표준갈고리 철근의 정착길이

① 정착길이

갈고리 철근의 정착길이는 다음과 같다.

$l_{dh} = l_{hd} \times (\text{보정계수})$

여기서, l_{hd}는 기본정착길이이며, 갈고리 철근의 정착길이는 위험단면으로부터 갈고리의 외측단까지의 거리이다.(단, l_{dh}는 $8d_b$와 150mm 중 큰 값 이상이어야 한다.)

② 기본 정착길이

$l_{hd} = \dfrac{0.24 \beta d_b f_y}{\lambda \sqrt{f_{ck}}}$

여기서, β : 철근 도막계수
λ : 경량콘크리트계수

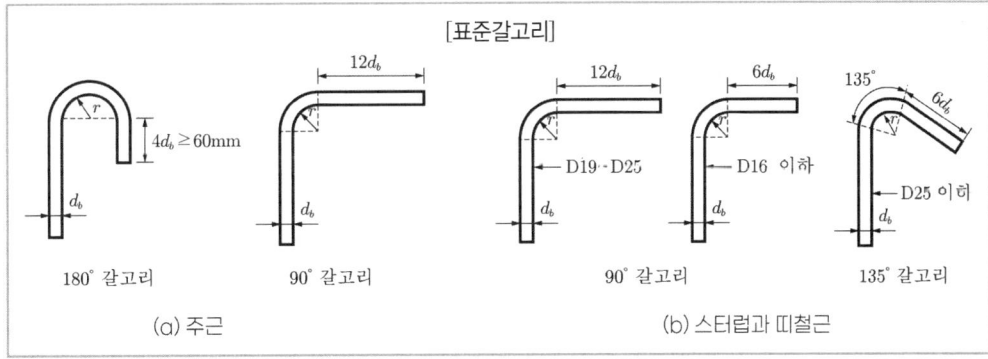

[표준갈고리]

(a) 주근 / (b) 스터럽과 띠철근

단원별 경향문제

01 콘크리트압축강도 $f_{ck}=30\text{MPa}$, 주철근의 항복강도 $f_y=400\text{MPa}$를 사용한 보 부재에서 인장을 받는 D22(공칭지름은 22.2mm)철근의 기본정착길이(l_{db})를 계산하시오. (단, 경량콘크리트 계수 $\lambda=1$)

13② [3점]

계산식 :

해설 인장이형철근의 기본정착길이 계산

$$l_{db} = \frac{0.6 d_b f_y}{\lambda \sqrt{f_{ck}}} = \frac{0.6 \times 22.2 \times 400}{(1)\sqrt{30}} = 972.76\text{mm}$$

02 철근콘크리트로 설계된 보에서 압축을 받는 D22 철근의 기본정착길이를 계산하시오. (단, $f_y=400\text{MPa}$, 보통중량콘크리트이고 $f_{ck}=24\text{MPa}$이다.)

12② · 20④ [3점]

계산식 :

해설 압축을 받는 이형철근의 기본정착길이

① $l_{db} = \dfrac{0.25 d_b f_y}{\lambda \sqrt{f_{ck}}} = \dfrac{0.25(22)(400)}{(1)\sqrt{24}} = 449.07\text{mm}$

② $l_{db} = 0.043 d_b f_y = 0.043(22)(400) = 378.40\text{mm}$

∴ ①, ② 중 큰 값인 **449.07mm**

제 8 절　슬래브 설계

1　슬래브의 종류

(1) 보 슬래브 구조

　① 개요

　　슬래브가 보에 지지되는 구조로서 지지상태 또는 각 변의 길이 비(β)에 따라 1방향 슬래브와 2방향 슬래브로 구분된다.

　　> 11①
　　> [설명] 1방향슬래브와 2방향슬래브를 구분하는 기준

　② 1방향 슬래브

　　$$\beta = \frac{장변\ 순스팬}{단변\ 순스팬} > 2$$

　　㉠ 슬래브 하중의 90% 이상이 단변방향으로 전달되기 때문에 하중이 단변방향으로만 전달되는 것으로 본다.
　　㉡ 단변방향에 대하여 휨응력에 대한 주근을 배근한다.
　　㉢ 장변방향에 온도와 건조수축에 의한 균열을 방지하고, 응력을 분포시키며, 주근의 간격을 유지하기 위하여 배력철근(온도철근)을 배근한다.

　③ 2방향 슬래브

　　$$\beta = \frac{장변\ 순스팬}{단변\ 순스팬} \leq 2$$

　　㉠ 장변방향으로도 단변에 대한 장변의 길이비에 따라 어느 정도의 하중이 전달된다.
　　㉡ 단변 및 장변 각 방향에 대하여 휨응력에 대한 철근 배근을 고려하여야 한다.

(2) 평 슬래브 구조

　① 플랫 슬래브(Flat Slab)
　② 평판 슬래브(Flat Plate Slab)

2 특수 슬래브

(1) 플랫 슬래브(무량판 구조)

① 정의

플랫 슬래브는 평 바닥판 구조 또는 무량판 구조라 하며 보 없이(외부보를 제외) 바닥판만으로 구성하고 그 하중은 직접 기둥에 전달하는 구조이다.

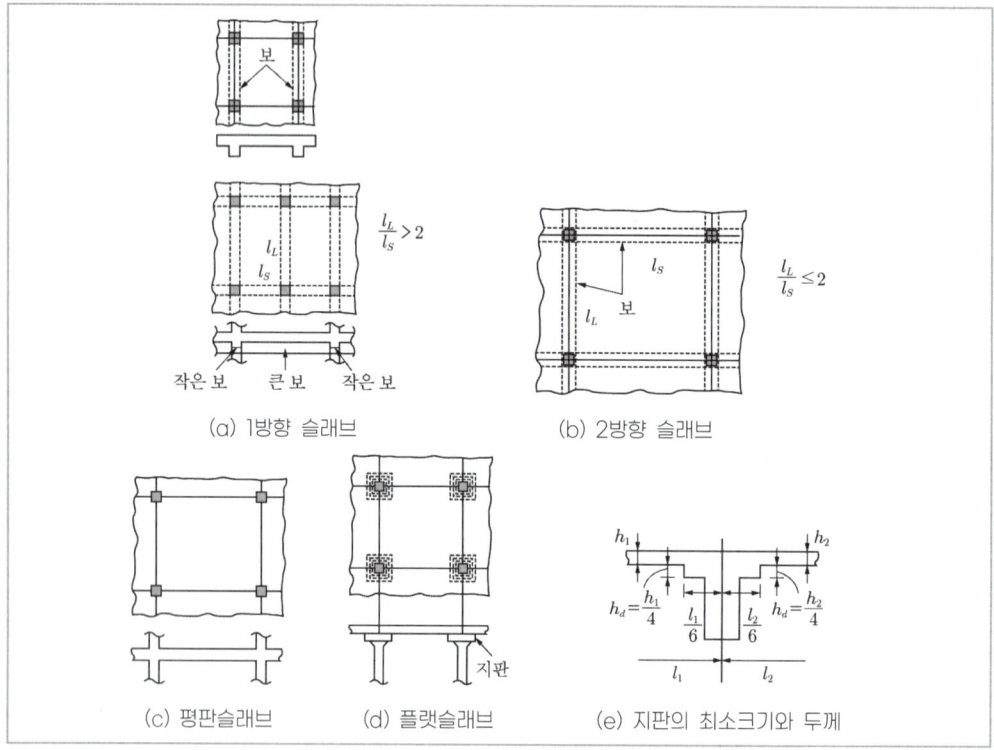

② 장점 및 단점

㉠ 장점
- 구조가 간단하여 철근배근, 조립 및 콘크리트 공사가 용이하다.
- 공사비(재료비, 인건비)가 저렴하다.
- 보가 없으므로 실내공간 이용률이 높다.
- 층고를 낮출 수 있다.
- 배관설비(방화용 스프링클러 등)의 설치가 용이하다.

㉡ 단점
- 고정하중(바닥판이 두꺼워짐)이 증대한다.
- 뼈대의 강성에 난점이 있다.
- 구조계산이 다소 복잡하다.
- 큰 집중하중을 받는 곳은 부적당하며 슬래브가 진동하기 쉽다.
- 철근 및 콘크리트량이 보통 슬래브에 비해 많이 든다.

③ 지판을 가진 슬래브의 설계
  ㉠ 지판의 최소크기 : 지판은 받침부 중심선에서 각 방향 받침부 중심간 경간의 1/6 이상을 각 방향으로 연장시켜야 한다.
  ㉡ 지판의 두께 : 지판의 슬래브 아래로 돌출한 두께는 돌출부를 제외한 슬래브 두께의 1/4 이상으로 하여야 한다.
  ㉢ 지판 부위의 슬래브 철근량 계산 시 슬래브 아래로 돌출한 지판의 두께는 지판의 외단부에서 기둥이나 기둥 머리면까지 거리의 1/4 이하로 취하여야 한다.

> 11④ · 21①
> [계산] 지판의 최소 크기와 두께

(2) 플랫 플레이트 슬래브(Flat Plate Slab, 평판구조)
플랫슬래브에서 지판을 제거한 슬래브를 말한다. 2방향 전단보강방법은 아래와 같다.
① 전단 머리(Shear Head)의 보강
② 슬래브 두께의 증가
③ 지판 또는 주두의 사용
④ 기둥의 주철근을 스터럽으로 보강

> 14④
> [설명] 평판구조의 2방향 전단보강방법

(3) 장선 슬래브
좁은 간격의 장선(Joist, Rib)과 얇은 슬래브를 일체화시킨 바닥구조로 슬래브는 장선에 지지되고 장선은 보나 벽체에 지지된다.

단원별 경향문제

01 철근콘크리트구조의 1방향슬래브와 2방향슬래브를 구분하는 기준에 대해 기술하시오.

(1) 1방향 슬래브 :
(2) 2방향 슬래브 :

해설 슬래브의 구분 기준

변장비 $\lambda = \dfrac{\text{장변의 길이}}{\text{단변의 길이}}$

(1) 1방향 슬래브 : 변장비 $\lambda > 2$ (2) 2방향 슬래브 : 변장비 $\lambda \leq 2$

02 그림과 같은 플랫슬래브 지판(드롭 패널)의 최소 크기와 두께를 산정하시오. (단, 슬래브두께(t_s)는 200mm이다.)

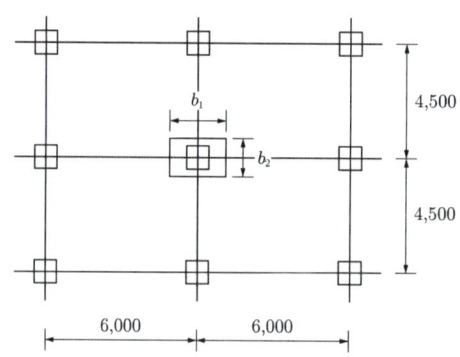

(1) 지판의 최소크기($b_1 \times b_2$) :
(2) 지판의 최소두께 :

해설 (1) 지판의 최소 크기($b_1 \times b_2$) : 기둥이나 벽체 등 받침부의 중심선에서 각 방향의 받침부 중심까지의 길이(경간)의 1/6 이상

① $b_1 = \dfrac{6{,}000}{6} + \dfrac{6{,}000}{6} = 2{,}000\text{mm}$

② $b_2 = \dfrac{4{,}500}{6} + \dfrac{4{,}500}{6} = 1{,}500\text{mm}$

∴ $b_1 \times b_2 = 2{,}000\text{mm} \times 1{,}500\text{mm}$

(2) 지판의 최소두께(t_d) : 슬래브두께의 1/4 이상

∴ $t_d \geq \dfrac{t_s}{4} = \dfrac{200}{4} = 50\text{mm}$

14④ [4점]

03 평판구조(Flat Plate Slab)에서 2방향 전단보강방법 4가지를 기술하시오.

(1)
(2)
(3)
(4)

해설 (1) 전단 머리(Shear Head)의 보강
(2) 슬래브 두께의 증가
(3) 지판 또는 주두의 사용
(4) 기둥의 주철근을 스터럽으로 보강

제 9 절 | 기둥 설계

1 기둥의 종류

(1) 보강근의 형태와 종류에 의한 분류
　① 띠기둥
　　축방향 철근과 횡방향 띠철근으로 보강된 직사각형 또는 정사각형 기둥
　② 나선기둥
　　축방향 철근과 나선철근 또는 횡방향 띠철근으로 보강된 원형 기둥
　③ 합성기둥
　　구조용 강재가 콘크리트에 매입된 기둥

(2) 단면치수에 대한 기둥의 길이에 의한 분류
　① 단주
　　인장 측 철근의 초기 항복이나 압축 측 콘크리트의 초기 압축파괴에 의한 재료의 파괴로서 파괴가 일어나는 경우
　② 장주
　　기둥의 길이가 증가함에 따라 좌굴에 의해 파괴가 일어나는 경우

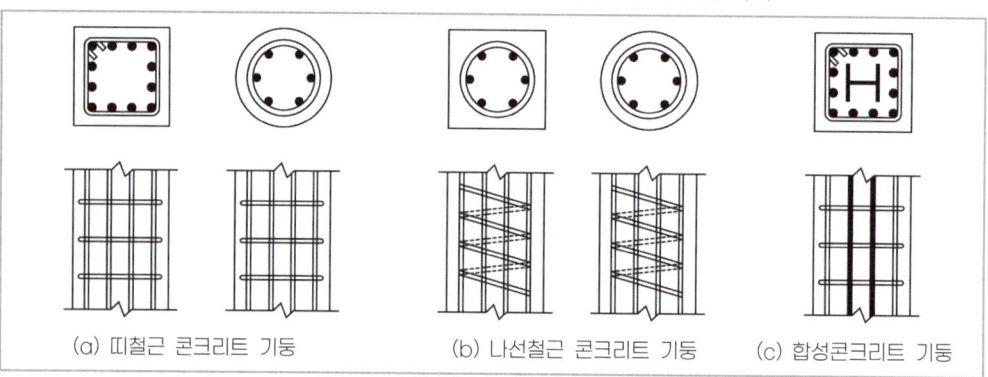

(a) 띠철근 콘크리트 기둥　　(b) 나선철근 콘크리트 기둥　　(c) 합성콘크리트 기둥

2 중심 축하중을 받는 단주의 강도

(1) 극한강도 시의 거동

철근은 변형률 0.002까지는 탄성거동을 하고 이것을 넘어서 콘크리트의 최대강도 시의 변형률 0.003을 지나도록 일정한 항복응력을 지속한다. 따라서 기둥이 지지할 수 있는 최대 축하중은 다음과 같이 나타낼 수 있다.

$$P_o = 0.85 f_{ck}(A_g - A_{st}) + A_{st} f_y$$

위 식에서 $0.85 f_{ck}$의 0.85는 어떤 안전율을 뜻하는 것이 아니고 장기재하에 의해서 생기는 콘크리트의 압축강도는 1~2분 정도의 시간에 측정되는 표준압축강도의 85% 정도에 해당되기 때문이다.

(2) 최대 설계 축하중에 대한 규준

실제 구조물에서는 기둥 배치의 부정확성, 철근 배근에서의 시공 오차 등으로 편심이 불가피하게 생기고, 이에 따른 모멘트는 기둥의 축하중 지지능력을 감소시킨다. 따라서 띠철근 기둥에 대해서는 축하중의 20%, 나선기둥에 대해서는 15%를 감소시켜서 최대 설계 축하중을 다음과 같이 제한하고 있다.

① 띠기둥

$$\phi P_n = 0.80\,\phi[0.85 f_{ck}(A_g - A_{st}) + f_y A_{st}]$$

여기서, $\phi = 0.65$

A_g = 기둥의 전단면적(mm^2)

A_{st} = 철근의 전단면적(mm^2)

② 나선기둥 또는 합성기둥

$$\phi P_n = 0.85\phi[0.85 f_{ck}(A_g - A_{st}) + f_y A_{st}]$$

여기서, $\phi = 0.70$

📖 12④ · 13① · 19① · 22①

[계산] 최대 설계축하중

---

3 구조제한 사항

(1) 주근의 구조제한 사항

① 기둥단면

기둥단면의 최소치수는 200mm 이상, 최소단면적은 60,000mm^2 이상으로 규정되어 있다.

② 축방향 철근

㉠ 최소철근비 : $\rho_{min} = 0.01$

㉡ 최대철근비 : $\rho_{min} = 0.08$

📖 22②

[기준] 축방향 철근의 철근비

㉢ 축방향 철근의 최소 개수는 띠기둥 4개, 나선기둥 6개로 하고 있다.

㉣ 축방향 철근이나 횡방향 보강철근 모두 40mm 이상 피복되어야 한다.

③ 횡방향 보강근
　㉠ 띠철근
　　ⓐ 철근 크기 : 주근의 크기가 D32 이하일 때에는 D10 이상의 띠철근을 사용하며, D35 이상 또는 묶음 철근일 때에는 D13 이상으로 한다.
　　ⓑ 배근 간격
　　　• 주철근 지름의 16배 이하
　　　• 띠철근지름의 48배 이하
　　　• 기둥 단면의 최소치수 이하

14①
[기준] 띠철근의 배근 간격

　　ⓒ 배근 : 주근은 135° 이하로 구부러진 띠철근에 의하여 횡방향 지지되도록 배근하고 횡방향 지지되는 주철근의 순간격은 150mm 이하로 한다.

참고
기초와 슬래브 상부에 위치하는 첫 번째 띠철근과 슬래브나 지판에 배치된 최하단 수평철근 아래 배치되는 띠철근은 일반 띠철근 간격의 1/2 이내로 한다.

　㉡ 나선철근
　　　• 철근 크기 : 지름 10mm 이상의 철근을 사용한다.
　　　• 배근 간격 : 나선철근의 순간격을 최소 소요량에 의한 체적비와 콘크리트 타설의 시공성 등을 고려하여 80mm 또는 기둥 유효지름의 1/6 이하로 하며, 30mm 또는 굵은 골재의 1.5배 이상으로 하도록 규정하고 있다.
　　　• 정착과 이음 : 나선철근의 정착을 위하여 각 나선철근에서 1.5회전만큼 더 여분의 길이를 가지게 한다. 나선철근의 이음은 철근 지름의 4배 이상 또는 300mm 이상의 겹침이음으로 하거나 용접이음으로 한다.

단원별 경향문제

01 다음과 같은 단면의 단주가 중심축하중을 받을 때 최대 설계축하중을 구하시오. (단, f_{ck}=27MPa, f_y=400MPa, A_{st}=3,096mm²이다.)

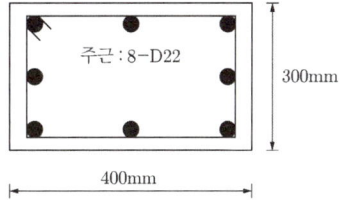

계산식 :

[해설] 단주의 최대 설계축하중

$\phi P_n = \phi(0.80)[0.85f_{ck}(A_g - A_{st}) + f_y A_{st}]$

$= 0.65(0.80)[0.85(27)(300 \times 400 - 3{,}096) + 400(3{,}096)]$

$= 2{,}039{,}100.34N = 2{,}039.1\text{kN}$

---

02 다음 그림과 같은 단면의 철근콘크리트 띠철근 기둥에서 설계축하중 ϕP_n(kN)를 계산하시오. (단, f_{ck}=24MPa, f_y=400MPa, 8-HD22, HD22 한 개의 단면적은 387mm², 강도감소계수는 0.65)

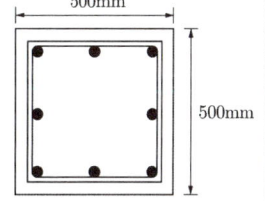

계산식 :

[해설] 기둥-설계축하중

$\phi P_{n(\max)} = \phi 0.80[0.85f_{ck}(A_g - A_{st}) + A_{st}f_y]$

$= 0.65 \times 0.80 \times [0.85 \times 24 \times (500 \times 500 - 8 \times 387) + 8 \times 387 \times 400]$

$= 3{,}263{,}125.63N = 3{,}263.13\text{kN}$

14① [2점]

03 다음 괄호에 알맞은 단어나 숫자를 기술하시오.

> 기둥의 띠철근 간격은 주근 지름의 (   )배 이하, 띠철근지름의 (   )배 이하, 기둥의 최소폭 이하 중 작은 값으로 한다.

해설 기둥의 띠철근 간격은 주근 지름의 (16)배 이하, 띠철근지름의 (48)배 이하, 기둥의 최소폭 이하 중 작은 값으로 한다.

제10절 | 기초 설계 및 벽체

1 기초의 기본사항

(1) 기초 하부의 토압분포
  ① 기초 하부의 토압의 분포는 지반의 형태와 기초의 지반에 대한 상대 강성에 영향을 받는다.
  ② 점토질 지반은 기초 주변에서 증가하는 형태이며, 사질토 지반의 경우에는 기초 중심에서 증가하는 형태이나, 실제 설계에서는 토압이 균등하게 분포되는 것으로 하고 있다.

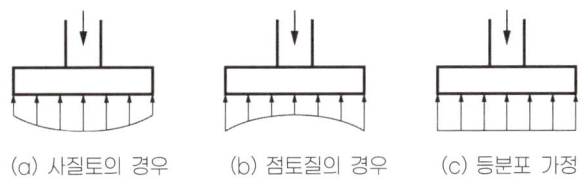

(a) 사질토의 경우   (b) 점토질의 경우   (c) 등분포 가정

| 기초에 작용하는 토압의 분포 |

2 독립기초의 설계

(1) 기초판 두께 가정
  기초판 상단에서 하단 철근까지의 깊이는 흙에 놓이는 기초의 경우 150mm 이상, 말뚝기초의 경우 300mm 이상이어야 한다. 또한, 기초판은 다월(Dowel)의 정착을 위한 최소 깊이를 가져야 한다.

(2) 기초판의 전단
  ① 1방향 전단
    ㉠ 1방향 전단에 의한 파괴는 보나 1방향 슬래브의 경우와 유사하게 **기둥 전면에서 기초판의 유효춤 d만큼 떨어진 위치에서 발생**한다. [아래 그림 (a) 참조]
    ㉡ 독립기초의 1방향 전단에 대한 설계식은 $V_u \leq \phi V_c$이 만족되어야 한다.
    ㉢ 계수전단력 V_u는 다음 식으로 산정한다.
    $$V_u = q_u \left\{ \frac{(l_1 - c_1)}{2} - d \right\} \times l_2$$

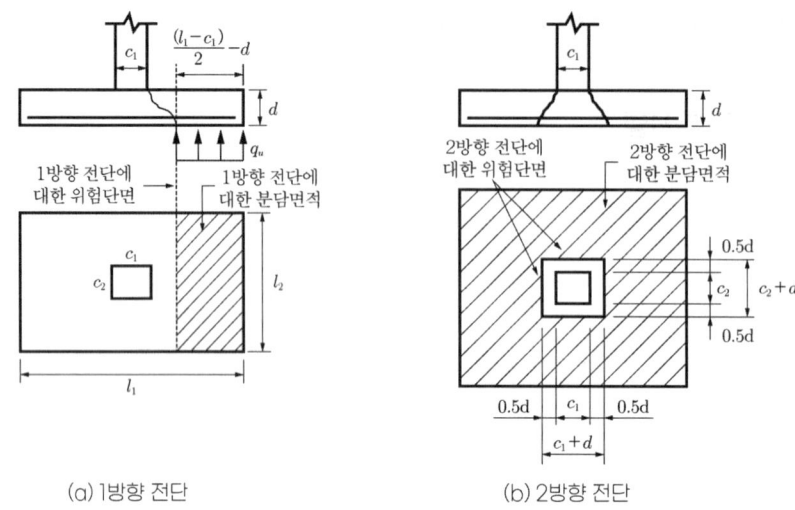

| (a) 1방향 전단 | (b) 2방향 전단 |

┃ 기초판의 전단에 대한 부담면적과 위험단면 ┃

② 2방향 전단(뚫림전단)
   ㉠ 2방향 전단에 의한 기초판의 파괴는 기둥의 4면 주위에 토압에 의한 뚫림 전단거동에 의해 파괴될 수 있다.
   ㉡ 기초판에서도 뚫림전단의 위험단면은 위의 그림 (b)에서와 같이 각 기둥 전면에서 d/2만큼 떨어진 위치에서 발생한다.
   ㉢ 위험단면의 둘레길이 b_o는 위의 그림 (b)에서와 같이 다음과 같다.
   $$b_o = 2(c_1 + d) + 2(c_2 + d)$$
   ㉣ 독립기초의 2방향 전단에 대한 설계식은 $V_u \leq \phi V_c$이 만족되어야 한다.

13① · 17②

[계산] 2방향 뚫림 전단의 저항면적

단원별 경향문제

13① · 17② [3점]

01 그림과 같은 독립기초에서 2방향 뚫림 전단(2-Way Punching Shear) 응력도를 계산할 때 검토하는 저항면적(cm^2)을 계산하시오.

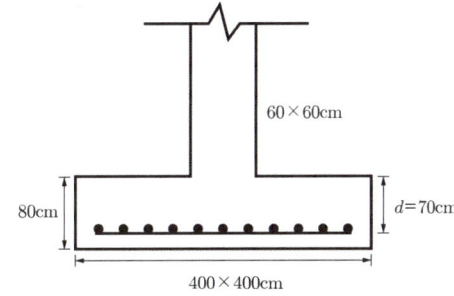

계산식 :

[해설] 기초의 저항면적

(1) 위험단면의 둘레길이 $b_0 = 2 \times (c_1 + d) + 2 \times (c_2 + d)$
$= 2 \times (60 + 70) + 2 \times (60 + 70) = 520 cm$

(2) 위험단면의 면적 $A = b_0 \times d = 520 \times 70 = 36,400 cm^2$

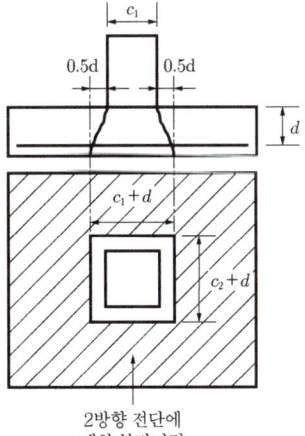

02

그림과 같이 한 변의 길이가 1.8m인 정사각형 철근콘크리트 기초판 바닥면에 작용하는 총토압(kPa)을 계산하시오. (단, 흙의 단위질량 $\rho_s = 2,082 \text{kg/m}^3$, 철근콘크리트의 단위질량 $\rho_c = 2,400 \text{kg/m}^3$ 이다.)

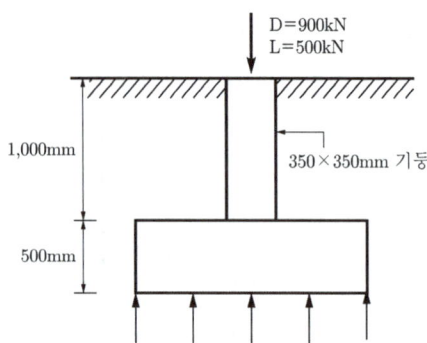

(1) 흙과 철근콘크리트의 단위중량 계산 :
(2) 기초판의 바닥에 작용하는 모든 하중계산 :
(3) 총토압 계산 :

해설 (1) 흙과 철근콘크리트의 단위중량 계산
 ① 흙의 단위중량 : $2,082 \text{kg/m}^3 \times 9.81 \text{m/sec}^2 = 20,424.4 \text{N/m}^3$
 ② 철근콘크리트의 단위무게 : $2,400 \text{kg/m}^3 \times 9.81 \text{m/sec}^2 = 23,544.0 \text{N/m}^3$
(2) 기초판의 바닥에 작용하는 모든 하중 계산
 ① 기둥의 고정하중 : $0.35 \text{m} \times 0.35 \text{m} \times 1 \text{m} \times 23,544.0 \text{N/m}^3 = 2,884.1 \text{N}$
 ② 기초의 고정하중 : $1.8 \text{m} \times 1.8 \text{m} \times 0.5 \text{m} \times 23,544.0 \text{N/m}^3 = 38,141.3 \text{N}$
 ③ 흙의 중량 : $1 \text{m} \times [1.8 \text{m} \times 1.8 \text{m} - (0.35 \text{m})^2] \times 20,424.4 \text{N/m}^3 = 63,673.1 \text{N}$
 ④ 기둥에 작용하는 하중 : $900,000 + 500,000 \text{N} = 1,400,000 \text{N}$
 ⑤ 총하중 : $2,884.1 + 38,141.3 + 63,673.1 + 1,400,000 = 1,504,698.5 N = 1,504.70 \text{kN}$
(3) 총토압 계산
 $q = \dfrac{P}{A} = \dfrac{1,504.70 \text{kN}}{1.8 \text{m} \times 1.8 \text{m}} = 464.41 \text{kN/m}^2 = 464.41 \text{kPa}$

CHAPTER 03 철골구조

제1절 | 철골구조의 개요

1 개요

철골구조는 철근콘크리트 구조와 더불어 현대에 가장 많이 사용하는 건축구조이며, 초고층구조 및 장스팬구조와 같은 대규모 구조에 널리 사용되어 있다. 현대 건축구조에서 필수적인 재료로 사용되는 강재의 장점과 단점은 다음과 같다.

2 구조용 강재의 분류 및 특징

(1) 강재의 재질
- SS(Steel for Structure) : 일반구조용 압연강재
- SM(Steel for Marine) : 용접구조용 압연강재
- SMA(Steel for Marine Atmosphere) : 용접구조용 내후성 압연강재
- SN(Steel for New Structure) : 건축구조용 압연강재

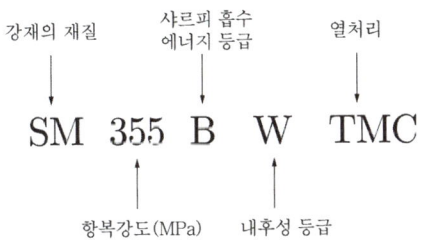

21④
[용어] 강재의 표기법

(2) 재료의 성질
  ① 응력-변형도 곡선

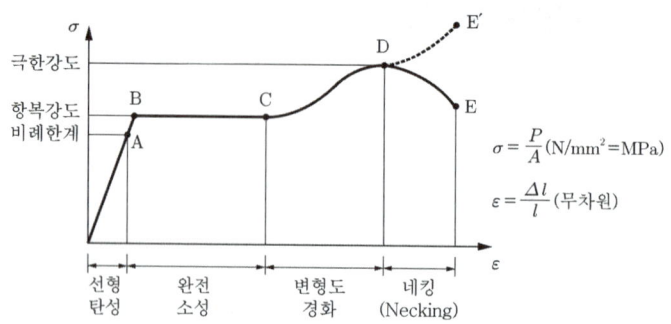

  ㉠ 비례한도(A점) : 응력과 변형도가 선형 비례하는 구간으로 후크(Hook)의 법칙이 성립한다.
  ㉡ 탄성한도 : 응력을 제거하면 잔류변형이 남지 않고 원래의 길이로 복귀가 되는 한계점으로 A점과 B점 사이에 존재한다.
  ㉢ 항복점(B점) : 응력의 증가 없이 변형도만 증가되는 시점으로 강구조 설계 시 기준값 F_y 산정에 기준이 된다.
  ㉣ 변형도 경화 개시점(C점) : 강재의 항복이 끝나고 다시 응력이 증가되는 개시점으로 이와 같은 응력의 증가현상을 변형도 경화현상이라 한다.
  ㉤ 인장강도(D점)
  ㉥ Necking(D~E구간)
  ㉦ 진응력-변형도 곡선(C-E')
  ② 주요 구조용 강재의 강도
  ㉠ 주요 구조용 강재의 재료강도(MPa)

강도	강재 기호 판 두께	SS275	SM275 SMA275	SM355 SMA355	SM420	SM460	SN275	SN355	SHN275	SHN355
F_y	16mm 이하	275	275	355	420	460	275	355	275	355
	16mm 초과 40mm 이하	265	265	345	410	450				
	40mm 초과 75mm 이하	245	255	335	400	430	255	335		
	75mm 초과 100mm 이하		245	325	390	420			−	−
F_u	75mm 이하	410	410	490	520	570	410	490	410	490
	75mm 초과 100mm 이하								−	−

※ 강재의 모든 숫자는 항복강도를 의미

> 15④
> [표기법의 의미] 강재의 표기법

ⓒ 주요 구조용 강재의 재료강도

정수	탄성계수(E) (MPa)	전단탄성계수(G) (MPa)	포와송비(ν)	선팽창계수(α) (1/℃)
강재	210,000	81,000	0.3	0.000012

③ 강재의 인성과 연성
  ㉠ 연성(Ductility) : 재료가 하중을 받아 비례한도(또는 항복점) 후 파괴에 이르기까지 큰 소성 변형을 할 수 있는 능력을 말함
  ㉡ 인성(Toughness) : 재료가 하중을 받아 파괴 시까지 에너지를 흡수할 수 있는 능력

(3) 강재의 종류와 표기법
  ① 일반형강

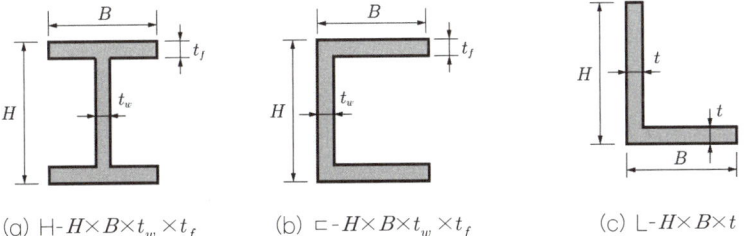

(a) H-$H \times B \times t_w \times t_f$ (b) ㄷ-$H \times B \times t_w \times t_f$ (c) L-$H \times B \times t$

> 14①
> [표기법 순서] 형강의 표기법

② 강판 : 너비 125mm 이상의 판으로서 두께 3mm 이하를 박판강, 두께 3~6mm를 중판강, 두께 6mm 이상을 후강판이라 한다.

③ 평강 : 두께가 3mm 이상의 판으로서 폭이 125mm 미만의 것을 평강이라 하고 125mm 이상의 것을 강판이라 한다.

④ 봉강(철근) : 압연에 의한 봉상의 강재로서 원형철근은 ϕ, 이형철근은 D로 표시한다.

⑤ 강관 및 각형강 : 좌굴과 비틀림에 대하여 유리한 단면으로 폐쇄된 것으로 부식에 대하여 강하다.

제 2 절 | 접합

1 볼트 접합

(1) 개요
　① 볼트를 조이는 것만으로 접합이 가능하므로 시공이 간단하다.
　② 진동, 충격 또는 반복하중을 받으면 접합부에 큰 변형이 생기게 되고 볼트가 느슨해져 너트가 풀리는 원인이 된다.
　③ 주요한 건물의 접합부에는 거의 사용하지 않는다.
　④ 볼트 및 고력볼트를 접합하는 경우에는 1개의 볼트만을 사용하지 않고 반드시 2개 이상의 볼트로 체결한다.
　⑤ 모든 접합부는 존재응력과 상관없이 반드시 45kN 이상 지지하도록 설계한다.

(2) 접합형식과 파괴형식
　① 접합형식
　　㉠ 전단접합 : 볼트의 축단면에 전단력으로 저항하는 접합
　　㉡ 인장접합 : 볼트가 인장력으로 저항하는 접합
　② 파괴형식
　　㉠ 전단접합 : 볼트의 전단파괴, 판의 지압파괴, 측단부파괴, 연단부파괴

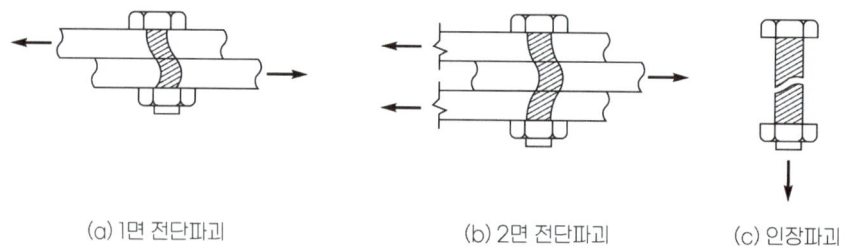

(a) 1면 전단파괴　　(b) 2면 전단파괴　　(c) 인장파괴

| 볼트 접합의 파괴형태 |

📖 14②
[명칭] 볼트 접합의 파괴형태

　　㉡ 인장접합 : 볼트의 인장파괴

2 고력볼트 접합

(1) 구조적 이점

고력볼트 접합은 고력볼트를 강력히 조여 볼트에 도입되는 축력을 응력 전달에 이용함으로써 큰 힘을 전달할 수 있고 접합부의 강성이 높으며, 다음과 같은 구조적 이점이 있다.
① 강한 조임력으로 너트의 풀림이 생기지 않는다.
② 응력방향이 바뀌더라도 혼란이 일어나지 않는다.
③ 응력집중이 적으므로 반복응력에 대해서 강하며 피로강도가 높다.
④ 유효단면적당 응력이 적게 전달된다.

(2) 고력볼트 접합부 일반사항

① 고력볼트의 부위별 명칭

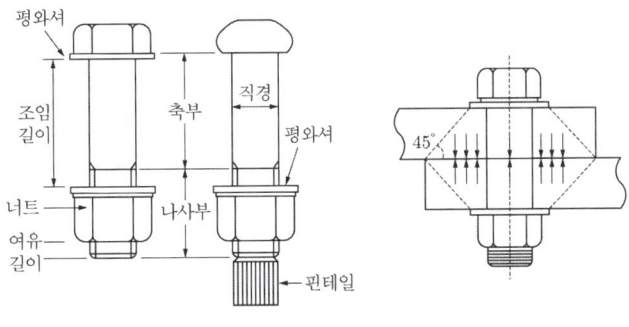

(A) 고력볼트 각부의 명칭   (B) 응력전달기구

17②
[명칭] 고력볼트의 부위별 명칭

② 고력볼트 구멍 직경(mm)

고력볼트의 직경	표준구멍의 직경	과대구멍의 직경	단슬롯	상슬롯
M16	18	20	18×22	18×40
M20	22	24	22×26	22×50
M22	24	28	24×30	24×55
M24	27	30	27×32	27×60
M27	30	35	30×37	30×67
M30	33	38	33×40	33×75

③ 고력볼트의 구멍중심간의 거리는 공칭직경의 2.5배 이상

Chapter 03 · 철골구조

3 한계상태 설계법에 의한 고력볼트의 설계강도

(1) 접합부의 내력산정

① 인장접합

고장력볼트의 설계인장강도 또는 전단강도 ϕR_n는 인장파단과 전단파단의 한계상태에 대하여 다음과 같다.

$\phi R_n = \phi F_{nt} A_b$

여기서, $\phi = 0.75$

$F_{nt} = 0.75 F_u$ (F_{nt} : 공칭인장강도)

$A_b = \dfrac{\pi d^2}{4}$ (A_b : 볼트의 공칭단면적)

소요인장강도는 접합부의 변형에 의한 지레작용을 고려한 인장력으로 한다.

② 마찰접합

㉠ 설계 미끄럼강도

미끄럼 한계상태에 대한 마찰접합의 설계미끄럼강도는 다음과 같이 산정한다.

$\phi R_n = \phi \mu h_f T_o N_s$

여기서, μ : 0.5, 미끄럼계수(페인트칠하지 않은 블라스트 청소된 마찰면)

h_f : 필러계수

T_o : 설계볼트장력(kN)

N_s : 전단면의 수

저항계수 ϕ는 다음과 같다.

- 표준구멍 또는 하중방향에 수직인 단슬롯에 대하여 ············ $\phi = 1.0$
- 과대구멍 또는 하중방향에 평행한 단슬롯에 대하여 ············ $\phi = 0.85$
- 장슬롯에 대하여 ··· $\phi = 0.70$

> 14② · 15④ · 23②
>
> [계산] 마찰접합의 설계미끄럼강도

③ 지압접합

㉠ 설계전단강도

일반 조임된 볼트의 설계전단강도는 다음과 같이 산정한다.

$\phi R_n = \phi F_{nv} A_b$

여기서, ϕ : 0.75

$F_{nv} = 0.5 F_u$ (나사부가 전단면에 포함되지 않을 경우)

$F_{nv} = 0.4 F_u$ (나사부가 전단면에 포함될 경우)

$A_b = \dfrac{\pi d^2}{4}$

📄 13① · 17①
[계산] 볼트의 설계전단강도

4 한계상태 설계법에 의한 용접부의 설계강도

(1) 용접기호

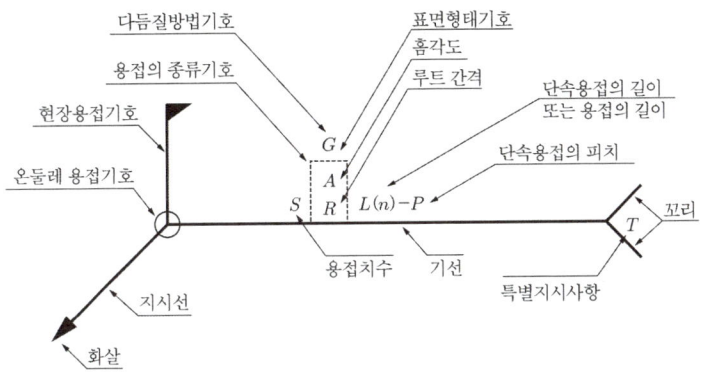

▮ 용접시공 내용의 기재방법 ▮

📄 14②
[표기법] 용접부의 제작 상세 도시

(2) 그루브용접(Groove Welding, 맞댐용접)
　① 개요
　　㉠ 접합하는 두 부재를 맞대어 홈(개선, Groove)을 만들고 사이에 용착금속으로 채워 용접하는 방법
　　㉡ 부재의 끝을 절단해낸 것을 홈 또는 개선(Groove)이라 한다.

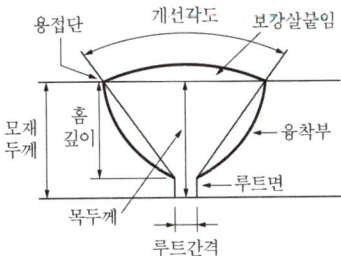

▮ 그루브용접의 상세 ▮

② 유효단면적(A_w)

유효단면적(A_w)=유효목두께(a)×유효길이(l_e)

㉠ 유효목두께(a)는 접합판 중 얇은 쪽 판두께로 한다.
㉡ 부분용입용접의 유효두께는 $2\sqrt{t}$ (mm)이상으로 한다. 다만, t는 두꺼운 쪽 판 두께이다.
㉢ 유효길이(l_e)는 접합되는 부분의 폭으로 한다.

(3) 필릿용접(Fillet Welding)
① 개요
㉠ 모재에 홈(Groove) 등의 사전가공을 하지 않고 모재의 면과 45° 내외의 각도로 용접하는 방법
㉡ 필릿용접은 종국적으로 용접부에 대해서는 전단에 의해 파단되므로 대부분이 용접 유효단면적에 대해 전단응력으로 설계된다.
㉢ 필릿용접은 구조물의 접합부에 상당히 많이 사용되는 방법으로서 비용도 상대적으로 저렴하다.

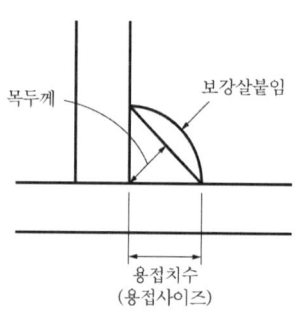

∥ 필릿용접의 상세 ∥

> 17①
> [용어/상세] 그루브 용접과 필릿 용접

② 유효단면적(A_w)

유효단면적(A_w)=유효목두께(a)×유효길이(l_e)

㉠ 필릿용접의 유효목두께는 용접루트로부터 용접표면까지의 최단거리로 한다. 단, 이음면이 직각인 경우에는 필릿사이즈의 0.7배로 한다.
㉡ 필릿용접의 유효길이는 필릿용접의 총길이에서 2배 필릿사이즈를 공제한 값으로 하여야 한다.

> 유효단면적(A_w)
> (1) 유효목두께 : $a=0.7s$
> (2) 유효용접길이 : $l_e = l - 2s$
> (3) 유효단면적 : $A_w = a \times l_e = (0.7s) \times (l-2s)$

③ 용접부의 설계강도

$\phi P_w = \phi F_w A_w$

여기서, $\phi = 0.75$

$F_w = 0.6 F_u$ (F_u : 인장강도)

A_w : 유효단면적

11④ · 13④ · 16① · 17②

[계산] 용접부의 설계강도

■ 위의 기준은 2017년 이전에는 $\phi = 0.9$, $F_w = 0.6 F_y$를 사용하여 용접부의 설계강도를 계산했으나, 2018년 기준이 개정되어 $\phi = 0.75$, $F_w = 0.6 F_u$를 사용하여 계산한다.

④ 제한사항

㉠ 필릿용접의 최소사이즈는 아래 표에 따른다.

접합부의 두꺼운 쪽 모재두께(t)	필릿용접의 최소 사이즈
$t \leq 6$	3
$6 < t \leq 13$	5
$13 < t \leq 19$	6
$19 < t$	8

㉡ 필릿용접의 최대사이즈는 다음과 같다.

ⓐ $t < 6$mm일 때, $s = t$

ⓑ $t \geq 6$mm일 때, $s = t - 2$mm

단원별 경향문제

15④ [2점]

01 구조용 강재인 SM490에서 SM과 490의 의미를 기술하시오.

(1) SM :
(2) 490 :

해설 (1) SM : 용접구조용 압연강재
(2) 490 : 인장강도 490MPa
※ 기준이 개정되어 인장강도가 490MPa인 용접구조용 압연강재 SM355로 표시한다.
즉, 인장강도가 아닌 **항복강도의 숫자를 표기하는 것**으로 기준이 변경되었다.

14① [6점]

02 다음에 제시하는 형강을 보고 간략히 도시하고, 치수를 기입하시오.

(1) H - 300 × 200 × 8 × 12
(2) C - 150 × 75 × 10
(3) L - 90 × 90 × 10

해설 형강의 그림과 치수

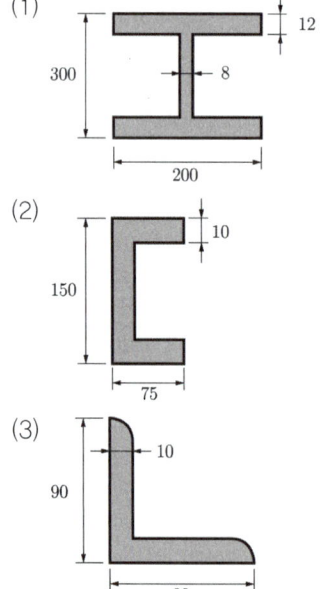

14② [3점]

03 다음 그림에서 제시하는 볼트 접합의 파괴형태 용어를 기술하시오.

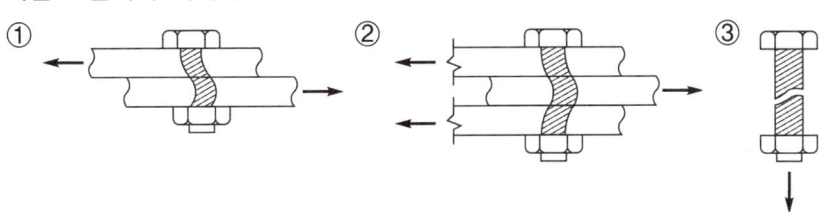

①
②
③

해설 (1) 1면 전단파괴
(2) 2면 전단파괴
(3) 볼트 인장파괴

17② [5점]

04 다음 그림을 보고 T/S 고력볼트의 부위별 명칭을 기술하시오.

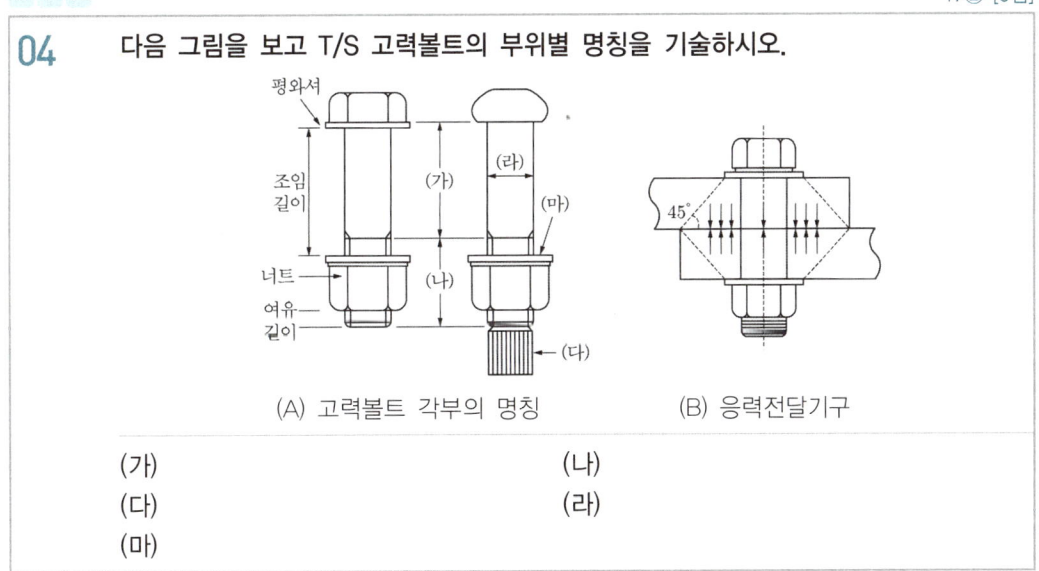

(A) 고력볼트 각부의 명칭   (B) 응력전달기구

(가)   (나)
(다)   (라)
(마)

해설 T/S 고력볼트의 부위별 명칭
가. 축부
나. 나사부
다. 핀테일
라. 직경
마. 평와셔

05 다음 그림과 같은 마찰접합에서 설계미끄럼강도를 산출하시오. (단, 강재의 재질은 SS400, 고력볼트는 M22(F10T), 미끄럼계수는 0.5, 설계볼트장력 $T_0 = 200\text{kN}$, 표준구멍을 사용함)

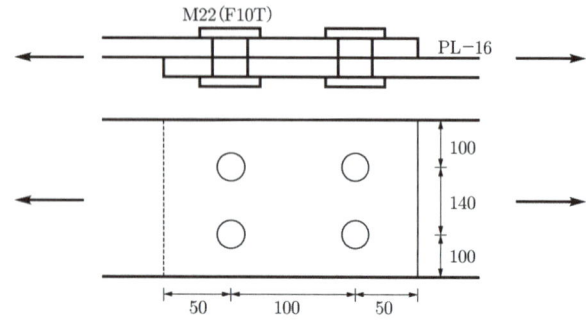

계산식 :

[해설] 고력볼트의 설계미끄럼강도 계산
(1) 고력볼트 1개의 미끄럼 강도
$$\phi R_n = \phi \times \mu \times h_{sc} \times T_0 \times N_s$$
$$= 1.0 \times 0.5 \times 1.0 \times 200 \times 1 = 100\text{kN}$$
∵ 표준구멍이므로 $\phi = 1.0$, 필러를 사용하지 않았으므로 필러계수 $h_{sc} = 1.0$
(2) 고력볼트가 4개이므로 $4 \times 100 = 400\text{kN}$

14② [5점]

06 그림과 같이 고력볼트로 접합된 큰보와 작은보의 접합부의 사용성 한계상태에 대한 설계미끄럼강도를 계산하여 볼트 개수가 적절한지 검토하시오. (단, 사용된 고력볼트는 M22(F10T)이며 표준구멍을 적용하고, 고력볼트의 설계볼트장력 $T_o = 200$kN, 미끄럼계수 $\mu = 0.5$, 고력볼트의 설계미끄럼강도 $\phi R_n = \phi \times \mu \times h_{sc} \times T_o \times N_s$ 식으로 검토한다. 사용하중은 450kN이 작용한다.)

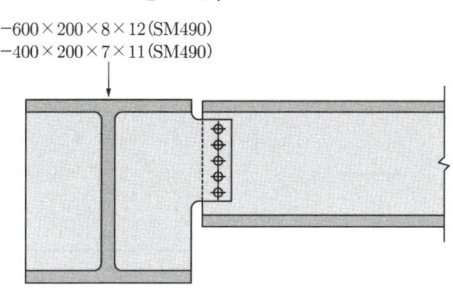

해설 볼트 개수의 적절 여부 검토
(1) 표준구멍이므로 $\phi = 1.0$
(2) 필러계수는 일반적으로 $h_{sc} = 1.0$
(3) 판 2개를 고력볼트로 접합하므로 전단면의 수 $N_s = 2 - 1 = 1$
(4) 고력볼트 1개의 설계미끄럼강도
$\phi R_n = 1.0 \times 0.5 \times 1.0 \times 200 \times 1 = 100$kN
(5) 사용된 고력볼트는 5개이므로
100×5개 $= 500$kN
(6) 사용하중 450kN < 500kN이므로 볼트 개수는 적절하다.

07 다음과 같은 단순 인장접합부에서 강도한계상태에 대한 볼트의 설계전단강도(kN)를 계산하시오. (단, 그림의 단위는 mm, 강재의 재질은 SS235, 고력볼트는 M22(F10T), 공칭전단강도 F_{nv}=450N/mm², 나사부가 전단면에 포함되지 않은 경우, 표준구멍, 사용하중상태에서 볼트구멍의 변형이 설계에 고려된다고 가정한다.)

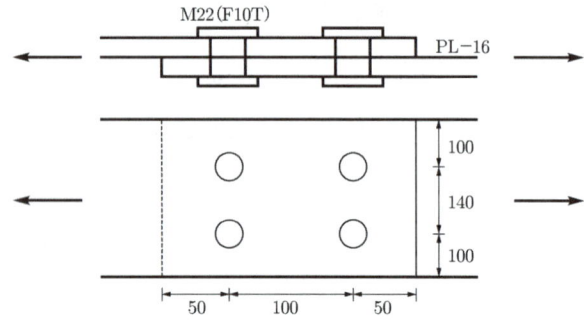

계산식 :

[해설] 고력볼트의 설계전단강도 계산

$$\phi R_n = \phi F_{nv} A_b \times n_b = 0.75 \times 450 \times \frac{\pi \times (22)^2}{4} \times 4개$$

$$= 513,179.16 N = 513.18 kN$$

08 그림과 같은 용접부의 기호에 대해 기호의 수치를 모두 표기하여 제작 상세를 도시하시오. (단, 기호의 수치를 모두 표기해야 함)

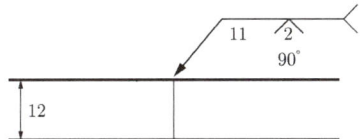

해설 그루브용접의 제작 상세

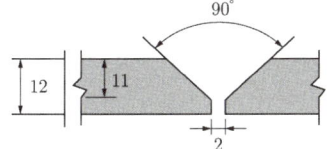

(1) V형 홈용접(맞댐용접)
(2) 홈각 : 화살표 쪽 90°
(3) 루트간격 : 2mm
(4) 모재 두께(목두께) : 12mm
(5) 홈깊이 : 11mm

09 강구조의 맞댐용접, 필릿용접을 개략적으로 그리고 간략히 설명하시오.

해설 맞댐용접·필릿용접의 개략도

(1) 맞댐용접 : 접합하는 두 부재를 맞대어 홈(개선, Groove)을 만들고 사이에 용착금속으로 채워 용접하는 방법

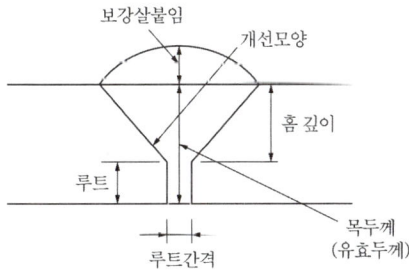

(2) 필릿용접 : 모재의 면과 45° 내외의 각도로 용접하는 방법

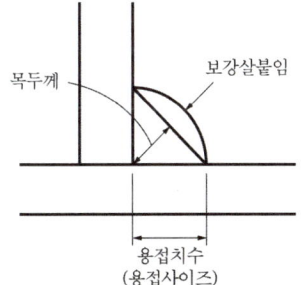

11④ [3점]

10. 다음 그림과 같은 모살용접부의 설계강도(ϕP_w)를 구하시오. 사용강재는 SS235이고, $F_u = 400\text{N/mm}^2$이다.

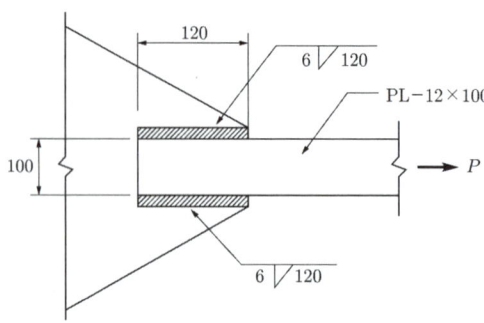

해설 용접부의 설계강도
(1) 유효용접면적(A_w) = $2 \times 0.7s \times (L-2s) = 2 \times 0.7 \times 6 \times (120 - 2 \times 6) = 907.2\text{mm}^2$
(2) 설계강도(ϕP_w) = $0.9 F_w A_w$, 여기서 $F_w = 0.6 F_y$
∴ $\phi P_w = 0.9 \times 0.6 F_y \times A_w = 0.9 \times 0.6 \times 235 \times 907.2 = 115{,}123.68\text{N} = 115.12\text{kN}$

[2018년에 개정된 새로운 기준에 따른 풀이]
(1) 유효용접면적(A_w) = $2 \times 0.7s \times (L-2s) = 2 \times 0.7 \times 6 \times (120 - 2 \times 6) = 907.2\text{mm}^2$
(2) 설계강도(ϕP_w) = $0.75 F_w A_w$, 여기서 $F_w = 0.6 F_u$
∴ $\phi P_w = 0.75 \times 0.6 F_u \times A_w = 0.75 \times 0.6 \times 400 \times 907.2 = 163{,}296 N = 163.30\text{kN}$

11 그림과 같이 SS235(F_y=235N/mm²)를 사용한 필릿용접(모살용접)의 설계강도 (ϕP_w)를 계산하시오. (단, $\phi P_w = 0.75 F_w A_w$, $F_w = 0.6 F_y$ 이다)

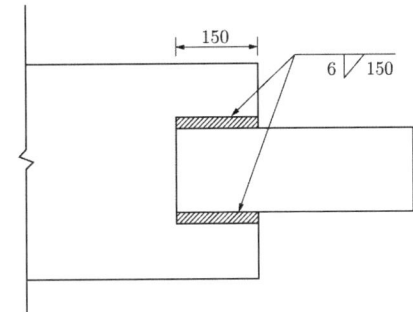

계산식 :

해설 필릿용접의 설계강도(ϕP_w) 계산

(1) $A_w = 2 \times 0.7 s \times (L - 2s) = 2 \times 0.7(6) \times (150 - 2 \times 6) = 1,159.2 \text{mm}^2$

(2) $\phi P_w = 0.75 F_w \times A_w = 0.9 \times 0.6 \times F_y \times A_w$
$= 0.75 \times 0.6 \times 235 \times 1,159.2 = 122,585.4 \text{N} = 122.59 \text{kN}$

[2018년에 개정된 새로운 기준에 따른 풀이]

(1) 유효용접면적 $A_w = 2 \times 0.7 s (L - 2s) = 2 \times 0.7 \times 6 \times (150 - 2 \times 6) = 1,159.2 \text{mm}^2$

(2) 설계강도(ϕP_w) = $0.75 F_w A_w$, 여기서 $F_w = 0.6 F_u$

∴ $\phi P_w = 0.75 \times 0.6 F_u \times A_w = 0.75 \times 0.6 \times 400 \times 1,159.22 = 208,659.6 N = 208.66 \text{kN}$

12. 다음 조건을 이용해 용접 유효길이(L_e)를 계산하시오.

- SM325(F_y=325MPa, F_u=490MPa)
- 고정하중 : 20kN
- 필릿치수 S=5mm
- 활하중 : 30kN

[해설] 용접유효길이

(1) 계수하중 $P_u = 1.2P_D + 1.6P_L$
$= 1.2(20) + 1.6(30) = 72$kN

(2) 용접부 내력 $\phi P_w = \phi F_w A_w$

① ϕ=0.75, $F_y = 325$MPa
$F_w = 0.6F_y = 0.6 \times 325 = 195$MPa

② 용접면적 $A_w = 0.7s \times L_e = 0.7 \times 5 \times L_e = 3.5L_e$mm²

③ $\phi P_w = \phi F_w A_w = 0.75 \times 195 \times 3.5L_e = 511.88L_e N$

(3) 용접 소요강도와 설계강도의 비교에서
$P_u \leq \phi P_w \rightarrow 72 \times 10^3 = 511.88L_e N$

$\therefore L_e = \dfrac{72 \times 10^3}{511.88} = 140.66$mm

[2018년에 개정된 새로운 기준에 따른 풀이]

(1) 계수하중 $P_u = 1.2P_D + 1.6P_L$
$= 1.2(20) + 1.6(30) = 72$kN

(2) 용접부 내력 $\phi P_w = \phi F_w A_w$

① ϕ=0.75, $F_u = 490$MPa
$F_w = 0.6F_u = 0.6 \times 490 = 294$MPa

② 용접면적 $A_w = 0.7s \times L_e = 0.7 \times 5 \times L_e = 3.5L_e$mm²

③ $\phi P_w = \phi F_w A_w = 0.75 \times 294 \times 3.5L_e = 771.75L_e N$

(3) 용접 소요강도와 설계강도의 비교에서
$P_u \leq \phi P_w \rightarrow 72 \times 10^3 = 771.75L_e N$

$\therefore L_e = \dfrac{72 \times 10^3}{771.75} = 93.29$mm

제 3 절 | 인장재

1 인장재 설계 개요

인장재의 설계는 크게 세 가지를 검토해야 한다.
① 전단에 대한 항복 검토
② 접합부에서 파괴에 대한 검토
③ 접합부의 일부분이 전단과 인장에 의해 찢겨져 나가는 블록전단에 대한 검토가 필요하다.

(1) 순단면적

순단면적은 <u>총단면적에서 볼트접합을 위한 구멍의 면적을 공제한 면적</u>으로 다음과 같이 산정한다.

① 정렬 배치인 경우

$$A_n = A_g - ndt$$

여기서, n : 인장력 방향에 수직한 동일단면상에 있는 구멍의 수

d : 파스너 구멍의 직경(mm)+여유구멍 순단면적 산정 시 볼트의 직경에서 2mm(또는 3mm)를 추가로 공제해야 한다. 이는 구멍 주변의 노치부를 고려하기 위함이다.

t : 부재의 두께(mm)

> 13① · 17④ · 20② · 23①
> [계산] 인장재 순단면적(정렬배치)

② 엇모 배치인 경우

$$A_n = A_g - ndt + \Sigma \frac{s^2}{4g} t$$

여기서, s : 인접한 2개 구멍의 응력방향 중심간격(mm)

g : 파스너 게이지선 사이의 응력 수직방향 중심간격(mm)

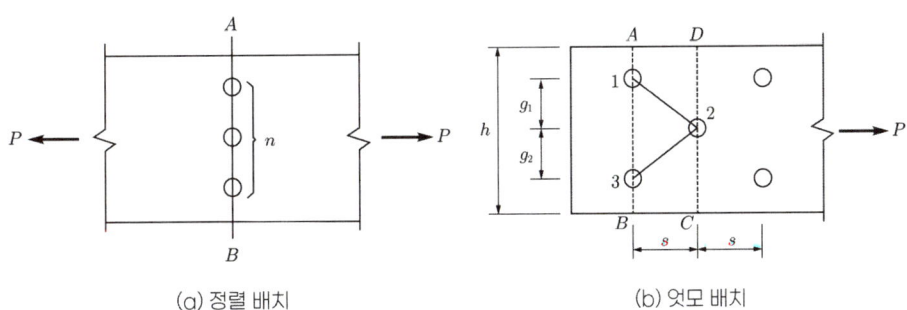

(a) 정렬 배치 (b) 엇모 배치

| 인장재 파단선 |

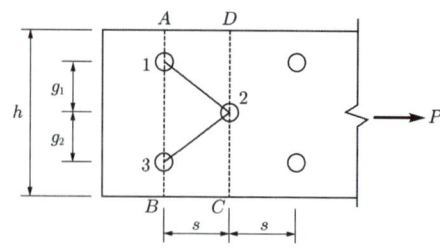

| 엇모 배열에서 순단면적 산정 |

- 파단선 $A-1-3-B$: $A_n = (h-2d)t$
- 파단선 $A-1-2-3-B$: $A_n = \left(h-3d+\dfrac{s^2}{4g_1}+\dfrac{s^2}{4g_2}\right)t$

15② · 18②
[계산] 인장재 순단면적(엇모배치)

제 4 절 | 한계상태설계법에 의한 설계인장강도

1 기본식

설계인장강도 ≥ 소요인장강도

$\phi P_n \geq P_u$

2 설계인장강도 $\phi_t P_n$의 산정

인장재의 설계인장강도 $\phi_t P_n$는 다음과 같은 두 가지 한계상태에 관한 강도값 중 작은 값으로 결정된다.

① 총단면의 항복 한계상태

$\phi_t P_n = \phi_t F_y A_g (\phi_t = 0.90)$

② 유효 순단면의 파단 한계상태

$\phi_t P_n = \phi_t F_u A_e \ (\phi_t = 0.75)$

여기서, F_y : 항복강도(N/mm^2), F_u : 인장강도(N/mm^2)

A_g : 부재의 총단면적(mm^2), A_e : 유효 순단면적(mm^2)

P_n : 공칭인장강도(N)

11② · 22②
[계산] 한계상태설계법에 의한 설계인장강도

제 5 절 | 압축재

1 강재단면의 분류

(1) 판요소의 폭두께비

① 비구속 판요소(플랜지)의 판폭두께비

㉠ 압연 및 용접 H형강

$$\lambda = \frac{B/2}{t_f} = \frac{b}{t_f} \ (B=2b)$$

여기서, B : 플랜지의 폭(mm)
t_f : 플랜지 두께(mm)

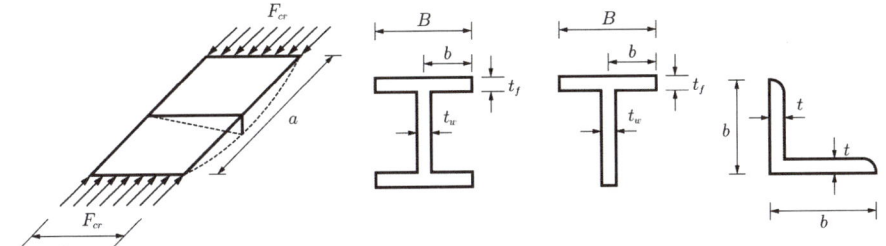

| 비구속 판요소의 폭과 두께 |

② 구속 판요소(웨브)의 판폭두께비

㉠ 압연 H형강

$$\lambda = \frac{H-2(t_f+r)}{t_w} = \frac{h}{t_w}$$

㉡ 용접 H형강

$$\lambda = \frac{H-2t_f}{t_w} = \frac{h}{t_w}$$

여기서, H : 보의 전체 춤(mm)
t_w : 웨브의 두께(mm)
r : 웨브 필릿의 반지름(mm)

17①
[계산] 플랜지와 웨브의 판폭두께비

제 6 절 | 보의 설계

1 보의 종류와 구조

(1) 형강보

H형강, I형강 또는 U자형강 등을 단독으로 사용한 보를 형강보라 한다.

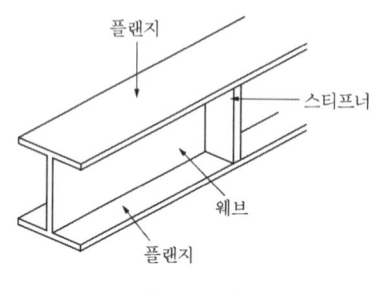

| 형강보 |

(2) 플레이트 거더(Plate Girder)

① 개요

㉠ 플레이트 거더는 강판으로 조립한 H형강으로서 휨모멘트와 전단력이 커서 압연강으로 내력 및 처짐을 만족시키기 힘들 때 사용한다.

㉡ 플레이트 거더는 웨브 스티프너가 존재하거나 2축 또는 1축대칭 H형 단면의 보로서 웨브의 판폭두께비 (h/t_f)가 $0.57\sqrt{E/F_{yf}}$ 보다 큰 경우에 적용한다.

㉢ 플랜지와 웨브의 접합은 볼트 접합 또는 용접 접합이 쓰인다.

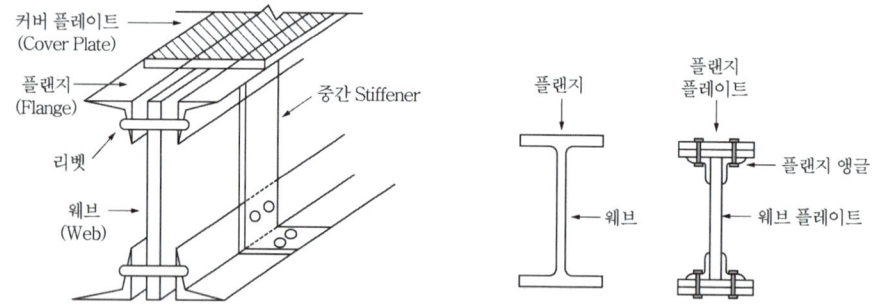

② 플랜지 플레이트(Flange Plate)

㉠ 플랜지 플레이트는 주로 휨모멘트에 저항하며 덧판(Cover Plate)으로 보강한다.

㉡ 덧판의 겹침수는 최고 4장까지로 하고 덧판의 전단면적은 플랜지 단면적의 70% 이하로 한다.

㉢ 부분적으로 덧판을 사용할 때는 계산상 필요한 위치에서 여장을 둔다.

③ 웨브 플레이트(Web Plate)
  ㉠ 웨브 플레이트는 주로 전단력에 저항하고, 스티프너로 보강한다.
  ㉡ 웨브 플레이트가 좌굴하는 것을 방지하고, 때에 따라서 집중하중을 전달시키기도 하고, 전단보강을 돕기 위하여 스티프너를 사용한다.
  ㉢ 스티프너는 보의 춤이 웨브판 두께의 60배 이상일 때 설치하며 그 간격은 보 춤의 1.5배 이하로 하고, 보통 앵글을 쓰며 웨브판의 양면에 대칭적으로 설치한다.

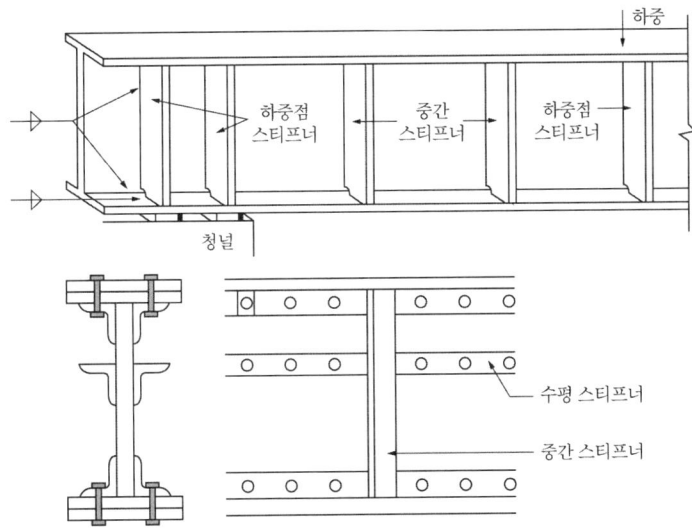

④ 스티프너(Stiffener)의 종류
  ㉠ 수직 스티프너
    • 중간 스티프너 : 주로 웨브의 전단 좌굴내력을 높이기 위해 직각방향으로 보강한 스티프너, 웨브의 지압파괴 방지에도 유효하다.
    • 하중점 스티프너 : 지점이나 보의 중간에 집중하중이 작용하는 점에 사용하는 스티프너를 하중점 스티프너라 하며, 위·아래 플랜지와 웨브에 밀착시킨다.
  ㉡ 수평 스티프너
    휨모멘트에 의한 재축방향의 압축력으로 인한 웨브 플랜지의 좌굴을 방지하기 위하여 재축방향으로 웨브 플레이트를 보강한 스티프너를 말한다.

제 7 절 | 접합부

1 보-기둥 접합

(1) 단순접합(전단접합)
　① 보의 웨브만을 기둥과 볼트 접합하여 접합부에서 전단력만을 전달할 수 있도록 한 접합형식
　② 접합부가 보의 회전에 대한 저항력이 전혀 없고, 기둥에는 전단력만 전달하고 휨모멘트는 전달하지 않는다.
　③ 접합이 간단하므로 시공비와 재료비가 절약된다.
　④ 수직하중에 의한 보가 부담하는 휨모멘트가 커서 보의 경제성이 줄어든다.
　⑤ 수평하중에 의한 휨모멘트를 보가 부담하지 아니하여 골조의 강성을 줄이는 단점이 있다.

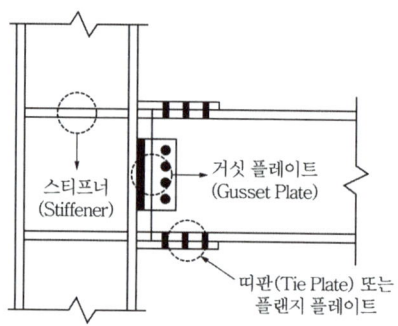

| 보-기둥 전단접합 |

> 14④
> [명칭] 보-기둥 접합부

(2) 강접합(모멘트접합)
　① 보의 플랜지와 웨브를 기둥에 일체화되도록 용접하여 접합부에서 전단력과 휨모멘트를 전달할 수 있도록 한 접합형식
　② 시공이 복잡하고 재료비용이 많이 든다.
　③ 수평하중에 의한 휨모멘트를 보가 같이 부담하므로 고층골조에서 유리하다.
　④ 수직하중 작용 시 보의 휨모멘트의 균형을 잡게 하므로 보의 단면을 줄일 수 있는 것이 장점이다.

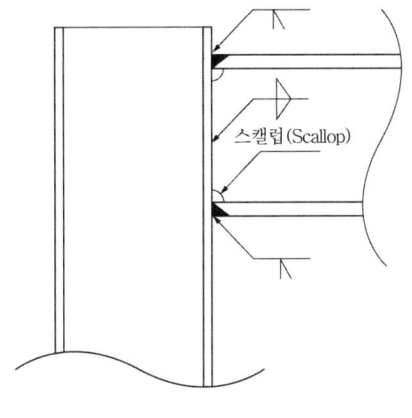

∥ 보-기둥 모멘트접합 ∥

> 15②
> [정의/그림] 강접합 및 전단접합

(3) 반강접합

플랜지 부분에 L형강을 대어 놓고 접합을 해서 이 L형강의 변형을 이용하는 것이 반강접합이다.

① 모멘트 저항능력이 20~90% 정도인 접합부를 말한다.
② 모멘트 저항능력이 전혀 없는 단순전단접합부와 완전모멘트 저항능력을 갖는 강접합부의 중간적인 거동특성을 나타낸다.

단원별 경향문제

13①·17④·20②·23① [3점]

01 다음 그림은 L=100×100×7을 사용한 철골 인장재이다. 사용볼트가 M20(F10T, 표준구멍)일 때 인장재의 순단면적(mm²)을 계산하시오. (단, 그림의 단위는 mm임)

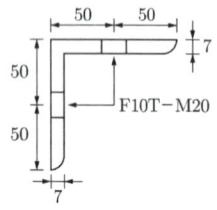 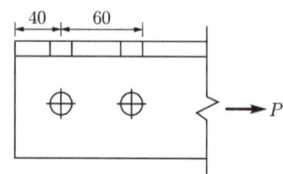

해설 인장재 순단면적
(1) 정렬배치이므로, $A_n = A_g - nd_0 t$ 식을 사용한다.
(2) 표준구멍이므로 $d_0 = d + 2.0 = 20 + 2 = 22mm$
(3) $A_n = A_g - nd_0 t = (50+50+50+50-7) \times 7 - 2 \times 22 \times 7 = 1,043 mm^2$

15②·18② [4점]

02 그림과 같은 인장부재의 순단면적을 계산하시오. (단, 판재의 두께는 10mm이며, 구멍 크기는 22mm이다)

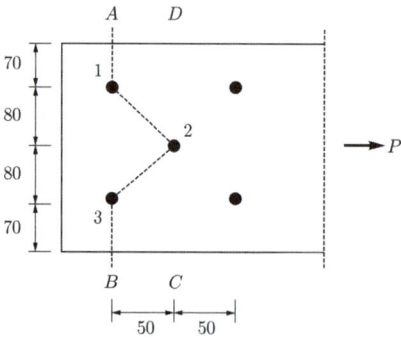

해설 인장재의 순단면적 계산
(1) 파단선 A-1-3-B인 경우 : 정렬 배치
$A_n = A_g - nd_0 t = (70+80+80+70) \times 10 - 2 \times 22 \times 10 = 2,560 mm^2$
(2) 파단선 A-1-2-3-B인 경우(엇모 배치)
$A_n = A_g - nd_0 t + \Sigma \dfrac{s^2 t}{4g}$
$= (300 \times 10) - 3 \times 22 \times 10 + \dfrac{(50)^2 \times 10}{4 \times 80} + \dfrac{(50)^2 \times 10}{4 \times 80} = 2,496.25 mm^2$

∴ 두 값 중 최솟값 $A_n = 2,496.25 mm^2$

03 총 단면적 $A_g = 5,624\mathrm{mm}^2$의 H-250×175×7×11(SM355)의 설계인장강도를 한계상태 설계법에 의해 산정하시오. (단, 설계저항계수 $\phi = 0.90$을 적용한다)

계산식 :

해설 한계상태설계법에 의한 설계인장강도

한계상태설계법에 의한 설계인장강도는 총 단면의 항복강도($0.9F_yA_g$)과 유효순단면의 파단강도($0.75F_uA_e$) 중 작은 값으로 산정해야 하지만 주어진 조건에서 설계저항계수를 0.90을 사용하라는 것은 총 단면의 항복만을 고려해서 설계인장강도를 계산하라는 뜻이다.
또한, 2019년부터 철골구조의 표기법이 인장강도가 아닌 항복강도를 나타내어 SM355의 항복강도는 355MPa이 된다.

$F_t = \phi F_y A_g = 0.9 \times 355 \times 5,624 = 1,796,868\mathrm{N} = 1,796.87\mathrm{kN}$

04 H-400×200×8×13(필릿반지름 $r = 16\mathrm{mm}$)인 부재의 플랜지와 웨브의 판폭두께비를 각각 계산하시오.

(1) 플랜지 판폭두께비 :
(2) 웨브의 판폭두께비 :

해설 판폭두께비 계산

형강의 표기법에 의해 H-높이-폭-웨브두께-플랜지두께의 순으로 수치를 대입한다.

(1) 플랜지의 판폭두께비

$$\lambda_f = \frac{B/2}{t_f} = \frac{200/2}{13} = 7.69$$

(2) 웨브의 판폭두께비

$$\lambda_w = \frac{H - 2(t_f + r)}{t_w} = \frac{400 - 2(13 + 16)}{8} = 42.75$$

05 다음은 철골 보-기둥 접합부의 개략적인 그림이다. 각 번호에 해당하는 구성재의 명칭을 기술하시오.

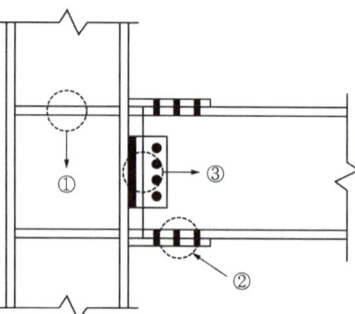

①
②
③

해설 접합부 명칭
① 스티프너(Stiffener)
② 띠판(Tie Plate)
③ 거싯 플레이트(Gusset Plate)

06 철골구조의 보-기둥 접합부에서 강접합 및 전단접합을 도시하고 설명하시오.

(1) 강접합 :
(2) 전단접합 :

해설 강접합과 전단접합

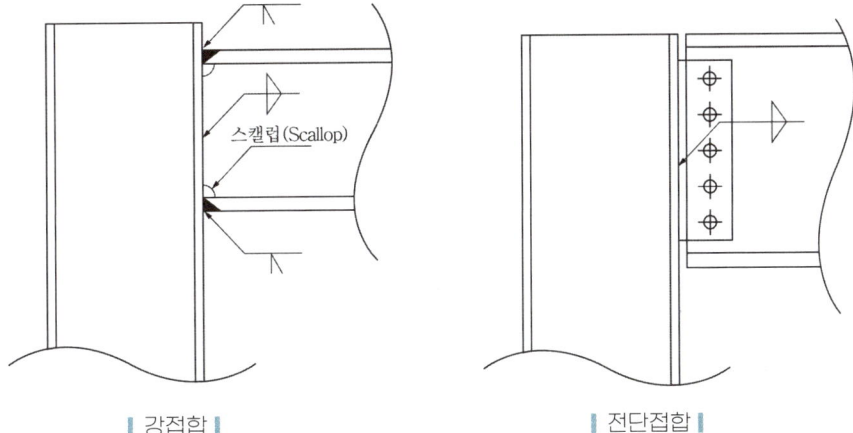

| 강접합 |　　　　| 전단접합 |

(1) 강접합 : 보의 플랜지와 웨브를 기둥에 일체화되도록 **용접하여** 접합부에서 전단력과 **휨 모멘트를 전달**할 수 있도록 한 접합형식
(2) 전단접합 : 보의 웨브만을 기둥과 **볼트** 접합하여 접합부에서 전단력만을 전달할 수 있도록 한 접합형식

MEMO

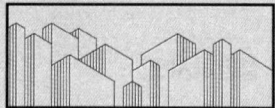

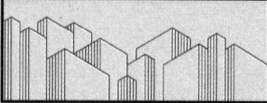

"온라인 NO.1 에듀마켓"

안남식

건축기사/산업기사
스타강사

건축분야 절대강자
일타강사

건축기사/산업기사 단기합격반

따라만 오세요,
안남식이 함께합니다.

60점 이상 무조건 합격을 목표로 따라오시면 무조건 합격합니다.
합격의 비결은 **안남식 교수님께서 말씀하신 대로만** 공부하시면 됩니다.

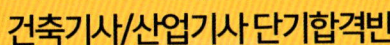

건축기사/건축산업기사 단기합격반

기초부터 탄탄히 다지고 싶은 수험생
0원 환급반
- 수강과목: 필기+실기+기출문제
- 수강기간: 180일+**무료연장 90일**

최종합격시 수강료 100%환급(환급절차 必 확인)

기초부터 탄탄히 다지고 싶은 수험생
연간 프리패스
- 수강과목: 필기+실기+기출문제
- 수강기간: 1년+**무료연장 1년**

불합격 걱정없이 넉넉하게 공부하세요

기초부터 탄탄히 다지고 싶은 수험생
종합반
- 수강과목: 필기+실기+기출문제
- 수강기간: 180일+**무료연장 90일**

필기+실기 한번에 해결!

필기시험에 도전하는 수험생
필기반
- 수강과목: 필기+기출문제
- 수강기간: 90일+**무료연장 45일**

시험에 나오는 핵심부분만 정리

필기시험 합격 후, 실기시험을 준비하는 수험생
실기반
- 수강과목: 실기+기출문제
- 수강기간: 90일+**무료연장 45일**

필답형 핵심노하우 전수

※ 상품명 및 수강기간은 변동 가능합니다.

단기합격 비법은 초압축 커리큘럼에서 시작된다.
따라만 하면 단기합격 커리큘럼

STEP 1 필기/실기 - 오리엔테이션
합격비법소개

STEP 2 필기 - 핵심이론+단원별 핵심문제
시험에 반드시 출제되는 핵심개념 압축 정리+문제

STEP 3 필기 - 기출문제
출제 경향 파악
최신 기출문제 반복 학습

STEP 4 필기 - 알짜 마무리특강
필기요약
최종마무리 정리

STEP 1 실기 - 필답형 핵심이론+단원별 핵심문제
시험에 반드시 출제되는 필답형 핵심이론+문제

STEP 2 실기 - 필답형 기출문제
출제 경향 파악
최신 기출문제 반복 학습

 건축기사/건축산업기사 **최종합격**